מקראות גדולות

שמואל ב'

SAMUEL II

מקראות גדולות

שמואל ב׳

תורגם מחדש לאנגלית

מתורגם ומבואר עם כל דבורי
רש״י ולקט המפרשים על ידי

הרב משה ח. סאסעוסקי

נערך בידי

אברהם י. ראזענברג

הוצאת יודאיקא פרעסס

Mikraoth Gedoloth

SAMUEL II

A NEW ENGLISH TRANSLATION

TRANSLATION OF TEXT, RASHI
AND OTHER COMMENTARIES BY

RABBI MOSHE C. SOSEVSKY

EDITED BY

RABBI A.J. ROSENBERG

THE JUDAICA PRESS

Samuel 2 — A new English translation

Part of the *Judaica Books of the Prophets* series

First edition: Two printings
Second edition: Seventh printing — 2012

ISBN: 978-0-910818-11-7

THE JUDAICA PRESS, INC.
123 Ditmas Avenue / Brooklyn, NY 11218
718-972-6200 / 800-972-6201
info@judaicapress.com
www.judaicapress.com

Manufactured in the United States of America

TABLE OF CONTENTS

RABBI MOSES FEINSTEIN
455 F. D. R. DRIVE
New York 2, N. Y.
OREGON 7-1222

משה פיינשטיין
ר"מ תפארת ירושלים
בנוא יארק

בע"ה

הנה ידוע ומפורסם טובא בשער בת רבים ספרי הוצאת **יודאיקא פרעסס על תנ"ך** שכבר יצא לאור על ספרי יהושע ושמואל ועכשיו בחסדי השי"ת סדרו לדפוס ג"כ על ספר שופטים והוא כולל הפירושים המקובלים בתנ"ך הנקוב בשם מקראות גדולות ועל זה הוסיפו תרגום אנגלית שהוא השפה המדוברת במדינה זו על פסוקי תנ"ך וגם תרגום לפרש"י מלה במלה עם הוספות פירושים באנגלית הנצרכים להבנת פשוטו של קרא והכל נערך ע"י תלמידי היקר הרב הגאון ר' אברהם יוסף ראזענבערג שליט"א שהוא אומן גדול במלאכת התרגום, והרבה עמל השקיע בכל פרט ופרט בדקדוק גדול, וסידר את הכל בקצור כדי להקל על הלומדים שיוכלו לעיין בנקל ואפריון נמטיה למנהל יודאיקא פרעסס מהור"ר יעקב דוד גאלדמאן שליט"א שזכה ומזכה את הרבים בלימוד התנ"ך שמעורר לומדיה לאהבה וליראה את שמו הגדול ולהאמין בו ובעבדיו הנביאים שהוא יסוד ושורש בעבודתו יתברך ואמינא לפעלא טבא יישר ויתברכו כל העוסקים בכל ברכות התורה וחכמינו ז"ל בברוך אשר יקים את דברי התורה הזאת.

וע"ז באתי עה"ח ביום ב' אדר תשל"ג

משה פיינשטיין

FOREWORD

In this volume, we present the Second Book of Samuel, or simply, II Samuel. As in our previous volumes we have faithfully rendered the Masoretic text into a literal, yet non-archaic translation. On one side of the page the reader will find the Lubliner 'Mikraoth Gedoloth' intact with all its traditional commentaries. On the opposite side of the page will be found our translation of the text, a literal translation of Rashi in its entirety, and a Commentary Digest which draws its material not only from the commentaries that appear in the Lubliner Nach, but also from the other great luminaries of late Medieval and more modern times, e.g. Abarbanel, Alschich, Malbim, and Hirsch.

Generous use has also been made of pertinent Talmudic and Midrashic material, plus philosophical and ethical works of our traditional philosophers and moralists (e.g., Drashot Ha-ran, Maimonides) whenever they prove pertinent to the understanding of the text. Cross references to the Book of Psalms and I Chronicles which help lend insight into our text are repeatedly noted, particularly whenever discrepancies between the versions seem to exist.

We feel it is of utmost importance to reiterate the basic assumption underlying this book, as well as the other books of this Judaica Press series; that the Books of the Prophets constitute a part of the Biblical writings which are the revealed word of God to His prophets. Because of this basic premise, though we attempt to provide a thorough and scholarly commentary, we are compelled to include only those sources which share with us this basic notion. The Books of the Bible, because of their extreme sanctity as God given documents, were accompanied by meticulously kept traditions which are time-honored and not to be subjected to the same critical techniques as non-sacred writings.

M. S.

INTRODUCTION

Title and Authorship : Because much of the discussion concerning the authorship and status of this book has already been presented in the introduction to the First Book of Samuel, we merely reiterate briefly some of the major points that had been made there.

The two books of Samuel are really one. There is no distinction made in the Talmud (T.B. Ba. Bat. 14b) between the two, nor are they separated in the parchment scrolls of the prophets. Though the Talmud attributes the authorship of Samuel to more than one individual, the division in terms of authors fails to correspond to the popular division of the books into two distinct units. According to the Talmud, the first twenty-five chapters of the so called I Samuel was written by the prophet Samuel, while the remainder of I Samuel, as well as all of II Samuel was authored by Gad the Seer, and Nathan the prophet. For Abravanel's theory concerning the authorship of these books, see the introduction to I Samuel.

The Book of Samuel, together with the books of Joshua, Judges, and Kings, comprise the segments of the Biblical literature known as 'The Early Prophets'. These differ from the 'Latter Prophets' by dint of the fact that they are mainly historical accounts of events, written in prose, in contrast to the Later Prophets which are essentially thematic and prophetic in content, and were authored in poetic style. According to Abravanel, the early prophetic books, while historical in content, nevertheless merit the general title 'Books of the Prophets' because they were written at the command of God, from information transmitted to the authors through Divine revelation.

Because the prophet Samuel recorded only a minor part of the Book of Samuel, the book's name is not attributable to his authorship, but to his pivotal role in anointing both Saul and David, Israel's two initial monarchs and the book's central characters.

Chronology : The Book of II Samuel opens with the account of Saul's death, an event which transpired in approximately the year 2883 A.M. Thus, David's rule, consisting of seven years at Hebron and thirty-three years at Jerusalem, spanned the years 2883 to 2923 A.M., or 877 to 837 B.C.E.

The Book of Samuel vis a vis the Book of Chronicles : Throughout this work we draw attention to numerous events cited in the Book of Chronicles which were omitted from the Book of Samuel. The opposite is also true, that a number of events detailed in the Book of Samuel are given only fleeting attention in the Chronicler's version. According to Abravanel, these differences exist because the prophets who authored Samuel, and Ezra the Scribe, the author of Chronicles, wrote their respective works from different perspectives. The prophet authors of Samuel were interested in events mainly for their ethical content and not for their mere historical significance, and found it necessary to establish the following guidelines for incorporating an event into their record; (a) If an incident provided indication of the central character's faith and devotion to God; (b) If it involved a transgression against the will of God; (c) If it noted the suffering that an individual or nation was forced to endure as atonement for a sin and (d) If it publicized any kindness shown either nation or individual by God. In contrast, the Chronicler, who lived a century after the destruction of the first Temple, was charged with the task of inspiring those who had returned to Zion for the construction of the Second Temple and therefore provided a work which recounted the nation's earlier glory in order to reawaken in his co-religionists a feeling of national pride.

Consequently, such information as the Chronicler's list of warriors who had aided David in his early military campaigns was deemed appropriate to his objective but was not in line with the moral and religious orientation of Samuel's authors. Similarly, morally significant events that failed to glorify the nation's history, were of definite interest to the prophet authors of Samuel, but of only fleeting interest to the author of Chronicles.

OUTLINE OF SAMUEL II

I. David as king of Judah (I-IV).

A. Saul's death (I:1-II:27).
1. David is informed of Saul's death (I:1-I:10).
2. David mourns Saul and Jonathan (I:11-27).

B. David is anointed king of Judah (II:1-4).

C. David praises the inhabitants of Jabesh-gilead for their proper burial of Saul (II:5-8).

D. Abner b. Ner establishes Ish-bosheth as king of Israel (II:8-12).

E. Conflict between David and Ish-bosheth's forces (II:12-III:1).
1. War games between the forces leads to tragedy (II:12-17).
2. Abner kills Asahel (II:18-III:1).
3. David raises a family (III:2-5).
4. Abner and Ish-bosheth quarrel (III:6-12).

F. Abner negotiates with David (III:12-21).
1. Abner sends messengers to David (III:12).
2. David demands Michal's return as a condition for further negotiation (III:13-16).
3. Abner gathers Israelite support for David (III:17-21).

G. Abner's death (III:22-39).
1. Joab rebukes David for accepting Abner (III:22-25).
2. Joab engages Abner in conversation and kills him (III:26-27).
3. David declares his innocence (III:28-30).
4. David mourns and eulogizes Abner (III:31-39).

H. Ish-bosheth's death (IV).
1. Two captains of Ish-bosheth's army assassinate him (IV:1-7).
2. David punishes the assassins (IV:8-12).

II. David as king of all Israel (V-X).
A. David is anointed king of Israel (V:1-5).
B. David captures Jerusalem from the Jebusites (V:6-10).
C. David's palace and family (V:11-16).

D. The Philistines engage Israel in battle and are defeated (V:17-25).

E. The ark is brought to Jerusalem (VI:1-23).
   1. The ark is removed from Kiryath-jearim (VI:1-5).
   2. Uzzah touches the ark and dies (VI:6-11).
   3. The ark is brought to Jerusalem (VI:12-19).
   4. Michal rebukes David (VI:20-23).

F. David desires to build the Temple (VII:1-29).
   1. David seeks permission to build the Temple (VII:1-3).
   2. God's response (VII:4-17).
   3. David praises God (VII:18-28).

G. David's wars and appointments (VIII).

H. David shows kindness to Jonathan's lame son Mephibosheth (IX).

I. War with Ammon (X:1-XI:1).

III. David's incident with Bath-Sheba and its tragic consequences (XI-XX).

A. David and Bath Sheba (XI:2-XII:25).
   1. Bath Sheba is brought to David (XI:2-5).
   2. Uriah the Hittite is killed (XI:6-25).
   3. David takes Bath Sheba as a wife (XI:26-27).
   4. Nathan rebukes David (XII:1-14).
   5. The child born to Bath Sheba dies (XII:15-23).
   6. Solomon is born (XII:24-25).

B. The city of Rabbah is captured (XII:16-31).

C. The rape of Tamar (XIII:1-22).

D. Absalom avenges his sister (XIII:23-33).

E. Absalom flees (XIII:34-39).

F. Joab seeks Absalom's return (XIV:1-33).
   1. The parable of the Woman of Tekoa (XIV:1-20).
   2. David consents to Absalom's return (XIV:21-33).

G. Absalom's rebellion (XV:1-XVI:14).
1. Absalom wins the favor of the people (XV:1-6).
2. Absalom revolts (XV:7-12).
3. David flees Jerusalem (XV:13-18).
4. Ittai shows his loyalty to David (XV:19-23).
5. The ark is sent back to Jerusalem (XV:24-30).
6. Hushai is sent to counteract Ahithophel (XV:31-37).
7. David is brought supplies by Ziba (XVI:1-4).
8. Shimel the son of Gera curses David (XVI:5-14).

H. Absalom's defeat (XVI:15-XVIII:18).
1. Hushai is accepted by Absalom (XVI:15-19).
2. Hushai and Ahithophel (XVI:20-XVII:14).
3. David is informed of the advice given Absalom (XVII:15-22).
4. Ahithophel commits suicide (XVII:23).
5. David in Mahanaim (XVII:24-29).
6. The battle between David and Absalom's forces (XVIII:1-8).
7. Absalom's death (XVIII:9-18).

I. David's reaction to Absalom's death (XVIII:19-XIX:9).
1. The tidings are delivered to David (XIII:19-32).
2. David is griefstricken (XIX:1).
3. Joab rebukes David for his reaction (XIX:2-8).

J. The people reaccept David (XIX:9-15).

K. David's return journey (XIX:16-40).
1. Shimei b. Gera seeks pardon (XIX:16-24).
2. David confronts Mephibosheth (XIX:25-31).
3. Brazillai and David (XIX:32-48).
4. David and the people cross the Jordan (XIX:40).

L. Dispute between Israel and Judah (XIX:41-XX:22).
1. The tribes of Israel and Judah argue (XIX:41-44).
2. Sheba b. Bichri incites rebellion (XX:1-2).
3. David returns to his palace (XX:3).
4. David commands Amasa to pursue Sheba; Joab kills Amasa (XX:4-13).
5. Sheba takes refuge in the city of Abel-maacah (XX:14-15).

6. Joab negotiates with the townspeople for the surrender of Sheba (XX:16-21).
7. Sheba is killed and delivered to Joab (XX:22).

M. David's chief officers (XX:23-26).

IV. Miscellaneous events in the life of David (XXI:XXIV).

A. A famine comes upon Israel (XXI).

1. The cause (XXI:1).
2. The expiation of the famine (XXI:2-14).

B. The wars against the Philistines (XXI:15-22).

C. A song of thanksgiving (XXII).

D. The 'last words' of David (XXIII:1-7).

E. A list of David's heroes (XXIII:8-39).

F. David's census (XXIV:1-25).
1. The census taking (XXIV:1-9).
2. David is offered a choice of punishments (XXIV:10-14).
3. The plague (XXIV:15-17).
4. David purchases an altar-site on the field of Aravnah the Jebusite and the plague is stayed (XXIV:18-25).

THE MONARCHY OF ISRAEL

Prior to beginning the commentary of II Samuel, the book that portrays the dawn of the Davidic dynasty in Israel, we commence with an analysis of the institution of the monarchy in Israel. We begin with the central question of whether the monarchical form of government was truly favored by God, or whether it was merely an accommodation to the will of the people.

Obligation or accommodation :

The Torah addresses itself to the establishment of a monarchy in Israel in the following manner :

> When you will come to the land which the Lord your God gives you, and you will possess it and dwell therein; and you will say: 'I will place a king over me, like all the nations that surround me'; You shall surely set him king over you whom the Lord your God shall choose; someone from among your brethren shall you set king over you . . . Only he may not multiply wives to himself, that his heart not turn away; neither shall he greatly multiply to himself silver and gold. And it shall be when he sits upon the throne of his kingdom, that he shall write for himself a double copy of this Law . . . And it shall be with him and he shall read therein all the days of his life, that he may learn to fear the Lord his God . . . (Deut. 17:1).

The discrepancy between the seemingly imperative nature of the Torah's command to appoint a king ('You shall surely set him king over you') and the chapter's historical setting which suggests that the monarchy shall be initiated as a response to the nation's request for a king, ('when you will come into the land . . . and you will say . . .'), causes the Talmudic sages to debate in Tractate Sanhedrin (20b) the obligatory nature of the monarchy. R. Judah insists that Israel's appointment of a king was meant to be obligatory, the first of a series of three commands that were incumbent on the nation upon their settling Eretz Israel, (a) to establish a monarchy; (b) to destroy the Amalekite nation and (c) to construct a Temple. A second scholar R. Nehorai, argues that the Torah's provision for appointing a king was not mandatory but rather an accommodation to the anticipated insistence by the nation

on this particular form of government. The Torah, rather than opposing the popular institution of the monarchy ('. . . place a king over me, like all the nations that surround me') attempted to limit its powers and guarantee that, if established, it would be in a manner that would render it in basic compliance with the laws and spirit of the Torah.

Abravanel, the late Medieval philosopher and biblical exegete who witnessed the tyrannical excesses of King Ferdinand and Queen Isabella of Spain during the period of the Inquisition (circa 1490), adds that both world history and the history of the largely unsuccessful monarchy in Israel lend credence to the notion that a democracy is a far more ideal form of government than a monarchy.

[Among the Medieval halachists we find the issue debated between Nachmanides and Maimonides. Nachmanides, in his commentary on Pentateuch (Deut. 17) contends that the monarchy was mere accommodation, while Maimonides in Ch. 1 of Hilchot Melachim decides in favor of the view that it was obligatory].

In contrast to Abravanel's harsh appraisal of the monarchy, the 19th century philosopher-exegete Samson Raphael Hirsch argues decisively in favor of the institution. Hirsch suggests that to assess accurately the desirability and success of the Israelite monarchy, one must recognize that its primary function differed totally from that of other nations (The passage '. . . I will place a king over me like all the nations that surround me' he interprets as follows: Just as all other nations achieve their national ideals by subordinating themselves to a head of state who has at his disposal all the national forces in order to achieve their nation's objectives, in this same manner Israel must place all their resources at the disposal of the king so that he may unify them in the internal realization of God's Torah). Ideally, the king of Israel was expected to be a model of religiosity and devoted service to God rather than an all-powerful political figure. Hirsch claims that it was for this reason that the monarchy was first established after the nation's firm entrenchment in the Land of Israel some four hundred years after their initial entry into the land ('when you will come to the land . . . and you will possess it and dwell therein'), for had the monarchy been instituted earlier, when the land was not fully conquered, the role of the monarch would inevitably have become that of warrior-conqueror rather than religious model.

Because most of Israel's kings strayed from their intended function

as religious leaders and fashioned their rule after the secular models, no historical evaluation of the institution of the Israelite monarchy could therefore be apropos to an assessment of its innate desirability. Indeed, the vision of the 'End of Days' when a Messiah-king from the stock of Jesse, who will be imbued with the fear of the Lord and will rise as the harbinger of an ideal society, provides us with potent proof that a monarchical form of government, where the king fulfills his true and intended capacity as religious model and devoted servant of God, may indeed be the ideal form of rule for the Israelite people.

The rule of the judges in contradistinction to the rule of the kings :

The Israelite nation, during the four hundred year span prior to the establishment of the monarchy, was governed by a series of Judges who enjoyed powers similar to that of the monarchs. Indeed, we may wonder precisely in what manner the rule of the monarchs differed from that of the judges.

Because Halachic sources dealing with this question are very sparse, we turn to Abravanel who suggests the following distinctions:

(1) Both the king and judge required the consent of the Sanhedrin and approval of the people to attain their positions. The king, however, was obligated to go through the unique process of anointment by prophet which served to indicate that he was especially chosen for his role by God.

(2) Specific forms of honor and respect outlined in the section of our introduction dealing with the obligations of the monarchy, i.e., the prohibition against marrying the king's divorcee, or making use of any of his utensils, applied only to a monarch and not to a judge.

(3) While a major function of the judgeship was to lead the nation in battle, the judge was unable to tax the people against their will for this purpose, nor was he entitled to take for himself a greater percentage of the spoils of battle than his men. The king was empowered to tax the people involuntarily and was legally entitled to half the spoils.

(4) The final and most significant distinction between monarch and judge consists of the fact that only the monarchy was inherited, while the judgeships were filled by appointment and not automatically transmitted from father to son.

The Sceptre of Judah : In Genesis 49, the patriarch Jacob assembles his sons and predicts how each of them will fare in the destiny of his

people. His fourth eldest son Judah is assured the right to rule over his brothers, 'The sceptre shall not depart from Judah . . . until the coming of Shiloh' (e.g., the Messiah, in the opinion of most major biblical commentaries). This assurance of uninterrupted Judean rule appears contradicted by three events in the history of Israel; (a) The very first king of Israel, Saul, was from the tribe of Benjamin; (b) In the division of the kingdom that followed King Solomon's death, only the rulers of Judea were descendant of the tribe of Judah, while the kings of Israel were of tribes other than Judah and (c) In the wake of the miraculous deliverance from Greek persecution for which we celebrate the holiday Hannukah, the priestly Hasmonean family established a monarchy in Israel whose kings were of the tribe of Levi.

Nachmanides attempts to reconcile Jacob's assurance to Judah with the contradictory historical events by suggesting that Jacob's statement guaranteed Judah only uninterrupted but not exclusive rule over his brethren. Thus the split in the monarchy, may have constituted a breach of the *spirit* of Jacob's declaration, but did not technically negate his wishes. Neither must the appointment of the Benjamite Saul as Israel's first king be viewed as contradictory to the patriarch's word, since God, because He was displeased with the nation's request for a king at a time when they were being admirably ruled by the prophet-judge Samuel, intentionally sought someone not of Judean descent as interim ruler until the time deemed appropriate for the establishment of the true and permanent Davidic dynasty in Israel.

Nachmanides concedes that the priestly Hasmonean family viloated Jacob's charge by establishing themselves as exclusive sovereigns of Israel at a time when there were no co-rulers of Davidic or Judean stock. He contends, however, that it was retribution for their violation, that they were forced to suffer the death of four of the sons of Mattathias in combat against their Greek oppressors.

Rabbeinu Nissim suggests an approach similar to Nachmanides, but with significant differences. R. Nissim contends that the verse 'the sceptre shall not depart from Judah' was not intended to preclude others, but only to assure Judah that their rights to the throne would not be revoked even should they displease God. Should they commit transgressions they would merely be reprimanded, but never forced to abdicate the throne in favor of another tribe. Since the phrase 'shall not depart' can logically apply only to something that had already been established, Saul's rule at

a time when the Davidic dynasty had not yet come into being, was not at all contradictory to the assurance of Judean continuity once the Davidic dynasty had come into existence. The emergence of the Hasmonean dynasty must also not be viewed as negating Jacob's promise, since Israel while technically independent, was at the time still subservient to Greek and Roman rule. The Hasmonean dynasty therefore did not constitute a fully independent kingdom to which Jacob's guarantee of continuous Judean rule could be viewed as contradictory.

[R. Nissim also suggests an alternate view which has the patriarch's prophecy referring exclusively to the rule of the king-Messiah when the throne shall remain the permanent possession of the tribe of Judah (עד כי יבוא שילה is rendered: 'from the time of the coming of Shiloh;' i.e., the Messiah).]

Abravanel departs radically from his predecessors by arguing that the 'sceptre' of the verse is not an exclusive reference to royalty but to general leadership status. While the monarchy may not have been the exclusive possession of Judah, the tribe did enjoy a singularly prestigious position since the very dawn of the nation's history, as indicated by the following: (a) Judah appears as the family spokesman in the brothers conflict with Joseph (Gen. 44:18). (b) Judah was chosen to travel at the nation's head in their desert wanderings (Num. 10:14). (c) The representative of the tribe of Judah was the first to bring an offering at the dedication of the Tabernacle (Num. 7:12). (d) Judah led the fighting for the conquest of the land (Judg. 2:1), and was the first to be allotted a portion therein (Josh. 15:1). (e) The fully legitimate Davidic dynasty in Israel was of Judean origin. (f) As testimony to their superior military prowess, the fighting men of Judah are constantly provided special mention in Saul's and David's military campaigns (I Sam. 11:18, II Sam. 24:9). (g) The heads of the Sanhedrin of the Second Commonwealth were of the tribe of Judah. (h) The presidents and exilarchs (נשיאים, ריש גלותא) traced their ancestries to the House of David. (See T.B. Sab. 56a, and San. 5a). It was this state of supremacy that was guaranteed Judah throughout the entire Jewish destiny until the coming of the king-Messiah who would once again uphold the tribe's glorious tradition.

The legal status of the Hasmonean dynasty:

In the previous section we noted Nachmanides negative view of the

Hasmonean dynasty. It is noteworthy that Maimonides apparently disagrees with Nachmanides by virtue of the fact that he incorporates the establishment of the Hasmonean dynasty among the miracles for which we celebrate Hannukah. (Laws of Purim and Hanukah Ch. 3). It is plausible that the debate concerning the legality of the Hasmonean dynasty is part and parcel of Nachmanides' and Maimonides' previously cited debate concerning the obligatory nature of the monarchy. Nachmanides, having viewed the monarchy as mere accommodation, perhaps reasoned that the Hasmoneans, rather than establishing a monarchy that was not in full compliance with the patriarch Jacob's wish, should have refrained totally from reinstituting the kingdom. Maimonides, however, who considered the monarchy an obligation, would argue that once the nation regained its independence, it was fully obligatory upon them to reestablish the monarchy. Consequently, the Hasmoneans' position of immense prestige as military and spiritual leaders may have compelled them to establish themselves as kings since they were the only ones capable of gaining the unqualified acceptance of the people.

The citizenry's role in choosing their monarch :

The king of Israel was not intended to be an autocratic despot, but rather a devoted servant of God and the citizenry of Israel. In order to attain his position it was therefore necessary for him to obtain both the consent of God and the people of Israel, a requirement which is made evident in the verse of Deut. 17 concerning the appointment of a monarch; (a) שום תשים עליך מלך '*You* shall surely set him king over you', (b) (אשר יבחר ד' אלקיך בו) 'Whom the *Lord* your God will choose.' The manner of accomplishing this dual consent was as follows. The king's anointment by prophet designated that he ruled with God's consent, while his appointment at the hands of the Sanhedrin in whom resided the will of the people, indicated that he ruled as the choice of the citizenry. Any monarch who had initially attained dual consent but ultimately lost the support of a majority of the citizenry, as did David in the course of his son Absalom's rebellion, retained his status as God's anointed (and could therefore not be legally replaced), but was no longer fully the representative of the people. Thus, during his flight David was unable to offer the traditional 'king's sacrifice' (See T.P. Hor. 3:2) and was as a result of his reduced legal status during this period, able to pardon Shimei b. Gera for the latter's rebellious insults (II Sam. Ch. 19) despite

the fact that a king's deferral of his honor would normally be invalidated (T.B. Kid. 32b). This second principle may account for the bitter argument between the men of Judah and the men of Israel regarding which of the two groups would be first to accompany David's return to Jerusalem following the successful defeat of Absalom's rebellion (II Sam. Ch. 19). This principle that the greater the king's support, the surer his legal status may also help explain Samuel's recoronation of Saul (I Sam. 11:14) after Saul had resoundingly defeated the Philistines in his initial military campaign. Samuel's intention may have been to gain for Saul the legal support of that segment of the population that had previously expressed great skepticism regarding his appointment (I Sam. 10:27). See Commentary Digest I Sam. 10:26.

Procedure for a king's appointment:

The appointment of a king in Israel required the consent of the Sanhedrin, the seventy-one member High Court of Israel, and the approval of a prophet (see above). A descendant of proselytes was unable to become king ('you shall surely place *from among your brethren . . .*') even if his family had been in the Israelite fold for many generations, nor was a woman legally able to attain the position of monarch. Anyone employed in menial labor even for one day, was disqualified for the position of king, because it would be difficult for his subjects to grant the king the full measure of respect due him.

A king of Davidic stock was anointed with 'shemen ha-mishcha', the anointing oil prepared by Moses and preserved through the period of the First Commonwealth. Abravanel suggests that the significance of using oil mixed by Moses was the reminder that the monarch's success was fully dependent on his ability to follow in the footsteps of Moses, the nation's first and greatest leader.

The anointment of the sovereign of the Davidic Dynasty would always transpire at the banks of a river or by the side of a well as a means of expressing the hope that the new monarch's rule would be as successful and flowing (from descendant to descendant) as water.

Because the act of anointment implied that the individual was particularly chosen for his role, anointment was waived when a son of a Davidic monarch inherited the throne, since the transfer of the kingship from father to son was automatic and implied no explicit choice. The exception was in a situation where the son was not the clear and

undisputed choice, either because he was not the eldest, or because his rule was being contested by one of his brothers. Kings of other than Davidic stock were not anointed with 'shemen ha-mishcha' but with oil derived from the 'afarsamon' fruit ('shemen afarsamon'). The ceremony of anointment consisted of pouring the oil in the shape of a crown on the head of the prospective king.

Since the kingship was inherited, if the king's heir was a minor, he would nevertheless assume the throne upon his father's death, but a regent would be appointed to run the affairs of government until he reached his majority. Any prospective king was required to be both God fearing and knowledgeable in the Torah. If the heir to the throne lacked knowledge in the Torah, he would be provided an instructor. If, however, he was found not sufficiently God fearing, even if he was exceedingly wise, he was legally unable to assume the throne. (Maimonides, Hilchot Melachim' Ch. 1).

Property Rights of Kings :

In I Sam. Ch. 7, the prophet Samuel cautions the Israelite nation of the danger that their king would be able to confiscate their properties at whim. Though the prophet's warning seems to indicate that the king had legal access to all of Israel's possessions, the subject is debated in tractate Sanhedrin (20b) between R. Judah and R. Nehorai. R. Nehorai opines that the monarch's right to Israelite property was indeed real and absolute, while R. Judah contends that the prophet Samuel was not describing the king's actual rights but sought only to inculcate a fear of the monarchy in the hearts of the people by notifying them of the inherent abuses to which the monarchy could lead.

Tosefot, commenting on the prevailing halakhic opinion that the king's rights to property were real, points out that this view appears contradicted by the incident in I Kings 21 where the prophet Elijah is infuriated at King Ahab for killing Naboth the Carmelite who had refused him a favored vineyard. The prophet's anger would tend to imply that Naboth was not rebellious (and consequently undeserving of death) in denying the king his field. Tosefot, in attempting to reconcile the incident with the prevailing Halakha, provides us with significant insights regarding the nature and limitation of the king's right to his subjects' properties. He suggests the following : (a) A king may perhaps acquire property only for the needs of the people in his service, not for his personal possession.

(b) Ahab was not punished for the seizure of Naboth's property but for putting him to death undeservedly. Had Ahab desired to acquire the field forcefully. Naboth would have been unable to refuse and would be deserving of death for disobeying the king's command. Because Ahab had offered money for the property, it seemed that he did not desire to invoke his royal powers but sought to acquire it as a private individual. Therefore, Naboth, in refusing was not rebellious and should not have been put to death.

(c) A careful analysis of the incident indicates that Ahab desired to acquire the vineyard for idolatorous practice, which made the seizure illegal.

(d) The monarch has absolute rights only to property that was purchased by the individual, but not to fields that he inherited.

(e) The right to confiscate property was granted only to a king who, was chosen by God to rule over all Israel. Ahab was not God's selection, neither did he rule over all Israel.

Maimonides, in partial agreement with Tosefot's initial opinion, states that the king could only acquire property for the needs of his army and not for his private use. He departs, however, from Tosefot's view by adding the stipulation that the owner, though forced to relinquish the property, was entitled to full remuneration.

Obligations of the Monarchy:

Every Israelite citizen was required at all times to show the king the fullest degree of respect and honor since the nation's appointment of a king assumed that they would always treat him as such. (See T.B. Ket. 17a). Even if a king was willing to waive the honor due him, he was legally unable to do so (*Ibid*).

No Israelite was permitted to ride on the king's horse, nor to sit on the king's seat; nor to use his sceptre, crown, or any other royal utensil.

The king's wife was never permitted to remarry even after the king's death. Even another monarch was prohibited to marry a king's widow or divorcee. A king was not required to perform the rite of 'yibum' (levirate marriage), nor was he required to grant 'chalitzah' to the brother's wife. The prohibition against marrying a king's widow applied also to the king's brother who was similarly prohibited from granting 'yibum' or 'chalitzah' to the king's widow.

No one was allowed to view the king while the king was in an undignified pose, such as nakedness.

If a relative had died, the king was not obliged to go further than the doorway of his palace to pay his respects to the deceased relative.

In order to assure that the king not lose perspective of his role as God's representative, the Torah sought to limit the grandeur and pomp that normally accompany the office by placing certain restrictions upon him. The king was limited in the number of wives he could marry. Perhaps due to the fact that many royal weddings had political usefulness, the prohibition applied only if he would take in excess of eighteen wives. Were he to transgress and exceed this amount, he would be subject to the punishment of 'malkut', (the thirty-nine lashes that are standard punishment for transgressing the Torah's negative commands). Even if he possessed but one wife he was nevertheless expected to show discretion and not allow his time and interest to be dominated by her.

The king was forbidden to purchase an excessive number of horses, nor was he permitted to possess an inordinate amount of gold and silver. In regard to the purchase of horses the monarch was able to purchase only the number required for his chariots. Even one horse that was purchased for mere show and not for military needs was deemed excessive and would constitute a transgression of the Torah's command. A similar standard applied to the acquisition of excessive wealth. Any gold or silver that was acquired for reasons of pride and was not dictated by economic necessity, constituted a breach of the Torah's command.

The king was never to be drunk, but was always to be totally immersed in the needs of his subjects or in the study of Torah.

Upon his appointment, the king was required to write or commission the writing of a Torah scroll so that he possess for himself a scroll in addition to the one passed on to him from his forefathers. If he did not inherit a Torah scroll from his forefathers, or if it was lost or stolen, he was obligated to write an additional scroll of law. One of these scrolls was to be placed in his archives, while the second was to be with him constantly. Even when going out to war, this scroll was to accompany him to the battlefront.

The king was expected to be constantly well-groomed and adorned with the finest clothing. Because his personal appearance was to be immaculate, the king was required to have his hair cut daily. While he was seated on his throne, he was expected to have a crown upon his head. When people would greet the king they were to bow to the ground

before him, and upon rising, remain standing in his presence. Even a prophet was required to kneel and stand before a king. When, however, the king approached the High Priest in order to inquire of the Urim and Tumim (the oracles), he was required to stand in deference to the High Priest's role as messenger-servant to God. Nevertheless, the High Priest was expected to honor the king by rising as the king would approach, and by responding to all the king would inquire of him. The king was obliged to show reverence for men of learning. When the Sanhedrin or other scholars would come toward him, he was to rise momentarily as a gesture of greeting, and then request that they be seated at his side. Generally the king was not required to see anyone since it was his prerogative to schedule appointments as he saw fit.

Because the king was but a servant of God, should he have requested something of an individual preoccupied in the performance of a 'mitzvah', the individual was not obligated to heed the king's command.

The king had the power to tax the people for the needs of the nation, and to press anyone into his service. He was entitled to as much as a tenth of the nations cattle and produce. When distributing the spoils of battle, the king was able to exercise the option of retaining half the spoils for himself. The remainder was divided between his army and the people.

Despite these few prerogatives that the king enjoyed, he was basically not above the law. He could be called upon to provide testimony in a court case and could even be brought to trial for a crime that he had perpetrated. Though the king was originally under the full jurisdiction of the courts, the rabbis ultimately found it necessary to decree that a king not of true Davidic stock not be subject to the jurisdiction of the courts. This was necessitated by an unfortunate incident in which the entire High Court died as heavenly retribution for allowing themselves to be intimidated by King Yannai (Second Commonwealth) in a court case involving his servant.

In the king's role as guardian of justice, he was less restricted than the courts, since he enjoyed the right to apprehend known criminals even when normal court procedure could not bring them to justice. He was also authorized to administer punishments harsher than those prescribed by the laws of the Torah. In all such instances, the king's actions were expected to be motivated by his interest in the general welfare and never by personal consideration. (Maimonides, Hilchoth Melachim, Ch. II, III, IV).

The Rebel:

In T.B. San. 48b, R. Shlomo Yitzhaki (widely known as Rashi) finds the origin of the death penalty for rebellious acts perpetrated against the king in a verse in Joshua where the nation stipulates that whosoever rebels against Joshua's word shall be put to death (Josh. 1:18). Based on this source, Zvi Hirsch Chayes (Kol Kithvei Ma-haratz Chayes, vol. 1 pp. 45-48) reasons that the death penalty did not directly originate from the Torah's penal system, but was initiated in the form of a private agreement between the nation and their leaders whereby the nation consented to the penalty of death for acts of rebelliousness against their chosen leaders. Though no one has the legal authority to consent to the forfeiture of even his own life, the nation was nevertheless authorized to enter into such an agreement because the killing of the rebel could be construed as constituting an act of national self-defense. In accepting a leader, a nation informally declares that its physical safety and well-being is fully dependent upon the measure of authority that their leader enjoys, based on the well-established principle that under weak and ineffective leadership a nation becomes far more subject to civil disorder and foreign aggression. Once responsibility for its national security is vested in a specific individual, the citizenry may then rightfully declare that any act deemed capable of undermining that individual's authority may be viewed as a threat to the nation's safety and well-being, and therefore fully sanctions the death penalty for its perpetrator.

An alternate source for the origin of the rebel's death penalty is provided by Nachmanides (Commentary on Pentateuch Lev. 27:24), who bases it on the following Biblical verse: 'No one doomed who shall be doomed of man shall be released; but shall surely be put to death.' Nachmanides contends that the term 'doomed of man' refers to individuals condemned by the king or political heads-of-state to die for acts of a rebellious nature against their person. Unlike Chajes, Nachmanides thus suggests a direct Biblical source for the origin of the death penalty for rebellious acts against heads-of-state.

Who tries the rebel?

Maimonides, in Hilchoth Melachim (Ch. III, h. 8) suggests that the (רשות למלך להורגו) king alone had the legal authority to kill the rebel. This contention, seems however, to be directly contradicted by the incident concerning the rebel Sheba b. Bichri (II Sam. Ch. 20) who was

delivered decapitated to David's commander-in-chief Joab by the townspeople of Abel-Maacha. If legally only the king may execute the rebel, what right did the pious and learned (The saintly Serah b. Asher was the city's negotiator. See R. XX:16-21) townspeople of Abel-Maacha have to kill Sheba personally instead of delivering him alive to Joab?

The noted halachic authority Rabbi Z. Soloveitchik (Brisker Rav) submits (in his commentary on the Pentateuch) that there may well be a legal distinction between a mere rebel who refuses to subject himself to the will of the king, and one who actively seeks to undermine the Divinely chosen rule of the Davidic Dynasty. Basing himself on Maimonides' introduction to T.B. Sanhedrin Perek Helek, he argues that in the former case the perpetrator is simply a rebel who may be put to death by the king alone. In the latter case, however, where the perpetrator questions the Divine selection of David's household, the individual in question must be considered not only a rebel but also a heretic, who may legally be put to death by any citizen (Maimonides Hilchot Mamrim Ch. 3). Since Sheba b. Bichri's affront was not merely of a personal nature, but constituted an attempt to dispute the legitimacy of David's rule ('we have no portion in the son of Jesse' — II Sam. 20:1), he was both a rebel and heretic, and was therefore fair game for any citizen.

The Sanhedrin and the Rebel :

The precise role of the Sanhedrin in the process of administering justice to the rebel needs clarification. From T.B. Megillah it would appear that the rebel need not be tried at all by the Sanhedrin. Yet we find that T.B. Sab. (56a) accuses David of halachic oversight in not trying Uriah the Hittite (who merely refused to subject himself to the will of David, and was therefore not a heretic but a rebel of the first category outlined in the previous section) before ordering him killed. Tosefot (T.B. San. 36a) reconciles these contradictory sources by offering that the Sanhedrin's role was limited to determining if the acts attributed to the rebel were indeed committed, but once it was determined that the offense to the king was perpetrated, the standard trial procedure could then be waived. (See Tosefot Ibid. for an alternate suggestion) David, who had first-hand knowledge of Uriah's rebelliousness, since it was perpetrated in his presence, may have reasoned that no trial was necessary to determine Uriah's culpabiltiy. He was nevertheless mistaken, since the initial determination of guilt by the Sanhedrin is a requirement which could not be waived under any circumstances.

ספר שמואל ב

●

מקראות גדולות

SAMUEL II

א א וַיְהִי אַחֲרֵי מוֹת שָׁאוּל וְדָוִד שָׁב
מֵהַכּוֹת אֶת־הָעֲמָלֵק וַיֵּשֶׁב
דָּוִד בְּצִקְלָג יָמִים שְׁנָיִם׃ ב וַיְהִי ׀ בַּיּוֹם
הַשְּׁלִישִׁי וְהִנֵּה אִישׁ בָּא מִן־הַמַּחֲנֶה
מֵעִם שָׁאוּל וּבְגָדָיו קְרֻעִים וַאֲדָמָה עַל־
רֹאשׁוֹ וַיְהִי בְּבֹאוֹ אֶל־דָּוִד וַיִּפֹּל אַרְצָה
וַיִּשְׁתָּחוּ׃ ג וַיֹּאמֶר לוֹ דָּוִד אֵי מִזֶּה תָּבוֹא
וַיֹּאמֶר אֵלָיו מִמַּחֲנֵה יִשְׂרָאֵל נִמְלָטְתִּי׃
ד וַיֹּאמֶר אֵלָיו דָּוִד מֶה־הָיָה הַדָּבָר הַגֶּד־
נָא לִי וַיֹּאמֶר אֲשֶׁר־נָס הָעָם מִן־
הַמִּלְחָמָה וְגַם־הַרְבֵּה נָפַל מִן־הָעָם
וַיָּמֻתוּ וְגַם שָׁאוּל וִיהוֹנָתָן בְּנוֹ מֵתוּ׃
ה וַיֹּאמֶר דָּוִד אֶל־הַנַּעַר הַמַּגִּיד לוֹ אֵיךְ
יָדַעְתָּ כִּי־מֵת שָׁאוּל וִיהוֹנָתָן בְּנוֹ׃

א וַהֲוָה בָּתַר דְמִית שָׁאוּל וְדָוִד
תַּב מִלְמִמְחֵי יַת דְבֵית עֲמָלֵק וִיתֵיב דָוִד
בְּצִקְלָג יוֹמִין תְּרֵין׃
ב וַהֲוָה בְּיוֹמָא תְלִיתָאָה וְהָא גַבְרָא אֲתָא
מִמַשְׁרִיתָא מִלְוַת שָׁאוּל וּלְבוּשׁוֹהִי מְבַזְעִין
וְעַפְרָא רְמֵי בְּרֵישֵׁיהּ וַהֲוָה בְּמֵיתוֹהִי לְוַת דָוִד
וּנְפַל עַל אַרְעָא וּסְגִיד׃
ג וַאֲמַר לֵיהּ דָוִד אֵי מִדֵין
אַתְּ אָתֵי וַאֲמַר לֵיהּ מִמַשְׁרִיתָא דְיִשְׂרָאֵל
אִשְׁתְּזֵיבִית׃ ד וַאֲמַר לֵיהּ
דָוִד מָה הֲוָה פִּתְגָמָא חַוִי
כְעַן לִי וַאֲמַר דְאַפִּיךְ
עַמָא מִן קְרָבָא וְאַף סַגִי
נְפַל מִן עַמָא וְאִתְקְטָלוּ
וְאַף שָׁאוּל וִיהוֹנָתָן בְּרֵיהּ
מִיתוּ׃ ה וַאֲמַר דָוִד
לְעוּלֵימָא דִמְחַוֵי לֵיהּ
אֵיכְדֵין יְדַעְתְּ אֲרֵי מִית
שָׁאוּל וִיהוֹנָתָן בְּרֵיהּ׃
ואמר

רש"י

הל׳ בקמץ

א (ב) והנה איש בא מן המחנה. יש בפסיקתא

מהר"י קרא

א (ג) נמלטתי. נשמטתי׃

רד"ק

(ב) ויהי בבואו אל דוד. בבי"ת׃

רלב"ג

(ד) אשר נס העם מן המלחמה. ספר מקרה הרע שקרה בהדרגה כראוי כדי שלא יגיע ההפעלות לשמוע כי אם בהדרגה כי זה ממה שייסיר אל סבל הרע ההוא בזולת הפעלות גדול מאד והמשל כי מי שימות אוהבו בזולת חולי קודם ידאג לו יותר ממה שידאג אם היה לו חולי קודם ויעתק אל הרע בהדרגה ולזה ספר בזה המקום ניסת העם לראשונה ואחר זה ספר מיתת־קצתם יותר קשה מהניסה ואחר ספר מיתת ראשי העם בהם שאול ויהונתן בנו שהוא יותר קשה ממיתת העם׃

מצודת דוד

א (ה) איך ידעת. שמא מאומד או מפי השמועה׃

מצודת ציון

א (ב) ואדמה׃ עפר. (ג) אי בזה. איה המקום שתאמר שאם

Commentary Digest

and 'many of the people fell and died,' and finally—'Saul and his son Jonathan died.' He failed to mention Saul's other sons because of their lack of prominence as compared to Jonathan. It is also possible that he saw only Jonathan, who always accompanied his father, but not the other sons.

5. *"How did you know"* — Were you an eyewitness, or is this merely hearsay or conjecture?—A and D

1. And it was, after Saul's death, and David had returned from
beating the Amalekites, that David dwelt in Ziklag two days.
2. And it was on the third day, and behold, a man came from
the camp, from Saul, and his clothes were rent, and there was
earth on his head. And it was, when he came to David, that he
fell to the ground and prostrated himself. 3. And David said
to him, "Where are you coming from?" And he said to him,
"From the camp of Israel, I have escaped." 4. And David said
to him, "What was the situation? Tell me now." And he said,
"That the people fled from the battle, and also many of the
people fell and died, and also Saul and his son Jonathan died."
5. And David said to the youth who told him, "How did you
know that Saul and his son Jonathan died?"

Commentary Digest

CHAPTER 1

1. The Scripture tells us how David was informed of Saul's death.—A

2. *and behold, a man came from the camp—It is found in Pesikta* (D' Rav Kahana ch. 3:143, Rabb. ch. 12:9) *that this was Doeg, but it does not seem plausible to me."* (lit. It is not settled on my heart) — R. This seems implausible for the following reasons: (1) Both David and Saul recognized Doeg, for he was the chief of Saul's shepherds (vid. I Sam. 21:8, Commentary Digest. Cf. Ibid. 22:9, 18. (2) He is called a youth, when in reality he was the head of Saul's tribunal according to R I Sam. 21:8. The version in T at the end of 'כי תצא' is: He was the *son* of Doeg the Edomite. According to this version, there is no difficulty. Cf. Y בשלח 267, Ibid. II Sam. 141.—Seder Hadoroth p. 88. Cf. T. Buber, end of 'כי תצא'.

And his clothes were rent and there was earth on his head — as a sign of mourning. — A.

4. *"That the people fled, etc.*—He broke the news gradually, lest he shock him by telling him immediately of Saul's and Jonathan's deaths.—G. A explains thus: First 'the people fled from battle'. While they were fleeing, the Philistines pursued them,

ו וַיֹּאמֶר הַנַּעַר ׀ הַמַּגִּיד לוֹ נִקְרֹא נִקְרֵיתִי
בְּהַר הַגִּלְבֹּעַ וְהִנֵּה שָׁאוּל נִשְׁעָן עַל־
חֲנִיתוֹ וְהִנֵּה הָרֶכֶב וּבַעֲלֵי הַפָּרָשִׁים
הִדְבִּקֻהוּ: ז וַיִּפֶן אַחֲרָיו וַיִּרְאֵנִי וַיִּקְרָא
אֵלָי וָאֹמַר הִנֵּנִי: ח וַיֹּאמֶר לִי מִי־אָתָּה
וָיֹּאמַר אֵלָיו עֲמָלֵקִי אָנֹכִי: ט וַיֹּאמֶר אֵלַי
עֲמָד־נָא עָלַי וּמֹתְתֵנִי כִּי אֲחָזַנִי הַשָּׁבָץ
כִּי־כָל־עוֹד נַפְשִׁי בִּי: י וָאֶעֱמֹד עָלָיו
וַאֲמֹתְתֵהוּ כִּי יָדַעְתִּי כִּי לֹא יִחְיֶה אַחֲרֵי
נִפְלוֹ וָאֶקַּח הַנֵּזֶר ׀ אֲשֶׁר עַל־רֹאשׁוֹ

תרגום

ו ואמר עולימא דמחוי
ליה אתערעא אתערעית
בטורא דגלבוע והא
שאול סמיך על
מורניתיה והא רתיכיא
ומשרית פרשיא
אדבקוהי: ז ואתפני
לאחורוהי וחזני וקרא
לי ואמרית הא אנא:
ח ואמר לי מן את
ואמרית ליה עמלקאה
אנא: ט ואמר לי קום
כען עלי וקטולני ארי
אחדני רתיתא ארי כל
עוד נפשי בי: י וקמית
עלוהי וקטלתיה ארי
ידענא ארי לא יחי בתר
די נפל ונסיבית כלילא
די על רישיה וטוטפתא
דעל

מהר"י קרא ואומר קרי ואו פתוחה נון בחירק

(ו) נקרא נקריתי. לשון אירוע וכת"י אתערעא איתערעית. מקרה שהקרה דרכי שם לא לעזור לא לזה ולא לזה: (ז) ויפן אחריו ויראני. ויכר שאיני מפלשתים הנלחמין בו: (ח) מי אתה. כמו הלנו אתה אם לצרינו: עמלקי אנכי. לא לעזרתך ולא לעזרת צריך באתי: (ט) אחזני השבץ. אחדתני רתיתא: כי כל עוד נפשי בי. בעוד שנפשי בי: (י) ואקח הנזר אשר על ראשו ואצעדה אשר על זרועו. יש תימה מה להם למלכים להוליך צמידים ונזר למלחמ' מקושטין בכתר מלכות. אלא אצעדה אלו תפילין שבזרוע. ונזר אלו תפילין שבראש. וכת"י טוטפתא דעל דרעא. ועל חנם שינו פי' המקרא שמנהג המלכים לצאת מקושטין עדי זהב

רש"י

בזה דואג ואינו מיושב על לבי: (ט) אחזני השבץ. אחדני רתיתא. ומדרש אגדה משום עון הכהנים שהרג וכתוב בהן כתנת תשבץ: כי כל עוד נפשי בי. מהר ומותתני טוב לי שתמותתני אתה ואל יהרגוני אלה ויתעללו

רלב"ג

(ו) והנה שאול נשען על חניתו ידמה שאמר שנפל על חניתו ורצה שלא דקרהו היה שאול נשען עליו ככה שהבלים הדקירה וכאשר ראה כי לא יכול על זה אמר לנער העמלקי שימותתהו: (ט) כי אחזני השבץ כי כל עוד נפשי בי. הרצון בזה לפי מה שאחשוב שהשבץ שהיה לבוש היה מתוכן להוסיף לו חוזק באופן שלא יוכל החרב להתכו בקלות ואמר שאול שהחנית שנפל עליו אחז לו השבץ ולזה לא היה יכול לעבור לדקרו וכאשר אמר שהוא חי עדיין ובקש ממנו שימיתהו שלא יתעללו הערלים בו: (י) כי ידעתי כי לא יחיה אחרי נפלו. ר"ל שלא המית לעצמו הריגת שאול אלא מפני שנתברר לו

רד"ק

(ו) נקרא נקריתי. במקרה באתי שם לא מדעתי שאמצא אותו שם ונקרא מקור בנפעל שלם בנו"ן כמו נשאול נשאל דוד: נשען על חניתו. מהמכה שנפל על חרבו: ובעלי הפרשים. מחנות הפרשים כתרגומו משירית פרשיא וכן תרגם בעל גד מישר גד ויש לפרש בעלי הפרשים ראשי הפרשים והממונים עליהם: (ח) ויאמר אליו עמלקי אנכי. כן כתיב יקרי ואומר והקרי מבואר והכתוב ר"ל כי אחר אמר לו כי הוא עמלקי לפי ששאול הרג עמלקיים לא אמר עמלק אנכי: (ט) כי אחזני השבץ. שם חולי אולי יקרה לאדם מחמת מכת חרב ותרגם יונתן ארי אחדני רתיתא. ובדרש עון נוב עיר הכהנים הלובשים כתנת תשבץ שהרגתי וי"מ הפרשים לבושים תשבץ כמו שאומר ובעלי הפרשים הדביקוהו: כי כל עוד נפשי בי. בעוד שנפשי בי ואל יהרגוני הערלים ולפי' האחר אמר כי כל כך אצטער מחמת המכה שעדיין נפשי בי לכך אני רוצה שתקרב את מיתתי: (י) ואמותתהו. הוי"ו פתוחה ומשפטה להיות בקמץ כי הענין לעבר וכמוהו ואשפך ואכסך משי הוי"ו פתוחה והענין לעבר

מצודת ציון

אני בא: נבלשתי. ענין הבמטה והגלה: (ו) נקרא נקריתי. מלשון מקרה: נשען. נסמך: ובעלי הפרשים. הם הרגלים הרכב ברכיבה: הדביקהו. ר"ל באו קרוב לו: (ט) השבץ. חולי הרתת כת"י: (י) הנזר. העטרה: ואצעדה. שם העדי בעל הזרוע וכן אלעדה

מצודת דוד

(ו) נקרא נקריתי. במקרה באתי להר הגלבוע: נשען. על כי הפיל עצמו על חרבו וכמ"ש (בש"א לא) נחלה מן המכה והיה נשען על חניתו ואנשי הרכב באו קרוב אליו: (ח) מי אתה. מאיזה עם: (ט) כי כל עוד. ר"ל כל הנשאר בי עוד הוא רק אשר עדיין נפשי בי ולא יותר כי כבר הלכו ממנו ההרגשות כולם וא"כ בוודאי אמות ולזה הפלס המיתה לבל יתעללו בי הערלים טרם אמות: (י) כי לא יחיה. א"א לו להשאר חי אחרי הנפילה שנפל על חרבו:

Commentary Digest

me. G renders: My armor encompasses me and does not allow the sword to pierce it.

For as long as my life is within me — "Hasten and put me to death. It is better for me that you put me to death than these (men) slay me and mock me."—R. Saul had no strength to complete the sentence. Others render: for my whole life is yet within me, but I cannot move. Therefore, I beg you to slay me.—I

10. *the crown which was on his*

6. And the youth who told him said, "I chanced to be on Mt. Gilboa, and behold, Saul was leaning on his spear, and behold, the chariots and the leaders of the cavalry had overtaken him.
7. "And he turned around behind him, and he saw me and called to me, and I said, 'Here I am'. 8. "And he said to me, 'Who are you?' And I said to him, 'I am an Amalekite.' 9. "And he said to me, 'Stand over me now, and put me to death, for a shudder has seized me, for as long as my life is within me . . .'
10. "And I stood over him and put him to death, for I knew that he would not live after his fall, and I took the crown which was on his head

Commentary Digest

6. *I chanced to be on Mt. Gilboa* — I came by chance, not knowing that I would find him there.—K. Cf. R I Sam. 28:15

leaning on his spear — After having been stabbed by falling on his own sword (I Sam. 21:4), he was in a very weakened condition. He therefore leaned on his spear for support.—K, A, and D. G explains that when Saul impaled himself upon his sword, it failed to penetrate his armor. He therefore leaned on it with all his might. He renders 'חנית' as 'sword.'—A

the leaders of the cavalry — K. J renders: The companies of the cavalry.

8. *And I said* — Heb. ואמר. The 'kethib' is 'ויאמר' and he said, i.e. someone else said. Since he knew that Saul had slain many Amalekites, he hesitated to disclose his identity. —K

9. *a shudder has seized me*—Heb. אחזני השבץ *"The Midrash Agadah explains. Because of the iniquity of Nob the city of priests which he had slain, concerning whom it is stated:* כתנת תשבץ, (a tunic of checkered work) (Ex. 28:4)"—R from T. Mezora 2, Buber 4. The reference to the checkered work tunics may be explained thus. The priestly vestments were designed as an atonement for sins, with the tunic atoning for the sin of murder. (Zev. 88b). Since Saul had slain the priests who wore the checkered work tunic, he could not hope for its atonement. According to our version, T quotes another passage: ועשית משבצת זהב, and you shall make settings of gold, (Ibid. v. 13). This alludes to the slaying of the high priest who wore the 'hoshen' attached to the golden settings. K explains שבץ as death throes. An alternate rendering is: The armored horsemen have seized

ואצעדה אשר על־זרעו ואביאם אל־
אדני הנה: יא ויחזק דוד בבגדו ויקרעם
וגם כל־האנשים אשר אתו: יב ויספדו
ויבכו ויצמו עד־הערב על־שאול ועל־
יהונתן בנו ועל־עם יהוה ועל־בית
ישראל כי נפלו בחרב: יג ויאמר דוד
אל־הנער המגיד לו אי מזה אתה
ויאמר בן־איש גר עמלקי אנכי:
יד ויאמר אליו דוד איך לא יראת
לשלח ידך לשחת את־משיח יהוה:

תרגום

דעל דרעיה ואיתיתינון לות רבוני הלכא:
יא ואתקיף דוד בלבושוהי ובזענון ואף כל גבריא דעמיה:
יב וספדו ובכו וצמו עד רמשא על שאול ועל יהונתן בריה ועל עמא דיי ועל בית ישראל ארי אתקטלו בחרבא:
יג נאמר דוד לעולמא דמחוי ליה אי מדין את נאמר בר גבר גיור עמלקאה אנא: יד נאמר ליה דוד איכדין לא דחלתא לאושטא ידך לחבלא ית משיחא דיי:

וקרא

ת"א ויחזק דוד בבגדיו. מ"ק כב כו (שם פג): פ׳ שאול ועל יהונתן. נדרים פז:

בבגדיו קרי

רש"י

כי: (י) ואצעדה אשר על זרועו. וטוטפתא דעל דרעיה:

מהר"י קרא

כמו שמצינו במדינים שנלחמו עם גדעון דכתיב אשאלה מכם שאלה ותנו לי איש נזם שללו כי נזמי זהב להם וכתיב ויהי משקל [נזמי] הזהב אשר שאל אלף ושבע מאות [זהב] לבד מן השהרנים והנטיפות ובגדי הארגמן שעל מלכי מדין ולבד מן הענקות אשר בצוארי גמליהם. וכתיב בעמון ויקח את עטרת מלכם מעל ראשו וגו׳ למדנו שיוצאין מקושטין במלחמה: (יג) אי מזה אתה. מאי זה מקום אתה שתכבדני בנזר ואצעדה מאחר שאתה עמלקי: ויאמר [בן] איש גר עמלקי אנכי. אבי עמלקי היה ונתגייר ותורתכם אני שומר: (יד) איך לא יראת לשחת את משיח ה׳. אם כדברך שנתגיירת ותורתינו אתה שומר.

רד"ק

ופירשו הקדמונים לפי שכזב שלא המיתהו שהרי נפל על חרבו ומת לכך נפתחה וי"ו ואמותתהו: אחרי נפלו. אחרי שנפל על חרבו לא היה יכול לחיות מחמת המכה וקרבתי את מיתתו כמו ששאל ממני או פירושו כי לא היה יכול לחיות שהרי הפרשים השיגוהו והיו קרובים לבא עליו ויהרגוהו ורצה שאהרגהו אני ולא הם: (יא) ויחזק דוד בבגדיו. מכאן למדו רבותינו ז"ל שחייב אדם לקרוע על נשיא ועל אב ב"ד שאול זה נשיא ויהונתן זה אב ב"ד וכן על רוב צבור כמו שנאמר ועל עם ה׳ ועל בית ישראל ולמדו לפי שפרט אותם משמע שעל כל אחד ואחד מהם חייב לקרוע דכתב בבגדו שאין אדם חייב לקרוע אלא עליון וקרי בבגדיו כי דוד קרעם כלם כי קרע על שאול לבדו וקרע על יהונתן וקרע על עם ה׳: (יב) ומה שאמר על עם ה׳ ועל בית ישראל. והכל אחד כפל הענין לרוב הצרה כלומר בית ישראל נפלו בחרב יהם עם ה׳ או אמר כן לפי שהיו רוב ישראל שם. ובדרש מפני מה לא פירש הכתוב כמה חללים נפלו בהר הגלבוע על שם אל תגידו בגת אל תבשרו וגו׳: (יג) אי מזה אתה. לא שאל מאיזה עם שהרי שמע מספור דבריו כי עמלקי הוא אלא שאל לו מאיזה מקום כלומר אם היה גר בארצו שהיא ארץ עמלק ואיך נקרה אל המלחמה והוא ענה כי גם אביו בא מארץ עמלק וגר בארץ ישראל וכן פירש כל גר

רלב"ג

שאי אפשר שיחיה אחרי נפלו על חרבו אם מלד המכה שהוכה בו אם מפני שלא יוכל לנוס ולהמלט מן שונאו שהשיגוהו: (יב) על שאול ועל יהונתן בנו. ספר זה בהדרגה בגדול הא׳ ובקטן כלה כן הוא בענין ההספד והבכי: (יד) ויאמר אליו דוד איך לא יראת לשלח ידך. יש לתמוה מדוע לוה דוד להרגו והנה עשה זה ברלון שאול ובקשתו. אלא שהתשובה בזה איננה ממה שיקשה וזה שהאומר לחברו חבול בי וחבל בו כמו שהתבאר בגמרא כ"ש בהמתת המלך ואין מלות המלך ממה שתפטרהו בזה כי דברי הרב ודברי תלמיד דברי מי שומעין והנה הזהירה תורה על דבר ההמתה כ"ש על המתת המלכים

מצודת דוד

(יב) ועל עם ה׳. אלו הגדולים שבהם: ועל בית ישראל. הם יתר העם: (יג) אי מזה אתה. מאיזה מקום אתה אם עודך עדיין יושב בארץ עמלק או אתה גר בארץ ישראל ר"ל אם נתגיירת: בן איש גר עמלקי. עוד אני לא נגור בארץ ישראל והוא נתגייר: (יד) איך לא יראת. ר"ל הואיל ואתה ישראל ומלידה איך לא יראת מה׳ לשלוח יד במשיחו אם כי לוה לך והיה קרוב למות מ"מ חטאת לה׳:

Commentary Digest

13. *"From where are you?"*—That is, from what country? Do you dwell in the land of Amalek? If so, how did you chance to be at the scene of the battle? Or, do you perhaps dwell in the land of Israel?—K and D.

14. *"How did you not fear to stretch forth your hand to destroy the Lord's anointed?"*—Since you are a proselyte and observe the laws of the Torah, how did you dare to slay the Lord's anointed?—J.K. and D. While it may be true that Saul begged you to kill him, you were nevertheless forbidden to do so. See T.B. (B.K. 92a), which forbids one to inflict

and the armlet which was on his arm, and I have brought them
here to my lord." 11. And David took hold of his clothes and
rent them, and likewise all the men who were with him. 12.
And they lamented and wept and fasted until evening, for Saul,
and for Jonathan his son, and for the people of the Lord, and
for the House of Israel for they had fallen by the sword. 13.
And David said to the youth who told him, "From where are
you?" And he said, "I am the son of an Amalekite stranger." 14.
And David said to him, "How did you not fear to stretch forth
your hand to destroy the Lord's anointed?"

Commentary Digest

head and the armlet which was on his arm—It was customary to go to battle adorned with jewelry, as we find in Jud. 8:24-26, concerning Gideon's war with the Midianites. J.K. J however, renders the expression: and the armlet which was on his arm—*"and the phylactery which was on his arm."*—R. J, apparently held that it was not a Jewish custom to go to battle adorned with jewelry, especially when defeat was imminent. To reconcile the discrepancy between the two accounts of Saul's death, see above I Sam. 31:3-5, Commentary Digest.

11. *of his clothes* — Heb. בבגדיו, according to the 'k'ri'. The 'k'thib', however, is בבגדו, of his garment, in the singular. The obligation of rending the garments in mourning, applies to the outer garment only. David, however, rent all his garments, since he was required to rend many times, as the following verse enumerates:

12. *for Saul* — the king.

and for Jonathan his son — the head of the tribunal.

and for the people of the Lord, and for the House of Israel — for evil tidings of the destruction of the majority of the Jewish people, who aside from their own importance, are the people of the Lord.—K and A—from M.K. 26a. According to this, he rent three times, the people of the Lord and the House of Israel, being synonymous. Later commentators take exception to this and explain:

for the people of the Lord — the tribunal, or great men.

and for the House of Israel — the multitude.—D and M. Hence, he rent four times, as indicated by the repetition of the word על (for).

תרגום

טו וּקְרָא דָוִד לְחַד מֵעוּלֵמַיָא וַאֲמַר קְרַב שְׁלוֹט בֵּיהּ וּמְחָהִי וְקַטְלֵיהּ׃ טז וַאֲמַר לֵיהּ דָוִד חוֹבַת קְטוֹלָךְ תְּהֵי בְּרֵישָׁךְ אֲרֵי פוּמָךְ אַסְהִיד בָּךְ לְמֵימַר אֲנָא קַטְלֵית יַת מְשִׁיחָא דַיְיָ׃ יז וְאַלֵּא דָוִד יַת אִלְיָא הָדֵין עַל שָׁאוּל וְעַל יְהוֹנָתָן בְּרֵיהּ׃ יח וַאֲמַר לְאַלָפָא בְּנֵי יְהוּדָה מֵיגַד בְּקַשְׁתָּא הָא הִיא כְּתִיבָה עַל

טו וַיִּקְרָא דָוִד לְאַחַד מֵהַנְּעָרִים וַיֹּאמֶר
גַּשׁ פְּגַע־בּוֹ וַיַּכֵּהוּ וַיָּמֹת׃ טז וַיֹּאמֶר אֵלָיו
דָּוִד דָּמֶיךָ עַל־רֹאשֶׁךָ כִּי פִיךָ עָנָה בְךָ
לֵאמֹר אָנֹכִי מֹתַתִּי אֶת־מְשִׁיחַ יְהוָה׃
יז וַיְקֹנֵן דָּוִד אֶת־הַקִּינָה הַזֹּאת עַל־
שָׁאוּל וְעַל־יְהוֹנָתָן בְּנוֹ׃ יח וַיֹּאמֶר לְלַמֵּד
בְּנֵי־יְהוּדָה קָשֶׁת הִנֵּה כְתוּבָה עַל־

ת"א פיך ענה בך. עקידה שער עב: ללמד בני יהודה. ע"ג כה עקידה ש' לב (סוטה יז):

יתיר י

מהר"י קרא

איך לא יראת לשחת את משיח ה': (טז) דמך על ראשך. שאתה פשעת שהרגת את משיח ה': ענה בך. העיד בך: (יח) ויאמר ללמד בני יהודה קשת. הלא היא כתובה על ספר הישר שניתן ניצחון מלחמת קשת ליהודה. שנאמר ידך בעורף אויביך. זו היא מכת הקשת שכשאדם הופך לברוח ממלא ידו

רש"י

(טז) דמך על ראשך. חובת קטולך תהי ברישך אין עונש במיתתך אלא לעצמך: (יח) ויאמר ללמד בני יהודה קשת. ויאמר דוד מעתה שנפלו גבורי ישראל צריכין בני יהודה ללמדם מלחמה ולמשוך בקשת: הנה כתובה על ספר הישר. הלא היא כתובה על ספר בראשי' שהיא ספר ישרים אברהם יצחק ויעקב והיכן רמוזה ידך בעורף אויביך (בראשית מ"ט ה') איזו היא מלחמה שמתכוון בה ידו כנגד

רלב"ג

ואעפ"י שלא היו שם עדים והיה מרשיע את עלמו והיה מפני זה פטור בדין הנה עשה דוד זה להוראת שעה שלא יקנו האנשים לשלוח ידם במלכות ולזאת הסבה בעינה נזהר משלוח יד בשאול כשהיה במעלה ואעפ"י שהיה רודפו והיה מותר להרגו. וידמה שזה הנער המגשר לא היה גר לדק ואעפ"י שאמר בן איש גר עמלקי ככר אמר זה להורות שאינו עמלקי באמת אבל אביו התגורר בארץ עמלק וזאת היתה תשובתו לדוד כי ככר ידע דוד מפיו כי עמלקי הוא אבל שאל לו על המקום שהיה חונה בו והוא השיב כי בעבור המקום נקרא עמלקי לא שהיה משפחת עמלק: (יח) ויאמר ללמד את בני יהודה קשת וגו'. בעבור שראה כי מיתת שאול היתה בסבת יראתו מהמורי' בקשת ולא היו בישראל מי שיהיה בקי בזה אמר דוד ללמד את בני

רד"ק

סתם ויש מהם גר שנתגייר ושב לדת ישראל ואפשר שזה ר"ל כשאמר בן איש גר עמלקי שנתגייר ושב לדת ישראל: (טז) דמך על ראשך. כלומר אתה גרמת על עצמך מיתתך וי"ת חובת קטולך תהיה ברישך ר"ל דמי שאול שהרגת ישובו על ראשך ואפשר כי לכך כתב דמיך דם שאול ודמך שניהם על ראשך: (יח) ללמד בני יהודה קשת. י"מ מכאן ואילך צריך ללמד לבני יהודה קשת כיון שמתו בו שאול ויהונתן ויש לפרש כי זה אינו מן הקינה ותחלת הקינה הצבי ישראל כי איך היה זוכר בקינת שאול ויהונתן בני יהודה שהיו כנגד מלכותו של שאול אבל פירושו ויאמר ללמד בני יהודה קשת קודם שהחל לקונן עליהם אמר לאנשיו אל תתיאשו מן הטובה ואל ירך לבבכם במות שאול ויהונתן כי קשת המלחמה ביד בני יהודה ולהם היא הגבורה והנה היא כתוב' בספר הישר והוא ספר התורה וכת"י על ספרא דאוריתא שכתוב בה ידך בעורף אויביך וכתיב כרע

מצודת ציון

ולמיד (במדבר ל"א): (טו) פגע. ענין מכת מות כמו ופגע בכהנים (ש"א כ"ב): (טז) ענה. העיד כמו לא תענה (שמות כ'):

מצודת דוד

(טז) דמך על ראשך. ר"ל עון מיתתך על עלמך כי אתה בעלמך העדת בך שאתה הרגתו ואף אם אין האמת אתך וכל דבריך המה בחושבך שבזה תמלא חן בעיני על שהיה מעולם לי לאויב מ"מ פיך ענה בך ודמך על ראשך: (יח) ויאמר. טרם התחיל לקונן ראה לאמן לבות אנשיו לבל ירך לבבם להתייאש מלהרים ראש מול פלשתים ואמר להם הנה באה העת ללמד את בני יהודה קשת מלחמה שהם יתגברו על פלשתים: הנה כתובה. הלא הדבר ההוא הנה כתובה על ספר הישר והיא התורה שנאמר בה יהודה אתה יודוך אחיך ידך בעורף אויביך וגו' (בראשית מ"ט) ונאמר ידיו רב לו ועזר מצריו תהיה (דברים ל"ג)

Commentary Digest

Judaism, he is to be accepted, but should one of the House of Amalek come, he shall not be accepted. And he said to him, "Your blood be upon your head, for your mouth has testified against you."—Mechilta בשלח, T. כי תצא. David was prepared to exonerate the youth in accordance with the aforementioned maxims. At that moment, however, he reminded himself that Amalekites were not accepted as proselytes. Accordingly, this youth fell under the jurisdiction of the Noathitic code rather than the Mosaic code. According to the Noathitic code, one may testify against a close relative. Hence, he may also incriminate himself, since the reason one may not incriminate himself is that he is considered his own close relative. Also, according to this code, one may be punished without warning.—San. 57b, Rambam, Laws of Kings, ch. 9, hal. 14. Moreover, one is liable for killing a 'treifah'. (Rambam Ibid. hal. 4).

15. And David called one of the youths and said, "Go near, fall upon him," and he struck him and he died. 16. And David said to him, "Your blood be upon your head, for your mouth has testified against you, saying, "I have slain the Lord's anointed." 17. And David lamented with this lamentation over Saul and over Jonathan his son. 18. And he said to teach the Sons of Judah the bow. Behold it is written in

Commentary Digest

bodily injury even with permission. —G and A

16. *"Your blood be upon your head—" "The guilt of your death be upon your head (J). There is no penalty for your death except to yourself."*—R. K explains J thus: The guilt of your *murder* be upon your head. He suggests that the 'kethib' דמיך, using 'blood' in the plural, includes his own blood and that of Saul.

Let us return to the aforementioned Pesikta (above v. 2) which states that the Amalekite youth was Doeg the Edomite. The Midrash continues: And David said to him, "Your blood be upon your head." The 'kethib' is דמיך (plural). You shed much blood in Nob the priestly city. This appears to be a clear indication that the youth was Doeg who slew the priests, not his son, as in T. See above v. 2. It is, however, possible that Doeg's son assisted in his ghastly work. See Ginsburg Ibid.

In view of the following Talmudic maxims, David's death sentence upon the Amalekite is of questionable legality. (1) אין אדם משים עצמו רשע One may not incriminate himself (Yev. 25b, Keth. 18b, San. 9b, 25a): (2) ההורג את הטרפה פטור. One who kills a 'treifah' (one who has been fatally injured in a vital organ) is free. (San. 78a); (3) One is not punished without warning (San. 40b, 41a). In this case, there was no testimony other than a self-incriminating confession. Moreover, there was no warning. Furthermore, Saul had been fatally injured prior to his being slain by the Amalekite. A explains that this sentence was a temporary ruling, necessary to prevent rebellion against his regime. He was convinced that the Amalekite boasted of slaying Saul to avenge his people. David, therefore, sentenced him to death, lest others follow his example.

Close scrutiny of rabbinic teachings, however, proves that this ruling does conform to the usual legal procedure. The rabbis teach us: At that moment, David reminded himself of that which was said to Moses: Should one come from any of the nations of the world, to be converted to

ספר הישר : יט הצבי ישראל על־
במותיך חלל איך נפלו גבורים: כ אל־
תגידו בגת אל־תבשרו בחוצת
אשקלון פן־תשמחנה בנות פלשתים
פן־תעלזנה בנות הערלים: כא הרי

על ספרא דאוריתא :
יט אתעתדתון ישראל
על בית תוקפיכון
אתרמיתון קטילין
איכדין אתקטלו גיבריא:
כ לא תחוון בגת לא
תבסרון בשוקי אשקלון
דלמא יחדין בנת
פלשתאי דילמא ידוצון
בנת ערלאי : כא טורי
גלבוע

ת"א פן תשמחנה. נדרים לב :

רש"י

פדחתו שהוא מול ערפו הוי אומר זה קשת · (יט) הצבי ישראל על במותיך חלל. מלכן של ישראל על תוקף מעוזכם נפלתם חללים כן ת"י : (כא) הרי בגלבוע.

מהר"י קרא

בקשת ומכהו אחריו : (יט) הצבי ישראל. זה שאול : על במותיך חלל. שנפל חלל בהר הגלבוע : (כא) הרי בגלבוע אל טל ואל מטר עליכם ושדי תרומות. הרים של גלבוע לא ירד עליכם טל ומטר שיצמח שם הזרע שיבא לידי תרומה ומעשר :

רד"ק

שכב כארי וכן בברכת משה רבינו גם כן ידיו רב לו ועזר מצריו תהיה וגידם יכנעו פלשתים כמו שראינו שהכניעם דוד ועוזיהו וחזקיהו ובאמרו קשת כי הוא עיקר כלי המלחמה ודרך הכתוב לזכור במקום זכר גבורה כמו קשת גבורים חתים חתתה קשתותם ונחתה קשר נחושה זרועותי והדומים להם ואמר ללמד כי כל אחד מבני יהודה ילמד את חבירו למלחמ׳ כי הם עיקר כלחמות ישראל וקרנ׳ החזק. ורבותינו ז"ל פירשו ידך בעורף אויביך אי זהו יד שהוא כנגד העורף הוי אומר זה הקשת וזהו שאמר בני יהודה קשת הנה כתובה על ספר הישר בספר בראשית שהוא ספר אברהם יצחק ויעקב שנקראו ישרים והחל לקונן ואמר:(יט) הצבי ישראל. הה"א ה"א הקריאה כה"א הקהל חקה אחת לכם הדור אתם ראו דבר ה׳ והדומים להם וענין צבי החפץ והרצון והוא על דרך כי תהיו ארץ חפץ וחסר הנסמך ר"ל הצבי צבי ישראל וכן הארון הברית הגם המלחמה והדומים להם כלומר אתה שאתה ארץ חפץ איך היה זה שעל במותיך נפלו חללים כאלה איך נפלו גבורים וי"ת אתעתדתון ישראל על בית תוקפיכון איתרמיתון קטילין פי׳ הצבי מענין נצב נצבים : (כ) אל תגידו. זה הוא על דרך הקינה כי יודעים היו כי הם היו הורגים ישראל במלחמה וכן אמר מיכה הנביא על דרך קינה בגת אל תגידו : (כא) הרי בגלבוע. כמו הרים

רלב"ג

יהודה קשת כי הוא מהנבחרים שבכלי המלחמה. והנה ספר הישר לפי מה שאחשב ספר היה מפורסם אצלם וכבר אמרו ספר הישר שהוא ספר בראשית : (יט) הצבי ישראל וגו׳. מכאן התחלת הקינה ואמר זה על ארץ ישראל שנקראת ארץ הצבי וענינו הצבי צבי ישראל כמו הארון הברית שהרצון בו הארון ארון הברית : על במותיך חלל. אמר זה בעבור הר הגלבוע שנפלו בו שאול ובניו : (כ) אל תגידו בגת. ידוע כי גת ואשקלון היו יושבים בהם פלשתים : (כא) הרי בגלבוע. קלל ההרים ההם בעבור שקרה בהם מה שקרה מהמקרה הרע הזה : ושדי תרומות. ר"ל שלא יהיה שם שדה שיעשה פרי שלם באופן שיפרישו ממנו תרומות : כי שם נגעל מגן גבורים. ר"ל נמאס והושלך כאילו לא היה בו פרי להיות מגן והנה אמר זה כי שאול לא המתין ביאת אנשי המלחמה עליו לראותם אם מגנו יגן עליו מהמורים אבל השב עצמו כאילו אין לו מגן עם היותו גבור מאד ויהונתן לא הועיל לו מגנו שלא יפול ביד פלשתים : והנה התחיל לשבח מגן שאול ואמר שהוא בלתי משוח בשמן ואולם אמר זה לפי מה שאחשוב כי מגן אשר לא ישתמשו בו כי אם לעתים רחוקים יצטרך למשחו בשמן וכן הכוונה לפי מה שאחשוב במה שאמר הנביא על מיתת בלשאצר קומו השרים משחו מגן ר"ל שעתה יצטרכו למשוח המגן כי לא ילאו למלחמה תמיד כמו שהיו עושים קודם זה. ואחר זה שב לשבח יהונתן ושאול בענין הגבורה ולזה אמר כי קשת יהונתן לא נסוג אחור מדם החללים מחלב גבורים כי לעולם

סכל היה מגלא וחרב שאול לא היתה שבה ריקם שלא יגלא אויביו במלחמה : ובמותם לא נפרדו. אמר זה מפני מותם יחד במלחמה :

מצודת דוד

וכן היה כי דוד הכניעם וגם מלכי יהודה אחריו : (יט) הצבי ישראל. כאומר אולם עתה עת לקונן במר נפש לומר הצבי ישראל ר"ל אתה א"י החמודה וכי ראוי שיהיה חלל על במותיך הם הרי גלבוע ואיך נפלו שם גבורים ור"ל הלא אף החלשים יתחזקו בעמדם על ההר ועל במותיך נפלו אף הגבורים : (כ) אל תגידו בגת. ממיתת שאול ויהונתן ועם כי בוודאי ידעו בלא הם אמר כן למליצת

מצודת ציון

(יט) הצבי. א"י קרויה ארץ צבי כמ"ש צבי היא לכל הארצות (יחזקאל כ׳) והוא ענין פאר וחמוד כמו לעטרת צבי (ישעיה כ"ח) והה"א של הצבי ה"א הקריאה כמו הדור אתם ראו (ירמיה ב׳): במותיך. ענינו מקומות גבוהים והרים כמו ירכיבהו על במתי ארץ (דברים ל"ב) : (כ) תעלזנה. אף הוא ענין שמחה כמו יעלוז שדי (תהלים צ"ו) וכפל הדבר במ"ש כדרך המקונן : (כא) הרי בגלבוע. כמו

Commentary Digest

pected of lamenting Saul's death merely out of respect for royalty, the Scripture tells us: over Saul, the individual, rather than Saul the king. He lamented over him for his virtues rather than for his royalty. —Alshich

18. *And he said to teach the sons of Judah the bow — "And David said, Since the heroes of Israel have fallen, the sons of Judah must teach them (to wage) war and to draw the bow."* —R. The lamentation commences with the following verse. David would not mention the tribe of Judah, Saul's rivals, in his lamentation over Saul. Rather, before he began to lament over Saul, he encouraged his men, thus: Do not despair of victory because of Saul's and Jonathan's deaths. The bow of war is in the hands of the sons of Judah, the mighty heroes. — K. A explains: Since the mightiest heroes who were

the book of the just. 19. O beauty of Israel! On your high places
shall lie the slain? How have the heroes fallen? 20. Tell it not
in Gath. Announce it not in the streets of Ashkelon, lest the
daughters of the Philistines rejoice, lest the daughters of the
uncircumcised triumph. 21. O mountains of

Commentary Digest

Accordingly, David as a single judge, constituting a tribunal according to the Noahitic code, sentenced him to death as a murderer.

Although we have explained the legality of David's sentence according to Maimonides, Maimonides himself explains it otherwise. In Laws of San. ch. 18, hal. 6, he writes: It is a Biblical decree that the court may administer neither death nor lashes to anyone by his own confession, only through the testimony of two witnesses. Accordingly, Joshua's slaying of Achan and David's slaying of the Amalekite stranger, were temporary measures or royal decrees. The tribunal, however, may not administer death or lashes for any transgression, since perhaps the confessor was stricken by insanity at that moment. Perhaps he is one of those tortured, embittered souls who long for death, who plunge swords into their bellies, and who throw themselves from roofs. Perhaps this one comes and confesses something he did not do, in order to be killed. In general, it is a decree of the (Almighty) King.

According to Rambam, the disqualification of confession in capital punishment is independent of the disqualification of testimony of close relatives. Hence, it applies to Noahites as well as Jews.—Azulai in Homath Anach, Ginsburg

It is also possible that Rambam rejects the Pesikta and Midrash since the T.B. (San. 96b, Gittin 57b) states that some of Haman's grandsons taught Torah in Bnei Brak. They were obviously Amalekites, yet they were accepted into the fold. To substantiate this allegation, we refer to Laws of Forbidden Marriages, ch. 12, hal. 17, in which Rambam does not exclude Amalekites from acceptance for conversion. (Azulai in Petah Einaim San. Ibid.) (A variant reading is: Some of Naaman's grandsons taught Torah in Bnei Brak. See Hyman, „אוצר דברי חכמים ופתגמיהם).

17. *over Saul and over Jonathan his son*—i.e over the king and his outstanding son. An alternate explanation is: David lamented the death of Saul for his outstanding virtues, and the death of Jonathan his son for his great love and friendship to him. He did not lament the deaths of Saul's other sons, who neither possessed great virtues nor were they his friends.—A. Lest he be suspected of rejoicing upon Saul's death, he lamented him first. Lest he be sus-

בַגִּלְבֹּעַ אַל־טַל וְאַל־מָטָר עֲלֵיכֶם וּשְׂדֵי
תְרוּמֹת כִּי שָׁם נִגְעַל מָגֵן גִּבּוֹרִים מָגֵן
שָׁאוּל בְּלִי מָשִׁיחַ בַּשָּׁמֶן׃ כב מִדַּם חֲלָלִים
מֵחֵלֶב גִּבּוֹרִים קֶשֶׁת יְהוֹנָתָן לֹא נָשׂוֹג
אָחוֹר וְחֶרֶב שָׁאוּל לֹא תָשׁוּב רֵיקָם׃
כג שָׁאוּל וִיהוֹנָתָן הַנֶּאֱהָבִים וְהַנְּעִימִם
בְּחַיֵּיהֶם וּבְמוֹתָם לֹא נִפְרָדוּ מִנְּשָׁרִים

תרגום

גִלְבּוֹעַ לָא יְחוּת עֲלֵיכוֹן
טַלָא וּמִטְרָא לָא תְהֵי
בְּכוֹן עֲלָלָא כְּמִסַּת
דְיַעְבְּדוּן מִנֵיהּ חַלְתָא
אֲרֵי תַמָן אִתְבְּרוּ תְּרֵיסֵי
גִיבָּרַיָא תְּרֵיסָא דְשָׁאוּל
דִמְשִׁיחַ כִּדְבִמְשְׁחָא׃
כב מִדַם קְטִילִין מִתְּרַב
גִבָּרִין גִירֵי קַשְׁתָּא
דִיהוֹנָתָן לָא מִסְתַּחֲרִין
לַאֲחוֹרָא וְחַרְבָּא דְשָׁאוּל
לָא הֲוָת רֵיקָן׃ כג שָׁאוּל
וִיהוֹנָתָן דִרְחִימִין
נְחַבִּיבִין בְּחַיֵיהוֹן

רש"י

ההרים שבגלבוע: ושדי הרומות. לא תהי בכון עללא כמיסת דיעבדון מניה חלתא: כי שם נגעל מגן גבורים. מגני עור היו להם וכשיוצאין למלחמה מושחין אותן בשמן כדי שיהא כלי זיין המכה עליו מחליק כמה דאת אמר קומו השרים משחו מגן (ישעיה כ"א ה') וכאן כך היה מקונן הקינה שם נגעל מגן גבורים פלט שומנו ולא נדבק בו ונעשה כאלו לא נמשח בשמן. כל הנגעלה ל' דבר הפולט מה שנותנין בו כמו שורו עבר ולא יגעיל (איוב כ"א י'): (כב) לא נשוג אחור. לא היה רגיל להיות נסוג אחור: (כג) מנשרים

מהר"י קרא

כי שם נגעל מגן גבורים. נמאס מגן שאול: בלי משיח בשמן. פתר' כמי שלא נמשח בשמן. ד"א כי שם נגעל מגן גבורים. המגן פלט משיחתו כאילו לא היה שמן במגן. שכן מושחין המגן בשמן שמחליק החצים ממנו. נגעל. לשון פליטה כמו שורו עבר ולא יגעיל. שפי' שורו היה מעבר ולא יגעיל ולא

רד"ק

ובמותו עוברי בעמק חבכה השכוני באהלים: ושדי תרומות. ואל שדי תרומות ואל שזכר עומד במקום שנים ופירוש שדה של תרומות היא שדה הראוי ליטול ממנו תרומות כלומר אפי' אם תצמח שם תבואה לא תהיה בה ברכה ולא תגיע לקצור שיפרישו ממנה תרומות וי"ת לא תהי בכון עללא כמיסת דיעבדון מניה חלתא ר"ל כשיעור שיוציאו ממנה חלה והוא מדת העומר: נגעל. נמאס והשלך: בלי משיח בשמן. כלומר כן נגעל מגן גבורים של שאול כאילו לא היה המגן משוח בשמן כי מושחים המגן כדי להחליקו שלא יעברוהו כלי זיין וכן משחו מגן לדעת קצת המפרשים או פירושו כן נגעל כאילו לא היה שאול משוח בשמן למלך: (כב) לא נשוג אחור. בשי"ן ועניינו כמו בסמ"ך מן יסוגו אחור: (כג) לא נפרדו. ת"י לא

מצודת ציון

הרים בגלבוע: נגעל. ענין מאוס ותעוב כמו וגעלה נפשי (ויקרא כ"ו): מגן. הוא כעין מלבוש עשוי מעור שלוק ומשוח בשמן להחליק מעליו מכת חרב וחנית ולובשים אותו במלחמה להגן: (כב) נשוג. כמו נסוג בסמך ועניינו החזרה לאחור כמו ונסוג מאחר אלהינו (ישעי' נ"ט): (כג) והנעימים. ענין אהוב וחביב וערב כמו ודעת לנפשך ינעם (משלי ב'): נפרדו. מל' פרוד ופרישה:

מצודת דוד

הקינה וכן בגת אל תגידו (מיכה א'): (כא) ושדי תרומות. מלת ואל שאמר משמשת בשתים כאלו נאמר ואל מטר עליכם ואל שדי תרומות וכאלו קלל ההרים שלא ירד עליהם טל ומטר ולא יהיה בהם שדה לתת ממנה תרומה לה' בלא יצמח בהן דבר מה להיות מהן חלק לגבוה יען וביען עליהם באה התקלה כי שם נגעל ונמאס מגן גבורים ונעשה שם מגן של שאול כאלו היה בלי משוח בשמן להחליק מעליו מכת החרב: (כב) לא נשוג אחור. חזר קשתו לאחור מבלי לרוות חציו מדם וחלב שונאיו: לא תשוב ריקם. אל נדנה מבלי להרוג הרג רב: (כג) בחייהם. בעודם בחיים היו נאהבים ונעימים לכל בני אדם ר"ל מאוד היו מקובלים על הבריות וחביבים בעיני כולם: ובמותם לא נפרדו. אף אחר מותם לא נפרדו מן האהבם

Commentary Digest

it not in the streets of Ashkelon—the nearby Philistine cities.—A. He said this after the manner of those who lament. He knew that the Philistines were well aware of Saul's and Jonathan's deaths as well as the Israelites' defeat. — K

lest the daughters of the Philistines rejoice — Although they know that I have slain more Philistines than Saul, they nevertheless feared Saul more than they fear me. It is, therefore, a grave misfortune, for the Philistines will fear us no longer.—Alshich

21. *O mountains of Gilboa—"The mountains which are in Gilboa."*—R and K. They explain הרי (mountains of) like הרים (mountains).

let there be no dew nor rain upon you—He spoke as though cursing the mountains upon which the heroes fell.—A and D

nor shall you be fields of heave offerings—"Let there not be in you enough grain from which to separate a cake (חלה)—R and K after J The term תרומה usually refers to the heave offering set aside from the grain and given to the priest. J re-

Gilboa, let there be no dew nor rain upon you, nor shall you be fields of heave offerings, for there the shield of the mighty was rejected, Saul's shield was as though not anointed with oil. 22. From the blood of the slain, from the fat of the mighty, Jonathan's bow did not turn back, nor did Saul's sword return empty. 23. Saul and Jonathan, his son, who were beloved and pleasant in their lifetime, and in their death they were not separated. They were

Commentary Digest

capable of fighting at close range with the spear and the sword, have fallen, it is necessary for the sons of Judah, whose military prowess is inferior to that of Saul and Jonathan to learn to become skillful at archery, to enable them to shoot from a distance and then to flee.

Behold, it is written in the book of the just—"In the Book of Gen., which is the book of the just: Abraham, Isaac, and Jacob. Now, where is it implied? 'Your hand be on the nape of your enemies.' (Gen. 49:8) What type of warfare is it wherein one directs his hand against his forehead which is opposite his nape? we must say that this is the bow." —R from A. Z. 25a. This is Jacob's blessing upon Judah. Thus, Judah was the master of archery. This blessing was fulfilled in David's time, as is explained in G.R. J renders: In the book of the Torah. G suggests that perhaps there was a book entitled 'the Book of Jashar,' which was known at that time. There is, however, no basis upon which to support this theory. We, therefore, render 'הישר' as a common noun, meaning 'the just'. Although there are various opinions in T.B. identifying this book with Deut. and Jud. and in Yer. Sotah, ch. 1, hal. 10, identifying it with Num., there is no traditional opinion that it was a book unknown to us.

19. *O beauty of Israel! On your high places shall lie the slain?* — O beautiful land of Israel! How has it come to pass that the slain lie upon your high places, upon the mountains of Gilboa? How has it come to pass that such great heroes have fallen?—K and G. Even the weak have an advantage when standing on a high place. Yet here, even the mighty have fallen.—D. R. renders: *"O Support of Israel* (Saul and Jonathan)! *At the peak of your strength you have fallen slain! So did J render this."*—R

20. *Tell it not in Gath. Announce*

קַלּוּ מֵאֲרָיוֹת גָּבֵרוּ׃ כד בְּנוֹת יִשְׂרָאֵל
אֶל־שָׁאוּל בְּכֶינָה הַמַּלְבִּשְׁכֶם שָׁנִי עִם־
עֲדָנִים הַמַּעֲלֶה עֲדִי זָהָב עַל לְבוּשְׁכֶן׃
כה אֵיךְ נָפְלוּ גִבֹּרִים בְּתוֹךְ הַמִּלְחָמָה
יְהוֹנָתָן עַל־בָּמוֹתֶיךָ חָלָל׃ כו צַר־לִי
עָלֶיךָ אָחִי יְהוֹנָתָן נָעַמְתָּ לִּי מְאֹד
נִפְלְאַתָה אַהֲבָתְךָ לִי מֵאַהֲבַת נָשִׁים׃

ובמותהון לא אתפרשו מעמהון מנשריא קלילין מאריותא גברין: כד בנת ישראל על שאול בכאה דהוה מלביש לכון לבושי צבעונין ומוביל לכון תפנוקין ומסיק תיקוני דהבא על לבושכון: כה איכדין אתקטלו גבריא בגו קרבא יהונתן על בית תוקפך אתקטלתא: כו עקת לי עלך אחי יהונתן חביבה לי לחדא מפרשא רחמתך לי

ת״א בנות ישראל. שם סו (נדרים מה): נפלאתה. עקידה ש׳ יג ושם ל׳: איך נפלו. שם עה:

הא׳ בפתח

רש״י

קלו. לעשות רצון בוראם: (כד) המלבישכם שני עם עדנים. דהוה מלביש לכון לבושי צבעונין ומוביל לכון תפנוקין: (כה) על במותיך חלל. על בית תוקפך

מהר״י קרא

יפלים הורע לחוץ: (כד) אל שאול בכינה. על שאול שכשהיה שב מן המלחמה היה מלבישכם מן השלל בגדי שני עם עדנים: (כה) איך נפלו גבורים. הרי כלי מלחמה היו להם:

רד״ק

איתפרשו מעמהון כלומר אף על פי שהיו יודעים מותם במלחמ׳ לא נפרדו מעם ה׳ ולא נעצרו ולא נסו מן המלחמה ויתכן פירושו לא נפרדו זה מזה כי כאחד מתו כמו שהיו בחייהם נאהבים זה לזה: (כד) עם עדנים. ת״י ומוביל לכון תפנוקין ויש לפרשו כמשמעו כי הלבוש הטוב ותנאה עדן הגוף כמו המאכל הטוב. ובדרש ר׳ יהודה ור׳ נחמיה ר׳ יהודה אומר בנות ישראל ודאי על שאול בכינה בשעה שהיו בעליהן יוצאין למלחמה היה זנן ומפרנסן ומלבישן שני עם עדנים ככאן שאין התכשיטין נאים אלא לגוף מעודן רבי נחמיה אומר בנות ישראל אלו סנהדראות של ישראל על שאול בכינה בשעה שהיה שאול שומע טעם ההלכה יוצאת מפי תלמיד חכם היה עומד ונושקו על פיו: (כה) על במותיך חלל. על במותיך נפלת חלל ות״י על בית תקפך אתקטלתא: (כו) נפלאתה אהבתך לי. בשני סימני נקיבה והכפל לחזק פליאת האהבה וכן כי החבאתה ובמקומו פירשנו גם כן טעמו: מאהבת נשים. ת״י מרחמת תרתין נשין ר״ל שתי הנשים שהיו לו לדוד אביגיל ואחינועם ואדוני אבי ז״ל פירש מאהבת נשים למה שהם אוהבו׳ בין בעליהם בין בניהם שאהבתן חזקה להם:

רלב״ג

(כד) בנות ישראל אל שאול בכינה. אמר זה כי מרוב הצלחתו על הפלשתים היו ישראל בשלום בימיו ולא שללו אותם אויביהם בימיו ולזה היה זה אל שילבשו בנות ישראל שני עם עדנים ויעלו עדי זהב על לבושן: (כה) יהונתן על במותיך חלל. ר״ל איך היה זה שיהיה על במותיך חלל עם רוב גבורתך: (כו) נפלאתה אהבתך לי מאהבת נשים. ר״ל שיותר חזקה ויותר נפלאתה היתה אהבת יהונתן לדוד מאהבת הנשים לאהוביהן שהיא אהבה חזקה מאד עד שכבר יכה

מצודת דוד

ובעצימה כי עד עולם לא תשכח כי רבה היא על כי היו קלים מנשרים וגבורים מאריות ללחום מלחמות ה׳: (כד) המלבישכם שני. כי התגבר במלחמה וחלק שלל האויב לאנשיו להלביש איש אשתו ובנותיו וכאלו הוא המלביש: עם עדנים. ר״ל שאר מלבושי פאר המעדן גוף הלובשן: על לבושכן. כי כן הדרך להעלות עדי הזהב ממעל על הלבוש להיות נראה: (כה) איך נפלו גבורים. כפל הדבר פעמים ושלש כדרך המקונן: יהונתן על במותיך חלל. אתה יהונתן גבור שבמותך תהיה חלל על במותיך הלא אף החלש יחשב לגבור כשעומד בהר ומכ״ש גבור כמותך ובהר שמוד אתה תגיל בו לדעת מולאיו ומוכאיו וכאומר הנה הגדה ההיא נפלאה הפלא ופלא: (כו) צר לי עליך. מאוד אני מיצר בעבורך כי נעמת לי מאוד: נפלאתה. האהבה שאהבתיך היא אהבה נפלאה והיא יותר מאהבת הנשים אשר המה נאהבות אהבה רבה למי שחושק אליהן:

מצודת ציון

(כד) אל שאול בכינה. מלשון בכי: שני. תולעת שני והוא צמר צבוע אדום: עדנים. כל דבר המפנק כגון מאכלים טובים כגון מלבושי פאר וכדומה יקראו עדן וכן ויתן מעדנים לנפשך (משלי כ״ט): עדי. ענין קשוט כמו תעדי עדי זהב (ירמיה ד׳): (כו) צר. מלשון צרה ודאגה: אחי. חביב כאח: נפלאתה. ענינו דבר אשר תקצר השגתו ותמוה כמו עשה פלא (שמות ט״ו):

Commentary Digest

the high priest, who was anointed with the holy oil, his own anointment did not protect him.—Ginsburg

22. *Jonathan's bow did not turn back—"His bow did not return without first scattering his arrows with the blood and fat of his foes."* — D

did not turn back — was not accustomed to turn back. — R

nor did Saul's sword return empty —without first taking its toll of the enemy. — D

23. *In their lifetime* — While they were alive, they were loved and endeared by everyone. — D

and in their death, they were not separated — from that love, for their beloved memories will always live in the hearts of their people. — D. J renders: they were not separated from their people. Although they had been

swifter than eagles, and mightier than lions. 24. O daughters of Israel, weep over Saul who dressed you in crimson with delights, who put golden ornaments on your clothes. 25. How did the mighty fall in the midst of the battle? Jonathan, on your high places you were slain! 26. I am distressed for you, my brother Jonathan, you were very pleasant to me. Your love was more wonderful to me than the love of women!

Commentary Digest

jects this, however, since any minute quantity of grain requires separating 'terumah'. Accordingly, the curse would be very severe. 'Hallah' on the other hand, need not be set aside unless one kneads a dough of 5/4 kab of flour, the equivalent of forty-three 1/5 eggs. See 'Hallah ch. 2, Mishnah 6, R Ex. 17:36. K explains that the grain would wither and die before it would be harvested. The heave offering would, therefore, never be separated from it.

A explains this as a question: O mountains of Gilboa! Does not dew and rain fall upon you? Does not the Almighty bestow His blessings upon you? Does He not grace you with His divine Providence? And are you not fields of heave offerings? Do you not possess the sanctity of the Holy Land which requires heave offerings to be separated from your grain? Does not the Shechinah which rests upon the entire Holy Land rest upon you as well? Why, then, were the shields of the mighty rejected there?—

for there the shield of the mighty was rejected—despised and discarded. —K. R explains thus: "*They had leather shields, which, upon departure to battle, they would anoint with oil, so that the weapon which would strike it would glide off, as it is stated: Arise, O princes, anoint the shields. (Is. 21:5). And here, with this lamentation, he lamented thus: There the shield of the mighty was purged. It rejected its oil and it did not adhere to it. Hence, it became as though not anointed with oil. Every* 'הגעלה' *is an expression of something which casts off that which is placed therein, like: His bull impregnates and does not cast off* (his semen) (Job 21:10)."—R. Hence, R renders: for there was purged the shield of the mighty.

as though not anointed with oil—as though the shield had not been anointed with oil. Others interpret: as though Saul had not been anointed with the holy anointing oil. The divine gift of might which was bestowed upon those anointed with the holy oil, had long since left him.—K. Since Saul had executed Ahimelech,

כז אֵיךְ נָפְלוּ גִבּוֹרִים וַיֹּאבְדוּ כְּלֵי מִלְחָמָה׃

ת"א איך נפלו. בס ע׳ פה :

תרגום

סְרִחִית הַרְהֵין נְשִׁין׃ כז אֵיכְדֵין אִתְקְטִלוּ גִבָּרַיָא וַאֲבָדוּ זֵינֵי קְרָבָא

רש"י

איתקטלאה: (כז) כלי מלחמה. שאול ויהונתן שהיו כלי זיין של ישראל:

רלב"ג

אותם ויקללם ולא תפיל מפני זה מאהבתו לו דבר: (כז) איך נפלו גבורים ויאבדו כלי מלחמה. ר"ל שבאבדן שאול ויהונתן כאילו אבדו כלי מלחמה כי הם היו כלי מלחמת ישראל על שונאיהם או רצה בזה איך נפלו גבורים ותקיפים כשאול ויהונתן ואיך אבדו כלי המלחמה אשר בידם שלא השתמשו בהם להשחית בשונאיהם ולא להגן על עצמם: התועלות המגיעות מזה הספור הם אלו: הראשון הוא במדות. והוא שראוי לאדם שלא ימסור עצמו לסכנות שלא תראה כי יונתן בהכותו נציבי פלשתים אשר בגבע בכיוצא במעט שסכן כל ישראל לולא ה' שהיה לו ואין ראוי לאדם לסמוך על הנס כ"ש עם מה שהיה רואה מהספק כלי המלחמה מישראל עד שלא נמצא חרב וחנית כי אם ביד שאול ויהונתן: השני הוא להודיע כי אין מעצור לה' להושיע ברב או במעט שלא תראה כי יהונתן לבדו עם נושא כליו נלחמו כל מחנה פלשתים והחרידום באופן שהיתה חרב איש באחיו: השלישי הוא במדות. והוא להודיע שאין ראוי לעבור על דברי הנביא שלא תראה כי שאול מפני שעבר על דברי שמואל נענש בשלא נתקיימה לו המלוכה כי אם זמן קצר: הרביעי והוא בדעות. הוא להודיע כי הידיעה בדברים העתידים תגיע גם להמון אבל באופן חלוש ולזה ילקח ראיה מספוריהם ודבריהם על העתיד להיות וכזה האופן לקח יונתן ראיה מדברי הפלשתים באמרם עלו אלינו על מה שעתיד לבא על הפלשתים מישראל וכזה האופן ג"כ באר הש"י לגדעון מה שעתיד לבא על מחנה מדין כמו שצוהו שירד הוא ופורה נערו אל המחנה וישמע מה ידבר: החמישי הוא במדות. הוא שראוי לאדם שינהג זריזות בפעולותיו בעת שמצאו נעזר בהם מהש"י ולזה תראה שהשביע שאול את העם שלא יאכלו לחם עד הערב כדי שינהגו בזריזות להכניע הפלשתים בהיות לאל ידם וכבר נמצא שהסכים הש"י בזאת השבועה ולזה לא ענהו בשאלו בה' מצד מה שעבר יהונתן על זאת השבועה: הששי הוא להודיע כי בחיק יוטל את הגורל ומה' כל משפטו ולזה נמצא בו מן האמת עם שנתפרסם מזה הספור ובזולתו וזה כי כבר נפל הגורל על יהונתן שהיה החוטא בזה הענין: השביעי הוא להודיע כי השליט על המשפט והוא המלך ראוי שלא ישא פנים לשום אדם עד שיאמר לבניו שלא ידעם ולזה תמצא שנשבע שאול כי מות יומת יהונתן ולולי יד ישראל עמו היה ממית אותו שאול: השמיני הוא להודיע עולם רצון הש"י לכלות את עמלק בהיות לאל יד ישראל לנקמו כי גלוי לש"י עולם שנאת העם הזה את ישראל וזה אולי יהיה סבה במוט רגלי ישראל שישחיתום ולזה התחכם הש"י להשחיתם בעת הצלחת ישראל ולזאת הסבה צוה התורה שנזכור את אשר עשה לנו עמלק מצורף לזה מה שרצה הש"י לכלות בעלי האמונות הנפסדות הרעות כדי שלא נלמד ממעשיהם ובשתי אלו הסבות צוה השם שלא ישאירו מהם שריד ופליט ושלא יהנו בכל מנכסיהם ברוך אשר לו נתכנו עלילות הלא תראה מחשבת המן האגגי להשחית כל ישראל במוט רגליהם והנה היה כפסע בינם ובין המות לולי ה' שהיה להם: התשיעי הוא להודיע בכל עוז ולהציל מי שגמל לאדם חסד באופן שלא יגיעהו נזק ולזה ספר שהשתדל שאול שיסור הקיני שהיה מבני חותן משה מתוך עמלק שמא בעת המלחמה יוזקו במקרה עם העמלקים: העשירי הוא להודיע שאין ראוי לעבור על מצות הש"י על יד נביאו הלא תראה איך נענש שאול כמה שעבר על דברי שמואל בדבר עמלק שהיה זה סבה להמיתו בלא עתו: האחד עשר הוא להודיע שאין הש"י חפץ בזבחים ועולות אך רצונו שישמעו אל דבריו ולא ילכדו אל הקרבנות כ"ש שאין רצונו שיחטא האדם למען מלא מה שיזבח ממנו לה' כמו הענין במה שעשה שאול וישראל במה שלקחו משלל עמלק כי שמוע בקול הש"י הוא יותר טוב מהקרבת זבח כמו שאמר הנה שמוע מזבח טוב: השנים עשר הוא בדעות. והוא להודיע על צד הרמז מאיזה צד בא החסרון בקסם ותרפים והוא דבר עמוק מאד לפי מה שהתבאר מדברינו בשני מספר מלחמות ה': השלשה עשר הוא בדעות. והוא להודיע עולם אבירות לב שמואל וגבורתו עד שלא ירא מלדבר קשות כאלה לשאול עם היותו מלך והרג אגג בדרך אכזריות באופן הנזכר פה לשלם לו מדה כנגד מדה ולמלאת מצות הש"י כי אלו התכונות ראוי שתהיינה לנביא ר"ל שלא יירא משום אדם אך יכוין למלאת מצות השם בכל עוז: הארבעה עשר והוא במדות. הוא להודיע שאין חסרון לנביא אם יאמר כזב בצד עם נמנע נפשו שלא תראה שהש"י נתן עצה לשמואל שיאמר לזבוח לה' באתי ואע"פ שאמר שלא בא כי אם למשוח למלך אחד מבני ישי: החמשה עשר הוא להודיע שאין ראוי לאדם שיסמוך על הנס ואע"פ שהוא שלם מאד והוא דבק בש"י שלא תראה כי שמואל עם גודל מעלתו ירא שיהרגהו שאול ולקח עצות איך ימלט מזה כמה שאמר איך אלך ושמע שאול והרגני ולא נסמך על הנס אע"פ שהיה הולך במצות הש"י כי רצון הש"י שישתדל האדם בסבות הראויות בהצלתו כי המופת לא יעשהו הש"י כי אם במקומות ההכרחיים ולזה אמרו ז"ל למען יברכך ה' אלהיך יכול ישב בטל ת"ל בכל אשר תעשה וכבר הרחבנו המאמר בזה בבאורנו לדברי התורה ובספר מלחמות ה': הששה עשר הוא להודיע כי לא אשר יראה האדם הוא האמת כי ישי לא חשב שיהיה ראוי למלוך בנו קטן ולזה לא הביאו הביתה להעבירו לפני שמואל והוא אשר בחרו השם לבד ולז"א אבן מאסו הבונים היתה לראש פנה: השבעה עשר הוא להודיע שהוא ראוי למי שימלוך שיהיה תארו נאות לאדם כדי שיחזו עיני כל איש ביופיו ויהיה מפני זה נכבד בעיניהם ויאהבוהו ויכנעו לעבודתו ואילו היה מאוס בעיניהם ימאסוהו ולא ייראו ממנו ותפסד הכוונה אשר בעבורה היתה המלוכה ולזה ספר בשאול שכבר היה משכמו ומעלה גבוה מכל העם וספר בדוד שכבר היה אדמוני עם יפה עינים וטוב רואי ולזה היה תארו נאות למדות: השמונה עשר הוא להודיע הרושם הנפלא שיקח האדם בהפך ענינו אל שיהיה מלך כ"ש בהמשחו על יד נביא שלא תראה כי שאול תכף שנמשח למלך נהפך לאיש אחר וכן הענין בדוד שכבר ספר ואמר ותצלח רוח ה' אל דוד מהיום ההוא ומעלה וזה דבר ראוי לפי שרשי התורה כי פעלות המלך מסודרות באופן מה מהש"י ולזה אמר שלמה פלגי מים לב מלך ביד ה' אל כל אשר יחפוץ יטנו כי אין מן הראוי שיהיה בבחיר' המלך להשחית עמו אם ירצה כי גבוה מעל גבוה שומר: התשעה עשר הוא להודיע איך עמקו מחשבות השם שסבב בהבאתו רוח רעה על שאול שיתקרב דוד למלכות והיה זה סבה להביא עליו המלוכה בקלות מצד מה שראו ישראל טוב הצלחת דוד במלחמות ובכל עניניו ולזה היה הוא המוציא והמביא את ישראל גם בהיות שאול מלך: העשרים הוא להודיע כי מברכת האיש המושגח מהש"י אדניו כי רצון האיש המשרת ותשוקתו הוא שיתברך אדניו ומזה הצד תבא הברכה לאדון מצד המשרת ולזה ספר בענין שאול כשהיתה רוח אלהים רעה מבעתתו כי דוד כבר מושגח מהש"י ולזה יתכן שבסבתו תסור מעל שאול זאת הרעה ולזה ספרו מענין דוד עם היותו יודע נגן שהוא איש מלחמה והש"י עמו: העשרים ואחד הוא להודיע שאין ראוי לבא לפני המלכים והסגנים בידים ריקניות ולזה ספר ששלח ישי לשאול ביד דוד בנו חמור לחם ונאד יין וגדי עזים ולזה צותה התורה לפרסם לאנשים ממעלת השם עליהם שבבואם לראות פניו לא יבאו בידים ריקניות אמר יתברך לא יראו את פני ה' ריקם: העשרים ושנים הוא להודיע שבשולח מנחה אל המלכים אין ראוי שיבזבז בה מאד ממונו למען תהיה מנחה ראויה אל המלך אבל יספיק שתהיה המנחה מאד ראויה ביחס אל הנותן ולזה ספר ענין זאת המנחה שהיתה קטנת הביטול ביחס אל המלך וכן תמצא ביעקב ששלח ביד בניו למצרים לאדני הארץ מנחה מעוטה אך היתה מהמשובחים שבמינים ואם היה בזה תועלת אחר ג"כ כמו שבארנו שם בבאורינו לדברי התורה: העשרים ושלשה הוא להודיע שאין ראוי לאדם שיסמך על כחו וגבורתו כי לא בכח יגבר איש אך מה' מצעדי גבר כוננו שלא תראה כי גלית הפלשתי עם רוב גבורתו וחוזק כלי מלחמתו נפל בעזר השם ביד דוד שהיה נער ובזולת כלי מלחמה: העשרים וארבעה הוא להודיע עולם אבירות לב דוד וקנאתו לה' על דבר גלית ואיך שם נפשו בכפו לנקום את נקמת ה' כי זאת התכונה ראוי שתהיה לשלם: העשרים וחמשה הוא להודיע כי הבוטח בה' ישוגב ולזה תמצא כי כששמע שאול עולם בטחון דוד בה' במה שילחם דוד הפלשתי ולזה א"ל שאול לך וה' יהיה עמך: העשרים וששה הוא להודיע שעם הבטחון בהש"י ראוי לעשות מה שאפשר שיגיע בו התכלית המכוון ביותר שלם שאפשר ולזה תמצא שהשתדל שאול שילבש דוד כלי המלחמה באופן ראוי להלחם עמו וגם דוד הסכים בזה עד שראה כי לא יועילו לו כי לא נסה ללכת באלה וההתעטפות באותה הכלים יעכב להרגל ולזה לקח דוד מה שנסה ללכת בו עם שיתכן לו בו יותר להכות את גלית מרחוק עם

רד"ק

(כז) ויאבדו כלי מלחמה. כל כך נפלו גבורים כאלו אבדו כלי מלחמתם או פירושו שאול ויהונתן שהיו כלי מלחמתן של

מצודת דוד

(כז) ויאבדו כלי מלחמה. כי המה כאלו היו כלי מלחמתן של ישראל:

27. How have the mighty fallen and the weapons of war perished!

Commentary Digest

forewarned of their impending death, they did not flee from the battle. It may also be interpreted: they were not separated from one another, but died together, since they had loved one another during their lifetime.

they were swifter than eagles— "*To perform the will of their Creator*" — R. *swifter than eagles* — to perform the mandatory precepts.

and mightier than lions — to observe the prohibitory precepts, overcoming all temptations. — Alshich. See also Tur Orah Haim, ch. 1.

24. *who dressed you in crimson with delights* — "*who would dress you in colorful clothing and bring you delights.*" — R and K after J's paraphrase. J apparently understands 'delights' as food. Hence, the paraphrase is necessary. It may, however, also be explained as beautiful clothing which is a delight to its wearers. — K and Z.

J K explains simply that Saul was accustomed to bring jewelry, clothing, and food from the wars which he waged on the Philistines. After Saul's death, the Jewish women would be deprived of their prize. G explains this figuratively. The fear which Saul had cast into the hearts of the Philistines deterred them from pillaging Jewish property. Accordingly, the daughters of Israel were able to wear expensive crimson clothing and adorn themselves with jewelry. Thus, Saul is accredited with dressing the daughters of Israel with crimson garments, etc.

In the Midrash we find a variance of opinion between Rabbi Judah and Rabbi Nehemiah. Rabbi Judah says: It literally means: The daughters of Israel weep over Saul, for when their husbands would depart for war, he would sustain and support them and dress them in crimson and delights. Hence, it is derived that jewelry beautifies only a well fed body. (This is the connection between the delights and the crimson clothing). Rabbi Nehemiah says: בנות ישראל means הנאות שבישראל, the most beautiful in Israel. These are the tribunals of Israel, for when he would hear the reason for a law recited by a scholar, he would rise and kiss him on the mouth.—K and A from M.S. ad loc.

25. *How did the mighty fall*—He repeated this phrase to emphasize his deep sorrow. — D

on your high places you were slain! Jonathan, you mighty hero, how did you fall on the high places? Even the weak have an advantage when fighting from a high place, surely the mighty should be victorious. — G and D. J renders: "*At the peak of your strength you were slain* (explaining 'high places' figuratively)." —R and K

26. *I am distressed for you, my brother Jonathan* — His distress for Jonathan was very intense just as was his love for him. He indicates this by calling him 'my brother'. — A.

Your love was more wonderful to me than the love of women.— J ren-

שכבר שם בה' מבטחו שיהיה לו לעזר בהכאת גלית: העשרים ושבעה הוא להודיע כי להמון קצת השפעה אלהית בידיעת העתידות וזה אמנם יהיה במה שיסכימו בו רבים מהדברים העתידים ולזה תמצא שכבר התפעל שאול זה האופן מההפעלות מדברי הנשים שהיו אומרות באלו השירים שיורה מה שכבר תהיה לדוד המלוכה והוא אמרם הכה שאול באלפיו ודוד ברבבותיו ולזה לא הוכיחן שאול על זה המאמר אבל היה שונא את דוד ואורב לו להפילו בדרך שלא יפסוק המלוכה ממנו ומזרעו והנה זאת המדרגה מההודעה יקראו רז"ל בת קול ואחשוב שהוא חלק מה מהקסם השלם ומהיותר לזהר ממנו וזה יתבאר עם קצת עיון ממה שבארנו בספר מלחמות ה' מענין הקסם: העשרים ושמנה הוא להודיע כי אשר יאהב ה' יוכיח כי הוא הנאהב והנשמר הלא תראה איך היה מצליח דוד בכל עניניו ואיך שמרו הש"י מכל מה שחשב להפילו בו שאול מהרע לא הועילו לשאול בתחבולותיו: העשרים ותשעה הוא להודיע כי עצת ה' היא תקום עד שכל מה שיעשהו האדם לחלוק עליה יהיה כלי להגעתה ולזה תמצא שכמעט כל מה שעשה שאול כנגד דוד היה כלי אל שתהיה לדוד המלוכה בקלות יותר כי מה ששמהו לשר אלף יוצא ובא לפני העם היה סבה אל שאהבו אותו מאד כל ישראל ויהודה בראותם טוב הצלחתו וזה היה סבה אל שהגיע אל דוד המלוכה בקלות במעט סבה אחרי מות איש בושת בן שאול כמו שנתבאר שם ואין ספק במה שחשב להפילו ביד פלשתים כי כבר נתברר ממנו טוב הצלחתו של דוד על אויביו והנה מה שהרג שאול נוב עיר הכהנים בעבור דוד היה גם כן סבה להוסיף שמירה לדוד כי זה היה סבה שבא אביתר הכהן לדוד עם האורים והתומים והיה דוד נשאל בה' בכל מעשיו ושאול לא היה דרך אל שיהיה נשאל בה' וכן מה שהוכרח דוד לברוח מפני שאול ולבא בארץ פלשתים כי מפני זה נשתלשל הענין שהיה לדוד צקלג והיו נלחמים תמיד דוד ואנשיו עם אויבי ה' והיה דוד שולח מהשלל לישראל והנה המלחמות ההם היו כלי להגיע לדוד המלוכה כי אז נתברר לישראל טוב הצלחתו עד שבמתי מעט נצח רבים ושאול וזרעו נפלו ביד פלשתים עד היות יד כל ישראל עמו וכן מה שנתן מיכל בתו לדוד לאשה להפילו ביד פלשתים היה כלי אל מה שנשמר דוד מנפול ביד שאול כמו שנתבאר בזה הספור. וראוי לכל אדם להתנהג במדת הענוה והשפלות הלא תראה כי דוד היה משפיל עצמו מאד ואומר שאינו ראוי לקחת בת מלך ואע"פ שכבר היתה לו מן הדין מפני הכותו את גלית והנה טען תחלה מפני שפלות מדרגתו שפלות משפחתו ואחר זה טען מצד היותו עני ולא יוכל לתת מוהר מתן לבת המלך לפי הראוי לה: השלשים הוא להודיע שאין ראוי לאדם שיהיה מסרב מאד במה שיבקשו ממנו הגדולים ולזה תמצא כי דוד היה מסרב תחלה לקחת את בת המלך מצד מה שזכר שהוא בלתי ראוי לה וכאשר ראה שעם כל זה היה חפץ המלך שיתחתן בו נתרצה להתחתן בו והראה לשאול טוב הצלחתו עד כי הביא לו מאתים ערלות הפלשתים תחת מאה ששאל כדי שיתרצה בו שאול יותר: השלשים ואחד הוא להודיע שראוי למי שיבקש תכלית מה שלא יקצר בהגעתו בכל הסבות אשר ישלם בהם התכלית ההוא ביותר שלם שאפשר ולזה תמצא שלא הספיק במיכל מה שהורידה דוד בעד החלון כדי שימלט מיד אביה כשיברח כי אולי ילוה המלך וירדפוהו וישיגוהו אבל חברה אל זה סבות אחרות והם שכבר שמה התרפים אל המטה וכביר העזים מראשותיו כדי שכבא עבדי שאול אליה תוכל לומר להם כי חולה הוא ויניחוהו זמן מה או אולי יתפייס שאול בזה ולא ישתדל עוד להרגו כי אז יראה כי אזלת יד ואולי ה' יגפנו או אולי יתחרט שאול על החמה הזאת ויניחהו ובין כך ובין כך יהיה פנאי לדוד לברוח ולהרחיק מהמקום ההוא בדרך שלא יפול ביד שאול וינצל ולזאת הסבה גם כן תמצא שלא הספיק ליהונתן במה שרצה לגלות לדוד אם דעת אביו להמיתו אלא אם לא שיתחקה עמו הענין ואחר כך יגלהו לדוד כי אולי לא ימצא דרך שיוכל לדבר בסוד עם דוד להודיע אליו תשובת אביו לו ולזה תמצא כי בפעם הראשונה יען יהונתן לדוד שיסתר בשדה אחד וישתדל יהונתן לדבר עם אביו בשדה ההוא בעצמו מענין דוד לבקש מלפניו כי לא ימיתהו בדרך שיוכל דוד לשמוע הדברים ההם ואם לא יוכל לדבר עמו במקום שישמע דוד דבריהם יקל ליהונתן ללכת במקום שנסתר בו דוד להסך את רגליו ואז יודיע לדוד כל כוונת אביו ובפעם שנית לא הספיק ליהונתן זה כי ראה שאם היה אמת מה שספר לו דוד לא יוכל יהונתן לבטוח שלא יהרוג שאול כשיבטיח אותו שלא יהרגהו כי כבר הבטיחו על זה הענין ראשונה ולזה התחכם יהונתן לאולי לא ימצא דרך יוכל בה להודיע לדוד כוונת אביו מה היא ולזה עשה התחבולה מענין יריית החצים אשר יתבאר לנערו אם יצטרך דוד לברוח ולמלט את נפשו אם לא כי אולי לא ימצא דרך יוכל להודיע לדוד כוונת שאול אביו מה היא ולזה עשה התחבולה מענין לבא אל דוד לדבר עמו מזה הענין ולזאת הסבה גם כן תמצא שהעלים דוד היותו בורח גם מאחימלך הכהן ואע"פ ששאל לו באלהים אם יצליח דרכו כי אולי אם יגלה לו זה יהיה סבה שיפול דוד ביד המלך ולזאת הסבה לא לקח דוד עמו אחד מאנשיו בברחו: השלשים ושנים והוא במצות והוא שאע"פ שכל מצות נדחית מפני פקוח נפש הנה אם לא היה מפני דחות המצוה סבה בעצמותם להציל המעובר עליה מן הסכנה אף על פי שתהיה סבה לזה במקרה אין ראוי לדחותה בזה האופן ולזה לא התיר אחימלך לדוד ולאנשיו לאכול לחם קדש בטומאה כמו שבארנו במה שקדם:

השלשים ושלשה הוא להודיע כי ראוי לאדם שיעשה כל התחבולות שאפשר להציל עצמו ולזה תמצא שהתהולל דוד ביד עבדי אכיש מלך גת והוריד רירו על זקנו כדי שיחשבו שכבר נשתגע ולא יחשדוהו כמרגל גם לא ישתדלו לתפשו מפני היותו שר וגדול בישראל כי יחשבו בראותם שגעונותיו שנסכלותו נעדר ממעלתו ולזה היה סבה אל שיציל דוד נפשו מיד אכיש מלך גת ועבדיו: השלשים וארבעה הוא לבאר שכבר נתקיים ייעוד הש"י לבית עלי בהריגת נוב עיר הכהנים עם שזה היה כלי שסרה הכהונה הגדולה מבית עלי כי לא נשאר מזרעו כי אם אביתר ובו סרה הכהונה מבית עלי ונתנה לצדוק כמו שנתבאר בספר מלכים ולזה לא מצאנו שנענש שאול בהריגת נוב עיר הכהנים אעפ"י שלא היתה שם סבה תביא להרגם בזה האופן כי גם אחימלך לא חטא כנגד שאול כמו שספר לו כ"ש שלא חטאו לו כל בית אביו שהרג עמו ולזה תמצא שלא נזכר זה החטא עם החטאים שזכר שחטא בהם שאול כי ה' הסיתהו בו לקיים ייעודו: השלשים וחמשה הוא להודיע עוצם קנאת דוד בעושי החמס עד שעם היותו ירא מאד מפני שאול התעורר להציל יושבי קעילה מיד שוסיהם כי זאת התכונה ראוי שתהיה לשלם ולמנהיג: השלשים וששה הוא להודיע עוצם השגחת השם באוהביו וזה שכאשר היה שאול ואנשיו עוטרים אל דוד ואל אנשיו לתפשם תכף סבב השם שהוכרח שאול לסור מעל דוד למלט הארץ מיד פלשתים ואחר זה כאשר ירדפו שאול סבב הש"י שנפל ביד דוד בדרך שהיה דוד יכול להזיק לו וזה היה בהיות שאול במערה ואחרי כן בהיותו שוכב ישן במעגל: השלשים ושבעה הוא להודיע שראוי לאדם שלא יהיה דוחק את השעה אבל ימתין העת הראוי ולזה תמצא שאע"פ שכבר נפל שאול ביד דוד והיה רודפו לא הסכים דוד להרגו אבל קוה שאיש אחר ינקום נקמתו ממנו או הש"י או יבא יומו למות וימלוך דוד: השלשים ושמונה הוא להודיע שראוי למי שהוא חושק תכלית מה שלא ישתדל בהגעתו במה שאפשר שיקרה לו ממנו נזק ולזה תמצא כי דוד אעפ"י שהיה מותר לו להרוג שאול כי כבר היה רודפו והיה זה כלי אל שתהיה המלוכה לדוד לא הסכים בהריגתו פן יהיה זה מביא האנשים להקל בהריגת המלכים ויביא זה להגיע נזק לדוד או לזרעו כי כבר משחו הש"י למלך על ישראל על יד שמואל נביאו ולזאת הסבה הרג דוד האיש העמלקי באמרו שכבר הרג שאול והרג הורגי איש בשת בן שאול: השלשים ותשעה הוא להודיע שאין ראוי שיתנהג האדם במדת הכילות והכלביות ר"ל ההדמות לתכונת הכלב שלא יניח שאר הכלבים להשאר בבית אשר הוא בו פן ימעיטו מזונו הלא תראה מה שקרה לנבל מעוצם הכילות שהיה לו אשר כמעט היה סבה לאסוף נפשו ונפש ביתו לולי היתה חכמת אביגיל: הארבעים הוא להודיע שראוי למי שיפחד מיד שתקיף ממנו לפייסו ברבוי הדורון כמו שעשה יעקב לפייס עשו וכן עשתה אביגיל לפייס דוד כי הפליגה מאד בזה הדורון מפני ידיעתה חוזק הכעס שהיה ראוי שיהיה לדוד על דבר בעלה כי הוא שלם לו רעה תחת טובה וחרפו וגדפו מאד ולזה אמרה אכפרה פניו במנחה הגדולה הזאת ואחר כן אבקש ממנו זה דרך תחנה ובקשה: הארבעים ואחד הוא להודיע שמי שירצה לפייס מי שתקיף ממנו לעת כעסו חזק ראוי לו שיתחיל דבריו בדרך מן הפיוס שיתרצה הכועס להטות אזניו אל דבריו ושיסדר דבריו באופן מן החכמה שתשלם לו ההצלה מהרע שחשב לעשות לו הכועס עליו ולזה התחילה אביגיל דברים בזה האופן שהיא אמרה שבה העון הזה כדי שיתפייס דוד קצת פיוס בהודאתה זאת שהודת בחטאה כי כי מודה ועוזב ירוחם ואחר כן באה לו שאין ראוי שיתפעל כל זה ההפעלות מאיש פחות כנבל אם הטיח דברים כנגדו כי רוע תכונת לבו ופחיתותו סבבו זה והנה היה בזה המאמר מהפיוס לדוד מה שלא יעלם ואחר זה התגלה לדוד ובארה לו שלא היה לה אשם בזה ונשבעה בשם יתברך כדי שיאמין לדבריה יותר והנה היה מהחכמה עוד בדבריה אלה שהיא לא רצתה להראות לדוד שתירא ממנו שישחית נבל וביתו אבל הניחה הענין דרך הנחה שהש"י שמר דוד מעשות זה החטא רוצה לומר שיבא בדמים לשפך דם חנם ולהראות שהוא בוטח על גבורתו בדרך שתושיע ידו לו לפי מחשבתו כי זה על האמת חטא עצום ובכלל עוד מהפיוס בדבריה אשר זכרה מרדפי דוד ודרך כלל שהש"י יקלע נפשם בכף הקלע ונפש דוד תהיה צרורה בצרור החיים עם הש"י לפי שלא תמצא הרעה מימיו וכאילו הזהירה בזה עוד דוד שלא יאבד ממנו המלוכה שנתן לו הש"י מפני חטא בזה כמו שעשה שאול שהסיר ממנו המלוכה מפני החטאים שחטא כמו שנזכר במה שקדם ולהראות עוד שהיא לא היתה יראה מדוד שיעשה זה הרע שאלה ממנו שיזכר לה זה החסד שעשתה לו כעת שייטיב ה' לו והיתה לו המלוכה כי אז תהיה לאל ידו לשלם לה גמול כעל כל אשר גמלתהו ולזה נתן דוד תודה לש"י אשר שלחה לפניו למנעו מזה החטא וברך טוב טעמה כי כבר סדרה דבריה בתכלית השלמות כמו שבארנו: הארבעים ושנים הוא להודיע שאין ראוי לאדם שיסמך על הנס אף על פי שרואה תמיד עיני אלהיו בו לשמרו אבל ראוי שיתרחק מן הסכנה לפי מה שאפשר ולזה ספר שברח דוד בארץ פלשתים מפני ראותו שאי אפשר שתשלם לו השמירה בארץ ישראל בזולת סכנה כי תמיד היה שאול רודפו: הארבעים ושלשה הוא להודיע עוצם אהבת דוד עמו כי גם בעת שברח מארץ ישראל והיה בארץ פלשתים היה נלחם מלחמות ה' בשונאי ישראל והיה מכלה אותם לא יחיה איש מהם והיה מחכמת דוד שעשה הענין באופן שחשב אכיש כי דוד

היה

ders: the love of my wives (Abigail and Ahinoam). K, citing his father (Rabbi Joseph Kimchi), explains: Your love was more wonderful to me than the love which women possess for their husbands and children. — K. Others explain: I loved you more than men love the women with whom they are enamored. This is the most intense type of love. — D and Midrash Lekah Tov Deut. 7:13. A explains that this refers to the women mentioned in v. 24. My love for you was much more wonderful than the love which the women possessed for Saul. The love the women possessed for Saul was based on the benefits they received from him, as in verse 24. The love for Jonathan, however, was highly superior to this since it had no ulterior motives. — Malbim

27. *How have the mighty fallen and the weapons of war perished!* — The mighty suffered such heavy losses that it was as though their weapons were lost and they remained unarmed and helpless. It may also be interpreted to mean: "*Saul and Jonathan who were Israel's weapons of war* (perished)." — R, K, G, A, and D

A explains the repetition of the clause: 'How have the mighty fallen,' three times as referring first to Saul, then to Jonathan,and finally to both of them. He also suggests that this was the refrain to which David had taught his men to respond at intervals.

David concludes his lamentation by contrasting the loss of Saul and Jonathan with the loss of other mighty men. Whereas, when other mighty men perish in war, there are always others to replace them and take over the weapons of war, in the case of Saul and Jonathan, there was no one to take their place. It was, therefore, as though the weapons of war were lost. — Malbim

ב א ויהי אחרי־כן וישאל דוד ביהוה
לאמר האעלה באחת ערי יהודה
ויאמר יהוה אליו עלה ויאמר דוד אנה
אעלה ויאמר חברנה: ב ויעל שם דוד
וגם שתי נשיו אחינעם היזרעלית
ואביגיל אשת נבל הכרמלי: ג ואנשיו

תרגום

קרבא: א והוה בתר כן
ושאיל דוד במימרא דיי
למימר האסק בחדא
מקרוי דבית יהודה
ואמר יי ליה סק ואמר
דוד לאן אסק ואמר
לחברון: ב וסליק תמן
דוד ואף תרתין נשוהי
אחינועם דמיזרעאל
ואביגיל אתת נבל
דמכרמלא: ג וגברוהי

ת"א האסלה באחת. זוהר לך לך:

רלב"ג

היה רודף ישראל והורגם ובזה בטח בו יותר לחשבו כי הבאש הבאיש בעמו יש' ולזאת הסב' השתדל דוד שלא ישב את אכיש בעיר המלוכה: הארבעים וארבעה הוא בדעות. והוא להודיע כי הודעת העתידות תגיע לאדם מצד ההשגחה האלהית ולזה ספר שלחטא שאול לא ענהו ה' אפי' על יד אחד מבני הנביאים וכל שכן שלא ענהו בחלומות הצודקים ולא באורים כי אף על פי שנודע שהיו שם אורים ותומים הנה לא היה שם כהן ראוי שיהיו נשאלים באורים ותומים כי כבר המית שאול השלמים מהכהנים אשר היתה להם הכהונה הגדולה בהרגו נוב עיר הכהנים ולא היה שם כהן גדול כל שכן שלא היה שם כהן גדול שרוח הקדש שורה עליו שיתכן שיהיו נשאלים באורים ותומים ולזאת הסבה המלא שלחטא יהונתן בעברו על שבועת אביו לא ענה השם יתברך אל שאול בהיותו נשאל באורים ותומים ושאול הרגים אז כי החטא גרם לו שלא יענהו ה' ולזה חקר על פי הגורל במה היתה החטאת הזאת היום ומזה המקום התבאר שהוא אפשר שיעליב השם יתברך מהנביא קצת העתידות מצד האנשים אשר יקחו תועלת בהודאה ההיא: הארבעים וחמשה הוא להודיע איך שלם השם יתברך לשאול את גמולו הוא הרג נוב עיר הכהנים ולא עת שהרגים במה שנספק ממנו בהריגתם עד שהוכרח לנטות אחר הדברים הפחותים והם האובות אחר שכבר הרחיקם ובערם מן הארץ למען הגיע לו איזו הודעה בענין המלחמה: הארבעים וששה הוא להודיע שאין ראוי שיתחבר האדם עם הרשעים הלא תראה כי בהתחבר דוד עם פלשתים למלחמה פרץ הש"י מעשיו והיה זה סבה אל שנשרפה צקלג ונשבו הנשים והטף אשר בה והנה להשגחה על דוד סבב הש"י שלא הסכימו סרני פלשתים שילך אתם דוד במלחמה כי יראו פן יעשה תחבולה להפילם ביד שאול למען יתרצה בזה אל אדניו והיה זה סבה אל שהציל דוד כל אשר לקח עמלק ממנו ולקח מהם שלל רב והנה היה בזה הישרה אל שתגיע המלוכה לדוד בראות ישראל הצלחתו כמו שזכרנו במה שקדם: הארבעים ושבעה הוא להודיע שראוי לאדם שישלח לחמו על פני המים להטיב לדלים הרעבים כי בזה מקנין התכונה הטובה בענין החמלה מה שלא יעלם עם שכבר יקרה שיגיע לנותן מהמקבל גמול טוב על זה הלא תראה כי דוד בחמלתו על האיש המצרי שמלאוהו בדרך רעב ולמא האכילהו והשקהו ונתן לו פלח דבלה ושני צמוקים היה זה סבה אל בהורהו מקום הגדוד שפשטו על צקלג והיה זה סבה אל שהציל דוד כל אשר לקחו עמלק: הארבעים ושמונה הוא להודיע שלא הי' ראוי שיבטח האדם על מי שלא הי' מעמו הלא תראה כי הנער המצרי שהיה עבד לאיש עמלקי היה נקל בעיניו להפיל אדניו ביד דוד אחר שנשבע לו דוד שלא יסגירנו ביד אדניו ולזאת הסבה ג"כ לא הסכימו סרני פלשתים לבטוח בדוד: הארבעים ותשעה הוא להודיע שלא היה ראוי לאדם שיהיה אכזרי למשרתיו ועבדיו לעזוב אותם כשיחלו אבל ראוי שישתדל ברפואתם ובהמצאתם בחזקת היד הלא תראה מה שקרה לזה האיש העמלקי בעבור שזנח הנער המצרי בחלותו: החמישים הוא להודיע כי בתחבולות יעשו להם החכמים מלחמה ולזה השתדל דוד לבא אל הגדוד תכף בעמדם בטח עד שנפלו בידם כלם זולתי מתי מעט שרכבו על הגמלים וינוסו: החמשים ואחד הוא להודיע שראוי למושל למשוך לב העם אליו בדרך שיאהבוהו וגם בעת שיחטאו לו יראה להם שאין בלבו עליהם דבר כי בזה יקח הנפשות וימשכם לעבודתו הלא תראה כי דוד הקדים לשאול בשלום מאתים האנשים אשר פגרו מעבור את נחל הבשור להראות להם שאין בלבו עליהם דבר ואע"פ שלא הסכימו ללכת עמו להלחם עם הגדוד אשר השחית לצקלג ולא די לו בזה אבל הסכים ג"כ שיקחו מן השלל חלקם ולזאת הסבה ג"כ שלח דוד מהשלל לזקני יהודה עם שכבר נתפרסם להם בזה טוב הצלחתו והיתה בזה השלמה נפלאה להגיע המלוכה לדוד: החמשים ושנים הוא להודיע איך הפליג הש"י אשר לו נתכנו עלילות להמציא הסבות שיגיעו דוד אל שתהיה לו המלוכה בקלות כמו שגזרה חכמתו ורצונו כי אם היה נהרג שאול לבדו הנה לחוזק אהבת דוד אל יהונתן לא היה יכול להסכים בעצמו לעשוק המלוכה ממנו ולזה מת יהונתן עמו וכבר נפלו ג"כ עמו קצת ישראל להראות להם אי זה הבדל יש בין דוד לשאול כי שאול עם היותו מלך נפל הוא ועמו ביד פלשתים ודוד נלח במתי מעט עם רב כי זה ממה שיעיר ישראל אל שיתנו לדוד המלוכה: החמשים ושלשה הוא להודיע שאין ראוי לאדם שישמח בנפול אויביו אבל ראוי שיהיה חרד בנפילת שר וגדול ויזכרו כי כבר יתכן שיקרה לו כן ולזאת תמצא שקרע דוד את בגדיו ויספוד ויבכה ויצם עד הערב על שאול תחלה להיותו היותר נכבד ואח"ז על יהונתן ואחר על עם ה' ועל בית ישראל ויקונן על שאול ועל יהונתן קינה נפלאה: החמשים וארבעה הוא להודיע שראוי לאדם שילמד דעת ממה שיכשיל זולתו ולזה תמצא כי מפני שראה דוד שנפלו שאול ובניו על יד המורים אמר ללמד את בני יהודה קשת כי הוא כלי נפלא מאד בענין המלחמה:

(א) ויהי אחרי כן וישאל דוד בה' לאמר וגו' עד וידבר דוד לה' את דברי השירה הזאת. זכר שאחרי כן שאל דוד בה' אם יעלה באחת ערי יהודה ובאתהו התשובה בסוף שיעלה לחברון ושם משחוהו בית יהודה למלך עליהם וכבר אמר דוד לאנשי יבש גלעד שישיב להם גמול טוב תחת החסד אשר גמלו לאדניהם לשאול להשתדל לקחם

מצודת ציון

ב (א) אנה. לאיזה מקום כמו אנה אנחנו עולים (דברים א'):

Commentary Digest

have harkened to your voice," (Ibid. v. 35) Therefore, for as righteous a man as David and as righteous a woman as Abigail, this was considered an infraction of the moral code, and to remind us that David had intended to marry her while she was still Nabal's wife, the Scripture calls her, 'the wife of Nabal the Carmelite.' — Alshich. This illustrates how strictly the Almighty judges the righteous. See B. K. 50a.

3. *in the cities of Hebron*—in the cities near Hebron. — D

2

1. And it was after this, that David enquired of the Lord saying,
"Shall I go up into one of the cities of Judah?" And the Lord
said to him, "Go up." Said David, "Where shall I go up?" And
He said, "To Hebron." 2. And David went up there, and also
his two wives, Ahinoam the Jezreelitess and Abigail the wife of
Nabal the Carmelite. 3. And his men

Commentary Digest

CHAPTER 2

1. *that David enquired* — David longed to return to the Holy Land. Moreover he knew that Saul had perished and that it was probably safe to return. Yet, he was reluctant to do so without divine sanction. He, therefore, proceeded to enquire of the Urim and Tummim. — A and Azulai in Homath Anach

Shall I go up into one of the cities of Judah? — Although he knew that he was destined to reign after Saul's death, his humility prevented him from occupying the throne immediately. He intended merely to seek the support of his own tribe, Judah, before venturing further. Therefore, he enquired, "Shall I go up into one of the cities of Judah?" — Azulai

Alshich explains that David understood Jacob's blessing: A cub and a lion is Judah (Gen. 49) to mean that his kingdom would have a small beginning, and then grow into his full stature, as a cub grows into a full grown lion. Accordingly, he was prepared to commence his reign by recruiting support of his own tribesmen. He asked, "Will I be exalted in one of the cities of Judah?" upon which the Lord replied, "Be exalted."

"To Hebron." — to commune with the patriarchs who repose there. In their merit, your kingdom will be established. — Zohar, לך-לך, quoted by Azulai

2. *And David went up from there and also his two wives* — David illustrated implicit faith in the Almighty by taking his wives with him, and not showing any fear. Had he been afraid, he would have left his wives elsewhere until he had established his kingdom. This was one of David's virtues which Saul did not possess. — M

and Abigail the wife of Nabal the Carmelite — Although Nabal had been dead for some time and Abigail had been married for the same length of time, the Scripture still calls her, 'the wife of Nabal.' During Nabal's lifetime, she had revealed her intention of becoming David's wife, by saying, "and you shall remember your bondswoman." (I Sam. 25:32) David also had consented by saying, "See, I

אֲשֶׁר־עִמּוֹ הֶעֱלָה דָוִד אִישׁ וּבֵיתוֹ
וַיֵּשְׁבוּ בְּעָרֵי חֶבְרוֹן׃ ד וַיָּבֹאוּ אַנְשֵׁי
יְהוּדָה וַיִּמְשְׁחוּ־שָׁם אֶת־דָּוִד לְמֶלֶךְ עַל־
בֵּית יְהוּדָה וַיַּגִּדוּ לְדָוִד לֵאמֹר אַנְשֵׁי
יָבֵישׁ גִּלְעָד אֲשֶׁר קָבְרוּ אֶת־שָׁאוּל׃
ה וַיִּשְׁלַח דָּוִד מַלְאָכִים אֶל־אַנְשֵׁי יָבֵישׁ
גִּלְעָד וַיֹּאמֶר אֲלֵיהֶם בְּרֻכִים אַתֶּם
לַיהוָה אֲשֶׁר עֲשִׂיתֶם הַחֶסֶד הַזֶּה עִם־
אֲדֹנֵיכֶם עִם־שָׁאוּל וַתִּקְבְּרוּ אֹתוֹ׃
ו וְעַתָּה יַעַשׂ־יְהוָה עִמָּכֶם חֶסֶד וֶאֱמֶת
וְגַם אָנֹכִי אֶעֱשֶׂה אִתְּכֶם הַטּוֹבָה
הַזֹּאת אֲשֶׁר עֲשִׂיתֶם הַדָּבָר הַזֶּה׃ ז וְעַתָּה ׀

דְעִמֵּיהּ אַסֵּיק דָוִד גְבַר
וֶאֱנָשׁ בֵּיתֵיהּ וִיתִבוּ
בְּקִרְוֵי חֶבְרוֹן׃
ד וַאֲתוֹ גֻבְרֵי שִׁבְטָא
יְהוּדָה וּמְשַׁחוּ תַמָּן
יָת דָוִד לְמֶהֱוֵי מַלְכָּא עַל
דְבֵית יְהוּדָה וְחַוִיאוּ
לְדָוִד לְמֵימַר גֻבְרֵי יָבֵשׁ
גִלְעָד דִקְבַרוּ יָת שָׁאוּל׃
ה וּשְׁלַח דָוִד אִזְגַדִין לְוַת
אֱנָשֵׁי יָבֵשׁ גִלְעָד וַאֲמַר
לְהוֹן בְּרִיכִין אַתּוּן קֳדָם
יְיָ דַעֲבַדְתּוּן חִסְדָא הָדֵין
עִם רִבּוֹנְכוֹן עִם שָׁאוּל
וּקְבַרְתּוּן יָתֵיהּ׃ ו וּכְעַן
יַעֲבֵד יְיָ עִמְּכוֹן טִיבוּ
וּקְשׁוֹט וְאַף אֲנָא אַעֲבֵיד
עִמְּכוֹן טָבְתָא הָדָא
בְעַבַדְתּוּן פִּתְגָמָא הָדֵין׃
וכען

תחזקנה

מהר"י קרא

ב (ס) [עם ארוניכם]. הנלחם לכם ובשבילכם:

רד"ק

ישראל כתו: (ד) וימשחו שם את דוד. ואעפ"י שכבר היה נמשח ע"י שמואל אעפ"י כן בעת שקבלוהו עליהם למלך משחוהו: ויגידו לדוד לאמר אנשי יביש גלעד. פי' דבר אנשי יביש גלעד: אשר קברו את שאול. או הוא כמו חפוך אשר קברו אנשי יביש גלעד את שאול: (ו) הטובה הזאת. גמול הטובה הזאת:

מצודת דוד

ב (ג) בערי חברון. בהערים הסמוכים לחברון: (ד) אנשי וגו' אשר קברו. הוא הפוך וכמו אשר אנשי יבש גלעד קברו את שאול: (ו) הטובה הזאת. גמול הטובה הזאת:

מצודת ציון

(ו) ואמת. ענינו כמו חסד וכן והסב וכו' חסד ואמת (לקמן ט"ו):

Commentary Digest

6. *kindness and truth* — as reward for the kindness you did with your master Saul. — M

also I shall requite you this kindness that you have done this thing. — K and D

M renders: also I shall do with you this kindness, for that which you have done to Saul's remains was in payment for his having saved you from Nahash king of Ammon. (See I Sam. 11) I too, am ready to save you should your acceptance of my rule endanger you by inciting your enemies to attack you.

7. *for your master Saul is dead*— Therefore, you must strengthen yourselves and defend yourselves against your enemies. However, be not discouraged for, 'also the house of Judah have anointed me as king over them.' — Accordingly, I shall protect you in time of stress. With this statement, David hinted to the men of Jabesh to follow the example of the Judaeans and rally under his banner. — D and M. A explains that at the time of Saul's death many Israelites left their cities to hide in the forests. Concerning this, David en-

who were with him David brought up, each man and his household, and they dwelt in the cities of Hebron. 4. And the men of Judah came and there anointed David as king over the house of Judah, and they told David saying, that the men of Jabesh-Gilead buried Saul. 5. And David sent messengers to the men of Jabesh-Gilead and said to them, "Blessed be you to the Lord that you have performed this kindness with your lord with Saul, that you buried him. 6. "And now, may the Lord do with you kindness and truth, and also I shall requite you this kindness, that you have done this thing. 7. "And now,

Commentary Digest

4. *and there anointed David* — Even though he had already been anointed by the prophet Samuel, they nonetheless anointed him again when they accepted him as king. — K

Some say that the men of Judah were unaware that Samuel had anointed David, and David in his humility, did not reveal it to them. This, however, seems unlikely. — Azulai

A explains that Samuel's anointment symbolized his being accepted as king by G-d, while the tribe of Judah's anointment symbolized his being accepted as king by them. One without the other was insufficient. See I Sam. 11:5, Commentary Digest and Introduction to this volume.

David began his reign over Judah. This symbolized that when the kingdom would be divided, the tribe of Judah would remain under the rule of the house of David. — A

that the men of Jabesh-Gilead buried Saul — or, the matter concerning the men of Jabesh-Gilead who buried Saul. — K and D

5. *"Blessed be you to the Lord,"* —unlike other kings, David did not destroy the family of his predecessor. On the contrary, he praised those who had dealt kindly with them. — M.

with your lord—since he was your lord.

with Saul — since he was the Lord's chosen. — M. This accounts for the repetition of the word 'with'.

תֶּחֱזַקְנָה יְדֵיכֶם וִהְיוּ לִבְנֵי־חַיִל כִּי־מֵת
אֲדֹנֵיכֶם שָׁאוּל וְגַם־אֹתִי מָשְׁחוּ בֵית־
יְהוּדָה לְמֶלֶךְ עֲלֵיהֶם׃ ח וְאַבְנֵר בֶּן־נֵר
שַׂר־צָבָא אֲשֶׁר לְשָׁאוּל לָקַח אֶת־אִישׁ־
בֹּשֶׁת בֶּן־שָׁאוּל וַיַּעֲבִרֵהוּ מַחֲנָיִם׃
ט וַיַּמְלִכֵהוּ אֶל־הַגִּלְעָד וְאֶל־הָאֲשׁוּרִי
וְאֶל־יִזְרְעֶאל וְעַל־אֶפְרַיִם וְעַל־בִּנְיָמִן
וְעַל־יִשְׂרָאֵל כֻּלֹּה׃ י בֶּן־אַרְבָּעִים שָׁנָה
אִישׁ־בֹּשֶׁת בֶּן־שָׁאוּל בְּמָלְכוֹ עַל־
יִשְׂרָאֵל וּשְׁתַּיִם שָׁנִים מָלָךְ אַךְ בֵּית

תרגום

ז וּכְעַן יִתְקְפָן יְדֵיכוֹן
וַהֲווֹ לְגֻבְרִין גִּבָּרִין אֲרֵי
מִית רִבּוֹנְכוֹן שָׁאוּל וְאַף
יָתִי מְשַׁחוּ דְבֵית יְהוּדָה
לְמֶהֱוֵי מַלְכָּא עֲלֵיהוֹן׃
ח וְאַבְנֵר בַּר נֵר רַב
חֵילָא דִי לְשָׁאוּל דְבַר יָת
אִישׁ בּוֹשֶׁת בַּר שָׁאוּל
וְאַעְבְּרֵיהּ לְמַחֲנָיִם׃
ט וְאַמְלְכֵיהּ עַל דְבֵית
גִלְעָד וְעַל דְבֵית אָשֵׁר
וְעַל דְבֵית יִזְרְעֶאל וְעַל
דְבֵית אֶפְרַיִם וְעַל דְבֵית
בִּנְיָמִן וְעַל דְבֵית יִשְׂרָאֵל
כּוּלְהוֹן׃ י בַּר אַרְבְּעִין
שְׁנִין אִישׁ בֹּשֶׁת בַּר
שָׁאוּל כַּד מְלַךְ עַל
יִשְׂרָאֵל וְתַרְתֵּין שְׁנִין
מְלַךְ

ת"א בן ארבעים. עקרים מד פ' ס

רש"י

ב (ח) לקח את איש בושת. מקרא הי' דורש שעתידין שני מלכים לעמוד מבנימין שאמר לו הקב"ה ליעקב ומלכים מחלציך יצאו (בראשית לה יב) וכבר נולדו כל בניו חוץ מבנימין:

רלב"ג

גויתו וגוית בניו מחומת בית שן וקברו אותם וזרזם שיחזקו ידיהם ויהיו לבני חיל למה שילוש דוד מהמלחמות: (ח) והנה אבנר בן נר המליך איש בושת על שאר השבטים זולתי שבט יהודה שהיו אחרי דוד: (י) והנה זכר כי בן ארבעים שנה היה איש בשת בן שאול במלכו ושתי' שנה מלך והנה אם לא מלך כ"א שתי שנים יהוייב אחד משלשה דברים אם שימתין אבנר להמליכו אחרי מות שאול חמש שנים ואולי תכף מיתת שאול כדי שלא יחזיק דוד בכל ממלכות ישראל והענין השני הוא שימתינו ישר' להמליך דוד עליהם אחרי מות איש בושת חמש שנים ואולי וזה גם כן רחוק מאד בעיני עם שכבר מלאו גם כן שכבר נתרצו ישר' להמליך דוד עליהם גם בחיי איש בושת ולזה לא יתכן שימתינו להמליכו אחרי איש בשת והענין השלישי הוא שיהיה קלת זה הזמן בין מיתת שאול ובין מלכות איש בשת ובין מלכות כל ישר' את דוד עליהם וזה ג"כ רחוק מפני הסבות הנזכרות בענינים הקודמים וידמה בעיני שאמרו ושתים שנה מלך הוא להעיר שמה שבספר אחר זה מענין אבנר ויואב לא היה כי אם אחרי שמלך שתי שנים ולזה יהיה דבק אמרו ושתים שנה מלך לאמרו ויצא אבנר בן נר ועבדי איש בשת בן שאול וגו' והנה בשתי השנים הראשונים לא היתה מלחמה כלל בין דוד ובין זרע שאול וגם עתה לא היתה שם

רד"ק

(ח) ויעבירהו מחנים. רצה להמליכו תחלה מעבר הירדן והעבירהו מחנים כי הוא מצוע גבול שני שבטים וחצי שהרי מחנים גבול בני גד וגבול בני מנשה ואף על פי שידע אבנר כי דוד נמשח למלך על ידי שמואל היה מתחזק להעמיד עדיין מלכות שאול כפי כחו. ובמדרש ויאמר אלהים אל יעקב אני אל שדי פרה ורבה וגו' אמרו מכאן דרש אבנר וקרב לאיש בשת בן שאול אמר הכתוב ומלכים מחלציך יצאו ועל בנימן נאמר שלא נולד עדיין ועד עכשיו לא עמד מבנימן אלא שאול לפיכך לקח איש בשת וימליכהו אל הגלעד וגו': (ט) וימליכהו אל הגלעד. אל במקום על כמו אל ההרים לא אכל וזולתו המליכהו תחילה מעבר לירדן ובארץ ישראל: ואל האשורי ואל יזרעאל ועל אפרים ועל בנימן. ואחרי אשר אמר על ישראל כלו למה זכר אלה המקומות. יש לפרש כי בשובו ממחנים היה וזה היה אחרי מלחמת הנערים ששב אבנר אחרי המלחמה למחנים אל איש בשת ואז העבירהו אל אלה המקומות הנזכרים

מצודת דוד

(ז) תחזקנה ידיכם. ר"ל התחזקו בעצמכם והיו לבני חיל ללחום מנהמתכם: כי מת אדניכם שאול. שהיה לכם מלו לעזור ללחום בעבורכם: וגם אותי משחו. כלומר לא נופל אנכי ממנו והאהיה גם אני לכם לעזר: (ח) ויעבירהו מחנים. שם היה מקום מובחר להמליכו: (ט) ועל ישראל כלה. ר"ל בתחילה המליכו על אלו המקומות שזכר אחת לאחת עד שבאחרונ' המליכו על כל ישראל זולת יהודה: (י) על ישראל. ר"ל על כל ישראל ומלך על כולם שתי שנים וחמשת השנים וששת החדשי' הקודמי' לא מלך עדיין על כל ישראל

and over all Israel — I.e. at first, they accepted him as monarch over the aforementioned places, one by one, until they finally accepted him as king over all Israel except Judah — Mezudath David

10. *over Israel* — I.e. over all Israel. He reigned over all Israel for two years. The preceding five years and six months, he did not reign over all Israel, but over the aforementioned places, which accepted him one by one. Hence, the length of Ish-bosheth's reign corresponded with that of David's reign in Hebron. — Mezudath David

let your hands be strong, and be valiant, for your master Saul is dead, and also the house of Judah have anointed me as king over them." 8. And Abner the son of Ner, the general of Saul's army, took Ish-bosheth, Saul's son, and brought him over to Mahanaim. 9. And he made him king over Gilead and over the Ashurites and over Jezreel, and over Ephraim, and over Benjamin, and over all Israel. 10. Ish-bosheth, Saul's son, was forty years old when he became king over Israel, and he reigned two years, but the house of

Commentary Digest

couraged the men of Jabesh not to flee, but, "And now, let your hands be strong — *even though* your master Saul is dead, *and surely now* that the house of Judah have anointed me as king over them.

8. *and brought him over to Mahanaim* — which is situated on the border between Gad and Menasseh on the eastern bank of the Jordan. Even though Abner knew that Samuel had anointed David as king, he nevertheless strove to preserve the kingdom of the house of Saul as long as possible. The rabbis of the Midrash tell us that *"He expounded a scriptural passage that two kings were destined to arise from Benjamin, for the Holy One, blessed be He, said to Jacob, And kings will come out of your loins* (Gen. 35:11)," *And all his sons had been born except Benjamin.* (Hence, the prophecy of 'kings' referred to Benjamin.) — R, K, and A from G.R. ch. 82, 4. See below 3:34, Commentary Digest.

9. *and he made him king over Gilead* — Their sympathy for Saul's family was stronger than David's appeal. Accordingly, they supported Ish-bosheth.

And over the Ashurites — over the tribe of Asher. — J and K

and over Jezreel and over Ephraim etc — One by one, all these tribes and localities accepted Ish-bosheth, until he ruled over all Israel with the exception of the tribe of Judah. — A and D. After Abner returned to Ish-bosheth in Mahanaim following the battle of the youths (v. 12-29), he led him throughout all Israel on his way back to Benjamin. All the tribes they passed through rallied under Ish-bosheth's banner. — K

and over Jezreel — not the Jezreel of Menassah which he had passed earlier. — K. The Midrash, however, identifies it with the Valley of Jezreel which belonged to Menasseh. — N R ch. 14:1.

יהודה היו אחרי דוד: יא ויהי מספר
הימים אשר היה דוד מלך בחברון
על־בית יהודה שבע שנים וששה
חדשים: יב ויצא אבנר בן־נר ועבדי
איש־בשת בן־שאול ממחנים גבעונה:
יג ויואב בן־צרויה ועבדי דוד יצאו
ויפגשום על־ברכת גבעון יחדו וישבו
אלה על־הברכה מזה ואלה על־
הברכה מזה: יד ויאמר אבנר אל־יואב
יקומו נא הנערים וישחקו לפנינו ויאמר
יואב יקמו: טו ויקמו ויעברו במספר
שנים עשר לבנימן ולאיש־בשת בן־
שאול ושנים עשר מעבדי דוד:

מלך ברם דבית יהודה
הוו בתר דוד: יא והוה
מנין יומיא דהוה דוד
מלכא בחברון על דבית
יהודה שבע שנין ושיתא
ירחין: יב ונפק אבנר בר
נר ועבדי איש בושת בר
שאול ממחנים לגבעון:
יג ויואב בר צרויה ועבדי
דוד נפקו וערעונון על
בריכתא דבגבעון
כחדא ושרו אילין על
בריכתא מיכא ואילין
על בריכתא מיכא:
יד ואמר אבנר ליואב
יקומון כען עולימיא
ויחייכון קדמנא ואמר
יואב יקומון: טו וקמו
ועברו במנין תרי עסר
מדבית בנימן ומדאיש
בשת בר שאול ותרי
עסר מעבדי דוד:
ואתקיפו

ה"א שבע שנים. סנהדרין קז: יקומו נא הנערים. (אלה יז סוטה יז):

רד"ק

עד שובו לביתו בארץ בנימן אבל על ישראל כלו המליכהו זולתי שבט יהודה ופי' האשורי כתרגומו דבית אשר ופי' ואל יזרעאל אינו יזרעאל זה אשר בנחלת בני מנשה: (יא) שבע שנים וששה חדשים. נמצא מלכות בשלה חמש שנים שהרי איש בשת לא מלך אלא שתי שנים: (יב) ממחנים גבעונה. עתה אומר כי אחר שהמליכו את איש בשת במחנים קודם שעבר הירדן לשוב לביתו היה מה שהיה ויצא אבנר עם עבדי איש בשת ללכת לגבעון שהוא ארץ בנימן ויצאו אליהם יואב ועבדי דוד ויפגשום על ברכת גבעון ונראה כי דעת יואב היה להלחם עמם וראה כי רבים אשר אתם וחדל עד שאמר אבנר יקומו נא הנערים וישחקו לפנינו: (יד) וישחקו. דרך שחוק יתגרו אלה עם אלה בחרבותיהם ונראה מי ידע מדרכי המלחמה יותר ודרשו רז"ל ולפי שעשה עם דם הנערים שחוק נענש ונפל בחרב: (טו) ולאיש בשת. די היה לו אם אמר שנים עשר לאיש בשת כמו שאמר שנים עשר מעבדי דוד אלא בא להודיע

רלב"ג

מלחמה זולתי מה שהפיל אבנר מענין המלחמה וזה לאות כי דוד לא הסכים לרדוף בית שאול וזרעו אך שמר לו השבועה שנשבע לו שלא ישמיד את שמו עם שבכר היה דוד מתעסק כמה שהגיע לו מן ההצלחה ולא רצה למהר את הקץ להגיע לו במהירות המלוכה עד שרצה הש"י אשר לו נתכנו עלילות. והנה הקל אבנר בהריגת הנערי' והיה גמולו מדה כנגד מדה והוא שבכר נפל בחרב בסוף הענין:

מצודת דוד

כ"א על המקומות שזכר למעלה ועוד אחת לאחת על מה מהמקומות וכל ימי משך מלכותו היה בחשבון שמלך דוד בחברון: (יג) ויפגשום. פגעו אלו באלו סמוך לברכת גבעון: (יד) וישחקו לפנינו. ר"ל יתגרו מלחמה אלה באלה דרך שחוק לראות מי מהם מלומד מלחמה: (טו) ויעברו. את ברכת המים כי היו אלה מזה ואלה מזה: לבנימן. מבני

מצודת ציון

(יג) ויפגשום. פגעו אלה באלה: ברכת. הוא מקום הבנוי באבנים וכסיד ושם מתכנסים המים וכן הברכה העליונה (ישעיה

Commentary Digest

before crossing the Jordan — K. According to G and A v. 10, this occurred two years later. Perhaps Abner went to Mahanaim on another occasion. — A

14. *"Let the boys get up now and play before us"* — to exhibit their prowess in battle and to determine whose soldiers are superior. Neither Abner nor Joab expected bloodshed, but since bloodshed did result, Abner was considered responsible for this misfortune. Concerning this, the rabbis state: Abner was slain because he called the boys' blood a game (Lev. R 26:1, T מסעי) — A. See Ginsburg

15. *of Benjamin* — who accom-

Judah were after David. 11. And the length of time which
David was king in Hebron over the house of Judah, was
seven years and six months. 12. And Abner the son of Ner
and the servants of Ish-bosheth the son of Saul went out of
Mahanaim to Gibeon. 13. And Joab the son of Zeruiah
and David's servants went out and met together by the pool
of Gibeon, and they sat down, these on one side of the pool
and these on the other side of the pool. 14. And Abner
said to Joab, "Let the boys get up now and play before us,
and Joab said, "Let them get up." 15. And they got up
and passed in number, twelve of Benjamin and of Ish-bosheth,
and twelve of David's servants.

Commentary Digest

11. *the length of time* — lit. the number of days.

seven years and six months — Consequently, the vast majority of Israel was without a king for five and a half years. — K, G and A reject as improbable both the supposition that Ish-bosheth was crowned five and a half years after Saul's death and the supposition that Israel did not accept David until five and a half years had elapsed after Ish-bosheth's assassination. Accordingly, they explain that Ish-bosheth reigned over Israel for the entire seven years and six months that David reigned in Hebron. The Scripture merely informs us that during the first two years there was peaceful coexistence between them, since David kept his oath to Saul. After this period, the first battle was instigated by Abner, resulting in his death. A suggests further that Ish-bosheth ruled as king for two years with Abner's support. After Abner's death, however, his position was weakened considerably, and he was no longer known as king, but rather as prince or regent. Alshich explains that during the first five and a half years of his reign, he was progressively gaining adherents. After this time, he ruled over all Israel for the remaining two years of his reign.

12. *Out of Mahanaim to Gibeon* —This incident occurred after Ish-bosheth's coronation in Mahanaim,

טז וַיַּחֲזִקוּ אִישׁ ׀ בְּרֹאשׁ רֵעֵהוּ וְחַרְבּוֹ
בְּצַד רֵעֵהוּ וַיִּפְּלוּ יַחְדָּו וַיִּקְרָא לַמָּקוֹם
הַהוּא חֶלְקַת הַצֻּרִים אֲשֶׁר בְּגִבְעוֹן׃
יז וַתְּהִי הַמִּלְחָמָה קָשָׁה עַד־מְאֹד בַּיּוֹם
הַהוּא וַיִּנָּגֶף אַבְנֵר וְאַנְשֵׁי יִשְׂרָאֵל לִפְנֵי
עַבְדֵי דָוִד׃ יח וַיִּהְיוּ שָׁם שְׁלֹשָׁה בְּנֵי
צְרוּיָה יוֹאָב וַאֲבִישַׁי וַעֲשָׂהאֵל וַעֲשָׂהאֵל
קַל בְּרַגְלָיו כְּאַחַד הַצְּבָיִם אֲשֶׁר
בַּשָּׂדֶה׃ יט וַיִּרְדֹּף עֲשָׂהאֵל אַחֲרֵי אַבְנֵר
וְלֹא־נָטָה לָלֶכֶת עַל־הַיָּמִין וְעַל־
הַשְּׂמֹאול מֵאַחֲרֵי אַבְנֵר׃ כ וַיִּפֶן אַבְנֵר
אַחֲרָיו וַיֹּאמֶר הַאַתָּה זֶה עֲשָׂהאֵל

תרגום

טו וְאִתְקִיפוּ גְבַר בְּרֵישׁ
חַבְרֵיהּ וְחַרְבֵּיהּ בִּסְטַר
חַבְרֵיהּ וּנְפַלוּ כַּחֲדָא
וּקְרָא לְאַתְרָא הַהוּא
אַחֲסָנַת קְטָלַיָא דִי
בְּגִבְעוֹן׃ יז וַהֲוָה קְרָבָא
תַּקִיף עַד לַחֲדָא בְּיוֹמָא
הַהוּא וְאִתַּבַר אַבְנֵר
וְאֱנָשֵׁי יִשְׂרָאֵל קֳדָם
עַבְדֵי דָוִד׃ יח וַהֲווֹ תַמָן
תְּלָתָא בְּנֵי צְרוּיָה יוֹאָב
וַאֲבִישַׁי וַעֲשָׂהאֵל
וַעֲשָׂהאֵל קְלִיל
בְּרִינְלוֹהִי כַּחֲדָא מִן
טַבְיָא דִי בְּחַקְלָא׃
יט וּרְדַף עֲשָׂהאֵל בָּתַר
אַבְנֵר וְלָא אִתְפְּנֵי
לְמֵיזַל עַל יַמִינָא אוֹ
עַל סְמָלָא מִבָּתַר אַבְנֵר׃
כ וְאִתְפְּנִי אַבְנֵר
בַּתְרוֹהִי וַאֲמַר הַאַתְּ דֵין
עשהאל

מהר"י קרא

(טז) חלקת הצורים. חלקת החזקים שהיו אלו ואלו חזקים:

רש"י

(טז) חלקת הצורים. אחסנת קטיליא ע"ש החרבות כמה דאת אמר אף תשיב צור חרבו (תהלים פ"ט):

רלב"ג

(יט) והנה היה רודף עשהאל אחר אבנר להרגו במלחמה כי הוא היה כראש והמנהיג לאיש בשת ובהפלו תגיע המלוכה לדוד בקלות ובכן אמר לו אבנר שיסור מאחריו ויטהו לו על יד ימינו או על שמאלו ויאחז אחד מהנערים ויקח לו את חליצתו כי היה קשה בעיני אבנר להמית את עשהאל ובראותו כי לא סר מרדוף אחריו הכהו אבנר

רד"ק

כי משבט בנימן היו הולכין עמו להמליכו: (טז) ויפלו יחדיו. כל אחד הרג את חבירו: חלקת הצורים. ת"י אחסנת קטיליא מן ותקח צפורה צר צור חרבו שענינה חרב חדה ויש לפרש כמשמעו כמו והצורים נתצו ממנו ופירושו חלקת החזקים כי חזקים היו ובחזקה נלחמו שלא התגבר אחד על חבירו אלא כלם נהרגו כאחד איש על יד אחיו: (יח) ועשהאל קל ברגליו. ספר זה כי בטח בקלותו לרדוף אחרי אבנר מה שלא עשו כן האחרים ולא הבין כי לא לקלים המרוץ: הצבים. ביו"ד אחד לבד

מצודת ציון

ל"ז): (טז) ויחזיקו. אחזו בכח: חלקת הצורים. ר"ל מישור שנלחמו בה בחדודי חרב כי חלקת הוא ענין מישור כמו חלקת השדה (בראשית ל"ג) והצורים הוא ענין חדוד כמו אף תשוב צור חרבו (תהלים פ"ט): (יח) הצבים. מלשון צבי כלשון רבים:

מצודת דוד

בנימן עבדי איש בושת: (טז) רעהו. הבא ללחום למולו: וחרבו. להכהו נפש: ויפלו יחדיו. כי הרגו זה את זה: (יז) ותהי המלחמה קשה. עם כי מתחלה קמו מתי מספר להשחק דרך שחוק סוף הדבר היה אשר נלחמו כולם בחזקה: (יט) ולא נטה. לא נטה מאחרי אבנר

Scripture teaches us that Abner slew Asahel according to the law permitting the slaying of a pursuer. First, Scripture tells us that Asahel pursued Abner, and, lest we think that he pursued him at random, as usually occurs during a war, Scripture specifies that he did not turn to go to the right or to the left from after Abner.' — Malbim

16. And each one took hold of his fellow's head and his
sword was thrust in his fellow's side, and they fell together. And
he called that place 'the territory of those slain by the sharp
swords' which is in Gibeon. 17. And the battle was very
sore on that day and Abner and the men of Israel were beaten
before David's servants. 18. And the three sons of Zeruiah
were there, Joab, and Abishai, and Asahel. And Asahel was
as light of foot as one of the deer which are in the field. 19.
And Asahel pursued Abner and did not turn to go to the
right or to the left from after Abner. 20. And Abner turned
around and said, "Is that you, Asahel?"

Commentary Digest

panied Ish-bosheth on his campaign to gain followers. — K

16. *and they fell together* — Each one killed his opponent. — K and D

'the territory of those slain by the sharp sword' — Heb. חלקת הצורים J renders: "*'the territory of the slain', named* צורים *for the swords, as it is stated: also you turned back the blade* (צור) *of his sword*" (Ps. 80:44). — R. K suggests: 'the territory of the strong'. The fighters were all strong and fought so valiantly that their opponents could not overpower them.

17. *And the battle was very sore on that day* — although it had begun as a sham battle. — D

18. *Zeruiah* — David's sister. See I Chron. 2:16.

and Asahel was as light of foot— Asahel depended on his speed to pursue Abner, something the others feared to undertake. He forgot, however, that 'the race is not to the swift (Ecc. 9:11)' — K from Ecc. R.

19. *And Asahel pursued Abner*— He felt that by killing Abner, he would remove all opposition to David's kingdom. — G

ויאמר אנכי: כא ויאמר לו אבנר נטה
לך על־ימינך או על־שמאלך ואחז לך
אחד מהנערים וקח־לך את־חלצתו
ולא־אבה עשהאל לסור מאחריו:
כב ויסף עוד אבנר לאמר אל־עשהאל
סור לך מאחרי למה אככה ארצה
ואיך אשא פני אל־יואב אחיך: כג וימאן
לסור ויכהו אבנר באחרי החנית אל־
החמש ותצא החנית מאחריו ויפל־
שם וימת תחתו ויהי כל־הבא אל־
המקום אשר־נפל שם עשהאל וימת

תחתיו קרי

עשהאל נאמר אנא:
כא ואמר ליה אבנר
איתפני לך על ימינך
או על סמלך ואיחוד לך
חד מעולימיא וסב לך
ית זרניה ולא אבה
עשהאל למיזר
מבתרוהי: כב ואוסיף
עוד אבנר למימר
לעשהאל זור לך מבתרי
למה אקטלינך וארמינך
לארעא ואיכדין אזקוף
אפי ואיחמי ליואב
אחוך: כג ולא אבא
למיזר ומחהי אבנר
באחורי מורניתא בסטר
ירכיה ונפקת מורניתא
מאחורוהי ונפל תמן
ומית באתריה והוה כל
דאתי לאתרא דנפל
תמן

ה"א נטה לך. גיטין סח: ויכהו אבנר. סנהדרין מט:

רש"י

(כג) אל החומש. כמו דופן חמישית מקום שמרה וכבד תלוין שם ויונתן תרגם אל החומש בסטר ירכיה: וימת

מהר"י קרא

(כג) [אל החומש. בדופן חמישית] מקום שמרה וכבד תלוין שם:

רד"ק

וי"ד הרבים נעלמה מהמכתב: (כא) ואחוז לך אחד מן הנערי'. לחברתך שישוב עמך ואם אתה ירא ממנו: קח לך את חליצתו. פי' כלי מלחמתו וגם אתה לא תהרגנו: למה אככה ארצה. כתרגומו אקטלינך וארמינך לארעא: (כב) ואיך אשא פני. ואיך אריםֿ פני אל אחיך להביטו הלא אבוש ממנו אם אמיתך: (כג) באחרי החנית. יש חניתו' שראש עץ החנית מחודד ובו ברזל מחודד עשוי לתקעו בארץ כמו שאומר בשאול וחניתו מעוכה בארץ ופעמים מכים בו לאחור שאין פונים אל הרודף להכותו בלהבת החנית אלא מכים באחרי החנית וכן עשה אבנר לא פנה אל עשהאל אלא הכהו באחרי החנית: אל החומש פירשו רבותינו ז"ל בדופן חמישית מקום שמרה וכבד תלויים בו ות"י בסטר ירכיה: תחתיו. במקומו כמו ולא קמו איש מתחתיו ור"ל שלא הלך ולא זז ממקומו אחר שהוכה אלא מיד מת: ויעמדו. כאשר שמעו עברי דוד הריגת עשהאל רדפו אחרי אבנר וכשהיו מגיעים אל המקום ההוא שמת שם עשהאל היו עומדים אבל יואב ואבישי לא עמדו עליו אלא רדפו אחרי

רלב"ג

באחרי החנית אל החומש והוא שכאשר הוכה האדם בו ימות בקלות והוא המקום שמרה וכבד תלויי' בו כמו שפירשו רז"ל והנה היה בחנית ההוא חן משני צדדיו כדי שיוכל להכות בו לפניו ולאחריו: (כג) והנה דקר אותו בחנית ההוא עד שיצאה החנית מאחריו ויפול שם ומת במקומו או יהיה הרצון באמרו אל החומש כנגד הלב והוא מנין וחמושים עלו בני ישראל והרצון בו חמושים מכלי זיין וכן הלב כלי זיין האדם כי ממנו תולדת החום הטבעי שהוא שומר מגיאות

מצודת דוד

נלכת וגו': (כא) נטה לך. כי הרודף אחרי מי ושב מאחריו הנה נקלון יחשב ולזה אמר לו אבנר אם מפני הכבוד לא תרצה לשוב מאחרי עשה זאת נטה על ימינך וכו' להיות נראה שלא אחרי רדפת כ"א אחר נער אחר ואחוז כאמת אחד מן הנערים ולא תכנו נפש כ"א קח חליצתו ויחשבו הכל כי אחריו רדפת והשגתו: (כב) ארצה. שתפול מת כארץ: ואיך אשא פני. להסתכל בו כי הלא אבוש מפניו: (כג) באחרי החנית. בהברזל המחודד אשר בו תעשוי לתקוע בארץ: אל החומש. אל צלע החמישית שהוא על הלב. ורז"ל אמרו מול מקום שכבד ומרה תלוין בו: מאחריו. כי חלפה גופו מעבר אל

מצודת ציון

(כא) חלצתו. כן יקרא המלבוש וכן ויקח את חליצותם (שופטים י"ד): ולא אבה. ולא רצה: (כג) תחתיו. במקומו:

Commentary Digest

under the fifth (rib) — Heb. אל החמש — lit. to the fifth — *"like the fifth rib, the place where the liver and gall bladder are suspended.* (San. 49a) J *renders*: לסטר ירכה — *to the side of his hip."* — R and K. G renders: and he struck him in the heart.

and he died in his place — i.e. he died immediately — K. The justification of this killing will be discussed in ch. 3, v. 27.

stood still — when David's men

and he said, "It is I." 21. And Abner said to him, "Turn you aside to your right or to your left, and take you hold of one of the boys and take to yourself his clothing." But Asahel did not want to turn aside from following him. 22. And Abner continued further to say to Asahel, "Turn you aside from following me. Why shall I strike you to the ground? And how will I hold up my face to Joab your brother?" 23. And he refused to turn aside and Abner struck him with the back end of the spear under the fifth [*rib*], and the spear came out from behind him and he fell there and died in his place, and it was that everyone who came to the place where Asahel had fallen and died,

Commentary Digest

21. *"Turn you aside* — You are a pursuer, whom I may kill according to law. Therefore, I warn you to turn aside and to cease pursuing me. — G and M. See San. 73a.

and take you hold of one of the boys and take to yourself his clothing — If you are afraid to lose face by abandoning the pursuit, pretend that you had intended to pursue one of the youths, take hold of him, and take his clothing. — G, A and D

his clothing — K in 'Shoroshim' and Z. J renders: his girdle. K renders: his weapons.

22. *And Asahel continued further to say,* — He gave him a second warning. — A

..*"Turn you aside"* — whether in honor or in disgrace. — A.

Why shall I strike you to the ground? — Why shall I strike you dead that you fall to the ground? — D. J paraphrases: Why shall I slay you and cast you to the ground? Perhaps they mean the same.

and how will I hold up my face to Joab your brother? — How will I be able to look your brother Joab in the face if I kill you? — K.

23. *And he refused to turn away* — Therefore, Abner slowed his pace allowing Asahel to draw near. — A.

with the back end of the spear— which was sharpened for combat, or to be thrust into the ground. Asahel had not expected this, and accordingly left himself vulnerable. — A and D

וַיַּעֲמֹדוּ׃ כד וַיִּרְדְּפוּ יוֹאָב וַאֲבִישַׁי אַחֲרֵי
אַבְנֵר וְהַשֶּׁמֶשׁ בָּאָה וְהֵמָּה בָּאוּ עַד
גִּבְעַת אַמָּה אֲשֶׁר עַל־פְּנֵי־גִיחַ דֶּרֶךְ
מִדְבַּר גִּבְעוֹן׃ כה וַיִּתְקַבְּצוּ בְנֵי־בִנְיָמִן
אַחֲרֵי אַבְנֵר וַיִּהְיוּ לַאֲגֻדָּה אֶחָת וַיַּעַמְדוּ
עַל רֹאשׁ־גִּבְעָה אֶחָת׃ כו וַיִּקְרָא אַבְנֵר
אֶל־יוֹאָב וַיֹּאמֶר הֲלָנֶצַח תֹּאכַל חֶרֶב
הֲלוֹא יָדַעְתָּה כִּי־מָרָה תִהְיֶה בָּאַחֲרוֹנָה
וְעַד־מָתַי לֹא־תֹאמַר לָעָם לָשׁוּב
מֵאַחֲרֵי אֲחֵיהֶם׃ כז וַיֹּאמֶר יוֹאָב חַי
הָאֱלֹהִים כִּי לוּלֵא דִּבַּרְתָּ כִּי אָז מֵהַבֹּקֶר

פתח באתנח

תרגום

תמן עשהאל ומית וקימין: כד ורדפו יואב ואבישי בתר אבנר ושמשא עלת ואינון מטו עד גבעת אמתא די על אפי גיח אורח מדברא דגבעון: כה ואתכנישו בני בנימן בתר אבנר והוו לסיעא חד וקמו על ריש רמתא חדא: כו וקרא אבנר ליואב ואמר הלאפרש תקטול חרבא הלא ידעתא ארי מרירא תהי בסופא ועד אימתי לא תימר לעמא למתב מבתר אחיהון: כז ואמר יואב קים הוא יי ארי אלולפון מליליתא ארי בכין פון מעידן צפרא אסתלק

רש"י

אחריו. ומית באתריה: (כז) לולא דברת. אם דברת כן. לולא. כמו לו. ועוד יש לפותרו כמשמעו לולא דברת מה

רלב"ג

כאדם שיעור הזמן שאפשר בו שיהיה: (כד) והנה היו רודפים יואב ואבישי אחרי אבנר שהרג עשהאל אחיהם והעריבה השמש ונתחזק אבנר עם בני בנימן שהתקבצו אליו והיה גם כן עמם במקום חזק כי היו על ראש גבעה אחת אז קרא אבנר אל יואב שיסורו מרדוף איש אחיו כי אם ילחמו או ינוצחו כבר תהיה מרה באחרונה כמו שנתבאר מענין מלחמת השבטים עם בנימן על דבר פילגש בגבעה וענהו יואב כי אבנר היה סבת המלחמה במה שאמר יקומו הנערים

רד"ק

אבנר: (כד) והשמש באה. כשהגיעו גבעת אמה באה השמש: גבעת אמה. נקראת הגבעה כן על ענין ידוע אצלם אולי היתה אמת המים בצד הגבעה: גיח. שם מקום: (כה) ויתקבצו. כשראו שהיו רודפים אחריהם התקבצו אותם שהיו הולכים ראשונים ובאו אחרי אבנר והיו לאגודה אחת להלחם עם יואב ופירוש אגודה סיעה מקובצין יחד כאלו נקשרים ונאגדים זה בזה: (כו) הלנצח תאכל חרב. תרגם יונתן הלאפרש וכן תרגם אם ישמור לנצח לאפרש ופירוש לנצח ידוע כי הוא כמו לעולם. ופי' תאכל חרב תאכל חרבך בשר לנצח הלא ידעתי כי תאותך לנצח למלחמת תהיה מרה באחרונה: (כז) כי לולא דברת. אם לא שדברת אתה יקומו נא הנערים וישחקו לפנינו לא היתת מלחמה זאת היום ואתה החלות מלחמה זאת לא אני וכבר מאז מן הבקר ועד עתה נעלה העם איש מאחרי אחיו לולא דברת אתה וכשראה יואב כי לא יכול עמהם כי התקבצו כלם תקע בשופר שיעמדו ולא ירדפו וכן עשה ויעמדו כל העם אשר עם יואב:

מצודת ציון

(כד) באת. שקעה כמו כי בא השמש (בראשית כ"ח): (כה) לאגודה אחת. ר"ל לקבוצה אחת כמו ואגודתו על ארץ יסדה (עמוס ט): גבעה. הר: (כו) הלנצח. הלעולם: ועד מתי. עד איזה זמן: (כז) לולא. אם לא: נעלה. ענין סלוק כמו ונעלה הענן (במדבר ט):

מצודת דוד

עבר: כל הצבא. מאנשי דוד: ויעמודו. עמדו מתהלים וחדלו מלרדוף: (כד) וירדפו. אבל יואב ואבישי רדפו עוד: דרך. רדפו דרך מדבר גבעון ובאו לגבעת אמה: (כה) אחרי אבנר. להליכו מיואב ואבישי: (כו) הלנצח. וכי לעולם תהרוג החרב מאתנו איש לאחיו: הלא ידעתה. והלא תשכיל לדעת שמרה תהיה באחרונה שאמום אני או אתה: (כז) לולא דברת. אם לא דברת מתחילה יקומו הנערים וכו': כי אז מהבוקר. מעת פגשנו היינו נפרדים אלה מאלה כ"א לדרכו כי לא היה מאז דעתי להלחם עמך:

stood still. 24. And Joab and Abishai pursued Abner; and the sun set when they came to the hill of Ammah which is before Giah by the way of the desert of Gibeon. 25. And the sons of Benjamin gathered after Abner and became one band, and they stood on top of one hill. And Abner called Joab and said, "Will the sword forever consume? Did you not know that it would be bitter in the end? Until when will you not say to the people to return from after their brothers?" 27. And Joab said, "As God lives, for had you not spoken, then from the morning

Commentary Digest

heard of Asahel's tragic end, they pursued Abner. When they reached the spot where Asahel was lying, they stood in their tracks, unable to move because of their great sorrow. Only Joab and Abishai resumed the chase to avenge their brother's death, also to save face, lest it be said that they could not overtake Abner.

25. *gathered after Abner* — When they saw that Joab and Abishai were pursuing them, all of them, including those who were marching in front, gathered together behind Abner — *and became one band* — thereby strengthening their stand. — K, G, and M

and they stood on top of one hill — further strengthening their position. — G and M.

26. *"Will the sword forever consume?* — Will your sword continue to kill forever? — K. Will this war continue indefinitely? It will certainly come to an end when everyone accepts David as king. As far as Asahel's death is concerned, —

Did you not know that it would be bitter in the end? — When you consented to the war game, did you not known that such misfortunes could result therefrom? — A. Azulai adds that Abner unwittingly prophesied his own doom which resulted from this battle.

27. *had you not spoken* — Heb. לולא, usually meaning 'if not'. R, however, explains it as 'if' — *"if you had spoken so.* לולא *is like* לו ,if). I.e. if you had called a truce earlier, then from the morning the people would have gone away. *It may also be interpreted according to its usual meaning. Had you not spoken what you said, "Let the boys get up now and play"* — R. K, G, A and Mezu-

נַעֲלָה הָעָם אִישׁ מֵאַחֲרֵי אָחִיו: כח וַיִּתְקַע
יוֹאָב בַּשּׁוֹפָר וַיַּעַמְדוּ כָּל־הָעָם וְלֹא־
יִרְדְּפוּ עוֹד אַחֲרֵי יִשְׂרָאֵל וְלֹא־יָסְפוּ עוֹד
לְהִלָּחֵם: כט וְאַבְנֵר וַאֲנָשָׁיו הָלְכוּ
בָּעֲרָבָה כֹּל הַלַּיְלָה הַהוּא וַיַּעַבְרוּ אֶת־
הַיַּרְדֵּן וַיֵּלְכוּ כָּל־הַבִּתְרוֹן וַיָּבֹאוּ מַחֲנָיִם:
ל וְיוֹאָב שָׁב מֵאַחֲרֵי אַבְנֵר וַיִּקְבֹּץ אֶת־
כָּל־הָעָם וַיִּפָּקְדוּ מֵעַבְדֵי דָוִד תְּשְׁעָה־
עָשָׂר אִישׁ וַעֲשָׂהאֵל: לא וְעַבְדֵי דָוִד הִכּוּ
מִבִּנְיָמִן וּבְאַנְשֵׁי אַבְנֵר שְׁלֹשׁ־מֵאוֹת
וְשִׁשִּׁים אִישׁ מֵתוּ: לב וַיִּשְׂאוּ אֶת־
עֲשָׂהאֵל וַיִּקְבְּרֻהוּ בְּקֶבֶר אָבִיו אֲשֶׁר
בֵּית לָחֶם וַיֵּלְכוּ כָל־הַלַּיְלָה יוֹאָב

אִסְתַּלַּק עַמָּא גְבַר
מִבָּתַר אֲחוּהִי: כח וּתְקַע
יוֹאָב בְּשׁוֹפָרָא וְקָמוּ כָּל
עַמָּא וְלָא רְדַפוּ עוֹד
בָּתַר יִשְׂרָאֵל וְלָא אוֹסִיפוּ
עוֹד לְאַגָּחָא קְרָבָא:
כט וְאַבְנֵר וְגֻבְרוֹהִי
הֲלִיכוּ בְּמֵישְׁרָא כָּל
לֵילְיָא הַהוּא וַעֲבָרוּ יָת
יַרְדְּנָא וַאֲזַלוּ כָּל בְּתְרוֹן
וַאֲתוֹ לְמַחֲנָיִם: ל וְיוֹאָב
תָּב מִבָּתַר אַבְנֵר וּכְנַשׁ
יָת כָּל עַמָּא וּשְׁגוּ מֵעַבְדֵי
דָוִד תְּשְׁעַת עֲסַר גַּבְרָא
וַעֲשָׂהאֵל: לא וְעַבְדֵי דָוִד
קְטַלוּ מִדְּבֵית בִּנְיָמִן
וּבְגֻבְרֵי אַבְנֵר תְּלָת
מְאָה וְשִׁתִּין גַּבְרָא מִיתוּ:
לב וּנְטַלוּ יָת עֲשָׂהאֵל
וְקַבְרוּהִי בְּקִבְרָא
דַּאֲבוּהִי דִּי בְּבֵית לֶחֶם
וַאֲזַלוּ כָּל לֵילְיָא יוֹאָב
וגברוהי

רש"י

שאמרת יקומו נא הנערים וישחקו: (כט) הבתרון. שם מחוז: (ל) תשעה עשר איש ועשהאל. והלא עשהאל בכלל עבדי דוד ולמה יצא שהיה שקול כנגד כולם וכן לכו וראו את הארץ ואת יריחו (יהושע ב׳ א׳) וכן והמלך שלמה

ואנשיו

רד"ק

(כח) ולא ירדפו. כמו ולא רדפו עתיד במקום עבר ורבים כמוהו: (כט) כל הבתרון. שם מחוז וגבול מעבר לירדן נקרא כן על ענין ידוע אצלם: (ל) ויקבוץ את כל העם. לפקוד אותם כי חסר בהם: ויפקדו. חסרו כמו ולא נפקד ממנו איש: תשעה עשר איש ועשהאל. לפי שהיה נכבד מהתשעה עשר

רלב"ג

וישחקו לפניו: (כח) והנה סבב יואב שעמדו העם ולא רדפו אחרי בני ישראל ולא יספו עוד להלחם אחד זה בזמן ההוא אך השתדלו כל אחת מהכתות לשוב לאהלם בזריזות להמלט מהכת האחרת אם תרדוף אחריהם ולזה הלכו אבנר ואנשיו כל הלילה וכן הענין ביואב ואנשיו: (ל) והנה היה מהמלחמת דוד שלא מתו מאנשיו זולת עשרים ומאנשי אבנר מתו שלש מאות וששים איש וכן התמיד הענין כל ימי המשך המלחמה בין בית שאול ובין בית דוד בכלל היה דוד הולך וחזק ובית שאול הולכים ודלים:

מצודת דוד

(כח) ויתקע. לרמז שיעמדו ולא ירדפו עוד ושמעו אליו ולא יספו עוד להלחם: (כט) כל הלילה. כי פחד מיואב שלא יפול עליו פתאום: (ל) ועשהאל. לפי שהיה הגבור מכולם לא כללו עמהם: (לא) מבנימן. וחוזר ומפרש וכמי מבנימין באנשי אבנר: (לב) וילכו כל הלילה.

מצודת ציון

(כט) בערבה. במישור: הבתרון. שם מחוז: (ל) ויפקדו. נחסרו כמו ולא נפקד ממנו איש (שם לא): (לא) מתו. כמו ומתו ומוסב על הכו וכו׳ לומר הכו מבנימין וכו׳ ומתו: (לב) בית לחם. בבית לחם: ויאור. מלשון אור:

Commentary Digest

men — Of which men of Benjamin? Of Abner's men. — D

360 *men died* — This overwhelming victory was indicative of David's mounting strength in contrast with that of Ish-bosheth. See below 3:1. — G

32. *and they went all night Joab and his men* — lest Abner, knowing of their lust for vengeance, attack them at night. — A

and light broke upon them — At daybreak they arrived at Hebron. — K and D

the people would have gone away, each one from after his brother. 28. And Joab blew the horn, and all the people stood still and pursued Israel no more, and they did not continue to fight. 29. And Abner and his men went through the plain all that night, and they crossed the Jordan and went through all the Bithron, and came to Mahanaim. 30. And Joab returned from after Abner and gathered all the people; and there were missing of David's servants nineteen men and Asahel. 31. And David's servants had slain of Benjamin and of Abner's men; 360 men died. 32. And they carried Asahel and buried him in his father's grave which is in Bethlehem, and they went all night, Joab

Commentary Digest

doth all accepting the second definition.

28. *And Joab blew the horn*—as a signal to desist from pursuing Abner. — D

29. *And Abner and his men went through the plain all that night* — Knowing that Joab and Abishai sought to avenge their brother's death, Abner traveled all night to hostile camps. — A

the Bithron — *"the name of a section"* on the eastern bank of the Jordan, given this name for some reason known to the ancients. — R and K.

30. *nineteen men and Asahel* — *"Now, was not Asahel included among David's servants? Why then, was he counted separately? Because he was equal to all of them. Similarly, "go and see the land and Jericho* (*Josh.* 2:1), *and similarly*: *and King Solomon loved many foreign wives and Pharaoh's daughter* (I Kings 11:1)." — R from Sifrei, end of עקב. Jericho was as strong and formidable a foe as the entire land of Canaan. Similarly, Solomon loved Pharaoh's daughter as dearly as he loved all his other foreign wives combined. Likewise, she caused him to sin as much as all his other foreign wives combined. In our case, the loss of Asahel was felt as keenly as the loss of all the other nineteen men.

31. *Of Benjamin and of Abner's*

ואנשיו ויאר להם בחברון: ג א ותהי
המלחמה ארכה בין בית שאול ובין
בית דוד ודוד הלך וחזק ובית שאול
הלכים ודלים: ב וילדו לדוד בנים
בחברון ויהי בכורו אמנון לאחינעם
היזרעאלית: ג ומשנהו כלאב לאביגל
אשת נבל הכרמלי והשלשי אבשלום
בן מעכה בת תלמי מלך גשור:
ד והרביעי אדניה בן חגית והחמישי
שפטיה בן אביטל: ה והששי יתרעם
לעגלה אשת דוד אלה ילדו לדוד

וילדו קרי לאביגיל קרי

תרגום

ונברוהי ונהר להון
בחברון: א והות קרבא
תקוף בין בית שאול
ובין בית דוד ובית דוד
אזלין ותקיפין ובית
שאול אזלין וסאבין:
ב ואתילידו לדוד בנין
בחברון והוה בוכריה
אמנון לאחינועם
דמיזרעאל: ג ותנייניה
כלאב לאביגיל אתת
נבל דמכרמלא
ותליתאה אבשלום בר
מעכה בת תלמי מלכא
דגשור: ד ורביעאה
אדוניה בר חגית
וחמישאה שפטיה בר
אביטל: ה ושתיתאה
יתרעם לעגלה אתת
דוד אלין אתילידו לדוד

ת"א ומשנהו. שם: כלאב. ברכות ד: והרביעי אדניהו. סנהדרין כא: והששי יתרעם. שם כא:

רש"י

אהב נשים נכריות רבות ואת בת פרעה (מלכים א' י"א א'): ג (ג) ומשנהו כלאב. ובמקום אחר הוא קורא אותו ומשנהו דניאל ולמה נקרא שמו כלאב אמר רבי יצחק שהיו ליצני הדור אומרים מנבל היתה אביגיל מעוברת והפך קלסתרו ונדמה לאביו. ורבותינו אמרו שהיה מכלים פני מפיבושת בהלכה: (ה) לעגלה. זו מיכל שהיתה חביבה

רלב"ג

(ה) לעגלה אשת דוד. אמרו ז"ל כי מפני זה אמר אשת דוד בזו לבד ולא באחרות כי היא היתה בלתי ראויה כי אם לדוד לפי שהיתה אשת שאול כמו שאמר ואתנה לך את בית אדניך ואת נשי אדניך בחיקך והנה אלמנתו של מלך איננה ראויה כי אם למלך וידמה גם כן כי הנשים אשר לקח בירושלם והפילגשים כמו שאמר אחר זה היו קודם

רד"ק

לא כללו עמהם וכתבו בפרט: (לב) ויאור להם בחברון. כשהיה אור היום בבקר היה בחברון: (ג) כלאב. ובספר דברי הימים דניאל שני שמות היו לו וכמותו רבים בכתוב ויש בו דרש כי לפי שלקח דוד אביגיל אחר מות נבל היו אומרים כי מעוברת היתה מנבל וזה הבן שילד' אביגיל לדוד היה בנו של נבל לפיכך יצא קלסתר פניו כקלסתר פניו של דוד להסיר החשד לפיכך קראו כלאב כלו אב כלומר בכל צורותיו דומה לאביו דניאל היה שמו העיקר כי אמר דוד דנני אל מנבל: אבשלום בן מעכה. דרשו בו כי לפי שהיה בן יפת תואר שלקחה דוד במלחמה לפיכך היה אבשלום סורר ומור' באביו לכך נסמכת פרשת סורר ומורה לפרשת יפת תואר לומר לך כל הנושא אותה או אשה שאינה הגונה יוצא ממנה בן סורר ומורה ונכון הוא הדרש כי מאחר שהיא שבוית הרי הוא כמוכרחת לשוב לדת ישראל ולבה לא נכון אל הדת ותגשע יוצא דמות השרש: (ה) לעגלה אשת דוד. דרשו רז"ל עגלה זו מיכל בת שאול ולפי שהיתה חביבה על דוד קראה עגלה כמו לולי חרשתם

מצודת ציון

ג (א) ודלים. חלושים כמו דלות ורעות (בראשית מא): (ג) ומשנהו.

מצודת דוד

כי גם הוא פחד מאבנר פן יהרגהו להסיר מעליו הפחד שלא יגאל דם חמיו: ויאור. כשבאו אל חברון האיר להם הבוקר:

ג (א) ארוכה. זמן ארוך: הולך וחזק. בכל עת התחזק יותר: ודלים. שפלים וחלשים: (ג) בן מעכה. יפת תואר היתה ולקחה במלחמה: (ה) אשת דוד. חוזר על כולן לומר כל אחת היתה אשת דוד ולא פילגש:

Commentary Digest

is called the wife of Nabal, while in I Chron. she is referred to as Abigail the Carmelitess. — Etz Josef.

R continues: *"And our Rabbis said that he would embarrass* (מכלים) *Mephibosheth in legal matters."* — R from Ber. 4a. Mephibosheth, 'son of Jonathan' was David's teacher and his superior in Torah. Chileab, however, was superior to Mephibosheth. The name כלאב is a contraction of מכלים אב, he would embarrass the father, or master.

R, in citing T.B., perhaps seeks to explain why the scorners begrudged David the fatherhood of Chileab. He

and his men, and the light broke upon them in Hebron.

3

1. And the war between the house of Saul and the house of
David was long; and David kept growing stronger, while
the house of Saul were continuously growing weaker. 2. And
sons were born to David in Hebron; and his first-born was
Amnon of Ahinoam the Jezreelitess. 3. And his second,
Chilèab, of Abigail the wife of Nabal the Carmelite; and the
third, Absalom the son of Maacah the daughter of Talmai
the king of Geshur. 4. And the fourth, Adonijah the son of
Haggith, and the fifth, Shephatiah the son of Abital. 5. And
the sixth, Ithream of Eglah, David's wife. These were born
to David

Commentary Digest

CHAPTER 3

3. *and his second, Chileab of Abigail* — *"Elsewhere the Scripture calls him: And his second, Daniel* (I Chron. 3:1). *Said Rabbi Isaac: Since the scorners of the generation were saying that Abigail was pregnant from Nabal, his features were changed, so that he resembled his father."* — R. From R's wording, it appears that his features were changed after his birth. Azulai explains that when he was born, David called him Daniel, meaning 'G-d judged me (in my cause against Nabal)'. After the miracle took place, he called him Chileab, meaning כולו אב , he is entirely like his father, or כאלו אביו, it is as though he is his father. This version, however, is not found in our Midrashim. Instead we find that before his birth, the Almighty charged the angel who is appointed to give the fetus a form, to form his features like David's. — T. תולדות, Y Ibid. from Midrash Yelam'denu, pseudo— R on I Chron. 3:1 from Mid. Vayechulu. The interpretation of the name Daniel is mentioned only in the last Midrash. The latter version is likewise quoted by K and A. This derash explains why in II Sam. Abigail

בְּחֶבְרוֹן: ו וַיְהִי בִּהְיוֹת הַמִּלְחָמָה בֵּין
בֵּית שָׁאוּל וּבֵין בֵּית דָּוִד וְאַבְנֵר הָיָה
מִתְחַזֵּק בְּבֵית שָׁאוּל: ז וּלְשָׁאוּל פִּלֶגֶשׁ
וּשְׁמָהּ רִצְפָּה בַת־אַיָּה וַיֹּאמֶר אֶל־
אַבְנֵר מַדּוּעַ בָּאתָה אֶל־פִּילֶגֶשׁ אָבִי:
ח וַיִּחַר לְאַבְנֵר מְאֹד עַל־דִּבְרֵי אִישׁ־
בֹּשֶׁת וַיֹּאמֶר הֲרֹאשׁ כֶּלֶב אָנֹכִי אֲשֶׁר

תרגום

בְּחֶבְרוֹן: ו וַהֲוָה כַּד
הֲוָת קְרָבָא בֵּין בֵּית
שָׁאוּל וּבֵין בֵּית דָּוִד
וְאַבְנֵר הֲוָה מִתְקֵף בְּבֵית
שָׁאוּל: ז וּלְשָׁאוּל
לְחֵינָתָא וּשְׁמָהּ רִצְפָּה
בַּת אַיָּה וַאֲמַר לְאַבְנֵר
מָה דֵּין עֲלְתָא לְוַת
לְחֵינָתָא דְאַבָּא: ח וּתְקֵיף
לְאַבְנֵר לַחֲדָא עַל
פִּתְגָמֵי אִישׁ בֹּשֶׁת וַאֲמַר
הֲלָא רֵישָׁא דְכַלְבָּא אֲנָא
מכען

ת"א הראש כלב. עקדה שער כה:

רש"י

עליו וכן ה"א אומר לולא חרשתם בעגלתי (שופטים י"ד י"ח) והכתיב ולמיכל בת שאול לא היה לה ולד עד יום מותה (לקמן ו' כ"ב) עד יום מותה לא הי' לה מאותו מעשה ואילך קודם אותו מעשה הוי לה: (ו) היה מתחזק. בכל כח על בית שאול להעמיד מלכותו: (ח) הראש כלב אנכי אשר ליהודה. כלום אני חשוב אפילו כראש שומר הכלבים אשר לדוד אך לפי הנקוד שהטעם תחת הראש וכלב

מהר"י קרא

ג (ח) הראש כלב אנכי אשר ליהודה. פי' איש כמוני שהיית ראוי לחיות ראש ליהודה שבהה עלי מעשה כלב: היום אעשה חסד. סבור הייתי לעשות עמך חסד כמו שעשיתי עם

רד"ק

בעגלתי לא מצאתם חידתי ומה שאמר אשת דוד מסייע הדרש אע"פ שהם לא תביאו כי למה אמר על זאת אשת דוד מה שלא אמר על האחרות אלא לפי שהיתה אשתו ראשונה ומה שאמר ולמיכל בת שאול לא היה לה ולד עד יום מותה מהחיא מעשה ואילך לא היה לה ולד לענשה שבזתה דוד שהיה מפזז לפני ה' אבל מעיקרא הוה לה ולפי הפשט יש לפרש עגלה זו אחרת ומיכל לא נזכרה כאן לפי שלא היה לו ממנה בן וכן הוא אומר הבנים שהיו בחברון לפיכך זכר הנשים ומיכל אף על פי שהביאה לו אבנר ועודנו בחברון לא זכרה כאן לפי שלא היה לו ממנה בן אבל באמרו אשת דוד וכן אמר בדברי הימים לעגלה אשתו אולי לא היתה ממשפחה גדולה ולא היתה ידועה בזכור אותה אלא באשת דוד ויש לפרש עוד כי עגלה זאת היתה אשת שאול ולקחה דוד אחרי מות שאול כמו שאומר ואת נשי אדונך בחיקך ואף על פי שאמרו אין נושאין אלמנתו של מלך הרי אמרו מלך נושא אלמנתו של מלך אחר מפני זה אמר אשת דוד כלומר שלא היתה ראויה להיות אשת אדם אחר אלא אשת דוד לפי שהיה מלך ואע"פ שזו הסברה אינה אלא לדעת רבי יהודה כי הוא אומר מלך נושא אלמנתו של מלך ואין חכמים מודים לו אעפ"כ פשט הפסוק נכון לר' יהודה ואף על פי שהיתה אשת חמיו מותרת ואף לדברי הירושלמי שאומר שאשת חמיו אסורה לא אסורה אלא מפני מראית העין אבל מן התורה אינה אסורה והם אמרו כי רצפה פלגש שאול לקחה דוד לאשה: (ז) ויאמר. איש בשת אל אבנר ואף על פי שלא זכרו למעלה בפסוק הנה זכר בית שאול והוא איש בשת כי בו תלויה בית שאול: אל פלגש אבי. חשדו בפלגש אביו ואם היה הדבר אמת היה לו להתפש בכך לכבוד אביו ועוד כי אסורה היתה לכל אדם לפי שהיתה פלגש המלך ואין נושאין אלמנתו של מלך ואע"פ שלא היתה אשתו אלא פלגשו כיון שהיתה מיוחדת לו הרי היא נחשבת אלמנתו ועוד כיון ששמשתו הרי אמרו אין משתמשין בשרביטו של מלך וזהו שאמר ותפקוד עלי עון האשה כי אסורה היתה להדיוט: (ח) הראש כלב אנכי. מלעיג אילו הייתי ראש כלבים כלומר אפילו לא הייתי ממונה אלא על הכלבים שהייתי נקרא ראש כלב ועוד אפי' לשבט יהודה שאתה שונא אם היה לי שום מנוי עליהם לא היה לך לבזותי כל כך היום יש לי דין לעשות חסד עם בית שאול כי בזיתני והלא חסד גדול עשיתי עד היותי עם בית אביך שהחזקתי בביתו להעמידו במלכותו ולא המציתיך ביד דוד ואתה פקדת עלי עון האשה וי"ת הלא רישא אנא מכען הויתי גבר הדיוט לשארא דבית יהודה: ולא המציתיך. בא על דרך בעלי הה"א

רלב"ג

מבית שאול: (ח) והנה ספר הש"י אשר לו נתכנו עלילות במולדת קטטה בין אבנר ובין איש בושת והשתדל מפני זה אבנר להמליך דוד על כל ישראל כי מה' היתה לו המלוכה ולאוי שלא יעלם מ..ו כי לא נטמאה מיכל עם פלטי בן ליש שאם הדבר כן היתה אסורה לדוד ואולם מה שהזכיר הכתוב מבני מיכל הם מבני מרב אחותה ומיכל גדלה אותם ומפני שגדלה אותם נקראו בניה ולזה אמר שילדה אותם לעדריאל המחולתי שהיה בעלה של מירב:

מצודת דוד

(ו) בבית שאול. להעמיד המלוכה ביד איש בושת בנו: (ז) ויאמר. סתם ולא פירש מי האומר ומעלמו יובן שהאומר היה איש בושת שנאמר אל פילגש אבי: מדוע באתה וגו'. כי אלמנותו של מלך אסורה להדיוט: (ח) הראש כלב וגו'. ר"ל מדוע בזיתני וכי אינני כ.. וממונה על אנשי מלכותך וכי אני ראש וממונה על הכלבים במלכות יהודה אנשי מלחמתך אשר שנאת כאומר לא יאות לבזות כ"א לבו..

מצודת ציון

מלשון שניה: (ז) באתה. מלשון ביאה ובעילה: (ה) אחיו.

Commentary Digest

memory of King Saul. Moreover, the widow of a king is forbidden in marriage to anyone, even to another king, and a concubine is legally considered a widow. — K. See San. 18a, Rambam, laws of kings, ch. 2, hal. 2.

8. *"Am I the head of the dogs which belong to Judah?"* — *"Am I not even as esteemed as the watchman of David's dogs?"* Even if I were but a dog watchman, and not for you but for your enemy David, you should

in Hebron. 6. And it was while there was war between the house of Saul and the house of David, that Abner was exerting great effort [*to support*] the house of Saul. 7. Now Saul had had a concubine whose name was Rizpah the daughter of Aiah; and he said to Abner, "Why did you go in to my father's concubine?" 8. And Abner became very angry at the words of Ish-bosheth; and he said, "Am I the head of the dogs which belong

Commentary Digest

therefore quotes T.B. which praises Chileab's outstanding scholarship wherewith David prided himself considerably.

and the third, Absalom the son of Macah the daughter of Talmai the king of Geshur — Since he was the son of a beautiful woman whom David had captured in battle, he became a stubborn and rebellious son. For this reason, the Torah placed the passage concerning the stubborn and rebellious son (Deut. 2b 18:21) near the passage dealing with the beautiful female captive (Deut. 21-10-14). Since this captive woman is compelled to accept Judaism, even though she may do so reluctantly, her son will also be reluctant to follow the commandments. Absalom's rebellion against his father was a clear indication of this tendency. David was unaware of this 'derash' when he married her. — K's rationalization of San. 107a, T. כי תצא, El, Z. ch. 3.

5. *of Eglah, David's wife* — "This was Michal who was very dear to him

(and was affectionately called Eglah, a heifer) *and similarly the Scripture states: If you had not plowed with my heifer* (Jud. 14:18). *Now, is it not stated: And Michal the daughter of Saul did not have a child to the day of her death* (infra 6:22)? *Until the day of her death she did not have children after that incident* (when she showed contempt for David) *Prior to that incident, however, she did have a child."* The words 'David's wife' support the tradition that she was his favorite since it singles her out as David's first and most beloved wife. — R and K from San. 21a

6. *was exerting great effort* — lit. wat strengthening himself — *"with all his might upon the house of Saul to support its kingdom."* — R

7. *and he said* — i.e. Ish-bosheth. —K and D

"Why did you go in to my father's concubine?" — He suspected him of intimacy with his father's concubine. If this were true, Abner should have been castigated for dishonoring the

לִיהוּדָה הַיּוֹם אֶעֱשֶׂה־חֶסֶד עִם־בֵּית ׀
שָׁאוּל אָבִיךָ אֶל־אֶחָיו וְאֶל־מֵרֵעֵהוּ וְלֹא
הִמְצִיתִךָ בְּיַד־דָּוִד וַתִּפְקֹד עָלַי עֲוֺן
הָאִשָּׁה הַיּוֹם׃ ט כֹּה־יַעֲשֶׂה אֱלֹהִים
לְאַבְנֵר וְכֹה יֹסִיף לוֹ כִּי כַּאֲשֶׁר נִשְׁבַּע
יְהוָה לְדָוִד כִּי־כֵן אֶעֱשֶׂה־לּוֹ׃ י לְהַעֲבִיר
הַמַּמְלָכָה מִבֵּית שָׁאוּל וּלְהָקִים אֶת־
כִּסֵּא דָוִד עַל־יִשְׂרָאֵל וְעַל־יְהוּדָה מִדָּן
וְעַד־בְּאֵר שָׁבַע׃ יא וְלֹא־יָכֹל עוֹד
לְהָשִׁיב אֶת־אַבְנֵר דָּבָר מִיִּרְאָתוֹ אֹתוֹ׃
יב וַיִּשְׁלַח אַבְנֵר מַלְאָכִים ׀ אֶל־דָּוִד
תַּחְתָּו לֵאמֹר לְמִי־אָרֶץ לֵאמֹר כְּרֹתָה

תחתיו קרי

כְּעַן הֲוֵיתִי גְבַר הֶדְיוֹט
לְשְׁאָרָא דְבֵית יְהוּדָה
יוֹמָא דֵין אַעֲבֵיד טֵיבוּ
עִם בֵּית שָׁאוּל אֲבוּךְ
עִם אֲחוּהִי וְעִם רַחֲמוֹהִי
וְלָא מְסַרְתִּיךְ בִּידָא דְדָוִד
וּכְעַן אַתְּ מַסְעַר עֲלַי
חוֹב אִתְּתָא יוֹמָא דֵין׃
ט כְּדֵין יַעְבֵּד יְיָ לְאַבְנֵר
וּכְדֵין יוֹסִיף לֵיהּ אֲרֵי
כְּמָא דְקַיֵּים יְיָ לְדָוִד אֲרֵי
כְּדֵין אַעֲבֵיד לֵיהּ׃
י לְאַעְבָּרָא מַלְכוּ מִבֵּית
שָׁאוּל וּלְאַקָּמָא יָת כּוּרְסֵי
דָוִד עַל יִשְׂרָאֵל וְעַל
דְבֵית יְהוּדָה מִדָּן וְעַד
בְּאֵר שֶׁבַע׃ יא וְלָא יְכִיל
עוֹד לַאֲתָבָא יָת אַבְנֵר
פִּתְגָמָא מִדְּדָחֵיל יָתֵיהּ׃
יב וּשְׁלַח אַבְנֵר אִזְגַּדִּין
לְוָת דָּוִד מֵאַתְרֵיהּ
לְמֵימַר מְקַיְמָנָא בְּמַן
דַעֲבַד אַרְעָא לְמֵימַר
גזר

מהר"י קרא

שאול ועמך שלא המצאתיך ביד דוד: (יב) תחתיו. במקומו. שלא (שלח) [הלך] הוא אלא מלאכים [שלח] תחתיו: למי ארץ.

רש"י

אנכי מוקף במקף כך פירושו הראש וכי אהפוך להיות ראש בביתך טוב לי להיות כלב והדיוט בבית דוד וכן ת"י: **היום אעשה חסד.** מעתה נאה לי לעשות חסד עם בית שאול ועם כל אוהביו כאשר עשיתי עד הנה ולא המציתיך ביד דוד: (יב) **תחתיו לאמר.** מאתריה למימר מקיימנא במאן דעבד ארעא: **למי ארץ.** לשון שבועה כמי שהארץ שלו. ד"א תחתיו שמו הזכיר תחלה באגרת ואח"כ הזכיר שם דוד ולכך נענש. כתב ממני אבנר שר צבא ישראל לדוד מלך

רד"ק

ואע"פ שהוא כבעלי האל"ף ופי' כמו ואת העולה המציאו אליו ענין הזמנה ומסירה: (ט) כאשר נשבע ה' לדוד. דברו הוא שבועתו וכן אמר נשבעתי לדוד עבדי או לפי שאמר שני פעמים לשאול בשם האל בגלגל ובדבר עמלק בקש לו ה' איש כלבבו ונתנה לרעך ואמרו הן הן שבועה לאו לאו שבועה: (יב) תחתיו לאמר למי ארץ. בסתר שלח לו למי תאות הארץ אלא לך כמו שאמר האל כרתה בריתך עמי ואני אסוב לך כל ישראל וי"ת מאתריה למימר מקיימנ' במאן דעבד ארעא למימר ויש דרש

מצודת ציון

קרוביו: מרעהו. אוהביו: המציתיך. ענין הזמנה ומסירה כמו ואת העולה המציאו אליו (ויקרא ט): ותפקוד. ענין זכרון: (י) ולהקים. להעמיד: (יב) תחתיו. במקומו: להסב. לסבב:

מצודת דוד

ושפל אנשים ולא לאיש כמוני שאין כי אחת מהם: **היום אעשה חסד.** ר"ל הלא מהיום ראוי לי שאעשה חסד וכו': **ולא המציתיך.** ר"ל אחר שעד הנה לא המציתיך ביד דוד והאם גמלתני הרע כי תפקוד עלי עון הפילגש: (ט) כה יעשה. זהו ענין שבועה וכפל הדבר כמקרא: כאשר נשבע ה'. להמליכו על כל ישראל: אעשה לו. לדוד לסייעו על דבר המלוכה: (יא) ולא יכול. על איש בושת יאמר: (יב) תחתיו לאמר. ר"ל שלח מלאכים ממקומו שיאמרו בשבועה למי ארץ ר"ל נשבעים אנו כמי שהארץ שלו

Commentary Digest

him somewhat superior to Ish-bosheth.

9. *G-d do so to Abner* — an oath, very common in the Scriptures. — K

for as the Lord has sworn to David —to give him the kingdom. Although we do not find an oath to that effect, G-d's promise is tantamount to an oath. Furthermore, this promise was repeated, being stated first in Gilgal (I Sam. 13:14), and secondly after the Amalekite war (Ibid. 15:28). This repetition constitutes an oath. — K See Shev. 36a.

12. *from his place, saying* — Heb. תחתיו — *"from his place, saying, I swear by the One who created the earth."* — R and K from J

"To whom the land belongs," — *"An expression of an oath, By the One to whom the earth belongs. Another*

to Judah? Shall I do kindness today with the house of Saul
your father, to his brothers, and to his friends [*as I have done
until now*] and I have not delivered you into David's hand?
And you charge me today with the guilt concerning the
woman? 9. "God do so to Abner and so may He continue
to him, for as the Lord has sworn to David, for so shall I do
to him. 10. To transfer the kingdom from the house of Saul
and to set up the throne of David over Israel and over Judah,
from Dan to Beersheba." 11. And he could not answer
Abner another word because of his fear of him. 12. And
Abner sent messengers to David from his place, saying. "To
whom the land belongs," saying, "Make

Commentary Digest

not have insulted me as you have
done today. "*But, according to the
punctuation, that the accent is under
הראש (separating it from the follow-
ing word) and כלב אנכי are joined
by a hyphen, this is its explanation:
Shall I desire to be a head in
your house? It is better for me to be
a dog and a plain person in the
house of David. And so did J render.*
— R and K. Although this punctua-
tion is found in some editions, in
most accurate editions, the punctua-
tions supports the first explanation
and is accepted by most commentators
— Minhath Shai?
Shall I do kindness today — "*From
now on, is it proper for me to do
kindness with the house of Saul and*

*with all his friends as I have done
until now and I have not delivered
you into David's hand?* — R
*and you charge me today with the
guilt concerning the woman?* — Here
Abner admits his guilt, but he is
angry with Ish-bosheth for taking
him to task for as trifling a matter
as his intimacy with Saul's concubine.
— A. Alshich explains: There was a
rumor that someone had cohabited
with Rizpah. Ish-bosheth could not
conceive of anyone daring to do so
except Abner the general of the army,
who considered himself second in
rank only to the king himself. More-
over, Abner knew that Ish-bosheth
was dependent on his support to re-
main on the throne. This rendered

בְּרִיתְךָ אִתִּי וְהִנֵּה יָדִי עִמָּךְ לְהָסֵב
אֵלֶיךָ אֶת־כָּל־יִשְׂרָאֵל׃ יג וַיֹּאמֶר טוֹב
אֲנִי אֶכְרֹת אִתְּךָ בְּרִית אַךְ דָּבָר אֶחָד
אָנֹכִי שֹׁאֵל מֵאִתְּךָ לֵאמֹר לֹא־תִרְאֶה
אֶת־פָּנַי כִּי ׀ אִם־לִפְנֵי הֱבִיאֲךָ אֵת מִיכַל
בַּת־שָׁאוּל בְּבֹאֲךָ לִרְאוֹת אֶת־פָּנָי׃
יד וַיִּשְׁלַח דָּוִד מַלְאָכִים אֶל־אִישׁ־בֹּשֶׁת
בֶּן־שָׁאוּל לֵאמֹר תְּנָה אֶת־אִשְׁתִּי אֶת־
מִיכַל אֲשֶׁר אֵרַשְׂתִּי לִי בְּמֵאָה עָרְלוֹת
פְּלִשְׁתִּים׃ טו וַיִּשְׁלַח אִישׁ בֹּשֶׁת וַיִּקָּחֶהָ
מֵעִם אִישׁ מֵעִם פַּלְטִיאֵל בֶּן־לָוִשׁ׃
טז וַיֵּלֶךְ אִתָּהּ אִישָׁהּ הָלוֹךְ וּבָכֹה אַחֲרֶיהָ

לִישׁ קרי

גזר קימך עמי והא ידי עמך לאסחרא לותך ית כל ישראל׃ יג ואמר טב אנא אגזר עמך קים ברם פתגמא חד אנא שאיל מעמך למימר לא תחזי ית אפי אלהין קדם מהיתך ית מיכל בת שאול במיתך לאתחזאה קדמי׃ יד ושלח דוד אזגדין לות איש בשת בר שאול למימר הב ית אתתי ית מיכל דארסית לי במאה ערלות פלשתאי׃ טו ושלח איש בשת ודברה מלות בעלה מלות פלטיאל בר ליש׃ טז ואזל עמה בעלה אזיל ובכי בתראה

רש"י

ישראל שלום: למי ארץ. למי שהמלכות הגון לו אני שולח לו לאמר כרתה בריתך וגו': (יג) לפני הביאך. לפני ראייתך פני הביאך את מיכל: (טו) מעם איש. תרגם יונתן מלות בעלה: (טז) הלוך ובכה. על מצוה ההולכת

מהר"י קרא

למי נאוה להיות מלך על הארץ הלא לך: (יד) אשר ארשתי לי במאה ערלות. לכדנו שדעתו של דוד לארסה על הפרוטה:

רד"ק

שכתב בכתבו לדוד מן אבנר לדוד הקדים שמו לשם דוד וזהו אל דוד תחתיו לפיכך נענש אבנר: (יג) כי אם לפני הביאך. כי אם לפני כל דבר יהיה הביאך את מיכל: (יד) וישלח דוד מלאכים. אף על פי ששלח לאבנר שלח גם כן לאיש בשת לכבודו שלא רצה לקחתה בלא רשותו: אשר ארשתי לי. זה מסייע פי' רז"ל שכתבנו למעלה בענין זה כלומר אשתי היא וארשתיה במאה ערלות פלשתים כלומר בהם היה דעתי לא בעושר שהתנ' לי שאול שהוא מלוה אצלו לפיכך היא אשתי באמת. ולפי הפשט אמר ארשתי לי ר"ל בסכנה שמתי עצמי בעבורה לפיכך יש עליך להחזיר' לי ובאמרו במאה והוא נתן מאתים ואמר במאה כי מאה היה התנאי ביניהם: (טו) מעם איש. מעם אישה וכת"י מלות בעלה ואחר כך פירש מי היה בעלה פלטיאל בן ליש והוא פלטי בן ליש שכתוב למעלה. ובדרש לפיכך קראו עתה פלטיאל שפלטו אל מעבירה שלא בא על מיכל כמו שפירשנו למעלה ומה שאמר הלוך ובכה אחריה עד בחורים על מצוה שהלכה מידו ושהיה כובש את יצרו עד בחורים שנעשה כבחורים שלא טעמו טעם אותו חטא יכל זה הוא רחוק כדרך הפשט ובחורים הוא שם מקום בארץ בנימין כמו שמעי בן גרא

מצודת דוד

כי לה' הארץ ודבר השבועה היתה אשר כלב ידבר לאמר כרתה ברית עמי להיות לי לאוהב ויהיה כח ידי עמך וכו': (יג) כי אם לפני. ר"ל רק קודם כל דבר יהיה הביאך את מיכל וכו' בעת בואך אלי: (יד) וישלח דוד. על כי היה עתה בטוח אשר אבנר ימלא את דברו: במאה ערלות. ולקדושין התשב או ר"ל הלא מאז שמתי עצמי בסכנה בעבורה ולאומר שגם עתה יוסיף ידו להלחם בעבורה (אף שנתן מאתים ערלות מ"מ התנאי לא היה כ"א על מאה): (טו) מעם איש. וחוזר ומפרש שהוא פלטיאל והוא פלטי האמור למעלה: (טז) וילך.

מצודת ציון

(יד) ארשתי. מלשון ארוסה וכן אשר ארש אשה (דברים כ):

Commentary Digest

from her husband." — R and K. Azulai explains: from a righteous man, איש being used to denote importance.

16. *Paltiel* — In I Sam (25:44) he was called Palti. T.B. explains that 'Paltiel' is a combination of פלטו א-ל, G-d delivered him (from sin). He thrust a sword between himself and Michal to prevent intimacy. — K from San. 19b. The prophet of that time informed David of Michal's innocence, thereby permitting him to take her back. — Azulai from Responsa of Rabbi Solomon ben Adereth, ch. 10.

your covenant with me, and behold, my hand is with you to
bring around all Israel to you." 13. And he said, "Good;
I shall make a covenant with you, but one thing I ask of you,
namely that you shall not see my face unless you first bring
Michal, Saul's daughter when you come to see my face." 14.
And David sent messengers to Ish-bosheth the son of Saul,
saying, "Give my wife Michal whom I espoused to myself
with one hundred foreskins of Philistines." 15. And Ish-
bosheth sent and took her from a man, from Paltiel the son
of Laish. 16. And her husband went with her, walking
and weeping after her

Commentary Digest

explanation is: under him. He mentioned his name first in the letter, and afterwards he mentioned David's name. Therefore, he was punished. He wrote: from me, Abner, the general of the army of Israel, to David, King of Israel, peace. — R and K from Lev. R, ch. 26:2

"To whom the land belongs," — *"To the one to whom the kingdom properly belongs, I send, saying, make your covenant, etc."* — R.

13. *namely that* — lit. saying. *you first bring* — lit. before your bringing — *"Before your seeing my face must be your bringing Michal."* — R Others paraphrase: before everything must be your bringing Michal. — K

14. *whom I espoused to myself with one hundred foreskins of Philistines* — David specified that he had espoused herewith one hundred foreskins of Philistines which he had given to her father Saul, not with the great wealth which Saul had promised him. Since the latter was owed to him, it was considered a loan, which being intangible, is unacceptable for marriage money. Saul held that one who espouses with a loan and a penny intends really to espouse with the loan, thereby invalidating the marriage. David held that he intends to espouse with the penny, in this case being the foreskins which have some value to feed to dogs and cats. — J.K. and K from San. 19b. According to 'peshat' we explain: for whom I risked my life to battle the Philistines. — K and D

15. *from a man* — *"J renders:*

עַד־בַּחֻרִים וַיֹּאמֶר אֵלָיו אַבְנֵר לֵךְ שׁוּב
וַיָּשֹׁב׃ יז וּדְבַר־אַבְנֵר הָיָה עִם־זִקְנֵי
יִשְׂרָאֵל לֵאמֹר גַּם־תְּמוֹל גַּם־שִׁלְשֹׁם
הֱיִיתֶם מְבַקְשִׁים אֶת־דָּוִד לְמֶלֶךְ
עֲלֵיכֶם׃ יח וְעַתָּה עֲשׂוּ כִּי יְהוָה אָמַר
אֶל־דָּוִד לֵאמֹר בְּיַד דָּוִד עַבְדִּי הוֹשִׁיעַ
אֶת־עַמִּי יִשְׂרָאֵל מִיַּד פְּלִשְׁתִּים וּמִיַּד
כָּל־אֹיְבֵיהֶם׃ יט וַיְדַבֵּר גַּם־אַבְנֵר בְּאָזְנֵי
בִנְיָמִין וַיֵּלֶךְ גַּם־אַבְנֵר לְדַבֵּר בְּאָזְנֵי דָוִד
בְּחֶבְרוֹן אֵת כָּל־אֲשֶׁר־טוֹב בְּעֵינֵי
יִשְׂרָאֵל וּבְעֵינֵי כָּל־בֵּית בִּנְיָמִן׃ כ וַיָּבֹא
אַבְנֵר אֶל־דָּוִד חֶבְרוֹן וְאִתּוֹ עֶשְׂרִים

תרגום

בִּתְרָאָה עַד עֻלְמַת
נְאַמַר לֵיהּ אַבְנֵר אֱזֵיל
תּוּב וְתָב : יז וּפִתְגָם
אַבְנֵר הֲוָה עִם סָבֵי
יִשְׂרָאֵל לְמֵימַר אַף תְּמָלֵי
אַף מִדְּקַמוֹהִי הֲוֵיתוּן
בָּעָן יַת דָּוִד לְמֶהֱוֵי
מַלְכָּא עֲלֵיכוֹן : יח וּכְעַן
עֲבִידוּ אֲרֵי יְיָ אֲמַר לְדָוִד
לְמֵימַר בְּיַד דָּוִד עַבְדִּי
אֶפְרוֹק יַת עַמִּי יִשְׂרָאֵל
מִידָא דִפְלִשְׁתָּאֵי וּמִיַּד
כָּל בַּעֲלֵי דְבָבֵיהוֹן :
יט וּמַלֵּיל אַף אַבְנֵר קֳדָם
דְּבֵית בִּנְיָמִן וַאֲזַל אַף
אַבְנֵר לְמַלָּלָא קֳדָם דָּוִד
בְּחֶבְרוֹן יַת כָּל דְּתַקִּן
בְּעֵינֵי יִשְׂרָאֵל וּבְעֵינֵי
כָּל דְּבֵית בִּנְיָמִן : כ וַאֲתָא
אַבְנֵר לְוַת דָּוִד לְחֶבְרוֹן
ועמיה

מהר"י קרא

(יט) וידבר גם [אבנר] באזני בנימין. לאחר שידע דעתן של כל ישראל ובנימין שנתקבלו דבריו ונתרצו כולן להמליך את דוד. הלך להשיב את דוד שנתרצו כל ישראל להמליכו. כמו

רש"י

ממנו שכל אותן השנים נעץ חרב בינו לבינה במטה ולא נכב־ כה : (יז) ודבר אבנר היה. קודם לכן : (יח) אמר אל

רד"ק

בן הימיני מבחורים ות"י עלמת ועלמת ובחורים ענין אחד וכן נזכר זה המקום בספר יהושע עלמון ובדברי הימים עלמות ואפשר שנקרא כן על שם אדם הנקרא עלמת בן יערה משבט בנימין ולו היתה העיר הזאת וכבר כתבנו למעלה כי מיכל ופלטי שוגגים היו : (יח) ביד דוד עבדי הושיע. מקור במקום אושיע כלומר אמרתי להושיע את ישראל בידו וכן ואתכם הוציא מתוכה כאילו אמר אוציא וכת"י הושיע אפרוק: (יט) וידבר גם אבנר באזני בנימן. כמו וידבר אבנר גם כן באזני בני בנימן ולפי שאמר ודבר אבנר הי' עם זקני ישראל אמר כי גם באזני שבט בנימן דבר ואע"פ ששבט בנימן היו קרובים לבית שאול

מצודת ציון

(יח) הושיע. כמו אושיע ה"א במקום אל"ף כמו ואתכם הוציא (יחזקאל יא) ומשפטו אוציא :

מצודת דוד

ללותה : (יז) ודבר אבנר. ר"ל וכה היה דבר אבנר עם זקני ישראל באמר להם הלא מאז הייתם אתם מבקשים את דוד שימלוך הוא אך אני נגדי הייתי מתחזק בבית שאול : (יח) ועתה עשו. ר"ל הואיל ובת שאול נשואה לו גם הוא נחשב מבית שאול נואת עוד כאשר בקשתם מאז כי ה' אמר וכו' ולזאת גם ידי עמו והפן אני בו מבין כל בית שאול : (יט) גם אבנר וגו'. כמו וידבר אבנר גם באזני בנימן עם בהיו מבני שבטו של איש בושת : את כל אשר טוב. אשר

of the entire house of Saul. — Mezudath David

about David — *"lit. to David. However, it is not far in meaning from 'to'."* —

19. *also in the ears of Benjamin*— Ish-bosheth's own tribesmen. Even they were ready to abandon the house of Saul and accept David, whose power was rapidly increasing, while Ish-

up to Bahurim; and Abner said to him, "Go, return," and he returned. 17. And the word of Abner had been with the elders of Israel, saying, "In times past you were seeking David as king over you. 18. "And now, do it, for God said about David, saying, "By the hand of My bondsman David shall I deliver My people Israel from the hand of the Philistines and from the hand of all their enemies." 19. And Abner spoke also in the ears of Benjamin, and Abner also went to speak in David's ears in Hebron all that pleased Israel and the entire house of Benjamin. 20. And Abner came to David to Hebron, and with him were twenty

Commentary Digest

her husband — He had become as dear to her as though he were her husband. — San. Ibid.

walking and weeping — *"for the commandment which was leaving him, for all those years he thrust a sword between himself and her in the bed and did not sin with her."* — R and K from San. Ibid. While living with her under one roof, he was often tempted to cohabit with her. Having the sanction of King Saul, who invalidated her marriage to David, he would have been blameless had he done so. Overcoming this enormous temptation, secured for him great reward from the Almighty. For this reason, he wept upon Michal's departure.

Bahurim — synonymous with Almon, mentioned in Josh. 21:17, and Allemeth mentioned in I Chron. 6:45, named after Alemeth the son of *Becher* of the tribe of Benjamin. (ibid. 7:8) — K

17. *And the word of Abner had been* — *"previously"*. — R. That is, before he brought Michal to David, he had already conferred with the elders of Israel and the Benjamites concerning accepting David as king. Apparently Ish-bosheth was unaware of Abner's change of heart when he sent him to David with Michal.

18. *"And now, do it* — I.e. since Saul's daughter is married to him, he, too, is regarded as being of the house of Saul. Therefore, do as you sought to do before this, for God said about David etc. Therefore, I, too, support him and choose him out

אֲנָשִׁים וַיַּעַשׂ דָּוִד לְאַבְנֵר וְלַאֲנָשִׁים
אֲשֶׁר־אִתּוֹ מִשְׁתֶּה׃ כא וַיֹּאמֶר אַבְנֵר
אֶל־דָּוִד אָקוּמָה ׀ וְאֵלֵכָה וְאֶקְבְּצָה אֶל־
אֲדֹנִי הַמֶּלֶךְ אֶת־כָּל־יִשְׂרָאֵל וְיִכְרְתוּ
אִתְּךָ בְּרִית וּמָלַכְתָּ בְּכֹל אֲשֶׁר־תְּאַוֶּה
נַפְשֶׁךָ וַיְשַׁלַּח דָּוִד אֶת־אַבְנֵר וַיֵּלֶךְ
בְּשָׁלוֹם׃ כב וְהִנֵּה עַבְדֵי דָוִד וְיוֹאָב בָּא
מֵהַגְּדוּד וְשָׁלָל רָב עִמָּם הֵבִיאוּ וְאַבְנֵר
אֵינֶנּוּ עִם־דָּוִד בְּחֶבְרוֹן כִּי שִׁלְּחוֹ וַיֵּלֶךְ
בְּשָׁלוֹם׃ כג וְיוֹאָב וְכָל־הַצָּבָא אֲשֶׁר־
אִתּוֹ בָּאוּ וַיַּגִּדוּ לְיוֹאָב לֵאמֹר בָּא־אַבְנֵר
בֶּן־נֵר אֶל־הַמֶּלֶךְ וַיְשַׁלְּחֵהוּ וַיֵּלֶךְ
בְּשָׁלוֹם׃ כד וַיָּבֹא יוֹאָב אֶל־הַמֶּלֶךְ
וַיֹּאמֶר מֶה עָשִׂיתָה הִנֵּה־בָא אַבְנֵר

וְעִמֵּיהּ עַסְרִין גֻּבְרִין
וַעֲבַד דָּוִד לְאַבְנֵר
וּלְגֻבְרַיָּא דְעִמֵּיהּ
מִשְׁתְּיָא׃ כא וַאֲמַר אַבְנֵר
לְדָוִד אֵיקוּם וְאֵיזִיל
וְאֶכְנוֹשׁ לְוָת רִבּוֹנִי
מַלְכָּא יָת כָּל יִשְׂרָאֵל
וְיִגְזְרוּן עִמָּךְ קְיָם וְתִמְלוֹךְ
בְּכָל דִּרְעוּת נַפְשָׁךְ
וְשַׁלַּח דָּוִד יָת אַבְנֵר
וַאֲזַל בִּשְׁלָם׃ כב וְהָא
עַבְדֵי דָוִד וְיוֹאָב אֲתָא
מִן מַשְׁרִיתָא וַעֲדָאָה
סַגִּיאָה עִמְּהוֹן אַיְתִיאוּ
וְאַבְנֵר לֵיתוֹהִי עִם דָּוִד
בְּחֶבְרוֹן אֲרֵי שַׁלְּחֵיהּ
וַאֲזַל בִּשְׁלָם׃ כג וְיוֹאָב
וְכָל חֵילָא דְעִמֵּיהּ אֲתוֹ
וְחַוִּיאוּ לְיוֹאָב לְמֵימַר
אֲתָא אַבְנֵר בַּר נֵר לְוָת
מַלְכָּא וְשַׁלְּחֵיהּ וַאֲזַל
בִּשְׁלָם׃ כד וַאֲתָא יוֹאָב
לְוָת מַלְכָּא וַאֲמַר מָה
עֲבַדְתָּא הָא אֲתָא אַבְנֵר
לְוָתָךְ

רש"י

דוד. על דוד ואינו זו ממשמעות אל: (כב) **מהגדוד**.

מהר"י קרא

שמפרש וילך [גם] אבנר: (כא) **וישלח דוד את אבנר וילך**

רד"ק

הי' יותר חפצים במלכות בית דוד מפני שראו שהי' מצליח בכל דרכיו ובכל מלחמותיו וראו כי בית שאול היו הולכים ומתמעטים ולא היה להם סימן יפה במלוכה ועוד כי אבנר הוא הטה את לבבם אחרי דוד מפני שרצה להשלים עמו ולכך אמר

הנה זה הספור מזה הענין ומזאת המלחמה: (כב) **מהגדוד**. ולא סיפר מאיזה גדוד ומאין הביאו השלל. ומן הנראה כי מארץ פלשתים היה אולי יצא גדוד פלשתים בארץ ישראל להלחם או לפשוט ויואב עם עבדי דוד יצאו אליהם ועתה שב

מצודת דוד

יעד הדבר כעיני כולם שימלו' הוא: (כא) **ויכרתו**. להיות לך לעבדי': בכל אשר וגו. ר"ל תהיה שליט ומושל בכל דבר: (כב) **מהגדוד**. אשר נלחם בהם: (כג) **וכל הצבא**. ולא נפקד מהם איש וכא לומר שבעבור זה ובעבור רוב השלל שהביא מלאו לבו לסכל מעשה המלך וכאשר יאמר:

מצודת ציון

(כ) **משתה**. כל סעודה קרויה ע"ש המשתה כמו אל בית משתה היין (אסתר ה): (כא) **תאוה**. ענין חפץ ורצון:

men, and David made a feast for Abner and for the men
who were with him. 21. And Abner said to David, "I shall
get up and go and gather all Israel to my lord the king, and
they will make a covenant with you, and you will reign over
all that your soul desires." And David sent Abner off and he
went in peace. 22. And behold David's servants and Joab
came from [*pursuing*] a troop, and they brought much plunder
with them. Now Abner was not with David, for he had sent
him off and he had gone in peace. 23. And Joab and all
the army which were with him came and they told Joab
saying, "Abner the son of Ner came to the king, and he sent
him off and he went in peace." 24. And Joab came to the
king and said, "What have you done? Behold, Abner came

Commentary Digest

boshet's was rapidly declining. Moreover, Abner exerted great influence over them to accept David since he wished to join forces with him. V. 22 tells of a typical foray in which David's men were engaged. — K

22. *from pursuing a troop* — lit. from the troop — *"They raided a troop to plunder the enemy"*. — R This was probably a Philistine troop which had invaded Judean borders and raided a Jewish settlement. — K

23. *and all the army* — I.e. no one had fallen. Scripture tells us that, because of this and because of the abundance of plunder that he brought, he had courage to deem the king's deeds as foolish. — Mezudath David

24. *Why have you sent him off so that he has gone?* — If he is sincere in his desertion of Ish-bosheth, why has he gone back to him? — M.

25. *to entice you* — that you fall into his snare, and if this is unsuccessful, —

to know your going out and your coming in — so that his army be able to attack yours; and if ever this is unsuccessful, at least —

to know all that you are doing — to know all your military secrets. — M.

אֵלֶיךָ לָמָּה־זֶּה שִׁלַּחְתּוֹ וַיֵּלֶךְ הָלוֹךְ׃
כה יָדַעְתָּ אֶת־אַבְנֵר בֶּן־נֵר כִּי לְפַתֹּתְךָ
בָּא וְלָדַעַת אֶת־מוֹצָאֲךָ וְאֶת־מְבוֹאֶךָ
וְלָדַעַת אֵת כָּל־אֲשֶׁר אַתָּה עֹשֶׂה׃
כו וַיֵּצֵא יוֹאָב מֵעִם דָּוִד וַיִּשְׁלַח מַלְאָכִים
אַחֲרֵי אַבְנֵר וַיָּשִׁבוּ אֹתוֹ מִבּוֹר הַסִּרָה
וְדָוִד לֹא יָדָע׃ כז וַיָּשָׁב אַבְנֵר חֶבְרוֹן
וַיַּטֵּהוּ יוֹאָב אֶל־תּוֹךְ הַשַּׁעַר לְדַבֵּר אִתּוֹ

תרגום

לְוָתָךְ לְמָא דְנַן שַׁלַּחְתֵּיהּ וַאֲזַל מֵיזַל: כה יְדַעְתָּא יַת אַבְנֵר בַּר נֵר אֲרֵי לְאַטְעָיוּתָךְ אֲתָא וּלְמִידַע יַת מִיפְּקָךְ וְיַת מֵיעֲלָךְ וּלְמִידַע יַת כָּל דְּאַתְּ עָבֵיד: כו וּנְפַק יוֹאָב מִן קֳדָם דָּוִד וּשְׁלַח אִזְגַּדִּין בָּתַר אַבְנֵר וַאֲתִיבוּ יָתֵיהּ מִגּוּבָּא דְסִירָתָא וְדָוִד לָא יְדַע: כז וְתַב אַבְנֵר לְחֶבְרוֹן ואפניה

ת"א ויעובו אותו מבור הסרה. סנהדרין מט: ויטהו יואב. שם:

מהר"י קרא מיבאך קרי

בשלום. מקרא מסורס הוא זה: (כו) מבור חסורה. שם מקום: (כז) לדבר אתו בשלי. עשה עצמו לדבר אתו בשלום. בשלי. כמו אויביה שלו. שפתר' לשון שלום ושלוה. ואת למד מכאן שאין כאן יסוד אלא ב' אותיות ש"ל. כמו כן תאמר בשלי לשון שלוה לפי פשוטו של מקרא. ומדרשו ידוע:

רש"י

פשטו כנגדו לשלול על האויב: (כו) מבור הסרה. שם מקום. ורבותינו אמרו בור וסירה גרמו לו לאבנר שיהרג על שלא החזיק דברי דוד בצפחת המים אשר לקח מראשותיו של שאול וגם על כנף המעיל של שאול אמר שמא אחד מן הסירים נאחז בו וקרעו: (כז) אל תוך השער. לפני סנהדרין להשפט על דם עשהאל אחיו: בשלי. בשגגה שלא הבין אבנר שבלבו להורגו. וסרס המקרא ויטהו יואב בשלי אל תוך השער

רלב"ג

(כז) והנה המית יואב את אבנר במרמה כי הכיאו תוך השער לדבר אתו בשלום ובבטחון והכהו אל החומש להנקם ממיתת עשהאל אחיו:

רד"ק

מהגדוד ההוא והביאו שלל רב: (כה) את מוצאך ואת מבואך. כן כתיב וקרי מובאך הכתיב כמשפטו כדרך נחי העי"ן והקרי הוא לזווג המלות והוא מנהג הלשון במקומות הרבה לשנות תתנועות מפני חזיוג כמו הורו והוגו וכן תהומות יכסיומו ובמובאך הקרי נהפך עי"ן הפעל לפ"א הפעל והוא גם כן מנהג הלשון לכתוב כן כמו אם ישוב ישיבני וכן ריבה ה' את יריבי ישוב יתפלא בי והדומים להם כמו שכתבנו בס' מכלול: (כו) מבור הסרה. נראה כי סירים וקוצים היה מקום הבור ההיא לפיכך נקרא כן ורבו' ז"ל דרשו בור וסירה גרמו לו לאבנר שיהרג שלא החזיק דברי דוד אל שאול אלא דחה אותם בדברי הבל בצפחת המים שלקח ממראשותיו אמר לו אחד מן הנערים שכחה בבור ומצאה דוד שם ושקר הוא שאמר שלקחה ממראשותיך ובדבר כנף המעיל אמר בסירים נאחז כנף מעילך ונקרע ולא הרגשת בו כשנקרע ומצאו דוד: (כז) אל תוך השער. שער העיר חברון ורבותינו ז"ל דרשו בו כמו השערה אל הזקנים כלומר אמר לו להביאו לפני הסנהדרין להשפט עמו בדם עשהאל כן אמר לו והטהו באלה הדברים שהיה מדבר עמו בשלי ובשגגה שהיה משגה איתו ולא הבין אבנר והכהו יואב: לדבר אתו בשלי. בשלום מן ישליו אוהלים או פירושו בפתאום

מצודת ציון

(כו) הסרה. מין קולים כמו כקול הסירים (קהלת ז):

מצודת דוד

(כה) ידעת. הלא ידעת את אבנר אשר הוא שונא לך ולא בא כ"א לפתותך אחר דעתו: ולדעת וגו'. וכבדי לדעת את כל מולאך ר"ל מה אתה עושה בעניני המלחמות ומה אתה עושה בבית: (כו) וישלח. לקראו כשם המלך כאלו שכח מה בדברו עמו: מבור הסרה. מן הבור העומד במקום הסירים כי שם מלאוהו מלאכי יואב: (כז) ויטהו. הטה אותו מן הדרך אל תוך חלל השער בשלי. כדבר הנכחה אשר שכח המלך לדבר עמו: ויכהו שם. בעת דברו עמו ולא היה נזהר אז הכהו בתוך השער ההוא:

wittingly, for Abner did not know that he was plotting to assassinate him. Transpose the verse so that it reads: And Joab caused him to turn aside unwittingly into the midst of the gate to speak with him. — Rashi Redak explains it either to mean 'peacefully,' or 'suddenly.' He also quotes a derash associating the word בַּשֶּׁלִי with the expression שַׁל נְעָלֶיךָ, *remove your shoes*. In the ceremony of חֲלִיצָה, the widow of a childless marriage must remove the shoe of the deceased husband's brother in order to be free to marry. As in the case in all legal proceedings, this is performed in the presence of a Beth Din. An armless woman will, obviously, present a problem. Joab asked Abner the procedure. As Abner bent down to show how she could remove the shoe with her teeth, Joab killed him. This incident is related also in Rashi, I Kings 2:5; Rashi, San. 49a; Aruch; Kara ad loc.

to you. Why have you sent him off, so that he has gone? 25. "You know Abner the son of Ner, that he has come to entice you and to know your going out and your coming in and to know all that you are doing." 26. And Joab departed from David, and he sent messengers after Abner, and they brought him back from the well of the thorns, and David did not know. 27. And Abner returned to Hebron, and Joab caused him to turn aside unwittingly into the midst of the gate to speak with him

Commentary Digest

26. *And Joab departed from David* — immediately, to create the illusion that David had sent for Abner. The Scripture, however, testifies that — David did not know. — M

from the well of thorns — The well was situated among thorns. Therefore, this became the "*name of the place. Our rabbis, however, stated: A well and a thorn caused Abner to be killed, for he did not support David's statement concerning the flask of water which he took from near Saul's head, and also concerning the skirt of Saul's cloak. He said, "Perhaps one of the thorns was caught upon it and tore it,"* and perhaps one of the youths forgot the flask in a well and David found it. — R and K from San. 49a. See above I Sam. 26:14. Thus, Abner was deemed responsible for preventing a reconciliation between Saul and David.

27. *into the midst of the gate* — of Hebron. — K. Our rabbis, however, explained this as referring to the gate where the tribunal convenes. They explained thus: "*before the tribunal, to be judged concerning the killing of Asahel his brother.*" He said to him, "Why did you kill Asahel?" Replied Abner, "Asahel was pursuing me." Retorted Joab, "You should have saved yourself by maiming one of his limbs." Replied Abner. "I could not aim." Said Joab, "You aimed for his fifth rib. Could you not aim for one of his limbs?" — R and K from San. Ibid. Joab, being the closest of kin to Asahel, was entitled to kill his murderer. See Num. 35:19, 21. David differed with Joab on that score, maintaining that during a battle, one must not aim for one of the limbs of the pursuer, since he may leave himself vulnerable to other enemies. — Azulai from K'neseth Hagedolah.

unwittingly — Heb. בשלי — lit. to speak with him unwittingly — "*un-*

בַּשֶּׁלִי וַיַּכֵּהוּ שָׁם הַחֹמֶשׁ וַיָּמָת בְּדַם
עֲשָׂהאֵל אָחִיו: כח וַיִּשְׁמַע דָּוִד מֵאַחֲרֵי
כֵן וַיֹּאמֶר נָקִי אָנֹכִי וּמַמְלַכְתִּי מֵעִם יְהֹוָה
עַד־עוֹלָם מִדְּמֵי אַבְנֵר בֶּן־נֵר: כט יָחֻלוּ
עַל־רֹאשׁ יוֹאָב וְאֶל כָּל־בֵּית אָבִיו וְאַל־
יִכָּרֵת מִבֵּית יוֹאָב זָב וּמְצֹרָע וּמַחֲזִיק
בַּפֶּלֶךְ וְנֹפֵל בַּחֶרֶב וַחֲסַר־לָחֶם: ל וְיוֹאָב
וַאֲבִישַׁי אָחִיו הָרְגוּ לְאַבְנֵר עַל אֲשֶׁר

ואפניה יואב לגו תרעא
לסללא עמיה בשליא
ומחהי תמן בסטר ירכיה
ומית בדמא דעשהאל
אחוהי: כח ושמע דוד
מבתר כן. ואמר נכאי
אנא ומלכותי מן קדם
יי עד עלמא מדמא
דאבנר בר נר: כט יחולון
על ריש דיואב ואל כל
בית אבוהי ולא יפסוק
מבית יואב דאיב ומגיר
ומתקיף באגד ומתקטיל
בחרבא וחסיר מזון:
ל ויואב נאבישי אחוהי
קטלו

רש"י

לדבר אתו: (כט) יחולו. ינוחו יחולו דמי אבנר על מקרא שלפניו הוא מוסב שאמר נקי אני וממלכתי מדמי אבנר יחולו דמיו על ראש יואב דמו הנזכרים במקרא שלפניו: ומחזיק בפלך. נשען על מקלו מחמת חולי הרגלים: (ל) הרגו לאבנר. כמו את אבנר ודומה לו עשקה לי ערבני (ישעיה ל"ח יד) עשקה אותי וכן רפא נא לה (במדבר יב יג) רפא

רד"ק

וכן תרגם פתע פתאום בתכף שלו. ויש בו דרש כי בא אליו בערמה ושאל לו נדמת תיאך חולצת והוא היה שוחה ומראה לו כי בשינים תחלץ ואז הכהו וזהו בשלי לשון של נעלך וזהו שאמר ובנעלו אשר ברגליו: החומש. כמו אל החומש ורבים כמוהו וכבר פירשנוהו למעלה: ויכ"ת בדם עשהאל. אמרו רז"ל שתבעו בדם עשהאל ודנו בדין סנהדרין אמר לו למה הרגת עשהאל אמר עשהאל רודף היה אמר לו היה לך להציל עצמך באחד מאיבריו אמר לו לא יכולתי לכוין לו אמר לו בדופן חמישית כוונת לו באחד מאיבריו לא יכולת לכוין לו: (כט) יחולו. דמי אבנר יפלו ויחנו על ראש יואב וכן על ראש רשעים יחול: ואל כל בית אביו. אם יואב חטא מה חטאו בית אביו לא אמר אלא על המסייעים והסומכים את ידו כמו שכתוב בתורה באיש ההוא ובמשפחתו ותרגם אינקלוס ובסעדוהי: ומחזיק בפלך. מחזיק במשענת מחמת חולי הרגלים ואמרו רז"ל כל הקללות האלה נתקיימו בזרע של דוד לפי שלא כדין קללו אחר שהיה בדעתו לצוות עליו להרגו וכן עשה והיכן נתקיימו זב ברחבעם מצורע בעוזיהו מחזיק בפלך באסא נופל בחרב ביאשיהו חסר לחם ביהויכין. ועוד אמרו רז"ל למה קללו באלו הקללות ולמה קלל ביתו אחריו שאמר מבית יואב לפי שאמרו בחמשה דברים אדם זכאי זוכה לבנים הזכאין כלומר שמוסיף הקב"ה לבניו באלה החמשה דברי' בזכות אבותיהם ואלו הם החמשה דברים בנוי בכח בעושר בחכמה בימים בנוי שנאמר והדרך על בניהם בכח שנאמר גבור בארץ יהיה זרעו בעושר שנ' לא ראיתי צדיק נעזב וזרעו מבקש לחם בחכמה שנאמר ולמדתם אותם את בניכם בימים שנאמר למען ירבו ימיכם וימי בניכם וכנגדן בהפך לרעה לדור חייב בעון אבותיהם הרשעים והביאו ראייה מדוד שקלל את יואב בשביל שנתברר לו עונו והוא מדת כנגד מדה זב כנגד כח זה גבור וזה תשש מצורע כנגד הנוי שנאמר ושפח ה' את קדקד בנות ציון כי תחת יופי זה הדור וזה כיעור מחזיק בפלך כנגד חכם כי פירשו מחזיק בפלך פשש ונופל בחרב כנגד השנים זה מאריך ימים וזה מקצר ימים וחסר לחם כנגד העושר ודוד נתברר לו כי זרע יואב יהיו רשעים וקלל הדור הרשע הבא מזרעו באלה החמש: (ל) ויואב ואבישי.

רלב"ג

(כח) והנה היה רע מאד בעיני דוד מה שעשהו יואב ולזה קללו בזאת הקללה הנפלאת והוא שלא יכרת מבית יואב זב ומצורע ומחזיק בפלך מצד חולי הרגלי' והחלשת הגוף כי אלו האנשים השוכים הם כמת כי אין ספוקותיהם הטבעיות המסודרות מהנפש אבל תשמ' חייב לאופן ראוי ולזה המשיל המצורע למת באמרו אל נא תהי כמת וכן הסר לחם

מצודת דוד

החמש. אל דופן החמישית מקום שהכבד ומרה תלוין: בדם עשהאל. בעבור ששפך דם עשהאל אחיו: (כח) נקי אנכי. ר"ל לא מדעתי נעשתה ואהיה נקי מהעונש הן עונש הגוף הן בדבר המלכות: (כט) יחולו. עונשי דמי אבנר יחולו על ראש יואב: ואל כל וגו'. הואיל ובעצתו נעשתה: ואל יכרת. ר"ל לא יופסק להיות חדל: ומחזיק בפלך. אוחז במשענת מחמת חולי הרגלים: (ל) ואבישי. לפי שנמנה עם יואב בתוך השער להיות לו לעזר מעלה עליו הכתוב כאלו גם הוא הרגו: במלחמה. כאלו יאמר הנה לא כן עשו כי אבנר

מצודת ציון

(כז) בשלי. ענין שגגה ושכחה כמו על השל (לקמן ו) וכן גם של תשלו (רות ב): (כט) יחולו. ינוחו וישכנו כמו על ראש רשעים יחול (ירמיה ל): זב. חולי שנוטף מאמתו כעין זרע: בפלך. ענין משענת ומטה ודומה לו וכפיה תמכו פלך (משלי לא) והוא המטה שטווין בו הנשים: (ל) לאבנר. את אבנר כמו לכל כליו (שמות כז)

Commentary Digest

garding wealth, he cursed him with one who holds the spindle, a very lowly, poorly paid occupation. (The Midrash explains 'מחזיק בפלך' as one who holds the spindle). Regarding wisdom, he cursed him with one lacking bread, 'bread' signifying wisdom, as in Prov. 19:5. Regarding years, he cursed him with one who falls by the sword. In other versions, the curse of one who holds the spindle concerns wisdom, since only people of meager intelligence engaged in this occupation. The curse of one who lacks bread concerns wealth. — K and Y from T. Buber תולדות 7, Agadath Bereishith, Yer. Kid. ch. 1, hal. 7. The rabbis also tell us that all these curses were transferred from Joab's descendants to David's when

and he struck him there [*under*] the fifth rib, and he died for the blood of Asahel his brother. 28. And David heard afterward, and he said, "I and my kingdom are innocent before the Lord forever, of the blood of Abner the son of Ner. 29. "May it rest upon the head of Joab and upon all his father's house, and may there not fail from the house of Joab one who has an issue or one who is smitten with 'zaraath', or one who leans on a staff or who falls by the sword, or who lacks bread." 30. Now, Joab and Abishai his brother slew Abner because

Commentary Digest

28. *"I and my kingdom are innocent."* — This was done without my knowledge. Hence, I disclaim all responsibility and guilt for this crime. May the Almighty inflict punishment neither upon my person nor upon my political power. — D

29. *"May it rest"* — "May the (punishment for the) *blood of Abner rest. It refers to the above verse, in which he said, I and my kingdom are innocent of the blood of Abner.* May (punishment for) *his blood rest upon the head of Joab. His blood which is mentioned in the above verse."* — K, and D

and upon all his father's house— who supported and assisted him in his plot against Abner. — K. He did not curse his mother's house since Joab was the son of David's sister Zeruiah, and David's family was completely innocent of any connection to this crime. — Alshich

one who has issue — from the genitals, usually identified with gonorrhea. See Lev. 15:1-15. — Z

'zaraath' — usually identified with leprosy. This, however, is incorrect, since the symptoms of leprosy are not present in 'zaraath.' There is no mention of limbs falling off. Furthermore, 'zaraath' is known to heal itself without medical care, unlike leprosy. See Lev. 13:1-46 where the symptoms are discussed. See Lev. 14:1-32 for the ritual required for one who recovers from this disease, which according to our rabbis is a divine punishment for the sin of slander. — See R Lev. 14:4

or one who leans on a staff — *"one who leans on his staff because of a foot ailment."* — R, K, G and Z Our rabbis tell us that these five curses are directed against the five things which a child inherits from his father, namely: Beauty, strength, wealth, wisdom, and years. Regarding beauty, David cursed him with 'zaraath', a very defacing disease. Regarding strength he cursed him with an issue which saps the strength. Re-

הֵמִית אֶת־עֲשָׂהאֵל אֲחִיהֶם בְּגִבְעוֹן
בַּמִּלְחָמָה׃ לא וַיֹּאמֶר דָּוִד אֶל־יוֹאָב
וְאֶל־כָּל־הָעָם אֲשֶׁר־אִתּוֹ קִרְעוּ
בִגְדֵיכֶם וְחִגְרוּ שַׂקִּים וְסִפְדוּ לִפְנֵי אַבְנֵר
וְהַמֶּלֶךְ דָּוִד הֹלֵךְ אַחֲרֵי הַמִּטָּה׃
לב וַיִּקְבְּרוּ אֶת־אַבְנֵר בְּחֶבְרוֹן וַיִּשָּׂא
הַמֶּלֶךְ אֶת־קוֹלוֹ וַיֵּבְךְּ אֶל־קֶבֶר אַבְנֵר
וַיִּבְכּוּ כָּל־הָעָם׃ לג וַיְקֹנֵן הַמֶּלֶךְ אֶל־
אַבְנֵר וַיֹּאמַר הַכְּמוֹת נָבָל יָמוּת אַבְנֵר׃
לד יָדֶךָ לֹא־אֲסֻרוֹת וְרַגְלֶיךָ לֹא־

קטלו לאבנר על דקטל
ית עשהאל אחוהון
בגבעון בקרבא׃
לא ואמר דוד ליואב
ולכל עמא דעמיה בזעו
לבושיכון ואסרו סקין
וספדו קדם אבנר
ומלכא דוד אזיל בתר
ערסא׃ לב וקברו ית
אבנר בחברון וארים
מלכא ית קליה ובכא
על קברא דאבנר ובכו
כל עמא׃ לג ואלא מלכא
על אבנר ואמר הכמיתת
רשיעין ימות אבנר׃
לד ידך לא אסירן ורגלך
לא לזיקין דנחש
אתקרבו

חסר י'

מהר"י קרא

(לד) ידיך לא אסורות וגו'. פי' נפלתך אינה דומה לנפילת שאר הגבורים שבנוהג שבעולם גבור שבגבורים אם אסרו ידיו ורגליו אפי' חלש שבחלשים יכול לו ואתה ידיך לא אסורות אעפ"כ כנפול האיש שידיו אסורות ורגליו לנחושתים הוגשו גם אתה לפני אנשי בני עולה נפלת בלא ידיך כבולים ובלא רגליך אסורות. וראייה לפתרוני שתיבת כנפול נקודה בשלשלת להפרידה מתיבה הסמוכה לה שאם היתה דבוקה לתיבה שלאחריה אז היה פתח' כאשר יפול אדם אחד לפני בני

רש"י

אותה וכמוהו שלח לשריו לבן חיל לעובדי' וגו' ללמד בערי יהודה (ד"ה ב' י"ז ז') ופתרונו שלח את שריו את בן חיל: (לג) הכמות נבל. הכמות רשע בחרב: (לד) ידיך לא אסורות. היו ואיך נפל גבור כמותך לפני בני עולה:

רלב"ג

הוא חשוב כמת כי אין לו מה שיחיה הוא עצמו: (לב) והנה בכה דוד בכי גדול וקונן אל אבנר ולא טעם לחם כל היום ההוא לשתי סבות האחת לפי שהיה קשה בעיניו מאד הריגת אבנר שהיה שר וגדול בישראל עם היותו בברית עמו והסבה השנית כדי שיכירו ישראל כי לא היתה מהמלך להמית את אבנר כי היה זה ממה שירחיקם מאד להמליכו עליהם ר"ל בראותם כי המית שר וגדול כמוהו:

רד"ק

אבישי היה עם יואב כשהרגו ינסכם עמו וכאילו הרגו גם כן: הרגו לאבנר. כמו את אבנר וכן לכל כליו תעשה נחשת: במלחמה. כלומר הוא הרג עשהאל במלחמה והם הרגו אבנר בשלום וזהו שאמר דוד וישם דמי מלחמה בשלום: (לא) ויאמר דוד. אף על פי שיואב הרגו אמר לו שיקרע עליו ויתאבל כי שלא בדין הרגו: הולך אחרי המטה. כשהיו מוליכין אותו לקבורה ואף על פי שאמרו כי המלך אינו יוצא אחר המטה ואפילו מת לו מת אינו יוצא מפתח פלטרין שלו עשה כן דוד להוציא מלבם של ישראל שלא יחשדוהו כי בעצתו נהרג כמו שאמר בסוף הענין וידעו כל העם וכל ישראל ביום ההוא כי לא היתה מהמלך להמית את אבנר: (לב) אל קבר. כמו על קבר וכמוהו אל ההרים לא אכל וכן ויקונן המלך אל אבנר כמו על אבנר: (לג) הכמות נבל. בחרב כמו רשע או פירושו כאדם נופל ושפל ימות אבנר שהיה גבור וגדול איך לא השיב ידו אל מכתו: (יד) ידיך לא אסורות. היאך לא הכיתו גם אתה ורגליך גם כן

מצודת ציון

ומשפטו את כל כליו: (לב) אל קבר. כמו על קבר: (לג) נבל. אדם פחות המעלה: (לד) אסורות. קשורות: לנחשתים. שלשלאות

מצודת דוד

הרג את עשהאל במלחמה והם הרגו לאבנר בשלום: (לא) אל יואב. להיות גם הוא כדואג על מיתתו ומתחרט על מה שהרגו: הולך. היה הולך אחר המטה למען דעת הכל שלא נעשתה בעצתו: (לג) הכמות נבל. וכי מהראוי הוא שימות אבנר בחרב זולת מלחמה כמות איש נבל: (לד) ידיך לא אסורות. היות רבות פעמים יקרם

Commentary Digest

move all suspicion of having ordered the killing. — K and D from Mishnah San. 20a

32. *and the king raised his voice and wept* — because he felt the great loss of Abner who was an outstandiing warrior and an illustrious scholar. Furthermore, he was determined to throw all suspicion for the killing off himself. For these reasons, he lamented and fasted, as in verses 33-35. — G

33. *die like a wicked man* — *"as a wicked man dies, by the sword."* — R. Was it fitting for Abner the mighty hero to die by the sword without a struggle, like a lowly person? — K and D

he put Asahel their brother to death in Gibeon in the battle.
31. And David said to all the people who were with him,
"Rend your clothes and gird yourselves with sackcloth, and
wail before Abner." And King David went after the bier.
32. And they buried Abner in Hebron, and the king raised
his voice and wept on Abner's grave, and all the people wept.
33. And the king lamented Abner and said, "Should Abner
die like a wicked man?" 34. "Your hands were not bound,
and your feet were not

Commentary Digest

he ordered his son Solomon to kill Joab. Joab did not deserve the severe penalty of both death and a curse. Therefore, David's curse was a vain one and was visited upon his own posterity. Rehoboam was weak because of an issue, as the Scripture tells us: (I Kings 12:18) that he had difficulty in mounting his chariot. Uzziah suffered from 'zaraath' as in II Chron. 26:19-21. Asa suffered from a foot ailment and leaned on a staff, as in I Kings 15:23. Josiah fell by the sword, as in II Chron. 35:23. Jeconiah lacked bread as in II Kings 25:30. — K from San. 48b.

30. *Joab and Abishai* — Abishai was an accomplice to the crime by helping to lure Abner into the gate. — K and D

slew Abner — Heb. הרגו לאבנר (The 'lamed' is irregular, usually meaning 'to'. Therefore, R clarifies) *"like* את אבנר (the usual form for the definite direct object). *Similar to this is*: *Rob me* (from the Angel of Death), *Be a surety for me* (Is. 35:14. Heb. עשקה לי, instead of עשקה אותי, *and so*: *please heal her* (Num. 12:13). Heb. רפא נא לה, instead of) רפא אותה, *and similarly*: *He sent his princes, Benhail, Obadiah, etc. to teach in the cities of Judah* (II Chron. 17:7, Heb. שלח לשריו לבן חיל לעובדי') *and its meaning is as though it were written*: שלח את שריו את בן חיל." — R

in the battle — Joab and Abishai slew Abner in peacetime while Abner had slain Asahel in battle. Concerning this David says, "And they placed blood of war in peace (I Kings 2:5) — K and D

31. *And David said to Joab* — Even though Joab was the killer, David ordered him to rend his clothing and mourn over Abner, since he had killed him unjustly. — K and D

and King David went after the bier — Although a king may not leave his palace even to join the funeral procession of his closest of kin, David made an exception in this case to re-

לִנְחֻשְׁתַּיִם הֻגָּשׁוּ כִּנְפוֹל לִפְנֵי בְנֵי־עַוְלָה
נָפָלְתָּ וַיֹּסִפוּ כָל־הָעָם לִבְכּוֹת עָלָיו׃
לה וַיָּבֹא כָל־הָעָם לְהַבְרוֹת אֶת־דָּוִד
לֶחֶם בְּעוֹד הַיּוֹם וַיִּשָּׁבַע דָּוִד לֵאמֹר כֹּה
יַעֲשֶׂה־לִּי אֱלֹהִים וְכֹה יֹסִיף כִּי אִם־לִפְנֵי
בוֹא־הַשֶּׁמֶשׁ אֶטְעַם־לֶחֶם אוֹ כָל־
מְאוּמָה׃ לו וְכָל־הָעָם הִכִּירוּ וַיִּיטַב
בְּעֵינֵיהֶם כְּכֹל אֲשֶׁר עָשָׂה הַמֶּלֶךְ בְּעֵינֵי
כָּל־הָעָם טוֹב׃ לז וַיֵּדְעוּ כָל־הָעָם וְכָל־
יִשְׂרָאֵל בַּיּוֹם הַהוּא כִּי לֹא הָיְתָה

תרגום

אתקרבו כמפל קדם
גברין רשיעין נפלתא
ואוסיפו כל עמא למבכי
עלוהי: לה ואתא כל
עמא לאוכלא ית דוד
לחמא עד דיומא קים
וקיים דוד למימר כדין
יעביד לי יי וכדין יוסיף
אלהין קדם מיעל
שמשא אטעום לחמא
או כל מדעם: לו וכל
עמא אשתמודעו ושפר
בעיניהון ככל דעבד
מלכא בעיני כל עמא
טב: לז וידעו כל עמא
וכל ישראל ביומא ההוא
ארי לא הות בעצת
מלכא

ת"א כנפול. פקידה ס' קס׳ · וידעו. שם:

רש"י

(לה) להברות. לשון סעודה:

מהר"י קרא

עולה גם אתה נפלת ביד יואב שהוא צדיק שאינו איש עולה. ולא יתכן לפרש שיצדיק את יואב. שהרי קיללו קללות חמורות: (לה) להברות. להאכיל כמו ועשי לו הבריה. דאמנון:

רד"ק

לא לנחושתים הוגשו איך לא ברחת מפניהם כנפול נבל כן **נפלת לפני בני עולה** ואף על פי שלא זכר נבל אלא כנפול זה ר"ל כיון שזכר נבל למעלה סמך על המבין וכן מנהג הלשון בהרבה מקומות: (לה) להברות את דוד לחם. רבותינו ז"ל אמרו כתיב להכרות בכ"ף וקרינן להברות בבי"ת בתחלה להכרותו ולבסוף להברותו וכן כתב ר' מנחם בן סרוק כי הכתוב להכרות וכן כתב רבי יהודה חיוג וכן כתב אדוני אבי ז"ל ואנחנו לא מצאנוהו בשום ספר מדוייק אשר ראינו וכן כתב רבי יונה כי לא ראה אותו כתוב כך להכרותו לא בספרי' ולא במסורת ופירוש להברות להאכיל אפילו אכילה מועטת ולא

מצודת דוד

יקחו כשבי שר וגדול ויאסרו ידיו ורגליו ויהרגוהו בסוף בחרב כוולת מלחמה לזה אמר הלא ידיך לא היו אסורות וכו' כי לא נלקחת בשבי ומדוע א"כ הרגוך בחרב בוולת מלחמה: כנפול וגו'. כאומר עם היות כי מעולם לא נעשתה כדבר הזה להמית שר וגדול בחרב זולת מלחמה הנה לפעמים נעשתה ע"י בני עולה וכמו כן נפלת גם אתה כאשר יפול הנופל לפני בני עולה כי גם בני גרויה לבני עולה יחשבו: (לה) בעוד היום. כשהיה עוד יום: כה יעשה וגו'. הוא ענין שבועה וכיס כמוהו ימלא במקרא: כי אם לפני וגו'. כאשר אם לפני בוא השמש אטעם לחם וכו' אז יחול השבועה להתקיים כי: (לו) הכירו. שלא מדעת דוד נעשתה: ככל אשר עשה. הוטב בעיניהם כל אשר עשה והם ההליכה אחר המטה והבכי והקינה:

מצודת ציון

נחושת אוסרים בהם רגלי השבוים: (לה) להברות. להאכילו סעודה מועטת כמו ואברה מידה (לקמן יג): מאומה. שום דבר:

Commentary Digest

Ish-bosheth's death, there was again no king over Israel, until David was accepted. Tosafoth explains that for one half year following Saul's death, there was no king. Subsequently, Ish-bosheth ruled for two years. After this, for five years there was no king. Compare with Commentary Digest 2:11.

To sum up the reasons for Abner's death, see above 2:14, 3:12, 26.

35. *to serve* — Heb. להברות — *"an expression of a meal."* — R. This is a common expression in the Talmud for a small repast served to mourners upon their return from the cemetery. Even this, David refused to eat, because of his deep sorrow over the death of Abner. The Talmud tells us that originally the people were ready to attack David and kill him, suspecting him of having ordered the killing. However, when they recognized his genuine and sincere sorrow, they showed their friendship to him by serving him bread. — K from San. ibid.

36. *all which the king did* — walking after the bier, his weeping, and his lamentation. — D

put into copper chains. As one who falls before wicked men
you have fallen." And all the people continued to weep over
him. 35. And all the people came to serve David bread
while it was still daytime, but David swore saying, "God do
so to me, and so continue, if before sunset I taste bread
or anything." 36. And all the people recognized, and it
was pleasing in their eyes. All which the king did was pleasing
in the eyes of all the people. 37. And all the people and
all Israel knew on that day that it was not

Commentary Digest

34. *Your hands were not bound* — How did you not defend yourself? — K

and your feet were not put into copper chains — How did you not flee? — K.

As one who falls before wicked men you have fallen — It sometimes occurs that wicked men overpower a hero and kill him. So was it in your death, that you fell before the sons of Zeruiah. — D. M explains: Your hands were not bound and your feet were not put into copper chains like a prisoner who is on trial for his life. You were not convicted by due process of law. You were murderously slain by wicked men. See above v. 27.

The Talmud takes this passage as a reason for Abner's death. "Your hands were not bound; your feet were not put into copper chains. You were able to protect Saul's liquidation of Nob, the priestly city. Why did you not do so?" Others say: Abner did protect the killing of the priests, but Saul paid no attention to him. They explain thus: Your hands were not bound, etc. You did protest. Why then did you fall? As one falls before wicked men have fallen." "Why then," questions the Talmud, "was Abner slain?" The reply was: Because he detained the kingdom of the house of David for two and a half years by setting up Ish-bosheth as king. — San. 20a. True, Abner expounded a Biblical passage when he set up Ibn-bosheth (See above 2:8). Nevertheless, since David had already been anointed by Samuel, he should have allowed him to ascend the throne, and G-d would fulfill His promise to Jacob as He would see fit. — Tos. Ibid. Incidentally, we learn from this statement that Abner detained the kingdom of the house of David two and a half years. R explains that for five years after Saul's death, there was no king over Israel. The next two years Ish-bosheth ruled, and one half year after

מֵהַמֶּ֫לֶךְ לְהָמִית אֶת־אַבְנֵר בֶּן־נֵר׃
לח וַיֹּאמֶר הַמֶּלֶךְ אֶל־עֲבָדָיו הֲלוֹא תֵדְעוּ
כִּי־שַׂר וְגָדוֹל נָפַל הַיּוֹם הַזֶּה בְּיִשְׂרָאֵל׃
לט וְאָנֹכִי הַיּוֹם רַךְ וּמָשׁוּחַ מֶלֶךְ
וְהָאֲנָשִׁים הָאֵלֶּה בְּנֵי צְרוּיָה קָשִׁים
מִמֶּנִּי יְשַׁלֵּם יְהוָה לְעֹשֵׂה הָרָעָה
כְּרָעָתוֹ׃ ד א וַיִּשְׁמַע בֶּן־שָׁאוּל כִּי מֵת
אַבְנֵר בְּחֶבְרוֹן וַיִּרְפּוּ יָדָיו וְכָל־יִשְׂרָאֵל

תרגום

מַלְכָּא לְמִקְטַל יַת אַבְנֵר
בַּר נֵר׃ לח וַאֲמַר מַלְכָּא
לְעַבְדוֹהִי הֲלָא תֵדְעוּן
אֲרֵי רַב וְשַׁלִּיט נְפַל
יוֹמָא הָדֵין בְּיִשְׂרָאֵל׃
לט וַאֲנָא יוֹמָא דֵין הֶדְיוֹט
וּמְרַבֵּי לְמַלְכָּא וְגֻבְרַיָא
הָאִלֵּין בְּנֵי צְרוּיָה קַשְׁן
מִנִּי יְשַׁלֵּם יְיָ לְעָבְדֵי
בִּישְׁתָא כְּבִישְׁתֵיהּ׃
א וּשְׁמַע בַּר שָׁאוּל אֲרֵי
מִית אַבְנֵר בְּחֶבְרוֹן
וְאִתְרַשְׁלוּ יְדוֹהִי וְכָל
ישראל

ת"א (הלא תדעו. סוטה יו)׃
ואנכי היום רך. סנהדרין פס׃

מהר"י קרא

(לח) הלא [תדעו] כי שר וגדול נפל. ואפי' קטן שבישראל מוטל עלי לבער הרשע ולהכית ההורג שלכך נמשחתי לשפוט ולבער עוברי עבירה. אבל איני יכול כמו שמפרש אנכי היום רך ומשוח מלך שהרי מחוד' נתרצו כל ישראל לחמליכני ועדין המליכה תלויה בספק׃ (לט) והאנשים האלה בני צרויה קשים ממני. לפי שקרא עצמו רך קרא אותם קשים לשון נופל על הלשון. מאחר שאני רך והם קשים׃ ישלם ה' לעושה הרעה כרעתו. הקב"ה שהוא חזק על כל ינקום נקמת זו׃

רש"י

(לט) ואנכי היום רך. והנא יומא דין הדיוט ומרבי למלכא׃

רד"ק

רצה כי הבריה היא האכילה המועטת וכן יאברת מידה׃ (לט) רך ומשוח מלך. רך במלוכה כאילו היום נמשחתי למלך כי היום ההוא היא תחלת מלכותו על ישראל על ידי אבנר והאנשים האלה בני צרויה שהם קשים ממני בלבלו לי מלכותי חכר צרויה אמם ולא זכר אביה' כלומר בני אחותי הם והיה להם לחוש עלי ולא עשו ובשאר מקומות שזוכר אמם ואומר יואב בן צרויה אבישי בן צרויה לפי שהיו יותר נכבדים בזכר אמם לכבוד דוד ייונתן תרגם רך ומשוח מלך הדיוט ומרבי למלכא כלומר עד היום לא הייתי חושב עצמי למלך אלא הדיוט וכאילו היום נמשחתי למלך ורבותינו ז"ל פירשו רך לשון מלוכת כאמרם לא רכה ולא בר רכה את ואמר מנא תימרא דהאי רכה לישנא דמלכותא הוא דכתיב רך ומשוח מלך׃

מצודת ציון

(לט) רך. ר"ל רך הלבב מלהתגרות עם מי׃ קשים. הוא חלוף הרך׃
ד (א) וירפו. מלשון רפיון והוא ענין יאוש׃

מצודת דוד

(לח) הלא תדעו. כי דוד חשב אשר עבדיו יתפלאו על גודל האבל אם שלא הרג אותו. לזה אמר הלא מעלמכם תדעו כי שר וגדול נפל וגו' ומהראוי א"כ להרבות האבל׃ (לט) ואנכי היום. ר"ל ואם תתמהו מה זה לא לקחתי נקם הנה אנכי אף היום שנמשחתי למלך על כל ישראל ומלכותי בכל מקום עכ"ז אני רך הלבב מול בני צרויה כי המה קשים ממני ולא אוכל להתגרות עמהם. ולפי שמן הדין אין לענוש משפט מות שלא היו שם עדים והתראה אולם ניתן רשות למלך לענוש לצורך השעה ביכלתו המוחלט ולזה במעט ידו ממנו כי לא היה יכול להם ומסר דינו לשמים׃
ד (א) בן שאול. לפיכך כשמת אבנר לא נשאר בו כח מלכות רק מלך איותו בן שאול ועוד לא נשאר מי להתחזק עמו במלכותו. נבהלו. היות ידעו שלבב אבנר היתה שלם עם דוד וחשבו שמכ"ז נהרג בעלתו ופחדו לנפשם שלא המלך לזה לא הזכירו בשמו׃ ינקום בכולם ובעבור זה לא המליכהו עד שנהרג איש בושת ועשה דוד שפטים בההורגים ובזה ידעו למפרע שהיה דוד נקי מדמי אבנר ולא

Commentary Digest

were allayed. — D. A explains that they were dismayed, not knowing whether David had ordered Abner's death. Some claimed that David was responsible. "Did he not know that Abner was supporting him?", others asked. Some claimed that David was innocent of the killing. Others asked them in turn, "why then did David exonerate Joab and Abishai?" Hence,

of the king to put to death Abner the son of Ner. 38. And
the king said to his servants, "Do you not know that a prince
and a great man has fallen this day in Israel? 39. "And
today I am tender and just anointed king, and these men, the
sons of Zeruiah are harder than I. May the Lord requite the
evil-doer according to his evil."

4

1. And Saul's son heard that Abner had died in Hebron, and
his hands became feeble, and all Israel

Commentary Digest

38. *a prince and a great man has fallen* — Therefore, I have exceeded the usual limit of mourning. — A

this day — His loss is already obvious this day. — Azulai. "If so," ask the people, "Why do you not avenge his death?" Upon this, David replies . . .

39. *"And today I am tender and just anointed king* — Heb. רך, bearing the connotation of youth, i.e. I am young in the kingdom, as though I were just anointed king, and these men, the sons of Zeruiah are harder than I. Hence, I am incapable of fighting them. But they will not go unpunished, for "May the Lord requite the evil-doer according to his evil". — K and A. D explains "tender" in the sense of 'soft-hearted' in contrast to the hard-hearted sons of Zeruiah. R renders after J: *"And I am today a lowly person, yet anointed king."*

According to law, Joab was not liable to death since he had not been warned. The king, however, was authorized to execute even without warning or qualified testimony. David did not wish to exercise this privilege at this time.

CHAPTER 4

1. *And Saul's son* — without Abner's support, Ish-bosheth's only claim to the throne was his relationship to Saul.

and his hands became feeble — an expression of despair. — Z Perhaps Ish-bosheth was unaware that Abner had betrayed him. It is, however, more likely that he feared for his own life, lest he meet a similar end.

And all Israel were dismayed — Knowing that Abner had made a treaty with David, they believed that David had betrayed him and ordered his assassination. They were, therefore, alarmed and frightened lest he take revenge from all the supporters of Ish-bosheth. When David executed Ish-bosheth's assassins their fears

נִבְהָלוּ׃ ב וּשְׁנֵי אֲנָשִׁים שָׂרֵי־גְדוּדִים הָיוּ
בֶן־שָׁאוּל שֵׁם הָאֶחָד בַּעֲנָה וְשֵׁם הַשֵּׁנִי
רֵכָב בְּנֵי רִמּוֹן הַבְּאֵרֹתִי מִבְּנֵי בִנְיָמִן כִּי
גַּם־בְּאֵרוֹת תֵּחָשֵׁב עַל־בִּנְיָמִן׃ ג וַיִּבְרְחוּ
הַבְּאֵרֹתִים גִּתָּיְמָה וַיִּהְיוּ־שָׁם גָּרִים עַד
הַיּוֹם הַזֶּה׃ ד וְלִיהוֹנָתָן בֶּן־שָׁאוּל בֵּן נְכֵה
רַגְלָיִם בֶּן־חָמֵשׁ שָׁנִים הָיָה בְּבֹא
שְׁמֻעַת שָׁאוּל וִיהוֹנָתָן מִיִּזְרְעֶאל
וַתִּשָּׂאֵהוּ אֹמַנְתּוֹ וַתָּנֹס וַיְהִי בְּחָפְזָהּ

יִשְׂרָאֵל אִתְבְּהִילוּ׃
ב וּתְרֵין גֻּבְרִין רַבָּנֵי רֵישֵׁי
מַשְׁרְיָן הֲווֹ עִם בַּר שָׁאוּל
שׁוּם חַד בַּעֲנָא וְשׁוּם
תִּנְיָנָא רֵכָב בְּנֵי רִמּוֹן
דְּמִבְּאֵרוֹת בְּנֵי בִנְיָמִן
אֲרֵי אַף בְּאֵרוֹת
מִתְחַשְׁבָא עַל דְּבֵית
בִּנְיָמִין׃ ג וַעֲרַקוּ אֱנָשׁ
בְּאֵרוֹת לְגִתָּיִם וַהֲווֹ תַמָּן
דַּיָּרִין עַד יוֹמָא הָדֵין׃
ד וְלִיהוֹנָתָן בַּר שָׁאוּל
בְּרָא לְקֵי בִתְרֵין רִגְלוֹהִי
בַּר חֲמֵשׁ שְׁנִין הֲוָה כַּד
אֲתָת בְּשׂוֹרַת שָׁאוּל
וִיהוֹנָתָן מִיִּזְרְעֶאל
וּנְטַלְתֵּיהּ תּוּרְבַּנְתֵּיהּ
וַאֲפִיכַת נַהֲוָה

רש"י

ד (ב) היו בן שאול. היו לבן שאול כמו למועד אשר שמואל (שמואל א' י"ג ח') אשר לשמואל: (ג) ויברחו הבארותים. כשמת שאול שעזבו בני ישראל את הערים שסביבות פלשתים כמו שאמור למעלה אז ברחו הבארותים: (ד) וליהונתן בן שאול. מונה והולך איך נסבת מלכות מבית שאול הוא ובניו נהרגו וזה הנשאר הרגוהו על משכבו ובנו של יהונתן נפל ויפסח: נכה רגלים. שבור רגלים:

מהר"י קרא

ד (ב) היו בן שאול. עם בן שאול. וכשנהרג שאול הלכו למקומן והרגו את בן שאול אדוניהם כסבורים למצוא חן בעיני דוד. ומלמדך הכתוב האיך כילה בית שאול שלא נותר מהם איש ראוי למלוכה כי איש בושת שמלך נהרג ומפיבושת בן

רד"ק

(ב) היו בן שאול. כמו לבן שאול או עם בן שאול כתרגום או שרי שזכר עומד במקום שנים כאילו אמר שרי בן שאול ומנחם פירשו היו כמו שברו וכן נהייתי ונחליתי ור"ל הכיתו אותו וספר ענין זה הנה להודיע כי אלה שהרגו בן שאול כבר היו עמו ושריו היו לפיכך לא נשמרו מהם בני הבית בבוא' היך הבית ובחדר משכבו וחשבו שכדי לדבר עמו נכנסו ומה שאמר ויברחו הבראותי' לא ספר על מה ברחו אולי היו להם דברי מריבה עם שאול או עם בנו ועתה שבו אליו אולי השליכו עמו טרם בואם ובאו עד לביתו ולא נשמרו מהם ויהיה פי' לוקחי חטים לזת הפי' שבאו עם לוקחי חטים לדבר עם בן שאול ולפי' שפיר' מנחם המיתו יהיה פי' הענין כן כי אלה השרים הרגו בן שאול ולא אמר זה על איש בשת אלא על בן אחר שהי' לשאול והרגו אותו או בחיי שאול או אחרי מותו לפיכך ברחו נתים' והיו שם גרים עד היום הזה שבאו להרוג איש בשת למצוא חן בעיני דוד ולשוב לנחלת' בארו' וכשבאו לבית איש בשת התנכרו ועשו עצמם כלוקחי חטים וכת"י כזבני חטין ונכנסו לביתו לחדר משכבו והרגוהו ובני הבית לא נשמרו מהם כי אמרו שידברו עמו לקחת חטים ממנו: כי גם בארות תחשב על בנימין. כמו אל בנימין וכן ותתפלל על ה' כמו אל ה' על שפן הספר כמו אל ומה שאמר כי גם בארות והנה בארות

מצודת דוד

כאו כולם להמליכו: (ב) שרי גדודים. שרים על אנשי החיל היו לבן שאול: כי גם בארות וגו'. אולי עמדה מחוץ לגבולם ולא היה ידוע לכל אשר היא מבנימין: (ג) ויברחו. ברחו מאז ולא הוזכר למה: עד היום הזה. אשר הרגו לאיש בושת כי אז נהרגו גם הם בידי דוד כמה שכתוב בענין: (ד) מיזרעאל. אשר נהרגו במלחמה ההוא: ותנס. מפחד פלשתים שלא יבואו אל בית המלך לשלול שלל: ויפול. סבן שהוא נפל מידה ונעשה אז פסח (וכתבו כאן לומר שכוונת הבארתים היה בהריגת איש בושת בכדי להמליך את דוד היום כי לא נשאר מי

מצודת ציון

(ב) בן שאול. כמו לבן שאול ותחסר הלמ"ד: (ד) נכה רגלים. שבור רגלים כמו פרעה נכה (מ"ב כ"ג): אמנתו. המגדל' אותו כמו ויהי אומן את הדסה (אסתר ב): ותנס. וברחה: בחפזה. ענין מהירות

Commentary Digest

lame in his feet — "having broken feet." — R

and fled — in fear of the Philistines, lest they invade the palace to plunder. — D

easily place David on the throne, since Mephibosheth was lame and incapable of ruling. — D. Therefore, they did not kill Mephibosheth. — Alshich

were dismayed. 2. And Saul's son had two men, the heads of troops. The name of one was Baanah and the name of the second was Rechab, the sons of Rimmon the Beerothite, of the sons of Benjamin, (for Beeroth was also counted to Benjamin. 3. And the Beerothites fled to Gittaim and they were living there until this day). 4. And Jonathan, the son of Saul had a son who was lame in his feet. He was five years old when the news of Saul and Jonathan came from Jezreel, and his nurse carried him and fled; and it was in her haste

Commentary Digest

the matter puzzled them considerably.

2. *And Saul's son had two men, the heads of troops* — lit. And two men, the heads of troops were Saul's sons — "*were to Saul's son* (or Saul's son had), *like*: '*to the appointed time which Samuel* (I Sam. 13:8, meaning 'which was to Samuel' or 'of Samuel'). — R and Z and D. Cf. I Sam. Ibid. J, K. and J.K. render: And two men, heads of troops, were with Saul's son. Menahem explains 'היו' as 'broke' or 'killed', rendering thus: And two men, heads of troops, had killed Saul's son, referring to another son of Saul, whom they had slain at an earlier date. — K

for Beeroth was also counted to Benjamin — Beeroth was on the border and not recognized by all as belonging to Benjamin. — K. This is a parenthetical clause, relating the background of Baanah and Rechab, the assassins of Ish-bosheth.

3. *And the Beerothites had fled to Gittaim* — "*when Saul died, for the Israelites abandoned the cities in the environs of the Philistines, as is mentioned above* (I Sam. 31:7). *Then the Beerothites fled.*" — K. K suggests that there may have been differences between the Beerothites and Saul or Ish-bosheth, which led to their fleeing to Gittaim. According to Menahem, they fled after murdering Saul's son. M identifies Gittaim with Gath the Philistine city. This is definitely not in accordance with R. The reason for their fleeing, according to him, will be explained in v 7.

4. *And Jonathan the son of Saul had* — *The Scriptures goes on to recount how the kingdom was taken away from the house of Saul. He and his sons were killed. This one remaining son was killed in bed, and Jonathan's son fell and became lame* (hence unfit for the throne)." — The Beerothites realized that by assassinating Ish-bosheth, they could

לָנוּס וַיִּפֹּל וַיִּפָּסֵחַ וּשְׁמוֹ מְפִיבֹשֶׁת׃
ה וַיֵּלְכוּ בְּנֵי־רִמּוֹן הַבְּאֵרֹתִי רֵכָב וּבַעֲנָה
וַיָּבֹאוּ כְּחֹם הַיּוֹם אֶל־בֵּית אִישׁ בֹּשֶׁת
וְהוּא שֹׁכֵב אֵת מִשְׁכַּב הַצָּהֳרָיִם׃ ו וְהֵנָּה
בָּאוּ עַד־תּוֹךְ הַבַּיִת לֹקְחֵי חִטִּים וַיַּכֻּהוּ
אֶל־הַחֹמֶשׁ וְרֵכָב וּבַעֲנָה אָחִיו נִמְלָטוּ׃
ז וַיָּבֹאוּ הַבַּיִת וְהוּא־שֹׁכֵב עַל־מִטָּתוֹ
בַּחֲדַר מִשְׁכָּבוֹ וַיַּכֻּהוּ וַיְמִתֻהוּ וַיָּסִירוּ
אֶת־רֹאשׁוֹ וַיִּקְחוּ אֶת־רֹאשׁוֹ וַיֵּלְכוּ דֶּרֶךְ

תרגום

בְּאִתְבְּהָלוּתַהּ לְמֶעֱרַק
וּנְפַל וַחֲגַר וּשְׁמֵיהּ
מְפִיבֹשֶׁת׃
ה וַאֲזַלוּ בְּנֵי
רִמּוֹן דְּמִבְּאֵרוֹת רֵכָב
וּבַעֲנָה וַאֲתוֹ כְּמֵיחַם
יוֹמָא לְבֵית אִישׁ בֹּשֶׁת
וְהוּא שְׁכִיב יָת שְׁנַת
מַלְכַיָא׃
ו וְאִינוּן אֲתוֹ
עַד גוֹ בֵיתָא כְּזַבְנֵי חִטִּין
וּמְחוֹהִי בִּסְטַר יַרְכֵיהּ
וְרֵכָב וּבַעֲנָה אֲחוּהִי
אִשְׁתֵּיזָבוּ׃
ז וַאֲתוֹ
לְבֵיתָא וְהוּא שְׁכִיב עַל
עַרְסֵיהּ בְּאִדְרוֹן בֵּית
מִשְׁכְּבֵיהּ וּמְחוֹהִי
וְקַטְלוּהִי וְאַעְדִּיאוּ יָת
רֵישֵׁיהּ וּנְסִיבוּ יָת רֵישֵׁיהּ
ת"א ושמו מפיבושת כרכום ן

מהר"י קרא

יהונתן לא היה ראוי כי היה נכה רגלים׃ (ו) והנה באו [עד]

רש"י

(ו) והנה באו עד תוך הבית. עם תגרים לוקחי חטים׃

רלב"ג

(ה) והנה אחר זה קשרו שני שרי גדודים אשר לבן שאול על איש בושת והרגוהו בביתו על משכבו בהיותו שוכב משכב הצהרים ונכנסו עם האנשים לוקחי החטים שבאו בתוך הבית. ונשאו את ראשו לדוד למצוא חן בעיניו והוא נקם את נקמת איש בשת מהם וצוה להרגם ולקצץ ידיהם ורגליהם ותלו אותם על הברכה בחברון ויקבור את ראש איש בשת בקבר אבנר בחברון׃

רד"ק

נחשבת בתוך ערי בנימן אם כן מה הוא גם אולי היתה על הגבול והיו חושבים בני אדם כי אינה לבנימן הודיע כי גם היא תחשב לבנימן וכל זה להודיע כי משבט בנימן היה שהי' משבט שאול יצאו לו מכלים ביתו וממלכתו וכה שספר גם כן הנה ענין מפיבשת בן יהונתן להודיע כי במות איש בשת לא נשאר לבית שאול יורש עצר וראוי למלכות כי מפיבושת בן יהונתן נפל תעשה נכה רגלים ולשאול לא נשאר כי אם בני רצפה הפלגש׃ (ה) כחם היום, בכ"ף׃ את משכב הצהרים. ת"י שנת מלכיא כלומר כי מנהג המלכים לישן בצהרים׃ (ז) ויבאו הבית. נראה כי אחר ישהכוהו ויצאו להם חזרו לבית להסיר את ראשו להביאו לדוד כי הם הרגוהו כי חשבו למצוא

מצודת ציון

כמו ויהי דוד נחפז ללכת (ש"א כ"ג)׃ ויפסח. נעשה חגר׃ (ה) כחם היום. כאשר נתחמם השמש והוא בחצות היום׃ הצהרים. עת התחזק אור היום והוא מלשון זוהר תיבה לתיבה (בראשית ו)׃ (ו) והנה. כמו והמה׃

מצודת דוד

מזרע שאול להמליכו אחריו כי חשבו שמפיבשת לא הגון למלוכה על כי הוא פסח ברגליו׃ (ה) וילכו. בנו מגת והתחברו והלכו לבית איש בושת׃ (ו) והנה באו. חזר לספר איך באו ולא הרגישו בהם ואמר שבאו תוך הבית ועשו עצמם כלוקחי חטים מאת איש בושת ואמר שהכוהו בדופן החמישית מול הכבד והמרה ונמלטו משם׃ (ז) ויבאו הבית. עתה חזר לספר אופן ההכאה ואמר בתחלה המיתו אותו ואחר זה כרתו ראשו׃

to flee, that he fell and became lame, and his name was
Mephibosheth. 5. And the sons of Rimmon the Beerothite,
Rechab and Baanah, went, and came in the heat of the day
to the house of Ish-bosheth, when he was taking his midday
rest. 6. And they came inside the house [*as*] buyers of
wheat, and they struck him under the fifth rib, and Rechab
and Baanah his brother escaped. 7. And they came into
the house and he was lying on his bed in his bedroom, and
they struck him and put him to death, and they removed
his head, and they took his head and went by way of

Commentary Digest

5. *his midday rest* — J renders: the sleep of the kings, for it was customary for kings to sleep at midday. — K

6. *and they came to the middle of the house* — *"with merchants who were buying wheat."* — R. They were admitted without question being known as officers of Ish-bosheth's army. Others render: as buyers of wheat. They gained admittance by disguising themselves as buyers of wheat. According to Menahem, they would surely be denied entry had they appeared as Rechab and Baanah the assassins of the king's brother. — J.K, and D. Alshich explains that the use of the feminine 'הנה' for 'they' instead of the masculine 'המה', suggests that they disguised themselves as women seeking to buy wheat from the king. After wounding Ish-bosheth, they doffed their disguise and fled. Hence, the seemingly superfluous ending: and Rechab and Baanah his brother escaped, means: They escaped as Rechab and Baanah, since the two 'women' would then be suspected and sought, not Rechab and Baanah.

7. *And they came into the house* — After mortally wounding Ish-bosheth, they returned to the house to end his life and to sever his head to bring to David. — K, A and Alshich.

and he was lying on his bed — mortally wounded. — Ibid. D considers this an explanation of the previous verse, relating in detail how the two slew Ish-bosheth, that they first killed him and then beheaded him. Accordingly, we explain: and he was lying on his bed, he was asleep.

הָעֲרָבָה כָּל־הַלָּיְלָה׃ ח וַיָּבִאוּ אֶת־רֹאשׁ
אִישׁ־בֹּשֶׁת אֶל־דָּוִד חֶבְרוֹן וַיֹּאמְרוּ אֶל־
הַמֶּלֶךְ הִנֵּה־רֹאשׁ אִישׁ־בֹּשֶׁת בֶּן־שָׁאוּל
אֹיִבְךָ אֲשֶׁר בִּקֵּשׁ אֶת־נַפְשֶׁךָ וַיִּתֵּן יְהוָה
לַאדֹנִי הַמֶּלֶךְ נְקָמוֹת הַיּוֹם הַזֶּה
מִשָּׁאוּל וּמִזַּרְעוֹ׃ ט וַיַּעַן דָּוִד אֶת־רֵכָב ׀
וְאֶת־בַּעֲנָה אָחִיו בְּנֵי רִמּוֹן הַבְּאֵרֹתִי
וַיֹּאמֶר לָהֶם חַי־יְהוָה אֲשֶׁר־פָּדָה אֶת־
נַפְשִׁי מִכָּל־צָרָה׃ י כִּי הַמַּגִּיד לִי לֵאמֹר
הִנֵּה־מֵת שָׁאוּל וְהוּא־הָיָה כִמְבַשֵּׂר
בְּעֵינָיו וָאֹחֲזָה בוֹ וָאֶהְרְגֵהוּ בְּצִקְלָג
אֲשֶׁר לְתִתִּי־לוֹ בְּשֹׂרָה׃ יא אַף כִּי־

נָאזַלוּ בְּאוֹרַח מֵישְׁרָא כָּל
לֵילְיָא׃ ח וְאַיְתִיאוּ יָת
רֵישׁ אִישׁ בּוֹשֶׁת לְוָת
דָוִד לְחֶבְרוֹן וַאֲמַרוּ
לְמַלְכָּא הָא רֵישׁ אִישׁ
בֹּשֶׁת בַּר שָׁאוּל בְּעֵיל
דְבָבָךְ דִבְעָא לְמִקְטְלָךְ
וַעֲבַד יְיָ לְרִבּוֹנִי מַלְכָּא
פּוּרְעָנוּתָא יוֹמָא הָדֵין
מִשָּׁאוּל וּמִזַּרְעֵיהּ׃
ט וַאֲתֵיב דָוִד יָת רֵכָב
וְיָת בַּעֲנָה אֲחוּהִי בְּנֵי
רִמּוֹן דְמִבְּאֵרוֹת וַאֲמַר
לְהוֹן קַיָם הוּא יְיָ דִי
פְרַק יָת נַפְשִׁי מִכָּל עָקָא׃
י אֲרֵי דְחַוֵי לִי לְמֵימַר
הָא מִית שָׁאוּל וְהוּא
הֲוָה כִּמְבַשַּׂר בְּעֵינֵי
נַפְשֵׁיהּ. וַאֲחָדִית בֵּיהּ
וְקַטְלִתֵּיהּ בְּצִקְלַג דַהֲוָה
מְדַמֵי לְמִתַּן לֵיהּ מַתְּנַת
בְּסוֹרְתֵיהּ׃ יא אַף אֲרֵי

ואהרגהו כצ״ל

רש״י

(י) לתתי לו בשורה. אשר דימה לשמחני למען תתי לו שכר בשורתו:

מהר״י קרא

תוך הבית לוקחי חטים. כאילו באו לקנות חטים: (י) והוא היה כמבשר. בשורה טובה לי בעיניו. אשר לתתו לו בשורה. פי׳ הוא לא הרג את שאול אלא למען שאתן לו בשורתו כיחש לי ואמר לי אני הרגתיו ציויתי להורגו כדכת׳ למעלה. ואף כי רשעים כמותכם שעשיתם מעשה שהרגתם איש צדיק בביתו

רד״ק

חן בעיני דוד בזה הדבר: (י) ואהרגהו. והוא לא הרגו אלא כיון שצוה לאחר מתגערים להרגו כאילו הוא הרגו. ומה שאמר ואוחזה בו אפשר שדוד אחז בו והנער הכהו: אשר לתתו לו בשורה. אשר חשב שאתן לו שכר בשורה וכת״י דהות כדמי

מצודת דוד

(ח) ויתן ה׳. ר״ל והנה נתן ה׳ וכו׳: (י) כי המגיד. מוסב על המקרא שלפניו שאמר חי ה׳ וכו׳ אשר אמת הדבר כי המגיד לי לאמר שמת שאול על ידו: כמבשר בעיניו. בעיני עצמו היה כמבשר לי טוב: ואחזה בו. כי מה שצוה לנער להרגו הוא כאלו בעצמו הרגו: אשר לתתי. אשר חשב שאתן לו מתן בשורה: (יא) אף כי. ר״ל וכ״ש שההרוג אתכם כי הרועתם לעשות יותר ממנו כי ההורג

Commentary Digest

in order that I give him a reward for his good tidings." — R

11. *an innocent man* — while Saul was guilty of destroying Nob, Ish-bosheth had no such crime on his record. Even his resistance to David's rule could not be held against him, since it was due to Abner's scriptural interpretation. See R supra 2:8. — Azulai

in his own house — While the Amalekite claimed to have slain Saul on the battlefield after he had been mortally wounded, Rechab and Baanah slew Ish-bosheth in his own house on his bed. — D

the plain all night. 8. And they brought the head of
Ish-bosheth to David to Hebron, and they said to the king.
"Here is the head of Ish-bosheth, the son of Saul your
enemy, who sought your life. And the Lord has granted my
lord the king vengeance this day of Saul and of his seed."
9. And David answered Rechab and Baanah his brother, the
sons of Rimmon the Beerothite and said to them, "As the
Lord lives, Who delivered my person from every distress. 10.
That he who told me saying, 'Behold, Saul is dead,' and he
was in his own eyes as a herald of good tidings, I took hold
of him and slew him in Ziglag, who [*had expected*] me to
give him a reward for good tidings. 11. 'How much
more

Commentary Digest

10. *that he who told me* — the son of the Amalekite stranger, as above 1:13.

Saul is dead. — A ponders the discrepancy between David's recounting of the incident of Saul's death and the account given above in ch. I. It appears from this account that the Amalekite did not claim to have slain Saul, but merely reported his death. David had ordered the Amalekite executed because he rejoiced at Saul's death and considered himself a herald of good tidings. All this is contrary to the above account, wherein the Amalekite claimed to have slain him. Azulai reconciles by explaining that since the Amalekite's confession constituted self incrimination, David did not accept it. Hence, he considered it as though the Amalekite had merely reported Saul's death. David ordered his execution because he rejoiced about it and considered himself a herald of good tidings. According to this, the execution was a temporary measure or a royal decree. This follows Rambam as above 5:16, Commentary Digest.

I took hold of him and slew him — I ordered his death. — K and D. K suggests that David held him while his servant slew him.

who (expected) me to give him a reward for good tidings — I and D. lit. to my giving him good tidings — *"who thought to make me happy*

אֲנָשִׁים רְשָׁעִים הָרְגוּ אֶת־אִישׁ צַדִּיק
בְּבֵיתוֹ עַל־מִשְׁכָּבוֹ וְעַתָּה הֲלוֹא
אֲבַקֵּשׁ אֶת־דָּמוֹ מִיֶּדְכֶם וּבִעַרְתִּי
אֶתְכֶם מִן־הָאָרֶץ׃ יב וַיְצַו דָּוִד אֶת־
הַנְּעָרִים וַיַּהַרְגוּם וַיְקַצְּצוּ אֶת־יְדֵיהֶם
וְאֶת־רַגְלֵיהֶם וַיִּתְלוּ עַל־הַבְּרֵכָה
בְּחֶבְרוֹן וְאֵת רֹאשׁ אִישׁ־בֹּשֶׁת לָקָחוּ
וַיִּקְבְּרוּ בְקֶבֶר־אַבְנֵר בְּחֶבְרוֹן׃
ה א וַיָּבֹאוּ כָּל־שִׁבְטֵי יִשְׂרָאֵל אֶל־דָּוִד
חֶבְרוֹנָה וַיֹּאמְרוּ לֵאמֹר הִנְנוּ עַצְמְךָ
וּבְשָׂרְךָ אֲנָחְנוּ׃ ב גַּם־אֶתְמוֹל גַּם־
שִׁלְשׁוֹם בִּהְיוֹת שָׁאוּל מֶלֶךְ עָלֵינוּ אַתָּה
הָיִיתָה מוֹצִיא וְהַמֵּבִי אֶת־יִשְׂרָאֵל *

תרגום

גברין רשיעיא קטלו ית
גבר זכאי בביתיה על
שויה וכען הלא אתבע
ית דמיה מידכון ואפלי
יתכון מן ארעא׃
יב ופקיד דוד ית עולימיא
וקטלינון וקציצו ית
ידיהון וית רגליהון וצלבו
על ברכתא בחברון וית
ריש איש בושת נסיבו
וקברו בקבורא דאבנר
בחברון׃ א ואתו כל
שבטיא דישראל לות
דוד לחברון ואמרו
למימר הא אנא קריבך
ובסרך אנחנא׃ ב אף
מאתמלי אף מדקמוהי
כד הוה שאול מלכא
עלנא את הויתא נפיק
ועליל בריש ישראל
ואמר

תולדות אהרן

ויצו דוד. עקידה שער פג׃

קמץ בז״ק היית המוציא קרי והמביא קרי סב״ס

מהר״י קרא

על מטתו כל שכן שאבקש דמו בידכם ובערתי אתכם מן הארץ: [(יב) ויצו דוד.] לקיים הלא אבקש דמו מידכם׃

רד״ק

למיתן ליה מתנת בשורתיה: (יב) ויתלו על הברכה. כדי שיראום בני אדם וידעו כי דוד ביושר לבבו נקם נקמת בית שאול ואף על פי שהיו אויביו: (א) ויבואו כל שבטי ישראל. בכל שבטי ישראל באו אליו ואפי׳ כשבט בנימן כי לא הי׳ להם עוד תקות בבית שאול וזה היה חמש שנים אחר שמת איש בשת וחמש שנים היתה המלכות בטלה. שלא מלך דוד על כל ישראל עד סוף חמש שנים וששה חדשים כי איש בשת לא מלך אלא שתי שנים: הננו עצמך ובשרך אנחנו. אף על פי שאתה ממשפחת יהודה והננו קרובים לך אנחנו גם כן עצמך כי כלנו בני ישראל אחים אנחנו: (ב) אתה הייתה מוציא. ה״א כתובה בסוף מלת הייתה והיא נקראת עם מלת מוציא כן ידעתת שחר מקומו: והמבי. חסר אלף בכתוב וכן היורש אבי

מצודת ציון

(יא) ובערתי. ענין הסגוי והסרה כמו בערתי הקדש (דברים כו):
(יב) ויקצצו. כרתו כמו וקצץ חנית (תהלים מו): על הברכה. אגל מקום כניסת המים כמו ברכת גבעון (לעיל ב):
ה (א) עצמך. ענ׳ עלם:

מצודת דוד

את שאול הנה במלחמה הרגו על פי שאלתו וידע כי לא יחיה עוד אחר אשר היה כבר מוכה בחרב ואף הפלשים הדביקהו כמו שכתב למעלה אבל אתם הרגתם אותו בבית על משכבו ומכל שכן שאבקש אני דמו וגו׳: ה (א) עצמך ובשרך. אנו קרובים לך כמו כל בית יהודה כי כולנו בני איש אחד נחנו: (ב) אתה היית. ר״ל לא יוגדל במינך אשר בני יהודה על כי מלכת עליהם לתשובה כי הלא גם עלינו משלת מאז עוד מלוך שאול כי היית המוציא והמביא וגו׳: את ישראל. א״כ עליך לרעות את כל ישראל כולם אלו כאלו כשוה וכרועה עדרו:

Commentary Digest

dant from Ruth the Moabitess. See I Sam. 17:55 Commentary Digest), the tribes of Israel assured that he was a full-fledged Jew, through both his paternal and maternal ancestry.—[*Gra*]

2. *you shall shephard my nation Israel*—Not Judah alone but all of Israel. A.

when wicked men have slain an innocent man in his own house on his bed. And now, shall I not hold you accountable for his blood, and remove you from the earth?"
12. And David commanded the young men, and they slew them, and cut off their hands and feet, and hanged them up beside the pool in Hebron. But the head of Ish-bosheth they took and buried in the grave of Abner in Hebron.

5

1. And all the tribes of Israel came to David to Hebron, and spoke, saying: "Here we are. We are your bone and your flesh.
2. Also, in times past, when Saul was king over us, it was you who led Israel out and brought them in,

Commentary Digest

12. *and cut off their hands* — which had slain Ish-bosheth. — A

and their feet — which had brought them to David to report their crime. — Ibid.

and hanged them up beside the pool — to show that although Ish-bosheth was the son of Saul, his adversary, David avenged his death. Also to warn against regicide. — A

in the grave of Abner — his father's general.

CHAPTER 5

1. *And all the tribes of Israel came to David* — Even the tribe of Benjamin, since there was no longer hope of anointing a king from the house of Saul. — K and JK

This took place five years after Ish-bosheth's death. — K. Cf. Commentary Digest supra 2:11

We are your bone and your flesh — i.e. your relatives, no less than the tribe of Judah. — K and A

The expression, 'your bone and your flesh,' can be explained by the Talmudic maxim which states that three partners are responsible for the forming of the individual: The Holy One Blessed be He, the father, and the mother. The father is responsible for the formation of the white matter, such as bones, sinews, and cartilage, etc. The mother is responsible for the formation of the red matter, such as skin, flesh, blood, etc. Niddah 31a. Since there was a stigma attached to David's ancestry (his being descen-

וַיֹּאמֶר יְהוָה לְךָ אַתָּה תִרְעֶה אֶת־עַמִּי
אֶת־יִשְׂרָאֵל וְאַתָּה תִּהְיֶה לְנָגִיד עַל־
יִשְׂרָאֵל׃ ג וַיָּבֹאוּ כָּל־זִקְנֵי יִשְׂרָאֵל אֶל־
הַמֶּלֶךְ חֶבְרוֹנָה וַיִּכְרֹת לָהֶם הַמֶּלֶךְ
דָּוִד בְּרִית בְּחֶבְרוֹן לִפְנֵי יְהוָה וַיִּמְשְׁחוּ
אֶת־דָּוִד לְמֶלֶךְ עַל־יִשְׂרָאֵל׃ ד בֶּן
שְׁלֹשִׁים שָׁנָה דָּוִד בְּמָלְכוֹ אַרְבָּעִים
שָׁנָה מָלָךְ׃ ה בְּחֶבְרוֹן מָלַךְ עַל־יְהוּדָה
שֶׁבַע שָׁנִים וְשִׁשָּׁה חֳדָשִׁים וּבִירוּשָׁלַם
מָלַךְ שְׁלֹשִׁים וְשָׁלֹשׁ שָׁנָה עַל כָּל־
יִשְׂרָאֵל וִיהוּדָה׃ ו וַיֵּלֶךְ הַמֶּלֶךְ וַאֲנָשָׁיו

תרגום

וַאֲמַר יְיָ לָךְ אַתְּ תְּפַרְנֵס
יַת עַמִּי יַת יִשְׂרָאֵל וְאַתְּ
תְּהֵי לְמַלְכָּא עַל יִשְׂרָאֵל:
ג וַאֲתוֹ כָּל סָבֵי יִשְׂרָאֵל
לְוַת מַלְכָּא בְּחֶבְרוֹן וּגְזַר
לְהוֹן מַלְכָּא דָוִד קְיָם
בְּחֶבְרוֹן קֳדָם יְיָ וּמְשַׁחוּ
יַת דָוִד לְמֶהֱוֵי מַלְכָּא עַל
יִשְׂרָאֵל: ד בַּר תְּלָתִין
שְׁנִין דָוִד כַּד מְלַךְ
וְאַרְבְּעִין שְׁנִין מְלַךְ:
ה בְּחֶבְרוֹן מְלַךְ עַל דְבֵית
יְהוּדָה שְׁבַע שְׁנִין וְשִׁתָּא
יַרְחִין וּבִירוּשְׁלֵם מְלַךְ
תְּלָתִין וּתְלַת שְׁנִין עַל
כָּל יִשְׂרָאֵל וִיהוּדָה:
ו וַאֲזַל מַלְכָּא וְגַבְרוֹהִי
לירושלם

מהר"י קרא

ה (א) [ויבאו וגו']. ולאחר שכלו כל בית שאול ויבאו כל שבטי ישראל [אל דיד] חברונה וגו':

רד"ק

לך: (ג) ויבואו כל זקני ישראל. וכבר אמר למעלה ויבואו כל שבטי ישראל אלא פירושו ויבואו וכבר באו תחלה זקני ישראל אל דוד וכרת להם ברית שלא ירע להם בעבור שסמכו ידי איש בשת שתי שנים ובעבור שאחרו להמליכו אחר מות איש בשת חמש שנים וכיון שכרת להם בריה שלחו בעבור שבטי ישראל ובאו אל דוד ומשחוהו למלך ואע"פ שהיה נמשח תחלה ביד שמואל ומשחוהו אחר כן ביד יהודה משחוהו גם עתה ישראל כי עתה מלך על כל ישראל ובדברי הימים אומר וימשחו את דוד למלך על ישראל כדבר ה' ביד שמואל לפי שלא היה נתקיים דבר שמואל עד היום הזה כי שמואל משחו למלך על כל ישראל בעוד שהיה שאול מלך על כל ישראל ומפני זה לא נלחם דוד ביבוסי יושב ציון עד שהיה מלך על כל ישראל ומיד שמשחו אותו ישראל הלך שם: לפני ה'. כבר פירש' כי כל מקום שיתקבצו שם כל ישראל או רובם שם שכינת שורה או פי' לפני ה' שאמרו ה' יהיה עד בינינו בברית שאנו כורתים: (ה) בחברון מלך על יהודה שבע שנים וששה חדשים. ובכלל לא מנאם לפי שלא היתה שנה שליכה וכן בספר מלכים לא מנה אותם ששת חדשים אפי' בפרט לפי שלא היתה שנה שלימה. ובדרש אלין ששה חדשים יתירים מה אנון ר' יצחק בשם ר' יהודה חסירים היו בשלשים ושלש אלא שהכתובים חולקים כבוד לירושלם ומונין אותם שלימים אמר רבי יודן חשבון המרובה בולע את המועט אמר ר' יודן כתוב כי ששה חדשים ישב שם יואב אותן חדשים לא עלו לו מן המנין. דבר אחר אותן חדשים שברח מפני אבשלום ובשעירה היה מתכפר כהדיוט לא עלו מן המנין: (ו) וילך המלך ואנשיו. ובדברי הימים וילך דוד וכל ישראל כי כל ישראל היו עתה אנשיו וכיון שמלך על כל ישראל הלך אל ירושלם ללכוד מצודת ציון לפי שהיתה קבלה אצלם כי ציון ראש ממלכת ישראל ולא ילכוד אותה אלא מי שיהיה מלך על

רלב"ג

(ג) והנה אחר זה נתקבלו כל שבטי ישראל אל דוד בחברון ויכרות להם המלך דוד ברית בחברון כי שם היתה כמה לזכות שם זבחים כמו שנתבאר בדברי אבשלום. וימשחו את דוד למלך על כל ישראל ואז נעתק דוד מחברון ללכת ירושלים: (ו) והנה היה היבוסי יושב בירושלים ולא יכול דוד להוציאם משם בעבור שבועת אברהם לאבימלך שהיתה כתובה בצלמים אשר שם שהם עורים ופסחים כי עינים להם ולא יראו רגלים ולא יהלכו ואפשר

מצודת דוד

(ג) כל זקני ישראל. אשר כה בידם להמליכו: ויכרות וגו'. להיות להם לאוהב כאשר ליהודה: לפני ה'. לפני ארון ה' כי הביאוהו שמה לפי שעה: (ד) ארבעים שנה. ולא חש למנות ו' החדשים היתרים או לפי שמשך ששת החדשים אשר ברח מפני אבשלום אין

מצודת ציון

(ג) לך. עליך:

and the Lord said to you, you shall shepherd my nation Israel, and you shall be a ruler over Israel. 3. And all the elders of Israel came to the king to Hebron, and King David enacted a covenant for them in Hebron before the Lord, and they anointed David as King over Israel. 4. Thirty years old was David when he became king, and forty years did he reign. 5. In Hebron he reigned over Judah seven years and six months; and in Jerusalem he reigned thirty three years over all Israel and Judah. 6. And the king and his men

went

Commentary Digest

3. *And all the elders of Israel came* — Had *already* come, prior to the appearance of the tribes, with the intention of gaining David's assurance that no harm would come to those that had joined hands with Ish-bosheth. Only after this assurance was granted did the tribes of Israel appear. — K.

A suggests that the tribes were the first to approach David and only when the covenant was about to be drafted were the elders called in.

the elders — members of the Sanhedrin — M. Who had the power to crown a king. — D

enacted a covenant—To be friendly with Israel as with Judah. — D. To guarantee the safety of the supporters of Ish-bosheth. — A.

before the Lord — before the ark of the Lord which had been brought there for the occasion. — A and D.

5. *Thirty three years* — For a total of forty and one half years. This causes a half year discrepancy with the amount cited in v. 4. K quoting from M.S. (Ch. 27) suggests that as a gesture of homage towards Jerusalem the scripture credits David with a full thirty-three years reign over the city even though his actual sovereignty fell a bit short of that amount. Another opinion cited from M.S. states that David's six months absence from Jerusalem while fleeing Absalom (2 Sam. 15) was not included in his period of rule over the city. See M.S. end of Ch. 27 and T.B. San. 107a for alternate suggestions.

6. *to the Jebusites* — In Joshua 15; 63, R offers the opinion that these Jebusites were not of the Jebusite nation, but were descendant from the Philistines. The Tower of

יְרוּשָׁלַםִ אֶל־הַיְבֻסִי יוֹשֵׁב הָאָרֶץ וַיֹּאמֶר
לְדָוִד לֵאמֹר לֹא־תָבוֹא הֵנָּה כִּי אִם־
הֱסִירְךָ הַעִוְרִים וְהַפִּסְחִים לֵאמֹר לֹא־
יָבוֹא דָוִד הֵנָּה׃ ז וַיִּלְכֹּד דָּוִד אֵת מְצֻדַת

תרגום

לירושלם לות יבוסאה
יתבי ארעא ואמרו לדוד
למימר לא תיעול הלכא
אלהין באעדיותך
חטאיא וחיביא דאמרין
לא ייעול דוד הלכא:
ז ואחד דוד ית חקרא
דציון

הה׳ בפתח

רש״י

ה (ו) **אל היבוסי**. מצודת ציון נקראת יבוס ומזרעו של אבימלך היו והיו להם שני צלמים א׳ עור ואחד פסח שנעשו על שם יצחק ויעקב ובפיהם השבועה שנשבע אברהם לאבימלך ולכך לא הורישם כשלכדו את ירושלי׳ לא לכדו את המצודה כמו שנאמר ואת היבוסי יושב ירושלים לא יכלו וגו׳ (יהושע ט״ו ס״ג) ותניא א״ר יהושע בן לוי יכולין היו אלא שלא היו רשאין: **ויאמר לדוד**. מי שאמר: **העורים**

מהר״י קרא

(ו) ויאמר לדוד [לאמר] לא תבוא הנה. אי אתה רשאי לבא הנה כי אברהם זקנך נשבע לאבימלך זקננו שלא יורישו בניו את ההר הזה דכתיב ועתה השבעה לי באלהים הנה אם תשקור לי ולניני ולנכדי. ודמויות שהן עורים ופסחים מסר זקנך לזקננו שיהיו בידנו לזכרון שאינכם רשאין לצור ולהתגרות עלינו במלחמה ואותן רמויות היו תקועות בצנור במקום גבוה לעד

רלב״ג

שהיו הצלמים ההם בצורת עור ופסח העור להורות על ברית יצחק בהסוף ימיו כהו עיניו מראות והפסח בעבור יעקב שהיה צולע על ירכו ועשו זה להורות שכבר נבתלו להם זה הברית עם האבות בכללם ולזאת הסבה אמר היבוסי לדוד לא תבא הנה אם לא הסירות תחלה העורים והפסחים שבהם זכירת זה הברית כאילו יאמר לא יבא דוד הנה כי לא יוכל להסיר אלו הצלמים שבהם זכירת זה הברית: (ז) וילכד דוד מהיבוסי את מצודת ציון היא עיר דוד. ואמר דוד ביום ההוא כל מי שיכה יבוסי ויגע בצנור והוא המרזב שנשפכים ממנו

רד״ק

כל ישראל ועד היום לא נתקיימה מלכות בישראל כי שאול לא קמה מלכותו: כי אם הסירך העורים והפסחים. ת״י אלהין באעדיותך חטאיא וחיביא דאמרין לא יעול דוד הלכא. ומצאנו בדרש אמרו אנשי יבוס לאברהם כרות עמנו ברית שאין זרעך יורש את עיר היבוס ואני מוכרין לך את מערת המכפלה ועשה כן ואנשי יבוס עשו צלמי נחשת והעמידום ברחוב העיר וכתבו עליהם ברית השבועה וכשבאו ישראל לארץ לא יכלו להכנס שם מפני השבועה שנאמר ואת היבוסי יושב ירושלם לא יכלו בני ישראל להורישם וכשמלך דוד רצה להכנס שם ולא הניחוהו שנאמר ויאמרו אנשי יבוס לא תבא הנה אמרו לו אין אתה יכול עד שתסיר הצלמים הללו שכתוב עליהם ברית השבועת שנאמר כי אם הסירך העורים והפסחים ואלו הם הצלמים שעינים להם ולא יראו אזנים להם ולא ישמעו רגליהם ולא יהלכו שנאי נפש דוד לפי ששונא מלשמוע ומעבו׳ ע״א שנאמר על כן יאמרו עור ופסח לא יבא אל הבית אמר דוד לאנשיו כל מי שיעלה בראשונה ויסיר את הצלמים יהיה לראש ועלה יואב והיה לראש שנאמר ויעל יואב וגו׳ ואחר כן קנה דוד את עיר היבוסי לישראל בככר זהב בכתב לאחוזת עולם בשש מאות זהב שנאמר ויתן דוד לארונה במקום וגו׳. ועוד אמרו כי שני צלמים אלו היו בראש המגדל הנקרא צנור והיה אחד עיר על שם יצחק והאחד היה פסח על שם יעקב ובפיהם השבועה שנשבע

מצודת ציון

(ו) היבוסי. שם אומה ישבו במחוז כפ״ע בירושלים: הנה. להמקום הזה: (ז) מצודת. ענינו מבצר חזק כמו והמצודות נתפשה (ירמיה

מצודת דוד

מהלאוי להשכם לימי מלוכה: (ו) **אל היבוסי**. כי בני יהודה ובני בנימין לא הורישום מאז: **ויאמר לדוד**. עם היבוסי אמר לדוד לא תוכל לבוא הנה בעבור היותה בצורה וחזקה עד מאד: **כי אם הסירך** **וגו׳**. אמר בדרך הפלגה וגוזמא לא תוכל לבוא הנה כי אם מקודם יהיה הסירך מפה כל אנשים ואף העורים והפספים כי אם ישאל מי מהם היכולת בידם נעכב ביאתך הנה בעבור גודל חוזק המקום: לאמר וגו׳. ר״ל דברי ההפלגה ההוא היה לאמר לא יוכל דוד לבא הנה מרוב חזקה ומה שהפליגו לדבר על זה היתה הכוונה: (ז) מצודת ציון. שם מבצר חזק סמוך למקום יבוס: **היא עיר**

to Jerusalem to the Jebusite[s], the inhabitants of the land, who spoke to David, saying: 'you shall not come here unless you remove the blind and the lame'; as if to say: 'David shall not come here'. 7. And David conquered the stronghold

Commentary Digest

David located in Jerusalem, was called Jebus, and it was from this tower that they derived their name.

This view is partially reiterated in R's explanation of our verse: *Metzudath Zion is called Jebus. Now they* (the inhabitants of the area) *were of the seed of Abimelech, and* they *were in possession of two statues, one blind and the other lame, symbolizing Isaac* (who was blind in his latter years. See Gen. 22:1) *and Jacob* (who turned lame as a result of his bout with the angel. See Gen. 32:26), *and in their mouths was the oath that Abraham had sworn to Abimelech* (Gen. 22:23). *For that reason they* (the Israelites who had conquered the land) *did not drive them out,* for *when they took Jerusalem they failed to take the stronghold, as it is stated: 'And the Jebusites, the inhabitants of Jerusalem,* the people of Judah *were unable etc.* (Josh. 15:63) *it was learned: R. Joshua b. Levi said: 'They were indeed able but were not permitted.* — R from Sifre Deut. 12:17. Rashi's source regarding the Philistine origin of the Jebusites is unknown. However, judging from R and K of Joshua 15, it seems plausible that there is a version of the Sifrei which expressly appends: 'but were not permitted because of the oath which Abraham swore to Abimelech.'

A second view regarding the ancestry of the Jebusites of our verse is maintained by P.E. Ch. 36. Here it is suggested that they were descendents of the sons of Heth who had entered into a covenant with Abraham in exchange for the sale of the Cave of Machpela. Cf. R Deut. 12:17

and he spoke to David — the one who spoke — R.

the blind and the lame — these were their idols. — R.

A, Z, and G explain this verse in a hyperbolic sense as follows:

'There is no possibility of penetrating the stronghold other than by removing all of its inhabitants, including the lame and the blind, for even they are able to defend such a great and impregnable fortress'.

The previously cited Sifre and P.E., professing that the territory of the stronghold of Jebus could readily have been taken, understand the verse not as a boastful challenge but as a legal claim founded upon the covenants enacted by Abraham.

צִיּוֹן הִיא עִיר דָּוִד׃ ח וַיֹּאמֶר דָּוִד בַּיּוֹם הַהוּא כָּל־מַכֵּה יְבֻסִי וְיִגַּע בַּצִּנּוֹר וְאֶת־הַפִּסְחִים וְאֶת־הַעִוְרִים שְׂנֻאֵו נֶפֶשׁ דָּוִד עַל־כֵּן יֹאמְרוּ עִוֵּר וּפִסֵּחַ לֹא יָבוֹא אֶל־

דְצִיּוֹן הִיא קַרְתָּא דְדָוִד׃ ח וַאֲמַר דָּוִד בְּיוֹמָא הַהוּא כָּל דְּיִקְטֹל יְבוּסָאָה וְיִשְׁרֵי לְמִכְבַּשׁ כְּרַכָּא וְיָת חַטָּאַיָּא וְיָת חַיָּבַיָּא רְחִיקָא נַפְשָׁא דְדָוִד עַל כֵּן יֵימְרוּן חַטָּאַיָּא וְחַיָּבַיָּא לָא יֵעֲלוּן

רש"י

ה' בפתח שנואי קרי

והפסחים. הם הצלמים שלהם: (ח) כל מכה יבוסי ויגע בצנור. כל דיקטל יבוסאה וישרי למכבש כרכא: ואת הפסחים. ויכה גם את הפסחים ואת העורים שנואי נפש וגו': על כן יאמרו וגו'. על אשר אומרים העור והפסח בעוד שהעור והפסח יהיו בכאן: לא יבא וגו'. לא יבא דוד הנה. הרי זה מקרא קצר שאמר כל מכה יבוסי ויגע בצנור ולא פי' מה יעשה לו ובדברי הימים (א' י"א) פירוש כל מכה יבוסי בראשונה יהיה לראש ולשר ודומה לזה לכן כל הורג קין (בראשית ד' י"ד) ולא פירש מה יעשה לו אבל מעלמו הוא נשמע ל' נערה ונזיפה: ויגע בצנור. לשון גובה המגדל כי שם היו נתונים הצלמי' שלהם ובימי דוד

מהר"י קרא

ולראייה תחת ידם של יבוסים. הוא שאמר לדוד לא תבא הנה עד הסירך את העורים והפסחים. פי' כ"ז שרומיות הללו אצלינו שיש בנו כח להצילם מידך שלא תסירם מתחת ידינו אי אתה רשאי לבא הנה: (ח) ויאמר דוד [ביום ההוא] כל מכה יבוסי ויגע בצינור ואת הפסחים. יסיר שהם שנואי נפש דוד שדוד שונא אותם: על כן יאמרו. פי' מפני מה שונא אותן על שאומר כל זמן שפסח ועור זה אצלינו אין דוד רשאי לבא בפנים לחומת העיר ללוכדה מפני השבועה שנשבע אברהם לאבימלך והנה לא פירש מה יעשה למי שיכה יבוסי אבל בדברי הימים כתיב כל מכה יבוסי ויגע בצנור יהיה לראש ויעל יואב בן צרויה ויהי לראש כך ראיתי מפורש בפירקי דר' אליעזר ופשוטו דמויות

רד"ק

אברהם לאבימלך שנאמר אם תשקר לי ולניני ולנכדי לפיכך לא כבשו ישראל כשכבשו את ירוש' כי עדיין היה נכד אבימלך חי ובימי דוד כבר מת ובטלה השבועה. והחכם ר' אברהם א"ע פירש כי אם הסירך כמו הסיר כלומר אם תסיר למלחמתך אפי' העורים והפסחים אז ימנעוך שלא תבא הנה כי המגדל הזה חזק מאד ולא נירא אותך למלחמה: (ח) ויאמר דוד. עתה ספר איך לכדה שאמר כל מכה יבוסי ויגע בצנור ופירושו במקום החזק וי"ת וישרי למכבש כרכא: ואת הפסחים ואת העורים. כלומר ויבא ג"כ הפסחים והעורים ומכה שוכר עומד במקום שנים: שנואי נפש דוד. ולפי שבזוהו בהם שאמרו שהם ימנעוהו שלא ילכוד את המצודה. ואמר כל מכה ולא אמר מה יעשה לו וכמוהו כל הורג קין ובדברי הימים מפרש כל מכה יבוסי בראשונה יהיה לראש ולשר ויעל יואב בראשונה ויהי לראש. ובמדרש כל מכה יבוסי ויגע בצנור כל מי שהיה מכה יבוסי היה נוגע בצנור כלומר לא היו יכולים לכבשם אם לא היו מגיעים בצנור והוא המקום הגבוה במגדל מה עשו הביאו אילן של ברוש וכפפו איתו וקפץ יואב ועלה בראש החומה ובקשו להורגו והיה גבור חיל ונלחם כנגדם ובאו גבורי ישר' ועזרוהו. ובמדרש אחר כתוב כן מה עשה יואב הלך והביא ברוש אחד רענן וקבעו בצד החומה וכפף ראשו שהיה רך ואחז בו דוד וקפץ יואב על ראשו של דוד ונתלה בברוש ודלג על החומה וזהו שאמר דוד יהלמני צדיק חסד שמן ראש אל יניא ראשי מה עשה הקב"ה קצר את החומה עד שעלה דוד אחריו שנאמר ובאלהי אדלג שור: על כן יאמרו. כי מהיום ההוא ואילך לא

רלב"ג

המים וישחית עם השחתתו את הצנור הפסחים והעורים שהם שנואי נפש דוד מלד שימנעוהו מלבוא אל הבית יהיה לו גמול כך וכך ולא פירש על כן היו אומרים יש שם עור ופסח הנה באמת זה ימנע דוד מלבא אל הבית והנה אפשר השחתתו בזה האופן מזולת הסרת הבני' אשר כלתו האבות כי הוא ישחית הבנין אשר בו הצנור ובהשחתתו ישחתו הצלמים האלו ואפשר שנאמר כפירוש זה הענין שהוא אפשר שהוא שם מקום אחד אי אפשר שיכנסו בו אם לא יעברו לפני אלו הצלמים והיו אלו הצלמים עשויים באופן מהתחבולה שיניעו מקלות של ברזל כפי המשקל תנועה חזקה בדרך שלא יוכל אדם לעבור בם כדי שלא יכו אותן הצלמים באותן המקלות וכבר שמענו בככר נעשו צלמים כאלה בקצת המקומות והנה המלאכה כמו זאת התחבולה אין בה מהקושי למי שיבין בחכמת המתקונו' ובהנעה במים וברוח ובכסף חי ואין הנה מקום החקירה לבאר איך יתכן זה והנה עשו אותן הצלמים בדמות עורים ופסחים לפי שמדרך העורים והפסחים שיהיה להם מקל יהיו נשענים בו והנה ידמה שאצל הצנור היו אלו הצלמים

מצודת דוד

דוד. לאמר זה הסבו שמה וקראו עיר דוד: (ח) כל מכה יבוסי. מי אשר יעלה בראשונה ויכה את היבוסי ומתחלה יגע בצנור להפילו והוא המגדל החזק אשר תלו בו כל בטחונם ואח"ז יכה גם העורים והפסחים לבל ישאר שריד ופליט וכאומר לו כאשר אמרו הם שאין לכבשם כי אם יסיר בתחלה העורים והפסחים רק יפיל המגדל בעוד אנשיו קיימים ואחר זה יכה גם הם: שנואי נפש דוד. על שנואי נפש דוד ועל אנשי היבוס יאמר שהיו שנואים לדוד עקב בזו אותו לאמר לא תבוא הנה כי אם הסירך וכו' והנה פה לא פירש מה יעשה לאשר יכה את היבוסי וכו' ובד"ה פירש ואמר יהיה לראש ולשר וכן בתורה נאמר לכן כל הורג קין (בראשית ד) ולא פירש מה יעשה לו והרי הם כאלו אמר סופו יקבל גמול המעשה אם טוב ואם רע: על כן. ר"ל למען יהא הדבר לזכרון גזרו חומר לבל יבא עור ופסח אל הבית מכתי היבוס לפי שאמרו היבוסים אשר אף המה יעכבו ביאת דוד להעיר לזה המה יעמדו חוצה ולא יבואו אל הבית ועי"ז יזכר הדבר ורז"ל אמרו כי היבוסים היו מבני אבימלך שכרת ברית עם אברהם וילחק באמרו אם תשקור לי ולניני ולנכדי (בראשית כ"א) ועשה גלולי נחושת וכתב עליהם ברית השבועה וקראם עורי' ופסחים כי עינים להם ולא יראו רגליהם ולא יהלכו ועם כי כבר כלתה זמן

מצודת ציון

מח): (ח) בצנור. שם המגדל:

Commentary Digest

The Jebusites boasted that these statues would successfully bar David's entry into the city. David therefore offered a prize to the one who could reach the water supply (צינור) and cut off the source of energy from the rods, thereby allowing him to enter and capture the city.

I Chronicles 11:11 provides the additional information that it was Joab b. Zeruyah who was first to reach the fortress.

Apparently the offering of a prize for battle heroics was common practice. Compare with Judges 1:12, and I Sam. 17:25.

of Zion which is the city of David. 8. And David said on that day; "Whoever smites the Jebusites and reaches the tower, and [removes] the lame and the blind, despised by the soul of David." Therefore they say; "The blind and the lame shall not come into the

Commentary Digest

8. *"Whoever smites the Jebusites and reaches the tower"* — *"Whosoever kills the Jebusites and is first to capture the city."* — R from J.

and the lame — *"and he also smites the lame and the blind and those despised by the soul etc."* — R. This is based upon our Lubliner edition of Mikraot Gedolot. Other editions render; *"and the blind despised by the soul etc."*

wherefore they say — *"On (account of) that which they say, 'The blind and the lame (etc.)'. So long as the blind and the lame be here . . .*

he shall not etc. — *"David shall not come hither. This is an incomplete verse for it states; 'Whosoever smites the Jebusite and reaches the tower . . .' but fails to specify what will be done unto him. In* I Chron. (15:6), however, *the explanation is provided; 'Whosoever smites the Jebusites first shall be chief and captain.' Similarly* we find; *'Whosoever slays Cain . . .* (Gen. 4:15) *where it does not specify what will be done unto him. However it can be understood in itself to be an expression of rebuke and chastisement."* — R.

Rabinowitz suggests that David's animosity toward the statues came as a result of their being constant reminders of a covenant that the Philistines had themselves broken on many occasions but were expecting the Israelites to heed. The more simple explanation would be that he hated them because they were idols.

and reaches the tower — "צינור *is a term for the most elevated point of the tower, for it is there where they would place their statues.* David felt free to take the fortress despite the terms of the covenant because *in the days of David the generations mentioned in the covenant,* (Gen. 21:23; 'Now therefore swear unto me here by G-d that you will not deal falsely with me, nor with my son, nor with my son's son.'), *had already passed on."* — R.

Perhaps the most imaginative explanation of these verses is the one conjectured by G. He claims that there were two huge statues attached to the gates at the entrance of the fortress, one sculptured in the shape of a blind man and the other of a lame individual whose walking canes were iron rods energized by a rapid water flow. These were so constructed that they waved viciously at anyone attempting entry into the city.

הַבָּיִת׃ ט וַיֵּשֶׁב דָּוִד בַּמְּצֻדָה וַיִּקְרָא־לָהּ
עִיר דָּוִד וַיִּבֶן דָּוִד סָבִיב מִן־הַמִּלּוֹא
וָבָיְתָה׃ י וַיֵּלֶךְ דָּוִד הָלוֹךְ וְגָדוֹל וַיהוָה
אֱלֹהֵי צְבָאוֹת עִמּוֹ׃ יא וַיִּשְׁלַח חִירָם
מֶלֶךְ־צֹר מַלְאָכִים אֶל־דָּוִד וַעֲצֵי אֲרָזִים
וְחָרָשֵׁי עֵץ וְחָרָשֵׁי אֶבֶן קִיר וַיִּבְנוּ־בַיִת
לְדָוִד׃ יב וַיֵּדַע דָּוִד כִּי־הֱכִינוֹ יְהוָה
לְמֶלֶךְ עַל־יִשְׂרָאֵל וְכִי נִשֵּׂא מַמְלַכְתּוֹ

לְבֵיתָא׃ ט וִיתֵיב דָּוִד
בְּחַקְרָא וּקְרָא לַהּ קַרְתָּא
דְדָוִד וּבְנָא דָוִד סְחוֹר
סְחוֹר מִן מִלִּיתָא וּלְגָיו׃
י וַאֲזַל דָּוִד אָזִיל וּסְגֵי
וּמֵימְרָא דַיְיָ אֱלָהָא
צְבָאוֹת בְּסַעֲדֵיהּ׃
יא וּשְׁלַח חִירָם מַלְכָּא
דְצוֹר אִזְגַּדִּין לְוַת דָּוִד
וְאָעֵי אַרְזִין וְנַגָּרִין
דְּאוּמָנִין לְמִקַּץ אָעִין
וְאַבְנִין וְאַרְדִּיכְלִין
דְּאוּמָנִין בְּבִנְיַן כּוֹתְלִין
וּבְנוֹ בֵיתָא לְדָוִד׃ יב וִידַע
דָּוִד אֲרֵי אַתְקְנֵיהּ יְיָ
לְמֶהֱוֵי מַלְכָּא עַל יִשְׂרָאֵל

מהר"י קרא

של ע"ז היו בידם ואמרו אין כח לדוד לבא הנה אע"פ שדוד מגנה אותם וקורא אותם פסחים ועורים יש כח בדוכיות הללו להצילנו מידו על כן יאמרו כל זמן שהם אצלינו לא יבא דוד אל העיר כי אין בידו ליכנס לבית מציון: (ט) עיר דוד. עיר שלכדה דוד: ויבן דוד סביב מן המלוא וביתה. הקיף את העיר סביב בחומה נמוכה ואותה חומה קרוי מלוא ובנה מן המלוא ולפנים בתים לשבת ולשכות לסנהדרי גדולה והם היו יושבי לשכת הגזית: (יב) וידע דוד כי הכינו ה' למלך.

רש"י

כבר עברו הדורות שהזכרו בשבועה: (ט) מן המלוא וביתה. היקף חומה נמוכה וממלאין אותה עפר וגובה התל באמצעו ומשופע והולך לכל רוח הוא קרוי מלוא ועליו בנה דוד בתים ואותו המלוא היה סביב למצודה: (יב) וידע דוד. בראותו כל מעשיו מצליחין ומלכי הע"ג שולחין לו שחירם מלך צור השלים עמו ושלח לו דורון:

רלב"ג

והיו מוליאין המים מפיהם והיה נכנס מהמים בהם מה שהיה בו רושם מהנעת אלו המקלות ולזה היה לריך כל איש להשמר שלא יכנס שם ובהכות האיש בצנור בדרך שלא ישפכו המים לאותן הצלמים יקל יותר להשחית אותן הצלמים: (ט)וישב דוד במצודה. שלכד והחשב שחשבו סביבה לחזק העיר ההיא ומלאו ההפירה המים כמו שעושין האנשים היום לחזק העיירות שלא יכנסו האנשים בקלות ולזה נקרא המקום ההוא מלוא. והנה בנה דוד סביב מהמלוא וביתה ר"ל שבנה חומה לפנים מהמלוא מקפת בכל הבנינים אשר בעיר ההיא כמנהג: (יב) וזכר כי מפני שידע דוד כי הכינו ה' למלך על כל ישראל וכי נשא הש"י ממלכתו בעבור עמו ישראל ר"ל מאהבתו אותם הנה לקח עוד דוד פילגשים ונשים בירושלם והוליד בנים ובנות ולאהוב שעשה זה כדי שיהיה בהם אחד אשר יהיה ראוי למלוך על זה העם הקדוש

רד"ק

יבא עיר ופסח אל הבית הזה היא מצודת ציון לבזיון אותן העורים והפסחים ולזכרון לדורות היאך לכדה דוד: (ט) מן המלוא וביתה. מן המלוא ולפנים ומלוא היא מקום סמוך לחומת ואותו המקום היתה רחבה להאסף העם שם לפיכך נקרא מלוא כמו קראו מלאו ואמרו האספו ונבואה וממנו ולפנים בנה ובדברי הימים אומר כי יואב בנה שאר העיר: (י) הליך וגדול. שניהם מקור: וה' אלהי צבאות עמו. טעם הספור הזה כי בעזרתו היה מנצח כל החיילות בכל אשר יצא כי ה' עמו שהוא אדון צבאות מעלה וצבאות מטה: (יא) וחרשי אבן קיר. לבנות קיר ות"י ונגרין דאומנין למוקץ אעין ואבנין וארדיכלין דאומנין בבנין כותלין: (יב) וכי נשא. מבנין פועל הדגוש הקב"ה נשא ממלכתו כיון שמלך צור שלח לו כל זה ידע כי מה' היתה לו

מצודת ציון

(ט)וביתה. מבפנים: (יא) וחרשי. אומנים כמו וחרש וחושב (שמות לה): קיר. כותל: (יב) נשא. ענין הרמה:

מצודת דוד

השבועה מ"מ רלו למנוע את דוד מלהלחם בם על כי היה השבועה בשום פעם ועודנו עומד הוא נזכרון והשבו כי דוד לא יפנה אל האלילים ולהסירם ולזה אמר דוד לגעת בצנור ויסור ממילא מבלי פנות אליהם להסתכל בהם וגו': (ט) מן המלוא וביתה. כי סמוך להחומה היה מקום פנוי להיות מוכן להאסף שם מרבית אנשים וכן קראו מלאו (ירמיה ד') וכן ומן המלוא ולפנים בנה בתים סביב: (י) הלוך וגדול. בכל עת נתגדל יותר ויותר: (יא) ועצי ארזים. ובידם עצי ארזים: וחרשי. אף של הרשי עץ ואבן היודעים לבנות קיר: (יב) וידע דוד. במה אשר גוי לא ידע יעבדוהו הכיר שה' הכינו למלך ואשר נשא ממלכתו היא בעבור ישראל ולא תלה הדבר בעצמו:

Commentary Digest

G connects this with the following verse. Once David recognized that G-d had established his kingdom, he married additional wives so that one would provide him with a worthy successor.

11. *Tyre* — A Phoenician people who had long standing political and economic ties with the Israelites as

D believes 'milloh' to have been a gathering place (an area 'filled up' with people), similar to Jer. 4:5 where קראו מלאו is defined as 'cry, gather together'.

12. *And David perceived* — *"upon seeing all his actions prospering and gentile kings sending to him gifts."* — R, K, and A.

house. 9. And David dwelt in the stronghold and he called it the city of David. And David built round about from the mound and inward. 10. And David grew steadily greater, and the Lord the God of Hosts [was] with him. 11. And Hiram, King of Tyre, sent messengers to David, and cedar-trees, and carpenters, and stone-masons [for the building] of a wall, and they built a house for David. 12. And David perceived that the Lord had established him as king over Israel, and that he had exalted his kingdom

Commentary Digest

9. *And David dwelt in the stronghold* — Thereby transferring the capital from Hebron to Jerusalem. N, in Gen. 14:18, indicates that the sanctity of this area had already been established. M offers a political motive for the choice of Jerusalem. In order to preserve the recently attained unity of all of Israel, David chose as his capital a city which bordered on both Judah and Benjamin, the warring factions prior to his anointment.

David dwelt — Although David defeated the Jebusites, he did not acquire the land until it was purchased from Aravnah the Jebusite (II Sam. 24). Luria, in his commentary on P.E., suggests that David's refusal to settle on Jebusite territory following their defeat was in line with the opinion of N who (in his strictures on Sefer Hamitzvot, end of negative precepts) declares that a prior breach of a covenant only permitted the Israelites to wage battle against an aggressor but did not call for the conquest of their land.

This, however, is in clear contradiction with the opinion of R (cited in v. 8) that the covenant was no longer valid. Furthermore, Luria himself later suggests that N's rule applies only to cases in which the Israelites were forbidden by G-d to wage battle against a people, but a self-enacted treaty of mutual friendship must be considered breached at the first instance of aggression by either party (See Luria, footnote 9 on P.E. Ch. 36). A more likely conclusion would therefore be that David allowed the captured Jebusites to retain their own land as long as they would pay tribute to him. (K)

the mound — *"A low walled enclosure which is filled with earth and [where] the top of the mound is in the center with a gradual decline in all directions. This is called* a *'milloh' and upon it David constructed houses. This milloh encircled the stronghold."* — R and J.K.

בַּעֲבוּר עַמּוֹ יִשְׂרָאֵל: יג וַיִּקַּח דָּוִד עוֹד
פִּלַגְשִׁים וְנָשִׁים מִירוּשָׁלַםִ אַחֲרֵי בֹּאוֹ
מֵחֶבְרוֹן וַיִּוָּלְדוּ עוֹד לְדָוִד בָּנִים וּבָנוֹת:
יד וְאֵלֶּה שְׁמוֹת הַיִּלֹּדִים לוֹ בִּירוּשָׁלָםִ
שַׁמּוּעַ וְשׁוֹבָב וְנָתָן וּשְׁלֹמֹה: טו וְיִבְחָר
וֶאֱלִישׁוּעַ וְנֶפֶג וְיָפִיעַ: טז וֶאֱלִישָׁמָע
וְאֶלְיָדָע וֶאֱלִיפָלֶט: יז וַיִּשְׁמְעוּ פְלִשְׁתִּים
כִּי־מָשְׁחוּ אֶת־דָּוִד לְמֶלֶךְ עַל־יִשְׂרָאֵל
וַיַּעֲלוּ כָל־פְּלִשְׁתִּים לְבַקֵּשׁ אֶת־דָּוִד
וַיִּשְׁמַע דָּוִד וַיֵּרֶד אֶל־הַמְּצוּדָה:
יח וּפְלִשְׁתִּים בָּאוּ וַיִּנָּטְשׁוּ בְּעֵמֶק רְפָאִים:

וישאל

תרגום

נַאֲרֵי מְנַטְלָא מַלְכוּתֵיהּ
בְּדִיל עַמֵּיהּ יִשְׂרָאֵל:
יג וּנְסִיב דָּוִד עוֹד לְחֵינָן
וּנְשִׁין מִירוּשְׁלֵם בָּתַר
דַאֲתָא מֵחֶבְרוֹן וְאִתְיְלִידוּ
עוֹד לְדָוִד בְּנִין וּבְנָן:
יד וְאִלֵּין שְׁמָהַת
דְּאִתְיְלִידוּ לֵיהּ בִּירוּשְׁלֵם
שַׁמּוּעַ וְשׁוֹבָב וְנָתָן
וּשְׁלֹמֹה: טו וְיִבְחָר
וֶאֱלִישׁוּעַ וְנֶפֶג וְיָפִיעַ:
טז וֶאֱלִישָׁמָע וְאֶלְיָדָע
וֶאֱלִיפָלֶט: יז וּשְׁמָעוּ
פְלִשְׁתָּאֵי אֲרֵי מְשַׁחוּ יַת
דָּוִד לְמֶהֱוֵי מַלְכָּא עַל
יִשְׂרָאֵל וּסְלִיקוּ כָּל
פְּלִשְׁתָּאֵי לְמִבְעֵי יַת דָּוִד
וּשְׁמַע דָּוִד וּנְחַת
לְחַקְרָא: יח וּפְלִשְׁתָּאֵי
אֲתוֹ וְאִתְרַטִישׁוּ בְּמֵישַׁר
גבריא

ת"א ויקח דוד . סנהדרין כא :

רש"י

מנחה : (יח) וינטשו . ויתפשטו :

רד"ק

זה בעבור עמו ישראל להיות להם רועה טוב : (יג) ויקח דוד עוד פלגשים ונשים . אמרו רבותינו ז"ל פלגשים בלא כתובה ובלא קדושין נשים בכתובה וקדושין ואף על פי שיש מחלוקת בזה בירושלמי שאמרו שם איזו היא אשה ואיזו היא פלגש רבי מאיר אומר אשה יש לה כתובה פלגש אין לה כתובה וחכמים אומרים אחד זו ואחד זו יש להם כתובה אלא אשה יש לה כתובה ותנאי כתובה פלגש יש לה כתובה ואין לה תנאי כתובת אעפ"כ סוגיי' הגמרא כר' מאיר וקבלו רז"ל כי שמנה עשרה נשים היו לו לדוד בין נשים ובין פלגשים ודרשו לא ירבה לו נשים יותר מן שמנה עשרה וסמכו זה אחר הקבלה מפסוק ואוסיפה לך כהנה וכהנה ושש נשים היו לו ואמר כהנה וכהנת והם י"ב ועוד כהנה והם י"ח וזה הצריכם לומר כי עגלה זו מיכל ובכלל השש שהיו לו בחברון היא והנה מצאנו לו שש נשים בחברון קודם בואו לירושלם ואומר ויקח דוד עוד פלגשים ונשים מירושלם ומצאנו בברחו מפני אבשלום שהניח עשר פלגשים לשמור את הבית אם כן שתים נשים לבד לקח בירושלם ועשר פלגשים ואחת משתי הנשים שלקח בירושלים היתה בת שבע : (יד) הילודים . תואר במשקל גבורים וכל אלה בני נשים היו כמו שאומר בדברי הימים לבד בני הפלגשים : שמוע . הוא שמעה הנזכר בדברי הימים בבני הפלגשים : (טו) ואלישוע . הוא אלישמע הנזכר שם ונזכר שם אליפלט אחר ונזכר גם כן נוגה שלא נזכר הנה ואפשר כי שני אלו מתו בלא זכר לפיכך לא זכר אותם הנה לפי שאמר שם כל בני דוד לפיכך זכרם כלם : (יז) לבקש את דוד . להלחם עמו ואז עשה דוד מזמור למה רגשו גוים לפי שנתקבצו כל פלשתים כמו שאמר ויעלו כל פלשתים : וירד אל המצודה . מגדל חזק יאמר וירד כי מקום המגדל היה שפל מירושלים וכשבא דוד מירושלים אל המצוד'

רלב"ג

ויהיה נאהב לש"י : (יז) והנה זכר שבעבור נאספו פלשתים לבקש דוד ושאל דוד את פני ה' ונלחם בהם והכניעם וקרא שם המקום אשר הכם בעל פרצים כדי להזכיר הנס וזכר שבעבור עזבו שם עצביהם ושרפום דוד ואנשיו שלא יהנו האנשים בהם כמו שצותה התורה .

מצודת דוד

(יד) שמוע . הוא שמעא הנזכר בד"ה ולא מנאם כסדר תולדותם כי שלמה היה ראשון באלו הארבעה שהיו בני בת שבע כמ"ש בד"ה : (טו) ואלישוע . הוא אלישמע הנזכר שם כי שם חשב שני בניס אשר שמס אלישמע ובמקום אחר בד"ה קורא גם כן להראשון אלישוע : (טז) ואלידע . ובד"ה קראו בשם אחר ובעלידע : ואליפלט . בד"ה נזכר עוד אליפלט אחר וכן הוזכר שם נוגה ולא הוזכרו כאן כי אולי מתו בקטנותם ולא נשאר זכר למו : (יז) כל פלשתים . על כי ידעו מגבורת דוד לזה נאספו כולם לבקשו להלחם בו : אל המצודה

מצודת ציון

(יח) וינטשו . והתפשטו כמו ויטשו בלחי (שופטי' טו) :

Commentary Digest

they had died at an early age and were therefore omitted here.

17. *over Israel* — For he was not perceived as a threat when he ruled over Judah alone. — M

all the Philistines — Because they knew of David's formidable might, they all mobilized to attack him. — D

to seek David — to wage war with him. — K

18. *and they spread themselves* — *and they stretched themselves out* — R.

for the sake of his people Israel. 13. And David took more concubines and wives from Jerusalem after his coming from Hebron. And there were born to David more sons and daughters. 14. And these are the names of those that were born unto him in Jerusalem: Shammua, and Shobav, and Nathan, and Solomon. 15. And Ibhar, and Elishua, and Nepheg, and Japhia. 16. And Elishama, and Elyada, and Eliphalet. 17. And the Philistines heard that they anointed David as king over Israel, and all the Philistines went up to seek David; and David heard [of it] and went down to the stronghold. 18. And the Philistines came and spread out in in the valley of Rephaim.

Commentary Digest

evidenced by the prophet Ezekiel's lamentation over Tyre (Ezek. 27:17); 'Judah and the land of Israel, they were your traffickers.'

12. *for the sake of his people Israel* — Despite his enormous success, David remained cognizant that all was for the sake of G-d's people Israel. — A, D.

13. *concubines and wives* — Our Rabbis held a tradition that, including the concubines, David took to him eighteen wives, the maximum allowed under the commandment placing a prohibition on the Israelite monarch from taking an excess of women (Deut. 17:17). This tradition of eighteen is founded upon the prophet Nathan's admonition of David (below 12:8) after the incident with Uriah the Hittite; . . . and if that be too little, I have given unto you like them and like them.' David had previously taken six wives; 'like them' is another six, 'and like them' is yet an additional six, totalling eighteen. — K and A from T.B. San. 21a.

In I Chron. 14:3 only 'wives' are mentioned. M professes this to be in support of the opinion (T.P. Ket. 5:2) asserting a concubine to be *with* marriage but without a 'kethuba', since this view would render the collective term 'wives' understandable. However, the prevailing halachic opinion as cited in Shulchan Aruch Eben Ha-ezer 26:1 defines a concubine as a woman taken without betrothal or kethuba.

Maimonides in Ch. 4 of the Laws of Kings maintains that only the monarch was permitted to take a concubine, not the general populace.

16. *Eliphalet* — In I Chron. 14, Nogah and a second Eliphalet are added. K, A, and D hypothesize that

יט וַיִּשְׁאַל דָּוִד בַּיהוָה לֵאמֹר הַאֶעֱלֶה
אֶל־פְּלִשְׁתִּים הֲתִתְּנֵם בְּיָדִי * וַיֹּאמֶר
יְהוָה אֶל־דָּוִד עֲלֵה כִּי־נָתֹן אֶתֵּן אֶת־
הַפְּלִשְׁתִּים בְּיָדֶךָ׃ כ וַיָּבֹא דָוִד בְּבַעַל־
פְּרָצִים וַיַּכֵּם שָׁם דָּוִד וַיֹּאמֶר פָּרַץ יְהוָה
אֶת־אֹיְבַי לְפָנַי כְּפֶרֶץ מָיִם עַל־כֵּן קָרָא
שֵׁם־הַמָּקוֹם הַהוּא בַּעַל פְּרָצִים׃
כא וַיַּעַזְבוּ־שָׁם אֶת־עֲצַבֵּיהֶם וַיִּשָּׂאֵם דָּוִד
וַאֲנָשָׁיו׃ כב וַיֹּסִפוּ עוֹד פְּלִשְׁתִּים לַעֲלוֹת
וַיִּנָּטְשׁוּ בְּעֵמֶק רְפָאִים׃ כג וַיִּשְׁאַל דָּוִד

תרגום

גִּבָּרַיָּא׃ יט וּשְׁאֵיל דָּוִד
בְּמֵימְרָא דַיְיָ לְמֵימַר
הַאֶסַּק לְוָת פְּלִשְׁתָּאֵי
הֲתִמְסְרִנּוּן בִּידִי וַאֲמַר
יְיָ לְדָוִד סַק אֲרֵי מִמְסַר
אֶמְסַר יָת פְּלִשְׁתָּאֵי
בִּידָךְ׃ כ וַאֲתָא דָוִד
בְּמֵישַׁר פְּרָצִים וּמְחָנוּן
תַּמָּן דָּוִד וַאֲמַר תְּבַר יְיָ
יָת בַּעֲלֵי דְבָבַי קֳדָמַי
כְּתַבּוּר מָאן דַּחֲסַף דִּמְלֵי
מַיִן עַל כֵּן קְרָא שְׁמֵיהּ
דְּאַתְרָא הַהוּא מֵישַׁר
פְּרָצִים׃ כא וּשְׁבַקוּ תַּמָּן
יָת טַעֲוָתְהוֹן וְאוֹקֵידִינוּן
דָּוִד וְגֻבְרוֹהִי׃ כב וְאוֹסִיפוּ
עוֹד פְּלִשְׁתָּאֵי לְמִיסַק
וְאִיתְרְטִישׁוּ בְּמֵישַׁר
גִּיבָּרַיָּא׃ כג וּשְׁאֵיל דָּוִד

ת"א וישאם דוד. ע"ג מד (פ"ג מב):

מהר"י קרא

(כ) בבעל פרצים. מישר פרצים: כפרץ מים. ככלי מלא מים שנשבר ומימיו נשפכין: (כא) וישאם דוד. וישרפם כמו הרב וגברוהי: (כב) בעמק רפאים. אצל ירושלים היא בספר יהושע (טו ח):

רש"י

(כ) בבעל פרצים. מישור פרצים: כפרץ מים. כמים הפורצים גדודי השפה: (כא) וישאם דוד. ואוקידינון דוד וגברוהי: (כג) ממול בכאים. מקביל אילנית:

פב"פ

רלב"ג

(כב) עוד זכר שאחר זה הוסיפו עוד פלשתים לעלות להלחם עם דוד ושאל דוד את פי ה' אם יעלה עליהם להלחם בהם ובאתהו המענה שלא יעלה עליהם אם לא בתחבולות באופן שלא ירגישו בבאו ולזה אמר שיסוב אל אחריהם בדרך שיבא להם ממול בכאים הם מורי"ש בלע"ז והם אילנות רבי הענפים והעלים ויהיה זה סבה שלא ירגישו בהם הפלשתים בבאם וגם שם ימתין שיבא רוח יניע ראשי הבכאים בדרך שישמע בהם כמו קול צעדי המתנועעים כי זה יהיה סבה שיחשבו פלשתים בשמעם קול צעדי דוד שהוא קול תנועת ראשי הבכאים ולא יהיו נשמרים ממנו כלל ולזה צוהו השם שיתנועע אז במהירות ויפול עליהם כי בזה האופן מן התחבולות ינצחם והנה לפי מה שאחשוב צוה זה הש"י לפי שנגלה לו כי היה ראוי שינצחו הפלשתי' אז את דוד לפי המערכה לולי זאת התחבולה ואע"פ שהיה הב"י יכול לנצח על הדרך המופת הפלשתי הנה לא יעשה הש"י המופתים כי אם במקומות ההכרחיים כמו שזכרנו פעמים רבות. עוד זכר שככר התעורר דוד להעלות ארון האלהים מבית אבינדב אשר

רד"ק

היה יורד ומה שאמר האעלה אל פלשתים הק היו בעמק רפאים נראה כי פלשתים היו באותו מקום הנקרא בעל פרצים אלא שהיו חיל רב מאד כמו שאמר כל פלשתים ונתפשטו עד עמק רפאים ואותו מקום בעל פרצים היה גבוה מקום המצודה שירד שם דוד בתחלה וכן אמר בדברי הימים ויעלו בבעל פרצים וכן אמר בספר ישעיה כי כהר פרצים יקום ה' ועל מלחמת זו אמר ושם במצודה שאל בה' ועלה בבעל פרצים להלחם בפלשתים ושם הכה אותם: (כ) פרץ ה' את אויבי לפני כפרץ מים. כלומר כח ה' היתה זאת כי אני במעט עם הכיתי עם רב כזה אלא שהאל פרץ אותם לפני ות"י תבר ה' ית בעלי דבבי קדמי כמה דמתבר מאן דחסף דמלי מיין ולפי הפשט כפרץ שעושין המים בבוא שטף מים שפורצין הגדר: בעל פרצים. ת"י מישר פרצים וכן תרגם בעל גד מישר גד: (כא) וישאם דוד. וישרפם וכת"י ואוקידינון דוד וגברוהי וכן אומר בדברי הימים ויאמר דוד וישרפום באש וכמוהו לשון שריפה ותשא הארץ מפניו כמעט ישאני עושני ובדברי רז"ל וישאם לשון נשילה והקשו הפסוקים ויאמרו כתיב וישאם דוד מלמד שנטלם לעצמו וכתיב וישרפו ותרצו כאן קודם שבא אתי הגתי כאן לאחר שבא אתי הגתי ר"ל כי באותה המלחמה היה אתי הגתי עם הפלשתים ופלשתי היה וכשראה מפלת פלשתים בא לו אל דוד וקודם שבא אתי הגתי היו מתחילין לשרוף העצבים כי ע"א אסורה בהנאה וכיון שבא אתי הגתי ובטל הע"א הניחו מלשרוף ועל כה שלא נשרף אמר וישאם דוד כי כיון שבטלה מותרת בהנאה: (כב) לעלות. בבעל פרצים כמו בתחלה ונטשו

מצודת ציון

(כ) בבעל. במישור כמו מבעל גד (יהושע יג): פרץ. מל' פרלה ושבר: (כא) וישאם. ושרפם כמו ותשא הארץ מפניו (נחום א') ובמשנה

מצודת דוד

אל המגדל עוז להתחזק בו בטרם ישאל בה': (כ) בבעל פרצים. הוא עמק רפאים ואמר ע"ש סופו שקראו בעל פרצים: כפרץ מים. ר"ל

19. And David inquired of the Lord saying; 'Shall I go up to the Philistines? will you deliver them into my hand?' And the Lord said unto David; 'Go up; for I will surely deliver the Philistines into your hand.' 20. And David came to Baal-peratzim, and David smote them there; and he said: 'The Lord has broken mine enemies before me, like the breach of waters.' Therefore he called the name of that place Baal-peratzim. 21. And they forsook there their images, and David and his men burned them. 22. And the Philistines came up once again and spread out in the valley of Rephaim. 23. And David inquired

Commentary Digest

19. *And David inquired of the Lord* — through the Urim and Tumim. Although it was not permissible to ask more than one question of the Urim and Tumim, this was a time of imminent danger and an immediate reply was necessary. — See K I Sam. 30:8.

20. *to Baal-peratzim* — "the *plain of Peratzim.*" — R.

like the breach of waters — *"as waters breach through the embankments."* — R.

21. *"and David and his men burned them"* R and K from J. This definition of וישאם is founded upon I Chron. 14:12 where the word וישרפו replaces וישאם.

Our Sages, however, attempt to attach to וישאם its more common meaning; 'to carry away.' Our verse is then reconciled with that of I Chron. in the following manner; At first David and his men set out to burn the images due to the prohibition of deriving any benefit from them (איסור הנאה). However after Itti, from the city of Gath, (a Philistine defector who fled to David's camp) came and renounced the idols, it was no longer necessary to burn them and they proceeded to carry them away instead. — K and A from T.B. Av.Z. 44a.

22. *in the valley of Rephaim* — *"It is near Jerusalem, in the Book of Josh.* (16:8)" — R

23. *from against the mulberry trees* — *"from opposite the trees."* — R from J.

Why was David compelled to wage battle in this manner? Could he not have defeated the Philistines in a direct battle as well? G explains that the Philistines had recouped to the point where they were capable of defeating David. Though a miracle could have been performed in order to allow David to come out victorious, G-d declined to provide one, since miracles are produced only

בַּיהוָה וַיֹּאמֶר לֹא תַעֲלֶה הָסֵב אֶל־
אַחֲרֵיהֶם וּבָאתָ לָהֶם מִמּוּל בְּכָאִים׃
כד וִיהִי בְּשָׁמְעֲךָ אֶת־קוֹל צְעָדָה
בְּרָאשֵׁי הַבְּכָאִים אָז תֶּחֱרָץ כִּי אָז יָצָא
יְהוָה לְפָנֶיךָ לְהַכּוֹת בְּמַחֲנֵה פְלִשְׁתִּים׃
כה וַיַּעַשׂ דָּוִד כֵּן כַּאֲשֶׁר צִוָּהוּ יְהוָה וַיַּךְ
אֶת־פְּלִשְׁתִּים מִגֶּבַע עַד־בֹּאֲךָ גָזֶר׃
ו א וַיֹּסֶף עוֹד דָּוִד אֶת־כָּל־בָּחוּר

בְּמֵימְרָא דַיְיָ וַאֲמַר לָא תִיסַק אִסְתַּחַר לַאֲחוֹרֵיהוֹן וְתֵהַךְ לְהוֹן מִקָּבֵיל אִילָנַיָא׃ כד וִיהֵי כְּמִשְׁמְעָךְ יַת קָל צַוְחָתָא בְּרֵישֵׁי אִילָנַיָא בְּכֵן תִּתְקַף אֲרֵי בְּכֵן נְפַק מַלְאָכָא דַיְיָ לְאַצְלָחָא קֳדָמָךְ לְמִקְטַל בְּמַשְׁרִיַת פְּלִשְׁתָּאֵי׃ כה וַעֲבַד דָּוִד כֵּן כְּמָא דִי פַקְדֵיהּ יְיָ וּקְטַל יַת פְּלִשְׁתָּאֵי מִגֶּבַע עַד מֵעַלָנָא דְגָזַר׃ א וְאוֹסִיף עוֹד דָּוִד יַת כָּל בְּחוּרֵי

ה״א ויסף עוד דוד. (סנהדרין כט):

כשמעך קרי

רש״י

(כד) את קול צעדה בראשי הבכאים. הם מלאכים הצועדים בראשי האילנות אשר אני שולח לעזרתך: אז תחרץ. תרים קול מלחמה והכאת חרב גלפי״ד בלע״ז וכן לא יחרץ כלב לשונו (שמות י״א ז׳): ו (א) ויוסף עוד דוד. לאסוף: את כל בחור בישראל

מהר״י קרא

להעלותם משאת העשן מן העיר וכן תרג׳ יותתן ואוקדינון: (כג) הסב [אל] אחריהם. תן עכשיו מקום לשעה שלא תעמוד כנגדם אלא הסב מאחריהם וכשהן קריבין אל האילנות אז תבוא להלחם בם ותבוא להם ממול בכאים שיהיו האילנות לעיניך ולא תכה בהם עד שתשמע קול הצעדה בראשי הבכאים. פי׳ בראשי האילנות: (כד) כי אז יצא ה׳ לפניך. להכות במחנה פלשתים. וניסיון היה שניסה הקב״ה לדוד כמו שניסה לשאול לעניין שבעת ימים תוחיל עד בואי אליך. וכן הזהירו שלא יכה הפלשתים עד שישמע קול הצעדה. וכן עשה דוד שלא נקרב להלחם עד אותה שעה וכיון שראו פלשתים את דוד ואנשיו היושבו במלחמה ודוד תולה עיניו באילנות אימתי ישמע קול הצעדה ועד שהוא מצפה אמרו לו עבדיו מה אנו מצפין והם שולטין ושולחין יד בנו אמר להן דוד אם עתה [אנו] נלחמין בהן אנו חייבים מיתה בידי שמים שכך הזהירני הקב״ה שלא אלחם עמהם עד שאשמע קול הצעדה אם הם שולחין ידם בנו מוטב שנמות זכאים ואל נמות חייבים ויעש כן דוד כאשר צוהו ה׳: ו (א) ויוסף עוד דוד את כל בחור בישראל. לפי שבתחילה נתיעץ עם הזקנים להעלות הארון מקרית יערים. חזר

רד״ק

גם כן בעמק רפאים: (כג) לא תעלה. פי׳ לא תעלת עליהם כ[...]תה כי לא הגיע עדיין עת הישועה אלא בין כך ובין כך הסב אל אחריהם ובאתה להם ממול בכאים וכשמעך הקול אז תבא עליהם: ממול בכאים. ת״י מקביל אילניא ופירשו בהם האילנות הנקראים בדברי רז״ל תותים וכמוהו עוברי בעמק הבכא: (כד) בשמעך. כתוב בבי״ת וקרי בכ״ף והענין אחד: את קול צעדה בראשי הבכאי׳. אשמיעך קול לחזק לב העם אשר אתך שידמה להם קול הולכים בראשי האילנות כאילו מלאכים יצאו להכות בפלשתים כמו שאמרו בדבר ברק הלא ה׳ יצא לפניך וכן אמר הנה כי אז יצא ה׳ לפניך: אז תחרץ. תנוע והתחזק על פלשתים כמו לא יחרץ כלב לשונו ענין תנועה ופי׳ צעדה ענין הליכה כמו מטיבי צעד וי״ת כשמעך כמישמעך ית קל צווחתא ברישי אילניא בכן תתקף ארי בכן נפיק מלאכא דה׳ לאצלחא קדמך. ובדרש לא תעלה הסב אל אחריהם אמר לו הקב״ה אין לך רשות לפשוט יד בהם אפי׳ הם קרובים אצלך עד שאתה רואה את ראשי האילנות מנענעים אז תחרץ דבר חרוץ הוא כמו אם חרוצים ימיו ולמה נתן להם סימן מראשי הבכאים ולא מאחריהם אמר רבי ברכי׳ מפני שכלו מלא חצים הבכא הזה לומר לך שכל זמן שישראל שרוי׳ בצרה כאילו צרה לפניו שנאמר עמו אנכי בצרה: (כה) מגבע עד באך גזר. ובדברי הימים מגבעון ועד גזרה ואחד הוא: (א) ויוסף עוד דוד.

רלב״ג

בגבעה וירכיבוהו על עגלה חדשה וכזה שגגו כי כבר הוזכר בתורה שאין ראוי לשאת ארון האלהים כי אם בכתף אמר על בני קהת כי עבודת הקדש בכתף ישאו גם שגג עוד עוזא כי הוא לא היה לוי ולא היה לו רשות לאחוז בארון האלהים גם ללוים לא הותר זה אבל ישאו במוטות ולזה פרץ השם פרץ בעוזא כמו שנתבאר בספר דברי הימים קלת ביאור אמר כי למבראשונה לא אתם פרץ ה׳ בנו וגו׳ והנה ירא דוד מפני זה להביא אליו ארון האלהים מלד יתלונן קדושתו כי אולי לא יוכל להשמר מן השגגה בשמירתו בקדושה וכאשר נתבאר לו שברך ה׳ את בית עובד אדום הגתי בעבור ארון האלהים שישב בביתו שלשה חדשי׳ אז הביא דוד את ארון האלהי׳ אל עיר דוד על יד הלוים כמשפט:

מצודת דוד

פתאום כמים שוטפים פורצים הגדר: (כג) לא תעלה וגו׳. לא תעלה עליהם מול פניהם אך הסב עצמך ללכת אל אחוריהם ותבוא עליהם ממול אילני הבכאים אשר גדלו שם: (כד) כשמעך. כאשר תשמע קול צעדה וכו׳ אז תחרץ להלחם כי אז יצא ה׳ ר״ל אז שלח מלאכו להכות בהם (ועם שאין מעצור לה׳ להושיע מבלי תחבולות הסבוב מאחריהם ומבלי קביעת זמן מ״מ אמר כן לנסותו הישמור מלותיו בדבר המלחמה או יקל בעיניו כאשר הקל בהם שאול): (כה) מגבע. בדרך נוסם מגבע עד בואך גזר ר״ל עד אשר תבוא אל גזר כאומר עד המקום שבאים בה לגזר וכאלו ידבר עם מי שמכיר המקום וכמוהו הרבה במקרא: ו (א) ויוסף עוד. לפי שהיו רבים נאספים

מצודת ציון

משיאין משואות (ר״ה כב): (כג) הסב. מלשון סבוב: בבאים. אילנות שגדלים בהם תותים וכן בעמק הבכא (תהלים פד): (כד) צעדה. מלשון צעד ופסיעה: תחרץ. תתנעע ממקומך להלחם

of the Lord, and He said; 'Do not go up; circle in back of
them, and come upon them from against the mulberry trees.
24. And it shall be, when you hear the sound of steps in the
tops of the mulberry trees, then you shall bestir yourself; for
then the Lord has gone out before you to smite the camp of
the Philistines. 25. And David did so, as the Lord com-
manded him, and he smote the Philistines from Geva until
you come to Gezer.

6

1. And David continued [to gather] all the chosen

Commentary Digest

when they are of absolute necessity and not where military strategy could conceivably overcome the same odds.

R, however, (next verse) seems to imply that somewhat of a miracle was provided through the intervention of angels on David's behalf.

24. *the sound of steps in the tops of the mulberry trees* — *"which are* the sounds of *angels treading in the treetops whom I have sent to your aid."* — R from J.

The Midrash implies that this was a means of testing David and vindicating G-d's choice of him over Saul. Saul upon being ordered to wait for the appearance of Samuel before striking at the Philistines, (I Sam. 13:8) failed to heed the command. In contrast, David, even as the Philistines were upon him, retained his faith in the Lord and waited for the signal of the rustling of the trees. M. Ps. 27.

Why, however, did the rustling appear at the top of the tree rather than from behind it? The Midrash reads a symbolic message into this. The mulberry tree is thorny and causes pain to those who touch it. The sounds of G-d's angels coming out of such a setting indicated that G-d, too, was suffering at the plight of his people. Similarly, G-d's appearance to Moses from the midst of a burning bush was meant to convey the same message; that of G-d's participation in the suffering of his enslaved people. When they suffer, he too is suffering. — A and K from *Ibid.*

then you shall bestir — "You shall *raise the cry of battle and whet your sword*[*s*], *'glapir' in French. Similarly; 'A dog did not whet his tongue.'* (Ex. 16:7) — R.

CHAPTER 6

1. *And David continued* — *"to gather"* — R.

All the chosen men of Israel, thirty thousand — *Since they had gathered to him when they coronated him in Hebron, and this being a second gathering, it states; 'And David continued again.'* — R, K, and D.

בְּיִשְׂרָאֵל שְׁלשִׁים אָלֶף: ב וַיָּקָם ׀ וַיֵּלֶךְ
דָּוִד וְכָל־הָעָם אֲשֶׁר אִתּוֹ מִבַּעֲלֵי יְהוּדָה
לְהַעֲלוֹת מִשָּׁם אֵת אֲרוֹן הָאֱלֹהִים
אֲשֶׁר־נִקְרָא שֵׁם שֵׁם יְהוָה צְבָאוֹת
יֹשֵׁב הַכְּרֻבִים עָלָיו: ג וַיַּרְכִּבוּ אֶת־אֲרוֹן
הָאֱלֹהִים אֶל־עֲגָלָה חֲדָשָׁה וַיִּשָּׂאֻהוּ
מִבֵּית אֲבִינָדָב אֲשֶׁר בַּגִּבְעָה וְעֻזָּא
וְאַחְיוֹ בְּנֵי אֲבִינָדָב נֹהֲגִים אֶת־הָעֲגָלָה

תרגום

יִשְׂרָאֵל תְּלָתִין אַלְפִין:
ב וְקָם וַאֲזַל דָּוִד וְכָל עַמָּא
דִי עִמֵּיהּ מִקִּרְוַיָא מִדְבֵית
יְהוּדָה לְאַסָּקָא מִתַּמָּן
יַת אֲרוֹנָא דַייָ דְאִתְקְרֵי
שְׁמָא שְׁמָא דַייָ צְבָאוֹת
דִשְׁכִינְתֵּהּ שַׁרְיָא עֵיל
מִן כְּרוּבַיָא עִלוֹהִי:
ג וַאֲחִיתוּ יַת אֲרוֹנָא דַייָ
בְּעֶגְלְתָא חֲדַתָּא
וּנְטַלוּהִי מִבֵּית אֲבִינָדָב
דִי בְגִבְעֲתָא וְעֻזָּא וְאַחְיוֹ
בְּנֵי אֲבִינָדָב מְדַבְּרִין יַת
עגלתא

ת"א אשר נקרא. ב"ב יד: ויורכיבו. (שם שם):

מהר"י קרא

והוסיף עוד עם הזקנים וראשי האבות כל בחור בישראל שלשים אלף שכן כתיב בדברי הימים ויועץ עם שרי האלפים וגו': (ג) [וישאהו מבית אבינדב]. ובני אבינדב הולכים עם ארון

רש"י

שלשים אלף. לפי שנאספו עליו כשהמליכוהו בחברון וזו היתה אסיפה שנייה לכך נאמר ויוסף עוד: (ב) **מבעלי יהודה.** היא קרית יערים כמו שנא' ביהושע ואחר הגבול ועלה בעלה היא קרית יערים (יהושע ט"ו ט') וכן בכד"ה ויעל דוד וכל ישראל בעלתה היא קרית יערים (ד"ה א' י"ג ו') ובעל לשון מישור: ויקם וילך דוד וגו' מבעלי יהודה. שנאספו שם להעלות משם את הארון וגו': **אשר נקרא שם שם.** אשר נקרא לו לארון שם ומהו השם שהיה שם ה' צבאות עליו: (ג) **אל עגלה חדשה.** טעה בדבר שאפי' תינוקות של בית רבן יודעין אותו כי עבודת הקדש עליהם בכתף ישאו (במדבר י"ט) ולפי שאמר זמירות היו לי חקיך בבית מגורי (תהלים קי"ט נ"ד) נענש לבא לידי כך ומת עוזא על ידו לפיכך כשהביאו מבית עובד הביאו בכתף שנא' (בדברי הימים א' ט"ו י"ב) ויאמר לה"ם אתם ראשי האבות ללוים התקדשו אתם ואחיכם והעליתם את ארון וגו' כי למבראשונה לא אתם פרץ ה' אלהינו בנו כי לא דרשנוהו כמשפט:

רד"ק

כמו ויאסוף שרשו אסף וכן ויותר מן המועד שרשו אחר וכן תוסף רוחם יגועון כמו תאסוף ויש לפרשו כמשמעו ענין תוספ' שרשו יסף כלומר הוסיף לקבץ עוד וכת"י ואוסיף עוד ופי' עוד כי היו עמו רבים מישראל כשהמליכוהו וכן במלחמת הזאת כי באותו הפרק היתה מלחמת פלשתים והי' זה שהעלו הארון וכן מוכיח בדברי הימים: (ב) מבעלי יהודה. ונקראת גם כן שם קרית יערים בעל ונזכר בעלת' בדברי הימים ואחד הוא ונקרא' ג"כ קרית יערים כמו שאומר בספר יהושע בעלה היא קרית יערים ובקרית יערים היה הארון כי שם העלוהו מבית שמש ובאמרו מבעלי יהודה בס"ם והי' לו לומר אל בעלי יהודה כי שם הלכו להעלות משם הארון וכן אמר בדברי הימים וילך דוד וכל ישראל בעלת' אל קרית יערים ואם נאמר כי המ"ם במקום למ"ד זה לא יתכן כי זה הפך זה כי המ"ם מורה הרחוק והלמ"ד מורה הקרוב אלא אין פירוש ויקם וילך דוד על ההליכה לבעלי יהודה אלא על היציאה משם שאמר להעלות משם והוא מקרא קצר וכן פירוש הפסוק וילך דוד וכל העם אשר אתו מבעלי יהודה שבאו שם להעלות משם את ארון האלהים: אשר נקרא שם. ואח"כ פירש שם ה' צבאות יושב הכרובים עליו נקרא הארון שם ומה שנזכר שם הארון בזה השם במקום זה מה שלא נזכר כן במקום אחר לפי שנתקדש שמו של הקב"ה עליו בהיותו בשדה פלשתים: (ג) אל עגלה חדשה. כמו על וכן ויך את הפלשתי אל מצחו וכן אל ההרים לא אכל וטעם עגלה חדשה שלא נשתמש בה הדיוט ועשו זה לקדושת הארון: נוהגים את העגלה חדשה. פירוש היו נוהגים את

מצודת ציון

כמו לא יתכן כלב לשונו (שמות יא) ופי' לא נטה לשונו לנכות: ד (ב) מבעלי. היא קרית יערים וכמ"ש בעלה היא קרית יערים (יהושע טו): (ג) אל עגלה. על עגלה:

מצודת דוד

אליו מעת המלכו לזה אמר בהוסיף עוד לאסוף אליו את הנבחרים בישראל להעלות הארון: (ב) מבעלי יהודה להעלות וגו'. מקרא קצר הוא ור"ל שהלכו מבעלי יהודה אשר באו שמה להעלות משם וגו': אשר נקרא שם. אשר נקרא עליו שם וחזר ומפרש מהו השם ואמר שם פי' לבאות יושב הכרובים הוא הנקרא עליו: (ג) וישאוהו. על ידי הבקר אשר משכו העגלה: את העגלה. ר"ל נהגו הבקר המושכים את

Commentary Digest

was punished (for exhibiting undue confidence in his knowledge of Torah) *by way of coming to this, and Uzzah died because of him. Therefore, when they brought it* (the ark) *from the house of Oved-Edom they brought it upon their shoulders;* *as it is stated* (in I Chron. 15:12); *"And he said unto them: 'You are the chief of the fathers of the Levites; sanctify yourselves and your brethren, and you shall bring up the ark . . . for* [*because*] *at first you did not* [*lift it*], *the Lord our G-d caused a*

of Israel, thirty thousand. 2. And David arose and went with
all the people that were with him, from Baale-judah, to bring up
from there the ark of God, which is called a name, the name of
the Lord of Hosts who dwell upon the cherubim [being] upon it.
3. And they set the ark of God upon a new cart, and they
carried it from the house of Avinadav that was on the hill; and
Uzzah and Ahio, the sons of Avinadav, drove the new cart.

Commentary Digest

A second suggestion offered by K has 'again' referring to the assembly at the time of the battle against the Philistines.

2. *from Baale-judah — "which is Kiryat-yearim, as it is stated in Josh.; 'And the border circled to Baaleh, which is Kiryat-yearim* (Josh. 15:9)'. *Similarly in* Chron. *'And David and all of Israel went up to Baalah which is Kiryat-yearim.* (1 Chron. 13:6) Now *'Baal' is a plain."* — R, K, and D.

and David arose and went . . . from Baale-Judah — for they had gathered there to carry up from there the ark etc. — R.

Which is called a name, the name* — *"which is called to it. (To the ark) a name. ***And what is the name? That the name of the Lord of Hosts was upon it"*** — R, K, and D.

According to K, the ark was called by this name in Kiryat-yearim and not elsewhere because it was here that God's name was sanctified after the ark's capture by the Philistines. —See I Sam. 6:21.

Others suggest that the double use of שם in the verse is in reference to the two sets of tablets that were in the ark, the second ones (which were whole) and the fragments of the first ones, both of which had the name of the Lord upon them. — Baba Bath. 14b.

Our rabbis also derive from here that a scholar, who had inadvertantly forgotten his studies, (due to illness etc.), is still to be treated with dignity, since we find that the shattered tablets were also placed in the ark. — Ginsburg from T.B. Men. 99a.

3. ***upon a new cart* — *"He erred in a matter that even school children know: 'Because the service of the holy things belonged unto them, they shall bear them upon their shoulders*** (Num. 7:9). ***But since he had remarked: 'Your statutes have been*** like ***songs unto me in the house of my sojournings*** (Ps. 119:54)' ***he***

הַחֲדָשָׁה: ד וַיִּשָּׂאֻהוּ מִבֵּית אֲבִינָדָב אֲשֶׁר
בַּגִּבְעָה עִם אֲרוֹן הָאֱלֹהִים וְאַחְיוֹ הֹלֵךְ
לִפְנֵי הָאָרוֹן: ה וְדָוִד וְכָל־בֵּית יִשְׂרָאֵל
מְשַׂחֲקִים לִפְנֵי יְהוָה בְּכֹל עֲצֵי בְרוֹשִׁים
וּבְכִנֹּרוֹת וּבִנְבָלִים וּבְתֻפִּים וּבִמְנַעַנְעִים
וּבְצֶלְצֱלִים: ו וַיָּבֹאוּ עַד־גֹּרֶן נָכוֹן וַיִּשְׁלַח
עֻזָּה אֶל־אֲרוֹן הָאֱלֹהִים וַיֹּאחֶז בּוֹ כִּי

תרגום

עֲגַלְתָּא חֲדַתָּא:
ד וּנְטַלוּהִי מִבֵּית
אֲבִינָדָב דִּי בְּגִבְעֲתָא
עִם אֲרוֹנָא דַּיְיָ וְאַחְיוֹ
אָזֵיל קֳדָם אֲרוֹנָא:
ה וְדָוִד וְכָל בֵּית יִשְׂרָאֵל
מְשַׁבְּחִין קֳדָם יְיָ בְּכָל
אָעֵי בְּרָתִין וּבְכִינָרִין
וּבִנְבָלִין וּבְתֻפִּין
וּבְרְבִיעִין וּבְצִלְצְלִין:
ו וַאֲתוֹ עַד אֲתַר מְתַקַּן
וְאוֹשִׁיט עֻזָּה יְדֵיהּ
בַּאֲרוֹנָא דַּיְיָ וַאֲחַד בֵּיהּ

ת"א גורן נכון. סוטה לה:

רש"י

(ד) עם ארון האלהים. הרי זה מקרא קצר והם באים עם ארון האלהים: (ה) בכל עצי ברושים. שמתקני' מהם כלי זמר: (ו) כי שמטו הבקר. כי שמטוהו הבקר ונענעוהו וכן תרגם יונתן ארי מרגוהי תוריא כמו שמתרגם ונדחה ידו בגרזן (דברים י"ט ד') ותתמריג ידי' בברזלא:

מהר"י קרא

האלהים ומנהגים את העגלה: (ד) ואחיו הולך לפני הארון. וכתב לך הכתוב כדי שלא תתמה מפני מה פרץ פרץ בעוזא ואחיו נמלט. והלא גם אחיו הולך עם הארון. [אלא שהלך לפני הארון] ומנהיג את הבקר. אבל עוזא היה אוחז בארון לפיכך נעשה בו משפט: (ו) ויבאו עד גרן [נכון. גורן] מישור שלא תאמר מחמת שהיה מקום מדרשים שמטו הבקר שהרי מישור היה. ומפני מה שמטוהו לפי שהיה ללוים לשאת את הארון בכתף שנאמר בכתף ישאו: ויאחז בו כי שמטו הבקר. סבור היה שמקרה היא כמנהג העגלה שפעמים הרבה נשמט' ולא היה כן אלא הקב"ה השמיטם מעגלה לפי שהיה להם לשאת בכתף:

רד"ק

הבקר שהיו מושכים העגל': (ד) עם ארון האלהים. דבק היא עם עגלה חדשה כאילו אמר נוהגים את העגלה חדשה עם ארון הא.'הים ובאמרו פעם אחרת וישאוהו לפי שאמר שעוזא ואחיו נוהגים פי' היאך היו נוהגים אותו כשנשאוהו מבית אבינדב כי אחיו היה הולך לפני הארון ועוזא עם הארון וי"מ כן עם ארון האלהים כי על עוזא אמר שהיה הולך עם ארון האלהים ואחיו לפניו לפיכך אחז בו עוזא כי הוא היה עם הארון וכן אמר וימת שם עם ארון האלהים. וי"מ וישאוהו על הארגז שהשיבו פלשתים אמר כי נשאוהו עם ארון האלהים וזהו שאמר פעם שנית וישאוהו כי הראשון אמר על הארון והאחרון אמר על הארגז: (ה) בכל עצי ברושים. אמר עצי ברושים לפי שכלי השיר עושה אדם אותם מברוש וכלל תחלה בכל עצי ברושים ופרט אחר כן ובכינורות ובנבלים. וי"ו ובכינורות נוספת ורבים כמוה או יהיה בכל עצי ברושים כלל כלים אחרים לבד הנזכרים: ובמנענעים. היא כלי נגון יניע אדם גופו בנגעו בו או הוא אשר בו יתדות ינועו בעת הנגון וי"ת וברביעין והם לוחות דקות ינגנו בהם ובדברי רבותינו ז"ל רביעית של אליית פי' לוחות של מקוננות כי הלוחות התם ינגנו בהם ויקוננו: ובצלצלים. כמו בצלצלי שמע והם שני כלי נחשת שמקישין אותן זה בזה ומשמיעים קול: (ו) גרן נכון. ובדברי הימים גרן כידון ושני שמות היו לו ואפשר כי שמו גורן נכון וקראוהו גרן כידון על שמו, שם עוזא מן יראו עיניו כידו ורבותינו ז"ל אמרו בתחלה כידון ולבסוף נכון כלומר עתה כשנשאו הארון בעגלה ופרץ ה' בעוזה נקרא כידון ולבסוף כשהעלהו דוד מבית עובד אדום נקרא נכון שנשאוהו לוים בכתף כמו שאומר בדברי הימים ושם כתיב ויהי בעזור האלהים את הלוים כנגד מה שפרץ עתה בנושאיו עזר שם את נושאיו לפי שעשו נכון שנשאוהו הלוים בכתפי' ובמוטות: וישלח עוזה. פי' וישלח ידו: כי שמטו הבקר. שמטו פועל עומד כאלו נשמטו הבקר כלומר נתפרקו איבריהם מקדושת הארון שלא היה ראוי שיהיה נשא בעגלה שימשכוהו הבקר אלא בכתפי הלוים היה ראוי להיות נשא ולדעת יונתן שמטו פועל יוצא שתרגם ארי מרגוהי תוריא פי' שמטוהו והורידו והרגום ונדחה ידו ותתמריג ידית ואע"פ שבא הארון משדה פלשתים בזה הענין ולא שמטו הבקר פלשתים לא היו יודעים מנהג משא הארון וכיונו במשאו בכוטב אשר יכלו שהרי לקחו עגלה חדשה ופרות אשר לא עלה עליהן עול אבל ישראל שהיו יודעים משא הארון כמו שכתוב בתורה ולבני קהת לא נתן כי עבודת הקודש עליהם בכתף ישאו חטאו בזה לפיכך הראה להם הקב"ה קדושת הארון בשני פנים בשמיטת הבקר ובמות עוזא והענין אשר שגה דוד בזה הדבר מקרא מפורש חשב כי לא יהיה חטא בזה אם ישאוהו בעגלה אף על פי שכתוב בכתף ישאו כי אמר באותו זמן במדבר צוה האל כי לפי שהיה המשכן נשא בעגלות צוה לשאת את הארון בכתף להראות כי קדושת הארון גדולה מקדושת המשכן אבל בזמן שלא היה שם משכן חשב שאין חטא אם ישאוהו בעגלה ועוד כי בעגלה בא משדה פלשתים

מצודת דוד

הסגנים: (ד) וישאוהו וגו' עם ארון. ר"ל הבקר נשאו העגלה עם הארון אשר עליו: לפני הארון. להנהיג את הבקר אבל עוזא הלך מצד הארון ולזה חזר וכתבו לומר שאחיו לבד הלך לפני הארון ולא עוזא ולזה הרגיש הוא אשר שמטו הבקר להארון ואחיו לא הרגיש: (ה) לפני ה'. לפני ארון ה': בכל עצי ברושים. בכלי שיר העשוים מעצי ברושים: (ו) וישלח עוזה. הושיט את ידו: כי שמטו הבקר.

מצודת ציון

(ה) משחקים. שמחים: ובכנרות ובנבלים ובתפים. שמות כלי שיר: ובמנענעים. הוא מכלי הנגון יעורר האדם להניע גופו ולרקד: ובצלצלים. הם שני כלי נחשת ומקישין זה בזה ומשמיעים קול גדול ובמשנה הקיש בן ארזא בצלצל (תמיד פו) וכן בצלצלי שמע (תהלים קנ): (ו) נכון. שם מקום ובד"ה אמר כידון והיא היא ובשתי שמות נקראה: שמטו. ענין הזזה מן המקום כמו ויאמר שמטוה (מ"ב ט):

4. And they brought it out of the house of Avinadav, which was on the hill, with the ark of God, and Achyo went before the ark. 5. And David and all the house of Israel made merry with all [manner of instruments of] cypress wood, and with harps, and with psalteries, and with timbrels, and with sistra, and with cymbals. 6. And they came to Goren-nachon, and Uzzah put forth [his hand] to the ark of God, and grasped hold of it, for

Commentary Digest

breach in us, for at first we sought him not in a proper manner." — R from Soteh 35a.

4. *with the ark of G-d* — "This *is an abbreviated verse* which is to be taken as; *'And they came with the ark of G-d."* — R.

K and D suggest that we connect it with 'the new cart' found at the close of the previous verse. This would render: 'and Uzzah and Achyo . . . drove the new cart with the ark of G-d'.

and Ahio went before the ark — Therefore 'Uzzah' took hold of the ark, rather than Ahio. — K and A.

5. *made merry* — M took notice of numerous transgressions that took place in the course of this merry-making. The music was provided by all of Israel (when only the Levites are officially assigned to this task) and was played on instruments other than those designed for such occasions. Furthermore, they made merry in a frivolous manner when a more serene form of rejoicing would have been more appropriate. — (Compare with Comm. Digest, v. 12 of this chapter).

with all manners of cypress wood — *"From which musical instruments are constructed."* — R.

6. *the oxen swayed it* — *"for the oxen swayed it and shook it. Now J also translates it in this manner; 'For the oxen caused it to sway', paralleling his translation* of: *'And his hand strokes with the axe* (Deut. 19:5)' as *"And his hand swayed with the iron'"* — R from J.

The swaying of the ark caused Uzzah to fear that the ark would fall. — A.

שמטו הבקר: ז ויחר־אף יהוה בעזה
ויכהו שם האלהים על־השל וימת שם
עם ארון האלהים: ח ויחר לדוד על אשר
פרץ יהוה פרץ בעזה ויקרא למקום
ההוא פרץ עזה עד היום הזה: ט ויירא
דוד את־יהוה ביום ההוא ויאמר איך
יבוא אלי ארון יהוה: י ולא־אבה דוד
להסיר אליו את־ארון יהוה על־עיר
דוד ויטהו דוד בית עבד־אדם הגתי:
יא וישב ארון יהוה בית עבד אדם הגתי
שלשה חדשים ויברך יהוה את־עבד

ארי מרגוהי תוריא:
ז ותקיף רוגזא דיי בעזה
ומחהי תמן מימרא דיי
על דאישתלי ומית תמן
עם ארונא דיי: ח ותקיף
לדוד על דתרע יי
תרעתא בעזה וקרא
לאתרא ההוא אתרא
דמית ביה עזה עד יומא
הדין: ט ודחיל דוד מן
קדם יי ביומא ההוא
נאמר איכדין יעול לותי
ארונא דיי: י ולא אבא
דוד לאפנאה לותיה ית
ארונא דיי לקרתא דדוד
ואפניה דוד לבית עובד
אדום גיתאה: יא ושרא
ארונא דיי בבית עובד
אדום גיתאה תלתא
ירחין ובריך יי ית עובד

ת"א ויחר אף ה' שם. שם: וימת שם. שם: ויחר לדוד. שם: עקידה ש' סו: בית עבד אדום. (יבמות ו) ויברך ה'. ברכות סג:

פתח באתנח

מהר"י קרא

(ז) על השל. על עסק שלו. ששגג במה דכתיב בכתף ישאו והם הרכיבוהו על העגלה: וימת שם עם ארון האלהים. כשהוא

רש"י

(ז) על השל. על השגגה שהיה לו לדרוש ק"ו נושאיו נשא בירדן הוא עצמו לא כ"ש: (י) עובד אדום. לוי היה (בדברי הימים) ומן השוערים היה: (יא) ויברך ה' וגו'. אשתו ושמונה כלותיה ילדו ששה בנים בכרס אחד שנא' פעלתי

רד"ק

ובזה שגה: (ז) על השל. על השגגה תרגום שגגה שלו וכת"י על דאשתלי ועוזה שגה כשאחז בו כי לא נתן כי אם לבני לוי שהם מקודשים משאר בני ישראל ומ"ש למעלה כי אלעזר אחיו קדשו לשמור הארון פי' לשמור הבית שהיה בו הארון שיהיה בטהרה לכבד ולרבץ לפני הארון לא שהי' שולח ידו בארון ולהסיעו ממקום למקום כי לא יתכן זה כי אם לבני לוי וכן התודה דוד חטא זה כמו שכתוב בדברי הימים כי למבראשונה לא אתם פרץ ה' אלהינו בנו כי לא דרשנוהו כמשפט ורז"ל דרשו בו כי חטא עוזא באחוזו בו לפי שחשב שיפול הארון לארץ כי שמטו הבקר והנה מיעט לפי מחשבתו בקדושת הארון שלא היה יכול לעמוד בעצמו בלא נושא ואמרו על דבר זה נענש עוזא ואמר הקב"ה נושאיו נושא עצמו לא כל שכן ונושאיו נושא פירשנו בספר יהושע: (י) על עיר דוד. כמו אל עיר וכן ותתפלל עלה' ועיר דוד היא ציון: (יא) בית עובד אדום הגתי. לוי היה ומן השוערי' היה כמו שכתוב בדברי הימים ועובד אדום ויעיאל מן השוערי' ומן המשוררים גם כן היה כמו שכתוב

מצודת ציון

(ז) השל. ענין שכחה ושגגה וכן לדבר אתו בשלי (לעיל ג): (ח) פרץ. ענין שבר: (י) על עיר דוד. אל עיר דוד: הגתי. היה מתגורר בגת אבל היה לוי ומן השוערים כמ"ש בד"ה: (יא) וישב. ענין עכבה:

מצודת דוד

נענענוהו ממקומו וחשב עוזה שיפול מן העגלה: (ז) ויחר. על מיעוט האמנתו בה' לחשוב שיפול הארון לארץ: על השל. על המעשה שעשה בשגגה וכאלו שכח שארון ה' הוא: עם ארון. סמוך לארון: (ח) ויחר לדוד. על עצמו חרה כדרך המילר ונבהל וכן ויחר לשמואל (ש"א ט"ו): על אשר פרץ. בעבור דאגת הסכן: (ט) את ה'. את ארון ה' כי חשב שא"א להיות נזהר בקדושתו: (י) ויטהו. נטה אותו מדרך עיר דוד אל בית עובד אדום:

Commentary Digest

in comparison with the rest of the tabernacle which was carried in wagons. Hence where the tabernacle was not present, he thought the ark could be lifted in any manner.

8. *David was angered* — In self-admonition. — D.

11. *and the Lord blessed . . . all his household* — *"His wife and eight daughters-in-law gave birth to sextuplets, as it is written*: *'Peulthai, the eighth* (son) *etc. Threescore and two were of Oved-edom."* (I Chron. 26:5) (Eight sons added to the fifty-four

the oxen swayed it. 7. And the anger of the Lord was kindled against Uzzah; and God struck him down there for his error; and there he died by the ark of God. 8. And David was angered, because the Lord had made a breach upon Uzzah; and he called that place Peretz-uzzah, unto this day. 9. And David was afraid of the Lord that day; and he said: 'How can the ark of the Lord come to me?' 10. And David did not want to remove unto him the ark of the Lord, into the city of David; and David took it aside to the house of Oved-edom the Gittite. 11. And the ark of the Lord dwelled in the house of Oved-edom the Gittite three months; and the Lord blessed Oved-

Commentary Digest

7. *was kindled against Uzzah* — According to A, the harsh punishment meted out in this incident was precipitated by the four-fold transgression that Uzzah's act entailed.

(a) In keeping with the Torah's provision regarding the transfer of the ark, (Num. 7:9), it should have been carried on the shoulders and not on a wagon. (See N.R. 4).

(Although the Philistines had carried the ark in a similar manner (I Sam. 6:11), they were not punished because they were not expected to know or heed the laws of the Torah).

(b) Even when lifted in the provided manner the ark was not to be directly touched by the carrier, but was to be lifted by placing the adjoining staves, and not the ark itself, on the shoulders. (Exod. 25:11).

(c) The ark was to be carried by a Levite, and Uzzah was not one. (See Num. 17:28).

(d) Uzzah, by fearing that the ark would fall, exhibited a serious lack of faith regarding divine providence over the ark. — (See R).

for his error — *"for his mistake, for he should have concluded 'a minori'. 'If it lifted it's bearers over the Jordan certainly it was able to lift itself."* — R. See Commentary Digest Josh. 4:11.

What, however, was David's rationale for this action? According to K, David mistakenly reasoned that the commandment to lift the ark upon the shoulders was but a means of demonstrating its higher sanctity

אֱדֹם וְאֶת־כָּל־בֵּיתוֹ׃ יב וַיֻּגַּד לַמֶּלֶךְ דָּוִד
לֵאמֹר בֵּרַךְ יְהוָה אֶת־בֵּית עֹבֵד אֱדֹם
וְאֶת־כָּל־אֲשֶׁר־לוֹ בַּעֲבוּר אֲרוֹן
הָאֱלֹהִים וַיֵּלֶךְ דָּוִד וַיַּעַל אֶת־אֲרוֹן
הָאֱלֹהִים מִבֵּית עֹבֵד אֱדֹם עִיר דָּוִד
בְּשִׂמְחָה׃ יג וַיְהִי כִּי צָעֲדוּ נֹשְׂאֵי אֲרוֹן
יְהוָה שִׁשָּׁה צְעָדִים וַיִּזְבַּח שׁוֹר וּמְרִיא׃
יד וְדָוִד מְכַרְכֵּר בְּכָל־עֹז לִפְנֵי יְהוָה וְדָוִד

תרגום

אֱדוֹם וְיָת כָּל בֵּיתֵיהּ׃
יב וְאִתְחֲוָא לְמַלְכָּא דָוִד
לְמֵימַר בָּרֵיךְ יְיָ יָת בֵּית
עוֹבֵד אֱדוֹם וְיָת כָּל
דִילֵיהּ בְּדִיל אֲרוֹנָא דַיְיָ
נַאֲזַל דָוִד וְאַסִיק יָת
אֲרוֹנָא דַיְיָ מִבֵּית עוֹבֵד
אֱדוֹם לְקַרְתָּא דְדָוִד
בְּחֶדְוָא׃ יג וַהֲוָה כַּד
נְטָלוּ נָטְלֵי אֲרוֹנָא דַיְיָ
שִׁתָּא זוּגִין וְנַכֵים תּוֹר
וּפַטִים׃ יד וְדָוִד מְשַׁבַּח
בְּכָל תְּקוֹף קֳדָם יְיָ וְדָוִד
אסיר

ת"א ויהי כי צעדו. סוטה לה. (סנהדרין כט)׃

רש"י

השמיני וגו׳ ששים ושנים לעובד אדום (דה"י א׳ כ"ו ה׳)׃ (יד) מכרכר. מרקד׃ **אפוד בד.** מעיל כון פורלייג"ט בלע"ז. ויונתן תרגם כרדוט וכן תרגם יונתן מעילים דתמר אחות אבשלום כרדועין (לקמן י"ג י"ה)׃

רד"ק

בדברי הימים ועובד אדום ועוזיהו בכינורות וקראו גתי לפי שהתגורר בגת׃ ואת כל ביתו. בניו ובנותיו וכל אשר לו היתה להם ברכה בבני׳ ובעושר ותוספת טובה בכל דבר מעת שהיה הארון בביתו ורבותינו ז"ל דרשו ואת כל ביתו זה אשתו ושמנה כלותי׳ שילדו ששה ששה בכרס אחד וסמכו זה על מה שכתוב בדברי הימים פעלתי השמיני כי ברכו אלהים וכתיב ששים ושנים לעובד והיא ושמנה כלותי׳ שילדו ששה ששה בכרס אחד הם ששים ושנים עם שמנה הבנים׃ (יג) נושאי ארון ה׳. הם הלוים כמו שכתוב בדברי הימים וישאו בני הלוים את ארון האלהים כאשר צוה משה בכתפם במוטות עליהם׃ ששה צעדים ויזבח שור ומריא. ובדברי הימים כתוב ויהי בעזור האלהים את הלוים נושאי ארון ברית ה׳ ויזבחו שבעה פרים ושבעה אלים כשהלכו נושאי הארון ששה צעדים הכירו כי אלהים עוזרם במשא הארון וחפץ בם כי לא נכשלו כמו שנכשל עוזא וטעם ששה צעדים נראה כי כשיעור הזה הלך עוזא כשאחז בארון והכהו השם וכיון שראו אלה נושאי הארון כי הלכו ששה צעדים ולא היה להם פגע רע שמחו והורידו הארון וזבחו זבחים ורז"ל דרשו טעם בעזור מכאן שהארון נושא את עצמו כלומר כיון שנשאוהו בכתפי׳ במוטות ולא הרגישו בו כאילו אין משא בכתפים ידעו כי אלהים עוזרם במשא בכתפים הארון ומה שאמר הנה שור ומריא ושם אומר שבעה פרים ושבעה אלים והנה אומר ויזבח כלומר דוד הוא שזבח שור ומריא ושם אומר ויזבחו כלומר הלוים זבחו שבעה פרים ושבעה אלים כנגד שבעה צעדים בצעד השביעי הורידו הארון וזבחו וי"ת צעדי דרגין ורז"ל אמרו על כל פסיעה ופסיעה שור ומריא על כל שש פסיעות שבעה אלים ומהם אמרו על כל שש פסיעות שור ומריא על כל ששה סדריהם של שש שש פסיעות שבעה פרים ושבעה אלים ופי׳ומריא כתרגומו ופטים׃ (יד) מכרכר בכל עוז. מרקד בכל כחו וכזונתו וי"ת משבח׃ אפוד בד. חגור באפוד בד נראה כי זה המלבוש לכבוד היו לובשים אותו וכן אמר הכתוב שמנים וחמשה נושאי אפוד בד ולא היה מבגדי כהונה לפיכך היה מותר כל אדם ללובשו ואף על פי שאינו כהן ובדברי הימים מכורבל במעיל בוץ והוא המעיל הוא האפוד וכת"י אותו בלשון אחר תרגם אפוד בד כרדוט דבוץ ותרגם כי כן תלבשנה בנות המלך הבתולות מעילים כרדוטין אבל אפוד ומעיל הכתובים בתורה הם כל אחד בגד

מצודת דוד

(יב) **בעבור ארון האלהים.** אשר יושב בביתו כי קודם לזה לא באה לכלל ברכה הזאת׃ עיר דוד. לעיר דוד והיא ציון׃ (יג) ויזבח. אחר כל ששת הצעדים׃ (יד) אפוד בד. מלבוש עשוי כדמות האפוד של כהן גדול והיתה מיוחדת להאנשים המתבודדים בעבודת ה׳ וכן בשמואל נאמר ושמואל וגו׳ חגור אפוד בד (ש"א ב׳) ודוד הלבישו

מצודת ציון

(יג) צעדו. פסעו והלכו׃ ומריא. שור פטם וכן לאן בקר ומריא (מ"א א)׃ (יד) מכרכר. ענין רקידה של שמחה ודוגמתו בפרדים ובכרכרות

a linen ephod — "*a linen robe, 'porceint' in French. J translates it; 'a sleeved tunic,' just as he interprets the robes of Tamar the sister of Absalam* to have been *sleeved tunics* (II Sam. 13:18)." — R from J.

ephod — This garment, similar to that worn by Samuel in I Sam. 2:18, is not to be equated with the priestly vestments. It was a garment traditionally worn by those occupied in any manner with the service of the Lord. — K and D.

edom, and all his household. 12. And it was told to King
David saying: 'The Lord has blessed the house of Oved-
edom, and all that belongs to him, because of the ark of
the Lord. And David went and brought up the ark of God
from the house of Oved-edom into the city of David with
joy. 13. And it was when the bearers of the ark of God
had trodden six paces, he sacrificed an ox and a fatling. 14.
And David danced with all his might before the Lord;
and David

Commentary Digest

born to his wife and eight daughters-in-law after the transfer of the ark to his home, total sixty-two). — R from T.B. Ber. 63b.

In the opinion of A this blessing to the household of Oved-edom was intended to counteract the ill-feeling that had accumulated towards the ark as a result of Uzzah's death and the prior incident concerning the people of Beth-Shemesh (I Sam. 6:14).

12. *with joy* — A feeling of inner happiness (שמחה) replaced the previous display of frivolity (שחוק). — A and M. Compare with Commentary Digest v. 5.

13. *the bearers of the ark of God* — They are the Levites, as it is written in I Chron. 15:15: "And the children of the Levites bore the ark of God, as Moses had commanded according to the word of God, with their shoulders, with bars upon them." — Redak

six paces — The Chronicles (I Chron. 15:26) states: "And it came to pass, when God helped the Levites, the bearers of the ark of the covenant of God, that they sacrificed seven bulls and seven rams." When they walked six steps, they realized that God had helped them and accepted them, since, unlike Uzzah, they were not overcome by calamity. Apparently, Uzzah had walked six steps when he was smitten by God. Since they had walked that distance and were not smitten, they put down the ark and offered up sacrifices. The Rabbis explained this verse to mean that the ark carries its bearers; i.e. since they carried it on their shoulders with bars and did not feel its weight, they realized that God had helped them in carrying the ark. To reconcile the discrepancy between our verse and the verse in Chronicles, we may say that David sacrificed an ox and a fatling, but the Levites sacrificed seven bulls and seven rams. The Rabbis (*Sotah* 35a), however, offer other solutions. Some say that, for each step they offered up an ox and a fatling, and for each six steps seven bulls and seven rams. Others say that for each six steps an ox and for each series of six times six steps, seven bulls and seven rams. — Redak

14. *danced* — R, K, Z, and D renders 'sang praises.'

חָגוּר אֵפוֹד בָּד: טו וְדָוִד וְכָל־בֵּית
יִשְׂרָאֵל מַעֲלִים אֶת־אֲרוֹן יְהוָה
בִּתְרוּעָה וּבְקוֹל שׁוֹפָר: טז וְהָיָה אֲרוֹן
יְהוָה בָּא עִיר דָּוִד וּמִיכַל בַּת־שָׁאוּל
נִשְׁקְפָה ׀ בְּעַד הַחַלּוֹן וַתֵּרֶא אֶת־הַמֶּלֶךְ
דָּוִד מְפַזֵּז וּמְכַרְכֵּר לִפְנֵי יְהוָה וַתִּבֶז לוֹ
בְּלִבָּהּ: יז וַיָּבִאוּ אֶת־אֲרוֹן יְהוָה וַיַּצִּגוּ
אֹתוֹ בִּמְקוֹמוֹ בְּתוֹךְ הָאֹהֶל אֲשֶׁר נָטָה־
לוֹ דָּוִד וַיַּעַל דָּוִד עֹלוֹת לִפְנֵי יְהוָה

תרגום

אֲסִיר כְּרְדוּט דְבוּץ:
טו וְדָוִד וְכָל בֵּית יִשְׂרָאֵל
מַסְקִין יַת אֲרוֹנָא דַיְיָ
בְּיַבָּבָא וּבְקָל שׁוֹפָרָא:
טז וַהֲוָה אֲרוֹנָא דַיְיָ אֲתָא
לְקַרְתָּא דְדָוִד וּמִיכַל בַּת
שָׁאוּל אִסְתְּכִיאַת מִן
חֲרַכָּא וַחֲזַת יַת מַלְכָּא
דָוִד מְרַקֵד וּמְשַׁבַּח קֳדָם
יְיָ וּבְסָרַת עֲלוֹהִי בְּלִבָּהּ:
יז וְאַיְתִיאוּ יַת אֲרוֹנָא דַיְיָ
וְאַקִימוּ יָתֵיהּ בְּאַתְרֵיהּ
בְּגוֹ מַשְׁכְּנָא דִי פְּרַס לֵיהּ
דָוִד וְאַסִיק דָוִד עֲלָוָן
קדם

ת"א בתרועה. עקידה ש' סו: ומיכל בת שאול. סנהדרין כא:

מהר"י קרא

הולך עם הארון: (טז) מפזז ומכרכר. ובדברי הימים כתיב מרקד ומשחק למדנו שפי' מפזז ומכרכר מרקד ומשחק:

רלב"ג

(טז) והנה מרוב השמחה היה דוד מרקד ומפזז לפני ה' כאילו לא היה מלך. ולזה בזתהו בלבה מיכל בת שאול והנה לתת תודה לש"י הקריב דוד כמה קרבנות אז בהוליך הלוים ארון ברית ה' ובסוף הענין בבא ארון ה' למקומו אשר הכין לו דוד העלה עולות ושלמים לכבוד השם יתברך לפי מה שאפשר ואחר זה ברך דוד את העם בשם ה' לבאות ונתן לכל אחד מנה יפה לאכול ולשתות. והנה הספר אחד הכלון בו לפי מה שבארו ז"ל אחד מבשה כפר ולפי הפשט כלאה שהיתה מנה יפה נהוגה לתת לאיש אחד בסעודות הגדולות ועניינו מענין שפרה עלי והאל"ף נוסף ר"ל שהיתה המנה הזאת בתכלית היופי לפי המנות הנהוגות לתת כמו אלו המנות

רד"ק

בפני עצמו אין זה כמו זה שמבואר בתורה: (טז) מפזז ומכרכר. מפזז גם כן כמו מרקד אלא שהם בענינים שונים זה כזה או יהיה הכל בענין א' והכפל לרוב הרקוד וי"ת מרקד ומשבח ובמקומו בד"ה מרקד ומשחק: ותבז לו בלבה. כראותה אותו מן החלון בזתה אותו בלבה כי חשבה כי אין כבוד המלך להתנהג כמנהג הדיוט אפי' לפני הארון ואח"כ כשהלך לביתו אמרה בפיה מה נכבד היום וגו': (יז) אשר נטה לו דוד. יריעת נטה לו מלמעלה אעפ"י שבבית אבינדב ובבית עובד אדום היה בבית מקורה כמו שנאמר בהם בית ולא נאמר שם אהל לפי שלא היתה עמידתו בהם אלא דרך עראי אבל עתה שהעלהו דוד לירושלם וידעו כי שם ישכון עדי עד כי קבלה היתה בידם כי ירושלם עיר הקדש ושם יבנה בית המקדש אעפ"י שלא ידעו באיזה מקום מן העיר עד שבנה דוד מזבח על פי גד הנביא בגרן ארונה היבוסי וירד בו אש מן השמים אז ידע דוד כי שם יבנה בית המקדש אבל עד אותו זמן לא רצה דוד להכניסו בבית מקורה אלא תחת יריעה כמו שהי' אהל מועד בגבעון והמשכן והארון ושתי הלוחות וכל כלי הקדש התחת היריעה היו הכנים הוא הארון הזה שבו שברי לוחות ג"כ תחת היריעה או זה הארון שהיו בו לוחות השלמות והוא הנכון כמו שפירשנו למעלה במלחמת פלשתים שנלקח הארון זה הארון הוא שהכניסו לבית עולמים לתוך הדביר אם כן זה הוא שהיו בו הלוחות השלמות או השלמות והשבורות לדעת מי שאמר לוחות ושברי לוחות מונחין בארון ולמה לא הביא דוד את הארון לגבעון שהיה שם אהל מועד לפי שידע כי אהל מועד היה עתיד לבא לירושלם וחשב כי בימיו

מצודת ציון

(ישעיה סו): בכל עוז. בכל כח: (טז) נשקפה. ענין הבטה כמו וישקף אבימלך (בראשית כו): בעד החלון. דרך החלון וכן בעד השבכה (מ"ב א): מפזז. גם הוא ענין רקוד ומשונה ממנה קלת ויתכן שהוא ענין מהירות הרקוד ודוגמתו עמא פזיזא (שבת פח): (יז) ויציגו. שעמידו כמו וילג את המקלות (בראשית ל): אשר

מצודת דוד

בעת העלאת הארון: (טז) ותבז לו בלבה. בזתה אותו בלבה כי חשבה שאין זה מדרך המלך ואף לפני הארון: (יז) במקומו.

Commentary Digest

reflects face, so the heart of man to man').

17. *the tent* — Although the sanctity of Jerusalem had been established, the exact site of the Holy Temple was not yet known to David. This first became apparent when a heavenly fire descended upon the alter he built on the field of Arovnah the Jebusite (II Sam. 24:25). Because he anticipated the Temple being built in his lifetime, David did not deem it proper to establish a permanent residence for the ark for a mere interim period and chose to pitch a tent for it instead. — K.

was girded with a linen ephod.
15. And David and all
the house of Israel brought up the ark of the Lord with
shouting and with the sound of [the] shofar.
16. And
[as] the ark of the Lord came [into] the city of David,
Michal the daughter of Saul peered through the window,
and she saw the king David hopping and dancing before the
Lord; and she loathed him in her heart.
17. And they
brought the ark of the Lord, and they set it in its place,
inside the tent that David had pitched for it; and David
offered burnt-offerings before the Lord

Commentary Digest

15. *the sound of the shofer* — The instruments of merriment employed in v. 5 are now replaced by the shofer whose sound generates a more serious mood. — A. Compare to Amos 3:6: 'Can a shofer be blown in the city, and the people not tremble.

In I Chron. 15:15 is added; 'And the children of the Levites bore the ark of God upon their shoulders, with the staves thereon, as Moses commanded, according to the word of God'. Obviously the most meticulous care was taken to avoid a repetition of the previous tragedy. — A.

16. *hopping and dancing* — Different forms of dance. — K. D interprets מפזז not as a new variety of dance, but as a quickening of the pace of the previous whirling, similar to עמא פזיזא of T.B. Sab. 88a (an overly hasty people).

For the glory of God David did not hesitate to demean himself in a two-fold manner; through his personal participation in the dancing, and by exchanging his kingly robes for priest-like vestments. — M.

This chapter provides a penetrating insight into the personality of David. Here he is seen not as the mighty warrior, the slayer of Goliath, and the suppressor of the intimidating Philistine threat; but as the sentimental and devout servant of God whose religious fervor found its expression in the Book of Psalms.

she despised him — lit. despised *to* him. Alshich points out that the proper form should have been ותבזהו or ותבז אותו (she despised him), rather than ותבז לו. He suggests that the verse is teaching us that ill-feeling toward someone can generally be sensed even before it has been expressed. Hence Michal's feelings did not remain within her but were communicated *to David*. — (Compare with Prov. 38:19; 'As in water, face

וּשְׁלָמִים: יח וַיְכַל דָּוִד מֵהַעֲלוֹת הָעוֹלָה
וְהַשְּׁלָמִים וַיְבָרֶךְ אֶת־הָעָם בְּשֵׁם יְהוָה
צְבָאוֹת: יט וַיְחַלֵּק לְכָל־הָעָם לְכָל־הֲמוֹן
יִשְׂרָאֵל לְמֵאִישׁ וְעַד־אִשָּׁה לְאִישׁ חַלַּת
לֶחֶם אַחַת וְאֶשְׁפָּר אֶחָד וַאֲשִׁישָׁה
אֶחָת וַיֵּלֶךְ כָּל־הָעָם אִישׁ לְבֵיתוֹ:
כ וַיָּשָׁב דָּוִד לְבָרֵךְ אֶת־בֵּיתוֹ* וַתֵּצֵא
מִיכַל בַּת־שָׁאוּל לִקְרַאת דָּוִד וַתֹּאמֶר

תרגום

קֳדָם יְיָ וְנִכְסַת קוּדְשִׁין:
יח וְשֵׁיצֵי דָוִד מִלְאַסָקָא
עֲלָתָא וְנִכְסַת קוּדְשַׁיָא
וּבָרִיךְ יָת עַמָא בִּשְׁמָא
דַיְיָ צְבָאוֹת: יט וּפְלֵיג
לְכָל עַמָא לְכָל הֲמוֹנָא
דְיִשְׂרָאֵל מִגְבַר וְעַד
אִתְּתָא לִגְבַר גְרִצְתָּא
דִלְחֵם חֲדָא וּפְלוּג חָד
וּמְנָתָא חֲדָא וַאֲזַל כָּל
עַמָא גְבַר לְבֵיתֵיהּ:
כ וְתָב דָוִד לְבָרָכָא יָת
אֱנָשׁ בֵּיתֵיהּ וּנְפַקַת
מִיכַל בַּת שָׁאוּל לְקַדָמוּת
דוד

ת"א ויחלק לכל העם. פסחים לו: ותלא מיכל. (סוכה נה סנהד' כ):

רש"י

(יט) ואשפר. אחד מששה בפר: אשישה אחת. גרבא

מהר"י קרא

(יח) ויברך את העם בשם ה' צבאות. מה ראה דוד לברך את ישראל בשם ה' [צבאות] וחלא אהרן לא בירך בשם ה' צבאות אלא יברכך ה' וישמרך. ומשה אמר יוסף ה' עליכם. אלא לפי שכתוב למעלה אשר נקרא שם שם ה' צבאות לפיכך ברכן בשם ה' צבאות. וכך פי'. הקב"ה שמו ה' צבאות ומשרה שכינתו על הכרובים. הוא יברך אתכם: (יט) ואשפר. אחד מששה בפר: ואשישה. אחד מששה בהין:

פב"פ

רד"ק

יהיה זה והוא יבנה בית המקדש לפיכך אחר שהביא הארון לירושלם שאל לנתן הנביא אם יבנה בית לה' ונתן אמר לו כל אשר בלבבך עשה ומלבו אמר לו נתן זה לא בנבואה כי חשב בלבו כמו שחשב דוד כי הוא יבנה הבית: (יט) חלת לחם. ובדברי הימים ככר לחם והככר גדול מהחלה כי ככרית היו אלא שהיו עשוים כתבונת החלות: ואשפר אחד. חלק אחד מבשר כמו שמנהג לחלוק הבקר או הצאן לחלקים ידועים ונתן לכל אחד חלת לחם וחלק בשר ואשישה אחת כלאה יין וכן פי' רז"ל אשישה גרבא דחמרא אבל אשפר פי' מלת מורכבת משמות ג' ואמרו אחד מששה בפר כלומר כי ששת חלקים היו עושים בפר ולכל אחד היה נותן הששית וי"ת פלג חד כלומר חלק אחד ותרגם אשישה מנתא: (כ) לברך את ביתו. לתת שלום לפי שבא מן הדרך וכן כי תמצא איש לא תברכנו: מה נכבד. נפעל עבר כי הוא פתוח ודרך לעג אמרה לו מה נכבד כלומר כי לא נכבד היום הזה שאתה נגלית בו משחק כאחד הרקים

רלב"ג

הגדולות הנהוגות לתת לאורחים הבאים אללם: (כ) והנה מיכל בת שאול דברה שלא כהוגן אל המלך ונתבאר מדברי דוד שמה שעשה עשה כהוגן לכבוד הש"י והמבין בדבריו מה שהשיב לה בו כי זה הגמול היה ראוי לה על מה שהטיחה דברים כנגד דוד ר"ל מה שאמר שבחר הש"י בו מאביה ומכל בית אביה והיה מספר דבריה שאמר לה דוד וכללה עם האמהות ולזה אמר ועם האמהות אשר אמרת עמם אכבדה וכבר אמר והורה שכבר רמז בזה המאמר אל מיכל מה שאמר אחר זה ולמיכל בת שאול לא היה לה ולד עד יום מותה כאילו יאמר שזה המאמר היה סבה להמנע ממנה פרי בטן כי לא אהב אותה דוד כאופן שהיה אוהב אותה קודם זה:

מצודת דוד

במקום שהכין לו והוא בתוך האהל וגו': (יט) לכל העם. הבאים עם הארון: לאיש. רלה לומר לכל אחד בין איש ובין אשה: (כ) וישב דוד. לאחר שחלק לכל העם וגו' אחר הברכה שברכם

מצודת ציון

נטה. אשר פרש: (יט) המון. עם רב: חלת. לחם השלם תקרא חלה: ואשפר. ר"ל מנה יפה בשר והוא מלשון הנותן אמרי שפר (בראשית מ"ט): ואשישה. שם כלי ישימו בה היין כמו סמכוני

and peace-offerings. 18. And David finished offering the
burnt-offering and the peace-offerings, and he blessed the
people in the name of the Lord of Hosts. 19. And he distri-
buted to all the people, to the whole multitude of Israel, both to
men and women, to each individual a loaf of bread, and a
portion of meat, and a barrel of wine. And all the people de-
parted, every one to his home. 20. And David returned to
bless his household. And Michal the daughter of Saul came out
to meet David, and she said,

Commentary Digest

18. *in the name of the Lord of Hosts* — A divine name attached to this blessing and not elsewhere, because of its connection with the ark which had 'the name of the Lord of hosts who dwells on the cherubim upon it. (v. 2 of this chapter). — J.K.

19. *to all the people* — who participated in the relocation of the ark. — M.

to the whole multitude of Israel — who chanced to be there. — M. Rabinowitz suggests that David personally distributed the portions as a means of directly acquainting himself with all those assembled.

and a portion of meat — *"one-sixth of a bullock"* — R from T.B. Pes. 36b. The word אשפר is here being interpreted as an acrosic: אחד בששה בפר.

"a barrel of wine" — (containing one ephah) — R based on the opinion of the Amora Samuel in T.B. Pes. 36b. See R ibid.

20. *How honored was today* — M.S. cites the following dialogue between Michal and David. Said Michal: 'My father's kingdom was more becoming than yours, for far be it for any of them to be viewed with even a forearm or calf exposed . . . Answered David: 'Before the Lord who chose me above your father etc.' Your father's household sought but their own honor, forsaking the honor of God. In contrast, I forsake my personal glory and seek but the glory of God. — K and A from M.S. Ch. 26.

one of the idlers — R from J. lit. one of the empty ones, i.e. devoid of any commendable attributes. — Z.

מה נכבד היום מלך ישראל אשר
נגלה היום לעיני אמהות עבדיו
כהגלות נגלות אחד הרקים: כא ויאמר
דוד אל מיכל לפני יהוה אשר בחר בי
מאביך ומכל ביתו לצות אתי נגיד על
עם יהוה על ישראל ושחקתי לפני
יהוה: כב ונקלתי עוד מזאת והייתי
שפל בעיני ועם האמהות אשר
אמרת עמם אכבדה: כג ולמיכל בת
שאול לא היה לה ילד עד יום מותה:

ולד קרי

תרגום

דוד ואמרת מה איתיקר
יומא דין מלכא דישראל
דאתגלי יומא דין לעיני
אמהת עבדוהי כמא
דחליץ ומתגלי חד מן
סריקיא: כא ואמר דוד
למיכל קדם יי די
איתרעי בי מאבוך ומכל
ביתיה לפקדא יתי
למהוי מלכא על עמא
דיי על ישראל ושבחית
קדם יי: כב ואזעירנא עוד
מדא ואהי מכיך בעיני
נפשי מכבן ועם
אמהתא די את אמרת
בעיניהון אהי יקיר:
כג ולמיכל בת שאול לא
הוה לה ולד עד יום
מותה

ת"א (כהגלות. בס סס): ולמיכל. סס (סס כג סה):

רש"י

דחמרא: (כ) **אחד הרקים**. חד מן סריקיא: (כב) **ונקלותי עוד**. לפניו יותר מזאת שהקילותי בעלמי עתה: **עמם אכבדה**. אינם מבזין אותי אלא חשוב אני בעיניהם על זאת: (כג) **לא היה לה ולד**. מאותו היום והלאה:

רד"ק

ההדיוטין: לעיני אמהות עבדיו. אין צריך לו' לפני נשי עבדיך אלא אפי' לעיני אמהות עבדיך נתבזית היום: כהגלות נגלות. שניהם ממקור מבנין נפעל האחד שלם כמו השלמים נשאול נשאל דוד והאחד חסר נו"ן נפעל כמנהג וכפל פעמים המקור לרוב התגלותו בשחוק. ובדרש אמרה לו של בית אבא היתה מלכות נאה משלך חלילה להם אם נראה לאחד מהם פסת יד אי פסת רגל מגולה כולהון היו מכובדין כמך כה אמר לה דוד לפני ה' אשר בחר בי מאביך אמר לה של בית אביך היו מניחין כבוד שמים ומתעסקין בכבוד עצמן אבל אני מניח כבוד עצמי ומתעסק בכבוד קוני ומן האמהות אשר אמרת חס ושלום מן האמהות את נקראת אין את נקראת כן האמהות וי"ת כמה דחליץ ומתגלי דומה כי יתכן היה הולך ומשחק כדברי הדרש: (כא) לפני ה'. מה שרקדתי וכרכרתי לפני ה' עשיתי לפי שכבדני ובחר בי מאביך וראוי לו שאקל עצמי לכבודו: ושחקתי לפני ה'. מלרע לפי שהוא עתיד כלומר עוד יותר ממה שעשיתי אעשה ואשחק לפניו וז"ש ונקלותי עוד מזאת יותר מזאת השכח' והרקיד' שעשיתי יותר אעשה לבזות עצמי ולהקל: (כב) והייתי שפל בעיני. לפניו לכל דבר ואין זה קלון אלא כבוד: עמם אכבדה. בעיניהן אני נכבד במה שעשיתי כי אם אקל עצמי לכבוד האל אהיה נכבד בעיני הכל לא כמו בעיניך: (כג) לא היה לה ולד. למדינחאי כתיב ולד בוי"ו וקרי ילד ביו"ד ולמערבאי כתיב ילד ביו"ד וקרי בוי"ו ולד ופי' רז"ל מהיום ההוא ואילך לא היה לה לעונש מה שאמר' אבל לפני היום הזה היה לה כמ"ש יתרעם לעגלה אשת דוד ואמרו עגלה זו מיכל: עד יום מותה. בחולם וכעת מיתה בשורק. פי' עד כמו עד אשר אם עשיתי את אשר דברתי לך. ובדרש אבל ביום

מצודת ציון

כהשישות (ש"ס ב) ר"ל הכלי עם היין: (כ) אמהות. שפחות: הרקים. אנשים הרקים מכל מעלה: (כא) נגיד. שליט ומושל: ושחקתי. ושמחתי: (כב) ונקלותי. מלשון קלות:

מצודת דוד

בשם ה' שב לברך גם אנשי ביתו: מה נכבד. מה מאד נעשית היום מכובד בעיני כל ובדרך לעג אמרה כן כאלו אמרה מאד נעשית מבוזה בעיני כל: אשר נגלה היום. על אשר בהכרכר היה נגלה מה מבשר הגוף והאמהות עבדיו רואות וכדרך הרקים שאינם חוששים לכסות בשר גופם לבל יראה: (כא) לפני ה'. ר"ל הלא בכרכורי היה לפני ה' וכו' ובכבוד המלכים כאין נגדו: ושחקתי. ובעבור זה שחקתי לפניו: (כב) ונקלותי עוד מזאת. ואם הייתי עושה מעשה קלות עוד יותר ממה שעשיתי: והייתי. ואם הייתי שפל בעיני להקל מאוד בכבודי ואפילו לפני האמהות אשר אמרת: עמם אכבדה. עם מעשים כאלה הייתי עוד מכובד ולא מבוזה הואיל ועשוים לכבוד המקום: (כג) לא היה לה ולד. בעון שבזתה את דוד על שהקל בכבודו לפני ארון האלהים:

"How honored was today the king of Israel, who exposed
himself today in the eyes of the handmaids of his servants, as
would expose himself one of the idlers." 21. And David said
unto Michal: "Before the Lord, who chose me above your
father, and above all his house, to appoint me prince over the
people of the Lord, over Israel; therefore I have made merry
before the Lord. 22. And if I be demeaned more than this,
and be abashed in mine own eyes, [yet] of the maidservants of
which you have spoken, with them will I get me honor."
23. And Michal the daughter of Saul had no child until the
day of her death.

Commentary Digest

21. *before the Lord* — had I acted thusly in honor of man, my performance would not be befitting a king. Since I acted for the glory of G-d, I did act commendably, since in comparison to Him I am like naught. — A.

22. *and if I be demeaned* — "*before Him* (God) *more than I have demeaned myself now.*" — R.

with them will I get me honor — "*They do not shame me. Instead I am prestigious in their eyes for this.*" — R.

This reply, coupled with the rest of David's actions of this chapter led Maimonides to comment:

"Rejoicing in the fulfillment of a commandment and in love for God, who had prescribed the commandment, is a supreme act of divine worship . . . If one is arrogant and stands on his own dignity, and thinks only of his own honor on such occasions, he is both a sinner and a fool. Contrariwise, one who humbles and demeans himself on such occasions, achieves greatness and honor, for he serves the Lord solely out of love. This is the sentiment expressed by David, king of Israel, when he said: 'And if I be demeaned more than this, and be abased in mine own eyes'. True greatness and honor are achieved only by rejoicing before the Lord, as it is said; 'king David hopping and whirling before the Lord etc. (v. 16).' — Maimonides, Laws of Lulav, Ch. 8, law 15.

23. *had no child* — "*from that day on*" — R. She was not totally childless, but merely failed to give birth from that day on until the day of her death when she did give birth:

מוּתָה: א וַהֲוָה כַּד יְתֵיב מַלְכָּא בְּבֵיתֵיהּ וַיְיָ אֲנִיחַ לֵיהּ מִסְחוֹר סְחוֹר מִכָּל בַּעֲלֵי דְבָבוֹהִי: ב וַאֲמַר מַלְכָּא לְנָתָן נְבִיָּא חֲזֵי כְעַן דִּי אֲנָא יָתֵיב בְּבֵיתָא דִּי מְטַלַּל בְּכֵיוֹרֵי אַרְזַיָּא וַאֲרוֹנָא דַיְיָ שָׁרֵי בְּמַשְׁכְּנָא בְּגוֹ יְרִיעָתָא: ג וַאֲמַר נָתָן לְמַלְכָּא כֹּל דִּי בְלִבָּךְ אֱזִיל עֲבֵיד אֲרֵי מֵימְרָא דַיְיָ בְּסַעֲדָךְ: ד וַהֲוָה בְּלֵילְיָא הַהוּא וַהֲוָה

ז א וַיְהִי כִּי־יָשַׁב הַמֶּלֶךְ בְּבֵיתוֹ וַיהוָה הֵנִיחַ־לוֹ מִסָּבִיב מִכָּל־אֹיְבָיו: ב וַיֹּאמֶר הַמֶּלֶךְ אֶל־נָתָן הַנָּבִיא רְאֵה נָא אָנֹכִי יוֹשֵׁב בְּבֵית אֲרָזִים וַאֲרוֹן הָאֱלֹהִים יֹשֵׁב בְּתוֹךְ הַיְרִיעָה: ג וַיֹּאמֶר נָתָן אֶל־הַמֶּלֶךְ כֹּל אֲשֶׁר בִּלְבָבְךָ לֵךְ עֲשֵׂה כִּי יְהוָה עִמָּךְ: ד וַיְהִי בַּלַּיְלָה הַהוּא *וַיְהִי דְּבַר־

פתגם ת"א ויהי כי ישב המלך. מגלה י סנהדרין כ: ויאמר המלך. שם: פב"פ

רש"י

ז (א) וה' הניח לו. אמר הרי נתקיים והניח לכם מכל אויביכם וגו' (דברים י"ב י') מה כתיב אחריו והיה המקום אשר יבחר וגו' מעתה עלינו לבנות בית הבחירה: (ד) ויהי בלילה ההוא. אמר רבי חנינא בר פפא אמר לו הקב"ה לנתן האדם הזה שאני משלחך אצלו מהיר הוא שמא

מהר"י קרא

ז (א) ויהי כי ישב המלך בביתו. שם על לבו שהוא יושב בבית ארזים וארון אלהים יושב בבית היריעה: וה' הניח לו מסביב מכל אויביו. אמר הגיע עת דכתיב והיה בהניח לכם מכל

רד"ק

הביתה היה לה ואמרו כי שלשה נשים מתו חיות רחל וכלתו של עלי ומיכל בת שאול: (א) כי ישב המלך בביתו. שלא היה צריך לצאת למלחמה כמו שאמר וה' הניח לו אז חשב לבנות בית המקדש כי מצוה היה על ישראל לבנות בית המקדש אחר שינוחו מן המלחמות שנאמר והניח לכם מכל אויביכם מסביב וגו' והיה המקום אשר יבחר וגו' לשכנו תדרשנו ועל המלך מוטל לעשות ולצוות את ישראל לעשות לפיכך ויאמר המלך אל נתן הנביא כלומר שישאל את פי ה' על בנין הבית באיזה מקום יבנה ואע"פ שהיו לו מלחמות אחר כן כמו שאמר ויהי אחר כן ויך דוד את הפלשתים עד עתה היו באים עליו אויביו וכיון שהצליחו האל ונצח כל אויביו וייראו אויביו ממנו ולא באו עליו אבל הוא הלך עליהם ולקח גת מיד פלשתים שהיתה לישראל כבר ועם ארם ועם אדום ועם בני עמון נלחם בשנה: (ב) בבית ארזים. בבית מקורה בעצי ארזים וכת"י בבית די מטלל בכיורי ארזיא: יושב בתוך היריעה. לא היה דעתו על הארון הזה לבדו אלא גם על המזבח ועל הארון האחד ועל כלי המשכן שהיו בגבעון באהל מועד כי הכל יושב בתוך היריעה וזכר הארון לפי שהוא נטה לו היריעה ועוד שהוא עיקר הכל ונכבד מכל כלי המשכן ואמר לעצמי בניתי בית ארזים ולארון ה' נטיתי יריעה לא יכשר וצריך שאבנה לו בית ואמר לו נתן כל אשר בלבבך לך עשה ומדעתו אמר זה נתן כי ראה כי ה' עמו והיה מלך הגון וכשר חשב כי הוא יבנה הבית שעתיד להבנות וזה כי הנביא אינו יודע על אדם אחד אלא מה שנאמר לו ברוח הנבואה כי גם שמואל הנביא שהיה גדול ממנו שנאמר עליו כל אשר ידבר בא יבא ונאמר ולא הפיל מכל דבריו ארצה לא ידע בבני ישי מי יהיה המלך וחשב כי אליאב הוא המלך כל שכן נתן הנביא: (ד) ויהי בלילה ההוא. אולי נבואתו היתה בחלום חזיון לילה כמו שנאמר באהרן במראה אליו אתודע בחלום אדבר בו ונאמר ביעקב במראות הלילה. ובדרש למה בלילה ההוא א"ר סימון אמר הקב"ה לנתן האיש

רלב"ג

(ב) וכבר התעורר דוד לבנות בית לה' יהיה בו ארון האלהים ונועץ בזה עם נתן הנביא וענהו בכללות שיעשה כל אשר בלבבו כי ה' עמו: (ד) ואחר זה באהו דבר ה' על יד נתן הנביא שאין ראוי לבנות לו בית לש"י כי מן היום אשר העלה בני ישראל מארץ מצרים התהלך הארון באהל ובמשכן ולא שלח הש"י לאמר לאחד מן הרועים והשופטים למה לא בנו בית ארזים ועתה די לדוד לקחו הש"י מאחרי הצאן להיות נגיד על בית ישראל והיה עמו בכל אשר הלך והכרית שונאיו ועשה לו שם גדול כשם הגדולי' אשר בארץ לרוב הצלחתו ורוב עמידת מלכותו ושם על ידו מקום מנוחה לישראל ולא לרו לישראל שונאיהם כמו שעשו בראשונה ובימי השופטים והניח לו השם מכל אויביו והגיד לו ה' כי בית יעשה לו קיים בדרך שתהיה לו המלוכה כל מה שתתמיד מלוכה ובהיות הענין כן הנה די לו במה שהגיע בו מן ההצלחה ולא ישאל לו גדולות שיהיה נבנה בית המקדש על ידו אבל בנו שימלוך אחריו הוא יבננו והוא שלמה וכבר נתבאר בספר דברי הימים שהסבה שלא הסכי' הש"י שיבנה דוד בית המקדש הוא מפני ששפך דמים הרבה:

מצודת דוד

ז (א) בביתו. הראוי לו לפי מעלתו: (ב) בבית ארזים. כראוי לפי מעלתו: בתוך היריעה. הוא האוהל האמור למעלה ור"ל וכי זהו הבית הראוי לארון אלהים: (ג) כל אשר בלבבך. כאומר אם חפצך לבנות בית לה' עשה הפצך:

מצודת ציון

ז (א) הניח. מלשון מנוחה: (ב) היריעה. ווילון.

Commentary Digest

loss. Hurry and tell him [*it is*] *not you who will build the house. R. Simon said: 'This man that I am sending you to is wont to make vows just as it is stated: . . . how he swore unto the Lord and vowed unto the Mighty One of Jacob, if I will enter the tent which is my house . . .* (Psalms 122:2).' *Perhaps he will say I will not eat nor will I drink until I do that* (*build the Temple*) *and I will find myself incurring him loss"* — R, A, K and A from M.S. Ch. 22.

7

1. And it came to pass, when the king dwelt in his house,
and the Lord had given him rest round about from all his
enemies. 2. That the king said unto Nathan the prophet:
"See now, I dwell in a house of cedar, but the ark of God
dwells within the curtains." 3. And Nathan said to the
king: "All that is in your heart go do; for the Lord is with
you." 4. And it came to pass on the same night, that the
word of God was to Nathan

Commentary Digest

Cf. Supra 3:5 R ibid. — K. K suggests that this was Divine retribution for her actions.

CHAPTER 7

1. *dwelt in his house.* — Once David was settled in his house, he could not tolerate the absence of a permanent dwelling-place for the ark. — A and J.K.

had given him rest — *"He remarked: Behold it has been fulfilled: 'And when he offers you rest from all your enemies etc.* (Deut. 12:10). *What is written afterwards? 'Then there shall be a place which [the Lord your G-d] shall choose etc.' If so, it is incumbent upon us to build the Temple."* — R based on T.B. San. 20b.

Because David had subdued the Philistine aggressions, he mistakenly thought that his wars had ended. He did not anticipate that he was yet expected to take the initiative against some of the surrounding nations. — A and M. Compare with Commentary Digest infra Ch. 8:1.

2. *within the curtains* — within the tent that was pitched for it. — D.

3. *for the Lord is with you* — Even the prophet is fallable when he does not base his advice on prophetic word. So with Samuel (I Sam. 16:6) who was incapable of predicting which of Jesse's sons would be king before he had received the word of G-d. — K.

A, by placing emphasis on the word 'you', has Nathan replying as follows: 'I have not received divine prophecy on the matter. If you feel the Lord is with *you,* then you must act on the basis of *your* own divine inspiration'.

4. *And it came to pass on that very night* — Why was it necessary for G-d to offer David such an immediate response? R cites the following Midrashic interpretation: *"R Haninah b. Papa said; 'The Holy One blessed is he said to Nathan: This man that I am sending you to is hasty. Perhaps he will hire workers and I will find myself incurring him*

יְהוָה אֶל־נָתָן לֵאמֹר׃ ה לֵךְ וְאָמַרְתָּ אֶל־
עַבְדִּי אֶל־דָּוִד כֹּה אָמַר יְהוָה הַאַתָּה
תִּבְנֶה־לִּי בַיִת לְשִׁבְתִּי׃ ו כִּי לֹא יָשַׁבְתִּי
בְּבַיִת לְמִיּוֹם הַעֲלֹתִי אֶת־בְּנֵי יִשְׂרָאֵל
מִמִּצְרַיִם וְעַד הַיּוֹם הַזֶּה וָאֶהְיֶה
מִתְהַלֵּךְ בְּאֹהֶל וּבְמִשְׁכָּן׃ ז בְּכֹל אֲשֶׁר־
הִתְהַלַּכְתִּי בְּכָל־בְּנֵי יִשְׂרָאֵל הֲדָבָר
דִּבַּרְתִּי אֶת־אַחַד שִׁבְטֵי יִשְׂרָאֵל אֲשֶׁר
צִוִּיתִי לִרְעוֹת אֶת־עַמִּי אֶת־יִשְׂרָאֵל
לֵאמֹר לָמָּה לֹא־בְנִיתֶם לִי בֵּית אֲרָזִים׃

פִּתְגָם נְבוּאָה מִן קֳדָם יְיָ
לְוָת נָתָן לְמֵימַר׃ ה אֱזִיל
וְתֵימַר לְעַבְדִּי לְדָוִד
כִּדְנַן אֲמַר יְיָ הַאַתְּ תִּבְנֵי
קֳדָמַי בֵּיתָא לְאַשְׁרָאָה
שְׁכִנְתִּי בֵּהּ׃ ו אֲרֵי לָא
אַשְׁרֵיתִי שְׁכִנְתִּי בְּבֵיתָא
מִיוֹמָא דְאַסֵּקִית יָת בְּנֵי
יִשְׂרָאֵל מִמִּצְרַיִם וְעַד
יוֹמָא הָדֵין וַהֲוֵיתִי מַשְׁרֵי
שְׁכִנְתִּי בְּמַשְׁכְּנָא
וּבִירִיעָן׃ ז בְּכֹל אֲתַר
דִּי הַלֵּכִית בְּכָל בְּנֵי
יִשְׂרָאֵל הֲפִתְגָם מַלֵּלִית
עִם חַד שִׁבְטַיָּא דְיִשְׂרָאֵל
דִּי פַּקֵּדִית לְפַרְנָסָא יָת
עַמִּי יָת יִשְׂרָאֵל לְמֵימַר
לְמָא לָא בְנֵיתוּן קֳדָמַי
בֵּיתָא דִּי מְטַלַּל בְּכַיוּרָא
ארזיא

מהר"י קרא

אויביכם[וגו'] והיה המקום אשר יבחר ה': (ה) האתה תבנה לי בית לשבתי. ר' נתן אומר האיש הזה זריז הוא אם חישב עכשיו לבנות מחר יקנה צורכי הבית. ואם אני אומר לא תבנה יהא לי תרעומות עלי למה לא אמרת לי קודם שקניתי צורכי הבית לפיכך לך ואמרת אל עבדי דוד לא תבנה אתה לי בית כי אם בנך: האתה תבנה. בית לשמי. פלא בדעתך עלה שהרי כמה דורות ממשה ועד עכשיו לא ישבתי בבית. שאם ידעת או שמעת דור שעלה על לבו לבנות בית לשמי ולא עלתה בידם. ועתה עלה בלבך לבנות בית אין פליאה כזאת: (ז) בכל אשר התהלכתי בכל בני ישראל הדבר דברתי. בתמיה: את אחד שבטי ישראל [וגו'] לאמר [למה] לא בניתם לי בית ארזים. ולפי שראיתי שלא יכלו לבנות מפני המלחמות שסבבום לא

רש"י

ישכור פועלים ונמלאתי מפסידו מהר יאמור לו לא אתה תבנה הבית. ר' סימון אומר האדם הזה שאני משלחך אצלו נדרן הוא כענין שנאמר אשר נשבע לה' נדר לאביר יעקב אם אבא באהל ביתי (תהלים קל"ב ב') שמא יאמר איני אוכל ואיני שותה עד שאעשה כך ונמלאתי מפסידו: (ו) באהל ובמשכן. משכן שילה לא היתה בו תקרה אלא בית של אבנים מלמטן ויריעות מלמעלן: (ז) הדבר דברתי. לשון

רד"ק

הזה נדרן הוא כענין שנאמר אשר נשבע לה' נדר לאביר יעקב אם אבא באהל ביתי וגו' שמא יאמר איני אוכל ואיני שותה עד שאבנה בית ה' מהר אמור לו לא אתה תבנה: (ז) את אחד שבטי ישראל. שופטי ישראל ומלכם כמו לא יסור שבט מיהודה כמו שאמר אשר צויתי לרעות את עמי ישראל והשופט או המלך הוא הרועה וכן במקומו בדברי הימים את אחד שופטי

מצודת דוד

(ה) האתה. וכי אתה תבנה לי בית בתמיה ור"ל דייך בכל הטובות שעשיתי לך ובאשר תסיים והולך המקראות שלאחריו: (ו) כי לא ישבתי. אשר לא ישבתי וגו' ר"ל הנה עד הנה לא ישבתי וגו' ואתה תבנה לי בתמיה: (ז) בכל אשר התהלכתי. בכל המקומות אשר התהלכתי וגו' וכי דברתי להמיוחד שבהם הוא השופט אשר הוקם לרעות את עמי וכי דברתי לו למה לא תבנו לי בית במקום הזה ולא אשב עוד באהל וא"כ מזה דע לך, שבנין הבית שמור הוא למי שיבחנו ולא כל הרוצה לבנות יבוא ויבנה שאם היה לכל שמור הייתי מלוה עליו

Commentary Digest

permanent peace and (b) the establishment of a royal lineage. The message Nathan was instructed to deliver was intended to convey that neither requisite had heretofore been met. The initial statement; 'For I have not dwelt in a house . . . but have walked in a tent and in a tabernacle, was meant to indicate to David that the degree of peace that he had attained was in no way more permanent (as indicated by his later battles) than that attained in the previous periods where occasional moments of respite were also enjoyed. The second argument; 'Have I spoken a word to any of the rulers of Israel . . . (v. 7)' conveyed to David that having been taken 'from the pasture, from following the sheep (v. 8)' his status was not sufficiently above that of the Judges to merit

saying: 5. "Go and say to My servant, to David: So says
the Lord: 'Shall you build Me a house for My dwelling?
6. For I have not dwelt in a house from the day that I
brought up the children of Israel out of Egypt, to this day,
but have walked in a tent and in a tabernacle. 7. In all
[the places] wherein I have walked with all the children
of Israel, did I speak a word with any of the rulers of Israel
whom I commanded to shepherd my people Israel, saying:
'Why do you not build for me a house of cedar?'

Commentary Digest

5. *My servant* — A title undoubtedly intended to appease David and indicate G-d's satisfaction with his lofty intent, since in all of the Bible we find it bestowed upon only ten men. — Rabinowitz from N, Deut. 16:21.

Shall you build Me a house? — Is not the past kindness I have shown you sufficient that you ask for more? —D

M.Ps., however, interprets this verse as a statement; "Although your son Solomon will be the one to construct the House, you shall nevertheless build me a house, since it will be called in your name, as it is written (Psalms 30:1): A Psalm, a song at the dedication of the House of David." — A from M.Ps. Psalm 62.

Perhaps the Temple was named after David because he had gathered much of the materials' and built the foundation for it. See I Chron. 22:1-6, and P.R. Ch. 2.

6. *I have not dwelt* — The logic of this reply is difficult to comprehend for isn't this all the more reason to build the Temple? Furthermore could not this argument readily have been applied to Solomon as well? M provides meaning to this and the ensuing verses through the following introduction: In contrast to the tabernacle which was, by its constant mobility and makeshift home, a sign of G-d's wandering, the Temple was to be the symbol of the attainment of peace and rest for the Divine Presence. In order to accomplish this, conditions drastically different from the turbulence of the period of the Judges had to be attained. Consequently, before the Temple could be built, two conditions were to be met: (a) the ushering in of an era of

ח וְעַתָּה כֹּה־תֹאמַר לְעַבְדִּי לְדָוִד כֹּה
אָמַר יְהוָה צְבָאוֹת אֲנִי לְקַחְתִּיךָ מִן־
הַנָּוֶה מֵאַחַר הַצֹּאן לִהְיוֹת נָגִיד עַל־עַמִּי
עַל־יִשְׂרָאֵל׃ ט וָאֶהְיֶה עִמְּךָ בְּכֹל אֲשֶׁר
הָלַכְתָּ וָאַכְרִתָה אֶת־כָּל־אֹיְבֶיךָ מִפָּנֶיךָ
וְעָשִׂתִי לְךָ שֵׁם גָּדוֹל כְּשֵׁם הַגְּדֹלִים
אֲשֶׁר בָּאָרֶץ׃ י וְשַׂמְתִּי מָקוֹם לְעַמִּי
לְיִשְׂרָאֵל וּנְטַעְתִּיו וְשָׁכַן תַּחְתָּיו וְלֹא
יִרְגַּז עוֹד וְלֹא־יֹסִיפוּ בְנֵי־עַוְלָה לְעַנּוֹתוֹ

ארעא : ח וּכְעַן כְּדְנַן תֵימַר לְעַבְדִּי לְדָוִד כִּדְנַן אֲמַר יְיָ צְבָאוֹת אֲנָא דְבַרְתָּךְ מִן דִירָא מִבָּתַר עָנָא לְמֶהֱוֵי מַלְכָּא עַל עַמִּי עַל יִשְׂרָאֵל׃
ט וַהֲוָה מֵימְרִי בְּסַעְדָּךְ בְּכָל אֲתַר דִי הֲלַכְתָּא וְשֵׁיצִיתִי יַת כָּל בַּעֲלֵי דְבָבָךְ מִן קֳדָמָךְ וַעֲבָדִית לָךְ שׁוּם רַב כְּשׁוּם רַבְרְבַיָא דִי בְּאַרְעָא׃
י וְאַשְׁוֵי אֲתַר מְתַקַּן לְעַמִּי יִשְׂרָאֵל וַאֲקַיְּמִנּוּן וְיִשְׁרוּן בְּאַתְרֵהוֹן וְלָא יְזוּעוּן עוֹד וְלָא יוֹסְפוּן בְּנֵי רִשְׁעָא לְעַנָיוּתְהוֹן כִּדְבְקַדְמֵיתָא

רש"י

תמיה הוא לכך הוא נקוד ה"א חטף פת"ח והדל"ת רפי : (ח) מן הנוה. דיר הרועים כמו נות כרות רועים (צפניה ב׳ ו׳) : (ט) כשם הגדולים. זהו שאומרים מגן דוד : ואכריתה את כל אויביך. ולכך עלה על לבך לבנות הבית כמה שכתוב בתורה: (י) ושמתי מקום. עוד אני חפץ להשקיט שיהא שקט ושלוה אל עמי בימי בנך:

מהר"י קרא

אמרתי להם מדוע לא בניתם לי בית ארזים : (ח) אני לקחתיך מן הנוה מאחר הצאן. מאומנות שפלה מכל האומניות לפי שבשאר אומניות ינוח על משכבו בלילות אבל הרועה עומד לחורב ביום ולקרח בלילה : (ט) ועשיתי לך שם גדול כשם הגדולים אשר בארץ. פי׳ אתה היית קטן שבאחיך ולא זזתי ממך עד שעשיתיך גדול שבגדולים : (י) [ושמתי מקום וגו׳]. ובימיך אשים מקום לעמי ישראל ונטעתיו על אדמתו ולא יוסיפו בני עולה לענותו כשהיו מענין אותו מתחילה :

רד"ק

ישראל : (ח) מן הנוה. גדרות צאן נקרא נוה כמו שנאמר נות כרות רועים וגדרות צאן ותרגם יונתן מן דירא כמו שנאמר במשנה הכונס צאן לדיר : (ט) כשם הגדולים. המלכים הגדולים כמו שנאמר ויצא שם דוד בכל הארצות ורז"ל דרשו זה האומרים מגן דוד כמו שאומרים מגן אברהם : (י) ושמתי מקום. והרי כבר נתן להם מקום ובארץ ישראל היו אלא פירושו כתרגומו ואשוי אתר מתקן כלומר שיהיה מקומם נכון וטוב השמים יתנו טלם והארץ תתן יבולה ותהיה ארץ ברכה וכן ונטעתיו כתרגומו ואקימינון כלומר מה ששכנתי אותם בארץ יהיו נטועין בה שלא יגלו ממנה כמו שאומר לעתיד ונטעתי׳ על אדמתם כמו שהנטע קיים בארץ במקומו וכן פירש אחריו ושכן תחתיו כלו׳ במקומו כמו שבו איש תחתיו : ולא ירגז עוד. שלא יגלה ממקומו כמו שת"י ולא יזועון עוד כי הרוגז הפך המנוחה כמו ולא נחתי ויבא רוגז מוסדות השמים ירגזו : לענותו. ובדברי הימים לכלותו והענין אחד ובדברי רז"ל כתוב לענותו וכתוב לכלותו בתחלה לענותו ולבסוף לכלותו כי הם פירשו ושמתי מקום לעמי על בית המקדש וכן אמר בדרש א"ר שמואל ב"ר יצחק משנבנה בית המקדש נתנו יסודות לעולם שנאמר ושמתי מקום לעמי ישראל ונטעתיו וגו׳ ואמר בתחלה כשנבנה בית המקדש אמר שלא יענה אותם אויב ולבסוף כשחטאו כשנבנה בית המקדש אמר שלא יכלה אותם מכל וכל אבל יענה אותם אויב לעונש חטאתם : כאשר בראשונה. טרם שהקמותי להם שופטים ואף מן היום אשר צויתי עליהם שופטים היו מענים אותם בני עולה אבל מעתה משבאה המלוכה עליהם לא יוסיפו

מצודת דוד

מלו : (ח) ועתה. ר"ל הואיל ודבר גדול הוא אמור לדוד עבדי הלא טובה עשיתי עמך כי לקחתיך מן הנוה וכו׳ : (ט) שם גדול. להתפרסם בכל העולם ככל הגדולים אשר מעולם אנשי השם. ורז"ל אמרו שזה מה שאומרים מגן דוד : (י) ושמתי מקום. בימיך שמתי מקום מנוח וקבוע לעמי ישראל ונטעתיו על אדמתו

מצודת ציון

(ח) הנוה. גדרות הצאן כמו והיה השרון לנוה צאן (ישעיה ס"ה): (י) ירגז. ענין תנועה ממקום המונח וכן למה הרגזתני (ש"א

Commentary Digest

to the verse in Deut. 12:10 where the building of the Temple is made dependent upon the attainment of peace.

Hirsch, in his commentary on the haftoras, points out that the optative ה of ואכרתה is intended to indicate that the cutting off of David's enemies was *gladly* accomplished by God, for David's enemies were perceived by God as His own enemies — Hirsch on Haftoras, Parshat Sh'mini.

10. *And I will appoint a place — "I yet desire to bring calm,* in order to *offer ease and security for my nation in the days of your son"* — R. While G-d indicated to David that he had not yet ushered in an era of peace, He simultaneously assured him that this era was soon to come in the

8. And now, so shall you say to My servant, to David: 'Thus says the Lord of Hosts. I took you from the sheepcote, from following the sheep, to be a leader over My people Israel. 9. And I have been with you wherever you have gone, and I have cut off all your enemies from before you, and have made for you a great name, like the name of the great ones that are in the earth. 10. And I will appoint a place for My people, for Israel, and I will plant them, and they will dwell in their own place, and be disturbed no more; and the wicked people shall not continue to afflict them

Commentary Digest

building the Temple. While he enjoyed the higher status of king, his royal lineage was not yet established to the degree that would merit his building the Temple.

6. *in a tent* — *"The tabernacle of Shiloh did not have a ceiling but consisted of a stone edifice below and curtains above."* — R

7. *rulers* — While the word שבטי is more commonly understood to mean 'tribes', here it is interpreted as 'rulers,' similar to לא יסיר שבט מיהודה (The sceptre shall not part from Judah)' (Gen. 49:10). This translation is indicated by I Chron. 17:6 where שופטי replaces the שבטי of our verse. — K and A.

have I spoken — *"it is the interrogative form, and therefore the diacricritical dotting of the* ה *is 'chataf patach'* (—:) *and the T is weak"* — R.

If it were not in interrogative form the plain patach (—) would appear under the ה, while the word הדבר would have been 'strengthened' by a diacritical dot in the ד.

8. *from the sheepcote* — *"a shepherd's shed, similar to; 'sheds where shepherds bake* (Zephaniah 2:6)'." — R.

9. *like the name of the great ones* —*"This is a reference to what we say; the shield of David,"* at the close of one of the benedictions over the haftorah. — R from T.B. Pes. 117b. This ending, similar to the conclusion of the first benediction of the daily 'amidah' (blessed are You God, the shield of Abraham), places David on a par with the patriach and indicates that in his deep and emotional attachment to God he was indeed Abraham's equal. — A

***and I have cut off all your enemies* — *"accordingly it has entered your heart to build the house, as it is written in the Torah"* — R. R alludes**

יא
כַּאֲשֶׁר בָּרִאשׁוֹנָה׃ יא וּלְמִן־הַיּוֹם אֲשֶׁר
צִוִּיתִי שֹׁפְטִים עַל־עַמִּי יִשְׂרָאֵל וַהֲנִיחֹתִי
לְךָ מִכָּל־אֹיְבֶיךָ וְהִגִּיד לְךָ יְהוָה כִּי־בַיִת
יַעֲשֶׂה־לְּךָ יְהוָה׃ יב כִּי ׀ יִמְלְאוּ יָמֶיךָ
וְשָׁכַבְתָּ אֶת־אֲבֹתֶיךָ וַהֲקִימֹתִי אֶת־
זַרְעֲךָ אַחֲרֶיךָ אֲשֶׁר יֵצֵא מִמֵּעֶיךָ
וַהֲכִינֹתִי אֶת־מַמְלַכְתּוֹ׃ יג הוּא יִבְנֶה־
בַּיִת לִשְׁמִי וְכֹנַנְתִּי אֶת־כִּסֵּא מַמְלַכְתּוֹ
עַד־עוֹלָם׃ יד אֲנִי אֶהְיֶה־לּוֹ לְאָב וְהוּא
יִהְיֶה־לִּי לְבֵן אֲשֶׁר בְּהַעֲוֺתוֹ וְהֹכַחְתִּיו

תרגום

כִּדְבְקַדְמֵיתָא : יא וּלְמִן
יוֹמָא דִי פַקֵדִית נַגְדִין
עַל עַמִּי יִשְׂרָאֵל וַאֲנָחֵית
לָךְ מִכָּל בַּעֲלֵי דְבָבָךְ
וְחַוֵי לָךְ יְיָ אֲרֵי בֵּית
מַלְכוּ יְקַיֵים לָךְ יְיָ :
יב אֲרֵי יִשְׁלְמוּן יוֹמָךְ
וְתִשְׁכּוֹב עִם אֲבָהָתָךְ
וְאָקִים יָת בְּרָךְ בָּתְרָךְ
דִי תוֹלִיד וַאֲתַקֵן יָת
מַלְכוּתֵיהּ : יג הוּא יִבְנֵי
בֵיתָא לִשְׁמִי וְאַתְקִין יָת
כּוּרְסֵי מַלְכוּתֵיהּ עַד
עָלְמָא : יד אֲנָא אֱהֵי לֵיהּ
כְּאָב וְהוּא יְהֵי לִי דָמֵי
כְּבַר דְאִם יִסְרַח
וְאַלְקִינֵיהּ בְּמַלְקוּת
גברין

מהר"י קרא

(יא) ולמן היום אשר צויתי שופטים. עד היום הזה היו מענים אותן ואם לא עלה בדעתם לבנות בית לשמי איני מאשים אותם על כן. שהרי לא יכלו מפני המלחמה. אבל לך הניחותי מכל אויביך ומה שעלה בלבך יפה עלה. שהרי בהנחת מלחמות בו בנין הבית תלוי : כי בית יעשה לך ה'. מלכות שאינו פוסק לעולם כמו שמפרש למטה בענין שנאמר ונאמן ביתך וממלכתך עד עולם. וכן מפרש בסמוך כי ימלאו ימיך ושכבת את אבותיך והקימותי את זרעך [וגו'] הוא יבנה בית לשמי וגו'. ובדברי הימים כתיב ויאמר דוד לשלמה בנו אני היה [עם] לבבי לבנות בית לשם [ה'] אלהי וגו' לא תבנה בית לשמי כי דמים רבים שפכת : (יד) אשר בהעותו והוכחתיו בשבט אנשים . זה חדד

רש"י

(יא) ולמן היום אשר צויתי. מחובר על העליון ולא יוסיפו לענותו כאשר בראשונה קודם השופטים וכאשר עשו מימי השופטים עד כאן: והניחותי לך. יותר ויותר עד שתנוח מכל אויביך : והגיד לך ה'. היום ע"י כי בית יעשה לך להושיב בנך על כסאך ויתקיים לך בית המלכות והוא יבנה הבית :

רלב"ג

(יב) וזכר שזרע דוד אשר יקום אחריו יכונן את כסא ממלכתו עד עולם ואף על פי שיחטא לו לא יסור חסדו ממנו כדרך שהפסוק ממנו הממלכה לגמרי כמו שנפסקה משאול :

רד"ק

בני עולה לענותם והניחותי לך מכל אויביך :(יא) כי בית יעשה לך ה'. בית מלכות וכת"י ארי בית מלכו יקיים לך ה' : (יב) כי ימלאו. אינו לשון ברכה אלא פירושו כאשר ימלאו ימיך ותשכב את אבותיך אקיים את זרעך אחריך ויתכן לפרשו לשון ברכה בשרי שימות זקן מלא ימים והם חיי האדם הארוכים ברוב שהם שבעים שנה כמו שכתוב ימי שנותינו בהם שבעים שנה ודוד חיה שבעים שנה כמו שכתוב כי בן שלשים שנה דוד במלכו וארבעים שנה היה מלך וכן פירש את מספר ימיך אמלא כמו שכתבנו בפסוק או יומו יבא ומת. ובדרש כי ימלאו ימיך ימים שלמים אני מונה לך ולא ימים חסרים: אשר יצא ממעיך. מכאן שאבשלום ואדניהו לא היו כי כבר נולדו בחברון ומאשר נולדו עדיין אמר שיהיה מלך ועדיין לא ידע דוד מי הוא עד שנולד

מצודת ציון

כח): לענותו. מלשון עינוי : (יד) בהעיותו. מלשון כון: והוכחתיו.

מצודת דוד

ושכן במקומו : ולא ירגז: לא יחרד עוד לנוע ממנה : כאשר בראשונה. ר"ל קודם הקמת השופטים : (יא) ולמן היום. מוסב למקרא של מעלה לומר לא יענו עוד בימיך את ישראל כאשר ענו בראשונה עד לא הוקמו השופטים ובזמן השופטים : והניחותי לך. כי אניח לך מכל אויביך : והגיד לך ה'. עוד זאת עשה עמך ה' שהגיד לך שיעשה לך בית ר"ל בית מלכות לך ולזרעך אחריך וכאשר אמרה אביגיל כי עשה וגו' בית נאמן (ש"א כ"ה) וא"כ מה מאד היטב עמך ודי לך באלה אף אם לא תבנה הבית : (יב) כי ימלאו ימיך. אלא כאשר ימלאו ימיך וגו': (יג) הוא יבנה. כי אליו שמורה הגדלת השם בבנין ביתי : עד עולם. לזרעו אחריו : (יד) לאב. כמו האב המייסר את בנו בשבט ואל המיתו בל ישא נפשו : בהעיותו. כשיחטא לפני אייסרו בשבט ובנגעים שמייסרים להם ב"א :

Commentary Digest

In view of these contradictory sources, we may perhaps suggest that G-d's words of appeasement to David were but a means of easing the hurt that he undoubtedly suffered when he was denied the privilege that he so greatly desired. Years later David may have come to recognize this and proceeded to indicate to Solomon that his many battles were indeed the factor denying him the right to build the Temple. Similarly, in T.B. Ber. 28a we find that a vision seen by R. Gamliel was inaccurate and

as formerly. 11. And even from the day that I commanded judges to be over my people Israel; and I will give you rest from all your enemies. And the Lord has told you that the Lord will make for you a house. 12. When your days are finished and you shall lie with your forefathers, then I will raise up your seed that shall proceed from your body after you, and I will establish his kingdom. 13. He shall build a house for My name, and I will establish the throne of his kingdom forever. 14. I will be to him a father, and he shall be to Me a son; so that when he goes astray I will chasten him

Commentary Digest

days of his son. Once 'I will establish his kingdom (v. 12)' both conditions for building the Temple will be met. Hence 'He shall build a house for My name(v. 13).' — A and M.

While we are, at first glance, given the impression that David's role of warrior rendered him unworthy of building the Temple, the Midrashic view of G-d's reply to David has us draw a diametrically opposite conclusion. In P.R. we find recorded the following conversation between David and the Almighty:

After being notified that he was not to build the Temple, David stated: 'I am obviously deemed unfit to build the Holy Temple.' To which the Almighty replied: '[I swear] by your life that all the blood that you have shed has brought no more guilt upon you than shedding the blood of the ram and the gazelle. Retorted David: 'Master of the Universe, if so why do I not build it?: Answered G-d: 'It is known before me that the Israelites will, in time, sin. I will then let out my anger on the House so that the Israelites be spared. However, if you build the House it will never be destroyed.' 'But is this not good?' a surprised David queried. Answered G-d: 'It is better that I let out my anger on the House and destroy it, so that the Israelites be spared.' — P.R. Ch. 2. See R and Tosefot T.B. Kid. 31b for an identical thought.

It is however most perplexing that this Midrash is in direct contradiction to David's own charge to Solomon in I Chron. 22:6-8 in which he quotes G-d as saying . . . you shall not build a house for My Name, for much blood have you spilled on the ground before Me.'

בְּשֵׁבֶט אֲנָשִׁים וּבְנִגְעֵי בְּנֵי אָדָם׃
טו וְחַסְדִּי לֹא־יָסוּר מִמֶּנּוּ כַּאֲשֶׁר הֲסִרֹתִי
מֵעִם שָׁאוּל אֲשֶׁר הֲסִרֹתִי מִלְּפָנֶיךָ׃
טז וְנֶאְמַן בֵּיתְךָ וּמַמְלַכְתְּךָ עַד־עוֹלָם
לְפָנֶיךָ כִּסְאֲךָ יִהְיֶה נָכוֹן עַד־עוֹלָם׃
יז כְּכֹל הַדְּבָרִים הָאֵלֶּה וּכְכֹל הַחִזָּיוֹן
הַזֶּה כֵּן דִּבֶּר נָתָן אֶל־דָּוִד׃ יח וַיָּבֹא
הַמֶּלֶךְ דָּוִד וַיֵּשֶׁב לִפְנֵי יְהוָה וַיֹּאמֶר מִי

תרגום

גֻבְרִין וּבְמַרְדוּת בְּנֵי
אֲנָשָׁא׃ טו וְטוּבִי לָא
יַעְדֵי מִנֵיהּ כְּמָא
דְאַעְדֵיתִי מִן שָׁאוּל דִי
אַעְדֵיתִי מִן קֳדָמָךְ׃
טז וְקַיָים בֵּיתָךְ וּמַלְכוּתָךְ
עַד עָלְמָא קֳדָמָךְ כּוּרְסֵי
מַלְכוּתָךְ יְהֵי מְתַקַן עַד
עָלְמָא׃ יז כְּכָל פִּתְגָמַיָא
הָאִלֵין וּכְכָל נְבוּאֲתָא
הָדָא כְּדֵין מַלֵיל נָתָן עִם
דָוִד׃ יח וַאֲתָא מַלְכָּא
דָוִד וִיתֵיב קֳדָם יְיָ וַאֲמַר
לֵיהּ אֲנָא בְּמִסַת יְיָ

ת"א ויבא המלך: שבת קיג יומא סט סוטה מ מ"א זבחים קב (פסחים לב יומא מ סוטה כב):

רש"י

(יד) בשבט אנשים. זה הדד ורזון בן אלידע: ובנגעי בני אדם. זה אשמדאי שדחהו ממלכותו והשדים בני אדם הראשון הם שכל מאה ושלשים שנה שפירש אדם מאשתו במות הבל היו הרוחות מתייחמות ויולדות הימנו: (יח) וישב
(יח) מי אנכי. שהרימותני מן העפר ומי ביתי כי אמרת ונאמן ביתך: כי הביאותני עד הלם. שהעליתני למלכות:

מהר"י קרא

האדומי. דכתיב ויקם ה' שטן לשלמה את הדד האדומי: ובנגעי בני אדם. זה רזון בן אלידע: (טו) וחסדי לא יסיר ממני כאשר הסירותי מעם שאול. פי' כשיחטא אוכיחנו בשבט בני אדם אבל המלוכה לא אסור ממנו: (טז) ונאמן ביתך וממלכתך עד עולם. פי' אפי' אם אתה תחטא לא אקרע הממלכה מידך. ואתננה לבניך: לפניך. כמו בפני הבית. בעוד הבית קיים:

רד"ק

שלמה ושלח לו ביד נתן הנביא שיקרא שמו ידידיה אז ידע דוד כי שלמה ימלוך וזהו שאמר לבת שבע כי שלמה בנך ימלוך אחרי או אמר לו בפי' על ידי נתן הנביא ואף על פי שלא נאמר בנבואת נתן לא בזה הספר ולא בספר דברי הימים הנה כתיב בדברי הימים כשהיה מספר דוד הנבואה שאמר לו נתן כמו שאמר ויהי עלי דבר ה' לאמור וגו' כי שלמה יהיה שמו ושלום ושקט אתן אל ישראל בימיו: (יד) בשבט אנשים ובנגעי בני אדם. כמו שמיסרין בני אדם בניהם בשבט וינגעו אותם בשבט מוסר לא להמיתם כמו שאמר כי תכנו בשבט לא ימות ואל המיתו אל תשא נפשך לפיכך אמר אני אהיה לו לאב והוא יהיה לי לבן ואוכיחנו בהעוותו כמו שמיסר האב את בנו ולא שאסיר חסדי ממנו כמו שעשיתי לשאול שלקחתי ממנו המלכות אלא המלכות יהיה לבניו עד עולם ועל כל זרע דוד אמר לא על שלמה לבד אלא על רחבעם ועל היוצאים ממנו בניהם ובני בניהם ורבותינו ז"ל דרשוהו על שלמה ואמרו בשבט אנשים זה הדד ורזון בן אלידע שנאמר ויקם ה' שטן לשלמה וגו' ובנגעי בני אדם אלו המזיקין שטרדוהו ממלכותו כמו שאמרו בא אשמדאי וטרדו ממלכותו ופירש בני אדם כי אמרו כי השדים נולדו מאדם הראשון באותן ק"ל שנה שפירש מאשתו: (טז) ונאמן ביתך. נפעל עבר כמו ויתקיים מן ותקעתיו יתד במקום נאמן. ות"י וקיים ביתך: לפניך. כמו שהיא לפניך היום כסאך נכון כן יהיה עד עולם: (יח) וישב לפני ה'. לפני הארון וכאן סמכו רבותינו ז"ל שאין ישיבה בעזרה אלא למלכי בית דוד בלבד ומהם אמרו כי אף למלכי

רלב"ג

(יח) כי הביאותני עד הלום. ר"ל שהבאת אותי לזאת המעלה אשר אני בה היום והייתי קודם זה רועה צאן ומשם לקחתני וזאת די לך בזה אבל דברת גם אל בית עבדך למרחוק ר"ל שתתמיד הממלכה לי גם

מצודת דוד

(טו) וחסדי. אבל לא אסיר חסדי ממנו למאוס בו כאשר הסירותי חסדי מעם שאול אשר בעונו הסירותיו מלפניך לשתים אתה את מלכותו: (טז) ונאמן ביתך. וקיום ביתך וממלכתך תהיה עד עולם כמו שהוא היום לפניך כן והיה כסאך נכון עד עולם: (יז) כן דבר נתן. ר"ל עם שמתחילה הסכים על ידו ואמר לו כל אשר בלבבך לך עשה לא בוש לחזור ולמחות בו כדבר ה': (יח) לפני ה'. לפני

מצודת ציון

עניין מוסר ההכאה כמו ולוי להוכיח יסדתו (חבקוק א): בשבט. בשרביט: ובנגעי. ר"ל בהכאה וכפל הדבר במ"ש: (טז) ונאמן. עניין קיום כמו יתד במקום נאמן (ישעיה כב): (יז) החזיון. עניין

Commentary Digest

14. *with the rod of men* — "*This refers to Hadad, and Rezon the son of Elyada*" — R. The reference here is to the two adversaries of Solomon mentioned in I Kings, Ch. 11.

and with the stripes of the sons of Adam — "*This is the demon Ashmadai, who chased him from his throne. Now the demons are the children of Adam, since for the duration of one hundred and thirty years that Adam was estranged from his wife after the death of Abel, the spirits became heated* (*pregnant*) *and gave birth from him.*" — R from M.Ps. Ch. 78. The demon Ashmadai was Solomon's constant nemesis, who dethroned Solomon and ruled in his stead until discovered by the king's advisors. — See T.B. Git. 68b, and J on Eccles. I:12. The simple explanation of this verse is offered by K: While I dealt harshly with Saul, with your children I will act in a

with the rod of men, and with the stripes of the sons of Adam.
15. But My mercy shall not depart from him as I withdrew it from
Saul, whom I removed from before you. 16. And your house
and your kingdom shall be confirmed forever before you; your
throne shall be established forever." 17. According to all these
words, and according to all this vision, so did Nathan speak to
David. 18. And the king David went in and sat before the Lord;
and he said: "Who

Commentary Digest

was intended merely to ease his hurt over being forced to relinquish his position of Nasi.

Another manner of reconciling these contradictions is partially suggested by Ginsburg. While David states that G-d refused him the privilege to build the Temple because of his battles, nowhere does he indicate that He was displeased with them. The Midrash may well be suggesting that because of the vast merit of his combats, G-d denied him the right to build His house, the reasoning being the following: Solomon, who had attained peace and security for Israel, could be expected to do the same for the Shechinah. David, however, who had not yet achieved national security, could not be expected to do so. Hence his attempt was far more meritorious than Solomon's and would have assured that had the Temple been built by him it would never have been destroyed. This would have been catastrophic for the Israelite nation, for in the absence of a meaningful substitute, the nation rather than the Temple would have borne the brunt of G-d's anger. In this manner, David's fighting G-d's battles was indeed the cause for his being denied the right to build the Temple.

11. *And even from the day that I commanded* — "To be linked with the *preceding verse;* 'and shall not continue to afflict them as before' prior to the period of the Judges, and 'as they have done' from the days of the Judges until now." — R.

and I will give you rest — "more and more until you have rested from all your enemies." — R.

and the Lord has told you—"today, through me, that a house will be made for you by (setting) your son on your throne, and in this manner establish a house of royalty for you. Now he will be the one to build the house." — R. R is, interpreting the 'house' of this verse as a house of royalty.

That shall proceed out of your body — Neither Absalom nor Adoniyahu, but a child yet unborn, will be made heir to David's throne — K.

אָנֹכִי אֲדֹנָי יֱהֹוִה וּמִי בֵיתִי כִּי הֲבִיאֹתַנִי
עַד־הֲלֹם׃ יט וַתִּקְטַן עוֹד זֹאת בְּעֵינֶיךָ
אֲדֹנָי יֱהֹוִה וַתְּדַבֵּר גַּם אֶל־בֵּית־עַבְדְּךָ
לְמֵרָחוֹק וְזֹאת תּוֹרַת הָאָדָם אֲדֹנָי
יֱהֹוִה׃ כ וּמַה־יּוֹסִיף דָּוִד עוֹד לְדַבֵּר
אֵלֶיךָ וְאַתָּה יָדַעְתָּ אֶת־עַבְדְּךָ אֲדֹנָי

תרגום

אֱלֹהִים וּמַן בֵּיתִי אֲבִי
אַקִימְתַּנִי עַד הָלְכָא׃
יט וּזְעֵירַת עוֹד דָא קֳדָמָךְ
יְיָ אֱלֹהִים וּמַלֵּלְתָּא אַף
עַל בֵּית עַבְדָךְ לְעָלְמָא
דְאָתֵי וְדָא חַזְיָא לִבְנֵי
אֱנָשָׁא יְיָ אֱלֹהִים׃ כ וּמָה
יוֹסִיף דָוִד עוֹד לְמַלָּלָא
קֳדָמָךְ וְאַתְּ עַבְדָּךְ בְּעוּת
עַבְדָךְ יְיָ אֱלֹהִים׃
בדיל

מהר"י קרא

(יט) ותקטן [עוד] זאת בעיניך. שעשיתנו מלך, אלא ותדבר גם אל בית עבדך למרחוק שיהא ביתי קיים לעולם: וזאת תורת האדם, ובדברי הימים כתיב וראיתני כתור האדם המעלה, פי' בשורת האדם העליונ' שהמלכתני. וזה שקילם בתהלים מאשפות ירים אביון להושיבי עם נדיבים: (כ) ומה יוסיף דוד עוד לדבר [אליך] ואתה ידעת את עבדך. בנוהג שבעולם אדם מספר שבחו של חבירו והניח מקצת ממה שסיפר מחזיק לו טובה לפי שאינו יודע אם חבירו ששיבחו יודע בו עוד דברים של

רש"י

לפני ה'. לפני הארון: עד הלו'. שהמלכתני: (יט) גם אל בית עבדך. להמליך את בני אחרי: וזאת תורת האדם. בתמיה ראוי להתגבר כן לבשר ודם. ד"א עשית לי כמו שעשית לאה"ר שהראית לו דורות העתידים לצאת ממנו: (כ) ומה יוסיף דוד עוד לדבר אליך. מה אשאל עוד: ואתה ידעת את עבדך. נתת לי כל צרכי כמו יודע לדיק

רלב"ג

כשיחטא לך זרעי ויתרחקו ממך: (יט) והנה זאת תורת האדם בקלתם לדיקים וקלתם רשעים והשגחת כי שלא תאבד טובתך ומיבתך

רד"ק

בית דוד אין ישיבה שחרי למעלה אין ישיבה שנאמר שרפים עומדים ממעל לו וכתי' וכל צבא השמים עומדים עליו וכתיב בין העומדים האלה למעלה אין ישיבה ודוד יושב ומהו וישב לפני ה' מהם אמרו שסמך עצמו וכהם אמרו שישב עצמו בהתפלה: מי אנכי. שהייתי ראוי למליכה: ומי ביתי. בית אבי או אמר ביתי על בניו כלומר מי בבני שיהיה ראוי למלוכה: עד הלום. עד המקום הזה שנתתי לי המלוכה ולבני אחרי. ובדרש מי אנכי והלא מן עמוני ומואבי באתי עד הלום לא די שבאתי בקהל אלא שעשיתני מלך ואין הלום אלא מלכות שנאמר הבא עוד הלום איש ויאמר ה' הנה הוא נחבא אל הכלים: (יט) ותדבר גם אל בית עבדך למרחוק. שהייתי רחוק ונתקרבתי: ותקטן עוד זאת. המלכות שנתת לי ולא די בה אלא שדברת להת המלכות לבית עבדך עד עולם וזהו למרחוק וי"ת למרחוק לעלמא דאתי: וזאת תורת האדם. תכונת האדם כלומר זאת שדברת עלי תכונת האדם הגדול הוא ולא אדם שפל ונבזה כמוני כמו שאמר מי אנכי ומי ביתי וכן בדברי הימים וראיתני כתיר האדם המעלה וי"ת ודא חזיא לבני אנשא. ובדרש כתור האדם המעולה שבנביאים ואיזהו זה משה רבינו שנאמר ומשה עלה אל האלהים משה משובח שבנביאים ודוד משובח שבמלכים אתה מוצא מה שעשה משה עשה דוד משה הוציא את ישראל ממצרים ודוד הוציא את ישראל משעבוד מלכיות משה קרע לישראל את הים ודוד קרע לישראל את הנהרות שנאמר בהצותו את ארם נהרים וגו' ומשה נתן לישראל חמשה חומשי תורה ודוד נתן לישראל ה' ספרים שבתהלים: (כ) ואתה ידעת את עבדך. אתה ידעת לבב עבדך

מצודת ציון

ראיה כמו ואתה תחזה (שמות יח) ור"ל ראיית הנבואה: (יח) הלום. הנה כמו אל תקרב הלום (שם ג): (יט) תורת. ענין תואר ותכונה וכן אמר בזה בד"ה וראיתני כתור האדם המעלה (ד"ה א' י"ז) וקרוב לענין זה נאוו לחייך בתורים (ש"ה א) ור"ל הפנינים המסודרים בתואר ובתכונה יפה: האדם. ר"ל האדם המיוחד והמעולה: (כ) ידעת. ענין אהבה ורחמים כמו רק אתכם ידעתי (עמוס ג):

מצודת דוד

הארון: ומי ביתי. כי הלא מרות המואביה אני בא: עד הלום. עד המעלה שאני בה עכשיו: (יט) ותקטן. החסד הזה עוד קטנה היא בעיניך עד בדברת על בית עבדיך למרחוק ר"ל להדורות העתידים בתת המלכות לזרעי עד עולם: וזאת תורת האדם. מה שדברת עלי היא תכונת ותואר האדם הגדול במעלה המיוחד בבני אדם ולא תכונת אדם שפל ונבזה כמוני: (כ) ומה יוסיף. מעתה

bis take this as a reference to Moses, the greatest of the prophets, the only one who went up to God. Similarly, David was the greatest of the kings. You find that whatever Moses did David did. Moses took Israel out of Egypt, and David freed Israel from being subjugated by the nations. Moses split the Red Sea for Israel, and David split the rivers for Israel as it is said: "(Psalms 60:2) When he strove (midrashically interpreted as 'split') with Aramnaharaim and with Aram zobah." Moses gave Israel the five Books of the Torah, and David gave Israel the five Books of the Psalms. — Redak from Mid. Psalms 1:2

20. *And what more can David say?* — *"What more can I request."* — *R.*

for You know Your servant — *"You have provided me with all my needs. This is similar to: 'The righteous man provides the needs of his animal's soul,* (Prov. 12:10)." — R.

am I, O' Lord God, and what is my house, that You have brought me thus far?
19. As though this was yet too small a thing in Your eyes, O' Lord God; but You also spoke of Your servant's house from afar; now is this the manner of man, O' Lord God?
20. And what more can David say to You? For You know Your servant, O' Lord

Commentary Digest

different manner, as a father acts to a son. Although I will chasten them, I will never entirely remove my grace from them, thereby assuring that your house remain forever.

18. *and sat before the Lord — "Before the ark."*—R This interpretation follows the opinion that kings of the House of David were permitted to sit in the Temple (or Tabernacle) courtyard. Others maintain that even the king was forbidden to sit in the courtyard. They interpret the 'sitting before the Lord' as being engrossed in prayer before G-d. — K from M.Ps. I.

thus far — "that you have made me king" — R, K, and J.K. The Midrash takes David's words as an allusion to his Moabitic origin. As a descendant of Ruth the Moabitess (see Ruth 4:17), it would have sufficed had I but been allowed to enter the Israelite nation without having been brought as far as the throne. — K from M.Ps. Ch. I. See T.P. Yeb. Ch. 8h. 3 where it is indicated that the halachic ruling allowing a female from Moab to enter the Israelite nation had first been clarified in the time of Boaz.

19. *And as though this was yet too small* — It is as though giving me the kingdom was not enough. — Redak

also . . . of Your servant's house — "to make rule my son after me." — R.

from afar — To those distant generations to whom the throne has been assured — D. Even to those who have estranged themselves from You, You still promise the throne. — G.

and is this the manner of man — "in interrogative form. It is befitting to offer such tidings to flesh and blood? A second explanation is: You have done to me as You have done to Adam to whom You showed the generations that were destined to come forth from him." — R from unknown source. Perhaps alluded to in Seder Olam ch. 30. In this second interpretation, האדם is taken as a proper noun referring to אדם הראשון (Adam). Redak interprets this as a declarative sentence: now this is the manner of the man, i.e. of the greatest man, not of a humble person like me. The Rab-

כא בְּדִיל מֵימְרָךְ וּכְלִבָּךְ
עֲבַדְתָּא יָת כָּל רַבְרְבָתָא
הָדָא לְהוֹדָעָא יָת עַבְדָךְ:
כב עַל כֵּן רַב אַתְּ יְיָ
אֱלֹהִים אֲרֵי לֵית דִּכְוָתָךְ
וְלֵית אֱלָהָא בַּר מִנָּךְ
כְּכֹל דִּי שְׁמַעְנָא אֲמָרִין
קֳדָמָנָא: כג וּמַן כְּעַמָּךְ
כְּיִשְׂרָאֵל עַמָּא חַד בְּחִיר
בְּאַרְעָא דַּאֲזַלוּ שְׁלוּחִין

יְהוִֽה׃ כא בַּעֲבוּר דְּבָרְךָ וּכְלִבְּךָ עָשִׂיתָ
אֵת כָּל־הַגְּדוּלָּה הַזֹּאת לְהוֹדִיעַ אֶת־
עַבְדֶּךָ׃ כב עַל־כֵּן גָּדַלְתָּ יְהוִה אֱלֹהִים
כִּי־אֵין כָּמוֹךָ וְאֵין אֱלֹהִים זוּלָתֶךָ בְּכֹל
אֲשֶׁר־שָׁמַעְנוּ בְּאָזְנֵינוּ׃ כג וּמִי כְעַמְּךָ
כְּיִשְׂרָאֵל גּוֹי אֶחָד בָּאָרֶץ אֲשֶׁר הָלְכוּ־

ת"א ומי כעמך ישראל. ברכות ו חגיגה ג' בתרא יג סנהדרין לח לט: גוי אחד בארץ. זוהר אמור:

הל' דגושה

רש"י

נפש בהמתו (משלי י"ב י'): (כא) בעבור דברך. להקים מה שאמרת לשמואל להמליכני: ובלבך. רצונך הוא ולא שאני כדאי: להודיע את עבדך. הבשורה שבשרתני: (כג) אשר הלכו אלהים משה ואהרן שנאמר נתתיך אלהים לפרעה (שמות ו' ז') וכן ת"י דאזלין שלוחין מן קדם

מהר"י קרא

שבח. אבל אתה יודע מחשבות הלב ואתה ידעת את עבדך שלא שיבחתיך אחת מני אלף שיש בלבי לשבחך: (כא) בעבור דברך וכלבך. פי' לא בצדקתי אלא לקיים מה שדברת בקש ה' לו איש כלבבו ויצוהו לנגיד על עמו ישראל. ולהודיע את עבדך שאתה מקיים דיבירך: (כב) על כן גדלת ה' אלהים. פי' על אשר גדול אתה: (כג) ומי כעמך כישראל גוי אחד בארץ אשר הלכו אלהים לפדות לו לעם ולשום לו שם. פי' מי גוי אחד בכל הארץ אשר אלוהו של גוי המאמין בו הלך לפדות לו לעם כשגלם אל עם אחר כדי לשום לו שם כשעשית ממעונך שקצפת ממעונך מהלך חמש מאות שנה דכתיב וארד להצילו מיד מצרים. כדי לעשות לך שם. דכתיב וידעו מצרים כי אני ה' המוציא אתכם מתחת סבלות מצרים. ומי אלוה שמגיד מראש אל גוי שמאמין בו הנה אני בא לעשות לכם גדולות כאשר הגדת על ידי משה ושלחתי את ידי והכיתי [את] מצרים [בכל נפלאותי] וגו' ותתן אותות ומופתים זה צא את עמך מקרבם

רד"ק

ולא אדע לדבר מה שבלבי ואתה ידעת וי"ת ואת עבדת בעות עבדך פירוש ידעת כמו מה אדם ותדעהו: (כא) בעבור דברך וכלבך. בעבור דברך שאמרת לשמואל להמליכני וכלבך וכרצונך עשית כי אינני ראוי לכך אלא שאתה רצית בי. ויתכן לפרש גם כן בעבור דברך ורצונך ויהיה כפל דבר לחזק: את כל הגדולה. נכתב בוי"ו עם הדגש וחביריו כתבנו בספר מכלל ובחלק הדקדוק: להודיע את עבדך. כלומר רצית להודיע עבדך את כל הגדולה הזאת שדברת עלי ולזרעי אחרי: (כב) על כן גדלת ה' אלהים. על כן שאני משיג דעתך ורצונך ידעתי שגדלת על הכל ואין יודע מחשבותיך וידעתי כי אין כמוך ואין אלהים זולתך: ככל אשר שמענו באזנינו. ובכל אשר ידענו מלבנו הכרנו שאין כמוך ואין אלהים זולתך וי"ת ככל די שמענא אמרין קדמנא כלומר מה ששמענו אומרים הקדמונים אשר לפנינו על דרך שאל אביך ויגדך זקניך ויאמרו לך: (כג) ומי כעמך כישראל. כמו שאין כמוך באלהים כן אין כעמך ישראל בעמים: אשר הלכו אלהים. הלכו לשון רבים דרך כבוד כמו ישמח ישראל בעושיו ובדברי הימים אשר הלך האלהים וי"ת דאזלו שלוחין מן קדם ה'. ובדרש אשר הלך

רלב"ג

והסדך מזרעי בעבור הרשעים: (כב) על כן גדלת ה' אלהים וגו'. ר"ל שידיעת העתידות היא לך לבדך ואתה קרא הדורות מראש כמו שנזכר בספר ישעיה ואין כמוך שידע על נכון כל המתחדש כי לשאר השכלים ידיעות חלק מה מנימוס הנמצאות וסדרם ויושרם ואולם ידיעתו בכללות לא יתכן שתהיה כי אם לשם יתברך כמו שבארנו בחמישי מספר מלחמות ה': (כג) ומי כעמך כישראל גוי אחד בארץ. מיוחד לעבודת השם יתברך כי הוא הולך לפדותם לו לעם ולזה הרבה הנפלאות בהוציאו אותם מארץ מצרים למען יהיה לו לעם והוא יהיה להם לאלהי' ועשה גם כן נפלאות ונוראות בהורישו אותם ארץ ישראל: אבל פדית לך ממצרים גוים ואלהיו. ר"ל שהשמיתו ישראל גוים ואלהיו בעת ירשם הארץ או ירצה שהנוראות ההם שעשה מפני עמו קראם היה להשמית גוים וקראם להשמית אלהיהם כמו שהתבאר בענין דגון בראש זה הספר:

מצודת דוד

אין לי עוד דבר לשאול ממך לא עלי ולא על זרעי: ואתה. הואיל ואתה ידעת והאמת את עבדך לעשות לי כזאת מבלי שאלה ובקשה: (כא) בעבור דברך. ר"ל הנה אינני ראוי לכל הגדולה הזאת אולם בעבור גזירתך ורצונך עשית לי הגדולה הזאת ואף להודיע לי את כל אלה כאלו באה לתשלום גמול על מעשי והי' מתמיה בעצמו לומר וכי לא די לי החסד עד שגם הודעתני מה שיהיה אחרי: (כב) על כן. ר"ל בעבור שלא נשיג לדעת עומק מחשבות חסדך על כן ידענו כי מאוד גדלת ואין בינת אדם משגת תכלית מעשיך. ככדי להעריך ממנו עומק מחשבותיך: כי אין כמוך. ככל אשר שמענו. ככל הדברים הנפלאים אשר שמענו: (כג) ומי כעמך. ר"ל הואיל ואין זולתך א"כ מי ומי מעובדי כוכבים מאושר ומשובח כעמך ישראל

מצודת ציון

(כג) הלכו אלהים. לפי שבכ"מ נאמר אלהים בלשון רבים אמר גם הלכו בלשון רבים לזווג המלות וכן האלהים האדירים האלה (ש"א

Commentary Digest

J coincides with R only insofar as the Scripture refers to Moses and Aaron. He, however, explains א-להים as 'G-d', paraphrasing the words 'messengers of' to agree with the plural form. In I Chron. 17:21, the verse appears in the singular, referring to the Deity. — K

to redeem to Himself a people — *"This the messengers said to the Israelites. 'The Holy One blessed is*

their god has worked as many wonders as You have? — J.K.

whom G-d went — The plural הלכו (lit. — they went) leads R to interpret the אלקים of this verse not as 'G-d' but as: *"Moses and Aaron, as it is written: 'I have made you a ruler over Pharaoh* (Exod. 7:1). *'Now this is also J's interpretation;' whom messengers of G-d went . . .'"* — R from J.

God. 21. For the sake of Your word, and according to Your own heart, have you brought about all this greatness, to make Your servant know it. 22. Therefore You are great, O' Lord God; for there is none like You, neither is there any God beside You, according to all that we have heard with our ears. 23. And who is like Your people, like Israel, one nation in the world, whom God went

Commentary Digest

21. *for the sake of Your words* — *"to make stand that which You had spoken to Samuel to make me king."* — R.

and according to Your own heart — *"only because it is Your will and not because I merit it."* — R, K, and J.K.

According to M, David's words are a continuation of a theme initiated in v. 19. David was baffled by Nathan's appearance for the purpose of indicating the favors to be bestowed upon him. As it had heretofore been established the role of the prophet was either to forewarn one of impending doom in an attempt to bring him to repentance, or to advise regarding a matter of importance. In no instance was a prophet bequeathed the task of merely predicting good fortune upon an individual. Why then, were the usual restrictions upon the role of prophecy ignored here? David concluded that, because of the longevity bestowed upon his kingdom, this prophecy was not directed solely at him but was intended as a portrayal of the ultimate destiny of the Israelite nation as a whole. Viewed in this light, Nathan's prophecy may be equated with the manifold prophecies concerning אחרית הימים (the end of time) which comprise one of the essential themes of נבואה. In v. 19 David comes to this realization; 'You have spoken also of your servant's house from afar, and this is the law of all men.' This prophecy does not involve me alone, but all future generations as well. Here, too, this theme is picked up; 'It is not for my sake etc.', but involves a far broader plan.

to make Your servant know it — *"the glad tidings that you have brought me."* — R.

22. *Therefore You are great* — because You alone are able to predict the future — G. According to the interpretation of M cited above, David's astonishment was with the breadth of G-d's plans.

according to all that we had heard — None of the tales of your greatness which we have heard from our forefathers has been found to be exaggerated. All are completely true. — K from J.

23. *And who is like Your people, — like Israel, one nation* — dedicated to the service of G-d. — G. Which other nation can boast that

אֱלֹהִים לִפְדּוֹת־לוֹ לְעָם וְלָשׂוּם לוֹ שֵׁם
וְלַעֲשׂוֹת לָכֶם הַגְּדוּלָּה וְנֹרָאוֹת לְאַרְצֶךָ
מִפְּנֵי עַמְּךָ אֲשֶׁר פָּדִיתָ לְּךָ מִמִּצְרַיִם
גּוֹיִם וֵאלֹהָיו׃ כד וַתְּכוֹנֵן לְךָ אֶת־עַמְּךָ
יִשְׂרָאֵל לְךָ לְעָם עַד־עוֹלָם וְאַתָּה יְהוָה
הָיִיתָ לָהֶם לֵאלֹהִים׃ כה וְעַתָּה יְהוָה
אֱלֹהִים הַדָּבָר אֲשֶׁר דִּבַּרְתָּ עַל־עַבְדְּךָ
וְעַל־בֵּיתוֹ הָקֵם עַד־עוֹלָם וַעֲשֵׂה כַּאֲשֶׁר
דִּבַּרְתָּ׃ כו וְיִגְדַּל שִׁמְךָ עַד־עוֹלָם לֵאמֹר
יְהוָה צְבָאוֹת אֱלֹהִים עַל־יִשְׂרָאֵל וּבֵית

תרגום

מִן קֳדָם יְיָ לְמִפְרַק לֵיהּ לְעַם וּלְשַׁוָּאָה לֵיהּ שׁוּם וּלְמֶעְבַּד לְכוֹן רַבְרְבָן וַחֲסִינָן עַד דִּי עָלוּ לַאֲרַע בֵּית שְׁכִנְתָּךְ דִּיהַבְתְּ לְהוֹן מִן קֳדָם עַמָּךְ דִּי פְרַקְתָּא לָךְ מִמִּצְרַיִם גּוֹיִם וֵאלֹהָיו׃
כד וְאַתְקֵינְתָּא לָךְ יַת עַמָּךְ יִשְׂרָאֵל קֳדָמָךְ לְעַם עַד עָלְמָא וְאַתְּ יְיָ הֲוֵיתָא לְהוֹן לֶאֱלָהָא׃
כה וּכְעַן יְיָ אֱלֹהִים פִּתְגָמָא דִּי מַלֵּלְתָּא עַל עַבְדָּךְ וְעַל אֱנָשׁ בֵּיתֵיהּ אֲקִים עַד עָלְמָא וַעֲבֵיד כְּמָא דִּי מַלֵּלְתָּא׃
כו וְיִסְגֵי שְׁמָךְ עַד עָלְמָא לְמֵימַר יְיָ צְבָאוֹת אֱלֹהִים

ת"א אשר פדית לך. (סוכה מד):

הל' דגושה פתח בס"פ

מהר"י קרא

ותביאם לארצך כמו שאמור כאן ולעשות לכם הגדולה והנוראו' הללו: אשר פדית לך ממצרים גוים ואלהיו. תיבת גוי הנזכר בתחילת המקרא מוסב על גוים ואלהיו שבסוף המקרא וזה פי'. מי גוי ומי אלוה שגלה עמו אל עם אחר ובאו אלוהו לקחת לו גוי מקרב גוי כאשר עשית אתה כדכתיב או הנסה אלהים לבוא לקחת לו גוי וגו': (כד) ותכונן לך את עמך ישראל לך לעם. כדכתיב ולקחתי אתכם לי לעם: ואתה ה' היית להם לאלהים. שכל מי שנזדווג להרע להם רבת ריבם: (כה) ועתה ה' אלהים הדבר אשר דברת על עבדך ועל ביתו. שיהא נאמן ביתו

רש"י

ה': לפדות לו לעם. כך אמרו השלוהים לישראל הקב"ה שלחנו לפדות לו לעם ולשום לו שם ולעשות לכם הגדולה: ונוראות עשית לארצך לאחר שיצאו משם ומה הם הנוראות מפני עמך לגרש גוים ואלהיהם ומקרא זה חסר לגרש (ובדה"י א' י"ז כ"א) פירשו לגרש מפני עמך אשר

רד"ק

האלהים זה הקב"ה אשר הלכו האלהים זה משה ואהרן: ולשום לו שם. פי' לו כלומר לאלהים להגדיל בפי בני אדם אשר לא ידעוהו כמו פרעה שאמר מי ה' אשר אשמע בקולו לשלח את ישראל לא ידעתי את ה' וגו' לפיכך אמר האל ואכבדה בפרעה וזהו ולשום לו שם ובדברי הימים לשום לך שם: ולעשות לכם. כנגד ישראל ידבר: הגדולה. גם זה בוי"ו עם חדגש: לארצך. כנגד ישראל או כנגד השם ופי' עשית להם גדולה ונוראות עד שבאו לארצך וכת"י עד די עלו לארע בית שכינתך דיהבת להון: מפני עמך. כשבאו לארצך גרשת יושבי הארץ הזאת מפני עמך ונוראות שעשית להם וכן הוא בדברי הימים לגרש מפני עמך: גוים ואלהיו. פי' מהגוים ומאלהיו ומ"ם ממצרים משמשת במקום שנים ושלשה או פירוש והכית גוים ואלהיו כמו שכתוב ובכל אלהי מצרים אעשה שפטים או פי' גוים על ישראל כלומר אשר פדית ממצרים גוים וזקיניי וגדוליו ואמר גוים בלשון רבים כלומר משפחות ישראל כמו בנימן בעממיך ואלהיו כמו אלהים לא תקלל שפי' שופטים ויונתן לא תרגם גוים ואלהיו ואפשר שהיה דעתו כדע' מקצת רבותינו ז"ל שפי' ואלהיו על השם יתברך על דרך בכל צרתם לו צר

מצודת ציון

ד') וכמוהו רבים: ממצרים גוים ואלהיו. המ"ם של ממצרים תשמש על גוים ועל ואלהיו וכאלו אמר ממצרים מגוים ומאלהיו:

מצודת דוד

אשר המה גוי מיוחד כאחד: לפדות לו לעם. לפדות ממצרים להיות לו לעם: ולשום לו שם. לפרסם את שמו בעולם: ולעשות לכם. לישראל ידבר בלשון נוכח: ונוראות לארצך. לעשות נפלאות מראות לארץ בעת הכיבוש לגרשם מפני עמך וכו' והוא מקרא קצר: גוים ואלהיו. מגוים והם אנשי מצרים ומאלהיו ולא יכלו להחזיק בהם לא הם ולא אלהיהם: (כד) עד עולם. כי לא יחליפם ולא ימיר אותם: (כה) הקם עד עולם. שיהיה עד עולם המלכות מזרעו: (כו) ויגדל שמך. ובזה יגדל שמך עד עולם כי יאמרו הכל שעד עולם הוא אלהי ישראל ואף בית דוד נכון לפניו למנוחה עד

to redeem for Himself as a people, and to make Him a name, also to accomplish for you the greatness and fearful things for Your land, [in driving out] from before Your people, whom You did redeem for Yourself out of Egypt, [the] nations and their gods? 24. And You did establish to Yourself Your people Israel to be a people unto You forever; and You, Lord, became their God. 25. And now, O' Lord God, the word that You have spoken concerning Your servant and concerning his house, confirm it forever, and do as You have spoken. 26. And let Your name be magnified forever, that it may be said: 'The Lord of Hosts is God over Israel; and the house

Commentary Digest

He sent us to redeem to Himself a people, and to make to Him a name, and to accomplish for you the greatness." — R. In Egypt, G-d's name became glorified in the eyes of those who had previously denied knowledge of Him, as witnessed by Pharoah's statement to Moses and Aaron: 'Who is this Lord that I should harken to his voice? (Exod. 5:2). — K.

and fearful things — "You did for Your land after they came out of there (Egypt). Now what were these fearful things that You did from before Your people? To drive out nations and their gods. This verse appears to be missing the word לגרש *(to drive out), since in* I Chron. 17:21 *it specifies; 'to drive out from before Your people nations and their gods.' However it is not missing; for when the text states: 'from before your people . . . nations', we may infer from it banishment and driving out"* — R. R's intrrpretation has 'nations and their gods referring back to 'fearful things for the land.' K, however, relates it to: 'You did redeem to You out of Egypt from the nations and their gods.' According to this interpretation, the plural 'nations' is in reference to the mass of Egyptians. According to the Midrash, 'nations' refers to the Israelite masses, while the singular אלקיו (lit. — his G-d) speaks of the Almighty. G-d went to redeem Himself together with His people for when they were enslaved He too felt enslaved. Compare with Commentary Digest above 5:24.

26. *over Israel . . . of Your servant David* — In this prayer, wherein David beseeches G-d to materialize the greatness assured him by Nathan, a strong concern for the destiny of

עַבְדְּךָ דָוִד יִהְיֶה נָכוֹן לְפָנֶיךָ׃ כז כִּי־אַתָּה
יְהוָה צְבָאוֹת אֱלֹהֵי יִשְׂרָאֵל גָּלִיתָה
אֶת־אֹזֶן עַבְדְּךָ לֵאמֹר בַּיִת אֶבְנֶה־לָּךְ
עַל־כֵּן מָצָא עַבְדְּךָ אֶת־לִבּוֹ לְהִתְפַּלֵּל
אֵלֶיךָ אֶת־הַתְּפִלָּה הַזֹּאת׃ כח וְעַתָּה ׀
אֲדֹנָי יֱהֹוִה אַתָּה־הוּא הָאֱלֹהִים
וּדְבָרֶיךָ יִהְיוּ אֱמֶת וַתְּדַבֵּר אֶל־עַבְדְּךָ
אֶת־הַטּוֹבָה הַזֹּאת׃ כט וְעַתָּה הוֹאֵל
וּבָרֵךְ אֶת־בֵּית עַבְדְּךָ לִהְיוֹת לְעוֹלָם
לְפָנֶיךָ כִּי־אַתָּה אֲדֹנָי יֱהֹוִה דִּבַּרְתָּ
וּמִבִּרְכָתְךָ יְבֹרַךְ בֵּית־עַבְדְּךָ לְעוֹלָם׃
ח א וַיְהִי אַחֲרֵי־כֵן וַיַּךְ דָּוִד אֶת־פְּלִשְׁתִּים

תרגום

עַל יִשְׂרָאֵל וּבֵית עַבְדָּךְ
דָוִד יְהֵי מְתַקַּן קֳדָמָךְ׃
כז אֲרֵי אַתְּ יְיָ צְבָאוֹת
אֱלָהָא דְיִשְׂרָאֵל חֲוֵיתָא
לְעַבְדָּךְ לְמֵימַר מַלְכוּ
אֲקִים לָךְ עַל כֵּן הֲוָת
בְּלִבָּא דְעַבְדָּךְ לְצַלָּאָה
קֳדָמָךְ יַת צְלוֹתָא הָדֵין׃
כח וּכְעַן יְיָ אֱלֹהִים אַתְּ
הוּא יְיָ וּפִתְגָמָךְ אִינוּן
קְשׁוֹט וּמַלֵּלְתָּא עַל
עַבְדָּךְ יַת טָבְתָא הָדָא׃
כט וּכְעַן שְׁרֵי וּבְרִיךְ יַת
בֵּית עַבְדָּךְ לְמֶהֱוֵי
לְעָלְמָא קֳדָמָךְ אֲרֵי אַתְּ
יְיָ אֱלֹהִים מַלֵּלְתָּא
וּמִבִּרְכָתָךְ יִתְבָּרְכוּן בָּתֵּי
עַבְדָּךְ צַדִּיקַיָא לְעָלָם׃
א וַהֲוָה בָּתַר כֵּן וּמְחָא
דָוִד יַת פְּלִשְׁתָּאֵי
ותברינון

ת"א ומברכתך יבורך. ברכות נא:

רש"י

פדית ממצרים גוים ואלהיו ואינו חסרון כי ממשמע שנאמר מפני עמך גוים אנו שומעין ל' טרודין וגירושין: (כח) אתה הוא האלהים. שליט ויש בידך יכולת לקיים: (כט) הואיל. רצה:

מהר"י קרא

וממלכתו קיים עד עולם לפניך: (כז) כי [אתה] ה' [צבאות אלהי ישראל] גליתה את אזן [עבדך] לאמר בית אבנה לך על כן מצא עבדך את לבו להתפלל לפניך את התפלה הזאת. אבל אם לא פתחת בדבר שיהא בני יושב על כסאי תחתי עד עולם מה זכות יש בידי שימלאני לבי להתפלל שיהא מלכותי קיים לעד די לי שלא תקרע מלכות מידי. אבל לפי שפתחת אתה בדבר תחלה שאמרת והקימותי את זרעך אחריך אשר יצאו ממעיך והקימותי את ממלכתי וגו':

ח (א) ויך דוד [את] פלשתים ויכניעם. סמך פרשה זו לענין של מעלה. ללמדך ששמר הקב"ה את הבטחתו שאמר

רד"ק

ואמרו גוים ואלהיו כביכול שהוא פדוי עמהם מפני זה לא תרגמו: (כז) בית אבנה לך. כתרגומו מלכו אקיים לך: על כן מצא עבדך את לבו. מצאו מכוון להתפלל אליך: (כח) ודבריך יהיו אמת. דרך תפלה אמר או פי' הם אמת וכת"י אינון קשוט: (כט) הואל. ענין רצון וחפץ כמו ויואל משה הואל נא ולין הנה נא הואלתי. וי"ת לשון התחלה שרי כמו שתרגם אונקלוס הנה הואלתי הראשון שריתי: להיות לעולם לפניך. שיהיו עובדים לפניך: בית עבדך לעולם. על עצמו אמר כמו האחרים וי"ת

מצודת דוד

עולם ואין בו הלילה הסתמות לחזור מדבריו: (כז) כי אתה וגו' גליתה. ר"ל הואיל והודעתני שתבנה לי בית מלכות לזה מלאני את לבי להתפלל עליה ולולי זאת לא ערב לבי לגשת להתפלל על דבר גדול כזה: (כח) אתה הוא האלהים. א"כ בידך הכח למלאות דבריך: ודברך יהיו אמת. גם ידעתי אשר תקיים דברך: ותדבר וגו'. גם ידעתי שאתה ה' דברת עלי הטובה הזאת כי דברי נתן הנביא דבר ה' המה: (כט) ועתה. ר"ל והואיל וכן הוא א"ל מעתה להתפלל עוד על הדבר אולם שאלתי היא הואל נא וברך וכו': להיות לעולם לפניך. ר"ל ברכם במתנת לב טהור ללכת בתורתך בכדי שיהיו ראוים לקבל החסד הגדול כזה: כי אתה וגו' דברת. ולא ישוב ריקם ואף אשאל שבית עבדיך יבורך מברכותיך לעולם להיות ירא' ה' ומושבי שמו לבלתסור המטב' כפינס:

מצודת ציון

(כז) מצא. ענין הזמנה וכן ואת העולה המליאו (ויקרא ט'):
(כט) הואל. רצה וחפץ כמו ויואל משה (שמות ב):

Commentary Digest

word. David merely petitioned G-d to assure him that his children would merit all that had been bestowed upon them. Accordingly, this desire to'continue forever before You,' is to be understood, not as a plea to remain permanently on the throne, but as a desire to remain forever righteous before G-d.

CHAPTER 8

1. *After this* — After Nathan's prophecy. — M. Because David was told that he had not yet attained peace, despite the fact that all of

of Your servant David shall be established before You. 27.
For You, O' Lord of Hosts, the God of Israel have revealed
to Your servant's ear saying: 'A house I will build you';
therefore has your servant found in his heart to pray unto
you this prayer. 28. And now, O Lord God, You [alone]
are God, and Your words are truth, and You have spoken
unto Your servant this good thing. 29. And now let it
please You to bless the house of Your servant, that it may
continue forever before You; for You, O' Lord God, has
spoken it, and through Your blessing let be blessed the
house of Your servant forever."

8

1. And it came to pass after this, that David smote the Philistines

Commentary Digest

the entire nation may also be discerned. According to A, David recognized a strong parallel between the greatness bestowed upon him and the benevolence shown the nation as a whole. David was promised a great name (כשם הגדולים), just as the nation had been granted a great name (ומי כעמך כישראל גוי אחד בארץ). He was assured continuity for his kingdom (וכוננתי את כסא ממלכתו עד עולם); likewise the Israelite nation had the gift of perpetuality bestowed upon them (ותכונן לך את עמך ישראל לך עד עולם). The fate of the nation as a whole had become so intertwined with his personal fate that prayer for one inevitably had to include prayer for the other.

27. *have revealed to Your servant* — Had you not chosen to reveal it, I would never have dared offer this prayer — D, and J.K.

28. *You (alone) art God.—"a ruler, and You have the power to fulfill."* — R.

are truth — In present tense. — J, and K. An alternate suggestion of K has it as a prayer: 'and may Your words be truth.'

29. *"please you."* — R, K, and Z. J interprets הואל as 'begin,' rendering; And now begin to bless.'

continue forever before You — A contends that David never questioned the validity of Nathan's prophecy, for had he done so it would have constituted disbelief in the prophetic

וַיַּכְנִיעֵם וַיִּקַּח דָּוִד אֶת־מֶתֶג הָאַמָּה
מִיַּד פְּלִשְׁתִּים: ב וַיַּךְ אֶת־מוֹאָב וַיְמַדְּדֵם
בַּחֶבֶל הַשְׁכֵּב אוֹתָם אַרְצָה וַיְמַדֵּד
שְׁנֵי־חֲבָלִים לְהָמִית וּמְלֹא הַחֶבֶל
לְהַחֲיוֹת וַתְּהִי מוֹאָב לְדָוִד לַעֲבָדִים
נֹשְׂאֵי מִנְחָה: ג וַיַּךְ דָּוִד אֶת־הֲדַדְעֶזֶר
בֶּן־רְחֹב מֶלֶךְ צוֹבָה בְּלֶכְתּוֹ לְהָשִׁיב

וְתַבְּרִינוּן וּנְסִיב דָוִד יַת
תִּקוּן אַמְתָא מִידָא
דִפְלִשְׁתָּאֵי : ב וּמְחָא יַת
מוֹאֲבָאֵי וּמְשַׁח לְהוֹן
בְּעַדְבָא רְמֵי יַתְהוֹן
לְאַרְעָא וּמְשַׁח תְּרֵין
חַבְלִין לְמִקְטַל וּמְלֵי
חַבְלָא לְאַחָאָה וַהֲווֹ
מוֹאֲבָא לְדָוִד לְעַבְדִין
נָטְלֵי פְרָם : ג וּמְחָא דָוִד
יַת הֲדַדְעֶזֶר בַּר רְחוֹב
מַלְכָּא דְצוֹבָא כַּד אֲזַל

ת"א ויך את מואב. סנהדרין לט: שני חבלים. זוהר דברים : להשיב ידו . נדרים לו :

מהר"י קרא

לדוד והניחותי לך : ויקח דוד את מתג האמה מיד פלשתים . ובדברי הימים כתיב ויקח דוד את גת ובנותיה מיד פלשתים . למדנו שמתג האמה האמור כאן הוא גת האמור כאן . וקורא לגת פלשתים מתג האמה לפי שהוא חוזק המלכות כדרבן הזה שמחזיק בו האדם ימת את הבהמה לכל אשר יחפוץ. כך כל מי שהוא מושל בגת פלשתים ימשול בכל יושבי הים הגדול הוא ים פלשתים . מתג. פתרונו דרבן . מתג האמה . פתר' כשיעור שאדם יכול להושים את זרועו עם המתג שבידו לקח דוד את גת מיד פלשתים הוא גת ובנותיה שאף ערי הפרזי שסביבות גת לגת תחשב כמו שנחשב כקומו של אדם בכל מקום שיכול לפשוט אמת זרועו למזרח ולמערב לצפון ולדרום : (ב) ויך את מואב וימדדם בחבל . ומחא ית מואבאי ומשח להון בעדבא . שם היו שלשת אלפים לקח שלשה אלפים פיתקין וכתב באלף מהם חי חי ושני אלפים חלקים , וטרפם בקלפי כל מי שיעלה בידו חי יעמוד חי . וכל מי שיעלה בידו חלק משכיבו ארצה והורגו : (ג) להשיב ידו . ובדברי הימים כתיב להציב ידו .

רש"י

ח (א) מתג האמה . (ובדברי הימים א' י"ח א') כתיב ויקח דוד את גת מיד פלשתים והיא נקראת מתג האמה על שם שהיא מקל רודה בכל הפלשתים מטרפולין של מלכים שלא מצינו בכל סרני פלשתים בעזה ובאשד' ובעקרון ובאשקלון שם מלכות אלא בגת מצינו אכיש מלך גת: מתג. אגוולו"ן בלע"ז: האמה. הוא המרדע של עץ: (ב) וימדד שני חבלים להמית. לפי שהרגו את אביו ואת אמו ואחיו שנא' וינחם את פני מלך מואב(שמואל א' כ"ב ד') ולא מצינו שיצאו משם : (ג) בלכתו. כשהלך הדדעזר : להשיב ידו . כתרגומו לאשגאה תחומיה שכבש מן הארץ

רלב"ג

(א) את מתג האמה מיד פלשתים . הנה כתוב במקומו בספר דברי הימים את גת ובנותיה ואולי היה זה המחוז נקרא מתג האמה והנה כמואב מדד שני חבלים להמית ומלא החבל להחיות ואמרו רז"ל שהיה בעבור שהמיתו אביו ואמו כי כבר הביאם אל מלך מואב כמו

רד"ק

ומברכתך יתברכון בתי עבדך צדיקיא: (א) את מתג האמה . י"ת ית תיקון אמתא אולי היתה אמת המים עוברת בעיר תקנו איתו לבא מחוץ לעיר אל העיר לפיכך נקראת העיר מתג האמה ובמקומו בדברי הימים את גת ובנותיה מיד פלשתים גת ובנותיה היו נקראים בכלל מתג האמה ויש בו מדרש בבריתא דרבי אליעזר פר' שלשים וששה כשבא אבימלך ליצחק ואמר לו ראה ראינו כי היה ה' עמך וגו' אמרו יודעים אנו שעתיד הקב"ה ליתן לך ולזרעך את כל הארצות האלה כרות עמנו ברית שבועה שאין זרעך יורש את ארץ פלשתים וכרת עמהם ברית שבועה מה עשה יצחק כרת אמה אחת ממתג החמור שהיה רוכב עליו ונתן להם שיהיה בידם אות ברית שבועת וכשמלך דוד רצה לבא בארץ פלשתים ולא היה יכול מכח אות הברית משבועת יצחק עד שלקח מהם אותו הברית שנאמר ויקח דוד את מתג האמה מיד פלשתים ואחר כך לקח ארץ פלשתים : (ב) וימדדם בחבל השכב אותם ארצה. דרך נקמה ובזיון ת"י חבל עדבא כלומר גורל וחלק. ואמרו בדרש כי עשה זה בעבור שהמיתו אביו ואמו ואחיו כשנחה אותם בארץ מואב כשהיה בורח מפני שאול כמו שאמר וינחם את פני מלך מואב וגו' וכשיצא דוד משם והלך לעיר חמת הרג מלך מואב אביו ואמו ואחיו חוץ מאחד שברח והחייהו נחש העמוני הוא החסד שאמר דוד כאשר עשה אביו עמדי חסד : ותהי מואב . עדת מואב : נושאי מנחה . ת"י נטלי פרס כלומר שהיו נושאין לו מס ידוע בכל שנה : (ג) בלכתו להשיב ידו בנהר פרת. כשהלך

מצודת ציון

ח (א) מתג . הוא כעין רסן עשויה להנהיג בה הבהמה כמו מתג לחמור (משלי כ"ו) : האמה . אמת הזרוע וכן כאמת איש (דברים ג') : (ב) ומלא החבל . מדת חבל שלם: (ג) להשיב. מלשון

מצודת דוד

ח (א) מתג האמה . ובד"ה נאמר גת ובנותיה ואולי מתג האמה הוא שם כולל לגת עם בנותיה ונקראה כן על היותה מטרפולין בארץ פלשתים ובכל חמשת עריהם הגדולים לא היה מלך כ"א בגת וכולם היו סרים למשמעתו ונתונים בידו כמתג החמור הנתונה באמת ידי איש להוליכו לכל אשר ירצה : (ב) וימדדם בחבל . וחוזר ומפרש איך מדדם ואמר שהשכיבם בארץ וכו' : נושאי מנחה . היו מביאים לו מנחה שנה בשנה : (ג) בלכתו להשיב ידו . כשהלך להשיב מקומו לאחוז להרחיב גבול ארצו :

Commentary Digest

suggests that David had the Moabites line up and prostrate themselves on the ground. Seeing the length of this line to be three cord-lengths, he measured off two cord-lengths, with the intention of putting two-thirds of the Moabites to death. An alternate explanation is provided by J who translates חבלים as 'lots.' According to this interpretation, all the captured Moabites were required to draw lots. Those choosing lots with the word 'live' on them were allowed to remain alive while the remainder were forced to lie on the ground where they were killed.

and he subdued them; and David took Metheg-ammah out of the land of the Philistines. 2. And he smote Moab, and measured them off with a line, making them lie down on the ground; and he measured two cord-lengths to put to death, and one full cord-length to keep alive. And the Moabites became as servants to David, bringing presents.
3. And David smote Hadadezer the son of Rehob, king of Zobah, as he went to extend

Commentary Digest

Israel's enemies had been humbled, he logically concluded that now he was expected to take the initiative against Israel's former oppressors — A and M.

2. *Metheg-ammah* — "*Now in I Chronicles* 18:1, *it is written*: '*And David took Gath out of the hand of the Philistines*'. *It* (*Gath*) *is called Metheg-ammah* (lit — an ox-goad) *because it was the rod that governed over all of the Philistines.* [It was] *a metropolis of Kings; since we do not find among all the Philistine lords of Gaza, Ashdod, Ekron, and Ashkelon, a name of a kingdom except in Gath where we find Achish the king of Gath.*" — R.

The Midrash translates Metheg-ammah as a bridlepiece measuring one 'Ammah' (cubit) in length. When Abimelech met with Isaac (Gen. 26) he sought to enact a covenant guaranteeing his nation's safety from the Israelites who he knew would come to conquer the surrounding lands. Isaac consented and proceeded to remove a piece of bridle from his donkey as a remembrance of this covenant. David, before setting out to battle the Philistines, removed the bridlepiece from Philistine hands in order to erase any sign of this treaty. — P.E. Ch. 36.

Luria, in his commentary on P.E. points out that it was not the mere removal of the bridlepiece that revoked the covenant. This treaty had long been broken by prior Philistine aggression. David's motive for seizing this sign was simply to remove from Philistine hands the possibility of gaining world sentiment by exhibiting the bridle as evidence of Israelite treachery. — Luria on P.E. Ch. 36. See Commentary Digest above 5:9.

metheg — "*Agojjlon in French.*" R.

ammah — "*a wooden ox-goad.*" — R

2. *and he measured two cord-lengths* — "*because they had killed his father, mother, and brothers. For it states; And he led them before the king of Moab* (I Sam. 22:4) *and we do not find mention of their departure from there.*" — R, K, and A from N.R. Ch. 14.

two cord-lengths — A and Z. A

ידו בנהר*: ד וילכד דוד ממנו אלף
ושבע־מאות פרשים ועשרים אלף
איש רגלי ויעקר דוד את־כל־הרכב
ויותר ממנו מאה רכב: ה ותבא ארם
דמשק לעזר להדדעזר מלך צובה ויך
דוד בארם עשרים־ושנים אלף איש:
ו וישם דוד נציבים בארם דמשק ותהי
ארם לדוד לעבדים נושאי מנחה
וישע יהוה את־דוד בכל אשר הלך:
ז ויקח דוד את שלטי הזהב אשר היו

תרגום

לאשנאה תחומיה בנהר
פרת: ד ואסר דוד מניה
אלף ושבע מאה פרשין
ועשרין אלפין גבר רגלי
ועקר דוד ית כל
רתיכיא ואשאר מנהון
מאה רתיכין: ה ואתו
אנש ארם דמשק
למסעד להדדעזר מלכא
דצובה ומחא דוד בארם
עשרין ותרין אלפין
גברא: ו ומני דוד
אסטרטיגין בארם
דמשק והוו אנש ארם
לדוד לעבדין נטלי פרס
ופרק יי ית דוד בכל
אתר די הליך: ז ונסיב
דוד ית שלטי דדהבא
דהוו

ת״א ויעקר דוד. (סנהדרין כ):

* פרת קרי ולא כתיב

רש״י

חוץ לגבול ארצו והרחיב את גבולו: (ד) ויעקר דוד את כל הרכב. משום לא ירבה לו סוסים (דברים י״ז ד׳): ויותר ממנו מאה רכב. שהיו צריכין לו לכדי מרכבתו והרכב ארבע סוסים כמו שנאמר מרכבה בשש מאות כסף וסוס בחמשים ומאה (דברי הימים ב׳ א׳ ע״ז) כאן למדנו שהרכב ארבעה סוסים: (ז) שלטי הזהב. הם אשפתות שנותנים בהם החצים כמה דאת אמר הברו החצים מלאו

מהר״י קרא

ופתר׳ בלכתו להעמיד ממשלתו בנהר פרת. שהלך לכבוש אל תחת ידו אומות היושבים אל נהר פרת: (ד) ויעקר דוד את כל הרכב. לקיים מה שנאמר לא ירבה לו סוסים:

רד״ק

הדדעזר להשיב גבולו בהר פרת שהיה משיג גבול ישראל להרחיב גבולו בארצם וכת״י לאשנאה תחומיה ובספר דברי הימים להציב ידו אף על פי שהם שני לשונות הענין אחד והדדעזר עזר בתחלה לישראל ולקח מארצם על כן אמר דוד במזמור אלהים זנחתנו פרצתנו הרעשה ארץ פצמת׳ וגו׳ ועתה בא להעמיד גבולו עד מקום שכבש מא״י סמוך לנהר פרת והתחזק דוד עליו ברצון האל והכהו: (ד) וילכד דוד ממנו. ולא אמר ויך נראה כי לא הכה מהם אלא אשר הכה בהלחמו עליהם ובהתגברו עליהם לנצחם לכד מהם הסך הזה שאמר להם ולקח מהם פדיון נפשם וכן ת״י וילכד ואסר כלומר אסרם בכבלים עד שפדו עצמן: אלף וז׳ מאות פרשי׳ ועשרים אלפים איש רגלי. ובדברי הימים אלף רכב ושבעת אלפים פרשים הנה מנה השרים הגדולים אשר במחנה הדדעזר ושם מנה כל הרכב והפרשים וכן לא זכר הנה מניין הרכב ושם זכר אותם והרגלים זכרם הנה ולא זכרם שם: ויעקר דוד. לפי שהוא אסור לו להרבות סוס כמו שכתוב ולא ירבה לו סוסים ולא המיתם כי אסור להשחית דבר נברא דרך השחת׳ אם לא היה מזיק או דבר שאסור בהנאה או למחות זכר כמו בעמלק שנאמר בו משור עד שה מגמל ועד חמור ועקר׳ כדי שלא יקחו מהם אנשי החיל והעיקור הותר בסוסי האויבי׳ כדי שלא ילחמו בהם עוד לישראל כמו שצוה האל ליהושע את סוסיה׳ תעק׳ והעקו׳ שהוא מנשל פרסותיה׳ מתארכוב׳ ולמטה שלא תוכל לזוז ממקומו: ויותר ממנו מאה רכב. הם ארבע מאות סוס הותירם לצרכו כדי מרכבתו כי לא אסרה תורה להרבות סוס אלא סוסים בטלים כדי שלא יהיו ישראל רגילים ללכת למצרים כי משם היו מביאין הסוסים לפיכך לא יהיו לו סוסים בטלים אלא כדי צרכו: (ה) ארם דמשק. לפי שיש ארם צובה ארם נהרים ארם מעכה ארם בית רחוב: (ו) נושאי מנחה. כתרגומו נטלי פרס כמו שפי׳: (ז) שלטי הזהב. מגיני הזהב אשר היו על

רלב״ג

שנזכר במה שקדם אלא שאם היה הענין כן יהיה פי׳ וישבו עמו כל ימי היות דוד במלוכה כי מאז הפרך דוד מהם לא שמרו להם והמיתם: (ד) ויעקר דוד את כל הרכב. עשה זה כדי שלא ירבה לו סוסים כמו שאלה המלוה בזה בתורה: (ו) וישם דוד נציבים בארם דמשק. הם מאנשיו מושלים בהם כי כבר היה ארם לדוד לעבדים:

מצודת דוד

(ד) ויעקר. משום שנאמר ולא ירבה לו סוסים (דברים י״ז): (ו) נציבים. פקידים וממונים לגבות המס ולמשול בהם:

מצודת ציון

הנהר: ידו. מקומו: (ד) פרשים. הם רוכבי הסוסים הרגילים בזה: ויעקר. הסיר העיקר והם הרגלים שהם העיקר בבהמה וכן סוסיהם תעקר (יהושע י״א): רכב. הם מד׳ סוסים: (ו) נציבים. פקידים וממונים: (ז) שלטי. כעין מגן: אל עבדי. על עבדי:

Commentary Digest

they were military men assigned to keep the Arameans disarmed and incapable of renewing the battle with Israel.

7. *the quivers of gold* — Based on R's translation: "*these are the quivers of gold in which arrows are placed, similar to the saying* (*lit.* — *what you say*): *'make bright the arrows, fill up the quivers* (Jer. 51:1)'." K and Z, however, interpret it as 'shields of gold.' "*All these chapters are con-*

his dominion to the Euphrates River. 4. And David captured from him, one thousand and seven hundred horsemen, and twenty thousand footmen; and David houghed all the chariots [horses] and left over of them for a hundred chariots. 5. And Aram of Damascus came to aid Hadadezer, king of Zobah; and David smote of Aram, twenty-two thousand men. 6. And David placed governors in Aram of Damascus; and the Arameans became servants to David, paying tribute to him. And the Lord helped David wherever he went. 7. And David took the quivers of gold that were

Commentary Digest

paying tribute — A. and M.

3. *as he went* — *"as Hadadezer went."* — R

to extend his dominion — *"To be interpreted like its Targum: 'To modify his border.' For he conquered of the territory outside the border of his country, and extended his border."* — R and K from J.

to the Euphrates River — thereby seeking to extend his dominion at the expense of Israelite territory. — K. Rabinowitz suggests that the word פרת is missing from the text because he merely sought to extend his dominion there but failed to reach it.

4. *captured* — In this instance, David did not kill the enemy. He merely took them captive and held them for ransom. — K. Perhaps David's leniency can be attributed to the fact that this battle was initiated by a border dispute and not by an outright attack on the Israelites.

and David houghed all the chariots (horses) — *"because of the commandment: 'He shall not multiply horses unto himself* (Deut. 17:16.)." — R. Because of this restriction on the Israelite monarch, David did not keep the horses but merely disabled them from further use in battle. — K. Compare with Josh. 11:6.

and left over of them for a hundred chariots — *"which he needed for his cavalry. Now a chariot consists of four horses, as it is stated; 'A chariot for six hundred shekels of silver, and a horse for a hundred and fifty.* (II Chron. 1:17) *"from here it is derived that a chariot consists of four horses."* — R. and K. These four hundred were of use to him and therefore did not fall under the Torah's restriction which applied only to idle horses kept for show. — K from San. 21b.

6. *governors.* — According to D their task was to collect taxes and rule the territory. J contends that

אֶל עַבְדֵי הֲדַדְעָזֶר וַיְבִיאֵם יְרוּשָׁלִָם׃
ח וּמִבֶּטַח וּמִבֵּרֹתַי עָרֵי הֲדַדְעָזֶר לָקַח
הַמֶּלֶךְ דָּוִד נְחֹשֶׁת הַרְבֵּה מְאֹד׃
ט וַיִּשְׁמַע תֹּעִי מֶלֶךְ חֲמָת כִּי הִכָּה דָוִד
אֵת כָּל־חֵיל הֲדַדְעָזֶר׃ י וַיִּשְׁלַח תֹּעִי
אֶת־יוֹרָם־בְּנוֹ אֶל־הַמֶּלֶךְ־דָּוִד לִשְׁאָל־
לוֹ לְשָׁלוֹם וּלְבָרְכוֹ עַל אֲשֶׁר נִלְחַם
בַּהֲדַדְעֶזֶר וַיַּכֵּהוּ כִּי־אִישׁ מִלְחֲמוֹת תֹּעִי
הָיָה הֲדַדְעָזֶר וּבְיָדוֹ הָיוּ כְּלֵי־כֶסֶף וּכְלֵי
זָהָב וּכְלֵי נְחֹשֶׁת׃ יא גַּם־אֹתָם הִקְדִּישׁ
הַמֶּלֶךְ דָּוִד לַיהוָה עִם־הַכֶּסֶף וְהַזָּהָב

תרגום

דַהֲווֹ עַל עַבְדֵי הֲדַדְעֶזֶר
וְאַיְתִינוּן לִירוּשְׁלֵם׃
ח וּמִבֶּטַח וּמִבֵּרוֹתַי קִרְוֵי
הֲדַדְעֶזֶר נְסִיב מַלְכָּא דָוִד
נְחָשָׁא סַגִּי לַחֲדָא׃
ט וּשְׁמַע תּוֹעֵי מַלְכָּא
דַּחֲמָת אֲרֵי מְחָא דָוִד יָת
כָּל מַשְׁרִית הֲדַדְעֶזֶר׃
י וּשְׁלַח תּוֹעֵי יָת יוֹרָם
בְּרֵיהּ לְוָת מַלְכָּא דָוִד
לְמִשְׁאַל לֵיהּ לִשְׁלָם
וּלְבָרְכוּתֵיהּ עַל דַּאֲגִיחַ
קְרָבָא בַּהֲדַדְעֶזֶר
וְקַטְלֵיהּ אֲרֵי גְּבַר עָבֵיד
קְרָבִין עִם תּוֹעֵי הֲוָה
הֲדַדְעֶזֶר וְעִמֵּיהּ הֲווֹ מָנֵי
כַסְפָּא וּמָנֵי דַהֲבָא וּמָנֵי
נְחָשָׁא׃ יא אַף יַתְהוֹן
אַקְדִּישׁ מַלְכָּא דָוִד קֳדָם
יְיָ

רש"י

השלטים (ירמיה נ"א י"א). כל הפרשיות הללו סמכן אצל פרשה של בית המקדש לפי שמכל המלחמות הללו קיבץ

רד"ק

עבדי הדדעזר פי׳ אשר לקח׳ במלחמ׳ ופי׳ אל עבדי כמו על עבדי וכן הוא בדברי הימים והוצרך לומר ויביאם ירושלם כלומר שלא נתנם לפדיון כמו שנתן הפרשים של עבדי הדדעזר לפדיון כמ"ש למעלה וילכד או אמר ויביאם ירושל׳ לומר שנתנם באוצר בית ה׳ להקדש: (ח) ומבטח ומברותי. ובדברי הימים ומטבחת ומכון שני שמות היו להם ובטח וטבחת אחד אלא שהפוכות האותיות: (י) ולברכו. שיצליחהו האל במלחמותיו או פירוש ולתת לפניו מנחה כמ"ש ובידו היו כלי כסף וגו׳ כי המנחה נקראת ברכה כמו קח נא את ברכתי אשר הובאת לך: (יא) הקדיש המלך. לבנין בית המקדש:

מצודת דוד

(י) כי איש מלחמות. הדדעזר היה שונא ואיש מלחמה עם תועי: ובידו. ביד יורם בן תועי: (יא) גם אותם. אשר הביאו לו למנחה הקדיש וגו׳ עם הכסף והזהב אשר הקדיש מכל הגוים אשר כבש האמור במקרא שלאחריו:

on the servants of Hadadezer and brought them to Jerusalem.
8. And from Betah, and from Berotai, the cities of Hadadezer,
King David took huge quantities of copper. 9. And Toi,
the king of Hamath heard that David had defeated all the
army of Hadadezer. 10. And Toi sent Joram, his son, to
King David to greet him and to bless him, because he had
fought against Hadadezer and defeated him; for Hadadezer
had been Toi's opponent in war, and in his possession were
vessels of silver and vessels of gold and vessels of copper.
11. These also the king David dedicated to the Lord,
[along] with the silver and the gold

Commentary Digest

nected to the previous chapter dealing with the holy Temple, since from all these battles David assembled [the] objects dedicated for the needs of the Temple." — R.

10. *to bless him* — to wish him further success in battle. — K and M. A and K suggest the possibility of interpreting לברכו as: 'to offer him gifts' similar to: 'Take my gift that I have brought you,' Gen. 33:11.

had battled with Toi — Toi rejoiced immensely at the defeat of Hadadezer who had menaced him constantly.

11. *These also* — *I.e. those brought to David as gifts, he dedicated to the Lord along with the silver and gold that he dedicated of the plunder of the nations he conquered, as delineated in the following verse.— Mezudath David*

dedicated to the Lord — I.e. for the building of the Temple. — Redak

By doing so, David did not transgress the negative commandment that prohibits a king from acquiring much silver and gold (Deut. 17:17). — Abarbanel

אֲשֶׁר הִקְדִּישׁ מִכָּל־הַגּוֹיִם אֲשֶׁר כִּבֵּשׁ׃
יב מֵאֲרָם וּמִמּוֹאָב וּמִבְּנֵי עַמּוֹן
וּמִפְּלִשְׁתִּים וּמֵעֲמָלֵק וּמִשְּׁלַל הֲדַדְעֶזֶר
בֶּן־רְחֹב מֶלֶךְ צוֹבָה׃ יג וַיַּעַשׂ דָּוִד שֵׁם
בְּשֻׁבוֹ מֵהַכּוֹתוֹ אֶת־אֲרָם בְּגֵיא־מֶלַח
שְׁמוֹנָה עָשָׂר אָלֶף׃ יד וַיָּשֶׂם בֶּאֱדוֹם
נְצִבִים בְּכָל־אֱדוֹם שָׂם נְצִבִים וַיְהִי כָל־

תרגום

יְיָ עִם כַּסְפָּא וְדַהֲבָא דִי אַקְדִישׁ מִכָּל עַמְמַיָא דִי כַבֵּשׁ׃ יב מֵאֲרָם וּמִמוֹאָב וּמִבְּנֵי עַמוֹן וּמִפְּלִשְׁתָּאֵי וּמֵעֲמָלְקָאֵי וּמִבִּיזַת הֲדַדְעֶזֶר בַּר רְחוֹב מַלְכָּא דְצוֹבָה׃ יג וּכְנַשׁ דָוִד מַשְׁרְיָן כַּד תָּב מִלְמִמְחֵי יַת אֲרָם בְּגֵיא מְלַח תַּמְנַת עֲסַר אַלְפִין׃ יד וּמַנִי בֶאֱדוֹם אִסְטְרַטִיגִין בְּכָל אֱדוֹם מַנִי

ת"א ויעש דוד שם. זוהר בחוקותי:

רש"י

הקדשות לצרכי הבית: (יג) ויעש דוד שם. שקבר את ההרוגים שהרג באדום והוא שם טוב לישראל שקוברין את אויביהם וכן הוא אומר במלחמת גוג ומגוג וקברו כל עם הארץ והיה להם לשם (יחזקאל לט יג) ומנין שקברן דוד שנא' בספר מלכים (א יא טו) ויהי בהיות דוד את אדום בעלות יואב שר הצבא לקבור את החללים: שמונה עשר אלף. ובספר (תהלים ס׳ב) הוא אומר שנים עשר אלף אמור מעתה שתי מלחמות היו: (יד) נציבים. פקידים לגבות מס:

מהר"י קרא

(יג) ויעש דוד שם. פתרו' ויעש דוד חיל בשובו מהכות את ארם בגיא מלח. שמונה עשר אלף היו מספרם. וכן תרגם יונתן וכנש דוד משירין. ושמעתי ויעש דוד שם. שקבר את החללים שהכה. ודבר זה היה לו לשם טוב בין האומות שהיו אומרים אין אומה כיוצא בזו מצוי בעולם שקובר את שונאיו. ואלו קוברין את שונאיהן. וכן בהמון גוג היא אומר וקברו כל העם הארץ והיה להם לשם. וכן הוא אומר ויהי בהיות דוד את אדום בעלות

רד"ק

(יג) ויעש דוד שם. כי נצח מלחמה גדולה ויצא שמו בעמים ורז"ל פי' שקבר את החללי' כמו שנא' במלכים בעלות יואב שר הצבא לקבר את החללים וזהו שם גדול לישראל שמקברים את אויביהם וכן הוא אומר במלחמת גוג ומגוג וקברו כל עם הארץ והי' להם לשם: את ארם בגיא מלח י"ח אלף. אבל אותם כ"ב אלף שאמר למעלה היו במקום אחר וזה היה בגיא מלח ובד"ה ואבישי בן צרויה הכה את אדום בגיא מלח י"ח אלף ובספר תהלים וישב יואב ויך את אדום בגיא מלח י"ב אלף הנה בספר הזה אומר ארם ובב' הספרי' אומר אדום ובספר תהלי' או' י"ב ובב' הספרי' י"ח נראה כי מלחמת אדום היתה כשהיתה מלחמת ארם כי כן כתוב בתהלים בהצותו את ארם נהרים ואת ארם צובה ומארם ומאדום היו אלה י"ח אלף ואמר בזה הספר ארם יר"ל ואשר עמהם והם אדום ואמר בב' הספרים אדום ור"ל ואשר עמהם והם ארם ובאו' בדברי הימים כי אבישי עשה מלחמה והכה בהם י"ח אלף ובתהלי' אמר יואב ואמר י"ב אלף איש אבישי עשה תחלה המלחמה והכה בהם ו' אלפים ואח"כ עשה עמהם יואב מלחמה והכה בהם י"ב אלף וז"ש בתהילים וישב יואב כלומר שב אחר כן יואב אחרי אבישי וזכר בדברי הימים כל המלחמה בשם אבישי לפי שהוא היה תחלת המלחמה זכר כל הי"ח אלף על שמו ובזה הספר זכר המלחמה בשם דוד כי הוא העיקר. ובדרש אומר כי כשהלך יואב להלחם עם ארם עבדו עליו בני אדום אמרו לו לא כך אמר הכתוב אל תתגרו בם השיבם יואב ולא כך אמר הכתוב אתם עוברים בגבול אחיכם הניחו אותנו לעבור ולא רצו אמר יואב אם נחריב אדום עכשיו אין אנו מוצאין בהזרתינו לא אכילה ולא שתייה אלא נניח אותם עד שנכה את ארם ונחזור עליהם לכך נאמר וישב יואב ויך את אדום א"ל הב"ה מה אתם מועילין שתכו את אדום קמעא קמעא אבישי בן צרויה הרג י"ח אלף ואתם י"ב אלף כשיגיע זמן אני אכלה אותם ואחריכם ולדברי הדרש הזה היו שתי מלחמות בשני פעמים: (יד) בכל אדום שם נציבים. לפי שאמר וישם נציבים בארם דמשק אמר בכל אדום שלא תחשוב כי במקום אחד באדום שם נציבים כמו בארם דמשק

מצודת דוד

(יג) ויעש דוד שם. עשה גבורה גדולה וקנה שם: בשובו. ר"ל עם כי היה עיף ויגע ממלחמת ארם עכ"ז הכה בגיא מלח וגו' ובתהלים יבד"ה נאמר שאותן המוכים היו מבני אדום ולזה אמר במקרא שלאחריו ששם באדום נציבים: (יד) בכל אדום. ולא נשאר עיר אחת

מצודת ציון

(יא) כבש. ענין לכידה:

Commentary Digest

while the book of Psalms attributes the success to Joab because he did most of the fighting and was alone responsible for twelve thousand of the dead — K and A. According to the Midrashic view, Joab first encountered the Edomites, but reasoned: 'If I first destroy the Edomites I will be left without food and water supply on the return journey from defeating the Arameans.' He therefore chose to bypass Edom and fight the Arameans first. Upon their return the Israelites engaged the Edomites in two separate battles, one mentioned here and in I Chron., which was led by Abishai where eighteen thousand of the enemy were killed, and a second (mentioned in Psalms) led by Joab where twelve thousand died. Though our verse fails to identify Edom as the opposition, it may be understood as if it read: 'And David made for himself a name when he returned

that he dedicated from all the nations that he had conquered. 12. From Aram, and from Moab, and from the children of Ammon, and from the Philistines, and from Amalek, and from the spoils of Hadadezer, the son of Rehob, king of Zobah. 13. And David made for himself a name when he returned from smiting the Arameans in the Valley of Salt, eighteen thousand men. 14. And he placed governors in Edom; throughout all of Edom he placed governors, and all

Commentary Digest

12. *from Amalek* — It is not clear when this battle took place.

13. ***and David made for himself a name*** — Gained wide recognition for his military ability. — A. J, and J.K. understand the verse as: 'and David made for himself an army'. It is difficult, however, to discover a precedent for this interpretation. According to R, the name acquired by David was for his noble conduct in battle: "'*For he buried the dead that were killed of Edom. Now this resulted in a good name for Israel for (granting) burial to their enemies. Similarly it is stated concerning the battle of Gog and Magog; 'and all the people of the land shall bury them; and it shall be for them for a name.'* (Ezek. 39:13). *And how do we know that David buried them? Because it is written in the book of Kings* (Kings I, 2:15): *'For when David was in Edom and Joab the captain of the hosts had gone up to bury the slain'.*" — R, K, J.K., and A.

from smiting the Arameans — In I Chron. 18:12 we find a somewhat different version: 'And Abishai the son of Zeruyah slew of the *Edomites* in the Valley of Salt, *eighteen thousand,* while in Psalms 60:2 we find yet a third version of this battle; . . . when he (David) battled with Aram Naharaim and with Aram Zobah, and *Joab* returned and smote of Edom in the Valley of Salt, *twelve thousand.*' K explains that the Israelites simultantously battled both the Arameans and Edomites (the Arameans are mentioned here as the Israelites' opponent because they were the main opposition, while in Chron. and Psalms Edom is mentioned because they suffered the greater number of casualties. — M). The identity of the hero of this battle is also not in contradiction. Here, David is credited with the victory because he was commander-in-chief of his nation's military expeditions. However, the combat heroes were the generals Abishai who initiated the fighting, by killing six thousand men, and Joab who relieved him and put to death another twelve thousand. Since he began the combat, I Chron. associates Abishai with the victory and credits him with the entire casualty count of eighteen thousand,

אֱדוֹם עֲבָדִים לְדָוִד וַיּוֹשַׁע יְהוָה אֶת־
דָּוִד בְּכֹל אֲשֶׁר הָלָךְ׃ טו וַיִּמְלֹךְ דָּוִד
עַל־כָּל־יִשְׂרָאֵל וַיְהִי דָוִד עֹשֶׂה מִשְׁפָּט
וּצְדָקָה לְכָל־עַמּוֹ׃ טז וְיוֹאָב בֶּן־צְרוּיָה
עַל־הַצָּבָא וִיהוֹשָׁפָט בֶּן־אֲחִילוּד
מַזְכִּיר׃ יז וְצָדוֹק בֶּן־אֲחִיטוּב וַאֲחִימֶלֶךְ
בֶּן־אֶבְיָתָר כֹּהֲנִים וּשְׂרָיָה סוֹפֵר׃
יח וּבְנָיָהוּ בֶּן־יְהוֹיָדָע וְהַכְּרֵתִי וְהַפְּלֵתִי

תרגום

מַנֵי אִסְטְרַטִיגִין וַהֲווֹ כָּל
אֱדוֹם עַבְדִין לְדָוִד וּפְרַק
יְיָ יַת דָּוִד בְּכָל אֲתַר דִּי
הֲלִיךְ׃ טו וּמְלַךְ דָּוִד עַל
כָּל יִשְׂרָאֵל וַהֲוָה דָוִד
עָבֵיד דִּין דִּקְשׁוֹט וְזָכוּ
לְכָל עַמֵיהּ׃ טז וְיוֹאָב בַּר
צְרוּיָה מְמַנָא עַל חֵילָא
וִיהוֹשָׁפָט בַּר אֲחִילוּד
מְמַנָא עַל דָּכְרָנַיָא׃
יז וְצָדוֹק בַּר אֲחִיטוּב
וַאֲחִימֶלֶךְ בַּר אֶבְיָתָר
כַּהֲנַיָא וּשְׂרָיָה סָפְרָא׃
יח וּבְנָיָהוּ בַּר יְהוֹיָדָע
מְמַנָא עַל קַשָּׁתַיָא וְעַל

ת"א ויהי דוד עבה משפט. סנהדרין
מט (פב): ויואב בן לרויה. שם מט.ג

מהר"י קרא

יואב שר הצבא לקבור את החללים: (טו) ויהי דוד עשה משפט. שאם נתחייב אדם מיתה בב"ד אינו מכיר לו פנים. אלא עושה בו משפט. כשם שעשה במגיד לו לאמר הנה מת שאול. וברכב ובענה אחיו. וביואב שציוה לשלמה בנו להוריד את שיבתו בדם שאול: וצדקה. אם נתחייב אדם לחבירו ממון מוציאו מידו ונותנו לזה: (טז) מזכיר. כל מדינה ומדינה וכל עיר ועיר כמה אנשים מוציאה לצבא. ע"א מזכיר איזה בא בראשונה שישפטוהו ראשונה: (יז) סופר. יהושפט בן אחילוד מזכיר ושריה כותב אחריו מה שהוא מזכיר: (יח) ובניהו בן

רלב"ג

(טו) ויהי דוד עושה משפט ולדקה לכל עמו. הנה לדקה יאמר על יותר ממה שיאמר משפט כי למשפט יהיה מה שיתחייב לפי הדין והלדקה תהיה מה שיתחייב לפי המדות השלימות מההנהג' לכל איש שראוי לו אם לחסד אם למשפט: (יח) והכרתי והפלתי י"א שהם

רש"י

(טו) ויהי דוד עושה משפט וגו' ויואב על הצבא. דוד גרם ליואב להיות מצליח על הצבא לפי שעשה משפט ולדקה ויואב גרם לדוד לעשות משפט ולדקה לפי שהיה דן ויואב שוטר ורודה על ידו ועוד מתוך שיואב עסק במלחמות לא היה דוד טרוד בהן ולבו פתוח לשפוט לדק: (טז) מזכיר. מזכיר איזה דין בא לפניו ראשון לפוסקו ראשון: (יח) ובניהו בן יהוידע והכרתי והפלתי. תרגם יונתן

רד"ק

שלא שם בשאר ארם אלא בכל אדום שם נציבים: (טו) וימלוך דוד על כל ישראל. כשנצח כל המלחמות וזפס בית שאול לא היה אדם בישראל מפקפק במלכותו: משפט וצדקה. כתרגומו דין דקשוט וזהו כלומר היה שופט באמת במשפטי הריב אשר בין איש לאיש גם היה עושה עמם צדקה כמו שהיו צריכין אליו: (טז) מזכיר. כתרגומו מבנא על דוכרניא כלומר ממונה על ספר הזכרונות: (יז) כהנים. שרי כהונה כי הוא מנה צדוק להיות כהן גדול מבני אלעזר ומשנהו אחימלך בן אביתר מבני איתמר אעפ"י שהיה אביתר עדיין חי כי ראינו כי שלמה גרשו מהיות כהן נראה כי במצות דוד עשה כי כאשר סדר דוד ראשי האבות סדר צדוק ואחימלך כמ"ש בדברי הימים והיה נקרא אחימלך ואבימלך כי שני השמות קרובים: ושריה סופר. ובד"ה שושא ושני שמות היו לו: (יח) ובניהו בן יהוידע והכרתי והפלתי. ת"י ובניהו בן יהוידע ממנא על קשתיא ועל קלעיא ובניהו היה ממונה על הקשתי' ועל הקלעים. וי"ר

מצודת ציון

(יז) ושריה. ובד"ה קראו שושא ולמטה קראו שוא ובשלש השמות היה נקרא והוא כלל גדול בנביאים בכ"מ שנאמר פעם כן

מצודת דוד

מבלי נליב: (טו) משפט. בין איש לאחיו: וצדקה. משלו לנלריכים לקבל: (טז) על הצבא. היה שר על קבולת החיל: מזכיר. היה ממונה על ספר הזכרונות: (יז) כהנים. רלה לומר שרי הכהנים לדוק היה משיח מלחמה ואחימלך סגן ולא חשב את אביתר לכהן גדול כי לא הועמד עתה כ"א מאז מלך על יהודה אבל יואב עם שהיה שר הגבא מאז מ"מ הועמד עתה להיות שר על כל הלבא אף משל ישראל. או על שחזר דוד והעמיד את לדוק לכהן גדול לזה לא חשב את אביתר כי לא היה דבר המתקיים: (יח) והכרתי והפלתי. ת"י קשתיא וקלעיא ור"ל ובניהו וגו' והכרתי והפלתי היו מתמידים לשבת יחד

Commentary Digest

executed charitable justice by seeking compromise. T.B. San. 6b.

16. *and David executed . . . and Joab B. Zeruyah was over the host.* — R connects the two as follows: *"David caused Joab to be successful over the host because he executed justice and charity, and Joab caused David to execute justice and charity because he would judge and Joab would enforce and chastise for him.* (If anyone did not listen to David, he was given over to Joab—Y on Deut. 17:19). *Also, because Joab was engaged in the battles David was not busied with them, and was (lit—his heart was) left free to judge righteously.* — R. from T.B. San. 49a.

and Jehoshapaht — Once it was mentioned that David's battles did not interfere with his administrative functions, the text goes on to indi-

of Edom became servants to David. And the Lord saved David wherever he went. 15. And David reigned over all Israel; and David administered justice and charity for all his people. 16. And Joab the son of Zeruyah was over the host; and Yehoshaphat the son of Ahilud was recorder. 17. And Zadok the son of Ahitub, and Ahimelech the son of Ebiathar were [the] priests; and Seraiah was scribe. 18. And Benayahu the son of Yehoyada [was over] the archers and the slingers;

Commentary Digest

from smiting the Arameans . . . [by slaying] eighteen thousand men [of Edom].' T on Deut. Ch. 2. R's explanation of our verse follows the version found in T: "Now in the book of Psalms 60:2 it states; 'twelve thousand.' From here it must be concluded that there were two battles. — R.

14. governors — "officers to collect taxes." — R

in Edom . . . throughout all of Edom . . . and all of Edom — Alschich explains that the subjegation of Edom to Israelite rule took place in three phases. First, governors were placed in portions of Edom. Next, they were stationed in all of Edom for the purpose of gathering the tax placed collectively upon the Edomite population. Finally, all of Edom became servants to David when a separate tax was levied on each individual.

and the Lord saved David — His military success is attributed to the constant aid of G-d. — A.

15. And David reigned over all Israel — While the acceptance of

David as sovereign over all of Israel had already been discussed in Ch. 5, it is mentioned here in order to connect it with the end of the verse. Although David ruled over Judah alone for a seven year period prior to his acceptance by all of Israel, no special favor was shown this tribe. Instead, once he reigned over all Israel, David 'executed justice . . . for all his people.' — Alschich. A connects the verse as follows: Although David performed his royal functions by leading the people in battle, he did not allow this to interfere with the administration of justice. In this manner he admirably fulfilled all that was expected of the Israelite king; 'and our king shall judge us, and go out before us and fight our battles' (I Sam. 8:20).

Justice and charity — First he would render a just verdict. Then, if he found the guilty party to be in poverty, he would act charitably by providing him with money to pay off his debt. Others contend that he

וּבְנֵי דָוִד כֹּהֲנִים הָיוּ׃ ט א וַיֹּאמֶר דָּוִד
הֲכִי יֶשׁ־עוֹד אֲשֶׁר נוֹתַר לְבֵית שָׁאוּל
וְאֶעֱשֶׂה עִמּוֹ חֶסֶד בַּעֲבוּר יְהוֹנָתָן׃
ב וּלְבֵית שָׁאוּל עֶבֶד וּשְׁמוֹ צִיבָא
וַיִּקְרְאוּ־לוֹ אֶל־דָּוִד וַיֹּאמֶר הַמֶּלֶךְ אֵלָיו
הַאַתָּה צִיבָא וַיֹּאמֶר עַבְדֶּךָ׃ ג וַיֹּאמֶר
הַמֶּלֶךְ הַאֶפֶס עוֹד אִישׁ לְבֵית שָׁאוּל
וְאֶעֱשֶׂה עִמּוֹ חֶסֶד אֱלֹהִים וַיֹּאמֶר צִיבָא

תרגום

קַלָעַיָא וּבְנֵי דָוִד רַבְרְבִין
הֲווֹ׃ א וַאֲמַר דָּוִד הַאִית
כָּא עוֹד דִּי אִשְׁתְּאַר
לְבֵית שָׁאוּל וְאַעֲבֵיד
עִמֵיהּ טִיבוּ בְּדִיל
יְהוֹנָתָן׃ ב וּלְבֵית שָׁאוּל
עַבְדָא וּשְׁמֵיהּ צִיבָא
וּקְרוֹ לֵיהּ לְוָת דָּוִד וַאֲמַר
מַלְכָּא לֵיהּ הַאַתְּ צִיבָא
נְצַמַר עַבְדָּךְ׃ ג וַאֲמַר
מַלְכָּא הַאִית עוֹד גַּבְרָא
לְבֵית שָׁאוּל וְאַעֲבֵיד
עִמֵיהּ טִיבוּ מִן קֳדָם יְיָ
וַאֲמַר צִיבָא לְמַלְכָּא עוֹד
בְּרָא

ת"א ובני דוד כהנים. :מדרש סב׃

רש"י

ובניהו בר יהוידע ממנא על קשתיא ועל קלעיא ורבותינו אמרו כרתי ופלתי אורים ותומים׃ כהנים היו. רברבין הוו׃

ט (א) ואעשה עמו חסד. שנשבעתי לו באלהים שאעשה חסד לזרעו כענין שנאמר לא תכרית את חסדך מעם ביתי עד עולם׃

מהר"י קרא

יהוידע והכרתי והפליתי. והם שתי אומות שנפלו על דוד להיות עמו אל כל אשר יפנה שם. וכן הוא אומר יושבי חבל הים גוי כרתים׃ ובני דוד כהנים היו. פתר׳ מושלי׳ היו׃

רד"ק

והכרתי כמו על או כמו עם וכן ויוסף היה במצרים און ועצר׳ וכן אומר בד"ה על הכרתי וי"מ כרתי ופלתי שתי משפחות היו מישראל שהיו סרים אל משמע׳ המלך ירואים פניו תמיד ובניהו היה בראשם ורז"ל פירשוהו אלו אורים ותומים׃ ובני דוד כהנים היו. כתרגומו רברבין הוו כלומר גדולים היו וממונים על כלם ובדברי הימים אומר הראשונים ליד המלך ובדברי רבותינו ז"ל תלמידי חכמים היו ולמה קראם כהנים מה כהן גדול נוטל חלק בראש אף תלמיד חכם נוטל חלק בראש׃ (א) הכי יש עוד. כטעם האם וכן הכי אמרתי הבו לי וטעם וכד זה הענין הנה בעבור שנצח המלחמות והיה במנוחה וסדר הפקידים והממוני׳ שם אל לבו שבועת יהונתן שאם היה בזרעו אדם ראוי והגון היה ממנה אותו כמו שאמר לו יהונתן ואני אהיה לך למשנה לפיכך שאל אם נותר לבית שאול שיעש׳ עמו חסד בעבור יהונתן׃ (ב) ולבית שאול עבד. עבד כנעני היה והי׳ לשאול ולביתו אחריו כמו שכתוב והתנחלתם אותם לבניכם אחריכם ובני ציבא ועבדיו כלם עבדים לבית שאול כמו שאמר וכל מושב בית ציבא עבדים למפיבשת כי העבדים הם ובניהם וכל אשר להם היו לאדוניהם וכן נראה מדברי רז"ל כי ציבא עבד כנעני היה וכן נראה מהפסוקים וא"ת אם כן מה נתן לו דוד באמ׳ הנה לך כל אשר למפיבשת והלא כל מה שקנה עבד קנה רבו אע"פ כן מצות המלך היה והמלך יכול לקחת מזה ולתת לזה׃ (ג) האפס עוד איש. האין עוד ותמהתי לכת

רלב"ג

היו שתי משפחות בישראל ורבותינו פירשו שהם סנהדרין ואמרו כרתי שכורתין דבריהם פלתי שמופלאים במעשיהם׃ ובני דוד כהנים היו. ר"ל שרים ומושלים והנה זה הענין היה סבה להרבה מהרעות שבאו לדוד כי אם לא היה הענין כן לא מרד אבשלום ולא נהרג אמנון ואדניה כמו שיראה כמעט עיין ובכלל אם היה מנהגית המלך במוסר בניו לא קרה להם כך׃ (א) והנה זכר שככר היה מטוב נפש דוד שהתעורר לעשות חסד אל הנשאר לבית שאול ולזה שם מפיבשת בן יהונתן מאוכלי שולחנו והשיב לו את כל שדה שאול אביו׃

מצודת דוד

כי היה ממונה עליהם להורותם לירות בקשת ולקלעות באבנים׃ כהנים היו. ר"ל היו לאשים ושרים ובד"ה נאמר ובני דוד הראשונים ליד המלך. או יאמר ובניהו וגו׳ והכרתי והפלתי ובני דוד כולם היו שרי המלך ושרים למשמעתו לכל אשר ילים ולא היה להם הנהגות מיוחדות כמו אלו הנזכרים לפניהם׃

ט (א) הכי יש עוד. האם יש עוד׃ (ב) עבד. עבד כנעני היה׃ עבדך. ר"ל אני עבדך הוא ליבא׃ (ג) האפס עוד. וכי אין עוד איש לבית שאול כתמיה הלא בודאי יש עוד ואעשה עמו חסד גדול ומרובה כי כגדולה להגדיל דבר מה סומכו למלת אלהים

מצודת ציון

ופעם כן׃ (יח) כהנים. ר"ל לאשים ושרים׃

ט (א) הכי. כי משמש במקום אם׃ (ג) האפס. האין וכן אפס

Commentary Digest

David, as son-in-law of King Saul and brother-in-law of Jonathan had lost all record of their descendants. M therefore opines that David had known that many of the descendants of Saul fled and assumed new identities when he became king. David now sought to ascertain if, after many years, any had remained alive. M, based on A cited earlier in this verse, also suggests the possibility that David knew of their existtnce but sought only to establish if any of the descendants of the house of Saul were worthy of appointment to a position of prominence.

lame — See above Ch. 4 v. 4.

lame on his feet — According to J and K the plural רגלים suggests that he was lame on both feet. This is clearly indicated in v. 13 of this chapter. A contends that Zibah men-

and David's sons were chief officers.

9

1. And David said; "Is there yet anyone who is left of the
house of Saul, that I may do kindness to him for the sake
of Jonathan?" 2. And to the house of Saul [there remained]
a servant whose name was Zibah, and they called him to
David; and the king said to him: 'Are you Zibah?' And he said:
"Your servant, (is he)." 3. And the king said: "Is there
none [left] from the house of Saul, that I may do to him
the kindness of God?" And Zibah said

Commentary Digest

cate that part of the reason for this
was the appointment of a capable
staff. — A.

recorder — Was in charge of the
royal records. — J. K, and D. R
connects Jehoshaphat's function with
David's role as judge; *"He would call
out which case came to him first so
that it be decided first"* R and A.

According to J.K. he was in charge
of keeping the army census.

17. *priests* — Zadok was appointed
High Priest with Ahimelech second
in command — K.

18. *the archers and the slingers* —
*"Jonathan interprets; and Benayahu
the son of Yahayada was appointed
over the archers and the slingers. Now
our Rabbis have said* כרתי *and* פלתי
[refer to the] Urim and Tumim." —
R from J and T.B. Ber. 4a. T.B. Ber.
explains that the Urim and Tumim
were called כריתי and פלתי because
their response was always precise
(כרת) and their performance astound-
ing (פלא). Others suggest that כרתי
and פלתי refer to the Sanhedrin who

were concise in their decisions and
astounding in their deeds. — T.B.
San 17a and M.Ps. Ch. 3. A and G
offer the simple explanation of the
verse, that they were names of two
families in the service of the king.

19. *"Were chief officers"* — R.
This is clearly indicated by I Chron.
18:17, where it states; 'and the sons
of David were the first at the side of
the king.'

G remarks that it was a mistake on
David's part to offer prestigious posi-
tions to his children for had they
not achieved such stature, Absalom
and Adoniyahu would never have
been led to rebellion.

CHAPTER 9

1. *Is there yet anyone* — After de-
feating his enemies and making all
necessary appointments, David had
time to consider his oath to Jonathan
(I Sam. 20:15-16), in which he swore
never to sever kindness from his
house. — K. A suggests that David
wished to save one appointment for
a descendant of Jonathan.

It is most difficult to imagine how

אֶל־הַמֶּלֶךְ עוֹד בֵּן לִיהוֹנָתָן נְכֵה רַגְלָיִם׃
ד וַיֹּאמֶר־לוֹ הַמֶּלֶךְ אֵיפֹה הוּא וַיֹּאמֶר
צִיבָא אֶל־הַמֶּלֶךְ הִנֵּה־הוּא בֵּית מָכִיר
בֶּן־עַמִּיאֵל בְּלוֹ דְבָר׃ ה וַיִּשְׁלַח הַמֶּלֶךְ
דָּוִד וַיִּקָּחֵהוּ מִבֵּית מָכִיר בֶּן־עַמִּיאֵל
מִלּוֹ דְבָר׃ ו וַיָּבֹא מְפִיבֹשֶׁת בֶּן־יְהוֹנָתָן
בֶּן־שָׁאוּל אֶל־דָּוִד וַיִּפֹּל עַל־פָּנָיו
וַיִּשְׁתָּחוּ וַיֹּאמֶר דָּוִד מְפִיבֹשֶׁת וַיֹּאמֶר
הִנֵּה עַבְדֶּךָ׃ ז וַיֹּאמֶר לוֹ דָוִד אַל־תִּירָא
כִּי עָשֹׂה אֶעֱשֶׂה עִמְּךָ חֶסֶד בַּעֲבוּר

תרגום

בְּרָא לִיהוֹנָתָן לְקֵי
בִּתְרְתֵּין רַגְלוֹהִי ׃ ד וַאֲמַר
לֵיהּ מַלְכָּא הֵיכָא הוּא
וַאֲמַר צִיבָא לְמַלְכָּא הָא
הוּא בֵּית מָכִיר בַּר
עַמִּיאֵל בְּלוֹ דְבָר ׃
ה וּשְׁלַח מַלְכָּא דָוִד
וְדַבְרֵיהּ מִבֵּית מָכִיר בַּר
עַמִּיאֵל מִלּוֹ דְבָר
ו וַאֲתָא מְפִיבֹשֶׁת בַּר
יְהוֹנָתָן בַּר שָׁאוּל לְוַת
דָוִד וּנְפַל עַל אַפּוֹהִי
וּסְגִיד וַאֲמַר דָוִד
מְפִיבֹשֶׁת וַאֲמַר הָא
עַבְדָּךְ ׃ ז וַאֲמַר לֵיהּ דָוִד
לָא תִדְחַל אֲרֵי מֶעְבַּד
אַעֲבֵיד עִמָּךְ טִיבוּ בְּדִיל
יהונתן

ת"א ויאמר לו המלך : שבת נו ב
ויצלח המלך . שם :

מהר"י קרא

(ג) נכה רגלים . לקי בתרין רגלוהי :

רד"ק

תרגמו יונתן האית: חסד אלהים. בעבור שבועת אלהים שהיתה ביניהם: נכה רגלים. כתרגומו לקי בתרתין רגלוהי שהוכה בנפלו ונפסח בשתי רגליו ונכה תואר סמוך : (ד) בלו דבר. שם מקום : (ז) שדה שאול. שדה שם כלל לנחלתו וכת"י אחסנת שאול ומהו זה החסד אם שלו נתן לו כי מפיבשת יורש היה נחלת שאול ילא היה שם יורש אחר מיהונתן ובני רצפה בת איה היו גם כן יורשים של שאול ואף על פי שהם בני פילגש אם כן היאך היה כח ביד דוד לתת הכל למפיבושת ואם תאמר מלך יש לו רשות להעביר נחלה מזה ולתת לזה כמ"ש במשפט המלוכה מה חסד עשה אם נטל משאר יורשים ונתן למפיבשת אם היה ניתן לו משלו זה היה חסד ועוד שאמר והשיבותי לך בלמד כי קודם זה נטלה ממפיבשת נחלתו ומשאר היורשים ועוד כי מ"ש במשפט המלוכה ואת שדותיכם ואת כרמיכם יקח כבר כתבנו בפירושים מה שפירשו בו רז"ל כי אינו אומר אלא על פירותיהם לפי שעה ונראה כי הדבר כן מאחאב שבקש מנבות כרמו שימכרנו לו ולא רצה אילו היה משפט המלוכה לקחת הכרם והשדה הטוב למה לא היה לוקח אותו זה לא היה נחשב לו לגזלה כי משפט המלוכה היא ועוד שאמר במשפט

מצודת ציון

כסף (בראשית מ"ז) : נכה. ענין שבורה וכן פרעה נכה (מ"ב כג) : (ד) איפה. איה פה : בית מכיר. בבית מכיר ותחסר ב' השמוש וכמוהו הרבה : בלו דבר. שם מקום לו דבר :

מצודת דוד

וכן ותהי לחרדת אלהים (ש"א י"ד) : עוד בן. עוד נשאר בן : נכה רגלים. שבור ברגלו. ופסח : (ז) הנה עבדך. כי השב אשר קראו המלך לנקום בו בעבור שאול ולזה אמר הנה עבדך מוכן לקבל כל הטובה אשר תגזור : (ז) אל תירא. ר"ל לא קראתיך לגמול עמך רעה כ"א לגמול עמך חסד בעבור אביך : והשיבותי לך. אולי לקחם דוד אחרי מות איש בושת בעבור אשתו מיכל היורשת אותו

Commentary Digest

only to foodstuffs needed to supply the king's army. (Naboth's refusal to sell his field to Ahab in I Kings 21:3 tends to indicate that the monarch had no absolute right to his subjects' property). See Tosefot T.B. San. 20b where the absoluteness of a king's right to property is discussed. See also Maimonides, Laws of Kings 4:6 where he suggests that even when the king retains a right to seizure of property, monetary reimbursement had to be made. R seems to be further contradicted by the fact that David's vow to *restore* Saul's property to Mephibosheth, tends to indicate that the estate originally belonged to Mephibosheth alone. K and A therefore contend that the property was initially inherited by Ish-bosheth. However, because he had claimed the throne of Israel to himself despite the fact that it was public knowledge that David had been anointed by the prophet Samuel, the property was seized by David in accordance with the laws pertaining to a rebel (Law of Kings, Ch. 4., h. 9). David's favor

to the king: "There is still a son [left] to Jonathan, who is lame on his feet." 4. And the king said to him: 'Where is he?' And Zibah said to the king: 'Behold, he is in the house of Machir the son of Ammiel in Lo-Debar.' 5. And king David sent, and he fetched him out of the house of Machir the son of Ammiel from Lo-debar. 6. And Mephibosheth, the son of Jonathan, the son of Saul, came to David, and he fell on his face, and he prostrated himself. And David said: 'Mephibosheth!' And he answered: 'Behold your servant.' 7. And David said to him: "Do not fear for I will surely show you kindness for the sake of

Commentary Digest

tioned Mephibosheth's lameness to indicate that he was incapable of accepting an appointment from David (See Comm. Digest above v. 1).

4. *Lo-debar* — A name of a location. — K and Z. A suggests that we interpret it as בבלי דבר, with nought, indicating that he was living in poverty.

6. *and Mephibosheth* — In I Chron. 8:34, his name is given as Merib-baal. M conjectures that while he was hiding he had changed his name to Merib-baal. Only when convinced that David meant no harm did he disclose his true identity. According to T.B. Ber. 4b, his true name was Merib-baal. He was called Mephibosheth (lit. — from his mouth comes shame) because he was recognized as a brilliant scholar, capable of putting David to shame with his superior knowledge of halacha.

7. *all the land of Saul* — What kindness did David show Jonathan if this land had belonged to Saul, and Mephibosheth was the rightful heir? R indicates that there were other descendants of Saul who were equally entitled to the property, however. *"the king has the right to transfer inheritance, as it is stated in I Sam.* 8:14 *in the laws pertaining to the monarchy: 'your fields and your vineyards he will take and give to his servants".*

Accordingly, David displayed kindness to his friend Jonathan by transferring Saul's estate from the other heirs solely into the hands of Mephibosheth — R in v. 9. K and A disagree with R and aptly point out that the king's right to property was only to the produce and not to the actual land. Furthermore the king's right to property seizure pertained

יְהוֹנָתָן אָבִיךָ וַהֲשִׁבֹתִי לְךָ אֶת־כָּל־
שְׂדֵה שָׁאוּל אָבִיךָ וְאַתָּה תֹּאכַל לֶחֶם
עַל־שֻׁלְחָנִי תָּמִיד׃ ח וַיִּשְׁתַּחוּ וַיֹּאמֶר מֶה
עַבְדֶּךָ כִּי פָנִיתָ אֶל־הַכֶּלֶב הַמֵּת אֲשֶׁר
כָּמוֹנִי׃ ט וַיִּקְרָא הַמֶּלֶךְ אֶל־צִיבָא נַעַר
שָׁאוּל וַיֹּאמֶר אֵלָיו כֹּל אֲשֶׁר הָיָה
לְשָׁאוּל וּלְכָל־בֵּיתוֹ נָתַתִּי לְבֶן־אֲדֹנֶיךָ׃
י וְעָבַדְתָּ לּוֹ אֶת־הָאֲדָמָה אַתָּה וּבָנֶיךָ
וַעֲבָדֶיךָ וְהֵבֵאתָ וְהָיָה לְבֶן־אֲדֹנֶיךָ
לֶּחֶם וַאֲכָלוֹ וּמְפִיבֹשֶׁת בֶּן־אֲדֹנֶיךָ יֹאכַל
תָּמִיד לֶחֶם עַל־שֻׁלְחָנִי וּלְצִיבָא חֲמִשָּׁה
עָשָׂר בָּנִים וְעֶשְׂרִים עֲבָדִים׃ יא וַיֹּאמֶר
צִיבָא אֶל־הַמֶּלֶךְ כְּכֹל אֲשֶׁר יְצַוֶּה אֲדֹנִי
הַמֶּלֶךְ אֶת־עַבְדּוֹ כֵּן יַעֲשֶׂה עַבְדֶּךָ

יְהוֹנָתָן אֲבוּךְ וְאָתֵיב לָךְ
יָת כָּל אַחֲסָנַת שָׁאוּל
אֲבוּךְ וְאַתְּ תֵּיכוּל לַחְמָא
עַל פָּתוֹרִי תְּדִירָא׃
ח וּסְגִיד וַאֲמַר מָה עַבְדָּךְ
אֲרֵי אִתְפְּנֵיתָא עַל גְּבַר
הֶדְיוֹט דִּכְוָתִי׃ ט וּקְרָא
מַלְכָּא לְצִיבָא עוּלֵימָא
דְשָׁאוּל וַאֲמַר לֵיהּ כָּל
דַהֲוָה לְשָׁאוּל וּלְכָל
בֵּיתֵיהּ יְהָבִית לְבַר
רִבּוֹנָךְ׃ י וְתִפְלַח לֵיהּ
יָת אַרְעָא אַתְּ וּבְנָךְ
וְעַבְדָּיךְ וְתֵיעוּל וִיהֵי
לְבַר רִבּוֹנָךְ מְזוֹן
וְיִתְפַּרְנֵס וּמְפִיבֹשֶׁת בַּר
רִבּוֹנָךְ אָכֵיל תְּדִירָא
לַחְמָא עַל פְּתוֹרִי
וּלְצִיבָא חַמְשַׁת עֲסַר
בְּנִין וְעַסְרִין עַבְדִּין׃
יא וַאֲמַר צִיבָא לְמַלְכָּא
כְּכֹל דִּי פַקֵיד רִבּוֹנִי
מַלְכָּא יָת עַבְדֵּיהּ כֵּן
יַעְבֵּד עַבְדָּךְ וּמְפִיבֹשֶׁת
אכל

רש"י

ט (ט) נהתי לבן אדוניך. המלך רשאי להעביר נחלה שנא' (שמואל א' ח' י"ד) במשפט המלוכה את שדותיכם ואת כרמיכם יקח ונתן לעבדיו: (יא) כן יעשה

מהר"י קרא

(ח) אל הכלב [המת] אשר כמוני. על גבר הדיוט דכותי:

רד"ק

המלוכה שדותיכם וכרמיכם וזיתיכם ולא אמר בתיכם מלמד שעל פירותיהם אמר ועוד שאמר ונתן לעבדיו ולא אמר שיקח לעצמו ויתכן לפרש כי דוד זכה בכל נחלת שאול לפי שאיש בשת ובית שאול היו מורדי' במלכות כי ידוע היה בכל ישראל כי דוד יהיה מלך אחרי מות שאול ונמשח על פי ה' ומורד במלכות הוא וכל נכסיו נתחייבו וכן כתוב ואתנה לך את בית אדניך וכיון שהכל שלו ומן הדין זכה בו ואמר להשיב הכל למפיבשת חסד גדול עשה עמו ועוד שנתנו באוכלי שלחנו כל הימים: (י) והבאת. תאסוף מן השדה הביתה וי"מ אותו ענין תבואה כלומר תעבוד לו את האדמה בכל צרכי עבודה עד שתאסוף התבואה: והיה לבן אדוניך. הוא מיכא בן מפיבשת כלומר תבואת האדמה יהיה לחם לבן אדוניך מיכא ואכלו:

מצודת דוד

בחשבו שלא נשאר מי היותר קרוב לנחלה: (ח) מה עבדך. מה נחשב עבדך למאומה: (י) ועבדת לו. נלרכו תעבוד את האדמה בחרישה וקלירה: והבאת. את התבואה תביא אל הבית: לבן אדניך. הוא מיכה האמור למטה שהוא בן מפיבושת אדונו: בן

מצודת ציון

(ט) נער. המשרת נקרא נער ע"ש שדרך הנער לשרת את הזקן:

Jonathan your father, and I will restore to you all the land of Saul your father; and you shall eat bread at my table continually." 8. And he bowed down and said, "What is your servant, that you should turn towards such a dead dog as I am?" 9. And the king called to Zibah, Saul's servant, and said to him: 'All that belonged to Saul and to all his household have I given to your master's son. 10. And you shall till the soil for him, you, and your sons, and your servants; and you shall bring [the produce] so that there your master's servant will have bread, that he may eat it; and Mephibosheth your master's son, shall eat bread continually at my table." Now Zibah had fifteen sons and twenty servants. 11. And Zibah said to the king; "According to all that my lord, the king, commands his servant, so shall your servant do.

Commentary Digest

thus consisted of his return of this property to the House of Saul despite the fact that he was legally allowed to retain it. — A and K. D conjectures that David had acquired access to Saul's estate through his wife Michal the daughter of Saul, who had inherited it in the absence of any known male heir. This interpretation, however, fails to explain in what manner kindness was shown Mephibosheth if David was merely returning property that was found to be legally his.

10. *bring* [*the produce*] — from the fields to the house — K and D.

for your master's son — Although heretofore David had applied this title to Mephibosheth, the son of Zibah's former master Jonathan, here he refers to Micha the son of Zibah's present master, Mephibosheth. While Mephibosheth eats with me you shall supply Micha his son — K and D.

11. *so shall your servant do*: *as for Mephibosheth, he shall eat at my table* — "*Zibah said; 'so shall your servant do', and David responded; 'as for Mephibosheth, he shall eat at my table."* — R. A and K attribute the 'I shall do as you command, even entire statement to Zibah, as follows:

וּמְפִיבֹשֶׁת אֹכֵל עַל־שֻׁלְחָנִי כְּאַחַד
מִבְּנֵי הַמֶּלֶךְ׃ יב וְלִמְפִיבֹשֶׁת בֵּן־קָטָן
וּשְׁמוֹ מִיכָא וְכֹל מוֹשַׁב בֵּית־צִיבָא
עֲבָדִים לִמְפִיבֹשֶׁת׃ יג וּמְפִיבֹשֶׁת יֹשֵׁב
בִּירוּשָׁלַםִ כִּי עַל־שֻׁלְחַן הַמֶּלֶךְ תָּמִיד
הוּא אֹכֵל וְהוּא פִּסֵּחַ שְׁתֵּי רַגְלָיו׃ י א וַיְהִי
אַחֲרֵי־כֵן וַיָּמָת מֶלֶךְ בְּנֵי עַמּוֹן וַיִּמְלֹךְ
חָנוּן בְּנוֹ תַּחְתָּיו׃ ב וַיֹּאמֶר דָּוִד אֶעֱשֶׂה־
חֶסֶד ׀ עִם־חָנוּן בֶּן־נָחָשׁ כַּאֲשֶׁר עָשָׂה
אָבִיו עִמָּדִי חֶסֶד וַיִּשְׁלַח דָּוִד לְנַחֲמוֹ

תרגום

אָכֵל עַל פָּתוֹרִי
כְּחַד מִבְּנֵי מַלְכָּא׃
יב וְלִמְפִיבֹשֶׁת בְּרָא
זְעֵירָא וּשְׁמֵיהּ מִיכָה וְכֹל
מוֹתַב בֵּית צִיבָא עַבְדִין
לִמְפִיבֹשֶׁת׃ יג וּמְפִיבֹשֶׁת
יָתִיב בִּירוּשְׁלֵם אֲרֵי עַל
פָּתוֹרָא דְמַלְכָּא תְּדִירָא
הוּא אָכֵל וְהוּא לְקֵי
בְּתַרְתֵּין רִגְלוֹהִי׃ א וַהֲוָה
בָּתַר כֵּן וּמִית מַלְכָּא
דִבְנֵי עַמּוֹן וּמְלַךְ חָנוּן
בְּרֵיהּ תְּחוֹתוֹהִי׃ ב וַאֲמַר
דָּוִד אַעְבֵּיד טִיבוּ עִם
חָנוּן בַּר נָחָשׁ כְּמָא
דַעֲבַד אֲבוּהִי עִמִּי טִיבוּ
וּשְׁלַח דָּוִד לְנַחֲמוּתֵיהּ
בִּידָא

ת"א אוליכא. יבמות סב: תמיד הוא אוכל. זוכר תרומה:

מהר"י קרא — הב' בצירי — רש"י

י (ג) אל אביו. על דבר אביו שמת: עבדך ומפיבושת אוכל על שלחני. ליבא אמר כן יעשה עבדך. ודוד השיב. ומפיבושת אוכל על שלחני: (יב) מושב בית ציבא. בניו ועבדיו: י (ב) כאשר עשה אביך עמדי חסד. ומהו החסד כשהי' דוד בורח מפני שאול באו אליו אביו ואמו ואחיו (שמואל א' כ"ב ד') וינחם את פני מלך מואב ויאמר לו ישב נא אבי ואמי עמך והרגם חוץ מאחד מהם שברח ונמלט לארץ בני עמון אצל נחש. מדרש רבי תנחומא בוירא

רד"ק

(יא) ומפיבש' אכל על שלחני. אעפ"י שמפיבשת אוכל על שלחני כאחד מבני המלך ולא יצטרך לכל הדבר הזה אעפ"כ אעשה כמו שצויתני לעבוד כל הנחלה למפיבשת ולבניו וי"מ ומפיבשת אוכל על שלחני דברי דוד כי אחר שאמר לו ציבא כן יעשה עבדך להכין הכל למיכא בן מפיבשת אמר דוד ומפיבשת יהיה אוכל על שלחני כאחד מבני המלך: (יב) וכל מושב בית ציבא. בניו וכל עבדיו וכל בני ביתו: (ב) כאשר עשה אביו עמדי חסד. אמרו כי כשהיה בורח דוד ובאו אליו אביו ואמו ואחיו ואכר וינחם את פני מלך מואב הרגם מלך מואב אחר שהיו עמו חוץ מאחד מהם שברח לארץ בני עמון והחייהו נחש מלך בני עמון. ובדרש עוד לא תדרוש שלומם וטובתם אתה מוצא במי שבא אליהם במדת רחמי' סוף בא לידי בזיון ואיזה זה שנאמ' אעשה חסד עם חנון וגו' סוף בא לידי בזיון ויקח חנון את עבדי דוד וגו' ונצטרך להלחם עם ארבע אומות בני עמון וארם צובא ואיש

מצודת ציון

(יג) פסח. הגל:

מצודת דוד

אדוניך. בן יהונתן אדוניו: (יא) ומפיבושת. אף זה מדברי ציבא שאמר אני אעשה כדבריך עם היות שעד עתה היה מפיבושת אוכל על שלחני כאחד מבני המלך ולא הצטרך לכל דבר: (יב) וכל מושב. כל היושבים והשוכנים בבית ציבא היו עבדים וגו':
י (ב) כאשר עשה וגו'. אמרו רז"ל שהחסד היה שהחיה את אחיו אשר ברח אליו מאת מלך מואב כשהמית את אביו וכיוצא אחר

Commentary Digest

feared it would result in pressure to enter into a formal treaty with Ammon; now that Nahash had died, he no longer feared this and desired to pay his last respects to the king who had befriended his family. — M. While the Medieval halachists, cited by M, are of the opinion that mere repayment of a kindness was not included in the Torah's prohibition against seeking peace with Ammon, (and cite David's actions as proof to their position (See Ha-gaot Maimoniot on Maimonides, Law of Kings Ch. 6, h. 6), the Midrashim contend that the embarrassment suffered by his servants and the battles that ensued were intended as punishment for this action: 'You find that one who approached them with pity, inevitably came to be shamed . . . and was forced to battle four nations . . . Who caused all this upon David? His desire to do good with those

As for Mephibosheth, he shall eat at my table as one of the
king's sons." 12. And Mephibosheth had a small son whose
name was Micha. And all the inhabitants of Zibah's house
were servants to Mephibosheth. 13. And Mephibosheth
dwelt in Jerusalem; for he ate continually at the king's table;
and he was lame on both his feet.

10

1. And it came to pass after this, that the king of the children
of Ammon died, and Hanun his son reigned in his stead. 2.
And David said: "I shall show kindness to Hanun the son
of Nahash, just as his father showed me kindness. And David
sent to comfort him

Commentary Digest

though presently Mephibosheth eats like a prince at my table and there is no true need for having him eat with you.'

12. *the inhabitants of Zibah's house* — *"his sons and servants"* mentioned in v. 10. — R.

13. *was lame on both feet.* — Perhaps his infirmity is repeated to account for David's immense concern for Micha's provision. Because Mephibosheth was lame he could not readily commute between the palace and his estate in order to provide personally for his son. — Alschich.

CHAPTER 10

2. *just as his father showed me kindness* — *"And what was this kindness? When David was fleeing from Saul, his father, mother, and brother came to him* (I Sam. 22:4) *and he brought them before the king of Moab and said to him; 'Please allow my father and mother to live with you.' Nevertheless he killed them excepting one that fled and escaped to the land of the sons of Ammon, to Nahash. — Midrash of R. Tanhuma in p. Va'yerah."* — R from T, p. Va'yerah, Ch. 25, Buber edition.

Despite the gratitude that David felt toward Nahash, David failed to establish friendly relations between the two countries during the lifetime of this Ammonite king. This was due to the prohibition found in Deut. 23:6 against seeking peace and security with the nations of Ammon and Moab. Nevertheless, David felt that the Torah's restriction applied only to national policy and not to payment-in-kind for a favor shown personally to him. Though David refrained from repaying this kindness during the king's lifetime since he

בְּיַד־עֲבָדָיו אֶל־אָבִיו וַיָּבֹאוּ עַבְדֵי דָוִד
אֶרֶץ בְּנֵי עַמּוֹן׃ ג וַיֹּאמְרוּ שָׂרֵי בְנֵי־
עַמּוֹן אֶל־חָנוּן אֲדֹנֵיהֶם הַמְכַבֵּד דָּוִד
אֶת־אָבִיךָ בְּעֵינֶיךָ כִּי־שָׁלַח לְךָ
מְנַחֲמִים הֲלוֹא בַּעֲבוּר חֲקֹר אֶת־הָעִיר
וּלְרַגְּלָהּ וּלְהָפְכָהּ שָׁלַח דָּוִד אֶת־עֲבָדָיו
אֵלֶיךָ׃ ד וַיִּקַּח חָנוּן אֶת־עַבְדֵי דָוִד וַיְגַלַּח
אֶת־חֲצִי זְקָנָם וַיִּכְרֹת אֶת־מַדְוֵיהֶם
בַּחֵצִי עַד־שְׁתוֹתֵיהֶם וַיְשַׁלְּחֵם׃ ה וַיַּגִּדוּ
לְדָוִד וַיִּשְׁלַח לִקְרָאתָם כִּי־הָיוּ הָאֲנָשִׁים

תרגום

בִּידָא דְעַבְדוֹהִי לְוָת
אֲבוּהִי וַאֲתוֹ עַבְדֵי דָוִד
לַאֲרַעָא בְּנֵי עַמּוֹן׃
ג וַאֲמַרוּ רַבְרְבֵי בְּנֵי עַמּוֹן
לְחָנוּן רִבּוֹנֵיהוֹן הַמְיַקַּר
דָּוִד יָת אֲבוּךְ בְּעֵינָךְ אֲרֵי
שְׁלַח לָךְ מְנַחֲמִין הֲלָא
בְּדִיל לְמִתְחַקַּר יָת קַרְתָּא
וּלְאַלָּלוּתַהּ וּלְבַדָּקַהּ
שְׁלַח דָּוִד יָת עַבְדּוֹהִי
לְוָתָךְ׃ ד וּנְסֵיב חָנוּן יָת
עַבְדֵי דָוִד וְגַלַּח יָת
פַּלְגוּת דִּקְנֵיהוֹן וּפְסַק
יָת לְבוּשֵׁיהוֹן עַד
פַּלְגֵיהוֹן עַד אֲתַר בֵּית
בְּהַתְּהוֹן וְשַׁלְּחִינוּן׃
ה וְחַוִּיאוּ לְדָוִד וּשְׁלַח
לְקַדְמוּתְהוֹן אֲרֵי הֲווֹ

רש"י

אליו: (ג) המכבד דוד את אביך בעיניך. הנראה בעיניך שדוד מכבד את אביך הם מוזהרים לא תדרוש שלומם והוא ידרוש שלומך: (ד) מדויהם. הלוקיהם: שתותיהם. העגבות:

מהר"י קרא

(ג) ויאמרו שרי [בני] עמון אל חנון ארוניהם המכבד דוד את אביך בעיניך כי שלח לך מנחמים. סבור אתה שמניח דברי אלהיו שמצוהו לא תדרוש שלומים וטובתם. מפני אהבת אביך שלח לך מנחמים הלא בעבור חקור את העיר ולרגלה ולהפכה שלח דוד את עבדיו אליך: (ד) מדויהם. כמו מדיהם. שתותיהם. כמו נחשופי שת ערות מצרים: ויכרת את מדויתם בחצי [עד] שתותיהם. ופסיק ית לבושיהון עד פלגיהון עד בהתתהון:

רד"ק

טוב ומלך מעכה מי גרם לו לדוד כל זה שבקש לעשות טובת עם מי שאמר הקב"ה לא תדרוש שלומם וטובתם אמר לו הקב"ה לדוד אתה עובר על תורתי אני כתבתי לא תדרוש שלומ' וטובת' ואתה עושה עמהם חסד אל תהי צדיק הרבה מכאן שלא יהא אדם מוותר על התורה: אל אביו. כמו על אביו וכן אל ההרים לא אכל: (ג) המכבד. תחשוב כי לטובה ולנחמך שלחם לא שלחם אלא לרגל את הארץ: ולהפכה. כתרגום ולמבדק' כי בודק הדב' יפה הופך הענין מצד אל צד: (ד) מדויהם. כתרגו' לבושיהון כמו מדו בד ואם אינם שרש אחד: בחצי. בחצי לבושיה' כי עד השתות חצי הלבוש: עד שתותיהם. עגבותיה' כמו חשופי שת ות"י עד אתר בית בהתתהון ואחד הוא כי הוא

רלב"ג

(ד) ויגלח את חצי זקנם. כדי לנוולם וזה לאות שלא היה מנהגם לגלח זקנם שאם היה מגלחים זקנם היה אפשר להם להסיר הבשת מעליהם בשיגלחו הנשאר מזקנם: ויכרת את מדויהם בחצי עד שתותיהם. אחשוב שקרא מדויהם המכנסים שיכסה בהם הבשת והערוה וטנופיה והנה קראם מדויהם בעבור הטנופים שבהם מאלו המקומות אשר ידחו בהם המותרות הטבעיים ומזה הענין נקראת האשה הנדה דוה מלד המותר שידחה ממנה אז וכאמור בזה המאמר שכבר כרת המכנסים בחצי עד שנגלה הבשת שלהם ולזה השאירם מגולי הערוה והשופי בת וזה לאות שלא השאיר בהם בגדים יכסו בהם ערותם אלא שהם נמלטו מזה הבשת כלבשם בגדים אחרים לכסות ערותם ואולם מענין גלוח זקנם לא נמלטו עד צמח זקנם:

מצודת דוד

בהוליכם אליו מן מערת עדולם כמ"ש (כב"א): (ג) המכבד דוד וגו' בעיניך. וכי כסבור אתה שדוד מכבד את אביך בעיניך על כי שלח לך מנחמים: הלוא. הנה לא שלח כ"א לרגל את הארץ: (ד) בחצי. במחצית ארכם והוא עד שתותיהם: (ה) וישלח לקראתם. לאמר להם לשבת בירחו האמור בסוף המקרא והפסיק לומר הסיבה למה לא באו למלך ואמר כי היו נכלמים ולכן שלח לקראתם: ושבתם.

מצודת ציון

י (ג) ולרגלה. מלשון מרגל ומחפש: ולהפכה. ת"י ולבדקה כי הבודק דבר מה מהפכהו מצד אל צד: (ד) מדויהם. מלבושיה' כמו וילבש שאול וגו' מדיו (ש"א י"ז): שתותיהם. הם העגבות

through his servants, for his father. And David's servants came into the land of the children of Ammon. 3. And the princes of the children of Ammon said to Hanun their lord: "Do you think that David honors your father that he sent you comforters? Is it not in order to investigate the city and to spy it out, and to search it that David has sent his servants to you?" 4. And Hanun took David's servants and he shaved off a half of their beards, and he cut off their garments in half up to their buttocks, and he sent them away. 5. And they told it to David; and he sent to meet them; for the men were

Commentary Digest

whom the Holy One blessed is He commanded not to seek their peace and security.' — K quoting N.R. 21:6. M offers the compromise suggestion that had David sent a single individual to Hanun, his action would not have met with disapproval. By sending an entire delegation his deed bordered too closely on an official attempt at improving relations between the two nations and therefore merited its outcome.

showed me — I seek not their peace but merely wish to repay a kindness shown unto me. — M.

3. *"Do you think that David honors your father"—"Does it appear to you that David honors your father? They are warned; 'Do not seek their peace.' and he seeks your peace?"* — R from T. p. Va'yerah. Ch. 25. If he showed no friendliness towards your father in his lifetime, can we suppose that he does so now? — M.

to search it — K and Z. K explains that the term להפכה is used (lit. — to overturn it) because when one searches well he overturns everything.

4. *garments —"their robes".* — R.

"buttocks"—R, K, and D. With this action Hanun intended to convey to David that, at best, only *half* his intentions were pure. While perhaps he sought to console Hanun he also desired to search out the land — A.

5. *beards grow* — David did not suggest the simpler solution of shaving the remaining half of their beards because it was not customary to shave the beard, and this would have been of equal embarrassment to them. — K and A.

נִכְלָמִים מְאֹד וַיֹּאמֶר הַמֶּלֶךְ שְׁבוּ בִירֵחוֹ
עַד־יְצַמַּח זְקַנְכֶם וְשַׁבְתֶּם: ו וַיִּרְאוּ בְּנֵי
עַמּוֹן כִּי נִבְאֲשׁוּ בְּדָוִד וַיִּשְׁלְחוּ בְנֵי־
עַמּוֹן וַיִּשְׂכְּרוּ אֶת־אֲרַם בֵּית־רְחוֹב
וְאֶת־אֲרַם צוֹבָא עֶשְׂרִים אֶלֶף רַגְלִי
וְאֶת־מֶלֶךְ מַעֲכָה אֶלֶף אִישׁ וְאִישׁ טוֹב
שְׁנֵים־עָשָׂר אֶלֶף אִישׁ: ז וַיִּשְׁמַע דָּוִד
וַיִּשְׁלַח אֶת־יוֹאָב וְאֵת כָּל־הַצָּבָא
הַגִּבֹּרִים: ח וַיֵּצְאוּ בְּנֵי עַמּוֹן וַיַּעַרְכוּ
מִלְחָמָה פֶּתַח הַשָּׁעַר וַאֲרַם צוֹבָא
וּרְחוֹב וְאִישׁ־טוֹב וּמַעֲכָה לְבַדָּם
בַּשָּׂדֶה: ט וַיַּרְא יוֹאָב כִּי־הָיְתָה אֵלָיו
פְּנֵי הַמִּלְחָמָה מִפָּנִים וּמֵאָחוֹר וַיִּבְחַר
מִכֹּל בְּחוּרֵי בְּיִשְׂרָאֵל וַיַּעֲרֹךְ לִקְרַאת

ישראל קרי

גַּבְרַיָּא מִתְכַּלְמִין לַחֲדָא
וַאֲמַר מַלְכָּא תִּבוּ בִירֵיחוֹ
עַד דְּיִצְמַח דִּקְנֵיכוֹן
וּתְתוּבוּן: ו וַחֲזוֹ בְּנֵי
עַמּוֹן אֲרֵי אִתְגְּרִיאוּ
בְּדָוִד וּשְׁלַחוּ בְּנֵי עַמּוֹן
וַאֲגַרוּ יַת אֲרָם בֵּית רְחוֹב
וְיַת אֲרָם צוֹבָא עַסְרִין
אַלְפִין גְּבַר רִגְלִי וְיַת
מֶלֶךְ מַעֲכָה אֲלַף גְּבַר
וְאִישׁ טוֹב תְּרֵי עֲסַר
אַלְפִין גַּבְרָא: ז וּשְׁמַע
דָּוִד וּשְׁלַח יַת יוֹאָב וְיַת
כָּל חֵילָא דְגִבָּרַיָּא:
ח וּנְפַקוּ בְּנֵי עַמּוֹן וְסַדָּרוּ
קְרָבָא בְּמֵעֲלָנָא דְתַרְעָא
וַאֲרָם צוֹבָא וּרְחוֹב וְאִישׁ
טוֹב וּמַעֲכָה בִּלְחוֹדֵיהוֹן
בְּחַקְלָא: ט וַחֲזָא יוֹאָב
אֲרֵי תְקִיפוּ עֲלוֹהִי עָבְדֵי
קְרָבָא מֵאַפּוֹהִי
וּמֵאֲחוֹרוֹהִי וּבְחַר מִכֹּל
בְּחוּרֵי יִשְׂרָאֵל וְסַדַּר
לְקַדָמוּת אֱנָשׁ אֲרָם:
וית

רד"ק

מקום המכריעים: (ה) עד יצמח זקנכם. ולא אמר לגלח החצי האחר כי לא היה מנהגם לגלח הזקן ואפילו במספרים אלא השפה לבד אלא אם כן משום צער ואבל כמו שאמר מגולחי זקן וקרועי בגדים וחרפה הוא גלוח הזקן אלא שנהגו כן באלה הארצות אשר אנחנו שם: יצמח. פועל עומד מן הדגוש וכן ויעשרך צמח: (ו) נבאשו. נתעבו כמו שיתעב האדם הדבר הנבאש: (ז) ואת כל הצבא הגבורים. כמו העם המלחמה או פי' הצבא והגבורים: (ח) ורחוב. פירושו וארם רחוב וארם צובא שזכר עומד במקום שנים: ומעכה. ארם מעכת או מלך מעכה: לבדם. להודיע כי מלך בני עמון וכולם היו מבפנים ויצאו לערוך מלחמה ואלה בני ארם הנשכרים והנזכרים היו בשדה לערוך מלחמה עם ישראל גם כן וכאשר בא יואב והצבא עד פתח השער ויצאו בני עמון היו לו בני עמון מבפנים וארם שהיו בשדה מאחור: (ט) כי היתה אליו פני המלחמה. אשר היתה על המלחמה ואף על פי שזכר פני וכמוהו קשת גבורים חתים קול נגידים נחבאו ופי' פני הגבורים שהם פני המלחמה שהולכים לפנים וכת"י ארי תקיפו עלוהי עבדי קרבא: בחורי. בשו"א הבי"ת והוא כן הקלים ובחורי ישראל

מצודת ציון

בהוא כמלי המלבוש ודוגמתו תפוסי פת (ישעיה כ): (ה) יצמח. יגדל: (ו) נבאשו. נמאסו כדבר הנבאש: ואיש טוב. אנשי ארץ טוב והוא שם אדון הארץ וכן וישב בארץ טוב (שופטים יא): (ז) הגבורים. כמו והגבורים:

מצודת דוד

לביתכם: (ח) פתח השער. מול פתח שער העיר: (ט) פני

Commentary Digest

had the natural advantage of being in a fortified location at the entrance of the city. Joab wisely chose the mightiest men to wage battle with the more powerful Arameans, calculating that the strength of Abishai's army was sufficient to prevent the Ammonites from coming out of their gates to the aid of the Arameans. Because Abishai's men were not assigned to actual combat but were merely guarding against an Ammonite exit, they were left free to come to Joab's aid should that prove necessary. Joab pledged, however, that, since he was taking the finest

very much ashamed. And the king said: 'Remain seated in Jericho until your beards grow, and then you shall return.'
6. And the children of Ammon saw that they had become odious to David; and the children of Ammon sent and hired [of] the Arameans of Beth-rehob, and the Arameans of Zobah, twenty thousand footsoldiers, and [of] the king of Maacah, a thousand men, and [of] Ish-tov, twelve thousand men. 7.
And David heard [of it], and he sent Joab, and the entire host of the mighty warriors. 8. And the children of Ammon came out, and they prepared the battle at the entrance of the gate; and the Arameans of Zobah, and Rehob, and Ish-tov, and Maacah, were by themselves in the field. 9. And Joab saw that the battle front was before and behind him; and he chose of all the choice [men] of Israel and he sent them against

Commentary Digest

6. *and hired* — I Chron. 14:6 mentions that the enormous sum of one thousand talents of silver was sent to Aram for these mercenaires.

Ish-tov — The area Tov is cited in Judges 11: Ish-tov was the ruler of this area which bore his name. — Z.

7. *the entire host of the mighty warriors* — Others render: 'the entire host *and* the mighty warriors — K and Z.

8. *by themselves* — Apparently they planned to entrap the Israelites in the following manner: The Ammonites readied themselves to do battle at the entrance of the gate. The Israelites, unaware that the mercenaries were left behind, were expected to approach the gate to wage battle against Ammon. In the meantime the Aramean mercenaries who had remained in the field were to circle behind them and force the Israelites to defend both front and rear. — K.

9. *against the Arameans* — M explains that while the Ammonites did not have a very powerful army, they

אֲרָם׃ י וְאֵת יֶתֶר הָעָם נָתַן בְּיַד אַבְשַׁי
אָחִיו וַיַּעֲרֹךְ לִקְרַאת בְּנֵי עַמּוֹן׃
יא וַיֹּאמֶר אִם־תֶּחֱזַק אֲרָם מִמֶּנִּי וְהָיְתָה
לִּי לִישׁוּעָה וְאִם־בְּנֵי עַמּוֹן יֶחֶזְקוּ מִמְּךָ
וְהָלַכְתִּי לְהוֹשִׁיעַ לָךְ׃ יב חֲזַק וְנִתְחַזַּק
בְּעַד עַמֵּנוּ וּבְעַד עָרֵי אֱלֹהֵינוּ וַיהוָה
יַעֲשֶׂה הַטּוֹב בְּעֵינָיו׃ יג וַיִּגַּשׁ יוֹאָב וְהָעָם
אֲשֶׁר עִמּוֹ לַמִּלְחָמָה בַּאֲרָם וַיָּנֻסוּ מִפָּנָיו׃
יד וּבְנֵי עַמּוֹן רָאוּ כִּי־נָס אֲרָם וַיָּנֻסוּ מִפְּנֵי
אֲבִישַׁי וַיָּבֹאוּ הָעִיר וַיָּשָׁב יוֹאָב מֵעַל
בְּנֵי עַמּוֹן וַיָּבֹא יְרוּשָׁלִָם׃ טו וַיַּרְא אֲרָם
כִּי נִגַּף לִפְנֵי יִשְׂרָאֵל וַיֵּאָסְפוּ יָחַד׃
טז וַיִּשְׁלַח הֲדַדְעֶזֶר וַיֹּצֵא אֶת־אֲרָם אֲשֶׁר
מֵעֵבֶר הַנָּהָר וַיָּבֹאוּ חֵילָם וְשׁוֹבַךְ שַׂר־

תרגום

י וית שאר עמא יהב
ביד אבשי אחוהי וסדר
לקדמות בני עמון:
יא נאמר אם תתקף אנש
ארם מני ותהי לי לפריק
ואם בני עמון יתקפון
מנך ואיתי למפרק לך:
יב תקף ונתקף על עמנא
ועל קירוי אלהנא ויי
יעבד דתקן קדמוהי:
יג וקריב יואב ועמא די
עמיה לאגחא קרבא
באנש ארם ואפיכו מן
קדמוהי: יד ובני עמון
חזו ארי אפכו אנש
ארם נערקו מן קדם
אבישי ואתו לקרתא
ותב יואב מלות בני
עמון ואתא לירושלם:
טו וחזו אנש ארם ארי
אתברו קדם ישראל
ואתכנישו כחדא:
טז ושלח הדדעזר ואפיק
ית אנש ארם דמעבר
פרת ואתו לחילם
ושובך

ת"א חזק ונתחזק. ברכות לב: ושובך. סוטה מב:

רש"י

(טז) ושובך שר צבא הדדעזר. על שם שהיה גבור ועריץ מאוד הזכירו בשמו:

מהר"י קרא

(יא) אם תחזק ארם ממני. אם תחזק אומה מבני ארם ממני: (טז) ושובך. על שם שהיה גבוה כשובך. ובדברי הימים קורהו שופך על שהיה שופך דמים:

רד"ק

הכריע וכן בחורים שהם בפתח הבית מן הדגושי': (י) ביד אבשי. בשוא הבי"ת ובמסרה בסיפרא לית כותיה וכל דברי הימים כותיה: (יא) והיתה לי לישועה. בחסרון היו"ד שהיא במקו' למ"ד הפועל מהמכתב: (יב) בעד עמנו. שלא יהיו לחרב ולשבי: ובעד ערי אלהינו. שלא יכבשו אותם אויבינו וישבו בהם אם יתחזקו עלינו וינצחונו ואם יעשו כן לא יהיו ערי אלהינו אלא ערי אלהים אחרים: וה' יעשה הטוב בעיניו. אנחנו נתחזק בכל כחינו למלחמה וה' יעשה הטוב בעיניו כי לה' התשועה: (טז) ושובך. ובדברי הימים כתוב ושופך והבי"ת והפ"א

רלב"ג

(יב) חזק ונתחזק בעד עמנו. למדנו מזה שאין ראוי לסמוך על הנס אבל ראוי שישתדל האדם בהצלתו לפי מה שאפשר ואז יעזור הש"י כי הש"י לא יחדש המופתים רק במקומות ההכרחיים כמו שזכרנו פעמים רבות:

מצודת דוד

המלחמה. פני אנשי המלחמה: (יב) חזק ונתחזק. חזק אתה והעם אשר עמך וגם אנו נתחזק: בעד עמנו. שלא ילכו בשבי: ובעד ערי וגו'. שלא יכבשום האויב: וה' יעשה הטוב וגו'. ר"ל ואם בכל זאת הוא קץ לא מועיל יעשה ה' הטוב בעיניו ונקבל באהבה: (טו) ויאספו יחד.

מצודת ציון

(טז) חילם. שם מקום:

the Arameans. 10. And the rest of the people he gave over to Abishai his brother, and he set (them) against the children of Ammon. 11. And he said: "If the Arameans will be too strong for me, then you shall help me, and if the children of Ammon will be too strong for you, then I shall go to your aid. 12. Be strong, and let us strengthen ourselves on behalf of our people, and on behalf of the cities of our God; and [then] may God do what is good in his eyes." 13. And Joab and the people that were with him drew forward to do battle against the Arameans, and they fled before him. 14. And [when] the children of Ammon saw that the Arameans had fled, then they [likewise] fled from before Abishai, and they came to the city. And Joab returned from the children of Ammon and came to Jerusalem. 15. And the Arameans saw that they were smitten before Israel, and they gathered themselves together. 16. And Hadadezer sent, and brought out the Arameans that were from beyond the River; and they came to Helam, and Shobach the captain

Commentary Digest

soldiers to himself, he would not forsake Abishai should the Ammonites battle the Israelites and prove too powerful for them. — M.

12. *of our people* — that they may not be taken captive. — K

cities of our G-d — For if they are seized, they will be considered the cities of the other gods, who will be worshipped there. — K.

(*then*) *may G-d do* — From here it is derived that one has no right to expect miracles until every effort has been made to accomplish the same objective in a natural manner. — G Compare to Comm. Digest above 5:23. According to A, Joab, considered the possibility that both units might be overpowered, and said to Abishai: if, after we have done our utmost, our effort still falls short, then G-d desires our defeat and we must accept it gracefully.'

15. *they gathered themselves together.* They attempted to recoup under the new leadership of Shobach, captain of Hadadezer's army. — A.

צבא הדרעזר לפניהם: יז ויגד לדוד
ויאסף את־כל־ישראל ויעבר את־
הירדן ויבא חלאמה ויערכו ארם
לקראת דוד וילחמו עמו: יח וינס ארם
מפני ישראל ויהרג דוד מארם שבע
מאות רכב וארבעים אלף פרשים
ואת שובך שר־צבאו הכה וימת שם:
יט ויראו כל־המלכים עבדי הדרעזר כי
נגפו לפני ישראל וישלמו את־ישראל
ויעבדום ויראו ארם להושיע עוד את־
בני עמון: יא א ויהי לתשובת השנה
לעת צאת המלאכים וישלח דוד את־

ושובך רב חילא דהדרעזר קדמיהון: יז ואתחוא לדוד וכנש ית כל ישראל ועבר ית ירדנא ואתו לחלם וסדרו אנש ארם לקדמות דוד ואגיחו קרבא עמיה: יח ואפכו אנש ארם מן קדם ישראל וקטל דוד מארם שבע מאה רתיכין וארבעין אלפין פרשין וית שובך רב חיליה מחו ומית תמן: יט וחזו כל מלכיא עבדי הדרעזר ארי אתברו קדם ישראל ואשלימו עם ישראל ופלחונון ודחילו אנש ארם למפרק עוד ית בני עמון: א והוה לזמן סופא דשתא לעדן מפק מלכיא ושלח דוד ית יואב

יתיר א׳ יתיר א׳

מהר"י קרא

יא (א) לעת צאת המלכים. הם ימות החמה שהעשב מצוי

רש"י

יא (א) לעת צאת המלכים. יש עת בשנה שדרך

רלב"ג

(א) לעת צאת המלכים. הוא בימי החום שימצאו התבואות והעשבים בשדות והפירות באילנות כי אז ימצאו הבהמות ואנשי

רד"ק

קרובים במוצא והם ממוצא אחד וכן בזר פזר: (יז) חלאמה. הוא חלם הנזכר והה"א כה"א מצרימה והאל"ף נוספת למשך: (יח) שבע מאות רכב וארבעים אלף פרשים. ובדברי הימים שבעת אלפים רכב וארבעים אלף רגלי מה שאמר בזה הספר שבע מאות רכב ר"ל רכב בחור ולא מנה שאר הרכב ובדברי הימים מנה את כל הרכב שהיו שבעת אלפים ובזה הספר מנה הפרשים ולא מנה הרגלים ושם מנה הרגלים ולא מנה הפרשים: שר צבאו. שר צבא הדרעזר הנזכר למעלה: (א) לעת צאת המלאכים. האלף נוספת למשך ופירושו לסוף השנה שהיא תשובת השמש אל הנקודה ההיא וחשבון שנה זו מזמן שיצאו אלה המלכים הנזכרים להלחם וי"מ לעת צאת

מצודת ציון

(יז) חלאמה. להלם: (יט) וישלימו. עשו שלום: יא (א) לתשובת.

מצודת דוד

בחשבם שברכת עם ינלחו הם: (יט) עבדי הדרעזר. ר"ל השרים למשמעתו: יא (א) לתשובת השנה. ר"ל בעת תשובת השמש אל הנקודה ההיא בעולמה שהיתה בה בעת צאת המלכים בשנה העברה להלחם בישראל ולעזור לבני עמון כמ"ש למעלה:

Commentary Digest

since the last encounter, and that it was a time which was generally chosen by kings as ideal for conducting warfare. Should we attempt to excuse David by suggesting that the battle was not important enough to merit the king's participation, we are told that David was forced to send Joab, his servants, and all of Israel against the enemy.

But David stayed in Jeruasalem — He remained behind and avoided participation in the battle. — M.

2. *and he walked upon the roof*— M suggests that it was David's excessive self indulgence at a time when his men were risking their lives, as indicated by this leisurely stroll, that lead to his spiritual decline.

bathing from the roof — From the roof,. he caught a glimpse of her bathing in her house — K and D.

of the host of Hadadezer, before them. 17. And it was
told to David; and he gathered together all Israel, and he
crossed the Jordan, and came to Helam. And the Arameans
set themselves against David, and fought with him. 18. And
the Arameans fled before Israel; and David slew of the
Arameans, seven hundred chariots, and forty-thousand horse-
men, and Shobach the captain of his host he smote, and he
died there. 19. And all the kings, the servants of Hadadezer
saw that they were smitten before Israel, and they made
peace with Israel and served them. And the Arameans feared
to aid the children of Ammon any more.

11

1. And it was, at the return of the year, at the time of the going out of kings [to battle], and David sent

Commentary Digest

17. *and he gathered* — This time David personally led his army. — A.

18. *seven hundred chariots* — In I Chron. 19:18, the sum given is seven thousand chariots. K and A explain that here the amount cited is only of a special class of the finest chariots.

of his host — Of Hadadezer's host.

CHAPTER 11

1. *at the return of the year* — At the return of the sun to the point where it was located at the time of the encounter with the Ammonites and Arameans mentioned in the previous chapter, or — a year later — K.

going out of kings to battle — From the time that the kings who were mentioned in Ch. 10 went *out* to battle against Israel — K and D. R, G, and J.K. offer that there was a special time of year, during the hot months, when kings preferred to wage battle; *"There is a time of year that it is customary for the armies to go out; when the land is filled with stalks and the horses find grain in the field to eat."* — R.

and David sent — M contends that the events of this chapter were caused by David's refusal to go out and personally lead his army in battle. Lest we think that he was weary from the previous fighting, or that it was not the appropriate season in which to wage a battle, the text tells us that a full year had transpired

יואב ואת־עבדיו עמו ואת־כל־ישראל
וישחתו את־בני עמון ויצרו על־רבה
ודוד יושב בירושלם: ב ויהי לעת
הערב ויקם דוד מעל משכבו ויתהלך
על־גג בית־המלך וירא אשה רחצת
מעל הגג והאשה טובת מראה מאד:
ג וישלח דוד וידרש לאשה ויאמר
הלוא־זאת בת־שבע בת־אליעם
אשת אוריה החתי: ד וישלח דוד
מלאכים ויקחה ותבוא אליו וישכב
עמה והיא מתקדשת מטמאתה

תרגום

יואב וית עבדוהי עמיה
וית כל ישראל וחבילו
ית בני עמון וצרו על
רבה ודוד יתיב
בירושלם: ב והוה לעדן
רמשא וקם דוד מעל
שיוויה והליך על אגר
בית מלכא וחזא אתתא
משתטפא על אגרא
ואתתא שפירת חזו
לחדא: ג ושלח דוד
ושאל לאתתא ואמר
הלא דא בת שבע בת
אליעם אתת אוריה
חתאה: ד ושלח דוד
אזגדין ודברה ואתת
לותיה ושכיב עמה והיא
מתדכיא

ת"א ויהי לעת ערב, סנהדרין קז: וישלח דוד. שם: הלא זאת. **שם** סט: וישלח דוד מלאכים. שם קז:

רש"י

החיילות לצאת כשהארץ מלאה קמות והסוסים מוצאים תבואה בשדה לאכול: (ד) מטומאתה. ונלדתה:

מהר"י קרא

לבחמם: (ג) וידרש לאשה. שאל אשת מי היא. ויען הכושי אליו הלא זאת בת שבע [בת] אליעם אשת אוריה החתי: (ד) והיא מתקדשת מטומאתה. נדה היתה ומתקדשת מטומאתה עכשיו. ומעתה אין לתלות הולד באוריה כששכב דוד אותה שהרי מתקדשת היתה כשראה אותה דוד רוחצת על

רד"ק

העם שדרך המלכים לצאת עם חיילותיהם והוא עת שהקמות בשרות והסוסים מוצאי' לאכול והראשון נכון בעיני: (ג) מעל הגג. היא ראה אותה מעל הגג שהיתה רוחצת בביתה: (ג) וידרש לאשה. דרש לאנשי ביתה בעד האשה מי היא אם היא בת שבע בת אליעם: אורית החתי. אפשר כי גר היה או ישראל היה וקראו חתי לפי שגר עם בני חת וכן אתי הגתי: (ד) מתקדשת מטומאת'. להודיע כי לא שכב עמה והיא נדה כי כבר התקדשה מטומאתה כמו שאמר רוחצת והודיע כי הרחיצה ההיא להתקדש מן הנדות היתה ולא עבר עליה משום נדה אלא משום אשת איש ורבו' ז"ל אמרו כל היוצא למלחמת

רלב"ג

החיל לאכל: (ד) והיא מתקדשת מטומאתה. ר"ל שהיא היתה אז רוחצת

מצודת דוד

(ב) מעל הגג. ר"ל מעל הגג שהלך הוא בו ראה אשה רוחצת למטה: (ג) וידרש. שאל ודרש על האשה מי היא: (ד) מתקדשת. ר"ל מטהרת ד היתה טהורה מטומאת נדה כי טבלה עצמה:

מצודת ציון

מל' השכה: ויצרו. מל' מצור: (ד) מתקדשת.

Commentary Digest

when the Torah strictly prohibits this (Deut. 23:2). (C) He added the enormous sin of שפיכת דמים (bloodshed) to the previous act of גילוי עריות (adultery), by placing Uriah at the battlefront to be killed. Furthermore, he was undoubtedly responsible for the death of other innocents who were forced to accompany Uriah to the front. (D) David did not allow Uriah the dignity of being killed on his own soil and by his own people but chose to bring about his death at the hands of Israel's enemies. (E) Apparently devoid of any feelings of shame or guilt, David took Bath-sheba as a wife immediately after her period of mourning over the death of her husband. A concludes that it was only David's sincere repentance that allowed him to re-enter the grace of G-d despite the enormity of his sins.

Despite A's powerful reproach of David, the Talmud, Midrashim, and majority of other major comment-

Joab and his servants with him, and all Israel; and they destroyed the children of Ammon, and beseiged Rabbah. But David stayed in Jerusalem. 2. And it came to pass, at the time of evening, that David arose from his bed, and walked upon the roof of the king's house, and he saw a woman bathing, from the roof; and the woman was very beautiful. 3. And David sent, and inquired about the woman. And he said: 'Is this not Bath-sheba, the daughter of Eliam, the wife of Uriah the Hittite?' 4. And David sent messengers, and he took her and she came to him and he lay with her; and she was purified from her uncleanliness;

Commentary Digest

3. *and he inquired* — If, and to whom she is married — M.

and he said — The one he inquired of said. — J.K. Alschich contends that the correct form should have been ויאמר לו (and he said *to him*) Alschich therefore suggests that it was David who made this statement after being informed of the woman's identity. This interpretation is founded upon the following statement in T.B. San. 107a: 'Bath-sheba had anyway been destined to become David's wife, but he chose to enjoy her as unripe fruit.' (he did not wait until she was legitimately his before having relations with her)'. David, endowed with divine spirit, was apparently aware of the role that Bath-sheba was to play in his destiny. He therefore expressed great surprise that she had been given to another man.

4. *and he lay with her* — A, in almost merciless fashion, refuses to exonorate David from any of his actions of this chapter. Instead, he heaps upon him one transgression after another until he arrives at the following total of five major offenses that David committed: (A) He had relations with Bath-sheba who was the lawful wife of another man. (B) He shamelessly attempted to distort the ancestry of the child he fathered by recalling Uriah from the battle-front in order to have it appear that Bath-sheba's own husband had impregnated her. This ploy, if successful, would have allowed an otherwise illegitimate child to feel free to marry within the ranks of the Israelites

וַתָּשָׁב אֶל־בֵּיתָהּ׃ ה וַתַּהַר הָאִשָּׁה
וַתִּשְׁלַח וַתַּגֵּד לְדָוִד וַתֹּאמֶר הָרָה
אָנֹכִי׃ ו וַיִּשְׁלַח דָּוִד אֶל־יוֹאָב שְׁלַח אֵלַי
אֶת־אוּרִיָּה הַחִתִּי וַיִּשְׁלַח יוֹאָב אֶת־
אוּרִיָּה אֶל־דָּוִד׃ ז וַיָּבֹא אוּרִיָּה אֵלָיו
וַיִּשְׁאַל דָּוִד לִשְׁלוֹם יוֹאָב וְלִשְׁלוֹם הָעָם
וְלִשְׁלוֹם הַמִּלְחָמָה׃ ח וַיֹּאמֶר דָּוִד
לְאוּרִיָּה רֵד לְבֵיתְךָ וּרְחַץ רַגְלֶיךָ וַיֵּצֵא
אוּרִיָּה מִבֵּית הַמֶּלֶךְ וַתֵּצֵא אַחֲרָיו
מַשְׂאַת הַמֶּלֶךְ׃ ט וַיִּשְׁכַּב אוּרִיָּה פֶּתַח

תרגום

מִתְדַכְיָא מְסוֹבְתָהּ
וְתָבַת לְבֵיתָהּ׃ ה וְעַדִיאַת
אִתְּתָא וּשְׁלַחַת וְחַוִיאַת
לְדָוִד וַאֲמַרַת מְעַדְיָא
אֲנָא׃ ו וּשְׁלַח דָוִד לְוַת
יוֹאָב שְׁדַר לִי יַת אוּרִיָה
חִתָּאָה וְשַׁדַר יוֹאָב יַת
אוּרִיָה חִתָּאָה לְוַת דָוִד׃
ז וַאֲתָא אוּרִיָה לְוָתֵיהּ
וּשְׁאַל לֵיהּ דָוִד לִשְׁלָם
יוֹאָב וְלִשְׁלָם עַמָא
וְלִשְׁלַם עַבְדֵי קְרָבָא׃
ח וַאֲמַר דָוִד לְאוּרִיָא חוּת
לְבֵיתָךְ וּשְׁטוֹף רִגְלָךְ
וּנְפַק אוּרִיָה מִבֵּית
מַלְכָּא וּנְפַקַת בַּתְרוֹהִי
סְעוּדְתָא דְמַלְכָּא׃
ט וּשְׁכַב אוּרִיָה בִּתְרַע
בית

ת"א ולשלום המלחמה. עקידס שער עד:

מהר"י קרא

ד"ג: (ה) ותשלח ותגד לדוד ותאמר [הרה] אנכי. כרמזת לו אסוף את חרפתי השב את אישי מן המלחמה וישכב עמי ויהי הולד תלוי בו: (ח) רד לביתך ורחץ רגליך ויצא אוריה מבית המלך ותצא אחריו משאת המלך. שיאכל וישתה ויסב לבו ויבא לשכב עם אשתו! ויהיה הולד נתלה בו באוריה:

רש"י

(ו) ישלח אלי את אוריה. שהיה מתכוין שישכב עם אשתו ויהא סבור שממנו היא מעוברת: (ח) משאת המלך.

רלב"ג

להיות טהורה מטומאתה: (ה) ותאמר הרה אנכי. יתכן שאחר המשגל נשאר רחמה בזולת לחות כי זה מורה על ההריון: (ח) ותלא אחריו משאת המלך. והוא מענין ארוחה כמו וישא משאות מאת פניו ואפשר שיהיה מענין אבוקה ללותו בבואו אל ביתו ולהראות לו הדלקה ואחר זה עשה דוד לעשות הענין בדרך שיעלם חטאו מהאנשים

רד"ק

בית דוד גם כריתות כתב לאשתו אם ימות במלחמה לפי' סבב דוד את מיתת אוריה שתהא מגורשת לבפרע: (ו) שלח. אלי את אוריה. ודעתו כדי שישכב עם אשתו ויאמרו כי מבעלת היתה מעוברת: (ז) ולשלום המלחמ'. הגבורי' העושי' המלחמ' וכת"י עבדי קרבא: (ח) משאת המלך. כתרגומו סעודת' דמלכא

מצודת ציון

(ח) משאת. מנת ארוחה וסעודה וכן וישא משאות מאת פניו

מצודת דוד

(ו) שלח אלי וגו'. כי עמו היה בהמלחמה: (ז) ולשלום המלחמה. לשלום אנשי המלחמה: (ח) ורחץ רגליך. הוא כנוי לתשמיש המטה זכוונתו היתה להעלים הדבר ויחשב כי ממנו הרתה (ואף שכל היוצא למלחמת בית דוד היה כותב גט כריתות לאשתו מ"מ היה הדבר מכוער כי הדבר היה לנושאה שוב כבואו מן המלחמה והיתה שומרת עליו): משאת המלך. למען ייטב לבו ויבוא על אשתו: (ט) פתח. מול הפתח

Commentary Digest

he had the power of guaranteeing the validity of the divorce by forstalling her husband Uriah's return from battle]. — Pidanki.

The text itself provides further proof that David did not commit any actual transgression by telling us that Bath-sheba had just been purified from her uncleanliness (v. 4), Had she been married, relations with her would have involved so serious a transgression that it alone would have merited the death penalty and it would have been of little consequence whether or not she was menstrually clean. The mere mention of this detail indicates that David not only did not commit adultery, but also ascertained that he was not committing the serious transgression of intimacy with a "nidah." Clearly David took the most meticulous care to remain at least within the letter, if not fully within the spirit of the halacha.

Additional proof in support of the Talmudic contention that David did not sin can be discerned from Natahan's reproach of David in the following chapter. Here Nathan reprimands David for marrying Bath-

and she returned to her house. 5. And the woman conceived;
and she sent, and she told David, and she said: "I am
pregnant." 6. And David sent to Joab, "Send me Uriah the
Hittite." And Joab sent Uriah to David. 7. And Uriah came
to him, and David inquired concerning the welfare of Joab,
and the peace of the people, and the welfare of the war. 8.
And David said to Uriah: "Go down to your house, and
wash your feet." And Uriah departed from the king's house,
and there followed him the king's food. 9. And Uriah slept
at the entrance

Commentary Digest

aries come stalwartly to the defense of "G-d's annointed". "Whosoever states that David had sinned is but in error" is the famous statement of the second century Tana Rebi in T.B. Sab. 56a. Indeed, close scrutiny of the halachic issues involved, plus careful analysis of the text can leave us with little doubt that A's harsh appraisal of David's actions is totally uncalled for.

Our rabbis held a tradition that those who left their homes to wage battle on behalf of the House of David would give their wives a divorce which allowed them to marry in the event of their husbands' disappearance (See Tosefot in T.B. Ket. 9b). According to R (in v. 15 and in T.B. Ket. *loc. cit*), these divorces stipulated that should the husband fail to return within a given period of time after the close of hostilities, the divorce would become valid retroactively. A second opinion, offered by the Tosefist grandson of Rashi, Rabbeinu Tam, argues that the divorce was granted outright but was accompanied by a firm verbal pledge that the couple would rewed upon the safe return of the husband. Either way, it was undoubtedly to assure himself that such a divorce was indeed granted that David launched the inquiry of v. 3., for if we should assume that David was prepared to commit adultry, it would be rather ludicrous to think that at the height of his passion he should seek to investigate Bath-sheba's family background. Clearly it was only after he was fully assured that her husband had totally complied with the customary procedure of granting a divorce that he allowed Bath-sheba to be brought to him [according to Rabbeinu Tam, because he knew that she had been granted an outright divorce, and according to R because he was confident that, as king,

בֵּית הַמֶּלֶךְ אֵת כָּל־עַבְדֵי אֲדֹנָיו וְלֹא
יָרַד אֶל־בֵּיתוֹ: י וַיַּגִּדוּ לְדָוִד לֵאמֹר לֹא־
יָרַד אוּרִיָּה אֶל־בֵּיתוֹ וַיֹּאמֶר דָּוִד אֶל־
אוּרִיָּה הֲלוֹא מִדֶּרֶךְ אַתָּה בָא מַדּוּעַ
לֹא־יָרַדְתָּ אֶל־בֵּיתֶךָ: יא וַיֹּאמֶר אוּרִיָּה
אֶל־דָּוִד הָאָרוֹן וְיִשְׂרָאֵל וִיהוּדָה יֹשְׁבִים
בַּסֻּכּוֹת וַאדֹנִי יוֹאָב וְעַבְדֵי אֲדֹנִי עַל־
פְּנֵי הַשָּׂדֶה חֹנִים וַאֲנִי אָבוֹא אֶל־בֵּיתִי
לֶאֱכֹל וְלִשְׁתּוֹת וְלִשְׁכַּב עִם־אִשְׁתִּי
חַיֶּךָ וְחֵי נַפְשֶׁךָ אִם־אֶעֱשֶׂה אֶת־הַדָּבָר
הַזֶּה: יב וַיֹּאמֶר דָּוִד אֶל־אוּרִיָּה שֵׁב בָּזֶה
גַּם־הַיּוֹם וּמָחָר אֲשַׁלְּחֶךָּ וַיֵּשֶׁב אוּרִיָּה
בִּירוּשָׁלִַם בַּיּוֹם הַהוּא וּמִמָּחֳרָת:

תרגום

בֵּית מַלְכָּא עִם כָּל עַבְדֵי רִבּוֹנֵיהּ וְלָא נְחַת לְבֵיתֵיהּ: י וְחַוִּיאוּ לְדָוִד לְמֵימַר לָא נְחַת אוּרִיָּה לְבֵיתֵיהּ וַאֲמַר דָּוִד לְאוּרִיָּה הֲלָא מֵאוֹרְחָא אַתְּ אָתֵי מָא דֵין לָא נְחַתְתָּא לְבֵיתָךְ: יא וַאֲמַר אוּרִיָּה לְדָוִד אֲרוֹנָא וְיִשְׂרָאֵל וִיהוּדָה יָתְבִין בִּמְטַלַּיָא וְרִבּוֹנִי יוֹאָב וְעַבְדֵי רִבּוֹנִי עַל אַפֵּי בְרָא שָׁרַן וַאֲנָא אֵיעוֹל לְבֵיתִי לְמֵיכַל וּלְמִשְׁתֵּי וּלְמִשְׁכַּב עִם אִתְּתִי חַיָּךְ וְחַיֵּי נַפְשָׁךְ אִם אַעֲבֵיד יַת פִּתְגָּמָא הָדֵין: יב וַאֲמַר דָּוִד לְאוּרִיָּה תִּיב הָכָא אַף יוֹמָא דֵין וּמְחַר אֲשַׁלְּחִנָּךְ וִיתֵיב אוּרִיָּה בִּירוּשְׁלֵם בְּיוֹמָא הַהוּא וּבְיוֹמָא דְבַתְרוֹהִי:

וקרא

תולדות אהרן

וישראל ויהודה . (בקליט מט סוטה כב) : ואדוני יואב . בבת נו קידושין מג :

חסר י׳

רד״ק

כמו וישא משא׳ מאת פניו אליה׳ : (יא) חיך . חסר יו״ד הרבים : וחי נפשך . חייך בעולם הזה וחי נפשך בעולם הבא :

רלב״ג

שלא חטא וכראו׳ דוד שלא יוכל על זה סבב שימות ביד בני עמון ולקחה אחר זה לו לאשה כדרך שלא יודע כי זנתה עמו בהיותה אשת אוריה:

מצודת דוד

עם כל עבדי המלך: (י) הלא מדרך אתה בא. וא״כ אתה עיף ויגע: (יא) יושבים בסכות . במקום המלחמה : ועבדי אדני . ר״ל שאר עבדי המלך : חייך . הריני נשבע בחיי גופך ובחיי נפשך : (יב) גם היום . כי חשב כאשר יאכל לפניו אז ייטיב לבו ביין וישכב עם אשתו :

מצודת ציון

(כראשית מ״ג) : (יב) בזה . במקום הזה :

Commentary Digest

will find nothing except in regard to Uriah the Hittite." (*Ibid.*).

Perhaps the most glaring indication of David's innocence is provided by the fact that the eventual heir to David's throne and the builder of G-d's temple came forth from this union. It is highly implausible that this should have been the result of a union that was initiated by violation of the most sacred of halachic codes, as David's accusers would have us believe. — M and Pidanki based on T.B. Sab. 56a, San. 107a, and Ket. 9b.

from her uncleanliness — "from her menstrual impurity." — R. According to M and Pidanki this is mentioned to indicate that David was innocent not only of adultry, but also of relations with a 'nidah'.

5. *I am pregnant* — Perhaps she immediately became aware of her pregnancy because she sensed that the area of her womb had lost its moisture, this being a sign of conception. — G and M.

6. *send me Uriah* — *"He intended that he lie with his wife so that it be assumed that she had conceived from*

of the king's house with all the servants of his lord, and did not go down to his house. 10. And they told David saying: "Uriah did not go down to his house." And David said to Uriah, "Have you not come from a journey? Why did you not go down to your house?" 11. And Uriah said to David: "The ark and Israel and Judah dwell in booths, and my lord Joab and the servants of my lord are encamped in the open field; and shall I come to my house to eat and to drink and to live with my wife? By your life and by the life of my soul, if I will do this thing." 12. And David said to Uriah: "Remain here today also, and tomorrow I will send you off." And Uriah stayed in Jerusalem that day and the morrow

Commentary Digest

sheba after causing her husband's death, but fails to accuse him of the prior act of having relations with her while she was still married to Uriah. Indeed Nathan's entire parable deals only with a rich man's oppression of a poor man and the rich man's failure to be satisfied by the good fortune that G-d had bestowed upon him. In no way can the parable be considered analogous to David's crime, should it have entailed actual adultery and murder as A would have us believe.

While the Talmud does accuse David of some halachic oversight in his handling of the death of Uriah, again he is exonerated of any outright murder charge. Once Uriah had refused David's request that he return home, and gave indication, through his reply, that his primary loyalty was to Joab and not to David, he unwittingly offered testimony of his disloyalty to the king and became liable to the death penalty as befits a rebel (מורד במלכות). The only legal blunder that David did make was in having Uriah killed on the battlefront when the called for procedure was to have him tried by the Sanhedrin. (T.B. Sab. 56a). This undoubtedly is the intended meaning of Rav's statement in T.B. Sab: "If you analyze David's behavior you

יג וַיִּקְרָא־לוֹ דָוִד וַיֹּאכַל לְפָנָיו וַיֵּשְׁתְּ
וַיְשַׁכְּרֵהוּ וַיֵּצֵא בָעֶרֶב לִשְׁכַּב בְּמִשְׁכָּבוֹ
עִם־עַבְדֵי אֲדֹנָיו וְאֶל־בֵּיתוֹ לֹא יָרָד׃
יד וַיְהִי בַבֹּקֶר וַיִּכְתֹּב דָּוִד סֵפֶר אֶל־יוֹאָב
וַיִּשְׁלַח בְּיַד אוּרִיָּה׃ טו וַיִּכְתֹּב בַּסֵּפֶר
לֵאמֹר הָבוּ אֶת־אוּרִיָּה אֶל־מוּל פְּנֵי
הַמִּלְחָמָה הַחֲזָקָה וְשַׁבְתֶּם מֵאַחֲרָיו
וְנִכָּה וָמֵת׃ טז וַיְהִי בִּשְׁמוֹר יוֹאָב אֶל־
הָעִיר וַיִּתֵּן אֶת־אוּרִיָּה אֶל־הַמָּקוֹם
אֲשֶׁר יָדַע כִּי אַנְשֵׁי־חַיִל שָׁם׃ יז וַיֵּצְאוּ

יג וּקְרָא לֵיהּ דָוִד וַאֲכַל
קֳדָמוֹהִי וּשְׁתִי וְרַוְיֵהּ
וּנְפַק בְּרַמְשָׁא לְמִשְׁכַּב
בְּשְׁוֵיהּ עִם עַבְדֵי
רִבּוֹנֵיהּ וּלְבֵיתֵיהּ לָא
נְחַת׃ יד וַהֲוָה בְצַפְרָא
וּכְתַב דָוִד אִגַרְתָּא קֳדָם
יוֹאָב וְשַׁדַּר בְּיַד אוּרִיָּה׃
טו וּכְתַב בְּאִגַרְתָּא
לְמֵימַר הָבוּ יַת אוּרִיָּה
לָקֳבֵיל אַפֵּי קְרָבָא
תַּקִּיפָא וּתְתוּבוּן
מִבַּתְרוֹהִי וְיִתְמְחֵי
וִימוּת׃ טז וַהֲוָה כַּד צַר
יוֹאָב עַל קַרְתָּא וִיהַב יַת
אוּרִיָּה לְאַתְרָא דִידַע
אֲרֵי גִבְרִין גִבָּרִין תַּמָּן׃
יז וּנְפַקוּ אֱנָשֵׁי קַרְתָּא

מהר"י קרא

(טו) הבו את אוריה אל מול פני המלחמה החזקה. פתר׳ הבו את אוריה אל מקום אשר אתם יודעים כי אנשי החיל שם וכשיגשו

רש"י

סעודתא דמלכא: (טו) ונכה ומת. כדי שתהא מגורשת למפרע ונמצא שלא בא על אשת איש שכל היוצא למלחמה

רד"ק

(טז) בשמור יואב. בשומרו עת לבא עד העיר להלחם ותרגם כד צר:

מצודת ציון

(טו) הבו. הזמינו והכינו כמו הבי המטפחת (רות ג׳): (טז) אל העיר.

מצודת דוד

ומחרת. עד אשר שלחו: (יג) במשכבו. במקום ששכב בה אתמול והוא עם עבדי אדניו: (טו) אל מול. לפני המקום שלוחמים בו בחזקה ובגבורה: ושבתם מאחריו. לבל יעזרוהו ויהא נכה מבני עמון וימות וכוונתו היתה לישאנה אח"ז למען יחשבו שהיתה אחר הנשואין: (טז) בשמור. בעת שמרו את העיר מסביב לבל תת יוצא ובא: אנשי חיל. מבני עמון:

Commentary Digest

argues that this reference would have been unbecoming only if Joab had turned against the king. Because this was not the case, Uriah had every right to refer to his general by this title. Instead, the Tosefist, R. Meir of Rottenberg, contends that Uriah showed his rebelliousness by refusing to adhere to the king's command to return home. Others opine that Uriah showed disrespect by mentioning Joab's name before that of the king, thereby indicating that Joab was of uppermost importance to him. (Tosefot, *Ibid.* R's explanation can perhaps also be interpreted in this manner.) — M adds that Uriah was additionally accountable for *publicly* displaying his disobedience by sleeping together with the king's own servants, when they were aware that David had sent him home.

encamped in the open field; and I shall come? — Perhaps this was intended as a cynical allusion to David's lack of concern for the welfare of his fighting men. (See Commentary Digest above v. 1).

By your life — Here, too, Uriah demonstrates extreme arrogance. — Rabinowitz.

12. *remain here today* — David hoped that Uriah, aided by the food and strong drink provided him, would have a change of heart and return home. — D.

15. *and go away from him* — Contrary to A's claim that David was responsible for the death of numerous innocents who were forced to accom-

13. And David called him, and he ate before him, and he drank, and he made him drunk; and he went out in the evening to lie on his bed with the servants of his lord, but to his house he did not go down. 14. And it came to pass, in the morning, that David wrote a letter to Joab, and he sent it by the hand of Uriah. 15. And he wrote in the letter saying: "Place Uriah at the forefront of the fiercest battle, and go away from him, so that he will be hit and will die." 16. And it came to pass, when Joab kept watch upon the city that he assigned Uriah to the place where he knew that there were valiant men

Commentary Digest

him." — R. David had originally hoped to keep his relationship with Bath-sheba a secret. Upon recognizing that he would no longer be able to do this, he was willing to take upon himself the severe sin of adultery by having Uriah invalidate the divorce with his return, in order to cover up the affair and avoid any profanation of G-d's name (חילול השם). —. based on statement of Rebi in T.B. Sab. 56a. See Commentary Digest below 12:9.

8. *and wash your feet* — a euphemism for sexual relations. — D.

"the king's food" — R from J. The purpose of providing him with food and drink was to get him into a mood conducive to desiring relations with his wife. — D. G translates משאת as 'torches', similar to T.B. R. Has. Ch. 2 Mishna 2. According to this interpretation, Uriah was accompanied by the king's torches in order to light the way and provide for his safe arrival home.

9. *and did not go down to his house* — Perhaps Uriah refused to go home because he knew he would have to re-issue Bath-sheba a divorce upon his return to the battlefront, since the first one would have been invalidated by his present return. It is also conceivable that Uriah had become aware of David's true motive and refused to cooperate. — Rabinowitz.

11. *And Uriah said to David* — With this reply Uriah showed himself to be a disloyal servant of the king and deserving of death. — T.B. Kid. 43a, and Sab 56a.

and my lord Joab — R (in T.B. Kid. *loc. cit*), suggests that Uriah's act of disloyalty consisted of referring to Joab as 'my lord'. Tosefot (*Ibid.*)

אַנְשֵׁי הָעִיר וַיִּלָּחֲמוּ אֶת־יוֹאָב וַיִּפֹּל מִן
הָעָם מֵעַבְדֵי דָוִד וַיָּמָת גַּם אוּרִיָּה
הַחִתִּי׃ יח וַיִּשְׁלַח יוֹאָב וַיַּגֵּד לְדָוִד אֶת
כָּל־דִּבְרֵי הַמִּלְחָמָה׃ יט וַיְצַו אֶת־
הַמַּלְאָךְ לֵאמֹר כְּכַלּוֹתְךָ אֵת כָּל־דִּבְרֵי
הַמִּלְחָמָה לְדַבֵּר אֶל־הַמֶּלֶךְ׃ כ וְהָיָה
אִם־תַּעֲלֶה חֲמַת הַמֶּלֶךְ וְאָמַר לְךָ
מַדּוּעַ נִגַּשְׁתֶּם אֶל־הָעִיר לְהִלָּחֵם הֲלוֹא
יְדַעְתֶּם אֵת אֲשֶׁר־יֹרוּ מֵעַל הַחוֹמָה׃
כא מִי־הִכָּה אֶת־אֲבִימֶלֶךְ בֶּן־יְרֻבֶּשֶׁת
הֲלוֹא אִשָּׁה הִשְׁלִיכָה עָלָיו פֶּלַח רֶכֶב
מֵעַל הַחוֹמָה וַיָּמָת בְּתֵבֵץ לָמָּה
נִגַּשְׁתֶּם אֶל־הַחוֹמָה וְאָמַרְתָּ גַּם עַבְדְּךָ

תרגום

וְאַגִיחוּ קְרָבָא עִם יוֹאָב
וְאִתְקְטִיל מִן עַמָא
מֵעַבְדֵי דָוִד וּמִית אַף
אוּרִיָה חִתָּאָה׃ יח וּשְׁלַח
יוֹאָב וְחַוִי לְדָוִד יַת כָּל
עִסְקֵי קְרָבָא׃ יט וּפַקִיד
יַת אִזְגַדָא לְמֵימַר
כְּשֵׁיצָיוּתָךְ יַת כָּל עִסְקֵי
קְרָבָא לְמַלָלָא עִם
מַלְכָּא׃ כ וִיהֵי אִם יִדְלַק
רוּגְזָא דְמַלְכָּא וְיֵימַר לָךְ
מָא דֵין אִתְקְרֵבְתּוּן
לְקַרְתָּא לְאַגָחָא הֲלָא
יְדַעְתּוּן יַת דְּיִרְמוֹן
עֲלֵיכוֹן מִן שׁוּרָא׃ כא מַן
קְטַל יַת אֲבִימֶלֶךְ בַּר
יְרֻבֶּשֶׁת הֲלָא אִתְּתָא
רְמַת עֲלוֹהִי פַּלְגוּת רְכֵב
רַחְיָא מִן שׁוּרָא וּמִית
בְּתֵבֵץ לְמָא אִתְקְרֵבְתּוּן
לְשׁוּרָא וְתֵימַר אַף עַבְדָךְ
אוריה

רש"י

כותב גט לאשתו על תנאי אם ימות במלחמה: (כא) בן ירובשת. הוא גדעון שעשה מריבה עם הבושת הוא הבעל:

מהר"י קרא

להלחם תשובו מאחריו שלא תעזורהו ונכה ומת: (כא) מי הכה את אבימלך בן ירובשת. שלא היה בישראל גבור כמותו. היה לכם לדעת שחלש שבחלשים כמו אשה יכולה להפיל אבן מן החומה ולהרוג למפח גבור בגבורים: ואמרת גם עבדך אוריה החתי מת. פתר׳ גם עבדך אוריה שהיה גבור שבגבורים. שכן הוא מונהו בגבורים אשר לדוד. והדבר שנראה שחכו את אוריה אל מול פני המלחמה. מת באותה מיתה שמת בה אבימלך בן ירובשת. שאף אוריה כשנגש אל החומה ויורו המורים ויכה. כמו שמספר והולך. ויורו המורים אל עבדיך מעל החומה וימותו

מצודת דוד

(כ) אל העיר. להתקרב מאוד אל העיר: מעל החומה. והקלעות ימיתו את הנגשים אל העיר: (כא) הלא אשה וגו׳. וא"כ נקל מאוד להרוג את כל הקרב אל החומה: ואמרת. לבכך חמתו תאמר גם עבדך וגו׳ ור"ל עם שהיה איש מלחמה מנעוריו וידע בכל זה ונפל"ו לא שת לבו לזאת א"כ מהנראה כי מן השמים נסיה הדבר.

מצודת ציון

את העיר: (כ) יורו. ישליכו כמו ירה בים (שמות ט"ו): (כא) ירובשת. הוא ירובעל וכאשר בעל גם בושת המה כנויי כוכבים ומזלות: פלח. כן נקרא אבן הרחים כמו כפלח תחתית (איוב מא): רכב. הוא האבן העליונה מהרחים כמו לא יחבול רחים ורכב (דברים כ"ד): בתבץ. שם מקום:

Commentary Digest

because he had departed from the king's plan which suggested that Uriah alone be placed into a heavy combat zone in order to avoid endangering an entire batallion.

21. *Jerubesheth* — Heb. ירובושת This is an alternate name for Gideon. (See Judg. 8:35). According to R, it is derived from the two words ירוב (lit. strife), and בושת (lit. — shame). *"This is Gideon who made strife with the shameful one, which is the Baal."* — R.

The incident in which Gideon cast his father's idols is described in Judges 6:25.

did not a woman throw? — This incident, recorded in Judges 9:35, should have taught Joab that, at a close distance from the city wall, even a woman can strike a death blow.

17. And the men of the city went out, and fought with
Joab and some of the people of the servants of David fell;
and Uriah the Hittite also died. 18. And Joab sent and
told David all the facts concerning the war. 19. And he
charged the messenger saying: 'When you have finished
telling the king all the facts concerning the war. 20. And
it shall be if the king's anger is aroused, and he says to
you: 'Why did you approach [so near] the city to wage battle? Did you not know that they would shoot from upon
the wall? 21. Who smote Abimelech the son of Jeru-
besheth? Did not a woman throw an upper millstone upon him from upon the wall, and he died [there] at Thebez? Why did you approach the wall?" And you shall say: "Also your servant

Commentary Digest

pany Uriah to the battlefront, here we see that David's plan sought to assure that only Uriah would be killed.

so that he will be smitten and die —"*in order that she should be retroactively divorced and, consequently, he would not have had relations with a married woman; for anyone who departs to war writes his wife a divorce on the condition that he die in battle.*" — R. David chose to have Uriah killed in battle rather than at the hands of the Sanhedrin, because he was afraid that a trial would inevitably publicize the incident (M). Nevertheless, in T.B. Sab. 56a, we find that this was not sufficient excuse for not punishing Uriah in the usually prescribed manner. See Commentary Digest above, end of v. 4.

20. *if the king's wrath arise* — Joab anticipated David's wrath because he had departed from standard military tactics which call for an army which is besieging a city to remain a safe distance from the city's wall, out of the range of the archers and slingers positioned atop the wall — M. An alternate possibility is that he anticipated David's resentment,

אוּרִיָּה הַחִתִּי מֵת׃ כב וַיֵּלֶךְ הַמַּלְאָךְ
וַיָּבֹא וַיַּגֵּד לְדָוִד אֵת כָּל־אֲשֶׁר שְׁלָחוֹ
יוֹאָב׃ כג וַיֹּאמֶר הַמַּלְאָךְ אֶל־דָּוִד כִּי־
גָבְרוּ עָלֵינוּ הָאֲנָשִׁים וַיֵּצְאוּ אֵלֵינוּ
הַשָּׂדֶה וַנִּהְיֶה עֲלֵיהֶם עַד־פֶּתַח הַשָּׁעַר׃
כד וַיֹּרְאוּ הַמּוֹרְאִים אֶל־עֲבָדֶיךָ מֵעַל
הַחוֹמָה וַיָּמוּתוּ מֵעַבְדֵי הַמֶּלֶךְ וְגַם
עַבְדְּךָ אוּרִיָּה הַחִתִּי מֵת׃ כה וַיֹּאמֶר
דָּוִד אֶל־הַמַּלְאָךְ כֹּה־תֹאמַר אֶל־יוֹאָב
אַל־יֵרַע בְּעֵינֶיךָ אֶת־הַדָּבָר הַזֶּה כִּי־
כָזֹה וְכָזֶה תֹּאכַל הֶחָרֶב הַחֲזֵק
מִלְחַמְתְּךָ אֶל־הָעִיר וְהָרְסָהּ וְחַזְּקֵהוּ׃

תרגום

אוּרִיָּה חִתָּאָה מִית׃
כב וַאֲזַל אִזְגַּדָּא וַאֲתָא
וְחַוֵּי לְדָוִד יַת כָּל
דִּשְׁלָחֵיהּ יוֹאָב׃ כג וַאֲמַר
אִזְגַּדָּא לְדָוִד אֲרֵי תְקִיפוּ
עֲלָנָא גֻּבְרַיָּא וּנְפַקוּ
לְוָתָנָא לְחַקְלָא וַהֲוֵינָא
טָרְדִין לְהוֹן עַד מַעֲלָנָא
דְתַרְעָא׃ כד וּשְׁדוֹ
קַשָּׁתַיָּא בְּעַבְדָּךְ מִן
שׁוּרָא וְאִתְקְטִילוּ מֵעַבְדֵי
מַלְכָּא וְאַף עַבְדָּךְ אוּרִיָּה
חִתָּאָה מִית׃ כה וַאֲמַר
דָּוִד לְאִזְגַּדָּא כְּדֵין תֵּימַר
לְיוֹאָב לָא יַבְאֵשׁ בְּעֵינָךְ
יַת פִּתְגָּמָא הָדֵין אֲרֵי
כְּדֵין וּכְדֵין תִּקְטוֹל
חַרְבָּא אַתְקֵיף קְרָבָא עַל
קַרְתָּא וּפַגְרַהּ וְתַקְפֵהוּ׃

ושמעת

יתיר אלף יתיר אלף

מהר"י קרא

מעבדי המלך וגם עבדך אוריה החתי מת: (כג) כי גברו עלינו האנשים ויצאו אלינו השדה. ואנחנו השיבונום אחור הם בורחים אחור ואנחנו רודפים אחריהם עד פתח השער: (כה) החזק מלחמתך אל העיר והרסה. פתרונו החזק אנשי מלחמתך להלחם את העיר והרוס את אנשי העיר כשתתפוש את העיר: וחזקהו. ליואב שתאמר ליואב חזק ואמץ ואל ירך לבבך:

רש"י

(כה) החזק מלחמתך אל העיר והרסה. עד כאן דברי השליחות: וחזקהו. דוד אמר למלאך וחזקהו ליואב בדברי תנחומין שלא ירך לבו:

רד"ק

(כד) ויראו המוראים. נכתב בשני נחים כמו כל הבאיש וכפל האותיות לחזק כי הורו חצים ואבנים מאוד: (כה) כזה וכזה. הראשון בחולם. והשני סגול: וחזקהו. דוד אמר למלאך שיחזק יואב בדבריו:

מצודת ציון

(כב) המלאך. השליח: (כד) ויורו המורים. ענין השלכה: (כה) כזה. כמו זה המספר: והרסה. ענין נתילה ושבירה:

מצודת דוד

וכוונתו היתה להודיע שעשה מה שצוה לו כדבר אוריה ולהסתיר הדבר בפני השליח לא צוה לאמרו מיד: (כג) כי גברו. כאשר גברו עלינו וגו׳ וסוף הדבר היה אשר נהיה אנחנו מתגברים עליהם לרדפם עד פתח השער: (כד) וירו המורים. בעת קרבנו אל החומה: וגם עבדך וגו׳. כי השליח חשב למה אמתין עד אשר יעלה חמת המלך ולומר לו אח"ז ממיתת אוריה הלא טוב לומר מיד ולא יעלה חמתו (ואף יואב השכיל את זאת אשר השליח יגיד לו מיד ולזה לא השב פן לא תעלה חמת המלך ולא יודע לו ממיתת אוריה): (כה) אל ירע בעיניך. לרככים מורך בלב בעבור זה: כי כזה וכזה. כי דרך המלחמה היא שאוכלת החרב כהנה וכהנ׳ וכאומר הלא מועטים מתו ודרך המלחמה היא שאף מן המנצחים נופלים הרבה: החזק מלחמתך. אחוז במלחמתך ואל ירך לבבך וידעתי כי תוכל לה והרסה: וחזקהו. להשליח אמר שהוא מעצמו יחזק את לב יואב:

Uriah the Hittite is dead". 22. And the messenger went, and he came and told David all that Joab had sent him for. 23. And the messenger said to David, "When the men prevailed over us and came out against us to the field, then we came upon them as far as the entrance of the gate. 24. And the shooters shot at your servants from upon the wall, and some of the king's servants died, and also your servant Uriah the Hittite is dead." 25. And David said to the messenger, "So shall you say to Joab: Let not this thing displease you, for the sword devours many time this number; strengthen your battle against the city, and destroy it, and encourage him."

Commentary Digest

and he died [*there*] *at Thebez* — The woman mortally wounded Abimelech who then commanded his armorbearer to kill him in order to avoid the embarrassment of having been killed by a female. Nevertheless, her blow alone would have been sufficient to kill him. See Judges 9:54.

23. *and came out against us, then we came upon them* — At first they prevailed over us. Soon, however, the tide of battle changed and we came upon them, driving them back towards the city wall. In the heat of our chase we inadvertently approached the wall. — J.K., and D.

24. *and also your servant Uriah the Hittite is dead* — Scripture tells us that the messenger did not obey Joab's orders, but related to David the entire report, including the death of Uriah the Hittite. — Abarbanel

25. *Let not this thing displease you* — I.e. both the casualties incurred in this battle and the death of Uriah the Hittite. — Abarbanel

many times this number — Usually nore men are lost in battle, even from the victorious army. — D.

strengthen your battle against the city and destroy it — *"Until here are the words of the message."* — R.

and encourage him — *"David said to the messenger: 'and encourage him, meaning Joab with words of consolement lest his heart become faint'."* — R.

כו וַתִּשְׁמַע אֵשֶׁת אוּרִיָּה כִּי־מֵת אוּרִיָּה
אִישָׁהּ וַתִּסְפֹּד עַל־בַּעְלָהּ׃ כז וַיַּעֲבֹר
הָאֵבֶל וַיִּשְׁלַח דָּוִד וַיַּאַסְפָהּ אֶל־בֵּיתוֹ
וַתְּהִי־לוֹ לְאִשָּׁה וַתֵּלֶד לוֹ בֵּן וַיֵּרַע הַדָּבָר
אֲשֶׁר־עָשָׂה דָוִד בְּעֵינֵי יְהוָה׃
יב א וַיִּשְׁלַח יְהוָה אֶת־נָתָן אֶל־דָּוִד
וַיָּבֹא אֵלָיו וַיֹּאמֶר לוֹ שְׁנֵי אֲנָשִׁים הָיוּ
בְּעִיר אֶחָת אֶחָד עָשִׁיר וְאֶחָד רָאשׁ׃
ב לְעָשִׁיר הָיָה צֹאן וּבָקָר הַרְבֵּה מְאֹד׃
ג וְלָרָשׁ אֵין־כֹּל כִּי אִם־כִּבְשָׂה אַחַת
קְטַנָּה אֲשֶׁר קָנָה וַיְחַיֶּהָ וַתִּגְדַּל עִמּוֹ
וְעִם־בָּנָיו יַחְדָּו מִפִּתּוֹ תֹאכַל וּמִכֹּסוֹ
תִשְׁתֶּה וּבְחֵיקוֹ תִשְׁכָּב וַתְּהִי־לוֹ כְּבַת׃

כו וּשְׁמַעַת אִתַּת אוּרִיָּה
אֲרֵי מִית אוּרִיָּה בַּעֲלַהּ
וּסְפָדַת עַל בַּעֲלַהּ׃
כז וַעֲבַר אֶבְלָא וּשְׁלַח
דָּוִד וְכַנְשַׁהּ לְבֵיתֵיהּ
וַהֲוָת לֵיהּ לְאִתּוּ וִילֵידַת
לֵיהּ בַּר וּבְאֵישׁ פִּתְגָמָא
דַּעֲבַד דָּוִד קֳדָם יְיָ׃
א וּשְׁלַח יְיָ יַת נָתָן לְוָת
דָּוִד וַאֲתָא לְוָתֵיהּ וַאֲמַר
לֵיהּ תְּרֵין גֻּבְרִין הֲווֹ
בְּקַרְתָּא חֲדָא חַד עַתִּירָא
וְחַד מִסְכֵּינָא׃ ב לְעַתִּירָא
הֲווֹ עָאן וְתוֹרִין סַגִּי
לַחֲדָא׃ ג וּלְמִסְכֵּינָא לֵית
כֹּל מִדְּעַם אֱלָהֵין
אִמַּרְתָּא חֲדָא זְעֵירָא
דִּזְבְנָא וְקַיְּימַהּ וּרְבַת
עִמֵּיהּ וְעִם בְּנוֹהִי
כַּחֲדָא מִפִּתֵּיהּ אָכְלַת
וּמִכּוֹסֵיהּ שָׁתְיָא
וּבְחֵיקֵיהּ שָׁכְבָא וַהֲוַת
לֵיהּ

יתיר א׳ קמץ בז״ק

רד״ק

(א) שני אנשים. המשל הזה מבואר כי דוד הוא העשיר שהיו לו נשים רבות ואוריה האיש הרש שלא היתה לו אלא אשתו זאת וכה שאמר אשר קנה כי אדם קונה את אשתו בקדושין וכה שאמר ותגדל עמו ועם בניו יחדו אמרו כי בנים היו לו מאשה אחרת שהיתה לו ומתה. והלך ואורח הוא היצר והלך ואורח אחד ורז״ל דרשוהו כן כי יצר הרע בתחלה הוא דומה להלך שעובר על איש ולא ילין עמו ואחר כך דומה לאורח שעבר על איש ולן עמו ואח״כ דומה לבעל הבית רוצה לומר שמושל על האיש ולפיכך קראו איש ויעשה לאיש הבא אליו ודוד לא הבין כי משל הוא ואמר כי בן מות הוא דרך גוזמא כי לא יתחייב אדם מיתה בעבור גזילה וגנבה אבל לפי שעשה דבר מכוע׳ אמר כי בן מות הוא האיש העושה זאת ומה שאמר ואת הכבשה ישלם ארבעתים כפלים על משפטן כי גנב אחד משלם ארבע צאן תחת השה אבל זה שהוא עשיר וגנב הכבשה של הרש ראוי לקנוס אותו ולשלם כפלים עקב אשר עשה את הדבר הזה ועל אשר לא חמל על העני ראוי לקנסו שישלם ד׳ עוד. וי״ת ארבעתים על חד

מצודת דוד

יב (א) שני אנשים. על כי רלה שדוד בעלמו יפסוק הדין על עלמו לזה אמר לו כאלו קובל לפניו על העול הנעשה בעיר ובהוא יעבה מבפע וכשיפסוק הדין אז יאמר לו אתה האיש ואף כי סבבה בדברים שאין ענין להם עם דבר דוד אולם כוונתו היתה להעלי׳ ביותר לבל יבגש דוד וישמור פיו מלפסוק הדין: (ג) ויחיה. היה מפרנסה במזון והיתה חביבה עליו עד שגדלה עמו בחדרו והוא

מצודת ציון

(כז) ויאספה. הכניסה כמו ואין איש מאסף אותי (שופטים יט): יב (א) ראש. עני ידל כמו ראש עשה כף רמיה (משלי י׳): (ג) אין כל. לא כלום: ויחיה. ענין הספקת הלורך כמו למחיה

Commentary Digest

that had recently transpired because he wanted David to pass judgment on his own case. — A and Z.

2. *one rich* — This was David who, as king, had everything he desired. — A.

and the other poor — Uriah, who was poor compared to the king.

one rich and one poor — And not "one wicked and the one righteous," because David had not committed any real sin. The entire rebuke was of a moral, not a halachic nature — Rabinowitz.

very many flocks and herds — A reference to David's many wives and concubines. — A. See Commentary Digest above 5:13.

3. *together with him and his sons* — Uriah had children from a previous marriage — K and A.

26. And the wife of Uriah the Hittite heard that Uriah her
husband was dead, and she mourned over her husband. 27.
And the mourning [period] passed, and David sent and
gathered her to his house. And she became his wife, and she
bore him a son. And the thing that David did was displeasing
to the Lord.

12

1. And the Lord sent Nathan to David. And he came to
him and said to him: "There were two men in one city, one
rich, and one poor. 2. The rich man had very many flocks
and herds. 3. But the poor man had nothing, save one little
ewe lamb which he had bought and reared; and it grew up
together with him and his sons; of his bread it would eat,
and from his cup it would drink, and in his bosom it would
lie, and it was to him like a daughter.

Commentary Digest

26. *Uriah her husband* — Heb. אישה. lit. — 'her man', M suggests that there is a distinction between אישה and בעלה, the two terms for 'husband' used in this verse. While בעלה is a legal term, indicating one who had legal rights to her, אישה expresses a husband-wife relationship on a warm, personal level. (Compare to Hosea 2:16; 'And it shall be on that day, says the Lord, that you shall (again) call me 'Ishi', and shall call me no more 'Baali'.) While Bath-sheba heard outsiders speak of 'her man's death' (אישה), she was aware that Uriah had granted her a divorce, and mourned only her בעל, the one who had in the past enjoyed rights to her but to whom she was no longer attached.

27. *displeasing to the Lord.* — Although his actions failed to be displeasing to the people from whom David had successfully concealed the entire affair, it was nevertheless displeasing to G-d, from whom one cannot conceal anything. — A. Although he had not committed any real transgressions, David's action was nevertheless displeasing to G-d. — M.

CHAPTER 12

1. *sent Nathan to David* — Nathan presented his parable as an event

ד וַיָּבֹא הֵלֶךְ לְאִישׁ הֶעָשִׁיר וַיַּחְמֹל
לָקַחַת מִצֹּאנוֹ וּמִבְּקָרוֹ לַעֲשׂוֹת לָאֹרֵחַ
הַבָּא לוֹ וַיִּקַּח אֶת־כִּבְשַׂת הָאִישׁ
הָרָאשׁ וַיַּעֲשֶׂהָ לָאִישׁ הַבָּא אֵלָיו׃
ה וַיִּחַר־אַף דָּוִד בָּאִישׁ מְאֹד וַיֹּאמֶר אֶל־
נָתָן חַי־יְהוָה כִּי בֶן־מָוֶת הָאִישׁ הָעֹשֶׂה
זֹאת׃ ו וְאֶת־הַכִּבְשָׂה יְשַׁלֵּם אַרְבַּעְתָּיִם
עֵקֶב אֲשֶׁר עָשָׂה אֶת־הַדָּבָר הַזֶּה וְעַל
אֲשֶׁר לֹא־חָמָל׃ ז וַיֹּאמֶר נָתָן אֶל־דָּוִד

תרגום

לֵיהּ כְּבְרַתָּא ׃ ד וַאֲתָא
אוּרְחָא לְגַבְרָא עַתִּירָא
וְחַס לְמִיסַב מֵעָנֵיהּ
וּמִתּוֹרֵיהּ לְמֶעְבַּד
לְאוּרְחָא דַאֲתָא לֵיהּ
וּנְסֵיב יַת אִמַּרְתָּא
דְגַבְרָא מִסְכֵּינָא וַעֲבְדָהּ
לְגַבְרָא דַאֲתָא לְוָתֵיהּ ׃
ה וּתְקֵיף רוּגְזָא דְדָוִד
בְּגַבְרָא לַחֲדָא וַאֲמַר
לְנָתָן קַיָּים הוּא יְיָ אֲרֵי
גְּבַר חַיַּב קְטוֹל גַּבְרָא
דַעֲבַד דָא׃ ו וְיַת אִמַּרְתָּא
יְשַׁלֵּם עַל חַד אַרְבְּעָא
חֲלַף דַעֲבַד יַת פִּתְגָמָא
הָדֵין וְעַל דְלָא חָס ׃
ז וַאֲמַר נָתָן לְדָוִד אַתְּ
גברא

ת"א ויבא הלך. סוכה נב זוהר ואתחנן: ויקח. שם: האיש העשה זאת. עקידה שער מז: ואת הכבשה יומא כב:

מהר"י קרא יתיר א׳

יב (ה) כי בן מות האיש העושה זאת. לא כדינו של שאר גזלנים דינו של זה. שאר גזלנים גוזל אדם כבשה מחבירו וטבחה ואכלה למלא נפשו כי ירעב. גזל אותה ישיב דמיה הרי עותתו מתוקן. אבל שהיה לו צאן ובקר הרבה וחמל לקחת מצאנו ומבקרו. ועל כבשת הרש לא חמל. לפיכך בן מות האיש העושה כזאת: (ו) ואת הכבשה ישלם ארבעתים.

רש"י

יב (ד) ויבא הלך. דימה את יצר הרע תחלה להלך שעובר לדרכו ואח"כ לאורח שנעשה אכסנאי ואח"כ לאיש שהוא בעל הבית: (ה) כי בן מות. הגוזל את העני כאלו נוטל את נפשו שנא׳ את נפש בעליו יקח (משלי א׳ י"ט): (ו) ישלם ארבעתים. כך אירע לו שלקה בארבעה

רלב"ג

(ג) ויבא הלך לאיש העשיר. הוא הלך הוא אורח נקרא הלך מלד לכתו בדרכים ומפני זה ג"כ נקרא אורח ורז"ל דקדקו מזה בענין יצר הרע כי מתחלה נראה כדל הולך לבקש די מחסורו כי ההלך והדל אחים ואחר כן ישוב והוא איש סוחר הולך בדרכים ואחר זה ישוב למדרגת אדון ולזה קראו בסוף הענין איש אמר ויעש לאיש הבא אליו: (ז) ויאמר נתן אל דוד אתה האיש. אמרו רבותינו ז"ל כי כמו ששפט דוד כן היה כמו שאמר תחת הכבשה ישלם ארבעתים כי הוא המית אוריה ומתו האחיו הרבעה מבניו והם בן בת שבע אמנון ואבשלום ואדניה. והנראה בעיני כי על מה שאמר ישלם ארבעתים הוא שפטו הש"י שישכב איש עם הנשים מנשיו לעיני השמש והוא היה אבשלום שבא אל עשר פילגשי אביו אלא כי כמה שאמר חי ה׳

רד"ק

ארבעין ומדרך הדקדוק ארבעתים שמנה ובדברי רז"ל כי בעונש זה לקה בארבעה הילד ואמנון תמר ואבשלום:

מצודת ציון

שלחני (בראשית מ"ה): (ד) הלך. ההולך בדרך: לאורח. הוא ההולך שאמר והוא האיש הבא אליו אשר יאמר וליופי המליצה אמר במלות שונות: (ו) עקב. בעבור כמו עקב תשמעון (דברים ז׳):

מצודת דוד

מדרך מליצה והפלגה: (ה) ויחר אפו. כי חשב שאמת הדבר נעשתה התועבה הזאת: (ו) ארבעתים. כמ"ש וארבע צאן תחת השה (שמות כ"א): עקב וגו׳. לזה ישלם כדין התורה: ועל אשר לא חמל.

Commentary Digest

ארבעתים is twice fourfold. Accordingly David felt that the rich man deserved twice the usual punishment. The Midrash (M.Ps. 3:4) takes ארבעתים to mean four times fourfold or sixteen.

R adds that David was actually punished in a fourfold manner: "*This* [*actually*] *happened to him, that he was smitten through four children; the child* (*born to Bath-sheba* See v. 18.), *Amnon* (*below* 13:19), *Tamar* (*below* 13:14), *and Absalom* (*below* 18:15)." — R from T.B. Yoma 22b.

because he had no pity — The theft of an ewe lamb would not have merited the death penalty. It is because he had no pity that he deserves it — D.

7. *you are the man* — the rich man of the parable. — A.

8. *your master's house* — After the death of Ish-bosheth, David inherited the property of Saul — K. See Commentary Digest above 9:7.

and your master's wives — you are free to take even your master's wives since a king's widow is permissible to another king — A from

4. And there came a wayfarer to the rich man, and he spared to take of his own flock and of his own herd to prepare for the guest that had come to him, and he took the poor man's lamb, and prepared it for the man that had come to him."
5. And David became very angry at the man; and he said to Nathan: "As the Lord lives, the man who has done this is liable to death. 6. And the ewe lamb he shall repay fourfold, because he did this thing, and because he had no pity." 7. And Nathan said to David

Commentary Digest

Z, however, contends that much of the parable was impertinent to David but was included so that David take the story literally and fail to conclude its true nature until after he had passed judgment on it.

4. *wayfarer* — *"The evil inclination is first compared to a traveler who stops by on his way, then to a guest who lodges, and finally to a man, who is master of the household."* — R from T.B. Suk. 52b. The three divergent expressions for 'traveler' used in the verse (wayfarer, guest, man) indicate three different stages of the evil inclination's hold over man. At first he enters momentarily. If one allows him entry, he stays a while longer. If man is still not successful at dislodging him, the evil inclination gains permanent control over him.

5. *David became very angry* — David, understanding the story literally, was greatly upset by it — D.

liable to death. — M explains that the monarch, unlike the Judges that preceded him, had a right to mete out a harsher judgment than prescribed by the Torah. (See Maimonides Laws of Kings Ch. 3 Law 10). Based on this right, David issued a death decree because of the unusual cruelty exhibited by the rich man.

R suggests that the rich man was morally liable to death because: *"one who robs the poor is as if he takes his life, for it is written: 'the life of the owners he (the thief) takes.' (Prov. 1:19)."* K explains David's outburst as an exaggeration, rather than an actual verdict.

6. *he shall repay fourfold* — As it is written: "If a man shall steal an ox, or a sheep and kill it, or sell it; he shall pay five oxen for an ox, and four sheep for a sheep." (Exod. 22:1). Here David felt that the Torah's punishment sufficed. — D and J.K. K contends that the grammatically accurate translation of

אַתָּה הָאִישׁ כֹּה־אָמַר יְהוָה אֱלֹהֵי
יִשְׂרָאֵל אָנֹכִי מְשַׁחְתִּיךָ לְמֶלֶךְ עַל־
יִשְׂרָאֵל וְאָנֹכִי הִצַּלְתִּיךָ מִיַּד שָׁאוּל׃
ח וָאֶתְּנָה לְךָ אֶת־בֵּית אֲדֹנֶיךָ וְאֶת־נְשֵׁי
אֲדֹנֶיךָ בְּחֵיקֶךָ וָאֶתְּנָה לְךָ אֶת־בֵּית
יִשְׂרָאֵל וִיהוּדָה וְאִם מְעָט וְאֹסִפָה לְּךָ
כָּהֵנָּה וְכָהֵנָּה׃ ט מַדּוּעַ בָּזִיתָ ׀ אֶת־דְּבַר
יְהוָה לַעֲשׂוֹת הָרַע בְּעֵינָו אֵת אוּרִיָּה
הַחִתִּי הִכִּיתָ בַחֶרֶב וְאֶת־אִשְׁתּוֹ לָקַחְתָּ
לְּךָ לְאִשָּׁה וְאֹתוֹ הָרַגְתָּ בְּחֶרֶב בְּנֵי
עַמּוֹן׃ י וְעַתָּה לֹא־תָסוּר חֶרֶב מִבֵּיתְךָ

תרגום

גַּבְרָא כְּדֵין אֲמַר יְיָ אֱלָהָא דְיִשְׂרָאֵל אֲנָא מְשַׁחְתָּךְ לְמֶהֱוֵי מַלְכָּא עַל יִשְׂרָאֵל וַאֲנָא שֵׁיזֵבְתָּךְ מִידָא דְשָׁאוּל׃
ח וִיהָבֵית לָךְ יַת בֵּית רִבּוֹנָךְ וְיַת נְשֵׁי רִבּוֹנָךְ בְּחֵיקָךְ וִיהָבֵית לָךְ יַת בֵּית יִשְׂרָאֵל וִיהוּדָה וְאִם זְעֵיר וְאוֹסִיף לָךְ כְּאִלֵּין וּכְאִלֵּין׃
ט מָא דֵין בְּסַרְתָּא עַל פִּתְגָמָא דַיְיָ לְמֶעְבַּד דְבִישׁ קֳדָמוֹהִי יַת אוּרִיָּה חִתָּאָה קְטַלְתָּא בְּחַרְבָּא וְיַת אִתְּתֵיהּ נְסֵיבְתָּא לָךְ לְאִתּוּ וְיָתֵיהּ קְטַלְתָּא בְּחַרְבָּא דִבְנֵי עַמּוֹן׃
י וּכְעַן לָא תִפְסוֹק חַרְבָּא

ת"א ואתנה לך. סנהדרין כא (סנהדרין כ יבמות ג): ואם מעט. שם כא: מדוע בזית. שבת נו עקידה שער סג: ואותו הרגת. קידושין מג:

קמץ בז"ק בעיניו קרי

רש"י

בנים הילד ואמנון תמר ואבשלום: (ח) ואת נשי אדוניך. מיכל בת שאול: ואיטיפה. והייתי מוסיף לך:

מהר"י קרא

נראה לי לכך אמר ארבעתים לפי שכתוב וארבע צאן תחת השה: עקב אשר עשה את הדבר הזה. על אשר לא חמל: (ח) ואם מעט ואספה לך כהנה וכהנה. פתרונו אם מעט היה בעיניך נשי אדוניך שנתתי לך בחיקך כבר הייתי מוסיף לך כהנה יכהנה בהיתר ולא אחת באיסור: (י) ועתה לא תסור חרב

רד"ק

(ה) את בית אדוניך. כמו שכתבנו כי דוד זכה בנחלת שאול אחרי מות איש בשת: ואת נשי אדוניך. ענלה אשת שאול כמו שפירשנו ומיכל בת שאול ושתי הנשים של שאול היו האחת היא אשתו והאחת בתו או נאמר כי גם רצפה פלגש שאול לקח דוד לאשה כדברי הדרש שכתבנו: ואם מעט. ואם מעט עמדה שלא חטאת אני הייתי מוסיף לך כבוד וגדולה כהנה וכהנה וכבר כתבנו דרש כהנה וכהנה למעלה: (ט) הכית בחרב. כאילו אתה הכיתו כיון שצוית את יואב לשומו במקום הסכנה: ואותו הרגת בחרב בני עמון. אחר שאמר הכית בחרב למה אמר ואותו הרגת בחרב בני עמון ר"ל שתי רעות עשית במיתתו שהרגתו בחרב בני עמון כלומר שהפלתו ביד שונאי ישראל ובדברי רז"ל אף על גב דבכל התורה כלה אין שליח לדבר עבירה כי בכל מקום השולח פטור והשליח חייב הכא שאני שהכתוב קראו הורג שנאמר ואותו הרגת והטעם לפי שהיה מלך ואין עובר על מצותו כאילו הוא הרגו וכן שאול שציוה להרוג נוב עיר הכהנים כאילו הוא הרגם ואף על גב שאין לאדם לעשות מצות מלך בזה הענין וכיוצא בו כמו שכתבנו למעלה כל איש אשר ימרה את פיך יומת יכול אפילו לדבר עבירה תלמוד לומר רק אף על

רלב"ג

כי בן מות האיש העושה זאת לא שפטו הש"י כפיו ולזה אמר לו נתן גם ה' העביר חטאתך לא תמות ובעבור שנגזר בהרג אוריה היה דינו שתמשול חרב שונאיו על ביתו ימים רבים מלורף אל זה מה בעשה כנגד השם יתברך להשתדל בהריגתו כדי שיקח את אשתו לו לאשה ולפי שמאתו היתה ההתחלה בזאת העבירה גם הש"י רצה שתצמח רעה מביתו לשלם לו גמול עליה וכן היה כי מביתו צמחה רעת אמנון ואבשלו' ושכב אבשלום את נשיו לעיני השמש:

מצודת דוד

ר"ל ולזה היה בן מות על אשר לא חמל על רוב עניו ולכן חייב מיתה בהקן משפט המלך: (ז) אתה האיש. אשר עשה כזאת: (ח) נשי אדוניך. מיכל בת שאול. יאמרים יש שנם נשא רצפה בת איה פילגש שאול: ואם מעט. ואם עדיין הממשלה והגדולה היית מעט בעיניך שאל ממני ואוסיף לך כהנה וכהנה ר"ל פעמים כמו שיש לך: (ט) מדוע בזית. ר"ל הלא גמלתיך הטובה ומדוע בזית את דבר ה': הכית. ר"ל לוית נסבב לו המיתה: בחרב בני עמון. וכפולה הטאתך מאלו הרגתו במלכך: (י) לא תסור חרב וגו'. ורבים

מצודת ציון

(ח) כהנה. כמו שיש לך:

Commentary Digest

(1) G-d expects more of the righteous than He does of others. Hence, king David's transgression was equivalent to another man's actual sin. (2) A major lesson to be derived from the incident of David and Bath-sheba is the enormous power of repentance ("David was not fit for this act, except that if an individual shall sin he is told: 'Go to David repent as he did." T.B. AvZ. 4b.). By leading us to the conclusion that David had actually commited adultery and murder, Scripture indicates that a

"You are the man. So says the Lord the God of Israel: 'I anointed you as king over Israel, and I delivered you from the hand of Saul.
8. And I gave you the house of Israel and of Judah; and if that were too little, then would I add unto you like them and like them.
9. Why have you despised the word of the Lord, to do what is evil in His eyes? You have smitten Uriah the Hittite with the sword and you have taken his wife for yourself as a wife, and you have slain him with the sword of the children of Ammon.
10. And now, the sword shall never depart from your household

Commentary Digest

T.B. San. 18a. according to R. Judah.

R interprets it as a reference to *"Michal the daughter of Saul,"* explaining the text thus: "the women of your master's household who were fit for you." K contends that David had married Egla, one of Saul's wives.

the house of Israel and Judah — The kingdom of Israel and Judah — A. The choice of any of the women of Israel and Judah. — M.

I add — *"I would add for you."* — R.

like them and like them — There is nothing preventing Me from extending your kingdom further. According to the Talmud this refers to the king's right to take eighteen wives. David originally had six wives, 'like them' is another six, 'and like them' allows for yet another six, totalling eighteen. — K and M from T.B. San. 21a. See Commentary Digest above 5:13.

9. *to do what is evil* — Heb. — לעשות הרע. Rebi remarked: 'This evil is different from all other evils in the Torah. For concerning all other evils it is written: 'and he did' (ויעש הרע), while here it is written 'to do' (לעשות). [This indicates] that he only wished to do but did not actually do it'. — T.B. Sab. 56a.

David was ready to commit adultery in order not to publicize the entire matter. (See Commentary Digest above 11:7). As it turned out Uriah died and his divorce became retroactively valid. — M above 11:6.

If David was actually innocent of transgression, why does not Scripture indicate this clearly instead of merely intimating it? Rabbeinu Nissim provides a two-fold answer.

עַד־עוֹלָם עֵקֶב כִּי בְזִתָנִי וַתִּקַּח אֶת־
אֵשֶׁת אוּרִיָּה הַחִתִּי לִהְיוֹת לְךָ לְאִשָּׁה׃
יא כֹּה | אָמַר יְהוָה הִנְנִי מֵקִים עָלֶיךָ
רָעָה מִבֵּיתֶךָ וְלָקַחְתִּי אֶת־נָשֶׁיךָ
לְעֵינֶיךָ וְנָתַתִּי לְרֵעֶיךָ וְשָׁכַב עִם־נָשֶׁיךָ
לְעֵינֵי הַשֶּׁמֶשׁ הַזֹּאת׃ יב כִּי אַתָּה עָשִׂיתָ
בַסָּתֶר וַאֲנִי אֶעֱשֶׂה אֶת־הַדָּבָר הַזֶּה
נֶגֶד כָּל־יִשְׂרָאֵל וְנֶגֶד הַשָּׁמֶשׁ׃ יג וַיֹּאמֶר
דָּוִד אֶל־נָתָן חָטָאתִי לַיהוָה * וַיֹּאמֶר
נָתָן אֶל־דָּוִד גַּם־יְהוָה הֶעֱבִיר חַטָּאתְךָ

תרגום

מִן אֱנָשׁ בֵּיתָךְ עַד עָלְמָא חֲלָף דְאַשְׁטְתַּנִי וּנְסַבְתָּא יַת אִתַּת אוּרִיָּה חִתָּאָה לְמֶהֱוֵי לָךְ לְאִתּוּ׃ יא כִּדְנַן אֲמַר יְיָ הָא אֲנָא מְקַיֵּים עֲלָךְ בִּישָׁא מִבֵּיתָךְ וְאֶדְבַּר יַת נְשָׁךְ לְעֵינָךְ וְאֶתֵּן לְחַבְרָךְ וְיִשְׁכּוּב עִם נְשָׁךְ לְעֵינֵי שִׁמְשָׁא הָדָא׃ יב אֲרֵי אַתְּ עֲבַדְתָּא בְסִתְרָא וַאֲנָא אַעְבֵּיד יַת פִּתְגָמָא הָדֵין קֳדָם כָּל יִשְׂרָאֵל וְקֳבֵיל שִׁמְשָׁא׃ יג וַאֲמַר דָּוִד לְנָתָן חָבִית קֳדָם יְיָ וַאֲמַר נָתָן לְדָוִד אַף יְיָ אַעְבַּר חוֹבָךְ

ת"א הנני מקים. ברכות ז סוטה יא זוהר ויקרא: עם כ׳ * ברכות נו זוהר עקב:

מהר"י קרא

פב"פ

מביתך. אמנון ואבשלום ואדוניה ואחיהו *)׃ (יג) גם ה׳ העביר חטאתך לא תמות. מאחר שהודית משפט מחול לך

רד"ק

פי כן אין כל אדם נזהר בזה ויודע לדרוש אכין ורקין לפיכך העונש על המלך׃ (יא) לעיניך. כי אפילו תדע לא יהיה בידך למנוע והרי הוא כאילו הוא לעיניך׃ לרעיך. כתיב ביו"ד והוא לשון יחיד והיו"ד למ"ד הפועל או פירוש לאחד מרעיך כלומר אחד מאוהביך ואין לאדם אוהב יותר מבנו או למי שירצה להיות כאילו רעך בשוה בדבר המלוכה׃ עם נשיך. הם הפילגשים׃ לעיני השמש הזאת. בגלוי כי בגלוי נכנס אבשלום עמהן לאהל. יש לשאול איך גזר האל על אבשלום שיחטא וישכב עם נשי אביו ואם לא חטא דוד לא היה חוטא אבשלום והנה נענש דוד בדבר חטא אבשלום יש לפרש כי האל לא גזר בפירוש על אבשלום ולא הזכירו בשם ואע"פ שידע האל כי אבשלום יהיה החוטא בעבור תאות נפשו לחטוא לא שהאל גזר עליו לחטוא ואם לא חטא דוד היה האל מונע נשי דוד מהמכשול על ידי עביר׳ אף על פי שאבשלום סופו לחטוא מפני תאות יצרו לא היה חוטא עם נשי אביו ועוד כי לא היה חטא גדול בזה כי פלגשי אביו היו ומפותת האב מותרת לבן אלא לפי שהיו פלגשי מלך אסורות לכל אדם וכ"ש כי לבנו מכוער הדבר ורבי סעדיה ז"ל כתב כן כי אלה הדברים אשר ספר נתן לדוד על שני חלקים אחד מהם מעש׳ הבורא והוא הגברת אבשלום והשליטו על כל אשר לדוד ועל זה אמר הנני מקים עליך רעת והשני מעשה אבשלום בבחירתו והוא מה שכתב ושכב את נשיך ורצה בהקדמתו להודיע לדוד בחירת אבשלום להראות את לבו בזה׃ (יג) גם ה׳ העביר. גם לרבו׳ על וידויו כלומר כמו שאתה מתודה כן הוא גם כן קבל תשובתך וחתודותיך׃ לא תמות. ואף על פי שאתה חייב מיתה האל קבל התודותיך ותשיבותיך ולא תמות אתה כלומר לא תמות מות רשעים שתרד נפשך בגיהנם כמשפט החוטאין אבל תענש בעולם הזה בעון הזה כי עונש הבעילה ושכב עם נשיך ובכלל זה המרד

מצודת ציון

(יא) מקים. מעמיד׃ (יג) העביר. הסיר ומחל׃

מצודת דוד

מזרעך ימותו בחרב׃ בזתני. להתחלל שם שמים עלידך׃ (יא) מביתך. אחד מאנשי ביתך יעשה לך הרעה׃ לעיניך. על כי ידע מזה ולא היה לאל ידו למחות בדבר הרי הוא כאלו נעשתה לעיניו׃ לרעיך. כי אבשלום היה אז מלך כמוהו ולרעהו יחשב׃ לעיני השמש. ר"ל בגלוי ובפרסום רב׃ (יב) בסתר. וחשבת שלא תגלה רעתך׃ ואני אעשה וגו׳. אשלם הגמול בפרסום רב ובזה ידעו הכל מעשיך כי מהגמול ישכילו לדעת העון׃ (יג) חטאתי לה׳. כאומר הנה על הריגת אוריה עונשי אמורה שלא תסור חרב מביתי אבל עון בת שבע שלא לה׳ חטאתי בזה והוא לחוס יכפר עון׃ גם ה׳. ר"ל לא תחשוב שגמול העונש האמור שזה היא לעון הריגת אוריה לא כן הוא כי

Commentary Digest

preknowledge is never incongruous with free will. While G-d knows how man will act; he does not necessarily decree it.

13. *I have sinned against the Lord* — From here we may discern the difference in nature between David and Saul. Saul, when accused by Samuel of failing to heed G-d's command concerning the Amalekites (I Sam. 15:19), hedged and bickered before conceding that he had sinned. David, on the other hand, confessed instantly. — M.

"Also the Lord has removed" — Just as you readily admitted your sin,

for ever because you have despised Me and you have taken the wife of Uriah the Hittite to be your wife. 11. So says the Lord: "Behold I will raise up against you evil out of your own house, and I will take your wives before your eyes and I will give them to your friend, and he will lie with your wives in the sight of this sun. 12. For you have acted in secrecy, but I will do this thing before all Israel and before the sun." 13. And David said to Nathan: "I have sinned against the Lord." And Nathan said to David, "Also the Lord has removed your sin;

Commentary Digest

sincere program of repentence is capable of removing even the grossest of sins. — Drashot Ha-Ran, Drasha 6'

you have smitten — commanded to smite. — K and D.

children of Ammon — you failed to allow him even the dignity of meeting death by Israelite sword, but chose to have him fall at the hands of the enemy — K and D.

11. *evil out of your own house* — This was realized with Absalom's rebellion. (Infra. Ch. 15). — K from Saadia.

and I will take your wives — While the death prophesied upon David's household was a fitting retribution for Uriah's death, this was retribution for taking Bath-sheba against her will — A and M.

to your friend — to Absalom your son, for there is no closer friend to a man than his son. — K. The incident is related below in 16:21.

In order here, is a momentary pause to consider how this decree on Absalom is congruous with the free will granted man, since, if this act had already been decreed upon him, how was Absalom able to exercise free will. K and A suggest that G-d had merely decreed that David's wives be taken by someone close to him and did not single out Absalom for this task. Absalom, in complying, acted freely in accordance with his own lust and greed. This solution is similar to Maimonides' treatment of the same problem in relation to the decree upon the Egyptians to enslave the Israelites (Gen. 15:14), as found in Maimonides, Laws of Repentence Ch. 6, Law 5. K, quoting Saadia, and Ra-vad in his strictures on Maimonides (*Ibid.*), are of the opinion that

לא תמות: יד אפס כי־נאץ נאצת את־
איבי יהוה בדבר הזה גם הבן הילוד
לך מות ימות: טו וילך נתן אל־ביתו
ויגף יהוה את־הילד אשר ילדה אשת־
אוריה לדוד ויאנש: טז ויבקש דוד את־
האלהים בעד הנער ויצם דוד צום
ובא ולן ושכב ארצה: יז ויקמו זקני
ביתו עליו להקימו מן־הארץ ולא

חובך לא תמות: יד ברם
ארי מפתח פתחתא
פומא דסנאי עמא דיי
בפתגמא הדין אף ברא
דאתיליד לך ממת ימות:
טו ואזל נתן לביתיה
ותבר יי ית רביא
דילידת אתת אוריה
לדוד ואתען: טז ובעא
דוד רחמין מן קדם יי
על רביא וצם דוד צומא
ועל ובת ושכיב על
ארעא: יז וקמו סבי
ביתיה עלוהי
לאקמותיה מן ארעא
ולא

הנ' בפתח

רש"י

(יד) כי נאץ נאצת את אויבי ה'. כנוי הוא זה דרך כבוד למעלה ויונתן תרגם ארי מיפתח פתחתא פומא דסנאי עמא דה': (טו) ויאנש. לשון חולי: (טז) ובא ולן ושכב ארצה.

מהר"י קרא

במקצת אתה אמרת כי בן מות האיש העושה כזאת ואתה לאחר שהודית גם ה' העביר חטאתך ולא תמות: (יד) אפס כי נאץ נאצת את אויבי ה' בדבר הזה. למקרא ראוי לומר אפס כי שמח שמחת את אויבי ה' בדבר הזה והקפיד הכתוב בכך שלא רצה לומר עליהם שמחה וכינה הכתוב ואמר נאץ נאצת. אבל פתרוני אפס בשביל ששמח שמחת את האומות שהם שונאי ה' בדבר הזה שיהא להם מהיום פתחון פה לומר ראיתם משיח שבחר בו אלוהי של אומה זו ששבה את הכבשה והפיל את הרועה בחרב לפיכך הקב"ה נפרע ממך במקצת שגם הבן הילוד לך מות ימות והכבשה תשלם ארבעתים. שלא תתן פתחון פה לומר משוא פנים יש בדבר. וראיה לדברי מתרגומו של יונתן שתרגם ברם ארי כפתח פתחתא פומא דסנאי עמית דה': (טו) ויאנש. פתרונו ויחזק חליו. וכמו וכאב אנוש. פתר' וכאב חזק:

רד"ק

שמרד בו אבשלום כי לא יוכל שישכב עם נשיו אם לא מרד בו בתחלה ועונש ההריגה לא תסור חרב מביתך עד עולם ועוד זה הבן הילוד לך שנולד בעון מות ימות: (יד) נאץ. מקור בחירק וכמוהו אחר חלץ את האבנים: את אויבי ה'. ר"ל כינה את ה' ויונתן פירשו כמשמעו ארי מפתח פתחתא פומא דסנאי עמא ה' כלומר שנתת פתחון פה לשונאי ישראל שנעשה בישראל דבר רע כזה: (טו) וילך נתן אל ביתו. להודיע שנפרד ממנו תכף שאמר לו הנבואה ולא חלק לו כבוד להאריך ולשבת עמו כדי להראות כי כעס היה עליו או פי' תכף שהלך נתן אל ביתו ויגף ה' את הילד: ויאנש. חלה חולי כבד כמו אנושה מכתך ות"י ואתען: (טז) ויבקש דוד את האלהים. שהתפלל בעד הנער אעפ"י שהנביא אמר לו מות ימות התפלל בעדו כמו שא'

רלב"ג

(יד) ויאנש. ר"ל שבא לו חולי אנוש וביום השביעי מת:

מצודת דוד

גמול הראוי הוא להיות נפש תחת נפש אבל רק על מקלת העון שלם יבלם וגם העביר מה מחטאתך וכפר מקלת להיות לך נפשך לשלל ולא תמות: (יד) אפס וגו'. ר"ל אבל בדבר הזה דבת שבע חללת את השם וגרמת שאויבי ה' לבעים ינאצו נאצו' גדולות כלמדם ממך ולזה תקבל עליו גמול משלם וגם הבן הילוד ימות כי ראוי הוא לגמול המעשה: (טז) ובא ולן. בא מבית האלהים מאשר התפלל בו ולן

מצודת ציון

(יד) אפס. הוא ענין רק כמו אפס קצהו (במדבר כג): נאץ נאצת. ענין כעס וביזיון כמו ויעשו נאצות גדולות (נחמיה ט'): (טו) ויגוף. היא מכת החולי: ויאנש. ענין כבדות החולי כמו

Although the elders of his house raised him up from the ground, he still refused to partake of a meal. — Abarbanel. He did not even partake of a meager repast. — Redak

you shall not die. 14. Nevertheless, because you have greatly blasphemed the enemies of the Lord by this thing, the child also that is born to you shall surely die." 15. And Nathan departed to his house. And the Lord struck the child that Uriah's wife bore to David, and it became mortally ill. 16. And David besought God on behalf of the child; and David fasted a fast, and he came in and slept lying on the ground. 17. And the elders of his house stood over him to raise him up from the ground; but he

Commentary Digest

so has G-d readily removed it. — K.

14. *the enemies of the Lord — "This is a euphemism for 'the Above.' Now Jonathan translates it as: Because you have opened the mouths of the enemies of G-d's nation."* — R (to speak bad of the Israelites because of your deeds — K.) D's interpretation is: By taking example from you, you have surely caused Israel's enemies to blaspheme G-d with their actions. A offers: Because you have constantly blasphemed the enemies of G-d for similar actions, now that you have yourself sinned, your action cannot go unpunished.

15. *And Nathan departed* — Nathan departed immediately in order to indicate his displeasure with David. Perhaps it can also be connected to what follows: Immediately after Nathan's departure, the child became ill. — K

became mortally ill. — "Heb. ויאנש *— an expression of sickness."* — R

16. *And David besought G-d for the child* — Although G-d had decreed the child should die, petition can even revoke a decree — M. Compare to T.B. Rosh Hashanah 16a: 'petition is appropriate for man, both before and after the decree.'

and he came in and slept lying on the ground — 'and he came into the house and slept the night lying on the ground.' — R. and D.

and he did not eat — Heb. — ברה. *"A synonym for eating, similar to: 'that I may eat from her hand' (Heb. —* ואברה מידה, *below* 13:6)." — R.

אָבָה וְלֹא־בָרָה אִתָּם לָחֶם׃ יח וַיְהִי בַּיּוֹם
הַשְּׁבִיעִי וַיָּמָת הַיָּלֶד וַיִּרְאוּ עַבְדֵי דָוִד
לְהַגִּיד־לוֹ ׀ כִּי־מֵת הַיֶּלֶד כִּי אָמְרוּ הִנֵּה
בִהְיוֹת הַיֶּלֶד חַי דִּבַּרְנוּ אֵלָיו וְלֹא־שָׁמַע
בְּקוֹלֵנוּ וְאֵיךְ נֹאמַר אֵלָיו מֵת הַיֶּלֶד
וְעָשָׂה רָעָה׃ יט וַיַּרְא דָּוִד כִּי עֲבָדָיו
מִתְלַחֲשִׁים וַיָּבֶן דָּוִד כִּי מֵת הַיָּלֶד
וַיֹּאמֶר דָּוִד אֶל־עֲבָדָיו הֲמֵת הַיֶּלֶד
וַיֹּאמְרוּ מֵת׃ כ וַיָּקָם דָּוִד מֵהָאָרֶץ וַיִּרְחַץ
וַיָּסֶךְ וַיְחַלֵּף שִׂמְלֹתָו וַיָּבֹא בֵית־יְהוָה

שמלתיו קרי

תרגום

וְלָא אֲבָא וְלָא אֲכַל עִמְהוֹן לַחְמָא׃ יח וַהֲוָה בְּיוֹמָא שְׁבִיעָאָה וּמִית רַבְיָא וּדְחִילוּ עַבְדֵי דָוִד לְחַוָאָה לֵיהּ אֲרֵי מִית רַבְיָא אֲרֵי אֲמַרוּ כַּד הֲוָה רַבְיָא קַיָם מַלֵילְנָא עִמֵיהּ וְלָא קַבֵּיל מִנָנָא וְאֵיכְדֵין נֵימַר לֵיהּ מִית רַבְיָא וְיַעְבֵּד בִּישָׁא׃ יט וַחֲזָא דָוִד אֲרֵי עַבְדוֹהִי מְלַחֲשִׁין וּסְבַר דָוִד אֲרֵי מִית רַבְיָא וַאֲמַר דָוִד לְעַבְדוֹהִי הֲמִית רַבְיָא וַאֲמַרוּ מִית׃ כ וְקָם דָוִד מִן אַרְעָא וּמְשַׁח וְשַׁף וְשַׁנֵי כְּסוּתֵיהּ וְעַל לְבֵית מַקְדְשָׁא דַיְיָ וּסְגִיד

ואתא

רש"י

ובא הבית ולן בלילה שוכב לארץ: (יז) ולא ברה. לשון אכילה כמו ואברה מידה (לקמן י"ג ו'):

רד"ק

תוא מי יודע וחנני ה' וחי הילד אע"פ שהיה עונש עונו הרי עתשו עונש גדול באמרו לו ושכב עם נשיך ולא תסור חרב מביתך והתפלל לאל שיעביר ממנו עונש הילד: ובא ולן. ובא מבית ה' שהיה שם כל היום צם ומתפלל כשבא לביתו לן בלא אכילה ושכב ארצה: (יז) ולא ברה אתם לחם. ולא אכל אפי' אכילה מועט' כי הבריה אכילה מועטת כמו ואברה מידה: (יח) ועשה רעה. יעשה רעה בגופו: (כ) ויקם דוד מהארץ. הרחיצה והסיכה וחלוף הבגדים אסור לאבל בימי אבלו והיאך עשה אותם דוד יש לפרש כי קודם קבורה עשה כן שלא נתחייב עדיין באבילות ובעבור שהיה רוצה לבא בית ה' להשתחוות ולהודות על הרעה רחץ וסך וחלף שמלות שחייב אדם לברך על הרעה להודות את ה' ולקבל בשמחה כשם שהוא מברך על הטובה שנאמר חסד ומשפט אשירה אם חסד אשירה אם משפט אשירה וכתיב כוס ישועות אשא ובשם ה' אקרא צרה ויגון אמצא ובשם ה' אקרא ולא נוכל לפרש כי הרחיצה והסיכה לא היתה ביום המיתה אלא עד הלילה שאחר שאין חייב באבילות מן התורה אלא יום מיתה בלבד שהרי אומר ויקם מן הארץ וירחץ ויסך ויש לפרש עוד כי לא נתחייב דוד באבילות מן התורה כי תוך שלשים יום ללידתו מת הילד והוא ספק נפל אם נולד לשמנה וזהו שאמר ויהי ביום השביעי וימת הילד פירוש שביעי ללידתו כי אם נפרש לחליו רחוק הוא שצם דוד שבעת ימים וישכב ארצה אלא שביעי ללידתו היה ולא היה חייב באבלות אם לא היה יודע בו שכלו לו חדשיו לפיכך לא היה חייב באבילות וכששמע שמת הילד רחץ וסך ובא בית ה' כדי להודות ולהשתחוות ומה שתמהו עליו עבדיו והוא לא היה חייב באבלות תמהו על שלא נצטער ולא בכה כשאר בני אדם אלא שאל שישימו לו לחם ועשה הנאות גופו שנמנע מהם קודם שמת ומה שסמכו רז"ל שאבל אסור בתשמיש המטה מפסוק וינחם דוד את בת שבע אשתו ויבא אליה שלא בא אליה אלא בעת תנחומין והיא אחר האבילות סמך בעלמא אבל היתה קבלה אצלם שהאבל אסור בתשמיש המטה ועשו הפסוק הזה סמך אבל הפי' הנכון כמו שכתבנו ופסוק ויהי ביום השביעי מחזק פירושינו כמו שכתבנו ובו ביום שמת הילד נחם דוד את אשתו שלא תצטער ולא תבכה על הילד ומה שהוצרך לומר ויבא אליה להודיע כי זה הבן האחר שילדה היה של קיימא ורצון האל היה בו אחר שדוד עשה תשובה ונחם על חטאו וזהו שאומר וה' אהבו לא כמו הראשון ששנאו לפי שנוצר בעון והמיתו ויש להעמיד דברי רבותינו ז"ל שאמרו כי דוד נהג אבילות על הילד אך לפירוש שפירשני ויהי ביום השביעי ז' ללידתו כי דוד ידע בילד שכלו לו חדשיו שהרי אומר וישכב

מצודת ציון

אנושה מכותיה (מיכה א'): (יז) ברה. היא אכילה מועטת כמו להברות את דוד (לעיל ג'): (יט) מתלחשים. מדברים בלחש ובחשאי: ויבן. מלשון הבנה: (כ) ויסך. משח בשמן: ויחלף.

מצודת דוד

הלילה מושכב בארץ: (יח) ביום השביעי. לימי החולי או לימי לידתו: כי מת. אשר מת: ולא שמע. בעבור גודל התוגה: ועשה רעה. ר"ל יחבל בעצמו: (כ) ויחלף שמלותיו. כי שכב אבלה והיו מעופרים

would not: neither did he eat bread with them. 18. And it came to pass on the seventh day, that the child died. And the servants of David feared to tell him that the child was dead; for they said, "Behold, while the child was yet alive we spoke to him and he did not hearken to our voices; how then shall we tell him that the child is dead, so that he do [himself] harm?" 19. And David saw that his servants were whispering and he understood that the child was dead; and David said to his servants, "Is the child dead?" And they said "[He is] dead." 20. And David got up from the ground, and washed, and anointed himself, and changed his clothes; and he came to the House of the Lord

Commentary Digest

18. *on the seventh day* — On the seventh day after the child fell ill. — D. K and A suggest that the child was sick immediately after it was born, and died on the seventh day from birth. — K and A on v. 20.

20. *and washed and anointed himself and changed his clothes* — before the burial, hence before the commencement of the seven-day mourning period. See Shulchan Aruch. Yoreh Deah 341:5. — K. An alternate possibility is that no mourning period was initiated since the child died shortly after birth. (See Commentary Digest above v. 19), casting a doubt on his viability.

and kneeled — to bless G-d for his just decree; for man is obligated to bless G-d for adversity just as for good fortune. (See T.B. Ber. 54a). David's washing and change of apparel was a manner of readying himself for this prayer. — K, A, and D. The Rabbis in T.B. Sab. 10a, use the verse: 'prepare yourself towards your G-d, o 'Israel' to support the contention that man must ready himself for prayer with proper apparel.

וַיִּשְׁתַּחוּ וַיָּבֹא אֶל־בֵּיתוֹ וַיִּשְׁאַל וַיָּשִׂימוּ
לוֹ לֶחֶם וַיֹּאכַל: כא וַיֹּאמְרוּ עֲבָדָיו אֵלָיו
מָה הַדָּבָר הַזֶּה אֲשֶׁר עָשִׂיתָה בַּעֲבוּר
הַיֶּלֶד חַי צַמְתָּ וַתֵּבְךְּ וְכַאֲשֶׁר מֵת הַיֶּלֶד
קַמְתָּ וַתֹּאכַל לָחֶם: כב וַיֹּאמֶר בְּעוֹד
הַיֶּלֶד חַי צַמְתִּי וָאֶבְכֶּה כִּי אָמַרְתִּי מִי
יוֹדֵעַ יחננִי יְהוָה וְחַי הַיָּלֶד: כג וְעַתָּה ׀
מֵת לָמָּה זֶּה אֲנִי צָם הַאוּכַל לַהֲשִׁיבוֹ
עוֹד אֲנִי הֹלֵךְ אֵלָיו וְהוּא לֹא־יָשׁוּב אֵלָי:
כד וַיְנַחֵם דָּוִד אֵת בַּת־שֶׁבַע אִשְׁתּוֹ וַיָּבֹא
אֵלֶיהָ וַיִּשְׁכַּב עִמָּהּ וַתֵּלֶד בֵּן ויקרא אֶת־

תרגום

נְאָתָא לְבֵיתֵיהּ וּשְׁאֵיל
וְשַׁוִיאוּ לֵיהּ לַחְמָא וַאֲכַל:
כא וַאֲמַרוּ עַבְדוֹהִי לֵיהּ
מָה פִתְגָמָא הָדֵין
דַעֲבַדְתָּא עַד דְרַבְיָא
קָיָם צַמְתָּא וּבְכֵית וְכַד
מִית רַבְיָא קַמְתָּא
וַאֲכַלְתְּ לַחְמָא: כב וַאֲמַר
עַד דְרַבְיָא קָיָם צָמֵית
וּבְכֵיתִי אֲרֵי אֲמָרִית מַן
יָדַע דִלְמָא יִתְרַחֵים עֲלַי
מִן קֳדָם יְיָ וִיהֵי רַבְיָא:
כג וּכְעַן מִית לְמָא דְנַן
אֲנָא צָאִים הַאֵיכוּל
לְאָתָבוּתֵיהּ עוֹד אֲנָא
אָזֵיל לְוָתֵיהּ וְהוּא לָא
תָאֵב לְוָתִי: כד וְנַחֵים
דָוִד יַת בַּת שֶׁבַע אִתְּתֵיהּ
וְעַל לְוָתַהּ וּשְׁכִיב עִמַּהּ
וִילֵידַת בַּר וּקְרַת יַת
שְׁמֵיהּ

ה"א למת ותבך. מקדה ספר כו ועש: וינחם דוד פ"ק טו:

מהר"י קרא

וחנני קרי ותקרא קרי

(כד) ויקרא את שמו שלמה וה' אהבו. שני שמות קרא לו שלמה קרא לו על שם כי שלום ואמת יהא בימיו ושם שני קרא אותו וה' אהבו. והיכן מצינו שנקרא שם זה דכתיב בסמוך וישלח ביד נתן הנביא ויקרא את שמו ידידיה פתר' אוהב ליה:

רד"ק

עמה ותשב אל ביתה נראה כי לא שכב עמה אלא אותו הפעם ובאותה ביאה נתעברה כמו שכתוב ותהר האשה ומאותו יום מנה לו חדשיו: (כא) בעבור הילד החי. ת"י כמו בעוד עד דרביא קיים ויש לפרשו כמשמעו בעבור הילד כשהיה חי צמת: (כב) וחנני. כתב ביו"ד וקרי בוי"ו והענין אחד ר"ל צומי ובכיתי לא היה אלא דרך תפלה כמו שמתפלל אדם על החולה אבל אחר שמת למה אצום עליו וכי אתפלל על מת שיחי' וגם הילד איננו כדאי לבכות עליו אחר שמת כמו שבוכי' על המתי' כי קטן הוא לא בן דעת שיבכה אדם על אבידתו כי הנה דוד בכה על אמנון ועל אבשלום ולא היתה בכייתו לחשיב אלא דרך צער ואבל: (כד) את בת שבע אשתו. עתה אמר אשתו כי כבר בת אורי' אבל מתחלה אמר אשר ילדה אשת אורי' לדוד כי אשת אורי' היתה עד שמת ומצאתי ספר אחר כתיב אשו וקרי אשתו וחפשתי בספרים מדוייקים ולא מצאתי כן וסמכתי על המסרה שמצאתי שאומד במסורה י"א מילין קורין תי"ו ולא כתיב ומלבד זה אנו מוצאין אותם ואם כדברי הספר הזה הם י"ב ויהיה טעם הכתיב אשו כי כמי אש היתה לו כמו שאמר הכתוב היחתה איש אש בחקו וגו' כן הבא אל אשת רעהו לא ינקה כל הנוגע בה: ויבא אליה וישכב עמה. הכפל להודיע כי לא נתעברה בביאה ראשונה. ובדרש ויבא אליה בא אליה בטענה כי היתה נמנעה מלהזקק לו אמרה לו הילד מת מפני העון אפי' יהיה לי בן של קיימא ממך יבוזו אחיו איתו מפני שבאתי אליך בעון מתחילה אמר לה דוד האל מחל לי העון והבן הראשון שיהיה לי ממך ימלוך אחרי כי כן שלח לי האל על יד הנביא ונשבע לה וזהו שאמרה לו בת שבע הלא אתה אדוני המלך נשבעת לאמתך כי שלמה בנך ימלך אחרי: ויקרא

מצודת דוד

כעסר האלך: וישתחו. לכרך על הרעה כמשפט התורה: וישאל. שאל כמכור האוכל וישימו וגו': (כא) בעבור הילד חי. ר"ל כעבור הילד כשהיה עדיין הי למת וגו': (כב) כי יודע. אם ככר נגזרה עליו המיתה ואולי עדיין לא וחנני ה' וחי הילד: (כג) אליו. ר"ל אל הקבר כעת אמות: (כד) וינחם. על מיתת הילד: שלמה וה' אהבו. ר"ל קראה אותו בשתי השמות שם שלמה להורות כי שלום

מצודת ציון

פנין המולך: (כג) האוכל. מלשון יכולת:

Commentary Digest

union. David was forced to swear to Bath sheba that any son born from their union would be heir to his throne, before she agreed to have relations with him. — K and A from unknown source.

and she called his name — The 'K'thib renders: 'and *He* called his name', for in I Chron. 22:9 it is mentioned that *God* gave him the nameHeb. שלמה as an indication that peace would be ushered in his time (from שלום). We must therefore assume that here Bath-sheba named him שלמה based on G-d's command to do so. — K.

and kneeled; and he came to his house, and he asked and they set bread before him, and he ate. 21. And his servants said to him; "What is this thing that you have done? For the live child you fasted and wept, but when the child died, you got up and ate bread?" 22. And he said, "While the child was yet alive, I fasted and wept, for I said, 'Who knows? Perhaps the Lord will be gracious to me, and the child will live. 23. But now [that] he is dead, why should I fast? Can I bring him back again? I shall go to him, but he will not return to me." 24. And David comforted Bath-sheba his wife, and he came to her, and he lay with her; and she bore a son, and she called

Commentary Digest

21. *what is this that you have done?* — His ministers were under the impression that David had abstained from food and comfort because he was sorrow-laden over the child's condition. They therefore failed to understand why the death of the child should have eased his sorrow. David justified his actions by explaining that the fasting was a form of petition to G-d, and now that the child had died there was nothing left for which to petition — M. A contends that David knew he had no hope of revoking G-d's decree, but feigned prayer and fasting so that people would not guess that the child had died as punishment for his affair with Bath-sheba.

22. *why should I fast?* — Although David wept bitterly over the death of Absalom (below 19:1), here the child was yet too young to deeply feel its loss. — K.

23. *Can I bring him back again?* — Man has right to petition for the plausible, not for the impossible — A and M.

24. *and he came to her* — a euphemism for marital relations. — K

and he lay with her. — The repetition is an indication that the resulting pregnancy was not immediate, but resulted from subsequent relations. The Midrash, however, interprets the initial 'and he came to her' as: 'and he came to her with a grievance'. After the child died in retribution for their sin, Bath-sheba became estranged from David for fear that should a healthy child be born, he would be exposed to humiliation for being born from a sinful

שמו שלמה ויהוה אהבו׃ כה וישלח
ביד נתן הנביא ויקרא את־שמו ידידיה
בעבור יהוה׃ כו וילחם יואב ברבת בני
עמון וילכד את־עיר המלוכה׃ כז וישלח
יואב מלאכים אל־דוד ויאמר נלחמתי
ברבה גם־לכדתי את־עיר המים׃
כח ועתה אסף את־יתר העם וחנה על־
העיר ולכדה פן־אלכד אני את־העיר
ונקרא שמי עליה׃ כט ויאסף דוד את־
כל־העם וילך רבתה וילחם בה
וילכדה׃ ל ויקח את־עטרת־מלכם מעל

תרגום

שמיה שלמה ויי רחמיה׃
כה ושלח ביד נתן נביא וקרא ית שמיה ידידיה בדיל יי׃
כו ואגיח קרבא יואב ברבת בני עמון וכבש ית קרית מלכותא׃
כז ושלח יואב אזגדין לות דוד ואמר אגחית קרבא ברבה ואף כבשית ית קרית מלכותא׃
כח וכען כנוש ית שאר עמא ושרי על קרתא וכבשה דלמא אכבוש אנא ית קרתא ויתקרי שמי עלה׃
כט וכנש דוד ית כל עמא ואזל לרבת ואגיח קרבא בה וכבשהא׃
ל ונסיב ית כלילא דמלכהון

ת״א וישלח ביד נתן. סנהדרין נט מנחות נג: ויקח את עטרת ע״ג כד:

רש״י

(כה) בעבור ה׳. אשר אהבו: (כו) את עיר המלוכה. שני היזוקי חומה היו בה היצונה ופנימית עיר ההיצונה עיר מלוכה והפנימית למבצר ולהוזק: (ל) את עטרת מלכם.

מהר״י קרא

(כה) בעבור ה׳. פתרונו בעבור שהוא אוהב ה׳:

רלב״ג

(כד) ויקרא את שמו ידידיה בעבור ה׳. ראוי שיתבאר לך מזה שדוד לא חטא במפרע בענין אשת איש אחר שמת בעלה כי ההולך למלחמת בית דוד גט כריתות כותב לאשתו ואחר שמת במלחמה נתבאר הענין למפרע כי לא היתה אשת אוריה כשבא עליה דוד שאם לא היה הענין כן איך לא לוהו הש״י ע״י נביאו שיעזבה והאשה המזנה אסורה לבעל ואסורה לבועל כמו שנתבאר בענין הסוטה ואיך אהב הש״י את הילד ורצה שתהיה ממנו הממלכה אבל על כל פנים ראוי שיאמין כי לא חטא דוד בבעילת בת שבע אחר שכבר נהרג בדבר המלחמה והנה לולי מהר דוד הנה היתה לו בת שבע לאשה אחר שאנחנו רואים שכבר רצה הש״י שתהיה ממנה הממלכה אפשר שבעצם שתהיה לדוד ולזה אמרו רז״ל ראויה היתה בת שבע לדוד אלא

רד״ק

את שמו שלמה. כן כתיב וקרי ותקרא הכתוב אומר כי הקב״ה קרא אותו שלמה כמו שאמר בדברי הימים שאמר עליו דוד ויהי עלי דבר ה׳ וגו׳ כי שלמה יהיה שמו ושלום ושקט אתן על ישר׳ בימיו לפיכך אמר וה׳ אהבו כמו שאמר הוא יהיה לי לבן ואני אהיה לו לאב וקרי ותקרא בת שבע קראה שמו שלמה כמו שאמר לה דוד בשם הנביא וטעם וישלח ביד נתן הנביא למעלה ממנו למה קראה שמו שלמה כי כן שלח האל ביד הנביא וכמו וי״ו וישלח זו חן אתה קצפת ונחטא למה קצפת בעבור כי חטאנו ומה שאמר ויקרא את שמו ידידיה דוד קרא שמו ידידיה מעצמו לפי שאמר לו הנביא כי ה׳ אהבו: (כו) עיר המלוכה. עיר שהמלך יושב בה והיא נקראת עיר המים שבאות׳ העיר היו המים ולא בשאר העיר שהיה יושב בה העם ועיר המים זאת היתה בצד העיר האחרת לא בתוכה וכבש יואב תחלה עיר המים והאחרת נוחה להכביש אלא שלא רצה ללכדה לכבוד דוד: (ל) עטרת מלכם. מלך בני עמון: ותהי על ראש דוד. תלויה היתה למעלה מראשותיו בשעה שהיה ישב על הכסא כי

מצודת ציון

(כה) ידידיה. ר״ל אהוב נה׳ כי ידיד הוא ענין אהבה:
(כח) וחנה. מלשון חניה:

מצודת דוד

יהיה בימיו וה׳ אהבו כמשמעו: (כה) וישלח. אבל ה׳ שלח ביד נתן ויקרא את שמו ידידיה בעבור ה׳ ור״ל מה שקראהו היא שמו בעבור אהבת ה׳ וה׳ אהבו קרא הוא שמו בעבור אהבת ה׳ ידידיה: (כו) עיר המלוכה. מקום היכל מלך הסמוך לרבה ואליו תחבר: (כז) עיר המים. היא עיר המלוכה והיתה מספקת מים לבני רבה: (כח) על העיר. היא רבה: פן אלכוד אני. כי היה קרוב הדבר הואיל ולכד את המים ור״ל כשאלכוד אני פן יקרא שמי עליה ודוגמתו פן תאכל ושבעת וגו׳ ורם לבבך וגו׳ (דברים ח׳) ומשפטו כשתאכל ושבעת פן יהיה רם לבבך: ונקרא שמי עליה. לאמר יואב לכדה

Commentary Digest

verse suggests that Joab had merely fought against Rabbah but had not yet captured it, Joab knew very well that once the water supply was cut off, the city was his. — M. A provides a bit of historical background to the verse by indicating that in ancient times the royal palace was never located in the city proper, in order to provide greater privacy for the sovereign.

28. *lest I capture the city* — Because of the city's significance, Joab thought it befitting that the king capture it himself. — D.

29. *and the crown of Malkam* —

his name Solomon; and the Lord loved him. 25. And He
sent by the hand of Nathan the prophet, and he called his
name Yedidiah for the Lord's sake. 26. And Joab fought
against Rabbah of the children of Ammon, and captured the
royal city. 27. And Joab sent messengers to David and said
"I have fought against Rabbah, I have also captured the city
of waters. 28. And now gather the rest of the people, and
encamp against the city and capture it, lest I capture the city,
and my name be called upon it." 29. And David gathered
all the people, and he went to Rabbah, and fought against
it, and captured it. 30. And he took the crown of Malkam off

Commentary Digest

25. *and he sent by the hand of Nathan the prophet* — the message that 'the Lord loved him' of the previous verse. Because Nathan indicated that the Lord loved the child, David called him Yedidiah, lit. — the friend of God. — A. K and M connect it with the name שלמה. She called him שלמה because Nathan notified them that this was God's will. Recognizing God's love for the child, David proceeded to name him Yedidiah. A explains that of the two names, the child remained with the name Solomon, because the ensuing era of peace symbolized by it indicated G-d's love for the Israelite nation as a whole, while the name Yedidiah indicated God's love for Solomon alone.

for the Lord's sake — *"who loved him."* — R, J.K., and Z. Undoubtedly, Solomon was blessed with outstanding natural attributes for God to love him so immediately from birth. — Rabinowitz. While, on one hand, we must consider it one of the wonders of God's conduct that so many good things come through such a complicated and torturous path, on the other hand, had David waited for Bathsheba (See Comm. Digest above 11:2) perhaps Solomon's rule would have been a perfect one, unblemished by its rather dour end. — Rabinowitz.

26. *the royal city* — *"there were two wall supports in it, an outer and an inner one. The outer one was the royal city, and the inner one was for fortification and support."* — R.

27. *city of waters* — Synonymous with the royal city which was located on the outskirts of Rabban, near the city's water supply. Although the

רֹאשׁוֹ וּמִשְׁקָלָהּ כִּכַּר זָהָב וְאֶבֶן יְקָרָה
וַתְּהִי עַל־רֹאשׁ דָּוִד וּשְׁלַל הָעִיר הוֹצִיא
הַרְבֵּה מְאֹד׃
לא וְאֶת־הָעָם אֲשֶׁר־בָּהּ
הוֹצִיא וַיָּשֶׂם בַּמְּגֵרָה וּבַחֲרִצֵי הַבַּרְזֶל
וּבְמַגְזְרוֹת הַבַּרְזֶל וְהֶעֱבִיר אוֹתָם
בַּמַּלְכֵּן וְכֵן יַעֲשֶׂה לְכֹל עָרֵי בְנֵי־עַמּוֹן
וַיָּשָׁב דָּוִד וְכָל־הָעָם יְרוּשָׁלִָם׃
יג א וַיְהִי

דמלכהון מעל רישיה ומתקלה ככרא דדהבא וביה אבן טבא והוה על רישא דדוד ועדת קרתא אפיק סגי לחדא׃
לא וית עמא דבה אפיק ומסר יתהון במסרין ובמוריגי פרזלא ובמגזרי פרזלא וגרר יתהון בשוקיא וכן עבד לכל קירוי בני עמון ותב דוד וכל עמא לירושלם׃
א והוה בתר כן

במלבן קרי

רש"י

תועבת בני עמון מלכם שמו לשון מולך: ותהי על ראש דוד. אתי הגתי בטלה: (לא) במגרה ובחרצי ובמגזרות. (כמין פלירה פיס שקורין לימ"א) מיני יסורים הם: מגרה. סכין פגום פגימות הרבה תכופות זו לזו: חריצי. הוא מורג תרוץ מלא חרילים כמין פלירה פיס שקורין לימ"א: במלבן. בטיט חוצות ולן תרגם יונתן וגרר יתהון בשוקיא:

מהר"י קרא

(לא) במגרה. ומסר יתהון במסרין. לימ"א בלע"ז: ובחריצי הברזל. במוגרי ברזלא:

רד"ק

איך היה סובל אותה ומשקלה ככר זהב ובדברי רבותינו ז"ל כי אבן יקרה שהיתה בה שוה ככר זהב ועוד אמרו אבן שואבת היתה והיתה מעבירה אותה באויר ויש לפרש עוד כי לא היתה על ראשו תמיד אלא פעמים היתה על ראשו ויכול לסובלה זמן מועט שהיתה על ראשו. ורבותינו ז"ל פי' עטרת מלכם כמו מלכום שקוץ בני עמון ועטרת אותו שקוץ היתה ומה שאמר ותהי על ראש דוד והיא אסורה בהנאה אמרו כי אתי הגתי בטלה ותימה הוא מה הצריכם לומר כי אתי הגתי היה גוי אם מפני שקראו גתי הנה עובד אדום הגתי היה לוי וקראו גתי לפי שהתגורר בגת וכן אתי ישראל היה אלא שהיה מתגורר בגת ורבים מישראל עמו כמו שאומר כשבא אל דוד כשהיה בורח מפני אבשלום וכל הגתים שש מאות איש היתכן לומר כי כל אלו היו פלשתים שהיו באים לעזור אל דוד ועוד שאמר וכל הטף אשר אתו בודאי מישראל היו כלם אלא שהיו מתגוררים בגת קודם שלקחה דוד מיד פלשתים או אחר שלקחה ואם מפני שאמר לו דוד כי נכרי אתה ר"ל נכרי מארץ אחרת לפי שהיה גר בגת כמו שאמר לו תמול בואך והיום אניעך כי מה טעם שאמר לו שוב עם המלך כי גוי אתה וכמוהו מדוע מצאתי חן בעיניך להכירני ואנכי נכריה כלומר מארץ נכריה ואחרת כי לא היתה נכריה כי כבר נתגיירה כמו שאמר' עמך עמי אלהיך אלהי ועוד אפי' לדברי האומרים כי העטרה היתה עבודת גלולי' וכי חסר היה דוד מלבטלה יאמר לאחד מבני עמו מארץ הגוים שהיה מושל עליהם שיבטלנה ואם לא ירצה יכריתנו כי עובד גלולים מבטל עבודת גלולים אפילו על כרחו אם כן למה הוצרכו לומר כי אתי היה גוי ואיך עמד עם דוד כמה שני' ולא נתגייר וזהו דבר תימה וי"ת עטרת מלכם כפשוטו כלילא דמלכיהון: (לא) וישם במגרה. ת"י ומסר יתהון במסרין מענין אם יתגדל המשור על מניפו וכן כתב בדברי הימים וישם במגרה ופי' וישם שם משפטים במגרה: ובחריצי הברזל. צוה שישפטו אותם בהם והמגרה הוא המשור: ובחריצי הברזל. כמו מורג חרוץ: ובמגזרות הברזל. הם הגרזנים שבוקעין בהם העצים: והעביר אותם במלבן. ר"ל שרפם במקום ששורפים שם הלבנים וכתוב במלכן בכ"ף ר"ל במקום המולך באש שהיו מעבירין בני עמון בניהם למולך כי מלכום שקוץ בני עמון והוא המולך ומלכם ומלכן אחד כי המ"ם והנו"ן יבאו זה במקום זה כמו כמהן כמהם מוף ונוף וי"ת והעביר אותם במלבן וגרר יתהון בשוקיא רוצה לומר שגררם בחוצות שהם מחופין בלבנים: לכל ערי בני עמון. לכל אנשי ערי בני עמון כלומר לכל הערים שלכד מבני עמון כן עשה לאנשיהם זה המשפט:

רלב"ג

שאכלה פגה: (לא) וישם במגרה ובחריצי הברזל וגו'. ר"ל ששם העם אשר בה בזה המשפט שיש בו אכזריות מה שלא יעלם והנה היה רלונו בזה שייראו שאר האומות מלהלחם בישראל והנה המגרה הוא כלי ברזל מלא פגימות בהם הוא חותך מה שיחתוך שיג"ה בלע"ז וחרילי הברזל הם כלי ברזל גדולים שדשין בהם התבואה וכן מגזרות הברזל גם כן כלי ברזל גדולים יחתכו בהם האבנים ויש באלו הדברים מן האכזריות יותר מההריגה בחרב פיפיות: והעביר אותם במלבן. ר"ל שהעביר אותם באש התנור שעושים שם הלבנים כי הוא נקרא

מצודת דוד

וסוב בעיני שמתך יקרא עליה להיות לכבוד ולתפארת: (ל) ואבן יקרה. וכה אבן יקרה: ותהי על ראש דוד. למעלה מראשו היתה תלויה כשהוא יושב על הכסא כי איך סבל על ראשו משא של ככר: (לא) וישם במגרה. שם משפטם ליסרם במגרה וגו': והעביר. מהם העביר במלבן ר"ל בכבשן ששורפים בו הלבנים:

מצודת ציון

(לא) במגרה. כלי מלא פגימות עשויה לכרות העלים ועל כי דרכה לכרות בגרירה קרויה מגרה וכן מגוררות במגרה (מ"א ז'): ובחריצי הברזל. כלי ברזל מלאה חרילים עשוים לדוש בה כמ"ש כי לא בחרוץ יודש קלח (ישעיה כח): ובמגזרות. הם הגרזנים שמבקעים בהם העליה והוא מתהפך כמו כבש כשב: במלבן. מל' לבנים:

Commentary Digest

CHAPTER 13

1. *And it came to pass after this* — After the scripture tells us of David's sin with Bath-sheba, it proceeds to mention in consecutive order the divine punishment for his action;

(1) the death of the child (above 12:8).

(2) Amnon's rape of Tamar (this chapter).

(3) Amnon's death at the hands of Absalom, (v. 28 of this chapter).

(4) Absalom's rebellion and death, — (below Chs. 17, 18). — A.

a fair sister whose name was Tamar — "*who was the daughter of his*

his head; and it's weight was a talent of gold, and [in it was] a precious stone; and it was [set] on David's head. And the spoil of the city he brought forth in great abundance.
31. And the people that were therein he brought forth and he put them under saws, and under harrows of iron, and under axes of iron, and he made them pass through the brick kiln; and so he did to all the cities of the children of Ammon. And David and all the people returned to Jerusalem.

13

1. And it came to pass

Commentary Digest

"the name of the abomination of the sons of Ammon was Malkam, from [the name] Molech." — R based on T.B. Av.Z. 44a. See Zeph. 1:5 where this Ammonite god is mentioned. K and A contend that the simple translation of the verse is: 'and he took the crown of *their king*'. Rabinowitz suggests that the crown may have been periodically transferred from the idol to the king.

And its weight was a talent of gold — According to some calculations the talent was a weight of well over a hundred pounds.

and it was set on David's head — Because David could not possibly have constantly borne such a heavy burden, J contends that not the crown itself, but the precious stone that was in it, was placed on David's head. The Talmud suggests that the crown was either suspended above David's head, or that it was placed upon him only for brief periods of time. — T.B. Av.Z. 44a. While the crown was originally used for idol worship, David was able to wear it because: *"Ittai the Gittite renounced it"*, (R from *Ibid.*) and a non-Jew's renunciation removes from it the stigma of having been an object usead for idol-worship.

31. *saws* — *"a knife indented with numerous consecutive nicks."* — R.

harrows — *"a threshing sledge. It is grooved with numerous indentations and is called 'lime' (in French)"* — R

brick kiln — K and D. K suggests that these were the same kilns into which the Ammonites would lead their children as sacrifices to their god.

R. interprets מלבן as: *"in the mud of the streets. And so did J translate it; 'and they dragged them in the streets'."* — R from J. The term מלבן from לבנים (bricks) is used synonymously with street because their streets were paved with bricks. — K. David tortured the Ammonites in order to frighten the surrounding nations from waging war against the Israelites. — A and G.

אחרי־כן ולאבשלום בן־דוד אחות
יפה ושמה תמר ויאהבה אמנון בן־
דוד: ב ויצר לאמנון להתחלות בעבור
תמר אחתו כי בתולה היא ויפלא
בעיני אמנון לעשות לה מאומה:
ג ולאמנון רע ושמו יונדב בן־שמעה
אחי דוד ויונדב איש חכם מאד:
ד ויאמר לו מדוע אתה ככה דל בן
המלך בבקר בבקר הלוא תגיד לי
ויאמר לו אמנון את־תמר אחות

תרגום

כן ולאבשלום בר דוד
אחתא שפרתא ושמה
תמר ורחמה אמנון בר
דוד: ב ועקת לאמנון
לאתמרעא בדיל תמר
אחתיה ארי בתולתא
היא והוה מכסא בעיני
אמנון למעבד לה
מדעם: ג ולאמנון
שושבינא ושמיה יונדב
בר שמעה אחוהי דדוד
ויונדב גבר חכים לחדא:
ד ואמר ליה מה דין את
כדין חשוך בר מלכא
בצפר בצפר הלא תחוי
לי נאמר ליה אמנון ית
תמר אחתיה דאבשלום
אחי

ת"א ולאמנון רע. סנהדרין כא: מדוע. נדרים מ סנהדרין שם:

מהר"י קרא

יג (ב) להתחלות. שנעשה חולה: בעבור תמר אחותו. ולא אחותו היתה אלא בת מעכה אם אבישלים היתה ואחות אבשלום מאם היתה. ולפי שהיה אבשלום קורא אותה אחותו היו כל בני דוד למודין ממנו גם הם לקרותה אחות. הוא שתמר אומרת לאמנון ועתה דבר נא אל המלך כי לא ימנעני ממך. ואם היא אחות אמנון למה לא ימנענה: (ד) דל. דל

רש"י

יג (א) ולאבשלום וגו' אחות יפה. שהיתה בת אמו: (ב) להתחלות. עד שנחלה: כי בתולה היא. ולנועה בבית ואינה יוצאת לחוץ לפיכך ויפלא בעיני אמנון וגו' נכסה ונעלם ממנו מה תואנה יכול לבקש לשכב עמה כמו כי יפלא ממך (דברים י"ז ה') ת"א ארי יתכסי ממך:

(ג) איש חכם. לרשעה: (ד) דל. כחוש כמו דלות ורעות תואר (בראשית מ"א י"ט):

רלב"ג

מלבן על שם הלבנים: (ג) ויונדב איש חכם מאד. ר"ל למצוא תחבולות לעשות רע והנה השיאהו לעשות מה שהיה קשה בעיניו עשייתו אך כאשר ראה שהסכימה עלת יונדב בזה הסתיר לעצמו עשייתה:

רד"ק

(א) אחות יפה ושמה תמר. תמר בת יפת תואר היתה כמו שאמרו רבותינו ז"ל והראיה כי לא ימנעני ממך והיתה אחות אבשלום מאמו כי מעכה אמו של אבשלום לקחה דוד במלחמה ושכב עמה קודם שנתגיירה כי התורה התירה זה כנגד יצר הרע כמו שכתוב וראית בשבית אשת יפת תואר וגו' ואינה מותרת לו קודם שנתגיירה אלא ביאה ראשונה בלבד ואח"כ אם תרצה להתגייר יקחנה לאשה ומעכה נתעברה מדוד בביאה ראשונה בעודה נכרית לפיכך היתה מותרת תמר לאמנון אע"פ שהיתה בת דוד כיון שבגיותה נתעברה מעכה ממנה ונתגיירה מעכה אחר כן ונשאה דוד לאשה וילדה לו אבשלום ומה שאמר אמנון תבא נא תמר אחותי לפי שהיתה בת דוד קראה אחותי; (ב) להתחלות. עד שהיה נראה חולה מריב חשקו בה; כי בתולה היא. לפיכך חשק בה חשק יותר חזק וי"מ כי היא טעם למלת ויפלא בעיני אמנון אע"פ שהוא עשה באחרונה כלו' נפלא בעיניו הדבר היאך יוכל לשכב עמה כי לא היתה יוצאה מביתה כי הוא בתולה ודרך הבתולות בישראל לחיות צנועות בבית ולא תצאנה החוצה ויונדב היה חכם ובעל תחבולות ויעץ אמנון תחבולה שתבא לפניו ואמרו ויונדב איש חכם מאד חכם להרע ולרשעה; (ד) דל. חלוש וכחוש ורע פנים ומה שאמר בבקר

מצודת ציון

יג (ב) ויצר. מלשון צרה ודאגה; להתחלות. מלשון חולי: ויפלא. ענין מכוסה ומניעה וכן כי יפלא ממך דבר (דברים י"ז): מאומה. שום דבר: (ג) רע. חבר ואוהב: (ד) דל. כחוש ורזה

מצודת דוד

יג (א) אחות. מן האב ומן האם כי מעכה בת מלך גשור היתה יפת תואר ולקחה דוד במלחמה ובא עליה קודם שנתגיירה ונתעברה וילדה את תמר ואת אבשלום ילדה אחר שנתגיירה: (ב) ויצר לאמנון. היה מיצר ודואג עד שהיה נראה כחולה מרוב חשקו בה: אחותו. מן האב: כי בתולה היא. ומדרך הבתולות לשבת בית ולזה היה מהנמנע בעיני אמנון לעשות לה מאומה ולמצוא תואנה להתייחד עמה: ויפלא. ר"ל נפלא בעיניו ולכן נעלב הרבה: (ג) איש חכם מאד. חכם להרע: (ד) בבקר בבקר. בכל בוקר נראה פניך דל וכחוש כאלו בלילה לא שכב לבך: אחות אבשלום. כלומר הלא היא לבד אחות אבשלום ומן האם אבל לא תחשב לאחות מן האב אבל לא לי ולא לו על כי נתעברה

after this that Absalom the son of David had a fair sister whose name was Tamar; and Amnon the son of David loved her. 2. And Amnon was distressed to the point of making himself sick, on account of Tamar his sister, for she was a virgin; and it seemed difficult in Amnon's eyes to do anything unto her. 3. And Amnon had a friend, whose name was Jonadab the son of Shimah the brother of David; and Jonadab was a very sly man. 4. And he said to him, "Why are you becoming so thin, O' son of the king, from morning to morning? Will you not tell me?" And Amnon said to him, "I love Tamar, the sister of

Commentary Digest

mother." — R. Both Tamar and Absalom were children of Maacah whom David had taken captive in battle (Supra 3:3). According to the laws pertaining to the beautiful woman taken in battle, (Deut. 21, 10-14) only the initial relations with her are permitted. (See Tosefoth T.B. San 22b). If one chooses to remain with her afterwards, she must undergo conversion. According to the Talmud, Tamar was born from David's initial relations with Maacah who was then a gentile (and the child of a gentile woman does not trace its genealogy to its Jewish father.) K and A from T.B. San. 21a, and T.B. Kid. 68b. See below v. 13, Comm. Digest.

2. *making himself sick* — *"until he took sick."* — R.

on account of Tamar his sister — Although she wasn't legally his sister, she was referred to as such because she was fathered by David. — K and D.

for she was a virgin — *"and was hidden within the house, refusing to go outside. Consequently: 'it seemed difficult in Amnon's eyes etc.' It was concealed and hidden from him what excuse he would be able to seek to lie with her. [This is] similar to:* 'כי יפלא ממך (Deut. 17:8)' *which Onkelos translates: 'if it be hidden from you."* — R. Others connect it to the beginning of the verse. Because she was a virgin, his lust for her was all the greater. — K.

sly man — lit. — wise man — *"for evil."* — R from A.R.N. ch. 9. and T.B. San. 21a.

The rabbis point out that Amnon's tragedy was the result of his befriending Jonadab, whom the scripture describes as "a very sly man."

4. *thin* — *"lean, similar to: 'lean*

אַבְשָׁלֹם אֲחִי אֲנִי אֹהֵב׃ ה וַיֹּאמֶר לוֹ
יְהוֹנָדָב שְׁכַב עַל־מִשְׁכָּבְךָ וְהִתְחָל
וּבָא אָבִיךָ לִרְאוֹתֶךָ וְאָמַרְתָּ אֵלָיו תָּבֹא
נָא תָמָר אֲחוֹתִי וְתַבְרֵנִי לֶחֶם וְעָשְׂתָה
לְעֵינַי אֶת־הַבִּרְיָה לְמַעַן אֲשֶׁר אֶרְאֶה
וְאָכַלְתִּי מִיָּדָהּ׃ ו וַיִּשְׁכַּב אַמְנוֹן וַיִּתְחָל
וַיָּבֹא הַמֶּלֶךְ לִרְאֹתוֹ וַיֹּאמֶר אַמְנוֹן אֶל־
הַמֶּלֶךְ תָּבוֹא־נָא תָמָר אֲחֹתִי וּתְלַבֵּב
לְעֵינַי שְׁתֵּי לְבִבוֹת וְאֶבְרֶה מִיָּדָהּ׃
ז וַיִּשְׁלַח דָּוִד אֶל־תָּמָר הַבַּיְתָה לֵאמֹר
לְכִי נָא בֵּית אַמְנוֹן אָחִיךְ וַעֲשִׂי־לוֹ
הַבִּרְיָה׃ ח וַתֵּלֶךְ תָּמָר בֵּית אַמְנוֹן אָחִיהָ
וְהוּא שֹׁכֵב וַתִּקַּח אֶת־הַבָּצֵק וַתָּלוֹשׁ

צְחֵי אֲנָא רָחֵם׃ ה וַאֲמַר לֵיהּ יְהוֹנָדָב שְׁכַב עַל שׁוּוָיךְ וְאִתְמְרַע וְיֵיתֵי אֲבוּךְ לְמֶחֱזָךְ וְתֵימַר לֵיהּ תֵּיתֵי כְעַן תָּמָר אֲחָתִי וְתֵיכְלִינַנִי לַחְמָא וְתַעְבֵּיד לְעֵינַי יָת סְעוּדְתָא בְּדִיל דְאֶחֱזֵי וְאֵיכוּל מִן יְדַהּ׃ ו וּשְׁכִיב אַמְנוֹן וְאִתְמְרַע וַאֲתָא מַלְכָּא לְמֶחֱזְיֵהּ וַאֲמַר אַמְנוֹן לְמַלְכָּא תֵּיתֵי כְעַן תָּמָר אֲחָתִי וְתַחְלוּט לְעֵינַי תַּרְתֵּין חֲלִיטָתָא וְאֵיכוּל מִן יְדַהּ׃ ז וּשְׁלַח דָּוִד לְוָת תָּמָר לְבֵיתָא לְמֵימַר אֱזִילִי כְעַן לְבֵית אַמְנוֹן אֲחוּךְ וַעֲבִידִי לֵיהּ סְעוּדְתָא׃ ח וַאֲזַלַת תָּמָר בֵּית אַמְנוֹן אֲחוּהָא וְהוּא שְׁכִיב וּנְסֵיבַת יָת לֵישָׁא
ולשת

ת"א ויאמר לו יהונדב. סנהדרין שם: ועשתה לעיני. שם:

רש"י

(ה) את הבריה. את הסעודה:

מהר"י קרא

יתיר ו׳

מראה: (ה) והתחל. עשה עצמך כאילו אתה חולה: (ו) ותלבב לעיני שתי לביבות. ותחלוט לעיני תרתין חלוטין. לבבות. רקיקין שמב׳לין איתן במחבת ובלולות בשמן

רד"ק

בבקר כי בלילה היתה מחשבתו עליה והיה ער בעבורת ובבקר היה לו פנים רעים: (ה) והתחל. הראה עצמך חולה: ותברני. ותאכילני: הבריה. המאכל: (ו) ותלבב לעיני שתי לביבות. תרגומו ותחליט לעיני תרתין חליטתא והחלוט ידוע בדברי רבותינו ז"ל שחולטין הבצק במים רותחין מאד: (ח) ותקח את

רלב"ג

(ו) ותלבב לעיני שתי לביבות. הוא מעשה מרחשת קוסקי"ל בלע"ז ואברה. ואוכל: (ז) הבריה. המאכל:

מצודת דוד

אמה ממנה בניותה ולא תחשב לאבי לבת ומותרת הוא לי ואני אוהב אותה וכה אני חושב בלילה ונגלה בגתי: (ה) והתחל. עשה עצמך כחולה: ותברני לחם. היא תאכיל אותי כי תעשה את המאכל לעיני וכשאראה בתיקונו אהיה תאב להמאכל ואכלתי מידה וכאומר וכאשר תבוא לביתך עשה כאשר תמלא ידך: (ו) ותלבב לעיני. תעשה לפני שתי לביבות:

מצודת ציון

כמו דלות ורעות (בראשית מ"א): (ה) והתחל. מלשון חולי: לראותך. לבקר אותך כמו לראות את דוד (ש"א יט): ותברני וגו׳ הבריה. בנין אכילה מועטת כמו ולא ברה אתם (לעיל י"ב): (ו) ותלבב וגו׳ לביבות. ת"י ותחלוט חליטתא כדרז"ל לחלוט של בעלי בתים (פסחים) והמה נקראים ע"ש המעש׳ שמולקין אותם ברותחין: ואברה. ואוכל מעט: (ח) הבצק. העיסה ואמר כן ע"ש סופו כי

Absalom." 5. And Jonadab said to him: "Lie down on
your bed and feign sickness, and when your father comes to
see you, say to him: "Let my sister Tamar come now, and
let her give me bread to eat, and prepare the food before
my eyes, that I may see and eat from her hand." 6. And
Amnon lay down and feigned sickness; and the king came to
see him, and Amnon said to the king, "Let my sister Tamar
come now, and make two dumplings before my eyes; that I
may eat from her hand." 7. And David sent home to Tamar
saying, "Go now to your brother Amnon's house, and prepare
the food for him." 8. And Tamar went to her brother Amnon's
house, and he was lying down. And she took the dough, and
kneaded it,

Commentary Digest

and illformed.' (Gen. 41:19)." — R.

O' son of the king — It is not befitting a king's son to look so sad. — A.

from morning to morning — Being extremely clever, Jonadab recognized that Amnon's haggard appearance each morning was caused by his nightly torment over a woman he longed for. — K and M.

5. *let her give me bread* — Amnon feigned a lack of appetite and told David that only if Tamar would come and prepare the food for him, would he have a desire to eat it. — D.

the food — Heb. הבריה *"the meal"* — R. i.e. a light meal.

6. *dumplings* — dough placed in boiling water — K and D.

8. *and she prepared the dumplings* — *"she scalded. Fine flour scalded first with boiling water and afterwards with oil."* — R.

וַתְּלַבֵּב לְעֵינָיו וַתְּבַשֵּׁל אֶת־הַלְּבִבוֹת׃
ט וַתִּקַּח אֶת־הַמַּשְׂרֵת וַתִּצֹק לְפָנָיו
וַיְמָאֵן לֶאֱכוֹל וַיֹּאמֶר אַמְנוֹן הוֹצִיאוּ כָל־
אִישׁ מֵעָלַי וַיֵּצְאוּ כָל־אִישׁ מֵעָלָיו׃
י וַיֹּאמֶר אַמְנוֹן אֶל־תָּמָר הָבִיאִי הַבִּרְיָה
הַחֶדֶר וְאֶבְרֶה מִיָּדֵךְ וַתִּקַּח תָּמָר אֶת־
הַלְּבִבוֹת אֲשֶׁר עָשָׂתָה וַתָּבֵא לְאַמְנוֹן
אָחִיהָ הֶחָדְרָה׃ יא וַתַּגֵּשׁ אֵלָיו לֶאֱכֹל
וַיַּחֲזֶק־בָּהּ וַיֹּאמֶר לָהּ בּוֹאִי שִׁכְבִי עִמִּי
אֲחוֹתִי׃ יב וַתֹּאמֶר לוֹ אַל־אָחִי אַל־
תְּעַנֵּנִי כִּי לֹא־יֵעָשֶׂה כֵן בְּיִשְׂרָאֵל אַל־

תרגום

וְלַשַׁת נַחֲלַטְת לְעֵינוֹהִי וּבַשִּׁילַת יַת חֲלִיטָתָא׃
ט וּנְסֵיבַת יַת מַסְרֵיתָא וַאֲרִיקַת קֳדָמוֹהִי וְלָא אֲבָא לְמֵיכַל וַאֲמַר אַמְנוֹן אַפִּיקוּ כָל אֱנָשׁ מֵעִילָוַי וְאַפִּיקוּ כָל אֱנָשׁ מֵעִילָוֹהִי׃
י וַאֲמַר אַמְנוֹן לְתָמָר אֲעִילִי סְעוּדְתָא לְאִידְרוֹן בֵּית מִשְׁכְּבָא וְאֵכוּל מִן יְדִיךְ וּנְסֵיבַת תָּמָר יַת חֲלִיטָתָא דַעֲבָדַת וְאַעֵילַת לְאַמְנוֹן אֲחוּהָא לְאִידְרוֹן בֵּית מִשְׁכְּבָא׃
יא וְקָרֵיבַת לֵיהּ לְמֵיכַל וְאַתְקֵיף בַּהּ וַאֲמַר לַהּ עוּלִי שְׁכִיבִי עִמִּי אֲחָתִי׃
יב וַאֲמַרַת לֵיהּ אֲחִי בְּבָעוּ לָא תְעַנֵּנִי אֲרֵי לָא מִתְעֲבֵד כֵּן

ת"א ותקח את המשרת. בס:

רש"י

(ח) והלבב. ותחלוט סולת מורבכת במים רותחין תחלה ואח"כ בשמן: (ט) את המשרת. תרגום של מחבת מסריתא:

רלב"ג

(ח) ותבשל את הלביבות. בשלה אותן בשמן באלפס והנה אמר בשול כי גם על הקלי אמר ויבשלו את הפסח: (ט) המשרת. אלפס: ותצוק לפניו. שפכה לפניו הלביבות עם השמן בכלי אשר הביאה בו לפניו את הבריה והנה עשתה זה לפניו בעבור שכבר דקדק אמנון שתלבב לעיניו את הלביבות: (י) והנה השתדל אמנון להביאה החדר כדי שיוכל להשיג שם מבוקשו ממנה פן יהיה לבוז אם ישמע בהון קולה בענותו אותה: (יב) כי לא יעשה כן בישראל. לא אמרה מבוס שאין ראוי לשכב עם אחותו משום גלוי ערוה שאם היה זה כן איך יודה לו המלך אך אמרה שלא יעשה כן בישראל לבא על אשה דרך זנות אם לא יהיה דרך אישו' ומזה יתבאר שלא היתה תמר אחותו על דרך האמת ולזה אמרו רז"ל שתמר היתה בת יפת תואר שנבעלה בגיותה ונשאה דוד אחר כן נתגיירה ונתעברה מדוד אחר ולפי שאמה לא היתה גיור' בעת שנתעברה ממנה הנה לא היתה הבת בת דוד כי אין הבן הבא לישראל מן השפחה קרוי בן לישראל ההוא ולזה אמר בפרשת ואלה המשפטים בבנים שיולדו לישראל מן השפחה כנענית אשר הם עבדים כמוה לא ישראלים:

רד"ק

הבצק ותלש. אמר הבצק על שם סופו כי הקמח אחר שנלוש יקרא בצק וכן וטחני קמח וכן אפיתי על גחליו לחם: (ט) ותקח את המשרת ותצק לפניו. המשרת היא המחבת וכן תרגום מחבת משריתא והמשרת היא שבשלה בה הלביבות ולקחה המשרת ויצקה לפניו בקערה ובדברי רז"ל שעשתה לו מיני טגן והוא

מצודת ציון

אחר הלישה נקרא בלק וכן אפיתי על גחליו לחם (ישעיה מד): ותלבב. וחלטה: (ט) המשרת. תרגום של מחבת היא משריתא: ותצוק. מלשון יליקה: מעלי. מאללי: (יב) תענני. מלשון עינוי:

מצודת דוד

(ח) ותבשל. עוד פעם על המחבת בשמן: (ט) ותצוק. ילקה על הקערה הלביבות עם השמן: (י) החדר. לחדר משכבו: ותבא. את הלביבות: (יא) ותגש. הגישה אליו את הלביבות לאכול: (יב) אל אחי. אל תעשה כזאת אתה אחי: אל תענני. אל תאנס אותי: כי לא יעשה וגו'. לאנס את הבתולות ולזה אל תעשה גם אתה את הנבלה הזאת:

and she prepared the dumplings before his eyes, and she cooked the dumplings. 9. And she took the pan and poured [them out] before him; but he refused to eat. And Amnon said, "Take everyone out from me." And everyone went out from him. 10. And Amnon said to Tamar, "Bring the food into the chamber that I may eat from your hand." And Tamar took the dumplings that she had made and brought them to Amnon her brother into the chamber. 11. And she brought them near to him to eat, and he took hold of her and said to her, "Come lie with me, my sister." 12. And she said to him, "No, my brother, do not force me, for it is not done so in Israel; do not

Commentary Digest

9. *the pan* — Heb. משרת. *The Targum of* מחבת (a shallow pan — Lev. 2:5) is מסריתא." — R. In Aramaic the ס takes the place of the ש, rendering משריתא.

Take everyone from me — I wish only Tamar to serve me. — M.

12. *for it is not done so in Israel* — to have relations out of wedlock — G and Z. Tamar failed to mention the prohibition of incest because legally she was not his sister. See Commentary Digest, above v. 1.

it is not done so in Israel . . . this wanton deed. — Compare with Gen. 35:7: 'And they were very angry because he had wrought the wanton deed in Israel, in lying with Jacob's daughter.' — M.

13. *for he will not withold me from you—"For I am permissible to you since my mother conceived me when she was yet a gentile, a beautiful woman which David had taken in battle. Now whoever has a son or daughter from a [gentile] maidservant, he is not considered his son in any respect."* — R from T.B. San 21a, and T.B. Kid. 68b. See Commentary Digest above v. 1.

A suggests that Tamar did not desire to marry him, nor was she sure that David would grant his consent. She was merely attempting to gain additional time from the momentarily crazed Amnon.

תַּעֲשֵׂה אֶת־הַנְּבָלָה הַזֹּאת׃ יג וַאֲנִי אָנָה
אוֹלִיךְ אֶת־חֶרְפָּתִי וְאַתָּה תִּהְיֶה כְּאַחַד
הַנְּבָלִים בְּיִשְׂרָאֵל וְעַתָּה דַּבֶּר־נָא אֶל־
הַמֶּלֶךְ כִּי לֹא יִמְנָעֵנִי מִמֶּךָּ׃ יד וְלֹא אָבָה
לִשְׁמֹעַ בְּקוֹלָהּ וַיֶּחֱזַק מִמֶּנָּה וַיְעַנֶּהָ
וַיִּשְׁכַּב אֹתָהּ׃ טו וַיִּשְׂנָאֶהָ אַמְנוֹן שִׂנְאָה
גְּדוֹלָה מְאֹד כִּי גְדוֹלָה הַשִּׂנְאָה אֲשֶׁר
שְׂנֵאָהּ מֵאַהֲבָה אֲשֶׁר אֲהֵבָהּ וַיֹּאמֶר־
לָהּ אַמְנוֹן קוּמִי לֵכִי׃ טז וַתֹּאמֶר לוֹ אַל־
אוֹדֹת הָרָעָה הַגְּדוֹלָה הַזֹּאת מֵאַחֶרֶת

הש' בצירי

כֵּן בְּיִשְׂרָאֵל לָא תַעְבֵּד
יַת קְלָנָא הָדֵין׃ יג וַאֲנָא
לְאָן אוֹבִיל יַת חִסוּדִי
וְאַתְּ תְּהֵי כְּחַד מִן שַׁטְיָא
בְּיִשְׂרָאֵל וּכְעַן מַלֵּיל כְּעַן
עִם מַלְכָּא אֲרֵי לָא
יִמְנְעִינַנִי מִנָּךְ׃ יד וְלָא
אֲבָא לְקַבָּלָא מִנַּהּ וּתְקֵיף
מִנַּהּ וְעַנְיַהּ וּשְׁכֵיב עִמַּהּ׃
טו וּסְנָאַהּ אַמְנוֹן סַנְאֲתָא
רַבְּתָא לַחֲדָא אֲרֵי סַגִּיאָה
סַנְאֲתָא דִּי סְנָאַהּ
מֵרְחֲמָתָא דִּרְחִימַהּ
נַאֲמַר לַהּ אַמְנוֹן קוּמִי
אֱזִילִי׃ טז וַאֲמַרַת לֵיהּ
עַל עֵיסַק בִּישְׁתָא רַבְּתָא
הָדָא מֵאוּחֲרַנְתָּא
דעבדתא

ת"א דבר נא. שם : וישנאה אמנון. שם :

רש"י

(יג) כי לא ימנעני ממך. שמותר' אני לך לפי שנתעברה בו אמי כשהיא נכרית יפת תואר שלקחה דוד במלחמ' ומי שיש לו בן או בת מן שפחה אינו בנו לכל דבר: (טו) וישנאה אמנון. אמרו רבותינו נימא קשרה לו ועשאתו כרות שפכה: (טז) אל אודות. אל תעשה אודות הרעה הזאת של שילוח הגדולה מן האחרת שעשית עמי ועניתני ועוד תוסיף רעה

רד"ק

שמשגנים הבצק במהבת עם השמן : (טו) וישנאה אמנון. זאת השנאה היתה סבה מאת השם כדי להגדיל החרפה בשלחו אותה מביתו ויהיה אבשלום יותר שונא אותו עד מות עד שחשב להרגו וזה המעשה היה עונש דוד על מעשה בת שבע ואוריה שבעונש ההוא נעשית בביתו זמה הבאה לידי חרב לקיים בה שאמר לו הנביא לא תסור חרב מביתך וכן בדבר אבשלום זמה וחרב הכל מדה כנגד מדה. ובדרש מה היה השנאה הזאת נימה קשרה לו בשעת בעילה ועשאתו כרות שפכה: (טז) אל אודות. אל יהיה זה הדבר לשלחני כי גדולה הרעת

רלב"ג

(טו) וישנאה אמנון שנאה גדולה. ידמה שנתעלמה כפי יכלתה להלוך על רצונו ואולי הכאיבה אותו בזה ההתעלמות שהיה ביניהם או אמרה לו דברי חרפות ולזה שנאה כי כבר אמרה לו ואתה תהיה כאחד הנבלים בישראל או אולי אמרה לו דברים יותר קשים מאלו. והנה מרוב השנאה שלחה אמנון מביתו דרך בזו למדנו מזה שגדר השנאה הוא שלא ידבר עמו למרע ועד טוב ולפי שאמרו והוא שונא לו מתמול

מצודת דוד

(יג) ואני וגו'. עם שיהיה באונס מ"מ להרפה תחשב לי ואנה אוליכה להסתירה מבני אדם : ואתה. ואף אתה תהיה נחשב כאחד הנבלי': ועתה. הואיל ותחפוץ בי דבר נא וגו' כי לא ימנעני מלהיות לך לאשה : (יד) ויחזק. נתגבר עליה ואנסה : (טו) וישנאה. אולי גדפתו בדברים ומה' היתה זאת לגלות חרפתו בקהל רב : כי גדולה וגו'. השנאה היתה בערכה יותר גדולה מערך האהבה הקדומה : קומי לכי. ולא רצה שתשב עוד זמן מה בביתו : (טז) אל אודות הרעה וגו'. ר"ל אל תעשה עסק הרעה הגדולה הזאת אשר הוא יותר גדולה מהאחרת : אשר עשית. ר"ל ומה היא הרעה הגדולה

מצודת ציון

הנבלה. דבר גנאי וכעור : (יג) אנה. להיכן : הנבלים. הפחותים ושפלים : (טז) אודות. עסק :

do this wanton deed. 13. And I, where shall I lead my shame? and [as for] you, you shall be like one of the profligate men in Israel. And now I beg of you to speak to the king, for he will not withhold me from you." 14. But he would not heed her and he overpowered her, and forced her, and lay with her. 15. And Amnon hated her with very great hatred, for greater was the hatred with which he hated her than the love with which he had loved her. And Amnon said to her, "Get up (and) go." 16. And she said to him; "Do not do this wrong (which is) greater than the other

one

Commentary Digest

14. *and he overpowered her* — Obviously a struggle occured. — A.

15. *And Amnon hated her with very great hatred.* — Because of G-d's desire to bring upon David's household incidents of lust and murder as fitting retribution for David's lustful act with Bath-sheba and the murder of Uriah, He caused this abnormal hatred which led to Tamar's public embarrassment and Absalom's desire to avenge her through Amnon's death. This twofold combination of lust-murder reappears in the course of Absalom's rebellion, where Absalom cohabits with David's concubines (below 16:12) and is eventually killed. — K.

G suggests that Amnon hated Tamar either because she had refused him, or because she had insulted him with her reference to him as profligate (v. 13). G further suggests that it is plausible to assume that in the course of the attack she heaped further insult upon him. A and M propose that Amnon had great remorse after his desire had been spent. Because Tamar was the object leading him to his disgraceful act, he projected his self-hatred upon her. R cites the rabbinic tradition that she had emasculated him: *"She attached a hair to him and made him into one that is mutilated at the membrum."* R from T.B. San. 21a.

16. *do not — "Do not do this evil act of sending [me] away which is greater (in it's wickedness) than the other [act] that you had done with me by forcing me, for you will only add an even greater wrong than it by sending me away."* R.

The second act was considered the greater wrong because it would lead to public embarrassment, while the initial act only embarrassed her

אֲשֶׁר־עָשִׂיתָ עִמִּי לְשַׁלְּחֵנִי וְלֹא אָבָה
לִשְׁמֹעַ לָהּ׃ יז וַיִּקְרָא אֶת־נַעֲרוֹ מְשָׁרְתוֹ
וַיֹּאמֶר שִׁלְחוּ־נָא אֶת־זֹאת מֵעָלַי
הַחוּצָה וּנְעֹל הַדֶּלֶת אַחֲרֶיהָ׃ יח וְעָלֶיהָ
כְּתֹנֶת פַּסִּים כִּי כֵן תִּלְבַּשְׁןָ בְנוֹת־
הַמֶּלֶךְ הַבְּתוּלֹת מְעִילִים וַיֹּצֵא אוֹתָהּ
מְשָׁרְתוֹ הַחוּץ וְנָעַל הַדֶּלֶת אַחֲרֶיהָ׃
יט וַתִּקַּח תָּמָר אֵפֶר עַל־רֹאשָׁהּ וּכְתֹנֶת
הַפַּסִּים אֲשֶׁר עָלֶיהָ קָרָעָה וַתָּשֶׂם יָדָהּ
עַל־רֹאשָׁהּ וַתֵּלֶךְ הָלוֹךְ וְזָעָקָה׃
כ וַיֹּאמֶר אֵלֶיהָ אַבְשָׁלוֹם אָחִיהָ הַאֲמִינוֹן
אָחִיךְ הָיָה עִמָּךְ וְעַתָּה אֲחוֹתִי הַחֲרִישִׁי
אָחִיךְ הוּא אַל־תָּשִׁיתִי אֶת־לִבֵּךְ לַדָּבָר

תרגום

דַעֲבַדְתְּ עִמִּי אַתְּ אֲמַר לְשַׁלָּחוּתִי וְלָא אֲבָא לְקַבָּלָא מִנַּהּ׃ יז וּקְרָא יַת עוּלֵימֵיהּ מְשׁוּמְשָׁנֵיהּ וַאֲמַר שַׁלְּחוּ כְעַן יַת דָא מִלְוָתִי לְבָרָא וַאֲגֵיף דַשָּׁא בַּתְרַהָא׃ יח וַעֲלַהּ כְּתוּנָא דְפַסֵּי אֲרֵי כֵן לָבְשָׁן בְּנַת מַלְכָּא בְּתוּלָתָא כַּרְדוּטִין וְאַפֵּיק יָתַהּ מְשׁוּמְשָׁנֵיהּ לְבָרָא וַאֲגֵיף דַשָּׁא בַּתְרַהָא׃ יט וּנְסִיבַת תָּמָר קִטְמָא עַל רֵישַׁהּ וּכְתוּנָא דְפַסֵּי דַעֲלַהּ בְּזַעַת וְשַׁוִּיאַת יְדַהּ עַל רֵישַׁהּ וַאֲזָלַת מֵיזַל וּצְוָחַת׃ כ וַאֲמַר לַהּ אַבְשָׁלוֹם אֲחוּהָא הַאֲמִינוֹן אֲחוּךְ הֲוָה עִמִּךְ וּכְעַן אֲחָתִי שְׁתוּקִי אֲחוּךְ הוּא לָא תְשַׁוִּין יַת לִבִּךְ לְפִתְגָמָא

ת"א ותקח תמר אפר. סנהדרין כא

רלב"ג

בלשון למדנו שאם לא דבר עמי שלשה ימים אינו גולה: (יח) כתנת פסים. לבוש מלבעים מתחלפים היה דרך משל כביעור פסת יד מלבע אחד וכן תמצא להיות מלבעים רבים: (כ) ועתה אחותי החרישי אחיך הוא. ר"ל ואין ראוי לפרסם גנותו: ותשב תמר ושוממה בית

רד"ק

הזאת וחרפה ובזיון יותר מהאחרת שעשית עמי כי אותה בסתר וזאת בגלוי וי"ת אל על: (יח) מעילים. ת"י כרדוטין והמעיל הזה עשוי כתכונת הכתונת כי כן אמר ועליה כתונת פסים לא כמו המעיל הכתוב בתורה והיה זה המלבוש ידוע ביניהם ויונתן שתרגם כרדוטין כך תרגם אפוד בד כרדוט דבוץ: (יט) הליך וזעקה. עבר במקום בינוני כלומר הילכת וזועקת שכך תרגם יונתן ואזלת מיזל וצוחת. ואמרו רבותינו ז"ל בקבלה בידם כי על אותו מעשה באותה שעה גזרו על ייחוד הפנויה שאמרו בנות מלכים כך בנות הדיוטות על אחת כמה וכמה בצנועות כך בפרוצות על אחת כמה וכמה עמדו בית דינו של דוד וגזרו ואסרו להתיחד עם הפנויה: (כ) האמינון. דרך

מצודת ציון

(יז) ונעול. סגור כמנעול: (יח) פסים. מרוקמת כרוחב פס יד וכן ועשה לו כתונת פסים (בראשית לז): (כ) האמינון. דרך המדברים להוסיף אותיות להקטין הדבר וכן יצרנהו כאישון עינו (דברים לב) שנקרא כן ע"ש האיש הקטן הנראה בעין: החרישי. ענין שתיקה:

מצודת דוד

ולאמרה אשר אתה עושה עמי לגרשני מביתך כי מעתה תפלה להכנס לו לכסות קלונה: (יח) כי כן תלבשן. כן היה מנהג מלבושיהן: מעילים. היא כתונת פסים ועניינם אחד: (יט) על ראשה. ר"ל וזעקה ממעל לראשה דרך צער ולהודיע לרבים שאנוסה היתה: ותשם ידה וגו'. כן היא דרך המצטער: (כ) היה עמך. ר"ל אנס אותך ובלשון נקיה דבר: ועתה. הואיל וכבר נעשה החרישי ואל תבזה אותו כי הלא אחיך הוא וראוי לך לחוס על כבודו: אל תשיתי וגו'.

that you did to me, by sending me away." But he would not listen to her. 17. And he called his youth, his servant, and he said, "Send now this one away from me, outside, and lock the door after her! 18. Now she had on a striped tunic, for in this manner the king's virgin daughters dressed, in robes. And his servant brought her outside, and locked the door after her. 19. And Tamar put ashes on her head, and she went about, crying aloud as she went. 20. And Absalom her brother said to her: "Has Aminon your brother been with you? But now, my sister, remain silent: he is your brother; do not take this thing to heart!"

Commentary Digest

privately. — A. Furthermore, it was contrary to the law of the Torah which enjoins the rapist from ever divorcing his victim should she desire to marry him. — B based on Deut. 22:29.

18. *Now she had on* — *lit. And on her.*

a striped tunic. — J. a multi-colored striped garment G. — Compare with R above 6:14.

19. *ashes on her head* — She grieved in public so that all might know that she had not consented to the act. — D.

crying aloud as she went — There is a rabbinic tradition that the members of David's court took notice of Tamar's grief and remarked, "If this could happen to the king's daughter, how much more could it happen to a commoner; and if it could happen to a modest girl, how much more so to an immodest one.' Immediately they arose and issued a decree against being closeted with [even] an *un*married woman. — K and A from T.B. San. 21a.

20. *Aminon* — Seemingly Absalom suspected his brother and contemptuously mocked him by altering his name. — Z and K.

remain silent, he is your brother — And it is not proper to disgrace him. — G and D

הַזֶּה וַתֵּשֶׁב תָּמָר וְשֹׁמֵמָה בֵּית
אַבְשָׁלוֹם אָחִיהָ: כא וְהַמֶּלֶךְ דָּוִד שָׁמַע
אֵת כָּל־הַדְּבָרִים הָאֵלֶּה וַיִּחַר לוֹ מְאֹד:
כב וְלֹא־דִבֶּר אַבְשָׁלוֹם עִם־אַמְנוֹן לְמֵרָע
וְעַד־טוֹב כִּי־שָׂנֵא אַבְשָׁלוֹם אֶת־אַמְנוֹן
עַל־דְּבַר אֲשֶׁר עִנָּה אֵת תָּמָר אֲחֹתוֹ:
כג וַיְהִי לִשְׁנָתַיִם יָמִים וַיִּהְיוּ גֹזְזִים
לְאַבְשָׁלוֹם בְּבַעַל חָצוֹר אֲשֶׁר עִם־
אֶפְרָיִם וַיִּקְרָא אַבְשָׁלוֹם לְכָל־בְּנֵי
הַמֶּלֶךְ: כד וַיָּבֹא אַבְשָׁלוֹם אֶל־הַמֶּלֶךְ
וַיֹּאמֶר הִנֵּה־נָא גֹזְזִים לְעַבְדֶּךָ יֵלֶךְ־נָא
הַמֶּלֶךְ וַעֲבָדָיו עִם־עַבְדֶּךָ: כה וַיֹּאמֶר
הַמֶּלֶךְ אֶל־אַבְשָׁלוֹם אַל־בְּנִי אַל־נָא

לְפִתְגָמָא הָדֵין וִיתֵיבַת
תָּמָר וְצַדְיָא בֵּית
אַבְשָׁלוֹם אֲחוּהָא:
כא וּמַלְכָּא דָוִד שְׁמַע יָת
כָּל פִּתְגָמַיָא הָאִילֵין
וּתְקֵיף לֵיהּ לַחֲדָא:
כב וְלָא מַלֵיל אַבְשָׁלוֹם
עִם אַמְנוֹן לְמִבְאַשׁ וְעַד
טַב אֲרֵי סָנֵי אַבְשָׁלוֹם יָת
אַמְנוֹן עַל עֵיסַק דְעַנֵי יָת
תָּמָר אֲחָתֵיהּ: כג וַהֲוָה
לִזְמַן תַּרְתֵּין שְׁנִין וַהֲווֹ
גָזְזִין לְאַבְשָׁלוֹם בְּמֵישַׁר
חָצוֹר עִם בֵּית אֶפְרָיִם
וְזַמִּין אַבְשָׁלוֹם לְכָל בְּנֵי
מַלְכָּא: כד וַאֲתָא
אַבְשָׁלוֹם לְוַת מַלְכָּא
וַאֲמַר הָא כְעַן גָזְזִין
לְעַבְדָךְ יֵיזֵיל כְּעַן מַלְכָּא
וְעַבְדוֹהִי עִם עַבְדָךְ:
כה וַאֲמַר מַלְכָּא
לְאַבְשָׁלוֹם לָא בְרִי לָא
כְעַן

ת"א ויהי לשנתים. סנהדרין סט (סוטה יח):

רש"י

ממנה לשלחני: (כג) ויהיו גוזזים. ודרכ' היה לעשות משתה

מהר"י קרא

(כ) ותשב תמר ושוממה בית אבשלום אחיה. דונש פי' ותשב תמר שוממה, כמו ובני ישראל היושבים בערי יהודה וימלוך עליהם רחבעם. שפתרו' מלך עליהם רחבעם. ואני שמעתי ותשב תמר בבית אבשלום אחיה ושוממה ישבה לה:

רד"ק

בזיון: ושוממה. הוי"ו ללא תוספת דבר כוי"ו וישא אברהם את עיניו ואדוני אבי ז"ל פירש אלה והדומים להם עם חסרון עניין תדומה ופי' ושוממה עצבה ושוממת: (כג) גוזזים. מנהגם היה לעשות משתה ביום שהיו גוזזים צאנם וכן בענין נבל: עם אפרים. סמוך לארץ אפרים וכן וישב יצחק עם באר

רלב"ג

אבשלום אחיה. ידמה כי לבשתה ולדאגתה היתה שם בלי חברת כטעם אמרו כל שעריה שוממים כי רבים בני שוממה: (כב) כי שנא אבשלום את אמנון. למדנו מזה כי כבר תוסר השנאה כשיעמוד האדם לדבר עם רעהו מפני השנאה למרע ועד טוב: (כד) הנה נא גוזזים לעבדיך. כשהיו להם גוזזים היו שמחים על הטובה כמו ששלח דוד לנבל כי על יום טוב באנו. והנה היה מתחבולת אבשלום ששאל מהמלך שילך הוא ועבדיו עמו לשתות ולאכול ולשתות עמו כי ידע כי זה דבר בלתי ראוי שיתגלגל בו המלך גם עשה זה כדי שיתגלה דוד לשלוח אמנון עמו ולא יתן את לבו אל דבר אמנון השנאה הנראית בין אבשלום ובין אמנון על דבר תמר אחותו והנה היה אמנון הבן הבכור לדוד שראוי למלוך שהיה ראוי שימלוך אחריו ולזה נתעלל דוד יותר באמנון מזולתי משאר הבנים:

מצודת דוד

אל תאסטר בעבור זה: (כב) למרע. בין דבר רע בין דבר טוב: כי שנא וגו'. ושמר האיבה בלבו להנקם בו לעת מצוא ובכדי שלא ירגיש בדבר לא דבר עמו מאומה: (כג) ויהיו גוזזים. והיה מדרכם לעשות משתה ושמחה וכן בנבל נאמר על יו"ט באנו (ש"א כ"ה): (כד) עם עבדך. על עצמו אמר:

מצודת ציון

תשיתי. תשימי: ושוממה. הוי"ו יתירה וכן ורכב וסוס (תהלים עו): (כג) לשנתים ימים. לשתי שנים: גוזזים. את הצאן: עם אפרים.

and Tamar stayed in solitude in her brother Absalom's house.
21. And King David heard all these things and became very
angry. 22. And Absalom spoke with Amnon neither bad
nor good, for Absalom hated Amnon because he had forced
his sister, Tamar. 23. And it happened after two whole
years, that Absalom had sheepshearers in Baal-hazor, which
is beside Ephraim; and Absalom invited all the king's sons.
24. And Absalom came to the King, and said, "Behold now,
your servant has sheepshearers, let the King and his servants
please go with your servant." 25. And the King said to
Absalom, "No my son, let us not

Commentary Digest

in solitude in her brother Absalom's house—G-d caused this in order to arouse a desire in Absalom to avenge Tamar. — A.

and became very angry — Although David may have admonished Amnon, he did not punish him since no witnesses had testified against him. — A. M and Ginsburg contend that David's refusal to punish Amnon intensified Absalom's desire to avenge his sister personally. — based on Eccl. R. ch. 7.

21. *neither bad nor good* — Hatred persists only when the hostile parties cannot communicate even in heated argument. A offers that Absalom had not broken off verbal communication with Amnon but merely failed to discuss the *matter of Tamar* for either good or bad. A adds that it was Absalom's failure to admonish his brother that allowed him to build up his hatred for Amnon. for had he chosen to admonish him he undoubtedly would have relieved himself of much of his animosity.

23. *after two whole years* — Absalom waited two whole years in order to lead Amnon to believe that he had lost his desire for revenge. — A.

had sheepshearers — "and it was their custom to make a feast when they sheared

נֵלֵךְ כֻּלָּנוּ וְלֹא נִכְבַּד עָלֶיךָ וַיִּפְרָץ־בּוֹ
וְלֹא־אָבָה לָלֶכֶת וַיְבָרְכֵהוּ׃ כו וַיֹּאמֶר
אַבְשָׁלוֹם וָלֹא יֵלֶךְ־נָא אִתָּנוּ אַמְנוֹן אָחִי
וַיֹּאמֶר לוֹ הַמֶּלֶךְ לָמָּה יֵלֵךְ עִמָּךְ׃
כז וַיִּפְרָץ־בּוֹ אַבְשָׁלוֹם וַיִּשְׁלַח אִתּוֹ אֶת־
אַמְנוֹן וְאֵת כָּל־בְּנֵי הַמֶּלֶךְ׃ כח וַיְצַו
אַבְשָׁלוֹם אֶת־נְעָרָיו לֵאמֹר רְאוּ־נָא
כְּטוֹב לֵב־אַמְנוֹן בַּיַּיִן וְאָמַרְתִּי אֲלֵיכֶם
הַכּוּ אֶת־אַמְנוֹן וַהֲמִתֶּם אֹתוֹ אַל־תִּירָאוּ
הֲלוֹא כִּי אָנֹכִי צִוִּיתִי אֶתְכֶם חִזְקוּ וִהְיוּ
לִבְנֵי־חָיִל׃ כט וַיַּעֲשׂוּ נַעֲרֵי אַבְשָׁלוֹם
לְאַמְנוֹן כַּאֲשֶׁר צִוָּה אַבְשָׁלוֹם וַיָּקֻמוּ ׀
כָּל־בְּנֵי הַמֶּלֶךְ וַיִּרְכְּבוּ אִישׁ עַל־פִּרְדּוֹ
וַיָּנֻסוּ׃ ל וַיְהִי הֵמָּה בַדֶּרֶךְ וְהַשְּׁמֻעָה

תרגום

כען נזיל כלנא ולא נתקיף עלך ואתקיף ביה ולא אבה למיזל וברכיה:
כו ואמר אבשלום ולא ייזיל כען עמנא אמנון אחי ואמר ליה מלכא למא ייזיל עמך:
כז ואתקיף ביה אבשלום ושלח עמיה ית אמנון וית כל בני מלכא:
כח ופקד אבשלום ית עולימוהי למימר חזו כען כד ישפר לבא דאמנון בחמרא ואימר לכון קטולו ית אמנון ותקטלון יתיה לא תדחלון הלא ארי אנא פקדית יתכון אתקיפו והוו לגברין גברין:
כט ועבדו עולימי אבשלום לאמנון כמא דפקד אבשלום וקמו כל בני מלכא ורכיבו אנש על כודנתיה ואפכו:
ל והוה עד דאינון באורחא

ת"א וירכבו. (כלאים לא):

רש"י

בגזוז לאנס: (כו) ולא ילך נא אתנו. ואם לא יכול אתה

מהר"י קרא

(כו) ולא ילך נא אתנו אמנון אחי. ואם אין המלך רוצה ללכת

רד"ק

לחי ראי: (כה) ולא נכבד עליך. שלא נהיה כלנו עמך כבדות לרוב ההוצאה: (כו) ולא. דרך בקשה כמו ולא יתן לעבדיך: (כז) ויפרץ. כמו תפוך ויפצר: (כח) הלא. מלת תוספת באת פעמים לענין זירוז וחזוק וכן הלא שלחתיך הלא כי משחך:

מצודת ציון

סמוך לנחלת אסכים כמו עם באר לחי ראי (בראשית כה): (כה) ויפרץ. ענין הפתוי ברבוי דברים והוא הפוך מן ויפצר בם (שם יט): (כט) פרדו. הוא הבא מן הסוס והחמור:

מצודת דוד

(כה) ולא נכבד עליך. כי כאשר נלך כלנו יהיה לך לטרוח כבד וטרחה מרובה: ויברכהו. על נבצת לכו: (כו) ולא ילך. כשאלה אמר לו ואם לא ילך אמנון (עם שקרא לכל בני המלך לא היה אמנון נכלל עמהם לפי שהיה הבכור ועומד הוא במקום אביו המלך): למה ילך. כי

יכבד עליך: (כח) כטוב וגו'. ואז לא יהיה נשמר: הלא כי אנכי צויתי. ומידי יבוקש: חזקו. אם אולי יעמוד על נפשו: (ל) בדרך. עד לא

30. *that the news came* — the false news. — D.

has slain all the king's sons — The false rumor which led David to

all go, lest we impose on you." And he pressed him, but he would not go, but he did bless him. 26. And Absalom said, "If not, please let my brother Amnon go with us." And the King said to him, "Why should he go with you?" 27. But Absalom pressed him, and he let Amnon and all the king's sons go with him. 28. And Absalom commanded his youths saying, "Please take note, when Amnon's heart is merry with wine, and when I say to you, 'Smite Amnon,' then kill him, fear not; have I not commanded you to be courageous and valiant?" 29. And Absalom's servants did to Amnon as Absalom had commanded. And all the king's sons arose, and they rode off, each one on his mule, and they fled. 30. And it came to pass, while they were on their way, that the news

Commentary Digest

their sheep." — R, K, and D. Compare to R in I Sam. 25:2.

24. *Let the king* — Absalom neither expected nor wanted David to attend but made this request in order to remove suspicion of his evil intentions. — A and Alschich.

26. *If not, please let . . . go with us* — *"If you cannot go, please let Amnon go with us."* — R.

This indicates that, although Absalom had invited all the king's sons, Amnon was not included in the invitation since he was the heir apparent to the throne, and was treated with honor next to that of the king. Absalom, therefore, said, "If not, please let my brother Amnon go with us." The intention is that, since the king had refused to go, Amnon, too, because of his honor, would also refuse to go. — Abarbanel

Why should he go with you? — David may have suspected Absalom's motives, but since he did not go, he could not refuse to allow Amnon to participate — Alschich.

28. *have I not commanded* — If you fear to kill the king's son of your own volition, know you that you are not doing this act on your own, but are merely fulfilling my command. — A and M.

29. *and all the king's sons arose* — thinking that Absalom desired to kill them all. — A.

בָּאָה אֶל־דָּוִד לֵאמֹר הִכָּה אַבְשָׁלוֹם
אֶת־כָּל־בְּנֵי הַמֶּלֶךְ וְלֹא־נוֹתַר מֵהֶם
אֶחָד׃ לא וַיָּקָם הַמֶּלֶךְ וַיִּקְרַע אֶת־בְּגָדָיו
וַיִּשְׁכַּב אָרְצָה וְכָל־עֲבָדָיו נִצָּבִים קְרֻעֵי
בְגָדִים׃ לב וַיַּעַן יוֹנָדָב ׀ בֶּן־שִׁמְעָה אֲחִי־
דָוִד וַיֹּאמֶר אַל־יֹאמַר אֲדֹנִי אֵת כָּל־
הַנְּעָרִים בְּנֵי־הַמֶּלֶךְ הֵמִיתוּ כִּי־אַמְנוֹן
לְבַדּוֹ מֵת כִּי־עַל־פִּי אַבְשָׁלוֹם הָיְתָה
שׂוּמָה מִיּוֹם עַנֹּתוֹ אֵת תָּמָר אֲחֹתוֹ׃
לג וְעַתָּה אַל־יָשֵׂם אֲדֹנִי הַמֶּלֶךְ אֶל־לִבּוֹ
דָּבָר לֵאמֹר כָּל־בְּנֵי הַמֶּלֶךְ מֵתוּ כִּי־אִם
אַמְנוֹן לְבַדּוֹ מֵת׃ לד וַיִּבְרַח אַבְשָׁלוֹם

תרגום

ושמועתא אתת לות דויד למימר קטל אבשלום ית כל בני מלכא ולא אשתאר מנהון חד : לא וקם מלכא ובזע ית לבושוהי ושכיב על ארעא וכל עבדוהי מעתדין כד מבזעין לבושיהון : לב נאתיב יונדב בר שמעה אחוהי דדוד ואמר לא ייםר רבוני ית כל עולימיא בני מלכא קטלו ארי אמנון בלחודוהי מית ארי בלבא דאבשלום הות כמנא מיומא דעני ית תמר אחתיה: לג וכען לא ישוי רבוני מלכא על לביה פתגמא למימר כל בני מלכא מיתו אלהין אמנון בלחודוהי מית : לד וערק אבשלום וזקף עולימא

ת"א ויקם המלך. מ"ק כו :

רש"י שומה קרי כתיב ולא קרי

ללכת ילך נא עמנו אמנון : (לב) על פי אבשלום היתה שומה. בליווי של אבשלום היתה שומה זו ניסומת על עבדיו

מהר"י קרא

עמנו. ילך נא אתנו אמנון אחי : (לג) כי על פי אבשלום היתה שומה. שימה של מארב להרגו. והוא כמו אשר שם לו בדרך. אורב. אף כאן כי על [פי אבשלום] היתה שומה. פתרוני כי על פי אבשלום היתה שומה של מארב להרגו מיום ענותו את תמר. וכן תרגם יונתן ארי בלבא דאבשלום הות כמנא :

רד"ק

(לב) שומה. פעולה כלומר הריגת אמנון היתה שומה בפי אבשלום תמיד כי תמיד היה מספר ברעתו מיום ענותו את

רלב"ג

(לב) על פי אבשלום היתה שומה. ר"ל שדבר זה היה מסודר בפי אבשלום תמיד מיום ענותו את תמר אחותו כי כאשר תמצא ידו יקח

מצודת דוד

כאו סעירה : והשמועה. קול שמועת שקר : (לב) אל יאמר. אל יחשוב : היתה שומה. הלואה היא סושמה על עבדיו מפי אבשלום מיום ענות אמנון את תמר : (לג) דבר לאמר. השמועה האומרת כל בני וגו' :

all the king's sons fell in battle while defending him against Absalom's youths. Therefore, Jonadab entreats the king not to believe the rumor that all his sons were killed, but only Amnon is dead.—Malbim

came to David, saying: "Absalom has slain all the king's sons, and not one of them is left." 31. And the king arose, and tore his clothes, and lay on the ground, and all his servants stood with their clothes torn. 32. And Jonadab, the son of David's brother Shimah, answered and said, "Let not my lord say that they have killed all the young men, the king's sons; for Amnon alone is dead; for by the mouth of Absalom this had been arranged from the day he forced Tamar his sister. 33. And now, let not my lord the king put to his heart the thing to say that all the king's sons are dead; but only Amnon is dead." 34. And Absalom fled.

Commentary Digest

believe that all his sons had been wiped out, was undoubtedly part of G-d's punishment for the Bath-sheba incident. — Rabinowitz.

Perhaps it was in retribution for Bath-sheba's suffering upon having to bear the tidings of her husband's death. See above 11:26.

32. *that they have killed all the young men* . . . Jonadab knew that these rumors were founded upon the false premise that Absalom had killed his brother to clear the way to the throne. This led onlookers to assume that the other princes had also been killed. Jonadab, however, had been assessing Absalom's mood towards Amnon, and knew that his friend's murder was not committed out of political consideration, but in order to avenge the act done to Absalom's sister. — M.

by the mouth of Absalom this had been arranged. — G. R interprets: *"by the command of Absalom this order was placed upon his servants, to kill Amnon."* A understands it as: 'by the vow that Absalom had taken with his mouth this had been arranged.' J.K. following J, interprets the Heb. שומה as 'setting an ambush,' similar to אשר שם לו בדרך (I Sam. 15:2) which J interprets as: 'he set an ambush against him.'

33. *And now, let not my lord the king put to his heart* — Although Absalom killed Amnon out of revenge for his sister's honor, it is still possible that

וַיִּשָּׂא הַנַּעַר הַצֹּפֶה אֶת־עֵינָו וַיַּרְא וְהִנֵּה
עַם־רַב הֹלְכִים מִדֶּרֶךְ אַחֲרָיו מִצַּד
הָהָר׃ לה וַיֹּאמֶר יוֹנָדָב אֶל־הַמֶּלֶךְ הִנֵּה
בְנֵי־הַמֶּלֶךְ בָּאוּ כִּדְבַר עַבְדְּךָ כֵּן הָיָה׃
לו וַיְהִי ׀ כְּכַלֹּתוֹ לְדַבֵּר וְהִנֵּה בְנֵי־הַמֶּלֶךְ
בָּאוּ וַיִּשְׂאוּ קוֹלָם וַיִּבְכּוּ וְגַם־הַמֶּלֶךְ וְכָל־
עֲבָדָיו בָּכוּ בְּכִי גָּדוֹל מְאֹד׃ לז וְאַבְשָׁלוֹם
בָּרַח וַיֵּלֶךְ אֶל־תַּלְמַי בֶּן־עַמִּיחוּר מֶלֶךְ
גְּשׁוּר וַיִּתְאַבֵּל עַל־בְּנוֹ כָּל־הַיָּמִים׃
לח וְאַבְשָׁלוֹם בָּרַח וַיֵּלֶךְ גְּשׁוּר וַיְהִי־שָׁם

תרגום

עוּלֵימָא סַכְוָאָה יַת
עֵינוֹהִי וַחֲזָא וְהָא עַם
סַגִי אָתָן מֵאוֹרַח
מֵאֲחוֹרוֹהִי מִסְטַר טוּרָא׃
לה וַאֲמַר יוֹנָדָב לְמַלְכָּא
הָא בְנֵי מַלְכָּא אֲתוֹ
כְּפִתְגָמָא דְעַבְדָךְ כֵּן
הֲוָה׃ לו וַהֲוָה כְּשֵׁיצָיוּתֵיהּ
לְמַלָּלָא וְהָא בְנֵי מַלְכָּא
אֲתוֹ וַאֲרִימוּ קָלְהוֹן וּבְכוֹ
וְאַף מַלְכָּא וְכָל עַבְדוֹהִי
בְּכוֹ בְּכִי סַגִיאָה לַחֲדָא׃
לז וְאַבְשָׁלוֹם עֲרַק וַאֲזַל
לְוַת תַּלְמַי בַּר עַמִּיהוּד
מַלְכָּא דִגְשׁוּר וְאִתְאַבַּל
עַל בְּרֵיהּ כָּל יוֹמַיָא
לח וְאַבְשָׁלוֹם עֲרַק וַאֲזַל
לִגְשׁוּר וַהֲוָה תַמָּן תְּלַת
שְׁנִין

ת"א ואבשלום ברח. סנהדרין סט:

עיניו קרי עמיהוד קרי

רלב"ג

נקמתו ממנו: (לז) ויתאבל על בנו כל הימים. ר"ל ימים רבים כי אחר שלש שנים נחם על אמנון כי מת כמו שזכר אחר זה ואולי אמר כל הימים להעיר שלא היה יום בימי השנה והפי' המועדים שלא היה דואג דוד על זה והנה מלאנו בכן הראשון שנולד מבת שבע שתקף שמת לחן וסך ואכל ושתה ואמר לעבדיו ועתה מאחר שהילד מת למה זה אני צם האוכל להשיבו עוד אני הולך אליו והוא לא ישוב אלי. והנה בזה היה ראוי שנאמר למה הוא מתאבל עליו כל כך והוא לא ישוב אליו אלא שהתר זה הספק הוא ממה שיקל כי דוד הרחיק היותו צם בלום הר' מות הילד כי הצום יעשה על דרך התפלה והבקשה מהש"י וזה דבר בלתי ראוי אחר מות הילד אבל יתאבל עליו והדאגה הוא דבר יחייב הטבע אהבת הדמיונים ולזה לא הורחק מפני זה התאבל על המות:

רד"ק

תמר אחותו וי"ת ארי בלבא דאבשלום הות כמנא וכן תרגום אשר שם לו בדרך דיכמן ליה: (לד) מדרך אחריו. זה העם היו בני המלך ושאר העם שנסו באו לירושלם והצופה רואה אותם באים מדרך שאחרי ההר מצד ההר ואמר דכ וי טרם תידיעת כמו ותראהו את הילד וזולתו: (לה) ויאמר יונדב. הצופה אמר לו כי עם בא והוא אמר למלך כי בני המלך באו: (לז) אל תלמי. שהיה אבי אמו: ויתאבל דוד. היה מתאבל על אמנון בנו כל הימים שזוכר אחר כן והם שלש שנים שהיה אבשלום

מצודת ציון

(לד) הצופה. הוא העומד במקום גבוה להביט למרחוק:

מצודת דוד

(לד) מדרך אחריו. כי הצופה היה רואה אל מול הדרך שהלכו בה והמה באו בדרך עקלתון ובאו לעיר מדרך אחורי הצופה:

(לה) הנה בני המלך. העם הבא בני המלך המה והיה א"כ כדבר עבדך שאמנון לבדו מת: (לז) אל תלמי. כי הוא היה אבי אמו: ויתאבל. המלך התאבל על אמנון בנו כל ימי חייו: (לח) ואבשלום ברח וגו'. מתחלה אמר שברח ממקומו ועתה אמר שהלך אל תלמי ועתה בא לומר ששהה שם שלש שנים:

And the young man that kept watch raised his eyes and looked, and behold a large crowd was coming from the way behind him, by the hillside.
35. And Jonadab said to the king, "Behold the king's sons have come, as your servant said, so it was."
36. And it was as soon as he had finished speaking that, behold, the king's sons came and raised up their voices and cried, and also the king and all his servants wept profusely.
37. And Absalom fled and he went to Talmai, the son of Amihud, the king of Geshur. And he mourned for his son all the days.
38. And Absalom fled, and he went to Geshur, and he was there

Commentary Digest

behind in an attempt to elude Absalom. — I and D.

37. *And Absalom fled* — V. 34 mentions that he fled the scene of Amnon's murder. Our verse indicates that he sought refuge with Talmai. The next verse mentions his flight again to inform us that he remained in Geshur for three years. — D.

A suggests that at first he accompanied Talmai on all his ventures. After receiving word that David was in constant mourning over his son, he feared reprisal and remained hidden in the city proper (v. 38: and he went to Geshur, and he was there etc.') for three years.

to Talmai the son of Amihud — his grandfather, as above 3:3: "and the third, Absalom the son of Maacah the daughter of Talmai king of Geshur." — I.

And he mourned for his son all the days — All the days indicated in the next verse — i.e. for three years — K.

שְׁלֹשׁ שָׁנִים׃ לט וַתְּכַל דָּוִד הַמֶּלֶךְ לָצֵאת
אֶל־אַבְשָׁלוֹם כִּי־נִחַם עַל־אַמְנוֹן כִּי־
מֵת׃ יד א וַיֵּדַע יוֹאָב בֶּן־צְרֻיָה כִּי־לֵב
הַמֶּלֶךְ עַל־אַבְשָׁלוֹם׃ ב וַיִּשְׁלַח יוֹאָב
תְּקוֹעָה וַיִּקַּח מִשָּׁם אִשָּׁה חֲכָמָה
וַיֹּאמֶר אֵלֶיהָ הִתְאַבְּלִי־נָא וְלִבְשִׁי־נָא
בִגְדֵי־אֵבֶל וְאַל־תָּסוּכִי שֶׁמֶן וְהָיִית
כְּאִשָּׁה זֶה יָמִים רַבִּים מִתְאַבֶּלֶת עַל־
מֵת׃ ג וּבָאת אֶל־הַמֶּלֶךְ וְדִבַּרְתְּ אֵלָיו
כַּדָּבָר הַזֶּה וַיָּשֶׂם יוֹאָב אֶת־הַדְּבָרִים

שְׁנִין׃ לט וַחֲמִידַת נַפְשָׁא
דְדָוִד מַלְכָּא לְמִפַּק עַל
אַבְשָׁלוֹם אֲרֵי אִתְנְחַם
עַל אַמְנוֹן אֲרֵי מִית׃
א וִידַע יוֹאָב בַּר צְרוּיָה
אֲרֵי לִבָּא דְמַלְכָּא לְמִפַּק
עַל אַבְשָׁלוֹם׃ ב וּשְׁלַח
יוֹאָב לִתְקוֹעַ וּנְסֵיב
מִתַּמָּן אִתְּתָא חַכִּמְתָּא
נַאֲמַר לַהּ אִתְאַבְּלַי כְּעַן
וּלְבוּשִׁי כְעַן לְבוּשֵׁי
אֶבְלָא וְלָא תְשׁוּפִין
מִשְׁחָא וּתְהֵא כְּאִתְּתָא
דְנַן יוֹמִין סַגִּיאִין
מִתְאַבְּלָא עַל מִיתָא׃
ג וְתֵהֵכִין לְוַת מַלְכָּא
וּתְמַלְּלִין עִמֵּיהּ כְּפִתְגָמָא
הָדֵין וְשַׁוִּי יוֹאָב יַת
פתגמיא

ה"א וישלח יואב. מנחות פה: ויאמר אליה. מ"ק טו:

רש"י

להרוג את אמנון: (לט) ותכל דוד. הרי זה מקרא קצר ותכל נפש דוד וכן תרגם יונתן וחמידת נפשה דדוד כמו נכספה וגם כלתה (תהלים פג) לשון תאוה: כי נחם על אמנון. קבל תנחומין: יד (ב) וישלח יואב תקועה. אמרו רבותינו כי שמן זית מצוי שם לכך חכמה מצויה שם:

מהר"י קרא

(לט) ותכל דוד המלך לצאת אל אבשלום. כלתה נפשו לצאת אל אבשלום. וכן תרגם יונתן וחמידת נפשא דדוד מלכא למיפק על אבשלום:

רד"ק

בגשור: (לט) ותכל דוד. פירושו כתרגומו וחמידת נפשא דדוד מלכא למיפק על אבשלום ר"ל אותה נפשו לצאת בעבור אבשלום מרוב תאותו לו על דרך נפשי יצאה בדברו והחכם רבי אברהם ב"ע פירש ותכל אשת דוד והוא פועל יוצא כלומר אשתו אם אבשלום בקשה דוד מאד עד שהתאוה דוד אל אבשלום התאוה שיצא אחריו אחד מנעריו בעבורו וזהו שאמר לצאת אל אבשלום: (א) וידע יואב. הכיר מתוך דבריו ויירא באמור לו בפירוש ושלח לו הדבר על ידי סבה וגלגול דברים: (ב) וישלח יואב תקועה. אמרו רבותינו ז"ל מאי שנא תקועה אמר רבי יונתן מתוך שרגילין בשמן חכמה מצויה בהם והיתה העיר ההיא רבת זיתי שמן וכן אמרו תקוע אלפא לשמן ר"ל העיר המשובחת בשמן בארץ ישראל היתה תקועה לפי' קורא אותה אלפא לשמן כמו שהאל"ף ראש לאותיות והיתה העיר בחלקו של אשר דכתיב ביה וטובל בשמן רגלו שמושך שמן כמעין: (ג) וישם יואב את הדברים בפיה. אמרו אם הוא סדר את המשל בפיה מה היה צריך לאשה חכמה למה שאמר לה המלך כי יואב לא היה יודע מענת המלך שישים בפיה כל הדברים אלא כלל הדברים סדר לה ויש לפרש גם כן כי הוא ספר לה המעשה והיא תקנת המשל:

רלב"ג

(לט) ותכל דוד המלך. הוא מטעם כסף כטעם נכספה וגם כלתה נפשי והוא חסר המצטרף והרצון בו ותכל נפש דוד המלך לצאת אל אבשלום להביאו אליו כי נחם על אמנון כי מת: (ב) ויקח משם אשה חכמה. ר"ל יודעת לסדר דבריה בחכמה ובשכל. והנה בקש ממנה שתשים עצמה כאשה זה ימים רבים מתאבלת על מת וזה תהיה בשתלבש בגדי אבל ולא תסוך שמן ותבכה ותתאבל בהיותה לפני

מצודת דוד

(לט) ותכל דוד. כלתה נפש דוד לצאת בעבור אבשלום והוא ענין תאוה וחשק אל הדבר כמו כלתה לתשועתך נפשי (תהלים קי"ט): כי נחם. אף שהתאבל עליו כל הימים מ"מ קבל עליו תנחומין מה כי מת הוא ונגזר לקבל תנחומין על המתים: יד (א) וידע יואב. הכיר בהמלך אשר לבו טובה על אבשלום: (ב) וישלח יואב. בעבור כי ראה שלב המלך טוב על אבשלום לזה חשב מחשבות לעורר לבו להשיבו אליו: תקועה. אחז"ל לפי שהיו רגילים שם בשמן זית לזה החכמה מצויה ביניהם: התאבלי נא. עשי עצמך כאבלה: והיית כאשה וגו'. ר"ל הוי מרבה בקינות ויללות ועשה עצמך כאשה אשר זה ימים רבים מתאבלת שלמדה לשונה לומר קינות וכונתו היתה למען יכמרו רחמי המלך עליה לצדקה במשפטה: (ג) כדבר הזה. אמרי אליו דבר דומה כדבר הזה ר"ל כמקרה אבשלום עם אמנון ולשיתשוב המלך שאמת הדבר: את הדברים. את המשל האמור למטה שם בפיה ר"ל הוא אמר לה מלבו כל דברי המשל והיא בטוח עוד בחכמתה באף היא תשיב אמריה בהשכל על כל דברי המלך וכאשר קשיבה כאמת:

מצודת ציון

(לט) ותכל דוד. תחסר מילת נפש ולז"א בלשון נקבה שעל הנפש ידבר כאלו אמר ותכל נפש דוד: יד (ב) תסוכי. תמשחי:

Commentary Digest

— R ibid. Rabinowitz suggests that Joab sent to Tekoah because its distance from Jerusalem would frustrate any attempt to investigate the woman's story should David become suspicious of it.

mourning clothes — unlaundered garments. A mourner may not wash his clothes. — T.B., M.K. 15a.

and do not anoint yourself with oil — A mourner may not anoint himself with oil. — T.B. M.K. 15b.

3. *in this manner* — In a manner that would clearly duplicate the

three years. 39. And [the soul of] King David longed to go forth to Absalom; for he was comforted concerning Amnon, being that he was dead.

14

1. And Joab the son of Zeruiah knew that the king's heart (longed) for Absalom. 2. And Joab sent to Tekoa and took from there a wise woman; and he said to her: "Please pretend to be a mourner, and please put on mourning clothes, and do not anoint yourself with oil, but be as a woman who has mourned many days for the dead. 3. And come to the king and speak to him in this manner." And Joab put the words

Commentary Digest

39. *and King David longed* — *"This is an incomplete verse* (which is meant to be read): *"And the soul of David longed". Now J also translates it in this manner: 'And the soul of David longed', similar to: 'yearned and longed* (נכספה וגם כלתה) Ps. 84:3, *an expression of longing."* — R, J.K., K., Z. If the verse were not incomplete the feminine ותכל would be incongruous with the verse's masculine subject, David. It is therefore assumed that the feminine נפש is missing. K citing Abraham Ibn Ezra, suggests that the verse should read ותכל אשת דוד. David's wife Maacah longed for her son's return and urged David to command his servants to go forth and fetch him. A and M suggest an entirely different reading: 'And David *ceased* to go forth against Absalom'. As long as David mourned of Amnon he constantly attempted to avenge his death by seeking out Absalom. Once David became reconciled to the loss of his son, he was prevailed upon by either his wife or Tamar (following Ibn Ezra cited above) to call off his search. — A and M citing the Medieval commentary Ephod.

for he was comforted concerning Amnon — "he *accepted consolation."* — R.

CHAPTER 14

1. *that the king's heart (longed) for Absalom* — Once Joab perceived that David's soul longed for Absalom, he plotted to motivate him into consenting to his son's return. — K and D.

2. *And Joab sent to Tekoa* — a city in the territory of Asher which was known for its abundance of olive oil. — K from T.B. Men. 85b.

"Our rabbis said, 'because olive oil is found there, (in abundance), wisdom is found there'." — R from T.B. ibid. Olive oil makes man wise.

בְּפִיהָ: ד וַתֹּאמֶר הָאִשָּׁה הַתְּקֹעִית אֶל־
הַמֶּלֶךְ וַתִּפֹּל עַל־אַפֶּיהָ אַרְצָה וַתִּשְׁתָּחוּ
וַתֹּאמֶר הוֹשִׁעָה הַמֶּלֶךְ: ה וַיֹּאמֶר־לָהּ
הַמֶּלֶךְ מַה־לָּךְ וַתֹּאמֶר אֲבָל אִשָּׁה־
אַלְמָנָה אָנִי וַיָּמָת אִישִׁי: ו וּלְשִׁפְחָתְךָ
שְׁנֵי בָנִים וַיִּנָּצוּ שְׁנֵיהֶם בַּשָּׂדֶה וְאֵין
מַצִּיל בֵּינֵיהֶם וַיַּכּוּ הָאֶחָד אֶת־הָאֶחָד
וַיָּמֶת אֹתוֹ: ז וְהִנֵּה קָמָה כָל־הַמִּשְׁפָּחָה
עַל־שִׁפְחָתֶךָ וַיֹּאמְרוּ תְּנִי ׀ אֶת־מַכֵּה
אָחִיו וּנְמִתֵהוּ בְּנֶפֶשׁ אָחִיו אֲשֶׁר הָרָג
וְנַשְׁמִידָה גַּם אֶת־הַיּוֹרֵשׁ וְכִבּוּ אֶת־

תרגום

פִּתְגָמַיָא בְּפוּמַהּ ׃
ד וַאֲמָרַת אִתְּתָא
דְמִתְּקוֹעַ לְמַלְכָּא וּנְפָלַת
עַל אַפַּהּ עַל אַרְעָא
וּסְגִידַת וַאֲמָרַת פְּרוֹק
מַלְכָּא : ה וַאֲמַר לַהּ
מַלְכָּא מָה לִיךְ וַאֲמָרַת
בְּקוּשְׁטָא אִתְּתָא
אַרְמַלְתָא אֲנָא וּמִית
בַּעֲלִי : ו וּלְאַמְתָךְ תְּרֵין
בְּנִין וְאִתְנְצִיאוּ תַּרְוֵיהוֹן
בְּחַקְלָא וְלֵית דִמְשֵׁיזֵיב
בֵּינֵיהוֹן וּמְחוֹ חַד יַת חַד
וְקַטֵיל יָתֵיהּ : ז וְהָא קָמַת
כָּל זַרְעִיתָא עַל אַמְתָךְ
וַאֲמַרוּ הָבִי וְנִקְטוֹל יַת
דְקַטֵיל אֲחוּהִי וְנִקְטְלִינֵיהּ
בְּחוֹבַת נַפְשָׁא דַאֲחוּהִי
דְקַטֵיל וּנְשֵׁיצֵי אַף יַת
יָרוּתָא וּבְעוֹ לְמִקְטַל יַת

מהר"י קרא

יד (ה) אבל . בקושטא :

קמץ בז"ק

רש"י

(ה) אבל אשה אלמנה אני . אבל בקושטא :

רלב"ג

המלך : (ז) תני את מכה אחיו ונמיתהו . הנה שאלתה זאת ידמה מפני שהיה השכם עלמה גואלי הדם והנה לא הותרו גואלי הדם להרוג הרוצח עד עמדו לפני העדה למשפט ולזה אמר דוד חי ה׳

רד"ק

(ד) ותאמר האשה התקועית אל המלך . ת"י ואתת איתתא לפי שאחר כן אמר ותאמר הושיעה המלך ולא אמר ותבא אל המלך לפי׳ תרגם ותאמר הראשון ואתת ואדוני אבי ז"ל פירשו כן כי יתאמר הראשון ליושבי השער אמרה אל המלך אני רוצת להכנס והם אמרו לה לא ישמע לך המלך כי רבים עומדים עליו וזהו שאמר כי יראוני העם כלומר הפחידוני כי אמרו שלא תשמע דברי וכשנכנסה אמרה הושיעה המלך כדרך הצועקים : (ה) אבל אשה אלמנה אני . כתרגומו בקושטא : וימת אישי . אחר שאמרה אלמנה אני ידוע הוא שמת אישה למה אמרה וימת אישי אלא כך אמרה אני אשה אלמנה זה ימים אבל עתה אהשוב שמת אישי היום אם יהרגו בני הנשאר לי : (ו) ויכו האחד את האחד . הכנוי טרם ההודעה וכן וישנו את טעמו והמתו חיתו להם והדומים להם : (ז) גם את היורש . כמו שמת היורש האחד זהו רבוי גם : לבלתי שום לאישי שם ושארית . בני המשפחה מתכוונין שלא ישאר לאישי שם ולהשמיד את היורש כדי שיהיו הם יורשים נכסי בעלי כי אין עליהם דין ומשפט להמיתו אף על פי שהרג את אחיו כי לא היו שם עדים כמו שאמר הכתוב ואין מציל ביניהם ואין דין בני מסור יהם אלא לשמים ולא לב"ד וא"ת הם גואלי הדם ותם לבבם ולא ילכו אחר הדין כי הבורא ית׳ חשש על ההורג בשוגג שאין דינו מסור לבני אדם אעפ"כ אמר פן ירדוף גואל הדם אחרי הרוצח כי יחם לבבו אבל אלו אין לבבם חם על זה אבל כונתם להרוג את היורש כדי שירשו הם הנחלה ואני אשאר בלא בן : וכבו את גחלתי . המאירה לי אחרי מות אישי ובני האחד :

מצודת ציון

(ה)אבל. באמת כמו אבל אשמים אנחנו (בראשית מג):(ו) וינצו .

מצודת דוד

(ד) ותאמר האשה . בבואה לפני המלך אמרה בתחילה מה שראוי לאמר להבאים לפני המלך כמו יחי המלך וכדומה ואח"ז נפלה על אפיה : (ה) אבל אשה אלמנה . כדרך דברי אלמנה זוכרת בעל נעוריה דואגת על מיתתו וכאלו תאמר באמת רואה אנכי ומרגשת בדבר בהבה אלמנה אני כי אלמנה היה בעלי הי לא קרה לי כזאת : וימת אישי . גם זה מדרך אלמנה תקונן ותכפל דברי ילולתה . (ו) ואין מציל . לא היה ביניהם איש נכרי להציל המוכה מיד מכהו : (ז) בנפש . בעבור שהרג נפש אחיו ועם שלא היה בעדים והתראה : גם את היורש . ר"ל כמו שהשמיד הוא את אחיו מורישו כן נשמיד גם אותו שהוא היורש את אחיו : וכבו את גחלתי . וכזה יכבו מעט

Commentary Digest

injustice that one brother may have done to the other. Here too, David failed to lessen Absalom's contempt for Amnon by intervening on behalf of Tamar and punishing her attacker. (See above Comm. Digest on 13:20).

and one struck the other — it can therefore not be determined that one was clearly the aggressor since the one accused of murder may have been provoked, or may have been acting in self-defense. Similarly, it would be unfair to place full blame on Absalom who was provoked by Amnon's attack on his sister.

and so destroy also the heir — My

into her mouth. 4. And the woman of Tekoa spoke to the
king, and fell to the ground, and prostrated herself; and she
said: 'Save, O' king'. 5. And the king said to her: 'What
ails you?' And she said: 'Truly I am a woman [who is] a
widow, and my husband is dead. 6. And your handmaid
had two sons, and they both fought in the field, and there
was no rescuer between them, and one struck the other and
killed him. 7. And, behold, the whole family rose against
your handmaid, and said; "Deliver the one that struck his
brother whom he slew, and so destroy also the heir; and
so they shall quench

Commentary Digest

circumstances involved in Amnon and Absalom's case. — A.

And Joab put the words into her mouth — If so, why was a wise woman necessary? K suggests that Joab only acquainted her with Absalom's situation, but did not teach her the parable. Others offer that only a brilliant woman was capable of presenting the case in a convincing manner and precisely as it had been presented to her — A. Furthermore, she was expected to improvise replies to David's questions. — K, A and D.

4. *And the woman of Tekoa spoke to the king* — Because her statement to the king is ommited, K takes it as an incomplete verse which was intended to be read as follows: 'And the woman of Tekoa said [to those who sat in the gate,: "I wish to speak] to the king." D renders: And the woman of Tekoa said [the customary greeting] to the king . . .

5. *truly I am . . . a widow* — *"Heb.* אבל — *in truth."* — R, K, J.K., from J. Not in its usual sense as "but".

6. *and they both argued* — The woman of Tekoa brilliantly arranged her story in a manner which greatly reduced Absaolm's accountability for the death of Amnon, as follows . . .

they argued in the field — where there was no-one to issue the warning mandatory for a murder conviction. Similarly, she alluded to the fact that Absalom could not be held legally accountable for Amnon's death since the mandatory warning had not been issued to him.

there was no rescuer — there was no-one to intervene and rectify any

גַּחַלְתִּי אֲשֶׁר נִשְׁאָרָה לְבִלְתִּי שׂוּם־
לְאִישִׁי שֵׁם וּשְׁאֵרִית עַל־פְּנֵי הָאֲדָמָה׃
ח וַיֹּאמֶר הַמֶּלֶךְ אֶל־הָאִשָּׁה לְכִי לְבֵיתֵךְ
וַאֲנִי אֲצַוֶּה עָלָיִךְ׃ ט וַתֹּאמֶר הָאִשָּׁה
הַתְּקוֹעִית אֶל־הַמֶּלֶךְ עָלַי אֲדֹנִי הַמֶּלֶךְ
הֶעָוֺן וְעַל־בֵּית אָבִי וְהַמֶּלֶךְ וְכִסְאוֹ נָקִי׃
י וַיֹּאמֶר הַמֶּלֶךְ הַמְדַבֵּר אֵלַיִךְ וַהֲבֵאתוֹ
אֵלַי וְלֹא־יֹסִיף עוֹד לָגַעַת בָּךְ׃ יא וַתֹּאמֶר
יִזְכָּר־נָא הַמֶּלֶךְ אֶת־יְהוָה אֱלֹהֶיךָ

חַד יְחִידִי דְאִשְׁתְּאַר
בְּדִיל דְלָא לְשַׁוָאָה
לְבַעֲלִי שׁוּם וּשְׁאָר עַל
אַפֵּי אַרְעָא׃ ח וַאֲמַר
מַלְכָּא לְאִתְּתָא אֱזֵילִי
לְבֵיתִךְ וַאֲנָא אֲפַקֵיד
עֲלָךְ׃ ט וַאֲמַרַת אִתְּתָא
דְמִתְּקוֹעַ לְמַלְכָּא עֲלַי דִי
לִי רִבּוֹנִי מַלְכָּא חוֹבָא
וְעַל בֵּית אַבָּא וּמַלְכָּא
וְכוּרְסֵי מַלְכוּתֵיהּ זַכָּאי׃
י וַאֲמַר מַלְכָּא מַן דְיֵימַר
לִיךְ מִלָא וְתַיְתִינֵיהּ לְוָתִי
וְלָא יוֹסִיף עוֹד לְאַנְזָקָה
בִיךְ׃ יא וַאֲמַרַת יִדְכַּר
כְּעַן מַלְכָּא מַה דִכְתִיב
בִּסְפַר אוֹרָיְתָא דַיָי
אלהך

שים קרי

רש"י

(ט) עלי אדני המלך העון. כנוי הוא לכבודו כלומר אתה מדחה אותי לאמר אני מצוה עליך ואני אלך לדרכי ואתה לא תצוה עלי ובני יהרג על מי העון הזה: (יא) יזכר נא המלך את ה'. שהקפיד על אורך הדרך להציל נפשות שנאמר והשיגו כי ירבה הדרך (דברים י"ט ה') וזהו מהרבות

מהר"י קרא

(ח) לכי לביתך ואני אצוה עליך. שלא ישחיתו את בנך (ט) ותאמר האשה התקועית אל המלך עלי אדוני המלך העון ועל בית אבי והמלך וכסאו נקי. אתה אמרת לי לכי לביתך ואני אצוה עליך אם עד שאני הולכת לביתי יקומו המשפחה וישחיתו את בני עד שלא תצוה עליו שלא להורגו. עלי העון ועל בית אבי. פתרונו ההפסד. כמו אם יקרך עון בדבר הזה. והמלך וכסאו נקי. שאין לך ההפסד: (י) המדבר אליך והבאתו אלי. ואני אצוה עליו שלא יוסיף עוד לגעת בך: (יא) ותאמר יזכר נא המלך את ה' אלהיך מהרבות גואל הדם לשחת ולא ישמידו את בני. אמרה לו יזכור נא המלך את בוראו לשום על לבו שאין בידי כח לעשות דבר זה שאתה אומר לי המדבר עליך והבאתו אלי. שמתוך שרבים הם גואלי הדם המבקשים לשחת את בני וכולם מדברים אלי תני את מכה אחיו ונמיתהו בנפש אחיו אשר הרג.

רד"ק

(ח) אצוה עליך. אצוה בני המשפחה עליך שלא יגעו בבנך: (ט) עלי אדוני המלך העון. בהפוך רצתה לומר אלא שכנתה לכבוד המלך כלומר עליך יהיה העון אם נבטח אני ובני עליך ולא ישכר מהם ויהרגוהו בני המשפחה: (י) המדבר אליך. מבני המשפחה תביאי אותו אלי ואני אצוה לו ולא יוסיף עוד לגעת בך ואמר והבאתו והיה לו לומר מדרך הדקדוק והבאתיו בחירק התי"ו כי לנקבה הוא מדבר אבל אמר והבאתו כנגד אחד מנעריו העומדים שם כי האשה לא היתה יכולה להביאו אם לא עם אחד מנערי המלך: (יא) יזכר נא המלך. רצתה לומר שיוציא שבועה מפיו שלא יומת בנה ולמה מהרבת גואל כלומר שהיו רבים גואלים הדם ואם יצוה המלך לאחד יבא האחר ויהרגנו אבל אם ישבע המלך שלא יומת ישמעו הגואלים השבועה וייראו שלא יגעו בו וי"ת ידכר כען מלכא מה דכתיב בספר אורייתא דה' אלהך בדיל לאסגאה אורחא קדם גאיל דמא

רלב"ג

אם יפול משערת בנך ארצה: (ט) עלי אדני המלך העון ועל ביתי אבי והמלך וכסאו נקי. ר"ל עון רציחת בנה אם ירצחוהו בני המשפחה והנה אמרה דבר מוסר להראות שהמלך אשר כזה לא יקח עצה שלא

מצודת דוד

שאירה הנשארה לי כי אישי מת ואחיו איננו והוא לבדו נשאר ואם גם אותו ימיתו לא ישאר מאומה: לבלתי שים. ר"ל כוונת המשפחה היא לבל יושם לאישי שארית שהם ירשו נחלת אישי: (ח) אצוה עליך. אצוה את מי מאנשי לדרוש ולחקור בדבר אם האמת אתך: (ט) עלי אדוני המלך העון וגו'. כאלו תאמר יאמין לי שהאמת אתי ומיד תוכהו ואם יודע לאחר זה שלא כן הוא אזי יהיה העון עלי על שהטעיתי את המלך אבל המלך וכסאו יהיה נקי מעון זה ר"ל לא יענש לא בגופו ולא בדבר המלוכה היות כי מהראוי להאמין לי בזה כי שניהם ילדי הם: (י) המדבר אליך. על כי ראה המלך אשר כנים אמריה חזר ואמר לה מי המדבר אליך מאז אשר תאמיר לו בנך להמיתו אותו תביאו אלי ואזהירו שלא יוסיף לגעת בך ולכוסף למסור את בנך: (יא) יזכר נא המלך וגו'. כאלו חששה פן כאשר יבוא גואל הדם לפני המלך ולפי רוב גדלו ישא לו המלך פנים ולא

מצודת ציון

ענין מריבה כמו שני אנשים עברים נצים (שמות ב): (ט) וכסאו. ר"ל המלכות:

Commentary Digest

iniquity be?" — R. According to this interpretation, she sought greater assurance of her son's protection.

11. *let the king remember the Lord your G-d* — *"who concerned Himself with the length of the way* (*to the refuge cities*) *in order to save lives, as it is stated*: *'Lest he* (*the avenger*) *overtake him because the way is long* (Deut. 19:6)'. *Now this is the meaning of*: *'So that the avenger of blood destroy not excessively; and you* (*still*) *push me off?"* — R. Others render: Let the king take an oath with the mention of G-d's name that my son will be protected. — K.

my coal which is left, so as not to leave my husband a
name or a remainder upon the face of the earth." 8. And
the king said to the woman, "Go to your house, and I will
give orders about you." 9. And the woman of Tekoa said
to the king, "On me, my lord, the king, be the iniquity,
and on my father's house; and the king and his throne be
guiltless." 10. And the king said, "Who ever speaks to
you, bring him to me, and he shall no longer continue to
touch you." 11. And she said, "I beg you, let the king
remember the lord your God

Commentary Digest

relatives acted, not out of a sincere interest in justice, but merely to increase their portion of the inheritance. In a similar manner David was being ill-advised by those who were concerned only that Absalom, now the oldest, not succeed him to the throne. — A and M.

It must be noted that the wise woman's tale is strikingly similar to the story of Cain and Abel in Gen. Ch. 4. There too, after quarreling in the field, Cain killed his brother Abel. He then begged G-d to protect him from those who might seek to avenge Abel's death, (Gen. 5:14). It is very likely that the Tekoan woman cunningly drew this parallel in order to hint subtly to David that if G-d had Himself, in similar circumstances, granted Cain protection, (Gen. 5:14), how then could he refuse to pardon Absalom? — A.

7. *quench my coal* — In this manner, they wish to extinguish the tiny flame that remains glowing for me after the death of my husband and son. — D.

8. *give orders about you* — I will give orders to your relatives not to harm your son. — K. I will give orders to one of my men to investigate the matter and determine if you are in the right. — A and D.

9. *on me be the iniquity* — In order to avoid an investigation, she assured David that she was willing to take all blame for any iniquity that she would have committed had she failed to tell the truth. — D and A, R, and K both contend that she meant to place the blame for any misfortune upon David, but placed it upon herself out of respect for the king: *"It is a euphemism out of respect for him, as if to say: You are putting me off by saying: 'I will give orders about you.' Now if I go on away and you do not give orders about me, upon whom then will the*

מֵהַרְבִּית גֹּאֵל הַדָּם לְשַׁחֵת וְלֹא
יַשְׁמִידוּ אֶת־בְּנִי וַיֹּאמֶר חַי־יְהוָה אִם־
יִפֹּל מִשַּׂעֲרַת בְּנֵךְ אָרְצָה׃ יב וַתֹּאמֶר
הָאִשָּׁה תְּדַבֶּר־נָא שִׁפְחָתְךָ אֶל־אֲדֹנִי
הַמֶּלֶךְ דָּבָר וַיֹּאמֶר דַּבֵּרִי׃ יג וַתֹּאמֶר
הָאִשָּׁה וְלָמָּה חָשַׁבְתָּה כָּזֹאת עַל־עַם
אֱלֹהִים וּמִדַּבֵּר הַמֶּלֶךְ הַדָּבָר הַזֶּה

אֱלָהָךְ בְּדִיל לְאַסְגָאָה אוֹרְחָא קֳדָם גָאֵל דְמָא לְחַבָּלָא וְלָא יְשֵׁיצוּן יַת בְּרִי וַאֲמַר קַיָם הוּא יְיָ אִם יִפּוֹל מִסְעַר רֵישׁ בְּרִיךְ לְאַרְעָא׃ יב וַאֲמַרַת אִתְּתָא תְּמַלֵל כְּעַן אַמְהָתָךְ קֳדָם רִבּוֹנִי מַלְכָּא פִּתְגָמָא וַאֲמַר מַלֵילִי׃ יג וַאֲמַרַת אִתְּתָא וּלְמָה חֲשַׁבְתָּא כְּהָדָא עַל עַמָא דַיְיָ וּמְמַלֵיל מַלְכָּא פִּתְגָמָא הָדֵין כִּגְבַר חַיָב בדיל

מהרבת קרי

מהר"י קרא

איני יכול להביא כל אחד ואחד אליך שרבים הם כמו שמפרש יהולך מהרבות גואל הדם לשחת ולא ישמידו את בני. ופתרונו מחמת שרבים הם גואלי הדם המבקשים לשחת עשה לי תקנה אחרת טובה מאותה שאמרת. המדבר אליך והבאתו אלי. ולא ישמידו בני: (יג) ולמה חשבת כזאת על עם אלהים. פתרונו וכי העלה על דעתך שיהיו בעם ה' נמצאים רשעים כל כך שיאמרו לאשה שלא נשאר לה כי אם בן אחד שהכה את אחיו. ויקומו המשפחה ויאמרו תני את מכה אחיו ונמיתהו בנפש אחיו אשר הרג ונשמידה גם את היורש חלילה שיעשה כן בישראל אלא למען סבב דבר על אחרים הסיבותי הדבר כדי שיצא מפי המלך משפט חרוץ שלא ישמידו גם את היורש למען שום לאישי שם ושארית על פני הארץ ומאחר שפסק המלך משפט זה על אחרים חלילה למלך מדבר עוד את הדבר הזה כאשם. פתרונו חלילה מהיות מדבר את הדבר הזה כאשם כחוטא. לבלתי השב המלך

רש"י

גואל הדם לשחת ואתה דוחה אותי: (יג) ולמה חשבתה כזאת. שחשדת לישראל שיבאו להרוג את השני בלא עדים והתראה: ומדבר המלך הדבר הזה כאשם. והדבר הזה שהרלת לאחרים שאמרת לי לא יפול משערת בנך ארצה עכשיו שאגל'לך שאין הדבר הזה אלא על שני בניך אל תתהרע לאמר דברתי זה כאשם והנני חוזר כי לבלתי השיב המלך את אבשלום בנו שנדחה ממנו וברח לו: ומדבר המלך.

רלב"ג

להלילו: (יא) מהרבת גואל הדם לשחת. ר"ל שלא ירבו גואלי הדם לשחת כי אין זה מחק גואלי הדם כי זה הנשאר הוא ג"כ קרובם וכאלו אמרה שיזכור לפניו שיאמר להם שאין ראוי להם מלד היותם גואלי הדם שילכו לשפוך דם קרוביהם ואז נשבע דוד חי ה' אם יפול משערת ראשו ארצה וידמה שלא אמרה שהיה שם עדים ולזה נשבע לה כי לפי דיני התורה לא היה בן מות אם היה הענין כמו שהגיד' לו ואפשר עוד שאעפ"י שהיה בן מות לפי משפטי התורה הנה היה יכולת למלך להלילו להוראת שעה:
(יג) ומדבר המלך הדבר הזה כאשם לבלתי השיב המלך את נדחו. ר"ל והנה המלך מדבר הדבר הזה בגלאה כו שהוא כמו אשם על שלא השיב

רד"ק

לחבלא: משערת בנך ארצה. כתרגומו מסער ריש בריך: (יב) תדבר נא. אחרי אשר נתן לה מה ששאלה ממנו רצתה לגלות לו קצת הדברים ברמיזה כדי שיבין כי על דבר אבשלים באה: (יג) ולמה חשבתה. כי לא יאמינו שאתה נשבעת שלא ימות בני אבל יאמרו אם דבר המלך הדבר הזה באשם ובשוגג דבר אותו שהרי הוא אינו משיב אבשלום שהוא ברח מפני שהרג אמנון אחיו ואיך נשבע היא שזה שהרג אחיו לא יומת

מצודת ציון

(יא) מהרבת. ענין גדולה והשיבות כמו על כל רב ביתו (אסתר א): גואל הדם. קרוב הנגלה הרולה לנקום נקמת דמו נקרא גואל הדם שהוא כאלו נחשב לדם לגאולה: משערת בנך. אמל דקך הספגה

מצודת דוד

ירחם עוד על בנה ולזה אמרה יזכר נא את ה' ולדבק במעשיו יש הוא רחום וגו' מבלי להגדיל לישא פני גואל הדם הבא לשחת ולא ישמידו את בני: חי ה'. הריני נשבע שלא יעשה לו מאומה רע: (יב) תדבר נא. שאלה רשות לדבר דבריה עם שאינם נוגעים אליה:
(יג) ולמה חשבתה. ר"ל איך עלתה על דעתך להאזין דברי לחשוב על בני המשפחה עם ה' להתאכזר על בני להרגו מבלי עדים והתראה והיה לך להשכיל אמיתת הענין שלמשל נאמר ובכועס אמריה הפליגה ברוב מעשה הריגת הרולח מבלי עדים והתראה: ומדבר המלך. ר"ל עוד אתמה מה שדבר המלך הדבר הזה שלא יפול משערת וכו' אשר הוא כאשם וכשגגה היולאת על בלתי משיב המלך את אבשלום אשר נדח בארץ נכריה כי הלא הוא דומה בדומה כי גם לאבשלום לא התרו ועוד דברים כאלה שאין לו משפט מות (ועל כי חששה פן יחזור המלך מדבריו ולומר כי באמת שגגה היא לזה הקדימה אמריה ותאמר למה חשבת כזאת וגו' לומר שהדין דין אמת ועם אבשלום

Commentary Digest

If your verdict was a sound one for my son, it is equally sound for your son. Therefore do not retract it.

the king in speaking — "Eknon parlot" in French. — R.

so that the king shall not bring back his banished one — Because the king brings not back his own banished one, no-one will take the decision regarding my son seriously. — K. Do not declare your verdict a mistaken one in order to avoid having

that the avenger of blood destroy not excessively so that they destroy not my son." And he said, "As the Lord lives, if one hair of your son shall fall to the earth." 12. And the woman said, "May your handmaid speak a word with my lord the king?" And he said, "Speak." 13. And the woman said, "Why have you thought such a thing about the people of God? [Now, consider not] that the king in speaking this word

Commentary Digest

that the avenger of blood destroy not excessively — based on R and G. K and JK. render: 'Because the avengers of blood are many'. Even if I manage to save my son from one avenger there will still be others who desire to kill him.

12. *may your handmaid speak a word* — R, A, and D contend that, at this point, after having received assurance of protection from David, the woman of Tekoah felt it was time to abandon her tale and indicate the true nature of her appeal. According to K, the Tekoan woman did not totally abandon her story but proceeded here to drop much of the previous subtlety and began to allude to her real objective concerning Absalom in a far bolder manner.

13. *thought such a thing about the people of G-d.* — According to K this is to be taken as a continuation of the woman's plea on behalf of her son: "Do you actually believe that a wise people like the Israelites will take your charge concerning my son seriously, since in similar circumstances the king himself had refused to bring back his own banished son. No, they will surely assume that the verdict was a mistake (ומדבר המלך את הדבר הזה כאשם) and will not refrain from killing my son. R and A, of the opinion that the woman had at this point abandoned her plea on behalf of her child, interpret this statement as an expression of surprise that David could have accepted her story at face value: *'How have you thought such a thing, i.e. that you suspected Israelites of coming to kill another one with neither witnesses nor* (mandatory) *warning.'* — R. (Did you honestly believe that such an incident actually transpired? — J.K. and M).

that the king in speaking this word has done so accidentally — *"This thing that you decreed for others, i.e. that which you said to me 'not a hair of your son shall fall', now that I have made it apparant to you that it all related only to your* (*own*) *two sons, do not have regrets saying: 'I stated this accidentally, and behold I am retracting myself', so that the king shall not* (be forced to) *bring back his son who was banished from him and fled."* — R.

בדיל דלא לאתבא
מלכא ית בדוריה :
יד ארי מיתא דמאית
וכמיא דמתאשדין
לארעא דלא אפשר
להון דיתוספון כן לית
אפשר לדינא דקושטא
לקבלא ממון דשקר
ודמחשיב מחשבן בדיל
דלא לבדרא מניה
בדורא: טו וכען דאתיתי
למללא קדם מלכא
רבוני ית פתגמא הדין
ארי דחלונני עמא

כְּאָשֵׁם לְבִלְתִּי הָשִׁיב הַמֶּלֶךְ אֶת־
נִדָּחוֹ׃ יד כִּי־מוֹת נָמוּת וְכַמַּיִם הַנִּגָּרִים
אַרְצָה אֲשֶׁר לֹא יֵאָסֵפוּ וְלֹא־יִשָּׂא
אֱלֹהִים נֶפֶשׁ וְחָשַׁב מַחֲשָׁבוֹת לְבִלְתִּי
יִדַּח מִמֶּנּוּ נִדָּח׃ טו וְעַתָּה אֲשֶׁר־בָּאתִי
לְדַבֵּר אֶל־הַמֶּלֶךְ אֲדֹנִי אֶת־הַדָּבָר הַזֶּה
כִּי יֵרְאֻנִי הָעָם וַתֹּאמֶר שִׁפְחָתְךָ

רש"י

אוקינו"ן פרלטי"ס בלע"ז : (יד) כי מות נמות. ודייגו בלותו עונס: ולא ישא אלהים נפש. אינו מן המיתה לפיכך והשב המלך מחשבות לבלתי ידח ממנו נדח (טו) ועתה אשר באתי לדבר אל המלך אדני את הדבר הזה. בכינוי עלי ועל בני : כי יראוני העם. הפחידוני מלבקש את אדוני על בנו פן יכעוס עלי : ותאמר שפחתך אדברה

מהר"י קרא

את נדחו. שלא ישיב המלך את הנדח שלו הוא אבשלום שברח מבנו שמשפט ששפט לאחרים דין הוא שישפוט לעצמו וישיב נדח שלו: (יד) כי מות נמות וכמים הנגרים ארצה אשר לא יאספו. לאחר שבוגרים כמו כן רוח הולך ולא ישוב. ולא ישא אלהים נפש. אין הקב"ה נושא פנים לכל אדם שינצל כן המיתה ואם ימות אבשלום במקום שברח ולא יראה את אביו. או ימות המלך כאן ולא יראה את אבשלום ולא יראו זה את זה עוד: והשב מחשבות לבלתי ידח ממנו נדח. פתרונו מאחר שאם ימות האב שוב לא יראה את הבן. ואם ימות הבן שוב לא יראה את האב יחשוב המלך מחשבות שלא ידח ממנו נדח : (טו) ועתה אשר באתי לדבר אל המלך את הדבר הזה כי יראוני העם. יו"ד ראשונה שבתיבת יראני נקודה בקמץ קטן בשני נקודות. לפיכך פתרונו כי הפחידוני העם ואיימו עלי העם ואמרו אם תביאי אל המלך דוד לומר שישיב את נדחו. מחכת קצף המלך והמתו שבערה בו עליו לא ישבע לך. אלא הסיבי הדבר לשאול המשפט עליך ועל בנך שיקצוב המשפט עליך ועל בנך שישיב הנדח שלך ממקום שברח מפני המשפחה שקמו עליו להמיתו. ומאחר שיוציא משפט כפיו להשיב את בנך. אמרי לו שישיב גם הוא את נדחו. ואלו היתה נקודה היו"ד בחטף כמו אלמנה ויתום ומטה גר ולא יראיני. אז היה פתרונו לא יראו מכני : ותאמר שפחתך אדברה נא אל המלך. אסבב הדבר

רד"ק

ולא יודה : (יד) כי מות נמות. כלנו סופנו למות וכמו המים הנגרים ארצה אשר לא יאספו אחרי השפכם במקום מדרון שנגרים כן נפשות בני אדם לא יאספו עוד אל הגוף מדרך הטבע אלא במעשה נס בתחיית המתים : ולא ישא אלהים נפש. שלא יוציאנה מן הגוף כלומר לא ישא פני כל איש כי כלנו נמות ואין על האדם להרבות שפיכות דם אלא למעטו כמו שיוכל ואם יהרוג אדם חבירו לא צוה המקום להרגו אם לא הרגו במזיד בעדים ובהתראה כדי למעט שפיכות הדם ואם הרגו שוגג צוה שיגלה עד זמן ידוע ולא יהרגו אותו אפילו הרגו מזיד אם אין שם עדים והתראה וז"ש וחשב מחשבות לבלתי ידח ממנו נדח אלהים חשב מחשבות ושם משפטים לבלתי ידח ההורג ויש לפרש וחשב מחשבות על המלך כלומר אחר שכן הוא שכלנו סופנו למות יחשוב המלך מחשבות שלא ידח מבנו נדח ואם מת אחד לא יומתו שנים וי"ת אלהים דינא ותרגם הפסוק כן הרי מיתא דמאית וכמיא דמתאשדין וגו' : (טו) כי יראוני העם. כבר פירשנו בו פירוש אחד בתחילת

רלב"ג

את נדחו והוא אבשלום כי אם יבקש להמיתו על דבר אמנון יעשה מה שהרחיק אותו כדברו עם זאת האשה התקועית : (יד) כי מות נמות. כלנו כמו המים הנגרים אשר שלא יתקבצו לעמוד מההגרה כן בני האדם דורכים אל המות : ולא ישא אלהים נפש. נהלילה מהמות ר"ל שלא יכובד בזה הענין שום אדם ולא ישא פני נפש בזה כי סוף כל אדם למות. והנה חשב הש"י מחשבות להמית בני האדם במינים שונים וכשבות שונות כדרך שלא יהיה נדח אחד מן האנשים שידמה בנפשו לברוח מהמות וכאילו אמרה זה להעיד כי אולי מאת הש"י היתה הסבה להמית את אמנון כי הוא חושב מחשבות לתת לאיש כדרכיו

מצודת דוד

נעשה השגגה ולחלוק כבוד למלכות אלתה השגגה בהאמירה ולא בהמעשה) : (יד) כי מות נמות. הזדה להביא טענות לטוב' אבשלו' ואמרה הלא כולנו מות נמות וא"כ ההימתה קודם זמנו אין לו תרעומות רק כ"כ אחרי שסופו למות וא"כ אין להמית הרוצח בעבור זה הואיל ולא הייבה התורה כי בלא התלאה נהיתה : וכמים וגו'. ר"ל ועוד בשלמא הגוזל ממון חבירו אז כשישיב הגזילה באה היא ליד בעליו אבל השופך דם אדם מה בעשה עשוי ולא תוחזר אליו הנפש עם שפיכת דם הרוצח וישאר א"כ מת כשהיה והרי הוא כמים הנגרים ארצה שא"א לאספם ולהחזירם למקומם כי נבלעו בעפר הארץ : ולא ישא אלהים נפש. ר"ל ועוד הלא אין אלהים נושא פנים לשום נפש ושלם ישלם לאיש כמפעלו ונטובת האדם חושב מחשבות לשלם גמול בזה העולם לבל יהיה האדם הנדח במעשיו מוטרד ונדח ממנו יתברך כי בהלרף סיגיו יזכה להזות בנועם ה' א"כ בהשגחה היתה מיתת אמנון לכפר העון אשר חטא ואבשלום הי' שליח ההשגחה ואין להאשימו כ"כ בהיות כי לא התרו בו והתורה פטרתו : (טו) ועתה : ר"ל הואיל וכל דברי למשל נאמרו להמליץ טוב על אבשלום

מצודת ציון

כדרך שאומרים הבריות : (יג) כאשם. ענין שגגה : (יד) הנגרים.

has done so accidentally, so that the king shall not bring
back his banished one. 14. For die we must, and [are] as
water that is spilt on the ground which cannot be gathered
up again; and God favors not a soul, but He devises means
that he that is banished be not cast from Him. 15. And
now my motive for having come to speak of this thing to
the king my lord [is] because the people have made me
afraid; and your maidservant said:

Commentary Digest

to bring back your own banished son. — A and R. See Commentary Digest earlier in verse.

14. *for die we must* — *"and it suffices us with that punishment."* — R.

which cannot be gathered up again — K indicates that the woman was not a heretical disbeliever in the resurrection of the dead prophesied for the end of days. She merely sought to indicate that just as water, once spilt cannot be regathered, so man's soul, once it departs from him, cannot naturally re-enter but requires miraculous resurrection.

and G-d favors not a soul — G-d favors no-one by exempting him from death. All meet the same irrevocable fate. — K, G. J.K., and R. A and D connect it with the remainder of the verse: Although G-d allows no-one to go unpunished for his actions, he nevertheless seeks all possible means to punish him in this world so that he not be banished before Him in the world to come. In this manner the woman of Tekoa indicated to David that it was Divine will that Amnon meet retribution in this world, and Absalom in killing him acted only as G-d's agent. R attaches it to the end of the verse in a different manner: *"and G-d favors not a soul — of man, from death. Therefore, the king should devise means so that he that is banished, not be (permanantly) cast from him."* — R.

means — cities of exile, the need for witnesses and mandatory warning, etc. — K.

15. *And now, my coming to speak of this thing to the king* — in this indirect manner *"by substituting it on myself and my sons."* — R.

because the people have made me afraid — *"They frightened me from seeking out my lord regarding his son lest he be angry with me."* — R. J.K. suggests that she feared David would not listen to a direct plea because of his animosity towards his son.

אֲדַבְּרָה־נָּא אֶל־הַמֶּלֶךְ אוּלַי יַעֲשֶׂה
הַמֶּלֶךְ אֶת־דְּבַר אֲמָתוֹ׃ טז כִּי יִשְׁמַע
הַמֶּלֶךְ לְהַצִּיל אֶת־אֲמָתוֹ מִכַּף הָאִישׁ
לְהַשְׁמִיד אֹתִי וְאֶת־בְּנִי יַחַד מִנַּחֲלַת
אֱלֹהִים׃ יז וַתֹּאמֶר שִׁפְחָתְךָ יְהִי־נָא
דְּבַר־אֲדֹנִי הַמֶּלֶךְ לִמְנוּחָה כִּי ׀ כְּמַלְאַךְ
הָאֱלֹהִים כֵּן אֲדֹנִי הַמֶּלֶךְ לִשְׁמֹעַ הַטּוֹב

תרגום

וַאֲמַרַת אַמְתָךְ אֲמַלֵּיל
כְּעַן קֳדָם מַלְכָּא מָאִים
יַעֲבֵד מַלְכָּא יָת פִּתְגָמָא
דְּאַמְתֵיהּ: טז אֲרֵי יִשְׁמַע
מַלְכָּא לְשֵׁיזָבָא יָת
אַמְתֵיהּ מִיַּד גַּבְרָא
לְשֵׁיצָאָה יָתִי וְיָת בְּרִי
כַּחֲדָא מֵאַחְסָנַת עַמָּא
דַיְיָ: יז וַאֲמַרַת אַמְתָךְ
יְהֵי כְעַן פִּתְגָמָא דְּרִבּוֹנִי
מַלְכָּא לְנַיְחָא אֲרֵי
כְּמַלְאֲכָא דַיְיָ כֵּן רִבּוֹנִי
מלכא

מהר"י קרא

על עצמי ועל בני שבני הרג את אחיו ונדח ממני ומבקשין המשפחה להורגו: אולי יעשה המלך את דבר אמתו. שיצוה עלי להציל את אמתו מכף האיש המבקש להשמיד את בני: (טז) כי ישמע המלך להציל את אמתו מכף האיש המבקש [להשמיד] אותי ואת בני יחד מנחלת אלהים. פתרונו כאשר ישמע אלי המלך להציל את אמתו מכף האיש המבקש להשמיד אותי ואת בני יחד. אמרתי בלבי אותה שעה דבר אדוני למנוחה לעצמו. שמשפט שפסק על בני יספוק גם אל בנו שלא ידח ממנו ויצוה עליו להשיבו. וזהו שמפרש והולך: (יז) ותאמר שפחתך יהי נא דברי אדוני המלך למנוחה כי כמלאך האלהים כן אדוני המלך. מה מלאך אלהים אין חמתו תוקפו שלא לעשות משפט. גם אדוני המלך לא יתקפנו קצפו להטות משפט שלא להשיב את נדחו את אבשלום מפני קצפו. ור' מנחם ביר' חלבו פתר פרשה זו פנים אחרת: (ב) וישלח יואב תקועה ויקח משם אשה חכמה. לפי שבתקוע שמן מצוי ושמן מחכים שלח לעיר תקוע לקחת לו משם אשה חכמה: (ז) והנה קמה כל המשפחה על שפחתך ויאמרו תני את מכה אחיו וגו'. ועתה ברח ממני ואומ' המשפחה שקמו עלי שאמסרנו בידם: (ח) ויאמר המלך אל האשה לכי לביתך. ואני אצוה שלא ישלחו אחריו לקחת אותו משם ממקום שברח. ושם ישב ואל ייראו מפני המשפחה: (ט) ותאמר האשה התקועית אל המלך עלי אדוני המלך העון ועל בית אבי. אתה אומר שאלך לביתי ואחר אתה מצוה עלי. והיה אני אלך מאתך עד שלא אבא לביתי או עד שלא תצוה עלי שלא יפגעו בי. ישלחו אנשי משפחתי ולקחו אותו משם ממקום שברח ויתנו אותו ביד גואל הדם הקרוב ומת. ועלי אדוני המלך העון ועל בית אבי והמלך וכסאו נקי: (י) ויאמר המלך המדבר אליך. תני את בנך ונמיתהו בנפש אחיו. והבאתו אלי ולא יוסיף עוד לגעת בך, ובנך ישוב אל המקום אשר נס שמה. שלא ישוב אצלך פן יחם לב המשפחה ונכהו נפש כשיראוהו שב אל מקומו אשר נס שמה: (יא) ותאמר יזכר נא המלך את ה' אלהיך מהרבות גואל הדם לשחת. פתרונו יזכור נא המלך את אשר צוה ה' את משה עבדו שמחמת מרבית הדרך יפריש שלש ערי מקלט שאם יתרחק מעיר זו והיא קרובה לו עיר אחרת לנוס שמה, דכתיב: פן ירדף גואל הדם אחרי הרוצח פן יחם לבבו והשיגו כי ירבה הדרך. כי מהרבת הדרך ישיגנו גואל הדם הרודף אחריו לשחת הרוצח. למדת שנתנה לכשלא לאבד נפש מישראל. אף אתה תן מחשבה שלא ישמידו את בני. ופתרון זה למד מתרגומו של יונתן שתירגם ואמרת ידכר כען מלכא מה דכתיב בספר אורייתא דה' אלהך בדיל דלא לאסגאה אורחא קדם גאיל דמא לחבלא ולא ישיצון ית ברי: ויאמר חי ה' אם יפול משערת ראשו ארצה. פתרונו בשבועה ועלי מוטל העון אם ישלחו אחריו ויקחו אותו משם: (יג) ותאמר [האשה] ולכה חשבתה כזאת

רש"י

נא. כענין זה אולי יעשה וגו': (טז) **כי ישמע המלך להציל את אמתו מכף האיש.** הבא להרוג את בני ולהשמידנו יחד מנחלת אלהים: (יז) **ותאמר שפחתך.** מאחר שילוה המלך עלי יהיה דברו למנוחה לבני כי לא ישוב

רלב"ג

וכספי מעלליו: (יז) יהיה נא דבר אדני המלך למנוחה. ר"ל להניח לי מרגזי וזה יהיה סבה לשאול ממנו שישיב את נדחו אחר שהסכים זה הענין בבני: כי כמלאך האלהים כן אדני המלך לשמוע הטוב והרע. ר"ל כי מה שישפט באלו הדברים שיבאו לפניו מהטוב והרע

רד"ק

הפרשה כי על נערי המלך השוערים אמרה והפירוש הנכון בעיני כי על כל בני עירה אמרה כי הפחידוני העם שלא תועיל צעקתי לפני המלך בדבר הזה: (יז) למנוחה. שיניחני מדאגתי ומעצבי: לשמוע הטוב והרע. כלומר שתשפט האמת לפי מה

מצודת דוד

פן תאמר למה את מתאר משלים היה לך לדבר דבריך כאשר המה לזה אמרה ועתה מה שבאתי לדבר הדבר הזה להיות למשל כ"ז היה לפי שכל העם הפחידוני לומר שהמלך יגער בך כאשר תחל לדבר כי הליועץ למלך נתנוך: ותאמר. לזה אמרתי הדבר דברי בדומה לו ואולי עי"ז ימלא שאלתי: (טז) כי ישמע. כאשר ישמע המלך להציל אותו מיד האיש הגואל הדם הרוצה להשמיד אותי להיות שכולה מבני: יחד. כי במיתתו יושמד הוא ואני אהיה שכולה ממנו: מנחלת אלהים. מהנחלה הניתן לנו מן השמים לשירשו הם: (יז) ותאמר. אז אמרה שפחתך יהיה דבר המלך למנוחה לבנו כמו שהציל את בני לפי מחשבתו שבאמת נעשתה הדבר כ"כ ינוח לבנו על כי היותה בדומה לו: כי כמלאך. כ"ל הן ידעתי שבל יתחלף מעשיך למאמריך ולא יחזירך הכעס והשנאה מדרכיך הטובים והישרים אשר דרכת עד כה כי כמלאך האלהים שאין בו התחלפות מלד עצמו כן אדוני כי נפשו משכלת להבין מהו הטוב ומהו הרע וישכיל א"כ אשר ההתחלפות

I will now speak to the king, perhaps the king will perform the request of his handmaid. 16. For the king will hear, to deliver his maidservant from the hand of the man [that would] destroy me and my son together out of the inheritance of God. 17. And your handmaid said, 'Let, I pray, the word of my lord the king be for comfort, for as an angel of God so is my lord the king, to discern the good

Commentary Digest

I will now speak — "*in this fashion, for perhaps* (the king) *will perform etc.*" — R.

16. *For the king will hear, to deliver his maidservant from the hand of the man* — "*who comes to kill my son, and destroy us together from the inheritance of G-d.* — *D.*

from the inheritance of G-d — From that portion granted us by G-d as an inheritance. — D.

17. *for comfort* — for my comfort (the woman's). Because I had hoped that your decree would finally put an end to my anguish, I took the liberty to ask you to return your own son, so that your verdict concerning me not be viewed as contradictory. — G. R connects it to the remainder of the verse: "*Once the king has given charge concerning me, his declaration* (lit. — words) *will lead to comfort for my son, since he will not retreat from his word; for 'as an angel of G-d so is my lord' and neither wrath or hatred will retreat him from his favorable statement.*" — R. According to A and D the woman suggested to David that his declaration will lead to Absalom's state of comfort. Once the king gave charge concerning my son, I felt that it would also lead to comfort for his own son, who will, based on the precedent of my case, surely be recalled from his exile.

as an angel of G-d — who never allows personal feeling to interfere with justice. — J.K., R, and D.

and the lord your G-d may be with you — Because she desired to close the conversation, she concluded with a blessing for the king as was customary in that period. — D.

והרע ויהוה אלהיך יהי עמך: יח ויען
המלך ויאמר אל־האשה אל־נא
תכחדי ממני דבר אשר אנכי שאל
אתך ותאמר האשה ידבר־נא אדני
המלך: יט ויאמר המלך היד יואב אתך
בכל־זאת ותען האשה ותאמר חי
נפשך אדני המלך אם־אש | להמין
ולהשמיל מכל אשר־דבר אדני המלך
כי־עבדך יואב הוא צוני והוא שם בפי
שפחתך את כל־הדברים האלה:

כצ"ל חסר א'

תרגום

מלכא למשמע טב וביש ומימרא דיי אלהך יהי בסעדך: יח ואתיב מלכא ואמר לאתתא לא כען תכסי מני פתגמא דאנא שאל יתיך ואמרת אתתא ימליל כען רבוני מלכא: יט ואמר מלכא הידא יואב עמך בכל דא ואתיבת אתתא ואמרת חיי נפשך רבוני מלכא אם אית למסטי לימינא ולסמלא מכל די מליל רבוני מלכא ארי עבדך יואב הוא פקדני והוא שוי בפומא דאמתך ית כל פתגמיא האלין: בדיל

רש"י

מדברו הטוב כי כמלאך ה' אדני המלך ולא יחזירנו כעס ושנאה מדברו הטוב: (יט) **אם אש**. כמו אם יש או כמו **היש** וכן עוד האש בית רשע (מיכה ו' י') כמו היש:

מהר"י קרא

על עם אלהים. להפריד אם ובנה זה מזה: ומדבר (אל) המלך את הדבר הזה כאשם. כססר"ו. שכל (מי שגוני) [זמן שאני] צועקת אל המלך אינו מצוה להשיב את נדחי. הוא בני שנדח ממני ואינו אומר להשיבו אצלי: (יד) כי מות נמות וכמים הנגרים ארצה אשר לא יאספו. ואם אמות והוא לא יראני או **ימות ואני לא אראנו** אתאבל עליו כל הימים. לפיכך יחשוב המלך מחשבות לבלתי ידח ממנו נדח: (טו) **ועתה אשר באתי לדבר** אל המלך את הדבר הזה. כי יראוני. כי ירא אני מן העם האומרים לי תני את מכה אחיו. ופתרונו יראוני זה כמו **ולא יראוני** דמלאכי יו"ד שלו נקוד בחטף: ותאמר שפחתך אדברה נא אל המלך אולי יעשה המלך את דבר אמתו. ויצוה להשיב **את בני** אצלי מן המקום אשר נס שמה: (טז) כי ישמע המלך. אלי. להציל את אמתו מכף האיש. המבקש להשמיד אותי ואת **בני יחד**: (יז) ותאמר שפחתך יהיה נא דבר אדוני המלך למנוחה. פתרונו לנבואה. כמו ומנוחה לא מצאתי. דברוך. **ש**פתרונו ונבואה לא מצאתי. [כמו] ותנח עליהם הרוח אף כן למנוחה. לנבואה. שתנוח עליך רוח נבואה ותבין על מי **הסיבותי** כל הדברים הללו: כי כמלאך האלהים. שנח עליו הרוח הקודש כן אדוני המלך: וה' אלהיך יהי עמך. שישכילך **ויורך** על [מי] הדבר מוסב. ומיד כשאמרה לו דבר זה הבין המלך שהדבר מוסב על בנו על אבשלום: (יט) **אם אש**. **פ**תרונו כמו אם יש להימין ולהשמיל כי עבדך יואב הוא צוני. ודומה לו האיש בית רשע שפתרונו היש בית רשע. וכן **בדוד שתשמע**:

רד"ק

(יט) **היד יואב**. עצתו ודברו: **אם אש להמין ולהשמיל**. אש חסר יו"ד והוא כמשמעו וי"ת אם אית כמו **היש** וכן האש בית רשע שהוא חסר תרגם האית ופי' הפסוק **לדעת יונתן**; אם יש לנטות ימין ושמאל מכל אשר דברת אלא **כן הוא** כמו שאתה אומר כי עבדך יואב צוני ואם נפרש איש כמשמעו יהי' פירושו כן אם איש אחר צוני להימין ולהשמאיל **מכל** הדברים האלה אלא כאשר דבר אדוני המלך כן הוא כי עבדך יואב הוא היה שצוני ויהיה פירוש אשר כמו כאשר וכן **תאכל** מצות אשר צויתיך כאשר צויתיך ויהית מכל אשר דבר נסתר עמו ופירושו מכל מה אשר אמרתי וכמותו רבים במקרא להיות מלה חסרה מן הענין בהיות הדבר מובן מן הענין הקודם כמו שכתבנו בספר מכלל:

רלב"ג

ישפוט בתכלית מה שאפשר מהטוב והיושר והחמלה כאלו הוא מלאך האלהים: (יט) אם אש להמין ולהשמיל. פירשו בו אם יש להימין ולהשמאיל והרצון בו שאין לנטות ימין ושמאל מכל אשר דבר המלך

מצודת דוד

רעה היא ויחדל ממנה: וה'. כהתימה לדבר דבריה ראתה להסתר ממנו ואמרה לו וה' אלהיך יהיה עמך כדרך הנסתרים: (יח) **אל נא תכחדו**. אל תעלם ממני אמיתת הדבר אשר אשאל אותך: (יט) **היד יואב**. האם כח חכמת יואב עם כל דבריך: **אם אש להמין**. אם יש לנטות לימין או לשמאל מכל דברי אדוני אשר ידבר בכל עת כי מזה נראה גודל החכמה אשר בו: **הוא צוני**. ללכת אל אדוני: **והוא שם וגו'**. כל דברי המשל שם הוא בפי:

מצודת ציון

(יח) **תכחדי**. ענין הזלה וכטישה כמו כמים מוגרים במורד (מיכה א): ענין העלמה כמו ואשמותי ממך לא נכחדו (תהלים סט): (יט) **אש**. הוא כמו יש וכן עוד האש בית רשע (מיכה ו): **להמין ולהשמיל**. מלשון ימין ושמאל:

and the bad: and the Lord your God may be with you. 18.
And the king answered and he said to the woman, "I beg
you not to hide from me anything that I shall ask you."
And the woman said: "Let my Lord the king please speak."
19. And the king said: "Is the hand of Joab with you in all
this?" And the woman answered and said, "As your soul
lives, my lord the king, if anyone can turn to the right or to
the left from all that my lord the king has spoken, for your
servant Joab he bade me, and he put in the mouth of your
handmaid all these words.

Commentary Digest

19. *the hand of Joab* — Joab's wisdom — D. Joab's advice — K.

is the hand of Joab — Recognizing that the woman's immense concern over Absalom's plight was far too unnatural, David concluded that Joab had directed her — A.

if anyone can — Heb. אש. *Just like* אם יש (if there is anyone), *or* היש, (is there anyone). *So with* האש בית רשע (Micha 6:10), *'are there yet in the house of the wicked', which is* (identical to) היש." — R. K considers it identical to איש, 'is there a man who can turn etc.'

to the right or to the left — There is no need for me to alter your conjecture one way or the other, since it was precisely Joab who masterminded all this. — K. Judging your great wisdom from your accurate appraisal that it was Joab who directed me, I would not advise anyone ever to veer right or left from your word. — D.

כ לבעבור סבב את־פני הדבר עשה עבדך יואב את־הדבר הזה ואדני חכם כחכמת מלאך האלהים לדעת את־כל־אשר בארץ: כא ויאמר המלך אל־יואב הנה־נא עשיתי את־הדבר הזה ולך השב את־הנער את־אבשלום: כב ויפל יואב אל־פניו ארצה וישתחו ויברך את־המלך ויאמר יואב היום ידע עבדך כי־מצאתי חן בעיניך אדני המלך אשר־עשה המלך את־דבר עבדו: כג ויקם יואב וילך גשורה

תרגום

כ בְּדִיל לְאַקְפָא יַת אַפֵּי פִּתְגָמָא עֲבַד עַבְדָךְ יוֹאָב יַת פִּתְגָמָא הָדֵין וְרִבּוֹנִי חַכִּים כְּחָכְמַת מַלְאָכָא דַיְיָ לְמִידַע יַת כָּל דִי בְאַרְעָא: כא וַאֲמַר מַלְכָּא לְיוֹאָב הָא כְעַן עֲבָדִית יַת פִּתְגָמָא הָדֵין וְאֵיזִיל אֲתֵיב יַת עוּלֵימָא יַת אַבְשָׁלוֹם: כב וּנְפַל יוֹאָב עַל אַפּוֹהִי לְאַרְעָא וּסְגִיד וּבָרִיךְ יַת מַלְכָּא וַאֲמַר יוֹאָב יוֹמָא דֵין יְדַע עַבְדָךְ אֲרֵי אַשְׁכָּחִית רַחֲמִין בְּעֵינָךְ רִבּוֹנִי מַלְכָּא דַעֲבַד מַלְכָּא יַת פִּתְגָמָא דְעַבְדֵיהּ: כג וְקָם יוֹאָב וַאֲזַל לִגְשׁוּר וְאַיְתֵי יַת אבשלום

עשית קרי עבדך קרי

רש"י

(כ) לבעבור סבב. לגלגל עד שילאו דבר בנו של המלך לאור: ואדני חכם. והבנת כי מאת יואב יצאת:

מהר"י קרא

בן איש אפרתי *) בדברי הימים: (כ) לבעבור סבב את פני הדבר שלא העלה חמתך אם אדבר אליך להשיב את אבשלום בנך, ולא תשמע את דברי. לפיכך עשה יואב את הדבר הזה: ואדוני חכם כחכמת מלאך האלהים. שאע"פ שהסיבותי הדבר עלי ועל בני. שהבין שעליו ועל בני דברתי הדבר הזה:

*) אולי צ"ל ואישי הוליד את בעזו (דברי הימים א' ב' יג)

רלב"ג

כי כן הוא האמת: (כ) לבעבור סבב את פני הדבר. הנה פני הדבר הוא מה שהוא שיפנה הדבר אליו והוא התכלית הרצוי וכאלו אמר

רד"ק

(כ) לדעת את כל אשר בארץ. בין בדבריך בין בדברים אחרים: (כא) הנה נא עשיתי. ששמעתי לדברי האשה המדברת אלי במצותיך ונסחא מדוייקת מצאתי כתוב עשיתי וקרי עשית ופי' לאותה הנסחא אתה עשית את הדבר הזה לשלוח לי התקועית לסבב פני הדבר על אבשלום לך השיבו כדברך: (כב) אל פניו. כמו על פניו כמו אל ההרים לא אכל על ההרים: עבדו. כתיב עבדך קרי והענין אחד הוא:

מצודת ציון

(כ) פני הדבר. תחילת הדבר:

מצודת דוד

(כ) לבעבור סבב. ר"ל ומה שבאת אותי ולא הלך בעצמו כי לבעבור סבב וגו' עשה הדבר הזה לבלהני במקומו כי אני הלא יכולה הייתי לדבר בדומה לו לסבב ממנו דבר הנרצה והוא פני הדבר ותחלת המחשבה אבל יואב עצמו לא היה לו מקום לסבב הדבר הנרצה בזה האופן ולא רצה גם הוא לדבר הדבר באר היטב: לדעת וגו'. כי הבנת לדעת ממי יצאו הדברים והנה בעבור רוב החכמה שבך אין לנטות מדבריך ימין ושמאל: (כא) עשית וגו'. לבלא את התקועית לזה לך והשיבו כי המתחיל בדבר עליו לגמרו:

Commentary Digest

[*therefore*] *understand that it came forth from Joab.*" — R.

21. *You have done* — Based on K's claim that the correct reading ('kri') is עשית, and not עשיתי (I have done).

now go bring back — Since you inaugurated this matter you must also

20. In order to bring about the face of the matter, has your servant Joab done this thing; and my lord is wise, according to the wisdom of an angel of God to know all that is in the earth." 21. And the king said to Joab: "Behold now, you have done this thing, now go bring back the young man Absalom." 22. And Joab fell on his face to the ground and he prostrated himself, and he blessed the king; and Joab said: "Today your servant knows that I have found favor in your eyes, my lord, O' king, in that the king has done the request of your servant." 23. And Joab arose and went to Geshur,

Commentary Digest

20. *In order to bring about* — "[*to allow the story*] *to evolve until the matter of the king's son is brought to a favorable conclusion.*" — R.

In order to — I was able to approach you with a story involving similar circumstances and slowly lead it towards the matter concerning Absalom. Joab, however, had no way to take an indirect approach, and he did not deem it feasible to appeal directly to you. — D.

Rabinowitz suggests that Joab did not approach David directly on Absalom's behalf, because he thought it unbecoming for him to become involved in a matter concerning the king's family. It is also possible that after he had witnessed the dramatic success of Nathan's parable in getting David to admit his guilt, he felt that his chances would be far greater if David were approached in an indirect manner. Ginsburg contends that Joab thought David would hesitate to issue a lenient verdict on behalf of Absalom lest he be suspected of doing so because of his personal involvement in the case. He therefore concluded that a better approach would be to have him issue a verdict in a similar case which would then allow him to use the verdict as a precedent for pardoning Absalom.

Most commentators offer the more simple explanation that Joab thought it unwise to plead directly for Absalom as long as he knew that David still harbored resentment towards him.

and my lord is wise — *"and you*

וַיָּבֵא אֶת־אַבְשָׁלוֹם יְרוּשָׁלִָם׃ כד וַיֹּאמֶר
הַמֶּלֶךְ יִסֹּב אֶל־בֵּיתוֹ וּפָנַי לֹא יִרְאֶה
וַיִּסֹּב אַבְשָׁלוֹם אֶל־בֵּיתוֹ וּפְנֵי הַמֶּלֶךְ
לֹא רָאָה׃ כה וּכְאַבְשָׁלוֹם לֹא־הָיָה אִישׁ־
יָפֶה בְּכָל־יִשְׂרָאֵל לְהַלֵּל מְאֹד מִכַּף
רַגְלוֹ וְעַד קָדְקֳדוֹ לֹא־הָיָה בוֹ מוּם׃
כו וּבְגַלְּחוֹ אֶת־רֹאשׁוֹ וְהָיָה מִקֵּץ יָמִים ׀
לַיָּמִים אֲשֶׁר יְגַלֵּחַ כִּי־כָבֵד עָלָיו וְגִלְּחוֹ
וְשָׁקַל אֶת־שְׂעַר רֹאשׁוֹ מָאתַיִם שְׁקָלִים
בְּאֶבֶן הַמֶּלֶךְ׃ כז וַיִּוָּלְדוּ לְאַבְשָׁלוֹם

אַבְשָׁלוֹם לִירוּשְׁלֵם׃
כד וַאֲמַר מַלְכָּא יִסְתְּחַר
לְבֵיתֵיהּ וְאַפֵּי לָא יֶחֱזֵי
וְאִסְתְּחַר אַבְשָׁלוֹם
לְבֵיתֵיהּ וְאַפֵּי מַלְכָּא לָא
חֲזָא׃ כה וּכְאַבְשָׁלוֹם לָא
הֲוָה גְּבַר שַׁפִּיר בְּכָל
יִשְׂרָאֵל לְשַׁבָּחָא לַחֲדָא
מִפַּרְסַת רִגְלוֹהִי וְעַד
מוֹחֵיהּ לָא הֲוָה בֵיהּ
מוּמָא׃ כו וּבְסַפָּרוּתֵיהּ
יַת רֵישֵׁיהּ וַהֲוָה מִזְּמַן
עִדַּן לְעִדָּן דִּמְסַפֵּר אֲרֵי
יַקִּיר עֲלוֹהִי וּמְסַפֵּר לֵיהּ
וְתָקִיל יַת סְעַר רֵישֵׁיהּ
מָאתָן סִלְעִין בְּמַתְקְלָא
דְּמַלְכָּא׃ כז וְאִתְיְלִידוּ
לאבשלום

ת"א וכאבשלום. סוטה י (סוטה יז): והיה מקץ. נזיר ד סוטה י: ויולדו לאבשלום. סוטה יא:

רד"ק

(כה) וכאבשלום לא היה איש יפה. סמוך לסיפור המרד שמרד באביו ספר מה גרם לו זה כי היה יפה ובכל ישראל לא היה כמוהו ונתגאה ביופיו ובשערו וחשב כי אין ראוי למלוכה מבני דוד כמוהו ומרד אולי שמע כי בלב המלך להמליך שלמה אחריו ומרד על אביו בחייו וגנב לב ישראל: (כו) ובגלחו. אמרו רז"ל כי אבשלום נזיר עולם היה כן היתה קבלה בידם כי מן הפסוקים לא ראו זה כי אפשר כי הוא היה מגדל שערו ליופי שערו להתגאות בו ולהתנאות ומשנה לשנה כשהיה כבד עליו שלא יוכל לסבלו היה מגלחו אבל הם ז"ל קבלו כי בנזירות היה מגדל אותו ולמדו מזה כי מי שנדר בנזיר עולם כל ימי חייו כשהכביד שערו מיקל בתער משנים עשר חדש לשנים עשר חדש שנאמר ויהי מקץ ימים לימים זהו משנה לשנה כי ימים הוא שנה כמו ימים תהיה גאולתו: באבן המלך. כתרגום

רלב"ג

שהוא עשה כן כדי שיגיע התכלית הראוי: (כו) כי כבד עליו וגלחו. מגיד שלולא שכבד עליו לא היה מגלח אותו וזה לאות כי היה נזיר מגדל פרע שער ראשו ולפי שהנזיר לתגלחת הוא נזיר לשאר הדברים אשר בהם הנזירות כמו שאמרנו בפרשת נזיר למדנו שהוא היה נזיר ולפי שזה היה מנהגו תמיד משנה לשנה כמו שספר בזה המקום למדנו מזה שאבשלום היה נזיר עולם: מאתים שקלים באבן המלך. הנה היה שוקל זה במשקל המלך אם לפי שהיה נותן משקלם כסף או זהב לבית המ"ק או לעניים או שהיה שוקל זה לראות הפלגת רבוי שערו:

מצודת דוד

(כה) להלל מאד. הראוי להלל מאוד: (כו) והיה. עת גלוחו היה מסוף שנה לסוף שנה: מאתים. והיו במשקל מאתים שקלים:

מצודת ציון

(כו) ימים. שנה: באבן המלך. במשקל המלך כמו לא יהיה לך בכיסך אבן ואבן (דברים כה) ע"ש שדרכה להיות מאבן:

Commentary Digest

they derive from this verse that one who takes upon himself a Naziritic vow for life may cut his hair once a year so that it not get unbearably heavy. — K from T.B. Nazir 4b.

While K claims that there is no indication of this vow in the verse itself, Tosefot, in T.B. Nazir *loc. cit.*, suggests that since Absalom cut his hair only once a year when it became very heavy, he was obviously forbidden to cut it other times.

It must also be pointed out that the rabbinic tradition that Absalom had taken a Naziritic vow does not preclude an insincere motive for his vow. An indication that his motive was questionable may be discerned from T.B. Sotah 9b where the Mishna states: 'Absalom took excessive pride in his hair, and therefore he was hanged by his hair.'

the king's weight — lit. — 'the king's stone.' In biblical times the weights were made of stone. See Deut. 25:13-15. A suggests that Absalom may have had either the ignoble intention of drawing attention to his beauty through the weight of his hair, or perhaps the noble intent of contributing an equal weight in gold or silver to the sanctuary.

27. *three sons and one daughter* — Not even his grandfatherly instincts

and he brought Absalom to Jerusalem. 24. And the king said: "Let him turn to his house, but my face let him not see." And Absalom turned to his house, and the kings face he saw not. 25. Now like Absalom there was not a man in all Israel as beautiful, to be as [totally] praiseworthy [for beauty]; from the sole of his feet to the crown of his head, there was no blemish in him. 26. And when he shaved his head—and it was at every year's end that he shaved it; because the hair was heavy on him, then he would shave it —he weighed the hair of his head at two hundred shekels, after the king's weight. 27. And to Absalom were born

Commentary Digest

conclude it by fetching Absalom. — A and D.

24. *turn to his house* — Let him not pass through the city's thoroughfare, but lead him to his house in a round about manner. — M.

but my face let him not see — Although David pardoned Absalom and saved him from exile, he nevertheless felt that he deserved neither a full welcome, nor an audience with the king. — A.

25. *Now like Absalom there was not a man in Israel as beautiful* — According to K and M this verse serves as introduction to Absalom's rebellion of the next chap. His extraordinary beauty led him to the belief that no-one was as fitting as he to succeed David. Having heard rumors that David was intent on having Solomon replace him, he plotted to seize the throne in his father's lifetime. A argues that if it was intended as an introduction, the account of Absalom's beauty should appropriately have been placed adjacent to his rebellion without the intermediate account of his reunion with David. He therefore proposes that the description of Absalom's beauty was placed here to indicate, that despite Absalom's good looks, David refused to get even a glimpse of him upon his return.

as (totally) praiseworthy — While most individuals with a reputation for beauty merit it because of some handsome features, although other features are not beautiful, Absalom had no feature which was not praiseworthy for its beauty. — A.

26. *and when he shaved his head*— Seemingly Absalom, proud of his unusual beauty, allowed his hair to grow extraordinarily long. — K. The rabbis, however, held a tradition that Absalom was a Nazirite. Accordingly,

שְׁלוֹשָׁה בָנִים וּבַת אַחַת וּשְׁמָהּ תָּמָר
הִיא הָיְתָה אִשָּׁה יְפַת מַרְאֶה: כח וַיֵּשֶׁב
אַבְשָׁלוֹם בִּירוּשָׁלַםִ שְׁנָתַיִם יָמִים וּפְנֵי
הַמֶּלֶךְ לֹא רָאָה: כט וַיִּשְׁלַח אַבְשָׁלוֹם
אֶל־יוֹאָב לִשְׁלֹחַ אֹתוֹ אֶל־הַמֶּלֶךְ וְלֹא
אָבָה לָבוֹא אֵלָיו וַיִּשְׁלַח עוֹד שֵׁנִית וְלֹא
אָבָה לָבוֹא: ל וַיֹּאמֶר אֶל־עֲבָדָיו רְאוּ
חֶלְקַת יוֹאָב אֶל־יָדִי וְלוֹ־שָׁם שְׂעֹרִים
לְכוּ וְהוֹצִיתִיהָ בָאֵשׁ וַיַּצִּתוּ עַבְדֵי
אַבְשָׁלוֹם אֶת־הַחֶלְקָה בָּאֵשׁ: לא וַיָּקָם
יוֹאָב וַיָּבֹא אֶל־אַבְשָׁלוֹם הַבָּיְתָה
וַיֹּאמֶר אֵלָיו לָמָּה הִצִּיתוּ עֲבָדֶיךָ אֶת־
הַחֶלְקָה אֲשֶׁר־לִי בָּאֵשׁ: לב וַיֹּאמֶר
אַבְשָׁלוֹם אֶל־יוֹאָב הִנֵּה שָׁלַחְתִּי אֵלֶיךָ ׀
לֵאמֹר בֹּא הֵנָּה וְאֶשְׁלְחָה אֹתְךָ אֶל־

לְאַבְשָׁלוֹם תְּלָתָא בְּנִין וּבְרַתָּא חֲדָא וּשְׁמַהּ תָּמָר הִיא הֲוַת אִתְּתָא שַׁפִּירַת חֵיזוּ:
כח וִיתֵב אַבְשָׁלוֹם בִּירוּשְׁלֵם תַּרְתֵּין שְׁנִין וְאַפֵּי מַלְכָּא לָא חֲזָא:
כט וּשְׁלַח אַבְשָׁלוֹם לְוַת יוֹאָב לְשַׁלָּחָא יָתֵיהּ לְוַת מַלְכָּא וְלָא אֲבָה לְמֵיתֵי לְוָתֵיהּ וּשְׁלַח עוֹד תִּנְיָנוּת וְלָא אֲבָה לְמֵיתֵי:
ל וַאֲמַר לְעַבְדוֹהִי חֲזוֹ אַחְסָנְתֵּיהּ דְיוֹאָב דִּסְמִיכָא לְדִילִי וְלֵיהּ תַּמָּן סְעוֹרִין אֱזִילוּ וְאַדְלְקוּהָ בְּנוּרָא וְאַדְלִיקוּ עַבְדֵי אַבְשָׁלוֹם יַת אַחְסָנְתֵּיהּ בְּנוּרָא:
לא וְקָם יוֹאָב וַאֲתָא לְוַת אַבְשָׁלוֹם לְבֵיתָא וַאֲמַר לֵיהּ לְמָה אַדְלִיקוּ עַבְדָיךְ יַת אַחְסַנְתָּא דִילִי בְּנוּרָא:
לב וַאֲמַר אַבְשָׁלוֹם לְיוֹאָב הָא שְׁלָחִית לְוָתָךְ לְמֵימַר אִיתָא הַלְכָא וְאֶשְׁלְחִינָךְ לְוַת מַלְכָּא לְמֵימַר לְמָה אתיתי

ת"א ויפב אבפלם . סנהדרין סס : ויאמר אל עבדיו . סוטה יא :

והציתוה קרי

רש"י

(ל) אל ידי. סמוך לרשותי במקום שאני יכול להזיק: אל

מהר"י קרא

(ל) אל ידי. פתרונו אצלי:

רד"ק

במתקלא דמלכא כמו לא יהיה לך בכיסך אבן ואבן שהוא משקל: (ל) אל ידי. סמוך למקום שדותי וכת"י דסמיכא לדילי: לכו והציתו'. הכתוב הוא על דרך נחי הפ"א למדבר בעדו ר"ל שהוא עצמו ילך עמהם והקרי הוא על דרך חסרי הפ"א והוא

מצודת דוד

(ל) ראו. הסתכלו לדעת הלקת יואב אשר היא אל ידי. סמוכה למקום חלקתי: (לב) בא הנה וגו'. ועל שלא באת לויתי להצית החלקה

מצודת ציון

(ל) חלקת. אחוזת שדה כמו ויקן את חלקת השדה (בראשית לג): אל ידי. אל מקומי: והציתוה. מלשון הצתה והבערה:

Commentary Digest

possible that David had forbidden his officials to befriend Absalom.

30. *near mine* — *"situated near my property in a place where I can damage it."* — R. *near mine* — *"Anmesajjces in French."* — R.

32. *I will see the king's face* — Intercede on my behalf so that I may be allowed to see the king's face. — based on K. A contends that at this point Absalom no longer requested that Joab intercede for him but brazenly notified him that it was his intention to see David despite Joab's refusal to involve himself.

and if there be iniquity in me — I did not kill Amnon in vain but solely to avenge my sister's torture. If the king considers me deserving of death for this, then it is his privi-

three sons and one daughter whose name was Tamar; and she was a woman of beautiful appearance. 28. And Absalom dwelt in Jerusalem two full years; and the king's face he did not see. 29. And Absalom sent to Joab, to send him to the king; and he would not come to him; and he sent again a second time, and he would not come. 30. And he said to his servants, "See, Joab's field is near mine, and he has barley there; go and set it on fire." And Absalom's servants set the field on fire. 31. And Joab arose, and he came to Absalom to his house, and he said to him, "Why have your servants set my field on fire?" 32. And Absalom said to Joab, "Behold, I have sent to you, saying: 'Come here,' that I may send you to

Commentary Digest

had sufficiently tempted David to desire a meeting with Absalom. — A. Rabinowitz connects it with the previous verse: Although he was a grown man with four children, he still showed childish concern with his beauty.

and one daughter whose name was Tamar — Of all his children, Tamar alone was mentioned by name because his sons died very young — M following the opinion of R. Hisda in T.B. Sot. 11a. Another reason may be to indicate that Absalom had named her after his sister, on whose behalf he had acted in killing Amnon.

28. *Absalom dwelt in Jerusalem two full years* — Although some, or perhaps all, of Absalom's sons had died during this period, David refused to meet with his son even to console him. — M.

29. *and he would not come to him* —Joab had speculated that it would be hopeless to further intercede on Absalom's behalf. Guessing the motive behind Absalom's call, Joab chose not to respond — M. It is also

הַמֶּלֶךְ לֵאמֹר לָמָּה בָּאתִי מִגְּשׁוּר טוֹב
לִי עֹד אֲנִי־שָׁם וְעַתָּה אֶרְאֶה פְּנֵי הַמֶּלֶךְ
וְאִם־יֶשׁ־בִּי עָוֺן וֶהֱמִתָנִי: לג וַיָּבֹא יוֹאָב
אֶל־הַמֶּלֶךְ וַיַּגֶּד־לוֹ וַיִּקְרָא אֶל־אַבְשָׁלוֹם
וַיָּבֹא אֶל־הַמֶּלֶךְ וַיִּשְׁתַּחוּ לוֹ עַל־אַפָּיו
אַרְצָה לִפְנֵי הַמֶּלֶךְ וַיִּשַּׁק הַמֶּלֶךְ
לְאַבְשָׁלוֹם: טו א וַיְהִי מֵאַחֲרֵי כֵן וַיַּעַשׂ
לוֹ אַבְשָׁלוֹם מֶרְכָּבָה וְסֻסִים וַחֲמִשִּׁים
אִישׁ רָצִים לְפָנָיו: ב וְהִשְׁכִּים אַבְשָׁלוֹם
וְעָמַד עַל־יַד דֶּרֶךְ הַשָּׁעַר וַיְהִי כָּל־הָאִישׁ
אֲשֶׁר־יִהְיֶה־לּוֹ־רִיב לָבוֹא אֶל־הַמֶּלֶךְ
לַמִּשְׁפָּט וַיִּקְרָא אַבְשָׁלוֹם אֵלָיו וַיֹּאמֶר
אֵי־מִזֶּה עִיר אַתָּה וַיֹּאמֶר מֵאַחַד
שִׁבְטֵי

אֲתֵיתִי מִגְּשׁוּר טַב לִי
עוֹד דַּאֲנָא תַּמָּן וּכְעַן
אֶחֱזֵי אַפֵּי מַלְכָּא וְאִם
אִית בִּי חוֹבָא וְיִקְטְלִינַנִי:
לג וַאֲתָא יוֹאָב לְוַת מַלְכָּא
וְחַוִּי לֵיהּ וּקְרָא
לְאַבְשָׁלוֹם נַאֲתָא לְוַת
מַלְכָּא וּסְגִיד לֵיהּ עַל
אַפּוֹהִי עַל אַרְעָא קֳדָם
מַלְכָּא וּנְשַׁק מַלְכָּא
לְאַבְשָׁלוֹם : א וַהֲוָה
מִבָּתַר כֵּן וַעֲבַד לֵיהּ
אַבְשָׁלוֹם רְתִיכִין וְסוּסָוָן
וְחַמְשִׁין גַּבְרָא רָהֲטִין
קֳדָמוֹהִי : ב וּמַקְדִּים
אַבְשָׁלוֹם וְקָאֵים עַל
כִּיבַשׁ אוֹרַח תַּרְעָא וַהֲוֵי
כָּל גַּבְרָא דִיהֵי לֵיהּ דִּין
לְמֵיעַל לְקֳדָם מַלְכָּא
לְמִידַן וּקְרֵי אַבְשָׁלוֹם
לֵיהּ וַאֲמַר אֵי מִדָּא
קַרְתָּא אַתְּ וַאֲמַר מֵחַד
שבטיא

רש"י

ידי. אינמי"ש אוס"ט בלע"ז: (לב) **והמיתני**. והרוג אותי המלך:

טו (א) **וחמשים איש וגו'**. כולם נטולי טחול וחקוקי כפות רגלים: (ב) **והשכים אבשלום**. בכל בקר: **מאחד שבטי ישראל עבדך**. משבט פלוני:

רד"ק

צווי לרבים ושניהם ענין אחד אלא שהקרי יותר קרוב: (לב) **ואם יש בי עון**. כי לא לחנם הרגתי אמנון כי הוא ענה את תמר אחותי ובזה אותה בתכלית הבזיון: (ב) והשכים. כן היה מנהגו בכל בקר ובקר: על יד דרך השער. על מקום שהיה בדרך השער וי"ת על כיבש אורח תרעא ר"ל מסילת הדרך:

מצודת דוד

בכדי בהבא הנה: (לב) למה באתי. מה תועלת בביאתי אם איני רואה פני המלך: טוב לי וגו'. כי גם הייתי רואה פני המלך אבי אמי: **ואם יש בי עון**. ר"ל כראותי פניו אשיב אמרים על מה הרגתי את אמנון ואם אעפ"כ ימלא בי עון כי לא יקבל אמרי אזי מקבל אני עלי המיתה והנני אמות:

טו (א) מאחרי כן. אחר שמחל לו אביו על עונו: רצים. ברגלים: (ב) והשכים. כן היה דרכו בכל בוקר: **על יד**. על מקום שהיה בדרך השער: **לבוא**. והלך לבוא אל המלך: **אי מזה**. הוא מדרך חיבה לשאול את האדם מקומו וענינו: **מאחד שבטי**. כ"א

מהר"י קרא

(לג) טוב לי עוד אני שם. פתרונו [טוב] לי עודני גשורה. שכל זמן שעודני שם. כל אדם מתיירא לפשוט יד. כי אמרו שמא אם היה אצל אמו. המלך היה אוהבו. אבל עכשיו שאני כאן אצל אבי. ואינו מניחני לראות פניו. כל אדם אומר שהוא מבקש להמיתני. והיה כל מוצאי יהרגני. לפיכך טוב לי שאני עוד שם: **טו** (א) ויעש לו אבשלום מרכבה וסוסים וחמשים

רלב"ג

(לג) וישק המלך לאבשלום. הנה לא נשקו בפיו ולזה היתה הנשיקה נקשרת עם אות למ"ד: (א) וחמשים איש רצים לפניו. הנה מפני שלא היה מדרך מלכי ישראל להרבות סוסים כמו שהזהירה התורה הנה היה הענין הזה דבר גדול במה שעשה אבשלום כי לא היה מלך: (ב) ועמד על יד דרך השער. ר"ל

מצודת ציון

טו (א) ויעש. ענין אסיפה וקנין כמו הנפש אשר עשו בחרן (שם יב): מרכבה. עגלה לרכוב בו: (ב) ריב. משפט: **אי**

Commentary Digest

over the land. (5) Ahithophel, David's brilliant counsellor, joins Absalom. (6) David, aware of Absalom's power, decides to flee Jerusalem. (7) Hushai the Archite penetrates Absalom's camp in an attempt to counteract Ahithophel's much feared advice.

In analyzing Absalom's motives, A contends that because of Absalom's age (according to Talmudic tradition David's oldest son Chileab had died

the king to say: 'Why have I come from Geshur?' it would be better for me were I still there; and now I will see the king's face; and if there be iniquity in me, let him kill me."
33. And Joab came to the king, and he told him; and he called for Absalom, and he came to the king, and he prostrated himself to him on his face to the ground before the king; and the king kissed Absalom.

15

1. And it came to pass after this, that Absalom made for himself a chariot and horses, and fifty men were running before him.
2. And Absalom would rise up, and stand beside the path of the gate; and it was [when] any man that would have a suit [due] to come to the king for judgment, then Absalom called to him and he said: "From what city are you?" and he said: "Of one

Commentary Digest

lege to kill me. — K. If there be iniquity in me for approaching the king against his express wishes, then let him kill me. — A (based on previous Commentary Digest).

let him kill me. — *"let the king kill me"* — R.

33. *And Joab came* — Although Absalom had no longer requested that Joab intercede for him, Joab, sensing Absalom's displeasure, chose to do so anyway. — A.

34. *kissed Absalom* — G differentiates between (וישק ל . . .) and (וישק את), by contending that only (וישק את) indicates kissing on the mouth, while (וישק ל . . .) merely suggests kissing the hand or shoulder. Accordingly, this verse serves as a clear indication that no full reconciliation between father and son had been reached.

CHAPTER 15

1. *And it came to pass.* — This chapter, dealing with Absalom's rebellion, concerns itself with the following sequence of events: (1) Absalom gathers a band of supporters. (2) Absalom captures the heart of the Israelites by breeding discontent with David's administration. (4) Absalom goes to Hebron to organize his supporters. (4) Absalom dispatches men to all parts of Israel and instructs them to declare him king

שִׁבְטֵי־יִשְׂרָאֵל עַבְדֶּךָ: ג וַיֹּאמֶר אֵלָיו
אַבְשָׁלוֹם רְאֵה דְבָרֶךָ טוֹבִים וּנְכֹחִים
וְשֹׁמֵעַ אֵין־לְךָ מֵאֵת הַמֶּלֶךְ: ד וַיֹּאמֶר
אַבְשָׁלוֹם מִי־יְשִׂמֵנִי שֹׁפֵט בָּאָרֶץ וְעָלַי
יָבוֹא כָּל־אִישׁ אֲשֶׁר־יִהְיֶה־לּוֹ רִיב־
וּמִשְׁפָּט וְהִצְדַּקְתִּיו: ה וְהָיָה בִּקְרָב־
אִישׁ לְהִשְׁתַּחֲוֺת לוֹ וְשָׁלַח אֶת־יָדוֹ
וְהֶחֱזִיק לוֹ וְנָשַׁק לוֹ: ו וַיַּעַשׂ אַבְשָׁלוֹם
כַּדָּבָר הַזֶּה לְכָל־יִשְׂרָאֵל אֲשֶׁר־יָבֹאוּ
לַמִּשְׁפָּט אֶל־הַמֶּלֶךְ וַיְגַנֵּב אַבְשָׁלוֹם

תרגום

שִׁבְטַיָא דְיִשְׂרָאֵל עַבְדָךְ:
ג וַאֲמַר לֵיהּ אַבְשָׁלוֹם
חֲזֵי פִּתְגָמָךְ תַּקְנִין וְיָאן
וְשָׁמַע לֵית לָךְ מִן קֳדָם
מַלְכָּא: ד וַאֲמַר אַבְשָׁלוֹם
מַן יְמַנֵּנִי דַיָּנָא בְּאַרְעָא
וְקֳדָמַי יֵיתֵי כָּל גְּבַר דִּיהֵי
לֵיהּ דִּין וּמַצּוּ וְאַדִּינְנֵיהּ
בִּקְשׁוֹט: ה וַהֲוָה כַּד
קְרֵב גַּבְרָא לְמִסְגַּד לֵיהּ
וּמוֹשִׁיט יָת יְדֵיהּ וּמַתְקִיף
בֵּיהּ וְנָשֵׁיק לֵיהּ: ו וַעֲבַד
אַבְשָׁלוֹם כְּפִתְגָמָא הָדֵין
לְכָל יִשְׂרָאֵל דְּאָתַן
לְמֵידַן לְוָת מַלְכָּא וְגָנֵב
אַבְשָׁלוֹם יָת לִבָּא דַּאֲנָשֵׁי
יִשְׂרָאֵל

ת"א מי ישימני שופט. (שם שם): ויגנב אבשלום. סוטה ט (שם שם).

מהר"י קרא

איש רצים לפניו. לשכסיסי מלכות: (ד) והצדקתיו. אוציא את

רש"י

(ד) והצדקתיו. ואדינניה בקושטא:

רלב"ג

שהוא עומד על מקום שבו יעברו העוברים לבא אל שער המלך: (ו) ויגנב אבשלום את לב אנשי ישראל. ר"ל שאלו הכזבים כאלו גנב לבם מאת המלך דוד ולקחו לו כי בזה משך לב העם אליו:

רד"ק

(ד) ועלי יבא. כמו ואלי ורבים על במקום אל: והצדקתיו. כתרגומו ואדינניה בקושטא: (ה) בקרב איש. הבי"ת מעמדת בנעיא והרי"ש חטופה: והחזיק לו. כמו בו וכן לפניכם לחרב

מצודת ציון

כזה. אינו הטעם בחלוף מזה אני: (ג) ונכוחים. צודקים שראוי להתוכח בהם כמו משיב דברי' נכוחי' (משלי כד): (ד) ועלי. כמו ואלי:

מצודת דוד

היה משיב כפי השבט שהיה ממנו אבל לא העיר כי לא היו כל עדי ישראל נכרים לאבשלום ואם שאל גם על העיר זה היה להראות חיבה יתירה: (ג) ראה וגו'. כאשר ספר לו דבר המשפט אמר לו ראה בראיית הלב שטובים דבריך והדין עמך אבל לא הועמד מהמלך איש הכם לשמוע לך ר"ל להבין הדבר: (ד) והצדקתיו. ר"ל הייתי מצדיק את הדין לדונו בצדק כי מאד הייתי נותן לב להבין דבר המשפט: (ה) בקרב. כאשר קרב מי להשתחות לו אחז בו ונשקו: (ו) ויגנב. ר"ל בחלקלקות אמריו המשיך אליו לב ישראל:

Commentary Digest

It may be pointed out that A's conjectures concerning Absalom's motives seem to be amply supported by T.B. Ber. 7b, where it is suggested that David composed a seemingly inappropriate *song of praise* upon having to flee Absalom (מזמור לדוד בברחו מפני אבשלום בנו — Psalms 3.), because he had heretofore feared Nathan's prophecy, that evil was destined to emanate from his own household (above 12:11, הנני מקים עליך רעה מביתיך) would be realized through the rebellion of a slave who would kill him. Now that he recognized that it was his own son who had been destined to rebel against him, he rejoiced in the knowledge that his son would take pity on him and spare his life, and proceeded to express his happiness in the composition of a song of praise to God.

A adds that it must surely have been Absalom's steadfast refusal to cause physical harm unto David that forced him to abandon the plan of his brilliant advisor Ahithophel in favor of Hushai's advice (See below 17:14), for the latter counseled that David be captured, while the former advised that David be killed. Otherwise it would have been most foolhardy to have ignored the plan of the almost infallible Ahithophel

of the tribes of Israel is your servant. 3. And Absalom said to him: "See your words are good and right; but there is none of the king's [judges] to hear you." 4. And Absalom said, "Oh, who will appoint me judge in the land, and every man who has a quarrel or suit, will come to me, then I will [surely] do him justice." 5. And it would be, when a man came near to prostrate himself before him, that he put forth his hand and took hold of him, and kissed him. 6. And Absalom did likewise to all the Israelites that came to the king for judgment. And Absalom stole

Commentary Digest

and Absalom was now the oldest of David's sons), and stately appearance, he came to consider himself the worthiest successor to the throne. Because he had become aware of the rumor that David had promised the throne to Solomon (Comm. Digest above 12:24) who was some thirty years his junior, Absalom began to realize that his only chance of acquiring the throne was to seize it during his father's lifetime. A further contends that despite Absalom's ambition and his obviously fierce resentment of his father, Absalom never considered killing David, but sought only to force him to relinquish the throne in his favor. (The history of the Israelite monarchy suggests that it was fairly common practice for a king to step down in favor of his son. Indeed Solomon ascended the throne while David was still alive. (See I Kings 1:30-48).

A also analyzes the Israelites motive for banding with Absalom. He claims that the people's support of Absalom was based on this very premise that Absalom did not desire to kill David. Otherwise, despite David's obvious wane in popularity, it is not plausible that the Israelite people had become so embittered with David that they would have consented to the murder of their formerly beloved king and hero. Since they had begun to sense a serious decline in David's military and administrative capacities, they too thought it time to consider choosing a worthy successor. Much preferring the stately and charming Absalom to David's rumored choice of the youthful and yet untried Solomon, it was only natural that once they were assured that Absalom did not seek to harm David, they should easily have been swayed to join Absalom's revolutionary cause.

אֶת־לֵב אַנְשֵׁי יִשְׂרָאֵל׃ ז וַיְהִי מִקֵּץ
אַרְבָּעִים שָׁנָה וַיֹּאמֶר אַבְשָׁלוֹם אֶל־
הַמֶּלֶךְ אֵלֲכָה נָּא וַאֲשַׁלֵּם אֶת־נִדְרִי
אֲשֶׁר־נָדַרְתִּי לַיהוָה בְּחֶבְרוֹן׃ ח כִּי־
נֵדֶר נָדַר עַבְדְּךָ בְּשִׁבְתִּי בִגְשׁוּר בַּאֲרָם
לֵאמֹר אִם־יָשִׁיב יְשִׁיבֵנִי יְהוָה יְרוּשָׁלַםִ
וְעָבַדְתִּי אֶת־יְהוָה׃ ט וַיֹּאמֶר־לוֹ הַמֶּלֶךְ
לֵךְ בְּשָׁלוֹם וַיָּקָם וַיֵּלֶךְ חֶבְרוֹנָה׃ י וַיִּשְׁלַח

תרגום

יִשְׂרָאֵל׃ ז וַהֲוָה מִסוֹף
אַרְבְּעִין שְׁנִין וַאֲמַר
אַבְשָׁלוֹם לְמַלְכָּא אֵזִיל
כְּעַן וַאֲשַׁלֵּם יַת נִדְרִי
דִנְדָרִית קֳדָם יְיָ בְּחֶבְרוֹן׃
ח אֲרֵי נִדְרָא נְדַר עַבְדָּךְ
בְּמֵיתְבִי בִגְשׁוּר בַּאֲרָם
לְמֵימַר אִם אֲתָבָא
יְתִיבִינַנִי יְיָ לִירוּשְׁלֵם
וְאֶפְלַח קֳדָם יְיָ׃ ט וַאֲמַר
לֵיהּ מַלְכָּא אֱזֵיל בִּשְׁלָם
וְקָם וַאֲזַל לְחֶבְרוֹן׃
י וּשְׁלַח אַבְשָׁלוֹם מְאַלְלִין
בכל

ת"א ויהי מקץ. נזיר ד סוטה לד סנהדרין סט תמורה יד (בס"פ) לך בשלום. ברכות סד מ"ק כט:

ישוב קרי

רש"י

(ז) **מקץ ארבעים שנה.** משאלו ישראל מלך משמואל נתגלגל דבר מרד והשכל' במלכות: **אלכה נא.** לחברון: **ואשלם את נדרי.** אמרו רבותינו להביא כבשים מחברון כי שם היו

מהר"י קרא

דינו לצדק: (ז) ויהי מקץ ארבעים שנה. ראיתי בסדר עולם ר' נהוראי אומר משום ר' יהושע מקץ ארבעים שנה ששאלו להם המלוכה שהיא שנה עשירית לשמואל הרואה. שאי אפשר לומר מקץ ארבעים למלכות דוד. שהרי לאחר קשר של אבשלום הוא אומר ויהי רעב בימי דוד שלש שנים. ושנה שתיקן להם משמרות דכתיב לשנה אחרת נדרוש *) וכשאתה מונה שנים שחיה דוד אחר קשר אבשלום. תמצאם חמש שנים. לפיכך אי

*) אולי צ"ל בשנת הארבעים למלכות דוד נדרשו וגו' (דה"י א' כו לא)

רד"ק

כמו בחרב: (ז) ויהי מקץ ארבעים שנה. אמרו רז"ל ארבעים שנה מזמן ששאלו להם מלך ואמרו אותה שנה ששאלו להם מלך עשירית של שמואל היתה ושאול מלך עם שמואל שנה אחת ושתים שמלך שאול בעצמו הרי שלש ול"ז של דוד הרי ארבעים כי בשלשים ושבע של דוד מרד אבשלום ואמר זמן זה במרד אבשלום כלומר כי לקץ ארבעים שנה ששאלו להם ישראל מלך יצא מרד במלכותם ונהרגו כמה מישראל: ואשלם את נדרי. אמר שיקריב קרבן נדרו בחברון אשר נדר בגשור כי שעת היתר הבמות היה והיה האדם מקריב בכל מקום שירצה אע"פ שאהל מועד היה בגבעון ומן הנראה כה שהלך לחברון להקריב לפי שהיה דעתו למרות ולמלוך בחר המקו' שהוקם בו אביו למלך. ובדברי רבותינו ז"ל לא הלך אלא להביא כבשים מחברון להקריב שם כי שם היו הכבשים הטובים והקשו על האומר זה ואמרו בחברון מחברון מבעי ליה: (ח) אם ישיב ישיבני. ישיב כתיב וקרי ישוב ישיב לשון תשובה והקרי ישוב לשון ישיבה והוא מקור ר"ל אם ישיבני ירושלם שאשב בה:

רלב"ג

(ז) ויהי מקץ ארבעים שנה. יתכן שאלו ארבעים שנה התחילו מעת למיחת המלכות בישראל ר"ל מעת המשח שאול או התחילו (מעת שלמות ארבעים שנה) מעת המשח דוד ואולי הוגד על דרך נבואה שבארבעים שנה יעמוד מלכות דוד ולזה חשב אבשלום שאז יהיה העת שתסור המלוכה מדוד ודמה מפני זה שכבר תשלם מחשבתו בהריגת אחיו נסבב שתהיה הממלכה לו: ואשלם את נדרי וגו' לה' בחברון. ידמה שהיתה אז במת לצבור בחברון ואמר אבשלום לזבוח שם זבחים לה' כי לא נאסרו הבמות כי אז היו בין המנוחה והנחלה ר"ל בין משכן שילה ובין בית המקדש ולא נאסרו הבמות לגמרי עד שנבנה בית המקדש בהר המוריה כמו שנתבאר בתורה ולזה אמר בספר מלכים רק העם מזבחי' ומקטרים בבמות כי לא נבנה בית לשם ה' עד הימים ההם והנה מפני שראה אבשלום ששם למחם המלוכה לדוד והצליח בה חשב שיהיה המקום גורם ולזה בחר ללכת לחברון: (ח) ועבדתי את ה'. ר"ל לזבוח לו זבחים:

מצודת דוד

(ז) ארבעים שנה. ארז"ל שהוא מזמן אשר שאלו להם מלך ותלה בה כי תחת השאלה באה מרד במלכות ונהרגו מהם וכהם: בחברון. להקריב על הבמה העומדת בחברון: (ח) ועבדתי. עם הבאת קרבנות: (י) וישלח. עדם הלכו לחברון שלח מרגלים לחקור דעת

Commentary Digest

According to A, the forty year period cited here refers to the end of David's forty year reign. He is forced into this interpretation by his refusal (See Introduction of A to I Sam. ch. 13) to accept the Midrashic contention that Saul ruled for only a two years period. By attributing to Saul an approximate twelve year reign, A is obligated to contend that fifty or so years had already transpired since the start of the monarchy in Israel.

for connecting this incident with the beginning of the monarchy was to indicate that after the relatively short period of forty years the monarchy in Israel already began to fail. According to Ginsburg the verse suggests that in supporting Absalom, the Israelite people exhibited the same lack of gratefulness for David's long and loyal service that they had shown forty years prior when they requested a king from their faithful and devoted servant Samuel.

the hearts of the men of Israel. 7. And it came to pass at
the end of forty years; and Absalom said to the king:
"Allow me to go, I beg you, and pay my vow which I have
vowed to the Lord in Hebron. 8. For your servant vowed
a vow during my stay in Geshur in Aram, saying: 'If the
Lord shall bring me back to Jerusalem, then I will serve the
Lord'." 9. And the king said to him: "Go in peace." And
he arose and went to Hebron. 10. And Absalom sent

Commentary Digest

whose advice was considered "as if a man inquired of the word of G-d." (below 16:23).

1. *and fifty men were running before him* — *"They all had their spleen and the flesh of the soles of their feet cut off"* (so that they be lighter and run faster). — R from T.B. San. 21b.

2. *And Absalom would rise* — *"each morning"*. — R.

beside the path of the gate — to the path leading to the court, similar to Deut. 22:15 'to the elders of the city to the gate.' —A.

from what city . . . of one of the tribes — M and Alschich reconstruct the conversation as follows: Absalom would ask: "From what city are you? for the king tends to favor those from one of the cities of his own tribe Judah." Came the reply: "No, I am from one of the other tribes in Israel." To which Absalom responded: "You will see that despite the righteousness of your cause (ראה דבריך טובים ונכחים) there will be no-one to hear you." Compare to Commentary Digest above 8:15.

4. *were made judge* — Absalom had the sense not to proclaim openly his ambition of becoming king until he had gathered substantial support. He therefore sought to sow the seeds of rebellion by undermining David's system of justice.

if to me would come — If I were in charge, I would not judge through intermediaries but would personally give ear to all of Israel's complaints. — A and M.

I would surely do him justice — *"I would judge him righteously"*. — R.

5. *he took hold of him and kissed him* — This was yet another means of winning over the heart of the people — A.

7. *at the end of forty years* — from the time *"that the Israelites requested a king from Samuel, came about* [this] *rebellion and drop* (of prestige) *in the monarchy."* — R from Seder Olam. The simple motive

אַבְשָׁלוֹם מְרַגְּלִים בְּכָל־שִׁבְטֵי יִשְׂרָאֵל
לֵאמֹר כְּשָׁמְעֲכֶם אֶת־קוֹל הַשֹּׁפָר
וַאֲמַרְתֶּם מָלַךְ אַבְשָׁלוֹם בְּחֶבְרוֹן׃
יא וְאֶת־אַבְשָׁלוֹם הָלְכוּ מָאתַיִם אִישׁ
מִירוּשָׁלִַם קְרֻאִים וְהֹלְכִים לְתֻמָּם וְלֹא
יָדְעוּ כָּל־דָּבָר׃ יב וַיִּשְׁלַח אַבְשָׁלוֹם
אֶת־אֲחִיתֹפֶל הַגִּילֹנִי יוֹעֵץ דָּוִד מֵעִירוֹ
מִגִּלֹה בְּזָבְחוֹ אֶת־הַזְּבָחִים וַיְהִי הַקֶּשֶׁר
אַמִּץ וְהָעָם הוֹלֵךְ וָרָב אֶת־אַבְשָׁלוֹם׃
יג וַיָּבֹא הַמַּגִּיד אֶל־דָּוִד לֵאמֹר הָיָה לֶב־

תרגום

בְּכָל שִׁבְטַיָא דְיִשְׂרָאֵל
לְמֵימַר כְּמִשְׁמַעֲכוֹן יָת
קָל שׁוֹפְרָא וְתֵימְרוּן מְלַךְ
אַבְשָׁלוֹם בְּחֶבְרוֹן׃
יא וְעִם אַבְשָׁלוֹם אֲזַלוּ
מָאתַן גַבְרִין מִירוּשְׁלֵם
זְמִינִין וְאָזְלִין לְתוּמֵיהוֹן
וְלָא יְדַעִין כָּל מִדַעַם׃
יב וּשְׁלַח אַבְשָׁלוֹם יָת
אֲחִיתוֹפֶל גִילוֹנָאָה
מְלִיכָא דְדָוִד מִקַרְתֵּיהּ
מִגִלֹה כְּבַבְּחוּתֵיהּ יָת
דִבְחַיָא וַהֲוָה מְרָדָא
תַּקִיף וְעַמָא אָזֵיל וְסַגֵי
עִם אַבְשָׁלוֹם׃ יג וַאֲתָא
דִמְחַוֵי לְוָת דָוִד לְמֵימַר
אִתְפְּנֵי לִבָּא דֶאֱנָשׁ
ישראל

מהר"י קרא

אפשר למנות מקץ ארבעים למלכות דוד: (י) כשמעכם את קול השופר ואמרתם מלך אבשלום בחברון. לפי שבחברון המליכו את אביו. דכתיב ויאמר אנה אעלה ויאמר חברונה. הלך גם הוא לחברון שימליכוהו שם: (יב) בזבחו את הזבחים. שאמר

רש"י

כבשי׳ שמני׳: (יא) קרואים והולכים לתמם. מפורש במס׳ סוטה ירושלמית שבקש מאביו שיכתוב לו שכל שני בני אדם שיבקש שילכו עמו ילכו והיה מראה אותו לשנים כאן ואח"כ

רלב"ג

(יב) מעירו מגלה. יתכן שגלחו אל חברון מגילה לא מירושלם לירחתו שמא לא יתגלה אחיתופל להיות כנגד דוד ואם היה אומר לו זה בירושלם אולי היה אחיתופל מגיד זה לדוד כי הוא יועץ דוד:

רד"ק

(י) כשמעכם. בכ"ף: (יא) קרואים והולכים לתומם. קראם שילכו עמו לחברון שילך שם להקריב קרבן והם לא ידעו דבר המרד שהי׳ בלבו וזהו לתומם כמו משך הקשת לתומו שלא היה יודע כי מלך ישראל הוא. ובדרש כי אמר לאביו שיכתוב לו בכתב מצותו לשני האנשים שיבחר שילכו עמו והיה מראה הכתב ההוא לשני אנשים ואחר כך לשני אנשים אחרים ולא היו יודעים אלו באלו כן עשה עד שהיו עמו מאתים איש הה"ד קרואים והולכים לתומם קרואים מדוד והולכים לתומם מאבשלום: (יב) מעירו מגלה בזבחו את הזבחים. בחברון שלח לאחיתופל שיצא מעירו מגלה או פירושו וישלח אבשלום

מצודת ציון

(יא) קרואים. מזומנים וכן ואחרי כן יאכלו הקרואים (ש"א ט): (יב) הקשר. המרד ע"ש שבעלי המרד יתקשרו באגודה אחת וכן כי קשרתם כולכם (שם כב): אמיץ. חזק:

מצודת דוד

העם ואמר להם כאשר תשמעו קול השופר שיתקעו בהמלכתי תאמרו שמלך אבשלום ותשמעו מה בפיהם: (יא) קרואים. היו קרואים מאבשלום על הזבח והלכו בתום לבבם ולא ידעו מכל זה: (יב) את אחיתופל. ר"ל להביא את אחיתופל מעירו: בזבחו. בעת זבחו וגו׳: הולך ורב. בכל עת היו נוספים ומתרבים:

Commentary Digest

mind: (a) To relieve any suspicion as to the true nature of Absalom's journey to Hebron. (b) to place this group of David's loyal supporters under suspicion of actually having joined with Absalom, thereby rendering them useless to David. — M.

R cites the Talmud's account of how Absalom managed to gather such a large band of the king's supporters: *"It is explained in T.P. Sotah that he requested his father to write for him that any two people that he would ask to go with him, should go, and he showed this* (decree) *to two people here, then to two others* (elsewhere), *and so he did many times."* — R from T.P. Sotah Ch. 1, 176.

12. *Ahithophel* — whose advice was held in high esteem. — See below 17:23.

the Gilonite — a city in the territory of Judah, located near Jerusalem. See Josh. 15:51.

from Giloh — Absalom did not

spies throughout all the tribes of Israel saying, "As soon as you hear the sound of the shofer, then you shall say: 'Absalom is king in Hebron'." 11. And with Absalom went two hundred men [that were] invited; and went in their innocence; and did not know of anything. 12. And Absalom sent for Ahithophel the Gilonite, David's counsellor, from his city, from Giloh, as he offered the sacrifices. And the conspiracy was strong, and the people with Absalom were steadily increasing. 13. And the messenger came to David saying, "The hearts of

Commentary Digest

allow me to go, I beg you — "to Hebron." — R.

and pay my vow — "Our rabbis have stated: 'to fetch lambs from Hebron, for there were fat lambs there." — R. from T.B. Soteh 34b.

Hebron — David's former capital. Perhaps Absalom felt that it was essential to first be supported by David's former backers before he could expect to gain the support of the remainder of Israel — M.

9. *go in peace* — R. Abin the Levite said: 'When one takes leave of his friend he should not tell him לך בשלום (go in peace), but לך לשלום (go to peace); for when Jethro said to Moses לך בשלום he went and met with success, but when David said to Absalom לך לשלום he went and was hung. — T.B. Ber. 64a. The commentary Eitz Yosef explains that לך בשלום limits the blessing to the actual trip and not beyond it, while לשלום suggests continued success. Consequently Absalom, after arriving safely in Hebron met with death, while Moses continued to be successful. See Ein Yakov on Ber. 64a.

spies throughout all the tribes of Israel — A contends that they were not actual spies, but messengers to calm the people and assure them that the blast of the shofar will not signal national calamity but only that Absalom has been proclaimed king in Hebron — A. M suggests that they were actual spies assigned the task of recruiting all those dissatisfied with David into Absalom's ranks.

that were nnvited and went in their innocence — Two hundred of David's associates were invited to attend Absalom's party without being aware that they were partaking in a plot against the king. This was cleverly planned with a two-fold objective in

איש ישראל אחרי אבשלום: יד ויאמר
דוד לכל־עבדיו אשר־אתו בירושלם
קומו ונברחה כי לא־תהיה־לנו פליטה
מפני אבשלם מהרו ללכת פן־ימהר
והשגנו והדיח עלינו את־הרעה והכה
העיר לפי־חרב: טו ויאמרו עבדי־
המלך אל־המלך ככל אשר־יבחר
אדני המלך הנה עבדיך: טז ויצא
המלך וכל־ביתו ברגליו ויעזב המלך
את עשר נשים פלגשים לשמר הבית:
יז ויצא המלך וכל־העם ברגליו ויעמדו
בית המרחק: יח וכל־עבדיו עברים

ישראל בתר אבשלום:
יד ואמר דוד לכל
עבדוהי די עמיה
בירושלם קומו ונערוק
ארי לא תהי לנא שיזבא
מן קדם אבשלום אוחו
למיזל דילמא יוחי
וידבקיננא ויכמון ית
בישתא עלנא ויִמחֵי ית
קרתא לפתגם דחרב:
טו ואמרו עבדי מלכא
למלכא ככל דיימר
רבוני מלכא הא עבדיך:
טז ונפק מלכא וכל אנש
ביתיה די עמיה ושבק
מלכא ית עשר נשין
לחינן למטר ביתא:
יז ונפק מלכא וכל אנש
ביתיה עמיה וקמו
באתר דרחיק: יח וכל
עבדוהי עברין על ידוהי
וכל

רש"י

לשניס אחרים וכן הרבה: (יז) בית המרחק. באתר
ותאמר (הלא בברחו) [למה לא ברחו] עם דוד. קדם ולימדך

מהר"י קרא

לדוד שנדר: (טז) ויעזב המלך את עשר נשים פלגשים לשמור
הבית. לפי שאומר למטה בוא אל פלגשי אביך. שלא תתמה
שהניחם לשמור הבית: (יז) ויעמדו בית המרחק. לראות מי

רד"ק

ויקח את אחיתופל מעירו מגילה ויבא אליו וקשר עמו:
(יד) קומו ונברחה. כי אם לא נהיה בעיר לא יבא אל העיר ואם
יבא אל העיר וימצא אותנו בעיר לא תהיה לנו פליטה ממנו
זיכת את העיר זהו שאמר פן ימהר קודם שיעש' דבר אחר ובא
אל העיר שיחשוב שימצאני הנה לפיכך נמהר אנחנו לברוח
ובדרש שלא ידון אותנו כעיר הנדחת ועוד אמרו נשל בעל
חכום להדיח את הכוס אינו זז עד שימרקנו כלומר כיון שהתחיל הפורענות לבא ירא אני שלא נכלה ממנו: (יז) ברגליו. עמו
וכן כל העם אשר ברגליך וכת"י עמיה: בית המרחק. כתרגומו באתר דרחיק כלומר מקום שהיה רחוק מירושלם. ובדרש

רלב"ג

(יד) והדיח עלינו את הרעה. ר"ל ויביא בחוזק ובתוקף את הרעה
עלינו: (טז) ויצא המלך וכל ביתו ברגליו. הנה לא רכב על סוסים
כדי שלא יתפרסם לכתו כי הרואים אותו הולך ברגליו לא יחשבו
שהוא דוד וישלם לו מפני זה יותר המלטו מיד אבשלום: (יז) ויעמדו
בית המרחק. ר"ל בבית היותר רחוק מירושלם והוא דרך משל

מצודת דוד

(יד) כי לא תהיה וגו'. כי כל העם אשר אתו וא"א להנצל מפניו
במעוז העיר: והשגנו. עודנו בתוך העיר ובעבורנו ידיח הרעה
על כל בני העיר ואת כולם יכה: (טו) הנה עבדיך. הנה אנחנו
עבדיך ואליך נשמע: (יז) בית המרחק. בהבית שהיה יותר רחוק מהבתים העומדים מחוץ לחומה:

מצודת ציון

(יד) פליטה. הצלה כמו ומפלטי לי (לקמן כב): יהדיח מלשון דחיה:
(יז) ברגליו. עם מהלכו ואחריו כמו לעם אשר ברגלי (שופטים ח):

Commentary Digest

city where the offense had been committed. See also Maimonides Laws of Repentance, Ch. 2, Law 4.

Unlike other occasions where he was faced with imminent danger, here David failed to inquire of the Urim and Tumim before leaving Jerusalem, but did so only later while he was on the run. Rabinowitz explains that either there was insufficient time, as indicated by David's haste to evacuate the city, or that the prophet Nathan's promise that Solomon was to become king (See above 7:12) was presently sufficient assurance to David that he was not to yield to the nation's request that Absalom succeed him.

15. *behold your servants (are ready to do)* — According to the Midrash, it

the people of Israel are after Absalom." 14. And David said to all his servants that were with him in Jerusalem: "Arise and let us flee, for there will be no escape for us from Absalom. Go quickly lest he hurry and overtake us, and bring upon us evil, and smite the city with the edge of the sword." 15. And the king's servants said to the king, "Whatever my lord the king shall choose, behold your servants [are ready to do]." 16. And the king went forth, and all his household were right behind him. And the king left the ten women (who were) concubines to keep the house. 17. And the king went forth, and all the people were right behind him; and they remained standing at the farthest house. 18. And all his servants passed on

Commentary Digest

send for him while he was still at David's side in Jerusalem, because he feared that Ahithophel might decide against joining him and betray his cause. Calling him from his home in Giloh, however, afforded him ample time to perpetrate his coup even if Ahithophel should choose to betray him. — G.

A conjectures that Ahithophel had personally requested that he be called from Giloh because he wished to first be notified regarding the success of the initial stage of the rebellion before openly committing himself to Absalom's cause. Rabinowitz adds that Ahithophel's motive for masterminding the rebellion was to avenge Bath-sheba who was his grand-daughter. (See below 23:34).

bring upon us evil and smite the city — David feared that should he remain in the city, in the ensuing battle, the city would be reduced to ruins. He did not, however, fear that he himself would meet with death because he knew that Absalom did not intend to kill him. — A. (See Commentary Digest, above v. 1).

According to Ginsburg, David left Jerusalem because he sensed that he was being punished for the Bath-sheba incident and feared that G-d's wrath would be more acute in the

עַל־יָדוֹ וְכָל־הַכְּרֵתִי וְכָל־הַפְּלֵתִי וְכָל־
הַגִּתִּים שֵׁשׁ־מֵאוֹת אִישׁ אֲשֶׁר־בָּאוּ
בְרַגְלוֹ מִגַּת עֹבְרִים עַל־פְּנֵי הַמֶּלֶךְ׃
יט וַיֹּאמֶר הַמֶּלֶךְ אֶל־אִתַּי הַגִּתִּי לָמָּה
תֵלֵךְ גַּם־אַתָּה אִתָּנוּ שׁוּב וְשֵׁב עִם־
הַמֶּלֶךְ כִּי־נָכְרִי אַתָּה וְגַם־גֹּלֶה אַתָּה
לִמְקוֹמֶךָ׃ כ תְּמוֹל ׀ בּוֹאֶךָ וְהַיּוֹם אֲנוּעֲךָ
עִמָּנוּ לָלֶכֶת וַאֲנִי הוֹלֵךְ עַל אֲשֶׁר־אֲנִי

אניעך קרי

תרגום

וְכָל קַשָּׁתַיָא וְכָל קַלָעַיָא
וְכָל גִּתָּאֵי שִׁית מְאָה
גַּבְרָא דַאֲתָן עִמֵיהּ מִגַּת
עָבְרִין קֳדָם מַלְכָּא׃
יט וַאֲמַר מַלְכָּא לְאִתַּי
גִּיתָּאָה לְמָא תֵיזֵיל אַף
אַתְּ עִמָּנָא תּוּב וְתֵיב עִם
מַלְכָּא אֲרֵי נוּכְרָא אַתְּ
וְאַף אִם גָּלֵי אַתְּ אֱזֵיל לָךְ
לְאַתְרָךְ׃ כ תְּמָלֵי אֲתֵיתָא
וְיוֹמָא דֵין אֲטַלְטְלִינָךְ
עִמָּנָא לְמֵיזַל וַאֲנָא אָזֵיל
לַאֲתַר דְּלֵית אֲנָא יְדַע
לאן

מהר"י קרא

הולך עמו : (יט) וגם גולה אתה למקומך . כמו גולה אתה ממקומך . ודומה לו ואמר פרעה לבני ישראל נבוכים הם בארץ :

רש"י

דרהיק : (יח) על ידו · אצלו הוא עומד והם עוברים : (יט) עם המלך . עם אבשלום : כי נכרי אתה . ואנחנו בורחים מאין לידה ומזון ומתוך שאתה נכרי לא תמלא מרחמים : וגם גולה אתה למקומך . וגם אם גולה אתה מעם המלך שאינך רוצה להיות עמו למקומך חזור לך כי לא טוב לכתך עמי שהרי תמול באת : (כ) והיום אניעך עמנו . ואין לי מקום שאוכל להושיבך שם ולהמלט כי אני הולך אל אשר יקרני המקר' ללכת יום יום כשאשמע שהרודפי'

רלב"ג

מהבתים אשר הון להומה : (יח) וכל הכרתי וכל הפלתי . הם היו שתי משפחות בתכלית החכמה ומהם היו סנהדרין כמו שיתבאר אחר זה וידמה שהסנהדרין יקראו כך כי הם כורתין הדין כמה שיבא לפניהם כי אחריהם אין ללכת לאחרים למעלה מהם והם גם כן מבארים כל מה שיפלא למשפט באיזה דבר שיהיה מדברי התורה כמו שנתבאר בפ' כי יפלא ממך דבר למשפט ואמר כל הכרתי וכל הפלתי לפי שהיו גם לפניהם שורות של תלמידי' להקים מהם כשיצטרך ולזה אמר כי כולם עברו עם דוד : (יט) וגם גולה אתה למקומך . יתכן שלא היה יושב בירושלים כי אם זמן מועט והיה תמיד נע ונד למקומו להעתיק משם קניניו ולזה אמר לו כי נכרי אתה ואמר לו גם כן תמול בואך והיום אניעך עמנו ללכת :

רד"ק

מלמד שנדוהו הה"ד ישובו לי יראיך מלמד שפרשו ממנו : (יח) על ידו . כמו לפניו כמו שאמר על פני המלך : וכל הכרתי וכל הפלתי . ת"י וכל קשתיא וכל קלעיא ואפשר שהיו משפחות ידועות בישראל ורבותינו ז"ל פי' אלו אורים ותומים ומלת כל קשה לפירושם : וכל הגתי' . אמרו כי גוים היו וכן אתי הגתי גוי היה ולפי דעתי כי ישראלים היו שהיו מתגוררים בגת יבאר עתה לעזרת דוד וזהו שאמר אשר באו ברגלו מגת פי' בעבורו כמו ויברך ה' אותך לרגלי בעבורי וכבר פי' עוד למעלה בענין הגתי' בדבר עטרת מלכם ות"י ברגלו עמיה ר"ל עם אתי הגתי ואע"פ שלא נזכר ידוע כי אתי הגתי היה ראש לשש מאות איש אלה וכן אמר ויעבור אתי הגתי וכל אנשיו : (יט) שוב ושב עם המלך . פי' עם אבשלום המלך שרצו ישראל להמליכו : כי נכרי אתה . לפי שהתגורר בגת ימים רבים ואולי נולד שם ועתה באת מקרוב כי נכרי אתה עדיין וגולה אתה איך אניעך עוד ופי' גולה מטלטל כי לשון גלות יש שהוא טלטול השבי והוא הרוב ויש שהוא טלטול בלא שבי אלא ממקום למקום כמו זאת יכן ויגלום אל מנחת ומלת למקומך דבק עם שוב וישב שזכר כאילו אמר שוב למקומך ושב עם המלך ומקומו היה ירושלים כי שם בא לשבת כשבא מגת ובענין הזה ת"י אלא שלא הדביקו עם שוב אלא הוסיף בו ואמר ואף אם גלי את אזיל לך לאתרך : (כ) אניעך . כתוב בוי"ו וקרי ביו"ד והענין אחד אלא שזה מן הקל וזה מן הכבד : ואני הולך על אשר אני הולך . על כמו אל כמו והתפלל על ה' כלומר אני הולך אל המקום אשר אני הולך במקרה כי לא אדע אנה אלך כאדם בורח כתרגומו ואנא אזיל

מצודת ציון

(יח) הכרתי והפלתי . ת"י קשתיא וקלעיא : הגתים . האנשים שהתגוררו בגת בעוד שהיה דוד שם : ברגלו . עם מהלכו : על פני . לפני : (יט) גולה . ענין טלטול ונוע ואם הוא בלא שבי וכן ויגלום אל

מצודת דוד

(יח) על ידו . סמוך למקום מעמדו : אשר באו ברגלו . אשר באו עמו מגת שישבו עמו שמה עוד היה נרדף משאול : (יט) עם המלך . על אבשלום יאמר שמלך עתה : כי נכרי אתה . הלא אתה מארץ נכריה והיך מעבדי לשתתירא מפני אבשלו' : וגם גולה . ואפי' תרצה להיות גולה מעל פני אבשלום מבלי לשבת אתו אזי חזור למקומך לגת ותהיה גולה שמה לשבת כה כמאז : (כ) תמול בואך . זה מקרוב באת אלי מגת ומיד אניע אותך ללכת נע ונד : ואני הולך . ר"ל וכי הולך אני למקום ידוע שתלך גם אתה עמדי הלא אני הולך על אשר וגו' ר"ל איני הולך אל המקום אשר אחשוב ללכת שמה כי אין מחשבותי ללכת למקום ידוע כ"א כאשר

Commentary Digest

you will not (readily) *find* (anyone) *to take pity."* — R

and if you are wont to wander, [*go to*] *your own place* — *"and if you wish to wander from the king because you do not desire to be with him, return to your own place, for your travel with me is not advisable, since* [*just*] *yesterday you came."* — R.

and today I should move you about with us? — *"for I have no place where I can settle you so that you be spared, since from day to day,*

beside him, and all the archers and all the slingers, and all the Gittites, six hundred men that came after him from Gath, passed on before the king. 19. And the king said to Ittai the Gittite: 'Why do you also go with us? return, and abide with the king; for you are a foreigner, and if you are wont to wander, [go to] your own place. 20. [Only] yesterday you came, and today I should move you about with us, seeing that I go wherever

Commentary Digest

was precisely at this moment, upon seeing his servants in a state of calm and readiness to obey his command, that David became confident of victory, and proceeded to compose a psalm *praising* G-d at this apparantly calamitous event. (Psalm 3: מזמור לדוד בברחו מפני אבשלום). See Commentary Digest, above end of v. 1 for an alternate Midrashic explanation for this seemingly untimely psalm.

16. *right behind him* — lit. — at his feet. They departed on foot and not on horseback in order to conceal their departure. — G.

the ten women (who were) concubines — Mention is made here that David left his concubines in Jerusalem in order to explain their presence when Absalom entered the city. See below 16:21. — J.K.

17. *at the farthest house* — D. *"in a distant place."* — R from J. i.e. a place far from Jerusalem. — K.

18. *"beside him — he stood and they passed by."* — R.

archers and slingers — See Commentary Digest above 8:18. K indicates that the insertion of the word 'all' (כל) is difficult to reconcile with the Talmudic view cited above identifying כרתי ופלתי with the Urim and Tumim, since there was only one set of oracles.

19. *Ittai* — the same gentile who had initially joined David in his campaign against the Philistines (Commentary Digest above 5:21) and had been used on several occasions to renounce idols for David. See above 5:21 and 12:30. The six hundred Gittites mentioned above were also gentiles.

K, however, opines that these six hundred Gittites were Jews who dwelled in the Philistine city of Gath, and came to assist David under Ittai's leadership.

with the king — *"with Absalom"* who has been declared king — R, K, and D.

for you are a foreigner — You are not one of my servants that you need fear Absalom. — A and D.

"Now we flee without provision or food, and because you are a gentile

הולך שוב והשב את־אחיך עמך חסד
ואמת׃ כא ויען אתי את־המלך ויאמר
חי־יהוה וחי אדני המלך כי אם במקום
אשר יהיה־שם ׀ אדני המלך אם־למות
אם־לחיים כי־שם יהיה עבדך׃
כב ויאמר דוד אל־אתי לך ועבר ויעבר
אתי הגתי וכל־אנשיו וכל־הטף אשר
אתו׃ כג וכל־הארץ בוכים קול גדול
וכל־העם עברים והמלך עבר בנחל
קדרון וכל־העם עברים על־פני דרך
את־המדבר׃ כד והנה גם־צדוק וכל־

לאן אנא אזיל תוב
ואתיב ית אחך עמך
ועביד עמהון טיבו
וקשוט׃ כא ואתיב אתי
ית מלכא ואמר קים
הוא יי וקים ריבוני
מלכא אלהן באתרא
דיהי תמן רבוני מלכא
אם למותא ואם לחיי
ארי תמן יהי עבדך׃
כב ואמר דוד לאתי איזיל
ועבר ועבר אתי גתאה
וכל גברוהי וכל טפלא
דעימיה׃ כג וכל דיירי
ארעא בכן קל רב וכל
עמא עברין ומלכא עבר
בנחלא דקדרון וכל
עמא עברין על אפי
אורח מדברא׃ כד והא
אף

כתיב ולא קרי

רש"י

כאן אני כו' ה כאן וכן תרגם יונתן וגם גולה אתה למקומך ואף אם גלי את איזיל לך לאתרך׃ חסד ואמת. אני מהזי' בך טובת הסד והמת שעשית עמדי׃ (כב) לך ועבור. עם שאר העם אחר אשר אינך רוצה להפרד ממני׃

מהר"י קרא

(כ) חסד ואמת. שעלה על דעתך ללכת עמי׃ (כא) ויען אתי את המלך ויאמר חי ה' וחי אדוני המלך כי אם במקו' אשר יהיה שם אדוני המלך. אם למות ואם לחיים כי שם יהיה עבדך. (כג) וכל העם עוברים. מן המלך והלאה לפי שהוא

רד"ק

לאתר דלית אנא ידע לאן אנא אזיל׃ את אחיך עמך. הם הגתים שש מאות איש שבאו עמו מגת׃ חסד ואמת. אני מחזיק לך הסד ואמת על מה שעשית ואני מכיר כי לבך טוב עמי וי"ת ואתיב ית אחך עמך ועביד עמהון טיבו וקשוט׃ (כא) כי אם במקום. אם כתיב ולא קרי והענין אחד אם קרי או לא קרי והמלות האלה דכתיבין ולא קורין או דקורין ולא כתיבין וכן קרי וכתיב נראה כי בגלות הראשון אבדו הספרים ונטלטלו והחכמים יודעי המקרא מתו ואנשי כנסת הגדולה שהחזירו התורה ליושנ' מצאו מחלוקת בספרים הנמצאים והלכו בהם אחר הרוב לפי דעתם ובמקום שלא השיגה דעתם על הברור כתבו האחד ולא נקדו או כתבו מבחוץ ולא כתבו מבפנים או כתבו אחד מבחוץ ואחד מבפנים׃ (כג) וכל הארץ בוכים. פי' וכל אנשי ארץ וכן וכל הארץ באו מצרימה׃ על פני דרך את המדבר. כמו אל המדבר וכן והראה את הכהן כלומר עוברים אל המדבר על פני הדרך שהיה שם כלומר שלא עברו דרך הנחל. או פירושו וכל העם גם כן עוברים בנחל קדרון כמו שהיה המלך עובר וכלם מגמת פניהם אל המדבר כמו שאמר דוד אנכי מתמהמה בערבות המדבר ומדבר יקרא בירעה

מצודת דוד

יזדמן׃ חסד ואמת. ר"ל והנה כוונתך הטובה הטובה בעיני לחסד ולאמת׃ (כא) אם למות. ואם המקום תהיה סיבה למות וגו'׃ (כב) לך ועבור. עם עבדי ויתר העם׃ (כג) וכל הארץ. אנשי הארץ אשר עבר בה דוד׃ וכל העם. אשר עם דוד׃ על פני דרך.

מצודת ציון

מנחת (ד"ה ח)׃ (כ) אחיך. רעיך הבאים אתך׃ ואמת. הוא כענין חסד׃

Commentary Digest

of the wilderness. — M.

toward the way of the wilderness — They endeavored to avoid populated areas lest Absalom gain word of their departure. — A.

24. *set down — Heb. —* ויציקו *"similar to* ויציגו (to set down) [*as indicated by J's translation*]: *'they set down the ark'. They placed it to a side and the people passed by, since David desired to carry it with him."* — R. According to M, they set down the ark to inquire of the Urim and Tumim if they would yet return safely to Jerusalem.

and Abiathar went up until all the people had finished etc. — "This is an inverted verse (which is meant to

I can go? Return and take back your brothers with you, (and do) kindness and truth (to them)." 21. And Ittai answered the king and said, 'As the Lord lives, and as my lord the king lives, that in the place where my lord the king shall be, whether for life or for death, for there shall your servant be.' 22. And David said to Ittai, "Go and pass over." And Ittai the Gittite passed over and [so did] all his men and all the little ones that were with him. 23. And all the land wept with a loud voice, and all the people passed over; and the king passed over the brook Kidron, and all the people passed over toward the way of the wilderness.

24. And lo, Zadok

Commentary Digest

I go wherever chance takes me. When I hear that the pursuers are here, I run there. Now Jonathan also translates וגם גולה אתה למקומך *as: 'and if you are wont to wander, go you to your own place'."* — R.

your brothers — the six hundred men that were with him. — K

(*and do*) *kindness and truth* (*to them*) — J

kindness and truth — *"I thank you for the kindness and truth that you have done with me."* — R, K, J.K. D. If I return safely, I will deal with you in truth by repaying you in full for the favor that you have done to me. If, however, I do not return, it shall remain a kindness. — A.

for there shall your servant be — It is not right for one to forsake his friend in a moment of need. — M.

22. *go and pass over* — *"with the rest of the people, seeing that you do not desire to separate from me."* — R.

23. *and all the land wept* — all the people that dwelled on the land that David passed wept over his pitiful plight. — A.

and all the people passed over — *"from the king and on. Since David was standing still, they are referred to as passing over."* — R.

the brook Kidron . . . the wilderness — They split into two camps, David and his servants passing over the brook Kidron, while the rest of his men passed over toward the way

הַלְוִיִּם אִתּוֹ נֹשְׂאִים אֶת־אֲרוֹן בְּרִית
הָאֱלֹהִים וַיַּצִּקוּ אֶת־אֲרוֹן הָאֱלֹהִים וַיַּעַל
אֶבְיָתָר עַד־תֹּם כָּל־הָעָם לַעֲבוֹר מִן־
הָעִיר׃ כה וַיֹּאמֶר הַמֶּלֶךְ לְצָדוֹק הָשֵׁב
אֶת־אֲרוֹן הָאֱלֹהִים הָעִיר אִם־אֶמְצָא חֵן
בְּעֵינֵי יְהוָה וֶהֱשִׁבַנִי וְהִרְאַנִי אֹתוֹ וְאֶת־
נָוֵהוּ׃ כו וְאִם כֹּה יֹאמַר לֹא חָפַצְתִּי בָּךְ
הִנְנִי יַעֲשֶׂה־לִּי כַּאֲשֶׁר טוֹב בְּעֵינָיו׃
כז וַיֹּאמֶר הַמֶּלֶךְ אֶל־צָדוֹק הַכֹּהֵן

תרגום

אַף צָדוֹק וְכָל לֵוָאֵי
עִמֵּיהּ נָטְלִין יַת אֲרוֹן
קְיָמָא דַיָי וַאֲקִימוּ יַת
אֲרוֹנָא דַיָי וּסְלֵיק אֶבְיָתָר
עַד דִשְׁלִים כָּל עַמָּא
לְמֶעְבַּר מִן קַרְתָּא׃
כה וַאֲמַר מַלְכָּא לְצָדוֹק
אָתֵיב יַת אֲרוֹנָא דַיָי
לְקַרְתָּא אִם אַשְׁכַּח
רַחֲמִין קֳדָם יְיָ וִיתִיבִינַנִי
וְיַחְזִינַנִי קֳדָמוֹהִי וְאֶפְלַח
קֳדָמוֹהִי בְּבֵית
מַקְדְשֵׁיהּ׃ כו וְאִם כְּדֵין
יֵימַר לָא רַעֲוָא קֳדָמַי בָּךְ
הָא אֲנָא יַעֲבֵיד לִי כְּמָא
דְרַעֲוָא קֳדָמוֹהִי
כז וַאֲמַר מַלְכָּא לְצָדוֹק

ת"א ויעל אביתר. יומא עג סוטה מח : והראני אתו. זוהר לך לך :

מהר"י קרא

דוד השיבו. מאחר שאין רצונך לשוב שם עבור עם ההולכים עמי דכתיב ויאמר דוד אל אתי לך ועבור: (כד) ויציקו את ארון האלהים. פתרונו ויעמידו את ארון [האלהים] במקום אחד עד

רש"י

עומד קורא אותם עוברים: (כד) ויציקו. כמו ויצגו ואקימו ית ארונא העמידוהו לצד אחד והעם עוברים שהיה דוד רוצה לשאתו עמו: ויעל אביתר עד תם וגו'. הרי זה מקרא מסורס ויציקו את ארון האלהים עד תום כל העם לעבור: ויעל אביתר. אותו היום נסתלק מן הכהונה

רלב"ג

(כד) ויציקו את ארון האלהים. ר"ל שכבר העמידו אותו במקום אחד עד שעלה אביתר ועד שתם כל העם לעבור מן העיר ולפי שלא הגיע עדיין אביתר אל המלך היו דברי המלך תחלה אל צדוק לבד ובסוף

רד"ק

הבהמות בין קרוב לעיר בין רחוק לעיר לפיכך אמר ורעו כבשים כדברם העדר בתוך הדברו והוא מתרגם וינהג ודבר מקום שהרועה נוהג שם המקנה: (כד) ויציקו. כמו ויעמידו וכן ויציקום לפני ה': ויעל אביתר. לפי פשט הכתוב יראה כי פי' ויעל אביתר נסתלק לצד אחד עם הארון עד תום כל העם לעבור מן העיר ר"ל מירושלם אבל רבותינו ז"ל קבלו כי באותו היום נסתלק אביתר מכהונה גדולה והכניסו צדוק תחתיו שנאמר ויאמר המלך לצדוק השב את ארון האלהים העיר ולמה נסתלק באותו היום כי שאל באורים ותומים ולא נענה וצדוק שאל ונענה כמו שפירש בספר יהושע כי השואל באורים ותומים הכהן הנשאל רוח הקדש שורה עליו ובה היה מכוין ומשיב השאלה עם מה שהיה נראה לו באורים ותומים כמו שפירש בספר שופטים וכיון שראה דוד שנסתלקה רוח הקדש מאביתר ידע שהגיע זמן הקללה שקלל הקב"ה זרע עלי ואביתר היה מזרע עלי שהיה מבני איתמר וצדוק מזרע פנחס ונתקיימה בו ברכה שברכו הקב"ה כמו שכתוב והיתה לו ולזרעו אחריו ברית כהונת עולם אבל לא נמשח צדוק לכהן גדול עדין אלא שנתמנה לכהן גדול עד יום מלוך שלמה שמשחוהו כמו שכתוב וימשחו שלמה לה' לנגיד ולצדוק לכהן כי הקללה היתה תלויה עד מלוך שלמה כמו שכתוב ויגרש שלמה את אביתר מהיות כהן כי הכתוב אומר והבטת צר מעון והמעון הוא בית המקדש ובית המקדש לא נבנה עד מלוך שלמה: (כה) והראני אותו ואת נוהו. הבית שהיה שם הארון ופירו' אותו שישיבני לאהבתו ויחפוץ בי כי עתה בלקחו עונש עונו היה מרוחק ממנו כאדם שמעלים עיניו משונאו ואינו רואהו וי"ת ויחזינני קדמוהי ואפלח קדמוהי בבית מקדשיה: (כו) הנני. כלומר אקבל

מצודת ציון

(כד) ויציקו. ענין העמדה כמו כי לה' מצוקי ארץ (ש"א ב) ור"ל היסודות והעמודים שהארץ עומדת עליהם והוא כמו ויציגו כי אותיות גיכ"ק מתחלף: (כה) נוהו. מדורו:

מצודת דוד

לרוחב הדרך לשום פניהם אל המדבר: (כד) ויציקו. העמידו את הארון ואביתר עלה עמו לצד מיוחד עד שעברו כולם מן העיר ורז"ל אמרו שאז נסתלק אביתר מכהונה גדולה כי שאל באורים ולא עלתה ולצדוק עלתה ומנהו תחתיו ולא להיות מיד כה"ג כי הלא שלמה גרשו לאביתר מכהונה גדולה כמ"ש (במ"א ב') אלא שעתה סלקו מלשמש בימי שלמה ומנהו לצדוק לשמש אז: (כה) והשיבני. אז ישוב אותי לירושלים ואראה אותו ואת מקדשו: (כו) לא חפצתי בך. עוד מעתה: הנני. ר"ל הנה מוכן אני לקבל באהבה:

Commentary Digest

his position in favor of Zadok. The wording of I Sam. 2:32 indicates that the house of Eli would see its rival only after the building of the Temple.

25. *carry back the ark* — David felt that rather than expose the ark to constant wandering, should G-d desire it, he would in due time merit seeing it again in Jerusalem. — A.

and the king said to Zadok — According to M, David was left in a quandry, unable to determine whether the Urim and Tumim failed to reply because it was Abiathar who was petitioning it, or because G-d had

also [came], and all the Levites with him, bearing the ark of the covenant of God; and they set down the ark of God, and Abiathar went up, until all the people had finished passing out of the city. 25. And the king said to Zadok, "Carry back the ark of God to the city; if I find favor in the eyes of the Lord, then He will bring me back, and He will show me it, and His habitation. 26. But if so [He] says, 'I do not want you,' behold, here I am, let Him do to me as seems good in His eyes." 27. And the king said to Zadok the priest:

Commentary Digest

read): *'they set down the ark of G-d until all the people had finished passing!"* — R. In this inverted form 'Abiathar went up' is placed at the close of the verse.

went up — M suggests that Abiathar the High Priest went up to inquire of the Urim and Tumim and remained there petitioning it until all the Israelites had passed, yet he failed to receive a response.

K and D offer the simple explanation that he went up with the ark and remained by its side until all the people had passed by.

R, having inverted the sentence, disconnects ויעל אביתר from the rest of the verse and cites instead the Talmudic translation of ויעל as 'was removed': *"On that day he* (Abiathar) *was removed from the (High) Priesthood because he had inquired of the Urim and Tumim but was not answered, and Zadok entered in his stead. So we learned in Seder Olam and Seder Yoma."* — R from Seder Olam and T.B. Yoma 73b. The complete version as found in T.B. Yoma adds that after Abiathar had failed, Zadok successfully petitioned the Urim and Tumim and received a response. This indicated clearly to David that Abiathar was to vacate his position in favor of Zadok, thereby transferring the High Priesthood from the family of Eli, a descendant of Ithamar, to the family of Phinehas the son of Eleazar. This change would fulfill the curse upon the house of Eli (I Sam. 2:35: "I shall raise me up a faithful priest, etc."), and the promise of everlasting priesthood to Phinehas (Num. 25:13: "And he shall have, and his sons after him, the covenant of an everlasting priesthood."). — K from T.B. Yoma *loc cit.* K, citing T.B. Yoma adds that, judging from I Kings 2, it is clear that it was Solomon who officially relieved Abiathar of

הֲרוֹאֶה אַתָּה שֻׁבָה הָעִיר בְּשָׁלוֹם
וַאֲחִימַעַץ בִּנְךָ וִיהוֹנָתָן בֶּן־אֶבְיָתָר שְׁנֵי
בְנֵיכֶם אִתְּכֶם׃ כח רְאוּ אָנֹכִי מִתְמַהְמֵהַּ
בְּעַבְרוֹת הַמִּדְבָּר עַד־בּוֹא דָבָר
מֵעִמָּכֶם לְהַגִּיד לִי׃ כט וַיָּשֶׁב צָדוֹק
וְאֶבְיָתָר אֶת־אֲרוֹן הָאֱלֹהִים יְרוּשָׁלִָם
וַיֵּשְׁבוּ שָׁם׃ ל וְדָוִד עֹלֶה בְמַעֲלֵה הַזֵּיתִים
עֹלֶה ׀ וּבוֹכֶה וְרֹאשׁ לוֹ חָפוּי וְהוּא הֹלֵךְ
יָחֵף וְכָל־הָעָם אֲשֶׁר־אִתּוֹ חָפוּ אִישׁ
רֹאשׁוֹ וְעָלוּ עָלֹה וּבָכֹה׃ לא וְדָוִד הִגִּיד

בערבות קרי

תרגום

כְּהָנָא חָזֵיָא אַתְּ תּוּב לְקַרְתָּא בִּשְׁלָם וַאֲחִימַעַץ בְּרָךְ וִיהוֹנָתָן בַּר אֶבְיָתָר תְּרֵין בְּנֵיכוֹן עִמְּכוֹן׃ כח חֲזוֹ דַּאֲנָא מִתְעַכַּב בְּמֵישְׁרֵי מַדְבְּרָא עַד דְּיִמְטֵי פִּתְגָמָא מִנְּכוֹן לְחַוָּאָה לִי׃ כט וַאֲתֵיב צָדוֹק וְאֶבְיָתָר יָת אֲרוֹנָא דַיְיָ לִירוּשְׁלֵם וִיתִיבוּ תַּמָּן׃ ל וְדָוִד סָלִיק בְּמַסְקָנָא דְטוּר זֵיתַיָּא סָלִיק וּבָכֵי וְרֵישֵׁיהּ לֵיהּ מְכַרֵךְ וְהוּא אָזֵיל יָחֵיף וְכָל עַמָּא דְעִמֵּיהּ כְּרִיכוּ גְּבַר רֵישֵׁיהּ וְסַלְקִין מִסַּק וּבְכַן׃ לא וְדָוִד אִתְחַוָּא לְמֵימַר

ת"א ודוד עולה. יומא עג:

רש"י

שאלו באורים ותומי' ולא נענה ונכנס לדוק ההתיו וכן שנינו בסדר עולם. ובסדר יומא: (כז) הרואה אתה. אם רואה אתה שעלה נכונה הוא שוב העיר וגו': שני בניכם אתכם. בידם תוכלו להודיעני מה שתשמעו מבית המלך ולפי מה שתודיעוני אמלט: (ל) במעלה הזיתים. בהר הזיתים: חפוי. מכורך כדרך האבלים: חפו. כריכו: (לא) ודוד

מהר"י קרא

תום כל (העיר) [העם] לעבור מן העיר: (לא) ודוד הגיד לאמר. תרגם יונתן ולדוד אתחואה למימר. איש אחר הגיד לו

רד"ק

גזירותיו באהבה: (כז) הרואה אתה. אם רואה אתה בעיניך כלומר בעצתך וי"ת חזויא את תוב לקרתא כלומר נביא אתה שראה ששרתה עליו רוח הקדש ונענה אותו היום באורים ותומים ואמר לו טוב הוא שתשוב העיר והודיעני משם כל דבר: (כח) בעברות המדבר. כן כתיב וקרי בערבות ופי' הכתוב בעבר נחל קדרון ופי' הקרי כתרגומו במשרי מדברא ושניהם נכונים בענין אלא שהקרי יותר קרוב: (ל) במעלה הזיתים. כתרגום במסקנא דטור זיתיא ועלה שם להשתחוות לה' משם כי מהר הזיתים יראה אדם מקום בית המקדש ואעפ"י שלא היה שם אז בית גם מקום הבית בעצמו לא היה יודע עד שאמר גד הנביא לדוד שיבנה מזבח בגורן ארונה אעפ"כ גבול המקום היה יודע בקבלה כי בהר המוריה יבנה בית ה' אבל לא היו ידעים באיזה מקום עד שאמר גד לדוד וי"ם כי מהר הזיתים היה רואה האהל שהיה בו הארון: (לא) ודוד הגיד לאמר.

רלב"ג

שענין היו דבריו גם כן עם אביתר כי אז הגיע אל המלך ולזה אמר ויהונתן בן אביתר שני בניכם אתכם: (כז) הרואה אתה שובה העיר וגו'. ר"ל ואתה רואה אלו הענינים לאי זה תכלית פונים שתלך עמנו להגיד לנו זה בודאי צריך אתה לזה לקחת עלה בדברי' לפי מה שיגלם מעניני' ולזה טוב שתשוב העיר בשלום: ואחימעץ בנך ויהונתן בן אביתר שני בניכם אתכם. ידמה שהיו להם בנים אחרים אך בחר דוד באלו להיותם יותר חכמים ויותר ראויים מהאחרים ולז"א אמר זה הנה שם עמם שני בניהם אחימעץ לצדוק ויהונתן לאביתר: (ל) ודוד עולה במעלה הזיתים. זהו הר הזיתים שהיה אצל ירושלים אצל בית המקדש וידמה כי לקדושת המקום ההוא היה דוד נוהג בהיותו שם להשתחוות שם לשם יתעלה וזהו אמרו אשר ישתחוה שם

מצודת דוד

(כז) הרואה אתה. אם עלתי נראה בעיניך אשר תשוב אל העיר (ועם שגם את אביתר לוה לשוב העירה היה דבריו לצדוק על כי מנהו לכה"ג מן הראוי היה ליחד אליו הדיבור ולזה הקדימו מעתה לאביתר בכל דבריו): אתכם. יהיו מוכנים עמכם וע"י תודיעוני דבר: (כח) עד בוא. ע"י בניכם: דבר. ר"ל ידיעה ברורה: (ל) במעלה הזיתים. במעלה הר הזיתים: חפוי. מכוסה בבגד והוא דרך לער: יחף. מבלי מנעלים וגם הוא דרך לער: (לא) ודוד

מצודת ציון

(כח) מתמהמה. מתעכב כמו חשתי ולא התמהמהתי (תהלים קיט): בערבות. מלשון ערבה ומישור: (ל) חפוי. מכוסה: יחף. בלי

Commentary Digest

return the ark to the city, here he suggests that they too remain there.

30. *by the ascent of the olives*—*"by the Mount of Olives."* — R. Although the Holy Temple had not yet been built and even its precise location was first made apparent to David after the prophet Gad had commanded him to build an altar on the field of Aravnah the Jebusite (see below Ch. 24.), David nevertheless knew that its general location was on Mt. Moriah opposite the olive mount, and desired to go there to pray for his safe return — K. A contends that, having had the ark of G-d before him, there was no need for David to ascend the

'Do you (not) see? return to the city in peace, and Ahimaaz your son, and Jonathan the son of Abiathar, your two sons, [shall be] with you. 28. See, I will tarry in the plains of the wilderness, until there comes word from you to announce to me.' 29. And Zadok and Abiathar returned the ark of God to Jerusalem, and they abode there. 30. And David went up by the ascent of the [mount of] olives, weeping as he went up. And he had his head covered and he went barefoot; and (of) all the people that were with him every man covered his head, weeping as they went up. 31. And [someone] told David

Commentary Digest

not desired that the ark be moved out of Jerusalem. He therefore decreed that it be returned (השב את ארון אלקים העיר), but requested that Zadok first attempt to receive a response from the Urim and Tumim. — M.

if I find favor in the eyes of G-d — According to M this was not merely an expression of hope but was the actual question which David desired that Zadok ask of the Urim and Tumim: 'Will I find favor in His eyes and will He allow me to once again view the ark in Jerusalem?'

26. *but if so [He] says* — M translates 'if so [it] says — (i.e. the Urim and Tumim). See previous Commentary Digest.

27. *Do you [not] see* — *"if you see that it is a sensible plan then return to the city, etc."* — R. J interprets: 'you are a seer'. Having received reply from the Urim and Tumim you are as a prophet and would therefore be of far greater use to me if you would return to the city and provide me with information from there. M contends that 'return to the city in peace' was the actual message of the Urim and Tumim. (See M in preceding two Commentary Digests). Accordingly David remarked to Zadok: 'Do you not see (that the breastplace has issued the message): Return to the city in peace; thereby assuring us a safe return. M adds that because the message came in command form it indicated to David that, other than an assurance, it was also a directive to Zadok to return to the city and aid David from there.

return to the city — Though David had previously commanded them to

לאמר אחיתפל בקשרים עם־
אבשלום ויאמר דוד סכל־נא את־
עצת אחיתפל יהוה: לב ויהי דוד בא
עד־הראש אשר־ישתחוה שם
לאלהים והנה לקראתו חושי הארכי
קרוע כתנתו ואדמה על־ראשו:
לג ויאמר לו דוד אם עברת אתי והית
עלי למשא: לד ואם־העיר תשוב
ואמרת לאבשלום עבדך אני המלך
אהיה עבד אביך ואני מאז ועתה ואני
עבדך והפרתה לי את עצת אחיתפל:

תרגום

למימר אחיתופל
במרודיא עם אבשלום
ואמר דוד קלקל כען
ית מלכא דאחיתופל יי:
לב והוה דוד אתא עד
ריש טוריא די סגיד תמן
קדם יי והא לקדמותיה
חושי ארכאה מבזעין
לבושוהי ועפרא רמי
ברישיה: לג ואמר ליה
דוד אם עברתא עמי
ותהי עלי למטול:
לד ואם לקרתא תתוב
ותימר לאבשלום עבדך
אנא מלכא אהי עבדא
דאבוך ואנא מבכן וכען
ואנא עבדך ותקלקל לי
ית מלכא דאחיתופל:

והלא

ת"א ויהי דוד בא עד הראש. סנהדרין קז (ברכות ח): והנה לקראתו. שם: ואדמה על ראשו. חולין קלט:

מהר"י קרא

שאחיתופל בקושרים: (לב) ויהי דוד בא [עד הראש]. עד ראש ההר שהיה רגיל להשתחות שם לאלהים כשהיה שב מן הדרך שמשם היה רואה צאן ואהל שנטה לארון ומשתחוה:

כצ"ל

רש"י

הגיד. ולדוד הגיד המגיד: סכל. קלקל כמו הסכל ירכה דברים (קהלת י' י"ד): (לב) בא עד הראש. עד ריש טוריא: אשר ישתחוה שם לאלהים. אשר היה רגיל להשתחות שם כשהיה בא לירושלים היה רואה משם את האוהל שהארון בתוכו והיה משתחוה: (לד) עבד אביך ואני מאז. כמו ואני עבד אביך מאז ומקרא מסורס הוא:

רלב"ג

לאלהים: (לג) והית עלי למשא. יתכן שלא היה גבור והיה זקן

רד"ק

חסר למ"ד השמוש ופי' ולדוד הגיד המגיד וכמוהו בחסרון למ"ד השמוש היו בן שאול כל אלה בני מכיר וכמוהו בחסרון המגיד ויגד ליעקב ויאמר ליוסף: (לב) עד הראש. ראש הזיתים וכן תרגומו עד ריש טוריא: אשר ישתחוה שם. שהיה רצונו שישתחוה שם כמו שאמר עולה במעלה הזיתים ועשה כן לפי שהיה נפרד ממקום המקדש ולא היה יודע אם ישוב עוד כאדם הלוקח רשות מאוהבו בגלותו: חושי הארכי. על שם מקומו נקרא כן והוא הנזכר בתחלת בני יוסף אל גבול הארכי עטרות: קרוע כתנתו. כמו לבוש הבדים חגור אפוד בד וכולם יחסרו אות השמוש כי בלא חסרון היה משפט פ"א הפועל בשוא כדרך הסמוכים: (לג) והית עלי למשא. ביו"ד אחד לבדו והיא עי"ן הפועל ופי' למשא לטורח כי רבים אשר עתה עמי לצער ולדאגה שאני בהם ומן העיר תועילני בעצתך: (לד) עבדך אני המלך אהיה. מהיום ואילך אהיה עבדך כמו שהייתי עבד אביך מאז ועתה אני אהיה עבדך וי"ו ואני נוספת כוי"ו וישא אברהם את עיניו וזולתה וכן דרך הלשון בהרבה

מצודת ציון

מעללים: (לא) בקושרים. בין אגודת המורדים: סכל. ענין טפשות: (לב) הארכי. שם מקו': (לד) ואני. הווי"ו נוספת כמנהגה:

מצודת דוד

הגיד. המגיד הגיד לדוד לאמר וגו': סכל נא וגו'. ר"ל אתה ה' סכל עצתו לבל ייעץ בחכמה. או ר"ל שיתן בלב אבשלום לחשוב אשר עצת אחיתופל היא עצה סכלה: (לב) עד הראש. בגבהי הר הזיתים אשר משם היה נראה מקום הארון והיה מדרך הבא שם להשתחוות מול הארון: קרוע כתנתו. בעבור כי היה מילר בצרת דוד: (לג) למשא. על היותו זקן וכחו תש ולמשא יחשב להולך עמו: (לד) עבדך אני המלך אהיה. ר"ל מהיום אהיה עבדך כמו שמאז הייתי עבד אביך וכן עתה אהיה אני עבדך: והפרתה לי. ר"ל כשתשיב העיר ותאמר לאבשלום כדברים האלה יבוא לי תועלת רב כי אז תוכל להפר לטובתי את עצת אחיתופל כי ע"פ הדברים האלה יבטח בך ותהיה גם אתה מאנשי עצתו:

Commentary Digest

to be warranted since (see below Ch. 17, v. 4) this indeed transpired.

32. *coming to the top* — *"to the top of the mount."* — R and K. after J

where he would prostrate himself to G-d — *"Where he was wont to prostrate himself. When he would come to Jerusalem he would see from there the tent containing the ark and would prostrate himself."* — R. Where David desired to prostrate himself to G-d upon parting with Jerusalem and the Temple Mt. — K. Compare with K above v. 30.

saying, "Ahithophel is among the conspirators with Absalom." And David said, "Make foolish, I beg you, the counsel of Ahithophel, O' Lord." 32. And David was coming to the top where he would prostrate himself to God, and behold, towards him [came] Hushai the Archite with his shirt torn, and earth upon his head. 33. And David said to him, "If you pass on with me you will be a burden to me. 34. But if you return to the city and you say to Absalom, 'I O' king will be your servant, just as I was previously your father's servant,' and now I am your servant; then you will (be able) to frustrate for me the counsel of Ahithophel.

Commentary Digest

mount to pray. He therefore offers that David ascended the mount simply to gain a view of the city that he had vacated.

his head covered — *"wrapped around in the manner of mourners."* — R.

covered — *"wrapped."* — R.

barefoot — also as a form of mourning. — D and A.

31. *and (someone) told David* — *"and the informer told to David."* — R. The word 'informer' is assumed in numerous Biblical verses. See Gen. 48:1 for one example. — K.

Ahithophel is among the conspirators — According to M.Ps. (Ch. 55), there was no one in all of Israel whom David had feared and admired as much as Ahithophel: David's feelings upon hearing that he was betrayed by his former friend is expressed in the following verse of Psalm 55: 'For it was not an enemy that approached me; then I could have borne it: Neither was it he that hated me that did magnify himself against me; I would have hidden myself from him. But it was you, a man mine equal; my guide and my acquaintance. We took sweet counsel together, and walked into the house of G-d in company . . .

among the conspirators — *make foolish* — *"frustrate* (by making foolish) *similar to: 'And the fool* (והסכל) *multiplies his words'.* (Eccl. 10:14)." — R.

D similarly interprets it as 'make foolish': You, G-d, make foolish Ahithopel's advice lest he advise Absalom wisely. Or, make Ahithophel's advice appear foolish to Absalom. — D. This interpretation seems

לה והלוא עמך שם צדוק ואביתר
הכהנים והיה כל־הדבר אשר תשמע
מבית המלך תגיד לצדוק ולאביתר
הכהנים: לו הנה־שם עמם שני בניהם
אחימעץ לצדוק ויהונתן לאביתר
ושלחתם בידם אלי כל־דבר אשר
תשמעו: לז ויבא חושי רעה דוד העיר
ואבשלום יבוא ירושלם: טז א ודוד
עבר מעט מהראש והנה ציבא נער
מפיבשת לקראתו וצמד חמרים
חבשים ועליהם מאתים לחם ומאה
צמוקים ומאה קיץ ונבל יין: ב ויאמר
המלך אל־ציבא מה־אלה לך ויאמר

לה והלא עמך תמן
צדוק ואביתר כהניא
ויהי כל פתגמא דתשמע
מבית מלכא תחוי
לצדוק ולאביתר
כהניא: לו הא תמן
עמהון תרין בניהון
אחימעץ לצדוק
ויהונתן לאביתר
ותשלחון בידיהון
לותי כל מדעם
דתשמעון: לז ואתא
חושי שושבינא דדוד
לקרתא ואבשלום אתא
לירושלם: א ודוד עבר
זעיר מריש טורא והא
ציבא עולימא
דמפיבשת לקדמותיה
וזוג חמרין חשיקין
ועליהון מאתן גריצן
דלחם ומאה אתכלין
דענבין יבשין ומאה מנן
דבילתא וגרב דחמר:
ב ואמר מלכא לציבא
מה אילין לך ואמר
ציבא

רש"י

(לז) יבוא ירושלים. נתן לבו שיבא לירושלים:
טז (א) ומאה קיץ. ומאה מנן דבילתא:

מהר"י קרא

(לה) והיה כל הדבר אשר תשמע מבית המלך. לאבשלום קורא מלך. כשם שקראו למעלה שוב ושב עם המלך כי נכרי אתה:
טז (א) קיץ. התאנים המתבשלים בסוף:

רד"ק

מקומות וכן דרך לשון הערב בפה: (לז) רעה דוד. תרגומו שושבינא דדוד כלומר אוהבו וריעו שהיה עמו הביד ובעל עצתו וכן אמר בדברי הימים בספור שרי דוד וחושי הארכי ריע המלך: יבוא ירושלם. כשבא חושי הארכי באותה שעה היה אבשלום נכנס לירושלם: (א) מאתים לחם. כת"י הפסוק מאתן גריצן דלחם ומאה אתכלין דענבין יבשן ומאה מנן דבילתא וגרב דחמר ופי' ומאה מנן דבילתא מאה ליטרין של תאנים יבשים ונקרא דבלת שמכבשין הרבה מן התאנים יחד ועושין מהם כמו ככר לחם ונקרא דבלת תאנים:

רלב"ג

והיתה מפני זה תנועתו כבדה: (א) ומאה קיץ. ר"ל מספירות המיובשים בקיץ:

מצודת דוד

(לז) יבוא ירושלים. באותה שעה שבא חושי בא גם הוא:
טז (א) מהראש. של הר הזתים: (ב) מה אלה לך. ר"ל למה

מצודת ציון

(לז) רעה. חבר ועל כי ישב עמו בתמידות קראו רעה:
טז (א) וצמד. זוג ע"ש שהולכים למודים והכורים יחד והוא מלי למיד פתיל (במדבר יט): חבושים. הגורים באוכף לרכוב ויכס כמו ויחבוש את חמורו (בראשית כב): ומאה צמוקים. מאה אשכלות ענבים יבשים: ומאה קיץ. מאה לטרין תאנים יבשים: ונבל. ונאד:

Commentary Digest

prets it as fruits that were dried in summer. (קיץ)

R, however, offers that they were figs: *"a hundred litras of pressed figs."* The fig is called summer fruit because it is dried in the summer — K. infra. v. 2. J.K., explains thus: Figs are called קיץ because they ripen last (קץ). Hence, קיץ refers to the figs, not to the season. This opinion is shared by R. Gen. 8:22, who explains that summer is called קיץ because the figs are gathered and dried then.

35. And have you not there with you Zadok and Abiathar the priest? And it shall [therefore] be that everything you hear from the king's house, you shall tell to Zadok and Abiathar the priests. 36. And, behold, they have there with them their two sons, Ahimaaz to Zadok, and Jonathan to Abiathar, and through them you shall send to me everything you hear." 37. And Hushai the Archite, the friend of David, came into the city, and Absalom [was] coming to Jerusalem.

16

1. And David was a little past the top (of the mount), and behold, Ziba the servant of Mephibosheth (came) toward him, with a pair of saddled asses, and upon them (were) two hundred (loaves) of bread, and a hundred clusters of raisins, and a hundred summer fruit, and a flask of wine. 2. And the king said to Ziba, "What for are these to you?" And Ziba said,

Commentary Digest

with his shirt torn — as a form of mourning, in sympathy with the king's plight. — D.

33. *be a burden to me.* — Because I have many others to travel with me, you would be of far better service to me in the city. — K. D suggests that he was old and frail and therefore would have been a burden to him.

34. *I your servant, O' king, will be* — based on K.

just as I was previously your father's servant — "*as if* [*it were written*]: *'and I was previously your father's servant; for it is an inverted sentence."* — R. David felt that if Hushai would pledge loyalty to Absalom, and then notify him that he had served as David's advisor, Hushai could gain Absalom's trust and would be in a position to neutralize the much-feared advice of Ahithophel. — D.

37. *friend* — constant companion and advisor — K.

(*was*) *coming to Jerusalem* — "*contemplated coming to Jerusalem.*" — R.

CHAPTER 16

1. *a group* — a pair of donkeys harnessed together. — Z.

a hundred summer friut — G inter-

צִיבָא הַחֲמוֹרִים לְבֵית־הַמֶּלֶךְ לִרְכֹּב
וּלְהַלֶּחֶם וְהַקַּיִץ לֶאֱכוֹל הַנְּעָרִים וְהַיַּיִן
לִשְׁתּוֹת הַיָּעֵף בַּמִּדְבָּר׃ ג וַיֹּאמֶר הַמֶּלֶךְ
וְאַיֵּה בֶּן־אֲדֹנֶיךָ וַיֹּאמֶר צִיבָא אֶל־
הַמֶּלֶךְ הִנֵּה יוֹשֵׁב בִּירוּשָׁלִַם כִּי אָמַר
הַיּוֹם יָשִׁיבוּ לִי בֵּית יִשְׂרָאֵל אֵת
מַמְלְכוּת אָבִי׃ ד וַיֹּאמֶר הַמֶּלֶךְ לְצִבָא
הִנֵּה לְךָ כֹּל אֲשֶׁר לִמְפִי־בֹשֶׁת וַיֹּאמֶר
צִיבָא הִשְׁתַּחֲוֵיתִי אֶמְצָא־חֵן בְּעֵינֶיךָ
אֲדֹנִי הַמֶּלֶךְ׃ ה וּבָא הַמֶּלֶךְ דָּוִד עַד־
בַּחוּרִים וְהִנֵּה מִשָּׁם אִישׁ יוֹצֵא
מִמִּשְׁפַּחַת בֵּית־שָׁאוּל וּשְׁמוֹ שִׁמְעִי בֶן

והלחם קרי

תרגום

ציבא חמריא לבית מלכא למרכב ולחמא ודבילתא למיכל עולימיא וחמרא למשתי דמשלהי במדברא׃
ג ואמר מלכא ואן בר רבונך ואמר ציבא למלכא הא יתיב בירושלם ארי אמר יומא דין יתיבון לי בית ישראל ית מלכותא דאבא׃
ד ואמר מלכא לציבא הא לך כל די למפיבשת ואמר ציבא מודינא אשכח רחמין בעינך רבוני מלכא׃
ה ואתא דוד מלכא עד עלמת והא מתמן גברא נפיק מזרעית בית שאול ושמיה שמעי בר גרא נפיק

ת"א ויאמר המלך ואיה. שבת נו: ויאמר המלך לציבא. שם:

רד"ק

(ב) לבית המלך לרכוב. לנשי המלך כי לא הניח אחת מנשיו אלא עשר פלגשים לשמור הבית ולא לקחו בצאתם מרכב' לנשים כי בחפזון יצאו כמו שאמר קומו ונברחה ואמר מהרו ללכת: ולהלחם והקיץ. כן כתיב בלמ"ד ואינה נקרא' וכבר כתבנו דעתינו במלות האלה ובדומיהן והלמ"ד הכתובה אין לה טעם בשמוש והוא כלמ"ד הרגו לאבנר והשלישי לאבשלום לאמות חמש והדומים להם. יאמר והקיץ ובכללו הצמוקים כי הפירות היבשים כלם פירות קיץ הם: (ה) בחורים. עיר מבני בנימין

מצודת ציון

(ה) ומקלל. ענין דברי קלון והרפה וכן כי מקללים להם בניו (ש"א ג'):

מצודת דוד

הבאת כל אלה: לבית המלך. לנשיו וילדיו: היעף. מעמל הדרך: (ג) היום ישיבו לי. בראותם מהומות רבות בבני המלך הזה הרג את אחיו וקם על אביו מה שלא היה בבני שאול: (ה) עד בחורים. סמוך לעיר בחורים:

Commentary Digest

Mephibosheth was displeased with his return. Actually the case was just the opposite, that he had not yet had the opportunity to groom himself following his constant mourning over David's departure. Rav, however, claims that David should have investigated the matter further and was therefore punished for dividing Mephibosheth's estate between Mephibosheth and Ziba (below 19:30) by having the kingdom of Israel split in two after Solomon's reign. Compare with Commentary Digest below 19:25.

M explains why, of all the inhabitants of Jerusalem, only Ziba brought David supplies. He suggests that all those who had vacated Jerusalem together with David were too harried to have gathered adequate supplies, while those that remained were either Absalom's supporters or feared Absalom's wrath should he discover that they had supplied David. Ziba, however, was willing to risk discovery because he stood to gain Mephibosheth's estate, and because he could easily have claimed that he supplied David on the orders of his master.

4. *all that belongs to Mephibosheth*

'the asses are for the king's household to ride on; and the bread and the summer fruit for the young men to eat; and the wine for the faint to drink in the wilderness'.
3. And the king said, "And where is your master's son?" And Ziba said to the king, "Behold he lives in Jerusalem, for he said, "Today the house of Israel will restore my father's kingdom to me."
4. And the king said to Ziba, "Behold, all that belongs to Mephibosheth is yours." And Ziba said, "I prostrate myself; let me find favor in your eyes, my lord O' king."
5. And king David came to Bahurim and, behold, there came out of there a man from the family of the house of Saul, whose name was Shimei, the son of

Commentary Digest

for the king's household — for the king's wives. — K.

and the summer fruit — Because Zibah made no mention of the raisins, K suggests that they are included under 'summer fruit', which is a collective term for all dried fruits.

2. *What for are these to you?* — Why have you brought all this here? — D.

3. *restore my father's kingdom* — Upon witnessing the present state of unrest in your household, Mephibosheth began praying that the kingdom be restored to the House of Saul. — D. There is a debate in T.B. Sab. 56a between the two famed heads of the Babylonian Talmudical academies, Rav and Samuel whether Ziba's or Mephibosheth's account (below 19:27) of Mephibosheth's actions at the time of David's departure was accurate. Rav apparently accepted Mephibosheth's version that he had been left stranded by Ziba, while Samuel seems to have favored Ziba's account of Mephibosheth's disloyalty. R, however, in T.B. Sab. *loc. cit.*, contends that Rav and Samuel never debated the accuracy of Mephibosheth's story (both agreeing that it was the truthful one) but debated only if David was to be blamed for accepting Ziba's slanderous account. Rav argued that David was not responsible for accepting the slander since he found Mephibosheth in an unkempt state (below 19:25) upon his return to Jerusalem and was naturally led to assume that

גֵּרָא יָצֹא יָצוֹא וּמְקַלֵּל׃ ו וַיְסַקֵּל בָּאֲבָנִים
אֶת־דָּוִד וְאֶת־כָּל־עַבְדֵי הַמֶּלֶךְ דָּוִד
וְכָל־הָעָם וְכָל־הַגִּבֹּרִים מִימִינוֹ
וּמִשְּׂמֹאלוֹ׃ ז וְכֹה־אָמַר שִׁמְעִי בְּקַלְלוֹ
צֵא צֵא אִישׁ הַדָּמִים וְאִישׁ הַבְּלִיָּעַל׃
ח הֵשִׁיב עָלֶיךָ יְהוָה כֹּל ׀ דְּמֵי בֵית־
שָׁאוּל אֲשֶׁר מָלַכְתָּ תַּחְתָּו וַיִּתֵּן יְהוָה
אֶת־הַמְּלוּכָה בְּיַד אַבְשָׁלוֹם בְּנֶךָ וְהִנְּךָ
בְּרָעָתֶךָ כִּי אִישׁ דָּמִים אָתָּה׃ ט וַיֹּאמֶר
אֲבִישַׁי בֶן־צְרוּיָה אֶל־הַמֶּלֶךְ לָמָּה
יְקַלֵּל הַכֶּלֶב הַמֵּת הַזֶּה אֶת־אֲדֹנִי

נָפֵיק מִיפַק וּמְלַטֵּט׃
ו וּמְרַגֵּם בְּאַבְנַיָא יַת דָּוִד
וְיַת כָּל עַבְדֵי מַלְכָּא דָוִד
וְכָל עַמָּא וְכָל גִּבָּרַיָּא
מִימִינֵיהּ וּמִשְּׂמָאלֵיהּ׃
ז וּכְדֵין אֲמַר שִׁמְעִי
בְּלַטָּטוּתֵיהּ פּוּק פּוּק
גְּבַר חַיָּיב קְטוֹל וּגְבַר
רַשִׁיעָא׃ ח אָתִיב עֲלָךְ
יְיָ כָּל חוֹבֵי בֵּית שָׁאוּל
דִּמְלַכְתָּא תְּחוֹתוֹהִי
וְאַצְלַח יְיָ יַת מַלְכוּתָא
בִּידָא דְאַבְשָׁלוֹם בְּרָךְ
וְהָא אַתְּ בְּבִישְׁתָּךְ אֲרֵי
גְּבַר חַיָּיב קְטוֹל אַתְּ׃
ט וַאֲמַר אֲבִישַׁי בַּר
צְרוּיָה לְמַלְכָּא לְמָא
יְלַטֵּט כַּלְבָּא מֵיתָא הָדֵין
יַת

ת"א נה נא. זוהר מקפטים:

מהר"י קרא
התחתיו קרי
(ח) והנך ברעתך. באותה רעה שעמדת מימיך בה אתה עומד גם היום:

רד"ק
ונקראה בדברי הימים עלמת ועלכת ובחורים אחד הוא: (ו) ויסקל באבנים. השליך אבנים כמו פעול הקל וסקלתו באבנים ואינו הפך הקל כמו שכתב רבי יונה כי פי' סקלו מאבן סקלו המסילה באבנים שתשליכו שם מפני הטיט והטיט הוא מכשול הדרכים וזה שאמר הרימו מכשול מדרך עמי ומ"ם מאבן במקום בי"ת כמו מסיני בא או תהיה המ"ם כמשמעה ויהיה פי' סקלו המסלה מאבנים גדולות: מימינו ומשמאלו. כל העם והגבורים שהיו מימין דוד ומשמאלו היה מסקל באבנים: (ז) איש הדמים. ת"י גבר דחייב קטול וי"ל שחשדו בדמי איש בשת ובדמי אבנר וז"ש לו השיב עליך ה' כל דמי בית שאול אשר מלכת תחתיו כלומר הרגת ביתו ומלכת

רלב"ג
(ז) איש הדמים ואיש הבליעל. יתכן שקראו איש הדמים כי דמים רבים שפך וקראו איש הבליעל על דבר בת שבע אשת אוריה החתי:

מצודת דוד
(ו) ויסקל. זרק אבנים על דוד וגו': (ז) צא. ר"ל צא ממלכותך אתה האיש השופך דמים כאומר הנה בעלתך נהרג אבנר ואיש בושת: (ח) השיב. ה' השיב עליך גמול עון דמי בית שאול כי בעלתך נהרג איש בושת בנו לשמלוך תחתיו: והנך ברעתך. הנה אתה בהרעה הראויה למעביך: (ט) למה יקלל. כאומר וכי אתה הרגת לשאול ולבניו:

Commentary Digest

Absalom (the Lord has given into the hands of Absalom). (b) While Saul was also removed from his throne, he did not have to suffer the ignomity of seeing it taken by his own son ('in the hands of Absalom your son'). (c) Saul was not forced to view his downfall while you are forced to view it ('and you are in your own evil). A and M.

you are in your own evil — You are forced to view your punishment —A and M. You now are suffering what you deserve for your wickedness. — D.

J.K. explains: You still have not repented for your evil deeds, but remain in your wickedness.

9. *and remove his head* — for one who curses the king surely deserves death. — A.

Gera, coming forth and cursing. 6. And he threw stones at David, and at all king David's servants and at all the people and at all the mighty men who were on his right and on his left hand. 7. And so said Shimei in his curse, "Begone, begone, you man of blood, and you wicked man. 8. The Lord has returned upon you all the blood of the house of Saul, in whose stead you have reigned; and the Lord has given the kingdom into the hands of Absalom your son; and behold you are in your own evil for you are a man of blood." 9. And Abishai the son of Zeruiah said to the king, "Why should this dead dog curse my lord

Commentary Digest

is yours — Later (below 19:30) David altered this decree and divided the property between Zibah and Mephibosheth. Since the Amora Samuel is of the opinion that David first accepted Zibah's testimony upon seeing Mephibosheth in an unkempt state (See Commentary Digest above v. 3), he would probably be obligated to contend that David did not state this edict outright, but with the stipulation that Ziba's words prove accurate.

from the house of Saul — Rabinowitz suggests that it was perhaps this encounter with Shimei which led David to believe that Saul's family still entertained thoughts of regaining the kingdom and caused him to reject Mephibosheth's claim to loyalty in 19:15.

7. *Begone, begone* — Begone from your sovereignty. — D. Begone from Jerusalem for it does not suit you. — Rabinowitz.

you man of blood — you man who are deserving of death — J. You who have shed innocent blood. — D. Shimei suspected David of having had a hand in the deaths of Abner the son of Ner (above 3:28) and Ish-bosheth the son of Saul (above 4:7). — K and D. M and A contend that Shimei also alluded to the death of Uriah the Hittite.

and you wicked man — an allusion to the Bath-sheba affair — A, M, and G.

8. *the Lord has returned* — You are being punished above and beyond Saul's punishment in a three-fold manner. (a) While you took the kingdom by force from Saul, it is the Lord who has granted it to

המלך אעברה־נא ואסירה את־
ראשו׃ י ויאמר המלך מה־לי ולכם בני
צרויה כי יקלל וכי יהוה אמר לו קלל
את־דוד ומי יאמר מדוע עשיתה כן׃
יא ויאמר דוד אל־אבישי ואל־כל־
עבדיו הנה בני אשר־יצא ממעי
מבקש את־נפשי ואף כי־עתה בן־
הימיני הנחו לו ויקלל כי אמר־לו יהוה׃
יב אולי יראה יהוה בעוני והשיב יהוה
לי טובה תחת קללתו היום הזה׃
יג וילך דוד ואנשיו בדרך * ושמעי הלך
בצלע ההר לעמתו הלוך ויקלל

תרגום

יַת רִבּוֹנִי מַלְכָּא אֶעְבַּר כְּעַן וְאַעְדֵּי יַת רֵישֵׁיהּ׃ י וַאֲמַר מַלְכָּא מַה לִי וּלְכוֹן בְּנֵי צְרוּיָה כְּדֵין יְלַטֵּיט אֲרֵי יְיָ אֲמַר לֵיהּ לַטֵּיט יַת דָּוִד וּמַן יֵימַר מַה דֵּין עֲבַדְתָּא כֵּן׃ יא וַאֲמַר דָּוִד לַאֲבִישַׁי וּלְכָל עַבְדוֹהִי הָא בְּרִי דְּאוֹלֵידִית בָּעֵי לְמִקְטְלִי וְאַף אֲרֵי כְעַן בַּר שֵׁבֶט בִּנְיָמִן שְׁבוּקוּ מִנֵּיהּ וִילַטֵּט אֲרֵי אֲמַר לֵיהּ יְיָ׃ יב מָאִים גְּלֵי קֳדָם יְיָ דִּמְעַת עֵינִי וִיתֵיב יְיָ לִי טַבְתָּא חֲלַף לְוָטְתֵיהּ יוֹמָא הָדֵין׃ יג וַאֲזַל דָּוִד וְגֻבְרוֹהִי בְּאוֹרְחָא וְשִׁמְעִי אָזֵיל בִּסְטַר טוּרָא לְקִבְלֵיהּ אָזֵיל ומלטט

תולדות אהרן

מה לי ולכם. עקידה שער פב: הלוך ויקלל. עקידה שער סב:

כה קרי כי קרי בעיני קרי קללתו קרי פב"פ

מהר"י קרא

(יב) אולי יראה ה' בעיני. בדמעת עיני:

רש"י

(י) כה יקלל. כן יקלל: ה' אמר לו. אפשר אדם כמותו שהוא ראש לסנהדרין יקלל את המלך אם לא שנאמ' לו מאת הקב"ה: (יב) יראה ה' בעיני. דמעת עיני:

רלב"ג

(י) כי ה' אמר לו קלל את דוד. אמר זה להעיר כי אולי מהש"י נסיה להגיע זה העונש לדוד ולזה אין ראוי שישתדלו במניעתו כי השי"ת שליט בכל אשר יחפוץ ומי שישתדל לחלוק על מחשבתו יתיסר עליהם כמו שעשו אחי יוסף ליוסף להמלט מענין חלומותיו וזה היה סבה אל שהגיעו לדבר החלומות ההם: (יב) אולי יראה ה' בעיני. ר"ל אולי ישגיח השם בעבור עיני והגלון בזה בעבו' מה שעיני רואה מהבזויים האלו ואני סובלם לכבוד הש"י ולע"פ שיש לאל ידי להנקם משמעי הנה מפני זאת התכונה הטובה אני בה מסבו' אלו החרפות אולי ישיב לי הש"י טובה תחת קללתו אשר קלל אותי היום הזה:

רד"ק

(י) כי יקלל. כן כתיב וקרי כה ושניהם קרובין בענין: יכי ה'. כתיב בוי"ו וקרי בלא וי"ו: ה' אמר לו. כאילו אמר לו קלל את דוד כי הוא רצה בטלטולי זה או פירוש הוא העיר את רוחו לבזות אותי לעונש עוני: (יב) אולי יראה ה' בעיני. כמו בעניני שאני בו וכן בדברי רז"ל מעין כל ברכה וברכה כמו מענין וי"ת תחתיו וי"ת כל דמי בית שאול כל חובי בית שאול:

מצודת ציון

(יב) אולי. הנוהי כמו אולי ישמע (ישעיה לז): (יג) בצלע. בעבר

מצודת דוד

(י) מה לי ולכם. ר"ל מה האיבה והשנאה אשר ביניכו מה עשיתם לי ומה עשיתי לכם ולמה א"כ תעבו דברים אשר לא אחפוץ בהם: כה יקלל. הלא אשר יקלל כה הוא כי ה' אמר לו קלל והיא העיר רוחו לזה ומי יאמר לשמעי מדוע עשית כן הלא הוא שגוהו בכל מקום: (יא) הנה בני וגו'. ר"ל הלא בדרך הטבע שהבן חס על אביו והנכם רואים שהוא מבקש נפשי ומזה נראה ביד ה' עשתה זאת: ואף כי עתה. ומכ"ש עתה שאני בורח ומעונה ושמעי הוא מבני הימיני אשר המה לי לאויבים ביותר המה מוכנים לעשות כי גזירתו בכל מקום כראותם קושי מזלי נרדף מבן בטני ולזה הניחו לו כי ה' אמר לו: (יב) בעיני. בדמעת עיני הזלה מהרפת אנוש: והשיב. בעבור

Commentary Digest

versary, it is not befitting that I take action against a lesser one. — A. From David's charge to Solomon in I Kings 2:8, it is clear that David never granted full pardon to Shimei but merely considered this an inappropriate time to take action against him.

12. *"the tears of my eyes."* — lit. in my eye. — R. K interprets בעיני as בעניני: the Lord will look upon my state of affairs. God, seeing that I willingly accept my present abuse, will perhaps forgive me and restore me to my kingdom. — A and M.

13. *by the road* — Although Shimei continued his physical and verbal abuse of David and his men, they still refused to budge from

the king? let me go over, I beg you, and remove his head."
10. And the king said, "What is it between me and you,
sons of Zeruiah? So let him curse, because the Lord has
[surely] said to him, 'Curse David'; who then shall [have
the right to] say, 'Why have you done so'?" 11. And David
said to Abishai and to all his servants, "Behold my son who
came from my body seeks my life; how much more now
[that] the Benjamite [should do it]? let him alone, and let
him curse; for the Lord has bidden him. 12. Perhaps the
Lord will see (the tears of) my eye, and the Lord will return
to me good instead of his curse on this day." 13. And
David and his men went by the road; and Shimei went
along the hillside opposite him, going and cursing

Commentary Digest

10. *What is it between me and you?* — What hatred is there between us that you desire to act against my will? — D. What harm does he bring upon either one of us? — A and M.

because the Lord said to him — It is G-d who desires that I be shamed in this manner. Therefore, in cursing me, he is but the Lord's messenger. — D. R seems to suggest that David believed Shimei had actually received word to curse him: *"Is it possible that a man like him, who is the head of the Sanhedrin, would curse the king had he not been commanded by the Holy One Blessed is He?"* — R.

11. *And David said to Abishai* — Because Abishai had steadfastly refused to heed his plea, David was forced to repeat it in the presence of the other servants. — A.

seeks my life — seeks to capture me and subordinate me to him. — A. Compare with above v. 1 where A contends that Absalom never sought to physically harm David.

behold my son . . . seeks my life, how much more so — If my own son, who could be expected to take pity on me, seeks to harm me, can we blame Shimei, who, as a member of Saul's household, is a very natural adversary? — M. Just because I am helpless against my major ad-

ויסקל באבנים לעמתו ועפר בעפר :
יד ויבא המלך וכל־העם אשר־אתו
עיפים וינפש שם : טו ואבשלום וכל־
העם איש ישראל באו ירושלם
ואחיתפל אתו : טז ויהי כאשר־בא חושי
הארכי רעה דוד אל־אבשלום ויאמר
חושי אל־אבשלום יחי המלך יחי
המלך : יז ויאמר אבשלום אל־חושי זה
חסדך את־רעך למה לא־הלכת את־
רעך : יח ויאמר חושי אל־אבשלם לא
כי אשר בחר יהוה והעם הזה וכל־
איש ישראל לא אהיה ואתו אשב :
יט והשנית למי אני אעבד הלוא לפני

לו קרי

ומלטט ומרגם באבניא
לקיבליה ומשדי עפרא :
יד ואתא מלכא וכל
עמא די עמיה כד
משלהן ונח תמן :
טו ואבשלום וכל עמא
אנש ישראל אתו
לירושלם ואחיתופל
עמיה : טז והוה כד אתא
חושי ארכאה שושבינא
דדויד לות אבשלום
ואמר חושי לאבשלום
יצלח מלכא יצלח
מלכא : יז ואמר אבשלום
לחושי דא טיבותך דעם
חברך למה לא אזלת
עם חברך : יח ואמר
חושי לאבשלום לא
אלהין דאתרעי יי ועמא
הדין וכל אנש ישראל
די ליה אהי ועמיה
אתיב : יט והנינות קדם
מן אנא אפלח הלא
קדם

רש"י

(יד) וינפש שם . בבחורים :

מהר"י קרא

(יח) לא כי אשר בחר ה' והעם הזה וכל איש ישראל . לו אהית ואתו אשב . בלבי גומר הדבר לאומרו כלפי דוד שנבחר למלכות ובפיו משמיע הדבר שאמרו כלפי אבשלום:(יט) והשנית למי אני. והלא לפני בנו כמו שבני אדם נהוגים לו' שתי תשובות בדבר.

רד"ק

דמעת עיני והכתיב הוא בעוני כלומר בעניי : תחת קללתי . כתיב ביו"ד וקרי בוי"ו והענין אחד כי הכנוי דבק עם הפעל ועם הפעיל וכן בבית תפלתי שבעתי את תפלתך : (יג) באבנים לעומתו . כי לא היו משיגים אותו האבנים והעפר כי רחוק היה ממנו אלא לעומתו היה מסקל : ועפר בעפר . הכפל לחזק הענין כי די היה לו אם אמר ועפר לבדו או השליך עפר וכמוהו מקרקר קיר ותשרש שרשיה : (יד) וינפש שם . בבחורים כמו שאמר למעלה ובא המלך דוד עד בחורים : (יח) לא אהיה . כתיב באל"ף וקרי בוי"ו ופי' הכתוב דרך תמיה והקרי כמשמעו:(יט) והשנית . והטענה השנית למה באתי אליך: למי

מצודת דוד

העלבון הזה ישיב לי ה' טובה במקום הקללה : (יד) ויבא המלך . אל בחורים שזכר למעלה : (יז) זה חסדך . וכי זהו החסד שעשית לרעך לדוד לעזבו ביום לכתו למה לא הלכת עמו : (יח) לא . ר"ל לא היה מהראוי שאלך עם אביך כי אל המלך אשר בחר ה' והעם היושבים פה וכל איש ישראל אשר אתנו פה לו אהיה לעבד ועמו אשב וכאומר הנה אהבתי לאביך לא היתה מצד עצמו כ"א מצד המלוכה : (יט) והשנית . ר"ל ואף אם הייתי לו לאוהב מצד עצמו מ"מ אין זה בגידה בו כי למי אעבוד וכי למשפחת בית שאול אויביו

מצודת ציון

ובצד כמו לצלע המשכן (שמות כו): לעומתו . נגדו: ועפר . זרק עפר ולתוספת ביאור אמר בעפר וכן ותשרש שרשיה (תהלים פ): (יד) וינפש . ענין מנוחה ומרגוע המשיב את הנפש כמו שבת וינפש

Commentary Digest

Lord and all the people of Israel. — Rabinowitz.

to him will I be. — 'kri' לו, to him; 'ktib', לא, will not. The 'kri' is to be interpreted as a declarative sentence. The 'ktib' is as a question, "will I not be . . .?"

so will I be in your presence — Again Hushai carefully avoided an outright falsehood by not promising to serve Absalom as he had David, merely that he would be in his presence.

and he threw stones toward him, and he threw earth. 14.
And the king, and all the people that were with him were
weary, and he refreshed himself there. 15. And Absalom,
and all the people, the men of Israel, came to Jerusalem;
and Ahithophel [was] with him. 16. And it came to pass
when Hushai the Archite, David's friend, had come to
Absalom, that Hushai said to Absalom, "[long] live the
king, [long] live the king." 17. And Absalom said to
Hushai, "Is this your kindness to your friend? why did you
not go with your friend?" 18. And Hushai said to
Absalom, "No, but to whom the Lord and these people, and
all the men of Israel have chosen, to him will I be, and
with him will I abide. 19. Secondly, whom should
I serve? [should I] not [serve] in the presence

Commentary Digest

their path. — M. M.Ps. asks, "Where else should they have walked, perhaps on air." They, therefore interpret 'by the road' as: They complied with (followed in the path of) David's counsel not to harm Shimei. — M.Ps. Ch. 2.

toward him — Toward him but not quite upon him, since there was sufficient distance between them for Shimei's stones to fall short of their mark. — K.

14. *refreshed himself there* — *"in Bahurim"* — R.

17. *Is this your kindness to your friend?* — You have been unfaithful to my father in a two-fold manner; (a) by declaring me king, (b) by not having joined him. — A.

18. *the Lord, and these people, and all the men of Israel.* — Even if David denies you the throne, I choose you because you are the choice of (a) the Lord, (b) the Sanhedrin ('all these people'), (c) all the men of Israel. — M.

but to whom the Lord . . . have chosen — Hushai carefully avoided lying outright. While Absalom naturally assumed that he was referring to him, Hushai really meant David, the true chosen one of the

בְּנוֹ כַּאֲשֶׁר עָבַדְתִּי לִפְנֵי אָבִיךָ כֵּן
אֶהְיֶה לְפָנֶיךָ׃ כ וַיֹּאמֶר אַבְשָׁלוֹם אֶל־
אֲחִיתֹפֶל הָבוּ לָכֶם עֵצָה מַה־נַּעֲשֶׂה׃
כא וַיֹּאמֶר אֲחִיתֹפֶל אֶל־אַבְשָׁלֹם בּוֹא
אֶל־פִּלַגְשֵׁי אָבִיךָ אֲשֶׁר הִנִּיחַ לִשְׁמוֹר
הַבָּיִת וְשָׁמַע כָּל־יִשְׂרָאֵל כִּי־נִבְאַשְׁתָּ
אֶת־אָבִיךָ וְחָזְקוּ יְדֵי כָּל־אֲשֶׁר אִתָּךְ׃
כב וַיַּטּוּ לְאַבְשָׁלוֹם הָאֹהֶל עַל־הַגָּג וַיָּבֹא
אַבְשָׁלוֹם אֶל־פִּלַגְשֵׁי אָבִיו לְעֵינֵי כָּל־
יִשְׂרָאֵל׃ כג וַעֲצַת אֲחִיתֹפֶל אֲשֶׁר יָעַץ

תרגום

קֳדָם בְּרֵיהּ כְּמָא דִפְלָחִית קֳדָם אֲבוּךְ כֵּן אֱהֵי פָלַח קֳדָמָךְ׃ כ וַאֲמַר אַבְשָׁלוֹם לַאֲחִיתוֹפֶל הָבוּ לְכוֹן מַלְכָּא מָה נַעֲבֵיד׃ כא נַאֲמַר אֲחִיתוֹפֶל לְאַבְשָׁלוֹם עוּל לְוַת לְחֵינָתָא דַאֲבוּךְ דִי שְׁבַק לְמִיטַר בֵּיתָא וְיִשְׁמַע כָּל יִשְׂרָאֵל אֲרֵי אִתְגָרֵיתָא בַּאֲבוּךְ וְיִתְקוֹף יְדֵי כָּל דִי עִמָּךְ׃ כב וּנְגַדוּ לְאַבְשָׁלוֹם קִינוּפִין עַל אִיגָרָא וְעַל אַבְשָׁלוֹם לְוַת לְחֵינָתָא דַאֲבוּהִי לְעֵינֵי כָּל יִשְׂרָאֵל׃ כג וּמַלְכָּא דַאֲחִיתוֹפֶל דִמְלַךְ ביומיא

ת"א ועלת אחיתופל. ברכות ד סנהדרין יו (שם פט):

רש"י

(כא) וחזקו ידי כל אשר אתך. כי עתה ידם רפה לעזור לך שאומרים בלבם הבן יתחרט אל אביו ואנו נהיה שנואים למלך:

מהר"י קרא

תאחת האיש אשר בחר בו ה' והעם חזה אתו אשב. ועוד שנית למי אעבוד אם אני עובד אותך הלא לפני בנו. ואיני מורד על דוד אם אני עובד אותך לפי שאתה בנו: (כא) בוא אל פלגשי אביך [וגו'] ושמע כל ישראל כי נבאשת את אביך וחזקו ידי כל אשר אתך. שאם לא תעשה לאביך דבר המסור ללב יאמר כל אחד ואחד מישראל מה לי לעזור לאבשלום להלחם עם דוד מחר יתפייס האב עם הבן ואני בשנאה. מוטב לי שאעמוד מנגד. אבל כשתבא אל פלגשי [אביך] יחזקו ידי כל אשר אתך לעזור אותך שבדבר זה אין בו פיוס לעולם: (כב) ויטו לאבשלום האהל על הגג. כדי שיראו כל ישראל שהוא בא אל פלגשי אביו. לקיים מה שנאמר ושכב את נשיך לעיני השמש הזאת. וכתיב אתה עשית בסתר ואני אעשה נגד כל ישראל וגו' לכך נאמר ויטו לאבשלום האהל על הגג. במקום גבוה כדי שיראו כל ישראל [שהוא] שוכב עם פלגשי אביו: (כג) ועצת אחיתופל אשר יעץ בימים ההם כאשר ישאל איש בדבר האלהים כן כל עצת אחיתופל. בימים ההם קמה עצת אחיתופל אפי' לדבר עבירה לפי שהיה מעם ה' לקיים גזירתו שאמר הנני מקים עליך רעה

רלב"ג

(כב) ויבא אבשלום אל פילגשי אביו לעיני כל ישראל. הנה בזה נתקיים מה שייעד לו הש"י לדוד באמרו הנני מקים עליך רעה מביתך ולקחתי את נשיך לעיניך ונתתי לרעך ושכב עם נשיך לעיני השמש הזאת כי אתה עשית בסתר ואני אעשה את הדבר הזה נגד כל ישראל ונגד השמש. והנה יעץ לו זה אחיתופל לחשבו כי אולי יחשבו ישראל שתהיה זאת התבולה לבחון אם כל ישראל יעזר את דוד ולזה יילאו מלמרוד בדוד אך כשיראו הפעל המגונה מאבשלום

רד"ק

אני אעבוד. כלומר משני פנים היה חדין עלי לבא אליך: (כ) הבו לכם. לשון תפארת או פי' אתה והחכמים אשר אתך: (כב) ויטו לאבשלום האהל. הטו לו אהלים על הגג שיבואו שם הפלגשים וישכב אבשלום עמהן תוך האהלים וזהו לפני כל ישראל כי כלם ראו שנכנס עמהן בסתר תוך האהלים ותרגומו ונגדו לאבשלום קינופין על איגרא ובדברי רבותינו ז"ל פי' קנופין שמעמידין ארבע עמודי עצים ונותלי' עליה׳

מצודת ציון

(כמות לא): (כ) הבו. הזמינו כמו הבה נרדה (בראשית יא): (כא) נבאשת. ענין סירוח ומאוס כדבר הנבאש:

מצודת דוד

הלא לפני בנו אעבוד ולזה כאשר עבדתי לפני אביך כן אהיה לפניך ולא יחשב לבגידה: (כ) הבו. אתה והזקנים שעמך התייעצו ביניכם מה נעשה: (כא) וחזקו. על כי עדיין נרפים הם בחושבם פן ישלימו האב והבן ויקמו מאתנו אבל בזה ידעו כי נבאשת את אביך ויתחזקו ידיהם להיות עמך: (כב) לעיני וגו'. כולם ראו הכנסו אל

Commentary Digest

to David proved to be as consistently sound as if one had inquired of the word of G-d.

man — based on 'kri' of verse which includes the word איש.

According to A the verse indicates the enormous esteem in which Ahithophel's counsel was held, in order to suggest that it was obviously miraculous that Hushai's advice of the next chapter was heeded above Ahithophel's — A and Rabinowitz.

of his son? As I have served in your father's presence, so will I be in your presence." 20. And Absalom said to Ahithophel, "Give yourself counsel what we shall do." 21. And Ahithophel said to Absalom, "Come in to your father's concubines that he has left to keep the house; and all Israel will hear that you are abhorred of your father; then the hands of all that are with you will be strengthened." 22. And they spread for Absalom a tent upon the roof; and Absalom came to his father's concubines before the eyes of all Israel. 23. And the counsel of Ahithophel, which he counselled

Commentary Digest

20. *yourselves* — You and the elders who are with you. — D.

then the hands of all that are with you will be strengthened — *"for now they (lit — their hands) are lax to support you, for they say in their hearts: 'the son will have a change of heart when [he is] near his father and we (alone) will remain despised by David."* — R.

Ahithophel advised Absalom to cause an irrevocable breach between himself and his father by coming upon David's concubines, an act that would rule out any possibility of reconciliation. — J.K. and A. The Midrash, however, suggests that Ahithophel had himself hoped to become king and advised Absalom to commit an act that he felt would lead to his demise. — Y.S. from unknown source.

22. *before the eyes of all Israel* — This fulfilled Nathan's prophecy of above, 12:12: 'For you have done it in secrecy, but I will do this thing before all Israel.' — K and A.

23. *in those days* — While normally Ahithophel's counsel would not have been allowed to stand ('There is no wisdom, nor understanding, nor counsel, against the Lord'. Prov. 21:30), here God allowed it since he had previously decreed that this should come upon David. In this manner, 'the counsel of Ahithophel which he counselled *in those days* was as if a man inquired of the word of G-d'. The counsel of Ahithophel, though against the word of G-d, in this instance was G-d's will. — J.K.

The simple meaning of the verse is provided by K: Ahithophel's advice

בַּיָּמִים הָהֵם כַּאֲשֶׁר יִשְׁאַל־*בִּדְבַר
הָאֱלֹהִים כֵּן כָּל־עֲצַת אֲחִיתֹפֶל גַּם־
לְדָוִד גַּם־לְאַבְשָׁלֹם׃ יז א וַיֹּאמֶר
אֲחִיתֹפֶל אֶל־אַבְשָׁלֹם אֶבְחֲרָה־נָּא
שְׁנֵים־עָשָׂר אֶלֶף אִישׁ וְאָקוּמָה
וְאֶרְדְּפָה אַחֲרֵי־דָוִד הַלָּיְלָה׃ ב וְאָבוֹא
עָלָיו וְהוּא יָגֵעַ וּרְפֵה יָדַיִם וְהַחֲרַדְתִּי
אֹתוֹ וְנָס כָּל־הָעָם אֲשֶׁר־אִתּוֹ וְהִכֵּיתִי
אֶת־הַמֶּלֶךְ לְבַדּוֹ׃ ג וְאָשִׁיבָה כָל־הָעָם
אֵלֶיךָ כְּשׁוּב הַכֹּל הָאִישׁ אֲשֶׁר־אַתָּה

בְּיוֹמַיָא הָאִינוּן כְּמָא
דְשָׁאִיל גַבְרָא בְּפִתְגָמָא
דַיְיָ כֵּן כָּל מִלְכָּא
דַאֲחִיתֹפֶל אַף לְדָוִד אַף
לְאַבְשָׁלוֹם׃ א נַאֲמַר
אֲחִיתוֹפֶל לְאַבְשָׁלוֹם
אֶבְחַר כְּעַן תְּרֵי עֲסַר
אַלְפִין גַבְרָא וְאָקוּם
וְאֶרְדוֹף בָּתַר דָוִד
בְּלֵילְיָא׃ ב וְאֵיתֵי
עֲלוֹהִי כַּד הוּא מְשַׁלְהֵי
וִידוֹהִי מְרַשְׁלָן וְאָזִיעַ
יָתֵיהּ וְיֵעֲרוֹק כָּל עַמָּא דִי
עִמֵּיהּ וְאֶקְטוֹל יַת מַלְכָּא
בִּלְחוֹדוֹהִי׃ ג וְאָתִיב כָּל
עַמָּא לְוָתָךְ כַּד יְתוּבוּן
כּוּלְהוֹן בָּתַר דְיִתְקְטֵל
גברא

ת"א כאשר ישאל. (נדרים לז):

איש קרי ולא כתיב

רש"י

יז (ג) כשוב הכל. אליך: האיש אשר אתה מבקש. יעשה בו בקשתך ויהרג ואחר כך כל העם יהיה שלום

מהר"י קרא

מביתך ולקחתי את נשיך לעיניך [ונתתי לרעיך] ושכב עם נשיך. אבל לפנים מיכן או לאחר מיכן אם לחשך אדם לעבור עבירה כדי שתצליח, לא יאבה לו ולא ישמע. שאין חכמה ואין תבונה נגד ה'. והוא כפר מחשבות ערומים. לוכד חכמים בערמם ועצת נפתלים נמהרה. יומם יפגשו חושך. ויושע מחרב מפיהם: יז (ג) כשוב הכל האיש אשר אתה מבקש כל העם יהיה שלום. פתרונו כשישובו כל העם מאחרי דוד שלא יעזרוהו

רד"ק

וסביבותיהם יריעות והוא אהל נשוי: (כג) כאשר ישאל איש בדבר האלהים. איש קרי ולא כתיב והכתיב ר"ל על דוד כן היתה עצתו נכונה ומהאמתת לדוד כמו אם היה דוד שואל בדבר האלהים כי אחיתופל יועץ היה לדוד כמו שאומר בד"ה ואחיתופל יועץ למלך וקרי איש כלומר לכל אדם המתיעץ בו זכה שאמר לדוד כי לא היה לו יועץ הכיד ומה שאמר גם לדוד גם לאבשלום האחר לרבות על חבירו כמו גם צאנכם גם בקרכם קחו כי עתה שב להיות יועץ אבשלום כמו שהיה יועץ דוד. ובדרש איש קרי ולא כתיב לא היה איש אלא מלאך: גם לאבשלום. ואע"פ שזה היתה עצתו תחילה לאבשלום דבר הפלגשים עצה נכונה היתה ואף על פי שהיתה לרעה כי בדבר ההוא חוקו ידי כל אשר אתו וידעו כי לא יעשה עוד אביו שלום עמו וגם העצה הזאת האחרת היתה נכונה ואילו נעשתה היה נהרג דוד כדבריו אלא שהקב"ה צוה להפר העצה: (א) שנים עשר אלף. אלף מכל שבט ושבט: (ג) כשוב הכל. כשוב כל דבר שירצה אדם להשיב אליו כן נקל לי להשיב אליך כל העם

רלב"ג

כנגד אביו אז יתבאר להם כי נכאש את דוד ושאין זה הענין על לד התחבולה לבחון לבבם ולפי שהפילגשים בלא כתובה ובלא קידושין דינן כדין מפותת האב שהיא מותרת לבן: (כג) כן כל עצת אחיתופל גם לדוד גם לאבשלום. הנה אחיתופל היה אבי אביה של בת שבע אשת דוד שנאמר דגבורי דוד אליעם בן אחיתופל הגילוני והנה בת שבע היתה בת אליעם כאמרו הלא זאת בת שבע בת אליעם והנה עם כל זה ספר כי עצתו היתה תמיד בתכלית מה שאפשר מהטוב לביגיע אל התכלית לדוד בהיותו יועץ דוד ואחר שהיה בקושרים היתה עצתו ג"כ שלמה לאבשלום כנגד דוד: (ג) ואשיבה כל העם אליך כשוב הכל האיש אשר אתה מבקש. ר"ל כזה הדרך אשוב כל ישראל בכללם אליך כי הכותי האיש אשר אתה מבקש יהי' כשוב הכל כי ממיתת

מצודת דוד

האוהל והתיחדו עמהן: (כג) בימים ההם. אשר הועמד להיות יועץ: כאשר. כמו השואל מה מדבר אלהים בטוח הוא שהתשובה היא נאמנה כן היתה עצת אחיתופל בטוחה להגיע על ידה הדבר הנרצה: גם לאבשלום. כי לפי מחשבתם הרעה היתה העצה בדבר הפלגשים עצה טובה ואף עצתו בדבר הרדיפה אחר דוד עצה נכונה היתה אבל ה' הפרה:
יז (א) אבחרה וגו'. כי לקבץ את כל ישראל יתאחר זמן רב ובתוך כך ימלט דוד על נפשו: ואקומה. כ"א ילך אבשלום פן יתמול עליו כשיראה רבנו: הלילה. בעודו עיף ויגע: (ב) ורפה ידים. כי זה היום נטרד מן המלוכה ועדיין לא לקח עצה מה לעשו': והחרדתי אותו. בהיות הדבר פתאום ובלילה: ונס כל העם. בעבור החרדה ינוסו זה בכה וזה בכה ולא ישארו עם המלך ללחום בעבורו ואז אוכל להכות אותו לבדו מבלי שאצטרך להמית מי מאנשיו הואיל ולא יעמדו למלחמה כי ינוסו ואיכם: (ג) ואשיבה. ואז אשיב אליך כל העם אשר עם אביך: כשוב הכל. כמו ששבו אליך כל המון ישראל וקבלו אותך למלך: האיש אשר וגו'. ר"ל לא יפסד

מצודת ציון

יז (ב) ורפה ידים. ענין מורך לב ויאוש:

in those days was as if a man inquired of the word of God; so was all the counsel of Ahithophel both to David and to Absalom.

17

1. And Ahithophel said to Absalom: "Let me now choose twelve thousand men, and I will rise and pursue David tonight. 2. And I will come upon him while he is weary and weak-handed, and I will startle him; and all the people that are with him will flee, and I will smite the king alone. 3. And I will bring back all the people to you; when all shall have returned, the man whom you seek

Commentary Digest

CHAPTER 17

1. *I will rise and pursue* — Ahithophel feared that should Absalom personally lead the battle, he would, upon confronting his father, take pity on him. — A.

3. *when all shall have returned* — *"to you"* — R.

the man whom you seek — J.K. completes this verse as follows: 'If, when all turn their backs on David ('when all shall have returned'), and the man whom you seek (i.e. David) shall be smitten, then all the people shall be at peace.' — R completes it in the following manner: *"the man whom you seek,* [*if*] *unto him will be done what you desire, and he will be killed, then all the people will be at peace. This is an incomplete verse."* — R. Although R's explanation indicates that Ahithophel sought to kill David, there is no evidence that Absalom agreed with him.

A offers a totally different interpretation: Just as the people returned to the man whom you now seek (i.e. David) following the death of Saul, they will return to you ('be at peace').

then all the people will be at peace — Only he will die while all the men that are with him will be at peace. — D. As long as he lives, the nation will be splintered into factions, some supporting you, others supporting him. If he dies, however, all of Israel will be at peace since they will have no choice but to accept you. — G. See A in preceding Commentary Digest.

מְבַקֵּשׁ כָּל־הָעָם יִהְיֶה שָׁלוֹם׃ ד וַיִּישַׁר
הַדָּבָר בְּעֵינֵי אַבְשָׁלֹם וּבְעֵינֵי כָּל־זִקְנֵי
יִשְׂרָאֵל׃ ה וַיֹּאמֶר אַבְשָׁלוֹם קְרָא נָא
גַּם לְחוּשַׁי הָאַרְכִּי וְנִשְׁמְעָה מַה־בְּפִיו
גַּם־הוּא׃ ו וַיָּבֹא חוּשַׁי אֶל־אַבְשָׁלוֹם
וַיֹּאמֶר אַבְשָׁלוֹם אֵלָיו לֵאמֹר כַּדָּבָר
הַזֶּה דִּבֶּר אֲחִיתֹפֶל הֲנַעֲשֶׂה אֶת־דְּבָרוֹ
אִם־אַיִן אַתָּה דַבֵּר׃ ז וַיֹּאמֶר חוּשַׁי אֶל־
אַבְשָׁלוֹם לֹא־טוֹבָה הָעֵצָה אֲשֶׁר־יָעַץ
אֲחִיתֹפֶל בַּפַּעַם הַזֹּאת׃ ח וַיֹּאמֶר חוּשַׁי
אַתָּה יָדַעְתָּ אֶת־אָבִיךָ וְאֶת־אֲנָשָׁיו כִּי
גִבֹּרִים הֵמָּה וּמָרֵי נֶפֶשׁ הֵמָּה כְּדֹב

תרגום

גַּבְרָא דְאַתְּ בָּעֵי כָּל עַמָּא יְהֵי שְׁלָם׃ ד וּכְשַׁר פִּתְגָמָא בְּעֵינֵי אַבְשָׁלוֹם וּבְעֵינֵי כָּל סָבֵי יִשְׂרָאֵל׃ ה וַאֲמַר אַבְשָׁלוֹם קְרִי כְעַן אַף לְחוּשַׁי אַרְכָּאָה וְנִשְׁמַע מָה דְיֵימַר אַף הוּא׃ ו וַאֲתָא חוּשַׁי לְוָת אַבְשָׁלוֹם וַאֲמַר אַבְשָׁלוֹם לֵיהּ לְמֵימַר כְּפִתְגָמָא הָדֵין מַלֵּיל אֲחִיתוֹפֶל הֲנַעְבֵּיד יָת פִּתְגָמֵיהּ אִם לָא דְּכָשַׁר בְּעֵינָךְ אַתְּ מַלֵּיל׃ ז וַאֲמַר חוּשַׁי לְאַבְשָׁלוֹם לָא תַקִּין מִלְכָּא דִמְלַךְ אֲחִיתוֹפֶל בְּזִמְנָא הָדָא׃ ח וַאֲמַר חוּשַׁי אַתְּ יְדַעְתָּא יָת אֲבוּךְ וְיָת גִּבְרוֹהִי אֲרֵי גִבָּרִין אִינוּן וּמְרִירַן נַפְשָׁן אִינוּן כְּדוּב תַּכְּלָא בְחַקְלָא

ת"א ויישר הדבר . סנהדרין קו :

רש"י

וזה מקרא קצר: (ד) ובעיני כל זקני ישראל. זקני אשמאי:

מהר"י קרא

ונכה האיש אשר אתה מבקש הוא דוד אביך וכל אדם יהיה בשלום. וכן תירגם יונתן כד יתובון כולכון בתר דאינצח לגברא דאת בעי וכל עמא יהי לשלם: (ז) לא טובה העצה אשר יעץ אחיתופל בפעם הזאת. הדבר הזה דבור על שתי אופנים. גומר בלבו לומר לא טובה העצה לדוד אשר יעץ אחיתופל בפעם הזאת. ובפיו אומר לו טובה העצה לאבשלום אשר יעץ אחית'

רלב"ג

דוד ימשוך שישובו כל ישראל אליך ויהי' זה כשה שלא תבקש עמך אשר אחך או אשר את דוד אך יהי' כל העם שלום בלי מלחמה כי אחר מותו לא יתכן שתהי' שם מלחמה כלל על זה: (ד) ובעיני כל זקני ישראל. הנה כל חכמי ישראל הסכימו בזאת העצה כי גם האמינו בדברי אבשלום אל העם שאין אביו רוצה לעשות דין ומשפט לאחד מהבאים לפניו עם שזה היה מהס"י לענוש את דוד על דבר אוריה החתי: (ח) כדוב שכול בשדה. ר"ל כדוב טורף ולרוב טורפו

רד"ק

וי"ת כד יתובון כלהון: האיש אשר אתה מבקש. אחר אשר אהרג האיש אשר אתה מבקש רעתו והוא דוד כמו שאמר והכיתי את המלך לבדו וכת"י בתר דיתקטל גברא דאת בעי ואמרו כי השנאה הגדולה הזאת שהיה שונא אחיתופל את דוד שיעץ הריגתו ובזהו בדבריו שאמר אחרי דוד ולא אמר אחרי המלך דוד מפני המעשה שעשה בבת שבע ואמרו כי בת שבע היתה בת בנו של אחיתופל דכתיב הלא זאת בת שבע בת אליעם וכתיב אליעם בן אחיתופל הגלוני: (ז) בפעם הזאת. אע"פ שכל עצותיו נכונות בפעם הזה חטא בעצתו: (ח) כדוב

מצודת ציון

(ד) ויישר. מלשון ישר ר"ל הוטב בעיניו: (ו) אם אין. אם לאו:

מצודת דוד

מהם כי אם האיש אשר אתה מבקש כי הוא לבדו יומת אבל לכל העם שעמו יהיה שלום ולא יפקד מהם איש: (ה) גם הוא. עם שהוא רעה דוד וחשוד בעיני עכ"ז יאמר גם הוא עלתו: (ז) בפעם הזאת. כאלו אמר אבל עלתו בדבר הפילגשים טובה היתה ועל כי כבר עברה לכך שבחה בעיניו למען יאמין בו: (ח) כי גבורים המה. ואינם חרדים מהמיית מלחמה עם שהיא פתאום ובלילה: ומרי נפש המה. וכ"ש שהמה עתה מרי נפש דואגים על קובי זמנם ויפעלו גבורות כדוב שכיל מבניו בהיותו רודף בשדה לחפש

Commentary Digest

was thinking that Ahithophel's advice was not good for David.

8. *they are warriors* — who do not fear to do battle even at night — D.

of embittered spirit — which will cause them to fight in a fierce and desperate manner. — D.

in the field, bereft of cubs — who embittered by her loss, would strike viciously at anyone she would encounter. — K. Just as a single bear if in an open area, cannot be captured even by a hundred men, so David, encamped in open spaces, will be most difficult for a limited army to take. — A.

then all the people will be at peace." 4. And the thing seemed right to the eyes of Absalom, and to all the elders of Israel. 5. And Absalom said, "Now call Hushai the Archite also, and let us hear what he too has to say." 6. And Hushai came to Absalom; and Absalom spoke to him saying, "In this manner has Ahithophel spoken; shall we do his bidding? If not, then you speak." 7. And Hushai said to Absalom, "The counsel which Ahithophel has counselled this time is not good." 8. And Hushai [continued] saying, "You know your father and his men that they are mighty men, and they are of embittered spirit, as a bear

Commentary Digest

4. *was right* — right, but not pleasing (heb. וייטב) since Absalom did not desire to kill his father — M.

in the eyes of Absalom — While Absalom was satisfied with the first part of the plan, calling for Ahithophel to lead the twelve thousand men in battle, he was highly dissatisfied with the plan to kill David, and therefore sought the advice of Hushai. — See previous Commentary Digest.

the elders of Israel — G contends that 'the elders' refers to the wise men of Israel. R claims that it was not the wise elders (Sanhedrin) but *"the uncultured old men of Israel"* who consented to Ahithophel's plan.

5. *he too* — Although he was a close friend of my father's and therefore remains under suspicion, let us nevertheless hear what he has to say. — A and D.

7. *this time* — While his advice is usually flawless, this time it is not good — K. Although his previous advice concerning David's concubines was impeccable, this time it is not good. — A and D. Hushai felt obliged to praise Ahithophel's advice in order to lessen Absalom's suspicion of him (D), especially since there was nothing to lose by praising it since it was a *fait accompli.* — A.

is not good — heb. — לא טוב. J. K. cleverly asserts that, here too, Hushai avoided stating any outright lie. While Absalom took his words to mean that the advice was not good for him, in his heart Hushai

שַׁכּוּל בַּשָּׂדֶה וְאָבִיךָ אִישׁ מִלְחָמָה וְלֹא
יָלִין אֶת־הָעָם: ט הִנֵּה עַתָּה הוּא־נֶחְבָּא
בְּאַחַת הַפְּחָתִים אוֹ בְּאַחַד הַמְּקוֹמֹת
וְהָיָה כִּנְפֹל בָּהֶם בַּתְּחִלָּה וְשָׁמַע
הַשֹּׁמֵעַ וְאָמַר הָיְתָה מַגֵּפָה בָּעָם אֲשֶׁר
אַחֲרֵי אַבְשָׁלֹם: י וְהוּא גַם־בֶּן־חַיִל

בְּחַקְלָא וַאֲבוּךְ גְּבַר
עֲבִיד קְרָבִין וְלָא יְבִית
יַת עַמָּא: ט הָא כְעַן הוּא
טְמִיר בְּחַד מִן קוּמְצַיָּא
אוֹ בְחַד מִן אַתְרַיָּא וִיהֵי
כְּמִיפַּל בְּהוֹן בְּקַדְמֵיתָא
וְיִשְׁמַע דִי שְׁמַע וְיֵימַר
הֲוַת מַחְתָּא בְּעַמָּא
דְּבָתַר אַבְשָׁלוֹם: י וְהוּא
אַף

רש"י

(ח) ואביך איש מלחמה. ויודע עניני מלחמה וטכסיסיה וטיב מארב ובטוח הוא שתרדוף הלילה לבא עליו לפיכך לא ילין עם שאר העם: (ט) הנה עתה הוא נחבא. וכשתבא על מחנה העם אשר אתו הוא לא יהיה שם שתהרגנו: והיה כנפול בהם בתחלה. אני אמרתי לך כי אנשיו גבורים ומרי נפש ואם יהרגו בעמך תהיה בם מפלה במלחמה זו שהיא ראשונה ושמע השומע מכל ישראל הבאים להתחבר אליך ואמר היתה מגפה בעם של אבשלום: (י) והוא גם בן חיל. ואותו השומע אפי' הוא בן חיל ולבו כלב האריה המס

מהר"י קרא

בפעם הזאת: (ח) שכול. כמו משכיל. כולו לבוש שכול: ולא ילין את העם. פתרונו מה שאחיתופל אומר והחרדתי אותו ונס כל העם אשר אתו והכיתי את המלך לבדו. אם ירדפו אחריו לא ימצאוהו שהרי אביך מלומד מלחמה ולא ילין את העם: (ט) והיה כנפול בהם בתחלה. פתרונו והיה בנפול חיל שלך בהם בתחלה. ושמע השמע ואמר היתה מגפה בעם אשר אחרי אבשלום: (י) והוא גם בן חיל אשר לבו כלב האריה המס ימס. פתרונו באותה שעה שיעבירו קול במחנה לאמר היתה מגפת

רד"ק

שכול. שהוא מר נפש כשהרגנו לו גירותיו והוא נלחם עם אדם אשר ימצא בחזקה ובמרירות לב: ולא ילין את העם. כי הוא איש יודע מלחמה ויירא הוא שמא תבא עליו פתאום: ולא ילין את העם. כמו עם העם אלא יחבא באחת הפחתי' ולא ידע אדם מקומו אם כן מה שאמר אחיתיפל והכיתי את המלך לבדו זה לא יהיה אם כן עצתו בטלה: (ט) באחת הפחתי'. זכר פחת בלשון נקבה שאמר באחת ובמקום אחר זכר פחת בלשון זכר אל הפחת הגדיל והפחת הוא חפיר' ותרגומו בחד מן קומציא כמו חופר גומץ: או באחד המקומות. שיוכל להחבא שם: ושמע השומע. כי המלחמה הנעשת בלילה לא יבחין אדם בין מערכה זו למערכה אחרת אשר כנגדה והראשונים מאלו שנים עשר אלף שיפלו על ידי חיל דוד וחיל דוד נשמרים ועומדים על עמדם וילחמו כנגד הנופלים עליהם ותהיה הצעקה ביניהם וישמע השומע מאלו שנים עשר אלף מהאחרונים שבהם כשישמעו הצעקה וידעו כי חיל דוד הם גבורים ומרי נפש ונלחמי' בחזקה ויאמר השומע היתה מגפה בעם אשר אחרי אבשלום והם הם המנוצחים כי לא יבחנו בלילה: (י) והוא גם בן חיל. פי' והוא אחיתופל שהוא בן חיל שאמר אבחרה נא

רלב"ג

קראו שכול היותו משכל והנה אביך איש מלחמה ולזה הוא יודע כאי זה לד ראוי שינהג בזאת המלחמה ומפני זה לא ילין העם כשום מלון מפורסם אבל הוא נחבא עתה באחת מהמקומות אשר יתכן לו ההחבא שם. והיה כשיפלו מהם בתחלה בני החיל הרודפים אחריהם וימותו על ידם בעבור שאינם נשמרים מהם שיהיו שם ושמע השומע זה ואמר שכבר היתה מגפה בעם אשר אחרי אבשלום יהיה זה סבה להביא מורך לב בלב הנשארים וינוסו ויפלו ביד דוד ואנשיו ועוד כי דוד הוא גם כן בן חיל אשר לבו כלב האריה ואיך תחשוב שימס לבבו כמו שאמר אחיתופל והחרדתי אותו וגם כל העם אשר אתו הנה יודע כל ישראל כי גבור אביך ואשר אתו הם בני חיל ולא ימס לבבם. או ירצה בזה כי ממורך הלב אשר יפול בלב החיל אשר נאבשלום בשמעם כי מגפה היתה בעם אשר אחרי אבשלום הנה לא יהיה שם אחד אע"פ שיהיה בן חיל ולבו כלב האריה שלא ימס לבבו

מצודת דוד

אחריהם יטרוף כמר נפשו כל הקרוב אליו: ואביך איש מלחמה. ר"ל יודע הוא טכסיס המלחמה ויבין מדעתו שלק עליו מחרים הרעה ופתאום יבוא להחריד את העם אשר עמו והואיל ויבין את זאת לא ילין הוא עם העם במקום אחד: (ט) הנה עתה הוא נחבא. עתה בהיות לילה החביא עלמו במקום נבדל מהעם אשר אתו וא"כ אף אם יחריד העם לא ימלא את המלך לשיכה אותו: והיה כנפול. כאומר לא די שלא יועיל אלא שעוד יזיק שהרי אמר שלא להכות בהעם וגם הלא יכו ברלונם וכאשר יפילו חללים מאנשיך בתחילת המלחמה ר"ל במלחמה הראשונה: ושמע השומע. וכאשר ישמע מי מהנפילה ההיא אז יאמר הן היתה מגפה בעם אבשלום ונראה א"כ שה' עוזם למקרה: (י) והוא גם בן חיל. ואף אם השומע יהיה בן חיל אשר לבו כלב האריה מ"מ ימס לבבו בקרבו על כי ידוע לכל שאביך הוא גבור מלחמה והעם אשר אתו המה בני חיל ואם הדבר נעזב למקרם בוודאי יתגברו הם וירפו ידיהם ולא יאבו לרדה ע ד למלחמה (ואף שהם לא יעשו לבד בזה כעלת אחיתופל אלא שגם אנשי אבשלום יכו באנשי דוד כמוהם לא יהיה א"כ מקום לחשב הזה נ"מ הרהיב הדבור לבבל עלתו להראות לכל כי לא בחכמה ידבר):

מצודת ציון

(ח) שכול. מי שבניו אבודים קרוי שכול כמו כאשר שכלתי שכלתי (שם מ"ג): (ט) הפחתים. בורות וחפירות כמו אל הפחת הגדול

in the field, bereft of cubs, and your father is a man of war, and he will not lodge with the people. 9. Behold, now he is [surely] hidden in one of the pits or one of the places; and it will come to pass, if there fall among them at the first, then someone will hear it and say, 'There has been a massacre among the people that are behind Absalom.' 10. And even if he be valiant

Commentary Digest

and your father is a man of war — "*who knows the affairs of battle, its arrays, and the science of ambush, and* (undoubtedly) *trusts that you will* (likely) *chase at night to come upon him. Therefore he will not lodge with the rest of the people.*" — R.

and he will not lodge with the people — but will instead go hiding into one of the surrounding pits. As a result, Ahithophel's plan calling for the king alone to be smitten, is destined to failure. — K and R.

9. *Behold now he is* (*surely*) *hidden*—"*And when you come upon the campsite of the people with him, he will not be there for you to kill him.*" — R.

and it will come to pass, if there fall among them at the first — "*I have told you that his men are* (*both*) *mighty and of embittered spirit. Now if they kill from among your people and they shall be felled in this first battle, then who ever hears from among all the Israelites that come to join you will declare that there has been a massacre among Absalom's people.*" — R.

I suggests that the statement refers, not to Absalom's men, but to the strength of David's initiative: 'And it will come to pass, if they fall upon them first.' If they wait in ambush for you and strike the initial blow and the news of this spreads, your cause will be irrevocably undone. — I.

and even if he be valiant — "*Even if the one who hears* (of it) *be valiant, and his heart is as the heart of a lion, he will utterly melt with fear and shudder, and he will no longer band with you, for he will say: 'He has already begun to decline and he is being punished for* (actions towards) *his father, and will* (therefore) *not succeed.*" — R.

whose heart is as the heart of a lion — Even if the heart of the one who hears be as the heart of a lion. — R. Even Ahithophel, whose heart is as the heart of a lion, will be disheartened by the success of David's initial attack. — A.

for all Israel knows that your father is a mighty warrior — And will therefore attribute any loss of life to have been sustained by your side, even if the opposite be true. If so, the men with you will inevitably be disheartened by the news from

אֲשֶׁר לִבּוֹ כְּלֵב הָאַרְיֵה הִמֵּס יִמָּס כִּי־
יֹדֵעַ כָּל־יִשְׂרָאֵל כִּי־גִבּוֹר אָבִיךָ וּבְנֵי־
חַיִל אֲשֶׁר אִתּוֹ: יא כִּי יָעַצְתִּי הֵאָסֹף
יֵאָסֵף עָלֶיךָ כָל־יִשְׂרָאֵל מִדָּן וְעַד־בְּאֵר
שֶׁבַע כַּחוֹל אֲשֶׁר־עַל־הַיָּם לָרֹב וּפָנֶיךָ
הֹלְכִים בַּקְרָב: יב וּבָאנוּ אֵלָיו בְּאַחַת
הַמְּקוֹמֹת אֲשֶׁר נִמְצָא שָׁם וְנַחְנוּ עָלָיו
כַּאֲשֶׁר יִפֹּל הַטַּל עַל־הָאֲדָמָה וְלֹא־נוֹתַר
בּוֹ וּבְכָל־הָאֲנָשִׁים אֲשֶׁר־אִתּוֹ גַּם־
אֶחָד: יג וְאִם־אֶל־עִיר יֵאָסֵף וְהִשִּׂיאוּ

באחד קרי מלעיל

תרגום

אַף גְּבַר גִּבָּר דְּלִיבֵּיהּ
כְּלִבָּא דְאַרְיָא מְמַס יִמְסֵי
אֲרֵי יְדַע כָּל יִשְׂרָאֵל אֲרֵי
גִּיבָּר אֲבוּךְ וְגֻבְרִין גִּבָּרִין
דִּי עִמֵּיהּ: יא אֲרֵי
מַלְכִית אִתְכַּנָשָׁא
יִתְכַּנְשׁוּן עֲלָךְ כָּל
יִשְׂרָאֵל מִדָּן וְעַד בְּאֵר
שֶׁבַע כְּחָלָא דִי עַל יַמָּא
לִסְגֵי וְאַתְּ תְּהֵי אָזֵיל
בְּרֵישׁ כּוּלְנָא: יב וְנֵהָךְ
עֲלוֹהִי בְּחַד מִן אַתְרַיָּא
דִּנְהָךְ לְתַמָּן וְנִשְׁרֵי
עֲלוֹהִי כְּמָא דְשָׁרֵי טַלָּא
עַל אַרְעָא וְלָא נִשְׁאַר
בֵּיהּ וּבְכָל גֻּבְרַיָּא דִי
עִמֵּיהּ אַף חַד: יג וְאִם
לְקַרְתָּא יִתְכְּנֵשׁ וְיִתְכַּנְשׁוּן
כל

מהר"י קרא

בעם [אשר] אחרי אבשלום: המס ימס. גם האיש שנחשב עכשיו לבן חיל. שאותם בני אדם שאומרים עכשיו נרדפה אחרי דוד לילה ימס לבם כששמעו אומ' היתה מגפה בעם אשר אחרי אבשלום. מפני מה חזרו לומר היתה מגפה בעם אשר אחר אבשלום יותר מבעם אשר אחרי דוד. כי יודע כל ישראל כי גביר אביך ובני חיל אשר אתו: (יא) ופניך הולכים בקרב. ואת אזיל בריש כולנא: (יב) ונחנו עליו. ונכסנו כאשר

רש"י

ימס בפחד ורעדה ולא יתקשר עוד אליך כי יאמר כבר התחיל ליפול ונענש הוא על אביו ולא יצליח: (יא) כי יעצתי. כי זאת עצתי: ופניך הולכים בקרב. כרגם. ואת תהי אזיל בריש כולנא: (יב) ונחנו עליו. ונגוח עליו לשון חנייה כמו וינח בכל גבול מצרים (שמות י' י"ד) כנה

יפול הטל על האדמה שמכסה את האדמה: (יג) ואם אל עיר יאסף. והשיאו כל ישראל אל העיר ההיא חבלים. פתרונו ויקיפו כל ישראל את העיר ההיא מחנות. וכן תרגם יונתן ויתכנשון ישראל על קרתא ההיא ויקפונה משיריין: וסחבנו

רד"ק

שנים עשר אלף אע"פ שהוא בן חיל ולבו כלב הארית שבחו כדי שלא יראה כי כדי לגנותו הוא מדבר כלומר אפילו אחיתופל שלבו כלב הארית המס ימס לקול השמוע' שישמע ויחשוב כי אנשיו הם המנוצחים וימס לבבו אלא יעצתי שתהיה המלחמה ביום ובידיעת כל ישראל שיאספו מדן ועד באר שבע ובגלוי תהית המלחמה: (יא) ופניך הולכים בקרב. אתה תהיה במלחמה לא כמו שאמר אחיתופל שילך הוא עם י"ב אלף איש ותשב אתה בירושלם והוא ישיב לך כל ישראל לא טובה עצתו כי טוב שתלך אתה במלחמה כי יתחזקו ישראל להלחם כשתהיה אתה במלחמה ופירוש ופניך הולכים בקרב שתלך את"ה בעצמך ולא תשלח אחר במקומך וכן אם אין פניך הולכים ואמרו כנוי החליכה בפנים כי בהם חשמירה והחשגחה כאשר ילך האדם וי"ת ואת תהי אזיל בריש כולנא: (יב) באחת המקומות. כתיב באחת בתי"ו וקרי באחד בדל"ת: כאשר יפול הטל. שמכסת כל פני האדמה כן נחנה עליו: ולא נותר בו. כמו ולא יותר עבר במקום עתיד ורבים כמוהו: (יג) והשיאו. דרך

מצודת ציון

(לקמן י"ח): מגפה. ר"ל מכת חרב: (יא) ופניך. אתה בעצמך: בקרב. במלחמה כמו המלמד ידי לקרב (תהלים קמ"ד): (יב) ונחנו. מלשון חניה: (יג) יאסף. יכנס: והשיאו. והגביהו: וסחבנו. ענין גרירה

מצודת דוד

(יא) כי יעצתי. אלא כן אני מייעץ האסף וגו' ובעבור רבת העם נתגבר במלחמה: ופניך וגו'. כי אז כולם יעשו גבורות למלוא חן בעיניך: (יב) ובאנו אליו. ר"ל בהיות העם רב בוודאי נבוא באחד המקומות אשר החביא עצמו כי נהיה חונים עליו כמו הטל המכסה כל פני האדמה מבלי מקום ריק ממנו כן נתפזר בכל המקומות לבקשו זה בכה וזה בכה בוודאי נמלא אותו: ובכל האנשים. כי מן המגבר עצמו ללבוש כאחד מאנשיו לזה לא נותר מכולם איש ויומת גם הוא עם המגבריו: (יג) ואם אל עיר יאסף. כאומר ואם יש חשש

Commentary Digest

At the time of day that the dew covers the earth, i.e., at daybreak. — A and M.

13. *and if he withdraws himself into a city* — If you attack with a limited amount of men, should they withdraw within a city they are out of danger.

ropes — based on K. R explains חבלים as *"bands'* (battalions), *similar to 'bands of prophets (I Sam.* 10:5)' *and 'bands' of wicked men' (Ps.* 119:6)" — R. from J. According to either translation, Hushai, in a hyperbolic manner, suggested that even if David take refuge behind the city walls there will be sufficient men to uproot the entire city and push or drag it else-

whose heart is as the heart of a lion will utterly melt; for
all Israel knows that your father is a mighty man, and
valiant men are they that are with him. 11. Therefore I
counsel, that all Israel be gathered together to you, from Dan
to Beer-sheba as many as the sand that is by the sea; and
you personally go to battle. 12. And we shall come upon
him in some place where he is found, and we shall light upon
him, as the dew falls on the ground; and there shall not be
left of him, and of all the men that are with him, even one.
13. And if he withdraws himself into a city, then all of

Commentary Digest

the battlefront, no matter how the tide of battle truly turns. — J.K.

11. *Therefore I counsel* — *"For this is my counsel."* — R.

Dan to Beer-sheba — While Ahithophel had counselled that Absalom gather together only twelve thousand men (a thousand from each tribe — A), Hushai advised that as many men as possible be assembled for an attack upon David and his men. In all, Hushai opposed Ahithophel's plan on five different points. (a) Ahithophel counseled to gather twelve thousand men; Hushai advised that all Israel be gathered; (b) Ahithophel requested that he lead the fighting, while Hushai recommended that Absalom head his army. (c) Ahithophel's plan called for an immediate attack; Hushai counseled that they first gather all of Israel and then wage battle against David's army. (d) Ahithophel's plan called for killing David; Hushai's did not. (e) Ahithophel recommended that David be isolated and his men be allowed to escape so that they should later join with Absalom; Hushai counseled that Absalom's army contend with David and his men. — A and M.

and you personally go to battle — Heb. בקרב *"at the forefront, and you shall go at the head of all of us."* — R from J.

and we shall light upon him — *"we shall rest upon him. It is an expression of camping* (חנייה), *similar to 'and they landed in all the border of Egypt* (Ex. 10:14); (*and*) *Aram lights upon* (*Judah*) *with Ephraim* (Isa. 7:2)" — R.

we shall light upon him as the dew covers the earth — in the manner that dew covers the earth. — J.K. and K.

כָל־יִשְׂרָאֵל אֶל־הָעִיר הַהִיא חֲבָלִים
וְסָחַבְנוּ אֹתוֹ עַד־הַנַּחַל עַד אֲשֶׁר־לֹא־
נִמְצָא שָׁם גַּם־צְרוֹר׃ יד וַיֹּאמֶר אַבְשָׁלוֹם
וְכָל־אִישׁ יִשְׂרָאֵל טוֹבָה עֲצַת חוּשַׁי
הָאַרְכִּי מֵעֲצַת אֲחִיתֹפֶל * וַיהוָה צִוָּה
לְהָפֵר אֶת־עֲצַת אֲחִיתֹפֶל הַטּוֹבָה
לְבַעֲבוּר הָבִיא יְהוָה אֶל־אַבְשָׁלוֹם
אֶת־הָרָעָה׃ טו וַיֹּאמֶר חוּשַׁי אֶל־צָדוֹק
וְאֶל־אֶבְיָתָר הַכֹּהֲנִים כָּזֹאת וְכָזֹאת
יָעַץ אֲחִיתֹפֶל אֶת־אַבְשָׁלֹם וְאֵת זִקְנֵי
יִשְׂרָאֵל וְכָזֹאת וְכָזֹאת יָעַצְתִּי אָנִי׃
טז וְעַתָּה שִׁלְחוּ מְהֵרָה וְהַגִּידוּ לְדָוִד

כָּל יִשְׂרָאֵל עַל קַרְתָּא
הַהִיא וְיִקְפוּנַהּ מַשְׁרְיָן
וּנְעַקַּר יָתַהּ וְיַת אַבְנָהָא
וְנִרְמִינַהּ לְנַחְלָא עַד דְּלָא
יִשְׁתְּאַר תַּמָּן אַבְנָהָא׃
יד וַאֲמַר אַבְשָׁלוֹם וְכָל
אֱנָשׁ יִשְׂרָאֵל תַּקִּין מַלְכָּא
דְחוּשַׁי אַרְכָּאָה מִמַּלְכָּא
דַאֲחִיתוֹפֶל וַיָי פַּקֵּד
לְקַלְקָלָא יַת מַלְכָּא
דַאֲחִיתוֹפֶל תַּקְנָא בְּדִיל
דְיַיְתֵי יְיָ עַל אַבְשָׁלוֹם
יַת בִּישְׁתָא׃ טו וַאֲמַר
חוּשַׁי לְצָדוֹק וּלְאֶבְיָתָר
כָּהֲנַיָא כְּדֵין וּכְדֵין מְלִיךְ
אֲחִיתוֹפֶל יַת אַבְשָׁלוֹם
וְיַת סָבֵי יִשְׂרָאֵל וּכְדֵין
מְלָכִית אַף אֲנָא׃ טז וּכְעַן
שְׁלַחוּ בִּפְרִיעַ וְחַוּוּ לְדָוִד
לְמֵימַר

פב"פ

רש"י

ארם על אפרים (ישעיה ז' ב'): (יג) חבלים. משריין כמו חבל נביאים (שמואל א' י' ה) חבלי רשעים (תהלים קיט סא): עד הנחל. חומת העיר נסמוך אל הגי:

מהר"י קרא

אותו עד הנחל. פתרונו ומשכנו את אבני חומת העיר ועד הנחל. וכן תירגם יונתן ונעקר יתה וית אבנהא ונרמינה לנחלא: (יד) ויאמר אבשלום וכל איש ישראל טובה עצת חושי הארכי מעצת אחיתופל. ולא מפני שנראית עצת חושי הארכי. הרבת נראית עצת אחיתופל מעצת חושי הארכי שזה נותן טעם לדבריו כשם שאמור למעלה. ואבא עליו והנה הוא יגע ורפה ידים והחרדתי אותו וגם כל העם אשר אתו והכיתי את המלך לבדו. וחושי איננו נותן טעם לדבריו אלא שה' צוה להפר את עצת אחיתופל: לבעבור הביא ה' אל אבשלום [את]

רד"ק

גוזמא אמר כל כך יהיו ישראל רבים שאפילו ירימו חבלים אל העיר למשכה ולסחבת עד הנחל יוכלו לעשות עד אשר לא ישאר בעיר אפי' אבן אחת מה שאמר אותו וזכר עיר שהיא ל' נקבה אותו אמר על מגדל שיהיה בתוך העיר כלו' אפילו יהיה מגדל עוז בתוך העיר שיאסף אליה הכל יסחבו העיר והמגדל וישאו ויונתן תרגם ויתכנשון כל ישראל על קרתא ההיא ויקפונה משריין וגו' כבעמוד תרגם חבלים משריין כמו חבל נביאים או דעתו על חבלי האהלים אשר במחנה: (טז) שלחו.

רלב"ג

ויוסיף להם מורך בלבבם מה שמפורסם לכל ישראל כי גבור אביך והאנשים אשר אתו: (יד) ויאמר אבשלום וכל איש ישראל. זה מורה כי זקני ישראל לא הסכימו בזאת העצה השנית:

מצודת דוד

אן בהתאחר סדבר עד נקבץ כל ישראל ימלט על נפשו בעיר מבצר עומדת בהר ויתחזק במעוז העיר ואמר הנה עכ"ז לא ימלט כי הלא ברוב העם אשר אתנו אף אם יאסף אל עיר הכח כנו נשאת חבלים אל העיר נגררם מן ההר עד הנחל עד שלא ישאר אף צרור בהעיר ההיא ואמר בדרך גוזמא והפלגה לומר שאף בעיר מבצר לא יתחזק מול העם הרב אשר אתנו ולבל ירגש בערמתו המתיק אמריו בדרך גאות בכל חלקי הסותר אולם עקר כוונתו היתה למען יתאחר הדבר עד שיתקבצו כולם ובתוך כך ישלח אמריו אליו להמלט על נפשו וכאשר עשה באמת: (יד) וה' צוה. ר"ל לא לפי שעצת חושי היתה באמת טובה מעצת אחיתופל ולזה ישרה עצתו בעיניהם כי באמת עצת אחיתופל היתה הדרך האמתי להגעת תכלית הנצחון אולם מה' היתה זאת כי הוא גזר להפר עצת אחיתופל הטובה וכו': (טו) בזאת וכזאת וגו'. ר"ל אמר להם בתי העצות שלו ושל אחיתופל: (טז) אל תלן.

מצודת ציון

והמשכה כמו סחוב והשלך (ירמיה כ"ב): הנחל. העמק: צרור. חתיכת עפר גסה כמו ולא יפול צרור ארץ (עמוס ט): (יד) להפר.

Commentary Digest

Ahithophel's advice been adopted, this plan assured that Absalom and his men meet a fitting end ('in order that the Lord may bring evil upon Absalom') — Rabinowitz. It is also possible that G-d desired that Absalom's plan meet with natural failure, due to poor planning, rather than through miraculous intervention, since it is God's general policy to minimize miracles. — See G above 5:22.

15. *Zadok and Abiathar* — cf.

Israel shall bring up ropes to that city and we will drag it to the valley until there shall not be found there even one small stone." 14. And Absalom and all the men of Israel said, "the counsel of Hushai the Archite is better than the counsel of Ahithophel," — for the Lord had ordained to frustrate the good counsel of Ahithophel in order that the Lord might bring evil upon Absalom. 15. And Hushai said to Zadok and Abiathar the priests, "In thus and thus manner did Ahithophel counsel Absalom and the elders of Israel; and thus and thus have I counseled. 16. And now, send quickly, and tell David

Commentary Digest

where. Both A and Rabinowitz suggest that it be taken semi-literally, not in hyperbolic fashion. A contends that these חבלים were ropes with which to scale the city walls, while Rabinowitz contends that they were iron ropes with which to break down the city's fortifications, as was common practice in ancient times.

to the valley — *"we will drag the walls of the city to the valley."* — R.

14. *the men of Israel.* The men of Israel, but not the wise men of Israel for they sided with Ahithophel. — G and A.

for the Lord had ordained to frustrate the good counsel of Ahithophel — Ahithophel's advice was sounder because it failed to commit Absalom's entire army and because it sought to introduce the element of surprise at a time when David was in a disheartened and disorganized state. Nevertheless, God saw to it that Absalom accept Hushai's plan since it gave David ample time to reorganize his forces and to receive information concerning Absalom's plans. — M. Alschich adds that Hushai had hoped that Absalom would take pity on his father, and therefore counseled that Absalom personally lead the battle. It is further possible that Hushai, in counseling that Absalom personally lead his army, sought to expose Absalom to death and thereby end the rebellion.

for the Lord had ordained — While God was fully capable of guaranteeing a victory for David even if

לֵאמֹר אַל־תָּלֶן הַלַּיְלָה בְּעַבְרוֹת
הַמִּדְבָּר וְגַם עָבוֹר תַּעֲבוֹר פֶּן יְבֻלַּע
לַמֶּלֶךְ וּלְכָל־הָעָם אֲשֶׁר אִתּוֹ: יז וִיהוֹנָתָן
וַאֲחִימַעַץ עֹמְדִים בְּעֵין־רֹגֵל וְהָלְכָה
הַשִּׁפְחָה וְהִגִּידָה לָהֶם וְהֵם יֵלְכוּ וְהִגִּידוּ
לַמֶּלֶךְ דָּוִד כִּי לֹא יוּכְלוּ לְהֵרָאוֹת לָבוֹא
הָעִירָה: יח וַיַּרְא אֹתָם נַעַר וַיַּגֵּד
לְאַבְשָׁלֹם וַיֵּלְכוּ שְׁנֵיהֶם מְהֵרָה וַיָּבֹאוּ
אֶל־בֵּית־אִישׁ בְּבַחֻרִים וְלוֹ בְאֵר
בַּחֲצֵרוֹ וַיֵּרְדוּ שָׁם: יט וַתִּקַּח הָאִשָּׁה

תרגום

לְמֵימַר לָא תְּבִית
בְּלֵילְיָא בְּמֵשְׁרֵי מַדְבְּרָא
וְאַף מֶעְבַּר תְּעִבַּר דִילְמָא
יִתַּהֲנֵי לְמַלְכָּא וּלְכָל
עַמָּא דִי עִמֵּיהּ
יז וִיהוֹנָתָן וַאֲחִימַעַץ
קַיְימִין בְּעֵין קַצְרָא
וַאֲזַלַת אַמְתָא וְחַוִּיאַת
לְהוֹן וְאִינוּן יֵיזְלוּן וְחַוִּיאוּ
לְמַלְכָּא דָוִד אֲרֵי לָא
יָכְלִין לְאִתְחֲזָאָה לְמֵיעַל
לְקַרְתָּא: יח וַחֲזָא יַתְהוֹן
עוּלֵימָא וְחַוִּי לְאַבְשָׁלוֹם
וַאֲזַלוּ תַּרְוֵיהוֹן בִּפְרִיעַ
וְעָלוּ לְבֵית גַּבְרָא
בְּעָלֵימַת וְלֵיהּ גּוּבָא
בְּדַרְתֵּיהּ וּנְחָתוּ תַּמָּן:
יט וּנְסִיבַת אִתְּתָא
ופרסת

ת"א ותקח האשה. סוטה מב כריתות יח:

בערבות קרי

מהר"י קרא

הרעה. שילכו פניו בקרב ויפול ביד יואב וביד עבדיו: (טז) פן יבולע. פתרונו פן יתכסה העצה שיעץ אחיתופל למלך ולכל העם אשר אתו. וילינו (המדבר) בערבות המדבר וירדפו אחריהם. כמו כבלע את הקודש. כד מכסן: (יז) ויהונתן ואחימעץ עומדים בעין רוגל והלכה השפחה והגידה להם והם ילכו והגידו למלך דוד כי לא יוכלו להראות לבא העירה.

רש"י

(טז) וגם עבור העבור. את הירדן: פן יבולע למלך. שלא יעלתיו לטובה ויעשה כדברי אחיתופל: יבלע. יאמר לו כסתר וכבליעה: (יז) בעין רוגל. בעין קלרא כובסי בגדי שלא נתראו העירה ואחר כך ילכו הם להגיד לדוד מה ששמעו מבית

רלב"ג

(טו) פן יבולע למלך ולכל העם אשר אתו. למען תתישב העלה ביניהם על זה או ילך בזה פן ישחית מה שהוא למלך מנשיו ובניו וטפיו ומה שהוא לכל העם אשר אתו ולא אמרו פן יבולע המלך להלוק כבוד למלכו' ובלא לפתוח פיו לרע כנגדו:

רד"ק

לפניכם יהונתן ואחימעץ שהיו חוץ לעיר: והגידו. על ידיהם הגידו לדוד: תעבור. את הירדן: פן יבולע למלך. פן ישחית כמו אם יבלענו ממקומו כי ירא אני שמא יעשו עצת אחיתופל אע"פ שאמרו כי טובה עצתי מעצתו אולי התהפך דעת' עדיין לעצת אחיתופל לכן לא תלין הלילה בערבו' המדבר שנודעת שם אלא עביר הלילה הירדן וי"ת פן יבולע דילמא יתהני למלכ' ילא ידעהי דעתו: (יז) בעין רוגל. תרגם יונתן בעין קצרא וקצר' הוא הכובס ובעין הזה היו מכבסין בגדים ונקרא הכובס רוגל לפי שמשפשף הבגדי' ברגליו: והלכת השפחה. שפחה של בית צדוק הלכה לעין רוגל למקום שהיה שם יהונתן ואחימעץ והגיד' להם שהם ילכו ויגידו לדוד הדברים

מצודת ציון

לכבל: (טו) יבולע. ענין השחתה כמו למה תבלע נחלת ה' (לקמן

מצודת דוד

כי פן יעשה כעלת אחיתופל ובערמה אמרו שעלתי ישרה למען לא אודיע לדוד להמלט הלילה: וגם עבור תעבור. את הירדן: פן יבולע. פן ישחת מה לדוד ולעמו כאשר ירדפו אחריו הלילה: (יז) והם ילכו. בכדי שהם ילכו וגו': כי לא יכלו. יהונתן ואחימעץ לא יוכלו להראות עלמם לבוא העיר פן ירגישו בהם: (יח) וירא אותם. בעין רוגל: וילכו. כי הרגישו אשר הנער ראה אותם והנה הלכו מעין רוגל אל מאהבם אשר בבחורים: (יט) האשה. אשת האיש: עליו. על המסך: ולא נודע דבר. לא היה ניכר

Commentary Digest

J.K. offers a most original translation: 'and she spread over it the hairs of her head'. She stood over the well with her hair uncovered so that if Absalom's men approached the well they would see her with head uncovered and be obligated to turn back. This interpretation follows the Jerusalemitic Targum's translation of 'and the head of the woman is uncovered (ופרע את ראש האשה — ויפרע ית ריפייתהא Num. 5:18).

20. *forded the river* — G.K. and Z. K and Z, indicate however, that there is no precedent for this translation, since the word מיכל is not to be found elsewhere. R admits: *"I do not know an interpretation for it in any grouping, and*

saying: "Do not lodge the night in the plains of the wilderness, but pass [speedily] over, lest the king be destroyed, and all the people that are with him." 17. And Jonathan and Ahimaaz were standing by En-rogel; and the maid-servant went and she told them that they should go notify King David; for they were not to be seen coming into the city. 18. But a lad spotted them, and told Absalom; and they both went speedily away to the house of a man in Bahurim, and he had a well in his courtyard; and they lowered themselves there. 19. And the woman took

Commentary Digest

above 15:27. *in thus and thus manner did Ahithophel counsel* — Hushai advised David to take heed of Ahithophel's plan because he had received no indication that Absalom was irrevocably committed to his own plan — M.

16. *but pass speedily over* — *"the Jordan"*. — R.

lest the king be destroyed — Although Absalom indicated that he favored my advice, he may yet adopt Ahithophel's scheme, in which case the king is in jeopardy of being destroyed. — K. R's translation is: *'Lest the king* (Absalom) *be told secretly' — that I did not counsel him well, and he will follow the words of Ahithophel."* — R. The word יבלע is to be understood as *"it will be told to him in a secretive and concealed* (swallowed) *manner."* — R.

17. *En-rogel* — lit. *"by the launderer's spring. Launderers of woolen garments would press it there by beating them* (the garments) *with the(ir) foot."* — R. from J. (The term רוגל is thus derived from the Heb. word for foot, רגל.)

and the maid-servant went — Zadok's maid-servant. — K and A.

for they were not to be seen coming into the city — And therefore were forced to remain stationed at the launderer's spring.

18. *but a lad spotted them* — waiting at the spring. — A and Z. M contends that it was part of Divine providence that a lad should spot them so that they should be forced to run and therefore lose no time in informing David of Absalom's plans.

19. *covering* — *"a curtain"*. — R.

groats — Heb. הריפות, *"crushed wheat, similar to: 'amongst the crushed wheat (Prov. 27:22)"*. — R.

וַתִּפְרֹשׂ אֶת־הַמָּסָךְ עַל־פְּנֵי הַבְּאֵר וַתִּשְׁטַח עָלָיו הָרִפוֹת וְלֹא נוֹדַע דָּבָר׃
כ וַיָּבֹאוּ עַבְדֵי אַבְשָׁלוֹם אֶל־הָאִשָּׁה הַבַּיְתָה וַיֹּאמְרוּ אַיֵּה אֲחִימַעַץ וִיהוֹנָתָן וַתֹּאמֶר לָהֶם הָאִשָּׁה עָבְרוּ מִיכַל הַמָּיִם וַיְבַקְשׁוּ וְלֹא מָצָאוּ וַיָּשֻׁבוּ יְרוּשָׁלִָם׃
כא וַיְהִי ׀ אַחֲרֵי לֶכְתָּם וַיַּעֲלוּ מֵהַבְּאֵר וַיֵּלְכוּ וַיַּגִּדוּ לַמֶּלֶךְ דָּוִד וַיֹּאמְרוּ אֶל־דָּוִד קוּמוּ וְעִבְרוּ מְהֵרָה אֶת־הַמַּיִם כִּי־כָכָה יָעַץ עֲלֵיכֶם אֲחִיתֹפֶל׃
כב וַיָּקָם דָּוִד וְכָל־הָעָם אֲשֶׁר אִתּוֹ וַיַּעַבְרוּ אֶת־הַיַּרְדֵּן עַד־אוֹר הַבֹּקֶר עַד־אַחַד לֹא נֶעְדַּר אֲשֶׁר לֹא־עָבַר אֶת־הַיַּרְדֵּן׃
כג וַאֲחִיתֹפֶל רָאָה

ופרסת ית פרסא על פומא דבירא ושטחת עלוהי דקילן ולא אתידע פתגמא׃
כ ואתו עבדי אבשלום לות אתתא לביתא ואמרו אן אחימעץ ויהונתן ואמרת להון אתתא כבר עברו ירדנא ובעו ולא אשכחו ותבו לירושלם׃
כא והוה בתר מיזלהון וסליקו מגובא ואזלו וחויאו למלכא דוד ואמרו לדוד קומו ועברו בפריע ית ירדנא ארי כדין מליך עליכון אחיתופל׃
כב וקם דוד וכל עמא די עמיה ועברו ית ירדנא עד מנהר צפרא עד לא שנא דלא עבר ית ירדנא׃
כג ואחיתופל חזא

ת"א ואחיתופל ראה. ב"ב קמו סנהדרין סט. מכות יא (גם גם):

רש"י
למר שחושבין אותם שם שבועים אותם ברגל: (יט) את המסך. וילון: הרפות. הטין כתושות כמו בתוך הריפות (משלי כ"ז כ"ב): (כ) מיכל המים. איני יודע לו פתרון

מהר"י קרא
קמ"ן בז"ק
אבשלום כן יראה הרואה ויגיד לאבשלום: (יט) ותשטח עליו הריפות. פתרונו ותשטח עליו שערות ראשה שאם יבואו הרודפים אחריהם ויכנסו בחצר אחריהם שיראו אותה פריעת ראש וישובו להם. ופרע את ראש האשה. תרג' ירושלמי ויפרע ית ריפייתהא. אבל יונתן תרגם ופרסת ית פרסא על פומא דבירא ושטחת עלוהי דקילין: (כ) מיכל המים. שם הנהר:

רד"ק
שדבר חושי: (יט) על פני הבאר. כמו על פי הבאר וכן תרגם יונתן על פומ' דבירא והוא מן ג' דסבירין פי וקורין פני והענין אחד כי פי הבאר היא פניו: הריפות. החטים הכתושים יקראו הריפות וכן בתוך הריפות בעלי והוא מן עמודי שמים ירופפו ויונתן תרגם הריפות דקילן: (כ) מיכל המים. אין לו חבר ולפי

רלב"ג
(יט) ותשטח עליו הרפות. היא חטה הנכתשת במכתש וישטחוה תחלה כדי שתיבש: (כ) מיכל המים. ר"ל פלג המים:

מצודת דוד
מהבאר שמתחת להמסך: (כ) איה. כי הוגד להם שבאו הביתה: ויבקשו. בבית האשה. או עברו מיכל המים לבקשם: (כב) עד אחד וגו'. ר"ל כשבא אור הבוקר אפילו אחד לא היה נעדר אשר

מצודת ציון
כ'): (יט) המסך. וילון כמו ועשית מסך (שמות כו): ותשטח. ופרשה כמו משטח חרמים (יחזקאל כו): הרפות. חטים כתושים ונקלפים כמו בתוך הרפות בעלי (משלי כז) והוא מלשון רפיון כי נרפו ונקלפו מקליפותיהם: (כ) מיכל המים. ענינו פלג המים ואין לו חבר: (כב) נעדר. נחסר כמו איש לא נעדר (ישעיה מ):

Commentary Digest

to death as traitors (Maimonides, Laws of Kings Ch. 4, h.9). He therefore willed his estate and took his own life in order to assure that his own kin retain his property. Rabinowitz suggests that once Hushai's advice was accepted above his, Ahithophel realized that even should Absalom prove victorious, he would no longer retain his previous position. Perceiving that the alternatives had narrowed to a traitor's death at the hands of David or the assumption of a secondary position in Absalom's cabinet, the prideful Ahithophel much preferred a self-inflicted death.

T.B. San. 106b informs us that Ahithophel died at the early age of

and spread the covering over the mouth of the well and she spread groats upon it, and nothing was known. 20. And Absalom's servants came to the woman in the house, and they said, "Where are Ahimaaz and Jonathan?" And the woman said to them, "They have forded the river." And theay sought but could not find [them]; and they returned to Jerusalem. 21. And it came to pass after their departure, that they came up out of the well, and they went and they told King David, "Arise and cross the water quickly, for thus has Ahithophel counseled against you." 22. And David arose, and all the people that were with him, and they crossed the Jordan. By the morning light not one of them was missing that had not crossed the Jordan. 23. And Ahithophel saw

Commentary Digest

it's interpretation in keeping with the subject, would be 'the river current'." — R.

23. *saw that his counsel was not done* — Once he had received information that David had successfully crossed the Jordan, he was convinced that G-d was with David and that Absalom's defeat was imminent. — M. See also Rabinowitz's appraisal of Ahithophel's suicide, cited later in the verse.

and he gave charge to his household — He gave instruction to the members of his household and willed his inheritance. T.B. San. 29b offers, that part of Ahithophel's charge to his children consisted of the following: (a) never to rebel against the kingdom of the House of David who are supported by G-d. (b) never to have dealings with one who enjoys good fortune.

and he strangled himself — Recognizing that Absalom was destined for defeat, he preferred to meet with a self-inflicted death rather than die the ignonimous death of a traitor. — K and G. A and D assert that Ahithophel feared his property would be seized by David in accordance with the law pertaining to those sentenced

כִּי לֹא־נֶעֶשְׂתָה עֲצָתוֹ וַיַּחֲבֹשׁ אֶת־
הַחֲמוֹר וַיָּקָם וַיֵּלֶךְ אֶל־בֵּיתוֹ אֶל־עִירוֹ
וַיְצַו אֶל־בֵּיתוֹ וַיֵּחָנַק וַיָּמָת וַיִּקָּבֵר
בְּקֶבֶר אָבִיו׃ כד וְדָוִד בָּא מַחֲנָיְמָה
וְאַבְשָׁלֹם עָבַר אֶת־הַיַּרְדֵּן הוּא וְכָל־
אִישׁ יִשְׂרָאֵל עִמּוֹ׃ כה וְאֶת־עֲמָשָׂא שָׂם
אַבְשָׁלֹם תַּחַת יוֹאָב עַל־הַצָּבָא
וַעֲמָשָׂא בֶן־אִישׁ וּשְׁמוֹ יִתְרָא
הַיִּשְׂרְאֵלִי אֲשֶׁר־בָּא אֶל־אֲבִיגַל בַּת־

תרגום

חזא ארי לא אתקים מלכיה וזריז ית חמרא וקם ואזל לביתיה ולקרתיה ופקיד על אנש ביתיה ואתחנק ומית ואתקבר בקברא דאבוהי: כד ודוד אתא למחנים ואבשלום עבר ית ירדנא הוא וכל אנש ישראל עמיה: כה וית עמשא מני אבשלום חלף יואב על חילא ועמשא בר גברא ושמיה יתרא ישראלא דעל לות אביגל בת נחש

ת"א מחנימה. יבמות יג: ואת עמשא. שבת נה ב"ב יז: ועמשא. יבמות עז (שם ט) ב"ב טז:

רש"י

במחברת כל ופתרונו לפי ענינו כמו שבולת הנהר: (כה) בת נחש. הוא ישי אבי דוד רבותינו אמרו שמת בלא

רלב"ג

(כג) וילו אל ביתו ויחנק. יתכן שחנק את עלמו כי ראה הרע שיקרה מזה לאבשלום והיה ירא מדוד שתתפרסם לו זאת העלה שיען עליו: (כה) אשר בא אל אביגל בת נחש. ידמה שהיו לישי שני שמות והנה אמר שהיא אחות לצרויה אם יואב להודיע שעמשא ויואב היו קרובי' כני שתי אחיות ועם כל זה הרג יואב את עמשא כדי שישאר

רד"ק

ענינו פלג מים ויונתן תרגם עבר ירדנא: (כג) אל ביתו אל עירו. יש ספרי' ואל עירו ובספר מוג' אל עירו: ויצו אל ביתו. כדרך אדם קרוב למיתה שמצוה לבני ביתו מה יהיה אחריו מדבר ביתו ונחלתו: ויחנק. בחר להמית עצמו הוא ולא ימיתהו דוד כי ידע כי כיון שלא נעשהה עצתו כי אבשלום וכל אשר עמו יפלו ביד דוד: (כה) ועמשא בן איש. ר"ל בן איש גדול כמו וחזקת והיית לאיש כלומר לאיש טוב וירא אלהים וכן כולם אנשים אנשים גדולים: יתרא הישראלי. ובדברי הימים יתרא הישמעאלי ישראל היה אלא שגר בארץ ישמעאל לפי' נקרא ישראלי וישמעאלי ישמעאלי על הגירו' וישראלי שלא

מצודת ציון

(כג) ויחבוש. ענין האוכף:

מצודת דוד

וגו': (כג) אל עירו. ר"ל אל ביתו אשר בעירו לא לבית מלונו אשר בירושלים: ויצו. עשה לואה אל ביתו: ויחנק. חנק את עלמו כי האמין מעתה שדוד יחזור למלכותו ויהרגו כמורד במלכות ויהיו עוד נכסיו למלך כדין מורד במלכות ולזה חנק עלמו להליל נכסיו ליורשיו: (כה) על הצבא. לשר על הצבא: בן איש. רלה לומר בן אדם חשוב ומעולה כמו הלא איש אתה (ש"א כ"ו): הישראלי. ובד"ה

that his counsel was not done, and he saddled his ass, and he arose, and he went to his house, to his city, and he gave charge to his household and he strangled himself, and he died, and was buried in the sephulcre of his father. 24.
And David had come to Mahanaim, and Absalom passed over the Jordan, he and all the men of Israel with him. 25.
And Amasa, had Absalom set in place of Joab over the host; and Amasa was the son of a man, whose name was Ithra the Israelite, who came to Abigail the daughter of

Commentary Digest

thirty-three, less than half his alotted seventy year life span (Ps. 90:10). This follows the formula of "men of blood and deceit shall not live out half their days . . ." Ps. 55:24. (See Commentary Digest above 15:31 where it is suggested that David devoted the entire fifty-fifth psalm to Ahithophel's betrayal).

25. *Amasa* — Amasa, who in his younger years was one of the earliest and staunchest supporters of David, ("Then the spirit came upon Amasa . . . and he said: we are yours, David, and on your side, you son of Jesse; peace, peace to you, and peace to your helpers; for your G-d aids you." — I Chron. 12:19) had now, almost forty years later, joined Absalom's cause. — Rabinowitz. It was perhaps in recognition of his early kindness that David forgave him wholeheartedly and even offered him Joab's position after Joab failed to heed David's command not to kill Absalom (below 19:14).

the son of a man — i.e. a prominent man — K and D.

the daughter of Nahash — "*This is Jesse, David's father. Our Rabbis stated that he died without sin, only because of the advice of the Serpent* (נחש)" — R from T.B. Baba Bathra 17a. Death was decreed upon the entire human race because Eve followed the advice of the Serpent and ate of the forbidden fruit — K and R ad loc.

the Israelite — In I Chron. 2:17, however, we find him referred to as Jether the Ishmaelite. K and Z explain that he was an Israelite who made his home in the land of the Ishmaelites. Citing his father, the noted grammarian and exegete Rabbi Joseph Kimchi, K suggests that when he dwelt in the lands of Ishmael, he was called 'the Israelite' because of his origin. When, he was in Israelite territory they referred to him as 'the Ishmaelite' because of his unique citizenship. The Talmud (T.P. Yeb.

נָחָשׁ אֲחוֹת צְרוּיָה אֵם יוֹאָב׃ כו וַיִּחַן יִשְׂרָאֵל וְאַבְשָׁלֹם אֶרֶץ הַגִּלְעָד׃ כז וַיְהִי כְּבוֹא דָוִד מַחֲנָיְמָה וְשֹׁבִי בֶן־נָחָשׁ מֵרַבַּת בְּנֵי־עַמּוֹן וּמָכִיר בֶּן־עַמִּיאֵל מִלֹּא דְבָר וּבַרְזִלַּי הַגִּלְעָדִי מֵרֹגְלִים׃
כח מִשְׁכָּב וְסַפּוֹת וּכְלִי יוֹצֵר וְחִטִּים וּשְׂעֹרִים וְקֶמַח וְקָלִי וּפוֹל וַעֲדָשִׁים

תרגום: נְחָשׁ אֲחָתֵיהּ דִּצְרוּיָה אִמֵּיהּ דְּיוֹאָב׃ כו וּשְׁרָא יִשְׂרָאֵל וְאַבְשָׁלוֹם בַּאֲרַע גִּלְעָד׃ כז וַהֲוָה כַּד אֲתָא דָוִד לְמַחֲנָיִם וְשׁוֹבִי בַּר נָחָשׁ מֵרַבַּת בְּנֵי עַמּוֹן וּמָכִיר בַּר עַמִּיאֵל מִלֹּא דְבַר וּבַרְזִלַּי גִּלְעָדָאָה מֵרֹגְלִים׃ כח מַכְבִּין וְקוּלִין וּמָאנִין דַּחֲסַף וְחִטִּין וּסְעוֹרִין וְקִמְחָא וְקַלְיָא וּפוּלָא וּטְלוֹפְחִין וְקַלְיָא׃
ודבש

רש"י

עון בעטיו של נחש: (כז) ושובי בן נחש. הוא חנון בן נחש: (כח) משכב. מלעות: וספות. כלי תשמיש הם כמו ספות כסף (מלכים ב' י"ב י"ד): וקלי. מיני קליות אמרו רבותינו שני מיני שתיתא הקריב ברזילי לדוד אחד של חטים וא' של עדשים כענין האמור כאן קמח וקלי הוא של דגן ופול ועדשים וקלי ממינים של קטניות שמייבשין אותן בתנור כשהן לחין והם מתוקין לעולם וטוחנין אותן ועושין

מהר"י קרא

(כח) משכב. כרים וכסתות: [וספות וגו'. מיני] כלים: וקלי.

רד"ק

יהשוב אדם כי הוא ישמעאלי ואדוני אבי ז"ל כתב כי כשהיה בארץ ישמעאלים קורין אותו ישראלי שם וכשהיה בא משם לא"י קורין אותו ישמעאלי ובדברי רבותינו ז"ל יש דרש למה קראו ישמעאלי לפי שחגר חרבו כישמעאל כשהיה שאול רוצה לפסול את דוד למלכות לפי שבא מרות המואביה עמד הוא וחגר את חרבו ויאמר כל כי שאינו שומע הלכה זו ידקר בחרב כך מקובלני מבית דינו של שמואל עמוני ולא עמונית מואבי ולא מואבית מאי טעמא על דבר אשר לא קדמו אתכם איש דרכו לקדם ואשה אין דרכה לקדם: אשר בא אל אביגל בת נחש. הוא ישי אבי דוד ושני שמות היו לו ישי ונחש וכמוהו רבים. וטעם אשר בא ולא אמר איש אביגל אפשר שבא אליה קודם שישאנה וילדה לעמשא לפיכך אמר אשר בא ורז"ל דרשו כי לפיכך נקרא ישי נחש לפי שמת בלא עון בעטיו של נחש ר"ל בעצתו של נחש שיעץ לחוה לאכול מעץ הדעת ואז נקנסה מיתה על אדם וחוה ולא היה לישי עון אחר שמת בעבורו. ואדוני אבי ז"ל פי' כי קראו נחש לפי שיצאו ממנו צפעוני' שהרגו באומות העולם. וכן כתיב כי משרש נחש יצא צפע כי משרש ישי שנקרא נחש יצא צפע והוא חזקיהו: (כז) ושובי בן נחש מרבת בני עמון. ישראל היה והיה גר ברבת בני עמון אחר שכבשה דוד והדרש שאומר כי הוא חנון בן נחש מלך בני עמון רחוק הוא שהחיה אותו דוד הלא בכל העם אשר ברבה ובכל ערי בני עמון עשה משפטים אף כי חנון המלך אשר הוביש את עבדיו ואפשר כי נתגייר והחייהו: הגלעדי מרוגלים. מארץ הגלעד היה מכיר מעיר ששמה רוגלים: (כח) משכב וספות. כלי ששופכין ממנו לידים. משכב לשון שפיכה וכן ותעל שכבת הטל ונבלי שמים מי ישכיב וי"מ מטה ונקראת משכב לפי ששוכב אדם עליה וי"ת מכבין פי' סדינין ותרגום והרדידים וכבנתין וכן בדברי רז"ל תנתן כבנתי לבתי ופי' וספות כמו מזרקים וכן מן הדם אשר בסף וי"ת וקולין וכן ואת הספים דירמיה וי"ת קוליא ותרגום וכדה על שכמה וצולתא. וקלי הסמוך לקמח היא קלי מן חטים והסמוך לעדשים

רלב"ג

שר לבא כמו שהיה: (כז) והנה זכר כי בבא דוד מחנימה הגישו לו שובי בן נחש ומכיר בן עמיאל וברזלי הגלעדי המצטרך לו מכל משכב וספות והם כלי בית קבול ממתכת וכלי יוצר להשתמש בהם בכל צרכיהם והביאו להם למזון חטים ושעורים וקמח וקלי מהחטים ומן השעורים כדי שיוכלו לאכול תכף מהקלי והביאו להם ממיני קטניות פול ועדשים וגם הביאו להם מהם קלי לאכלו תכף והביאו להם עוד דבש וחמאה ללפת בו את הפת ולשתות וצאן לאכול וחריצין חלב בקר לאכול לפי שהם יותר מטוביך משאר החריצים. והנה הסכימו אלו

מצודת דוד

אמר הישמעאלי לפי שהתגורר כאלן ישמעאל: נחש. ארז"ל הוא ישי ונקרא נחש על שמת בעטיו של נחש ומבלי עון (ויתכן לומר שנולדה מאשת ישי מבעלה הראשון ושמו נחש ולזה אמר אחות לצרויה

מצודת ציון

(כח) משכב. מלעות לשכוב עליהם: וספות. מזרקים כמו בדם אשר בסף (שמות יב): וכלי יוצר. כלים מיוצר חרס: וקלי. קמח משבלים לנוים: ופול ועדשים. הם מיני קטניות: וקלי. הוא קמח

Nahash the sister of Zeruiah, Joab's mother. 26. And Israel and Absalom encamped in the land of Gilead. 27. And it came to pass, when David came to Mahanaim, that Shobi the son of Nahash from Rabbah of the children of Ammon and Machir the son of Ammiel of Lo-debar, and Barzillai the Gileadite of Rogelim. 28. Beds and bowls, and earthen vessels, and wheat and barley and flour and parched grain; and beans, and lentils

Commentary Digest

9b) asserts that he was nicknamed 'Ishmaelite' as a result of a specific incident in which he girded his sword in Ishmaelite fashion: When Saul's supporters sought to disqualify David from the monarchy on account of his Moabitic origin (See Commentary Digest above I Sam. 17:56 and II Sam. 7:18), Ithra swiftly girded his sword and threatened to kill all those denying the tradition handed down by the prophet Samuel that the Torah's prohibition against Ammon and Moab applied only to males. Consequently, David, whose ancestry traced to the Moabitess Ruth (Ruth 4:22) was declared acceptable into the Israelite fold.

who came to Abigail — i.e., the husband of Abigail. K conjectures that Amasa was born out of a pre-marital relation, hence the unusual expression.

Joab's mother — This information is provided to indicate that, despite their kinship, Joab murdered Amasa (below 20:10) in order to retain his position as commander-in-chief. — A and G.

27. *Shobi the son of Nahash* — "*the same as Hanun the son of Nahash.*" — R from M.Ps. Ps. 3. He was the Ammonite king who had previously put David's messengers to great shame (above 10:4). However, after suffering defeat at the hands of David, he repented and became proselytized. K and A assert that he was merely an Israelite who made his home in Ammonite territory.

וְקָלִי: כט וּדְבַשׁ וְחֶמְאָה וְצֹאן וּשְׁפוֹת
בָּקָר הִגִּישׁוּ לְדָוִד וְלָעָם אֲשֶׁר־אִתּוֹ
לֶאֱכוֹל כִּי אָמְרוּ הָעָם רָעֵב וְעָיֵף וְצָמֵא
בַּמִּדְבָּר: יח א וַיִּפְקֹד דָּוִד אֶת־הָעָם
אֲשֶׁר אִתּוֹ וַיָּשֶׂם עֲלֵיהֶם שָׂרֵי אֲלָפִים
וְשָׂרֵי מֵאוֹת: ב וַיְשַׁלַּח דָּוִד אֶת־הָעָם
הַשְּׁלִשִׁית בְּיַד־יוֹאָב וְהַשְּׁלִשִׁית בְּיַד
אֲבִישַׁי בֶּן־צְרוּיָה אֲחִי יוֹאָב וְהַשְּׁלִשִׁת
בְּיַד אִתַּי הַגִּתִּי * וַיֹּאמֶר הַמֶּלֶךְ אֶל־הָעָם
יָצֹא אֵצֵא גַּם־אֲנִי עִמָּכֶם: ג וַיֹּאמֶר הָעָם
לֹא תֵצֵא כִּי אִם־נֹס נָנוּס לֹא־יָשִׂימוּ

פב"פ

כט וּדְבַשׁ וּשְׁמַן וְעָאן
וְגוּבְנִין דַחֲלַב תּוֹרִין
קָרִיבוּ לְדָוִד וּלְעַמָּא דִי
עִמֵּיהּ לְמֵיכַל אֲרֵי אֲמַרוּ
עַמָּא כְּפַן וּמְשַׁלְהַיִן
וְצָחֵי בְּמַדְבְּרָא: א וּמְנָא
דָוִד יַת עַמָּא דִי עִמֵּיהּ
וּמַנִּי עֲלֵיהוֹן רַבָּנֵי אַלְפִין
וְרַבָּנֵי מָאוָתָא: ב וְשַׁלַּח
דָוִד יַת עַמָּא תִּלְתָּא בְּיַד
יוֹאָב וְתִלְתָּא בְּיַד אֲבִישַׁי
בַּר צְרוּיָה אֲחוּהִי דְיוֹאָב
וְתִלְתָּא בְּיַד אִתַּי גִּתָּאָה
וַאֲמַר מַלְכָּא לְעַמָּא מִפַּק
אֶפּוֹק אַף אֲנָא עִמְּכוֹן:
ג וַאֲמַר עַמָּא לָא תִפּוֹק
אֲרֵי אִם מֶעֱרַק נֶעֱרוֹק
לא

תולדות אהרן

כי אמרו העם. יומא עו: כי אם נוס. פקידה שער עה:

מהר"י קרא

שני מינים ששני פעמים נזכר קלי: (כט) ושפות בקר. וגובנא דחלב תורין:

רש"י

(כט) ושפות בקר. וגובנין דחלב: מהם מאכל שקורין שתיתא:

יח (ג) לא ישימו אלינו לב. לא יהיה דבר חשוב בעיניהם להתגבר ולהתהלל מאחר שאין אתה

רלב"ג

שלשה ממקומותיהם לשלח זאת המנחה לדוד: (א) וישם עליהם שרי אלפים ושרי מאות. כדי שיהיה סדור המלחמ' באופן הראוי כי הוא ממה שיש בו רושם נפלא בהגעת התכלית המבוקש במלחמ' ולזה לוקה סטורס בפרשת מצות מלחמה לעשות זה בזה האופן אחר שהוסרו

רד"ק

הוא קלי ממיני קטניות דבר הלמד מענינו: (כט) ושפות בקר. ת"י וגובנין דחלב תורין נקראו הגבינות שפות לפי שנעשות על ידי עשוי מן ושפו עצמותיו: רעב. אמרו רעבים היו העם במדבר וצריך לקדמם במזונות כי לא הוציאו עמם ספוקם מן ירושלם כי בחפזון יצאו וברחו: ועיף. מן הדרך וכן אמר למעלה עיפים וינפש שם ורז"ל דרשו עיף מרציחה וצמא כי במדבר אע"פ שהוא בין היישוב שהוא מקום מרעה הבהמות לא ימצא שם מים ברוב: (ג) לא ישימו אלינו לב. אם נגום לפניהם או אם ימותו חציינו במלחמה לא ישימו אלינו לב אלא

מצודת ציון

מקטניות לאוים: (כט) ושפות בקר. גבינות העשויות מחלב הבקר על כי נעשית ע"י עשוי וכתישה נקראו שפות והוא מלשון ושפו עצמותיו (איוב לג): יח (א) ויפקוד. מנה אותם: (ג) נוס ננוס.

מצודת דוד

ולא אמר אחות דוד כי לרויה היתה אחותה גם מן האב וכאשר אמרנו בש"א ס"ו): (כט) הגישו. שלשת האנשים ההם הגישו משכב וכו' דבש וכו': במדבר. בעבור שהלכו במדבר לא מלאו לא לאכול ולא לשתות ונתיגעו מטורח הדרך:

יח (ג) אם נוס ננוס וגו'. ר"ל הן אם ננוס לא ישימו לב לרדוף אחרינו וכן אם ימותו חלינו לא ישימו לב להתהלל בהנלחון

Commentary Digest

suggested by the verse which describes the people as being, 'hungry, faint, and thirsty'; hungry from not eating, thirsty from not drinking and weary from not wearing shoes.

CHAPTER 18

2. *Ittai the Gittite* — As to his origins, see above 15:19.

with you — but not 'before you' since David himself recognized that he was no longer capable of leadership in battle. — M.

3. *they will not pay attention to us— lit. 'set heart to us'* — According to R, the Israelites argued that with David in the role of bystander, the enemy would lack motivation: *"It will not be important to them to overpower us and to boast, since you are not (taking part) in the battle"*. — R.

for now — "with you in your full

and parched grain. 29. And honey, and butter, and sheep, and cheese of kine they presented to David and to the people that were with him, to eat, for they said, "The people are hungry, faint, and thirsty from the wilderness."

18

1. And David numbered the people that were with him, and he placed over them captains of thousands, and captains of hundreds. 2. And David sent forth the people, a third in the hands of Joab, a third in the hands of Abishai the son of Zeruiah, Joab's brother, and a third under the hands of Ittai the Gittite. And the king said to the people, "I, too, will go forth with you." 3. And the people said, "You shall not go forth; for if we flee they will not

Commentary Digest

29. *bowls* — *"these are utensils, similar to: 'bowls of silver* (ספות כסף)*' of II Kings* 12:14." — R

parched grain — Heb. קלי, *"types of parched grain. Our Rabbis stated: 'Two types of flour mixed with honey did Barzillai offer David, one of wheat and the other of lentils, as stated here:' . . . and wheat and parched grain . . . which is of bread stuffs; 'and beans and lentils and parched grain . . .' (which is) of those types of beans that are dried in an oven and remain forever sweet. They are then ground and from them a dish called 'shatitha' is made."* — R from T.B. Av.Z. 38b. G adds that with each category of grain a parched variety was included so that David have a supply of edible foodstuffs to complement the raw supplies.

29. *"and cheese of kine"* — R, K, J.K., and Z from J. The term שפות translated literally means 'crushing'. (See Job 33:21: ושפו עצמותיו, and his bones are crushed). Because cheese is made by crushing and squeezing this term is used for 'cheeses'. — K and A.

they presented — David's appreciation of this kindness may be readily discerned from his charge to Solomon in I Kings 2:7.

the people are hungry — The people, and not David; since the supplies that Zibah had brought (See above 16:1) may have sufficed for David and his closest associates, but not for the general populace. T.B. Yoma (77b) states that these three men appeared with their foodstuffs on the Day of Atonement. This is

אֵלֵינוּ לֵב וְאִם־יָמֻתוּ חֶצְיֵנוּ לֹא־יָשִׂימוּ
אֵלֵינוּ לֵב כִּי־עַתָּה כָמֹנוּ עֲשָׂרָה אֲלָפִים
וְעַתָּה טוֹב כִּי־תִהְיֶה־לָּנוּ מֵעִיר לַעְזוֹר׃
ד וַיֹּאמֶר אֲלֵיהֶם הַמֶּלֶךְ אֲשֶׁר־יִיטַב
בְּעֵינֵיכֶם אֶעֱשֶׂה וַיַּעֲמֹד הַמֶּלֶךְ אֶל־יַד
הַשַּׁעַר וְכָל־הָעָם יָצְאוּ לְמֵאוֹת
וְלַאֲלָפִים׃ ה וַיְצַו הַמֶּלֶךְ אֶת־יוֹאָב וְאֶת־
אֲבִישַׁי וְאֶת־אִתַּי לֵאמֹר לְאַט־לִי לַנַּעַר

לָא יְשׁוּן עֲלָנָא לִבָּא וְאִם
יִתְקַטְלוּן פַּלְגְּנָא לָא
יְשׁוּן עֲלָנָא לִבָּא אֲרֵי
כְעַן אַתְּ יָכִיל לְמִסְעַד
כְּוָתַנָא עַסְרָא אַלְפִין
וּכְעַן טַב אֲרֵי תְצַלֵּי
עֲלָנָא מִקַּרְתָּא לְמִסְעַד׃
ד וַאֲמַר לְהוֹן מַלְכָּא
דְתַקִּין בְּעֵינֵיכוֹן אַעֲבֵיד
וְקָם מַלְכָּא עַל כֵּיבַשׁ
אוֹרַח תַּרְעָא וְכָל עַמָּא
נְפָקוּ לְמָאוָן וּלְאַלְפִין׃
ה וּפַקֵּיד מַלְכָּא יָת יוֹאָב
וְיָת אֲבִישַׁי וְיָת אִתַּי
לְמֵימַר אִסְתַּמַּרוּ לִי
בְּעוּלֵימָא

לעזור קרי

רש"י

במלחמה: כי עתה. בהיותך בכבודך השוב אתה כמונו: עשרה אלפים. כעשרת אלפים איש כמונו: כי תהיה לנו מעיר לעזור. וכען טב ארי תצלי עלנא מן קרתא למסעד:

מהר"י קרא

יח (ג) ואם ימותו חצינו לא ישימו אלינו לב כי עתה כמתי עשרה אלפים. פתרונו כי עתה נשאר אצלך בעם שעמנו (ה) לאט לי לנער. אם יקרה לפניכם במלחמה חמלו

רד"ק

אליך כלומר לא יחשב בעיניהם דבר אם ינצחו אותנו עד שיהרגוך כי כן דעתם כמו שיעץ אחיתופל והכיתי את המלך לבדו כי כל מחשבותם עליך אפי' יהיו עתה כמונו עשרת אלפים לא ישימו לב אם ינצחונו אלא לך לבדך ישימו לב כי אליך לבם: ועתה טוב. הוא שתהיה בעיר ומן העיר תעזרנו בעצתך ובתפלתך ויש מפרשים אתה חשוב כנגד כולנו ואם היינו עשרת אלפים לפיכך צריך שנשמור אותך מלצאת למלחמ' ותהיה לנו מעיר לעזור וי"ת כי עתה כמונו עשרה אלפים ארי כען את יכיל למסעד כותנא עשרה אלפין ותרגם כי תהיה לנו ארי תצלי עלנא מן קרתא למסעד ר"ל יותר תעזרנו אתה בתפלתך בעיר ממה שיהיו עמנו כמונו עשרת אלפים עוד יותר תעזרנו אתה בתפלתך. וכתיב לעזיר ביו"ד וקרי לעזור בוי"ו והקרי מבואר והכתיב מבנין הפעיל להעזיר והוא יוצא לשלישי פי' שתעזיר אתה אותנו על ידי האל כלומר שתתפלל לאל שיעזרנו: (ד) אל יד השער. אל מקום הישיבה בשער העיר מחנים: וכל העם יצאו. יצאו לפניו למאות ולאלפים: (ה) לאט לי לנער לאבשלום. אם תפגעו בו במלחמה לאט לו בעבורי ואל

רלב"ג

עם האנשים הירלאים ורכי הלבב: (ג) ועתה טוב כי תהיה לנו מעיר לעזור. הנה העזר הוא שיעזרם בתפלתו לש"י ועוד כי מפני שהלון חיל אבשלום לא היה רק להמית דוד לא יהיו משתדלים מאד בהריגת בני חיל דוד אחר שאינם רואי' שם דוד: (ה) לאט לי לנער לאבשלום. ר"ל הסתיר בעבורי לזה הנער שתמלט אותו אם יבא לידך והנה עשה דוד זה לפי מה שאהבוב כי הוא חשב שעונו בבא שבע סבב את כל

מצודת דוד

כי הנפילה בידם והצלה מידם טוב בעיניהם: כי עתה. ר"ל במלחמה אשר אנחנו עתה בה אשר היא בעבור המלוכה אף אם היינו עשרה אלפים נעשים כמונו היום לא יחושו עלינו כשאינך בינינו ולזה מוטב באה תנך: ועתה. במלחמה כזאת טוב יותר לשבת אתה בעיר ומשם תעזור לנו בתפלה אל ה' ובעלתך עלינו: (ד) למאות.

מצודת ציון

נכרת: (ד) אל יד. אל מקום: (ה) לאט. ענין נחת כמו אתנהלה לאטי (בראשית לג):

Commentary Digest

tion to harm him. (See Commentary Digest above 15:1). Perhaps the simplest explanation is that David sought this assurance from his generals because of the parental instinct to pardon a child for even the most serious offenses against the parent — K and A.

pay attention to us; [now] even if half of us should die, they [still] will not pay attention to us, for now you are [equal to] ten thousand of us; and therefore now it is better that you be for us from the city as aid."
4. And the king said to them: "What seems best to you, I will do." And the king stood by the gate, and all the people went out by hundreds and by thousands.
5. And the king commanded Joab and Abishai and Ittai saying: "Deal gently for me with the youth,

Commentary Digest

glory, you are of equal import to us all." — R. Even if there be ten thousand of us they would still be interested in you alone, as clearly indicated by Ahithophel's counsel that only you be killed. — K. Even if we would be ten thousand fold our present number their attention would still be centered upon you. — D. J connects the 'ten thousand' with the ensuing part of the verse: 'You can be of greater value to us from the city with your prayers than ten thousand times as many soldiers as we are.

that you be for us from the city as aid — "And now it is better that you pray for us from the city for support." — R from J cited above. According to the Midrash, the well-known twentieth Psalm (יענך ד' ביום צרה). which is publicly recited in time of national calamity (or on behalf of the seriously ill) was composed on the eve of this battle with Absalom's forces. The Psalm's verses clearly indicate that an imminent military encounter was the occasion of their composition: 'May the Lord answer you on the day of trouble . . . send forth your help from the sanctuary . . . We will shout for joy in Your salvation. Now I know that the Lord saves His anointed, He will answer him from his Holy heavens, with the mighty acts of His saving right hand . . .'

K and A suggest that David's aid to his men from the city was expected to consist not only of prayer, but also of sound counsel.

deal gently with the youth — "If he chances to come before you in battle, take pity on him." — R. G suggests that despite Absalom's rebelliousness, David did not desire to have him killed because he knew that this entire episode had transpired because of the Bath-Sheba affair and felt that he must personally accept much of the blame for it. M contends that David sought to protect Absalom from physical harm because he knew it was not Absalom's inten-

לאבשלום וכל־העם שמעו בצות
המלך את־כל־השרים על־דבר
אבשלום: ו ויצא העם השדה לקראת
ישראל ותהי המלחמה ביער אפרים:
ז וינגפו שם עם ישראל לפני עבדי דוד
ותהי־שם המגפה גדולה ביום ההוא
עשרים אלף: ח ותהי־שם המלחמה
נפצות על־פני כל־הארץ וירב היער
לאכל בעם מאשר אכלה החרב ביום

תרגום

בעולימא באבשלום וכל עמא שמעו כד פקיד מלכא ית כל רברביא על עיסק אבשלום: ו ונפק עמא לחקלא לקדמות ישראל והות קרבא בחורשא דבית אפרים: ז ואתברו תמן עם ישראל קדם עבדי דוד והות תמן מחתא רבתא ביומא ההוא עסרין אלפין: ח והוו תמן עבדי קרבא מתבדרין על אפי כל ארעא ואסגיאת חית חורשא לקטלא בעמא מדקטילת חרבא ביומא ההוא

נפוצת קרי

רש"י

עליו: (ו) ביער אפרים. ומהיכן היה יער לאפרים בעבר הירדן מזרחה שלא ניתן שם חלק אלא לבני גד ולבני ראובן ולמנשה אלא מתוך שהתנה יהושע שיהיו מרעין בחורשין והיה אותו היער סמוך לאפרים אלא שהירדן מפסיק והיו מרעין שם בהמותיה' היה נקרא יער אפרים: (ח) וירב היער לאכול בעם. חיות רעות שביער כן ת"י:

מהר"י קרא

עשרה אלפים. למדת שהעם שהיו עם דוד [היו עשרה אלפים]: (ה) וכל העם שמעו בצות המלך את כל השרי' על דבר אבשלו'. לפי שעתיד לומר בסמוך כי באזנינו צוה המלך אותך ואת אבישי ואת אתי לאמר שמרו מי בנער באבשלום. קדם ולימדך שהזהיר את העם שלא יפגעו באבשלום: (ו) ותהי המלחמה ביער אפרים. ודוד ברח מן הארץ מעל אבשלום ועבר לו את הירדן ואבשלום עבר את הירדן אחריו כמו שקרינו למעלה בענין. ואף ר' מנחם ביר' חלבו היה תמיה על מקרא זה ופתרו' שזו אחת מתקנות שהתקינו השבטים והעם זה שהתקינו שיהיו מרעים בחורשים. אפרים היו משלחים את בעירם לרעות בעבר הירדן בנחל גד וגלעד לפי שארץ מקנה היא ואותו מקום נקרא יער אפרים: (ח) וירב היער לאכל בעם. שעצי היער נופלים עליהם:

רד"ק

תתרגוהו שלא אראה ברעתו כי אע"פ שהרע לי אני אב לרחם ופי' לאט בנחת כלומר לא תבואו בכעס וברוגז להכותו כמו שהיה ראוי שמרו לו בעבורי: את כל השרים. אע"פ שצות את הראשים שהם יואב ואבישי ואתי כן צוה גם כן שרי האלפים ושרי המאות לפיכך שמעו כל העם: (ו) ביער אפרים. וכי מניין היה לבני אפרים יער מעבר לירדן פירשו רז"ל לפי שמעשר תקנות שתקן יהושע אחת מהן היא שיהיו מרעין בהמותיהם בחורשין כלומר שלא יהו קפדין אם בהמות שבט זה ירעו בעיר של שבט אחר ונחלת בני אפרים היתה בארץ כנען סמוכה לירדן כמו שכתוב בספר יהושע ונגד נחלתם היה מעבר לירדן יער והירדן מפסיק ביניהם והיו מעבירים בני אפרים בהמותיהן שם ומרעין אותן באותו יער לפיכך היה נקרא על שמם יער אפרים: (ז) עשרים אלף. העונש הזה על שמרדו בדוד שהיה מלך ע"פ ה' וכ"ש שהחזיקו יד בנו המורד בו: (ח) נפוצת. הכתיב נפצות לשון רבות והקרי נפוצת לשון יחידה והכתיב אומר על הגבורים והגדודים מזה ומזה שהיו נפוצים על פני כל היער והקרי אומר בכלל על המלחמה: וירב היער. ת"י ואסגיאת חית חורשא לקטלא בעמא ויתכן לפרש היער עצמו שהיו נפוצים ונפצעים בעצי היער בברחם:

רלב"ג

זה וכאילו היה אבשלום בזה הפועל כלי להביא גזירת הש"י על דוד במה שאמר לו הנני מקים עליך רעה מביתך ולזה ראה שאין לאבשלו' פשע על זה והשתדל מפני זה בהצלתו: (ח) ותהי שם המלחמה נפוצת על פני כל הארץ. ידמה כי מפני נפילת ישראל ביד עבדי דוד נפל מורך בלבבם והיו נפוצים אנשי המלחמה הנה והנה על פני כל הארץ עד שהרבתה חית היער להשחית בעם כמו מה שהשחיתה החרב:

מצודת דוד

מאה מאה נגד: (ה) לאט לי וגו'. ר"ל למעני בואו עם אבשלום בנחת ולא תעשו לו מאומה רע: (ו) ביער אפרים. אף שנחלת אפרים היתה בעבר הירדן המערבי. כי אחז"ל שיהושע תקן שלא יקפידו השבטים זה על זה מבני תת לרעות הבהמות בארץ לא לו ובני אפרים רעו את בהמתם בהעיר ההיא ונקרא על שמם: (ח) נפוצת. היתה מפוזרת על כל הארץ אשר הם עליה: וירב היער וגו'. יותר הכה בהם היער בהכשלם בו מאשר הכו בהם אנשי דוד בחרב:

מצודת ציון

(ח) וירב. מלשון רבוי:

with Absalom." And all the people heard when the king commanded all the captains regarding Absalom. 6. And the people went out into the field against Israel; and the battle took place in the forest of Ephraim. 7. And the people of Israel were beaten there before the servants of David, and the slaughter there, on that day, was very great, twenty thousand men. 8. And the battle spread from there over the face of all the land; and the forest devoured more of the people, than the sword devoured on that

Commentary Digest

6. *in the forest of Ephraim* — Since David and his men had crossed to the Eastern bank of the Jordan into the territory of Reuben, Gad, and half of Menashe, the question may be raised, how this battle could possibly have taken place in the territory of Ephraim? A conjectures that David's men may have recrossed the Jordan into the area of this forest of Ephraim to engage Absalom's men in battle. R maintains that this forest of Ephraim was on the same eastern bank of the Jordan that David's men were on: *"Now how was there a forest belonging to Ephraim on the Eastern bank of the Jordan since no portion was granted* (anyone) *there other than to the children of Gad, Reuben, and Menashe? However, because Joshua had placed as a condition* (for the division of the Land of Israel) *that anyone may pasture in the forests, and since this forest was so close to Ephraim,* [*but for the Jordan separating them*] *that they* (the people of Ephraim) *would pasture their animals there, it was called the forest of Ephraim."* — R, J.K., K. and D based on T.B. Ba.K. 80b. The ordinance cited was one of ten 'tenaim' promulgated by Joshua prior to the division of the land. A complete listing of the ordinances is to be found in T.B. Ba.K. *loc. cit.*, and in Maimonides, Laws of Civil Damages (הלכות נזקי ממון) Ch. 5, Law 3.

7. *twenty thousand men* — These men died as punishment for rebelling against David, who was G-d's anointed. — K.

8. *face of all the land* — of the entire forest region. — K. In attempting to flee from David's men, they scattered throughout the forest.

and the forest devoured — *"the wild beasts of the forest. So did J translate it."* — R. K and D suggest that in their haste, they stumbled on the trees of the forest. Or, according to J.K., they were killed by falling trees.

הַהוּא׃ ט וַיִּקָּרֵא אַבְשָׁלוֹם לִפְנֵי עַבְדֵי
דָוִד וְאַבְשָׁלוֹם רֹכֵב עַל־הַפֶּרֶד וַיָּבֹא
הַפֶּרֶד תַּחַת שׂוֹבֶךְ הָאֵלָה הַגְּדוֹלָה
וַיֶּחֱזַק רֹאשׁוֹ בָאֵלָה וַיֻּתַּן בֵּין הַשָּׁמַיִם
וּבֵין הָאָרֶץ וְהַפֶּרֶד אֲשֶׁר־תַּחְתָּיו עָבָר׃
י וַיַּרְא אִישׁ אֶחָד וַיַּגֵּד לְיוֹאָב וַיֹּאמֶר הִנֵּה
רָאִיתִי אֶת־אַבְשָׁלֹם תָּלוּי בָּאֵלָה׃
יא וַיֹּאמֶר יוֹאָב לָאִישׁ הַמַּגִּיד לוֹ וְהִנֵּה
רָאִיתָ וּמַדּוּעַ לֹא־הִכִּיתוֹ שָׁם אַרְצָה
וְעָלַי לָתֶת לְךָ עֲשָׂרָה כֶּסֶף וַחֲגֹרָה
אֶחָת׃ יב וַיֹּאמֶר הָאִישׁ אֶל־יוֹאָב וְלֹא

ולו קרי

תרגום

ההוא: ט ואתערע אבשלום קדם עבדי דויד ואבשלום רכיב על כודנתא ועלת כודנתא תחות סוכא דבוטמא רבא ואתאחד רישיה בבוטמא ואתלי בין שמיא ובין ארעא וכודנתא די תחותוהי עברת: י וחזא גברא חד ותני ליואב ואמר הא חזיתי ית אבשלום תלי בבוטמא: יא ואמר יואב לגברא דמחוי ליה והא חזיתא ומא דין לא מחיתהו תמן ורמיתהי לארעא ועלי פון למתן לך עשר סלעין דכסף ואספנקי חדא: יב ואמר גברא ליואב ולו אנא

הקל

רש"י

(ט) ויקרא אבשלום. לשון מקרה ופגע: ויתן בין השמים ובין הארץ. אמרו רבותינו שלף חרבו לקוץ

מהר"י קרא

(ט) ויקרא אבשלום לפני עבדי דוד. קראו אחריו שהיו בורח לאמר תפשיהו: שובך. ענף כמו בסבך דאיל אברהם: (יב) ולא אנכי שקל על כפי אלף כסף. פתרונו ואפילו אם יהיו שוקלים אלף כסף ונותנים לידי לא אשלח ידי אל בן המלך: כי באזנינו צוה המלך אותך ואת אבישי ואת אתי לאמר שמרו.

רד"ק

(ט) ויקרא אבשלום. כתרגום ואתערע: שובך האלה. סוכת העץ מסתבכת ענף בענף נקראת שובך ונאחז בו ראש אבשלום שהיה לו שער רב ואמרו רז"ל לפי שנתגאה בשערו נתלה בשערו: (יא) עשרה כסף. כתרגומו עשר סלעין דכסף: (יב) ולו אנכי שוקל על כפי. ולא כתיב כלומר לא הייתי לוקח אלף כסף בדבר הזה ואתה אמרת שהיית נותן לי עשרה כסף והקרי הוא ולו כלומר אפי' היית מוצא מי שיתן לי אלף כסף בדבר הזה ואשקלם על ידי בהכרעה לא אשלח ידי אל בן המלך:

רלב"ג

(ט) והנה סבב השם שנקרא אבשלום לבדו לפני עבדי דוד מפני רב פיזור חילו והוא היה רוכב על הפרד ויבא הפרד תחת סבוך ענפי האלה הגדולה שהיתה ומרוב ההסתבכות עם מרוצת הפרד נתחזק

מצודת דוד

(ט) ויקרא. במקרה נזדמן אבשלום וגו'. והיה רוכב על הפרד ובנוסו מפניהם בא עם הפרד תחת ענף האלה ונסתבך בה שער ראשו ונשאר תלוי באויר כי הפרד עבר מתחתיו: (יא) והנה ראית. כאומר מה לי בראיה מדוע לא הרגתו והיה א"כ עלי לתת לך וגו' ר"ל היה לך לדעת שאם הרגתו היית מקבל ממני מתן: (יב) ולו אנכי שוקל וגו'. אפילו אם אנכי הייתי שוקל וכו' ר"ל אפילו אם ככר שקלו אל כפי ואפילו אלף כסף לא אשלח ידי וגו'

מצודת ציון

(ט) ויקרא. מל' מקרה: שובך. כמו סובך בסמ"ך והוא ענין ענף כמו בסבך בקרניו (שם כב) ויקרא כן ע"ש שנאחזים ומסובכים זה בזה: האלה. שם אילן הוא: (יא) עשרה כסף. ת"י עסר סלעין דכסף: (יב) ולו אנכי. ואם אנכי. וכן לו החייתם אותם (שופטים ח):

Commentary Digest

silver — Obviously Joab had notified his men that a prize would be given the one who would slay Absalom. Similar incentives for battle heroics seems to have been common practice in Biblical times. See Commentary Digest above 5:9.

my hand against the king's son, because before our ears — The man reasoned that he would not kill Absalom because of two considerations; (a) Absalom is the king's son and one dare not harm the offspring of G-d's chosen. (b) The king had publicly appealed that no one harm him.

whoever it be — *"into whoever's hand he enters shall care for him."* — **R.**

day. 9. And Absalom chanced to come before the servants of David. And Absalom was riding upon his mule, and the mule came under the thick boughs of the great terebinth, and his head caught hold in the terebinth, and he was placed between the heaven and the earth; and the mule that was beneath him passed on. 10. And a man saw it and told Joab. And he said, "Behold I saw Absalom hanging in a terebinth." 11. And Joab said to the man who told him, "Now if you had seen it, then why did you not smite him there to the ground? And it would have been [incumbent] upon me to give you ten [pieces of] silver, and a belt." 12. And the man said to Joab: "Though I

Commentary Digest

9. *And Absalom chanced to come* — Heb. ויקרא *"an expression of a chance happening"* — R and D.

the thick boughs — Heb. שובך, similar to בסבך בקרניו (with its horns in the thicket) of Gen. 22:13, the ס and שׂ being interchangeable — J.K., and Z.

and his head caught hold in the terebinth — Our rabbis commented, "Because he had taken excessive pride in his hair, he was hung by his hair." — T.B. Sot. 9b. Compare with above 14:16. This is in accordance with the rabbinic teaching that G-d brings about retribution in kind (מדה כנגד מדה) so that people come to recognize that it was the hand of G-d that caused the evildoer's downfall. This allows punishment to be not merely retributive but also utilitarian since it instills in the observer the fear of G-d. See T.B. San. 93a.

and he was placed between the heaven and earth — Absalom, was undoubtedly girded with sword. Why then did he make no attempt to dislodge himself from the tree? R, based on P.R. Ch. 53, and T.B. Sot. 10b, provides an answer: *"Our Rabbis have stated: 'He drew his sword to cut his hair but saw Gehenom open up beneath him'.* (and therefore feared to free himself)." — R. The conclusion of this Midrash has Absalom deciding between the two fates: 'Better that I hang by the hairs of my head than die by the flames of Gehenom'.

11. *to give you ten (pieces of)*

אָנֹכִי שֹׁקֵל עַל־כַּפַּי אֶלֶף כֶּסֶף לֹא־
אֶשְׁלַח יָדִי אֶל־בֶּן־הַמֶּלֶךְ כִּי בְאָזְנֵינוּ
צִוָּה הַמֶּלֶךְ אֹתְךָ וְאֶת־אֲבִישַׁי וְאֶת־
אִתַּי לֵאמֹר שִׁמְרוּ־מִי בַּנַּעַר בְּאַבְשָׁלוֹם׃
יג אוֹ־עָשִׂיתִי בְנַפְשׁוֹ שֶׁקֶר וְכָל־דָּבָר
לֹא־יִכָּחֵד מִן־הַמֶּלֶךְ וְאַתָּה תִּתְיַצֵּב
מִנֶּגֶד׃ יד וַיֹּאמֶר יוֹאָב לֹא־כֵן אֹחִילָה
לְפָנֶיךָ וַיִּקַּח שְׁלֹשָׁה שְׁבָטִים בְּכַפּוֹ
וַיִּתְקָעֵם בְּלֵב אַבְשָׁלוֹם עוֹדֶנּוּ חַי בְּלֵב
הָאֵלָה׃ טו וַיָּסֹבּוּ עֲשָׂרָה נְעָרִים נֹשְׂאֵי
כְּלֵי יוֹאָב וַיַּכּוּ אֶת־אַבְשָׁלוֹם וַיְמִיתֻהוּ׃

בנפשי קרי

תרגום

תָּקֵל עַל כַּפַּי אֲלַף סִלְעִין
דִּכְסַף לָא אוֹשֵׁיט יְדֵי
בְּבַר מַלְכָּא אֲרֵי קֳדָמָנָא
פַּקֵּיד מַלְכָּא יָתָךְ וְיָת
אֲבִישַׁי וְיָת אִתַּי לְמֵימַר
אִסְתַּמָּרוּ לִי בְּעוּלֵימָא
בְּאַבְשָׁלוֹם׃ יג או פוּן
עֲבָדִית בְּנַפְשִׁי שְׁקַר
וְכָל מִדַּעַם לָא יִתְכַּסָּא
מִן מַלְכָּא וְאַתְּ תִּתְעַתַּד
מִקָּבֵיל׃ יד וַאֲמַר יוֹאָב
הֲלָא מִבְּכֵין אֵישָׁרֵי
קֳדָמָךְ וּנְסֵיב תְּלָתָא
גַּסְסִין בִּידֵיהּ וּקְבָעִינוּן
בְּלִבָּא דְאַבְשָׁלוֹם וְעַד
כְּעַן קַיָּם בְּגוֹ בוּטְמָא׃
טו וְאִסְתַּחֲרוּ עַסְרָא
עוּלֵימַיָּא נָטְלֵי זְיָנֵיהּ
דְיוֹאָב וּמְחוֹ יָת אַבְשָׁלוֹם
וקטלוהי

ת"א ויקח שלשה שבטים. סוטה ט: ויסובו עשרה נערים. שם: ויכו. סנהדרין קג:

מהר"י קרא

כל מי שימצא את אבשלום שלא יגע בו: (יד) לא כן. אתה אומר אם (יחרד עוד) [יקרך עון] בדבר הזה אני אתיצב מנגד. לא כן. איני נצב מנגד אלא עלי להצילך מיד דוד: אוחילה

רש"י

שערו וראה גיהנם פתוחה תחתיו: (יב) שמרו מי בנער. כל מי שיבא לידו ישמרנו: (יד) לא כן אחילה לפניך.

רלב"ג

ראשו ונאחז באלה עומד שם באויר והפרד אשר תחתיו עבר: (יב) שמרו מי בנער באבשלום. ר"ל שמרו מי שיהיה מהם שלא ישלח ידו בנער באבשלום: (יג) או עשיתי בנפשי שקר. ר"ל להעלים מהמלך המתתי אותו הנה שום דבר לא יכחד ולא יעלם מן המלך שלא יגיע אל דרישתו וידיעתו מרוב החקירה והדרישה: (יד) ויקח שלשה שבטים בכפו. יתכן שיהיו גדולים וחזקים והדים בראשם ודמה בזה להמיתו בזולת

רד"ק

שמרו מי בנער. מי יגע בנער כלומר שמרו שלא יגע אדם בו: (יג) או עשיתי בנפשו שקר. בנפשו כתיב פי' בנפשו של אבשלום אם הייתי הורג אותו שקר הייתי עושה בעצמו כי המלך צוה עליו והקרי הוא בנפשי כלומר אפי' לא יודע הדבר הייתי עושה שקר בעצמי כי אני יודע כי המלך צוה עליו ופירושו או תאמר שהייתי עושה זה שקר והייתי הורג אותו אי אפשר שלא יבא הדבר לידי ידיעה כי כל דבר לא יכחד מן המלך: ואתה תתיצב מנגד. שלא תושיעני מיד המלך: (יד) לא כן אוחילה, לא טוב שאיחל אותך ואדבר אליך שתלך ותכהו אני אלך: שלשה שבטים. ולהב בראשיהם כמו חניתות היו אלא שהדקי' נקראו שבטים וי"ת גססין ואמרו רז"ל לפי שגנב ג' לבבות לבב אביו ולבב בית דין ולב אנשי ישראל לפיכך נתנו בו ג' שבטים ולפי שבא על עשר פילגשי אביו לפיכך נתנו בו עשר לונביות עשר נערי יואב. ולב בית דין שאמר על מאתים איש שהלכו עמו הלכו לתומם ואמרו כי מאתים ראשי סנהדרין היו: עודנו חי בלב האלה. טעם בלב האלה דבק עם בלב אבשלום פירוש תקע השבטים בלבו עד שעברו גיפו ונתקעו בלב האלה על דרך אכה בדיד ובקיר אכנו נא בחנית ובארץ ופירש בלב האלה באמצע האלה כמו עד לב השמים ופירוש עודנו חי אחר שתקע בלבו שלשה השבטים עדיין היה חי על כן הכוהו עוד נערי יואב עד שהמיתוהו: (טו) ויסובו. עמדו

מצודת ציון

(יג) או עשיתי. אם עשיתי: יכחד. ענין העלמה: מנגד. מרחוק: (יד) כן. ענין טוב ונכון כמו ולא יכין לדבר כן (שם י"ב): אוחילה. אחכה כמו אחלי אדוני (מ"ב ה'): שבטים. שרביטים: ויתקעם. ותחבם: בלב האלה. באמצעית האלה ועל כי הלב הוא באמצע הגוף הושאל המלה הזאת לכל מלוא וכן עד לב השמים (דברים ד): (טו) כלי יואב. כלי זיינו:

מצודת דוד

שמרו מי. מי שיבוא לידו שמרו בו לבוא עמו בנחת: (יג) או עשיתי. ר"ל ואף אם הייתי מעלים הדבר לבל יודע הלא אם עשיתי אותה הייתי עושה שקר בנפשי כי המרד בדבר המלך ונשקר בו יחשב לעון נפש: וכל דבר. ר"ל אף הלא שום דבר לא יהיה נעלם מן המלך כי יחקור לדעת מי הרגו וכשיודע לו ידעתי שאתה תעמוד מנגד מבלי הציל אותי מידו: (יד) לא כן. לא טוב ונכון שאחכה עוד לפניך כי

Commentary Digest

pierced with ten javelins, as it is written: 'And there circled about him ten young men etc.' Now, because he had deceitfully captured three hearts, the heart of the court (the two hundred men, members of the courts, who had innocently joined him when he was gathering his forces for rebellion. See Above 15:11), the heart of his father (in the same incident See Commentary Digest Above, *loc. cit.*,) and the hearts of the people of Israel (Above 15:6), his own heart was pierced by three darts."

should weigh on my palms a thousand [pieces] of silver, I would not stretch out my hand against the king's son, because before our ears did the king charge you and Abishai and Ittai saying, 'Take care whoever [it may be] of the youth, of Absalom.' 13. Even if I would deal falsely with myself, now nothing can be hidden from the king, and you [yourself] would stand from afar." 14. And Joab said, "I shall no longer request of you." And he took three darts in his hand and thrust them into Absalom's heart while he was yet alive in the heart of the terebinth. 15. And there circled about ten young men who were Joab's armor bearers, and they struck Absalom, and killed him.

Commentary Digest

13. *deal falsely with myself, now there is nothing* — This very scrupulous man argued that after having personally heard the king's plea for Absalom's welfare, even if it were possible to conceal the matter from David, he still would not have harmed Absalom. However, he indicated to Joab that he considered the point irrelevant since no one can successfully conceal anything from the king. —K and A.

and you (*yourself*) *would stand from afar* — i.e., you would stand aside and fail to save me from the king's wrath. — K.

14. *I shall no longer request of you* — *"I shall no longer make any request of you, but will go* (instead) *myself"*. — R. and K.

in the heart of the terebinth — To be connected to 'and he thrust them into Absalom's heart'. He thrust the darts in with such force that they pierced Absalom's body and became imbedded in the tree. — K.

Absalom did not die, however, until the ten youths slew him. G-d kept him alive in order to bring upon him the full measure of suffering warranted by his deeds, as indicated in T.B. Sotah's analysis of his death cited in the ensuing Commentary Digest.

15. *ten young men . . . and they struck Absalom* — T.B. Sotah (9b) attaches meaning to each phase of Absalom's prolonged death: "Absalom took pride in his hair and therefore was hung by his hair. Now because he had come upon the ten concubines of his father, he was

טז וַיִּתְקַע יוֹאָב בַּשֹּׁפָר וַיָּשָׁב הָעָם
מִרְדֹף אַחֲרֵי יִשְׂרָאֵל כִּי־חָשַׂךְ יוֹאָב
אֶת־הָעָם׃ יז וַיִּקְחוּ אֶת־אַבְשָׁלוֹם
וַיַּשְׁלִכוּ אֹתוֹ בַיַּעַר אֶל־הַפַּחַת הַגָּדוֹל
וַיַּצִּבוּ עָלָיו גַּל־אֲבָנִים גָּדוֹל מְאֹד וְכָל־
יִשְׂרָאֵל נָסוּ אִישׁ לְאֹהָלוֹ׃ יח וְאַבְשָׁלֹם
לָקַח וַיַּצֶּב־לוֹ בְחַיָּו אֶת־מַצֶּבֶת אֲשֶׁר
בְּעֵמֶק־הַמֶּלֶךְ כִּי אָמַר אֵין־לִי בֵן
בַּעֲבוּר הַזְכִּיר שְׁמִי וַיִּקְרָא לַמַּצֶּבֶת עַל־
שְׁמוֹ וַיִּקָּרֵא לָהּ יַד אַבְשָׁלֹם עַד הַיּוֹם

לאהליו קרי בחייו קרי

תרגום

וְקַטְלוּהִי׃ טז וּתְקַע יוֹאָב בְּשׁוֹפְרָא וְתָב עַמָּא מִלְמִרְדַף בָּתַר יִשְׂרָאֵל אֲרֵי מְנַע יוֹאָב יַת עַמָּא׃ יז וּנְסִיבוּ יַת אַבְשָׁלוֹם וּרְמוֹ יָתֵיהּ בְּחוּרְשָׁא לְגוֹ קוּמְצָא רַבָּה וַאֲקִימוּ עֲלוֹהִי דְגוֹר אַבְנִין רַב לַחֲדָא וְכָל יִשְׂרָאֵל אַפְּכוּ גְבַר לְקִרְווֹהִי׃ יח וְאַבְשָׁלוֹם נְסִיב וַאֲקִים לֵיהּ בְּחַיוֹהִי יַת קָמְתָא דִי בְּמֵישַׁר מַלְכָּא אֲרֵי אֲמַר לֵית לִי בַר קַיָם בְּדִיל לְאַדְכָּרָא שְׁמִי וּקְרָא לְקָמְתָא עַל שְׁמֵיהּ וּקְרָא לַהּ אַתְרָא דְאַבְשָׁלוֹם עַד יוֹמָא הָדֵין

ת"א ואבשלום לקח. סוטה י:

רש"י

לא אבקש עוד בקשה ממך כי אני אלך: (יח) כי אמר אין לי בן. ממלא מקומי ויהיה הגוף כמותי: בעבור

מהר"י קרא

לפניך. שתראנו האיך ראיתיו. ויך ויראהו: (טז) כי חשך יואב את העם לרדוף אחרי אחיהם: (יח) ואבשלום לקח ויצב לו בחייו את מצבת אשר בעמק המלך. ואותה המצבה היתה גבוה כגובה קומת אבשלום, כי אמר אין לי בן. שגובה קומתו גבוה כקומתי, שאהא נזכר על ידו שיהיו הבריות אומרים

רד"ק

סביביו להכותו: (טז) מרדוף. המ"ם בחירק שלא כמנהג וכמוהו ברדוף אחרי דוד מעצבך ומרגזך: (יז) אל הפחת הגדול. חפירה גדולה שהיתה ביער: מאד. אמר מאד לפי שהפחת היה גדול ימלאוהו באבנים על אבשלום ועוד מעל הארץ הציבו הגל הגדול: לאהלו. חסר כתיב בלא יו"ד הרבים ויש בו דרש לפי שהיו נכלמי' מן המרד שעשו לא התחברו יחד אלא כל אחד נס לאהלו: (יח) ואבשלום לקח. פירוש לקח זאת העצה בעצמו להזכיר את שמו וכן ויקח קרח ואמרו כי בזה המקום נזכר אחר כך כי הוציאו עצמותיו מן הפחת הגדול וקברו אותו בזה המקום כי לכך נתכוין הוא שהציב שם מצבה בחייו: ויצב לו בחיו. חסר יו"ד הרבים כמו לאהלו שזכרנו וכמוהו רבים ויש בו דרש כי חסרו חיי אבשלום עשר שנים על ששכב עם עשר פלגשי אביו לפיכך חסר יו"ד שהוא בחשבון עשרה: כי אמר אין לי בן. ולמעלה כתיב ויולדו לאבשלום שלשה בנים ובת אחת היו לו אלא שמתו לפיכך עשה לו המצבה הזאת להיות לו לזכרון אחר מותו שהיו אומרים יד אבשלום ויד פירושו מקום וכמוהו רבים ובדברי רבותינו ז"ל יש מי שאמר שהיה לו בן אלא שלא היה הגון למלכות ומהם אמרו גמירי שכל השורף תבואתו של חבירו אינו מניח בן ליורשו והוא שרף תבואתו של יואב וי"ת לית לי בר קיים בדיל

רלב"ג

הנה בתקעו אות' בלבו ולפי שהנה היה עדיין חי בלב האלה לוה יואב את נעריו נושאי כליו להכות אותו ולהמיתו: (טז) כי חשך יואב את העם. הנה מנע יואב את אנשי דוד מרדוף אחרי ישראל כי לא היה רצונו להשחיתם אך נתפייס בנפול אבשלום בידיהם: (יח) את מצבת אשר בעמק המלך. ידמה שהנה שם בנין גבוה: כי אמר אין לי בן בעבור הזכיר שמי. ואע"פ שספר שהנה היו לו שלשה בנים יתכן שמתו אחר זה ולא בנה זאת המצבת וקרא שמה יד אבשלום:

מצודת דוד

ידי כל לי: עודני חי. עם שתקע בו שלשת השבטים היה עוד חי הלוי מוג כב האלה: (טז) ויתקע וגו'. לסימן אשר יחדלו מלרדוף: כי חשך יואב. אשר לא יחדלו מעצמם: (יז) וכל ישראל. אשר עם אבשלום: (יח) לקח. ר"ל לקח עצמו זאת העצה לזכרון כמו ודוגמתו ויקח קרח (במדבר טז): אין לי בן. כי בניו הנזכרים למעלה כבר מתו: בעבור הזכיר שמי. אין לי בן שיזכר שמי על

מצודת ציון

(טז) חשך. מנע כמו ולא חשכת (בראשית כב): (יז) הפחת. בור וחפירה: גל. תל גדול: (יח) מצבה. מלשון מלכה ר"ל בנין גבוה: יד אבשלום. מקום אבשלום:

Commentary Digest

which quotes Absalom as saying, *"I have no son who will replace me and be of similar stature to me."* — R from Sot. 10b

in order to cause (people) *to remember my name* — "*'I shall erect for myself a stone monument', and it was an impressive structure.*" — R.

Yad Absalom — Absalom's place — J and Z.

It is interesting to note that "Yad Absalom" originally had the form of a hand at its peak. It is reputed that Napoleon Bonaparte shot it off with a cannon after commenting, "A son who raised his hand again his

16. And Joab blew with a shofar, and the people returned from pursuing after Israel; for Joab held back the people. 17. And they took Absalom, and they cast him in the forest, into the great pit, and they placed over him a very large heap of stones; and all of Israel fled each to his tents. 18. And Absalom had taken and established for himself in his lifetime, the monument which is in the king's valley for he said, "I have no son in order to cause (people) to remember my name;" and he called the monument after his own name, and they called it Yad Absalom until this day.

Commentary Digest

16. *held back the people* — from further pursuing their Israelite brethren. — J.K.

17. *fled each to his tents* — Because they suffered much remorse for having rebelled against David, they were unable to face each other, and preferred to flee each man on his own. — K.

to his tents. — J renders: to his cities.

18. *had taken* — had taken counsel from others; or perhaps had advised himself to build a monument in his memory lest his rebellion prove unsuccessful and he die a premature and sudden death. Compare with Nachmanides on Num. 16:1 where 'and Korah took' is interpreted as 'and Korah took counsel .

the monument — K suggests that Absalom was first cast into the great pit (v. 17) but later, upon the discovery of his monument, was reinterred there. A contends that the verse seeks to indicate quite the opposite, that despite Absalom's lavish plans for an everlasting monument, he was nevertheless buried ignobly, in an anonymous pit.

in his lifetime — In the 'ketib' we find the Heb. בחיין minus the letter י. K cites a Midrash that Absalom had died ten years prematurely as retribution for having come upon his father's ten concubines (See above 16:22). The omission of the letter י with its numerical value of ten from the word בחייו ('in his lifetime'), hints at this ten year curtailment of Absalom's life span. — K from unknown source.

I have no son — See above 14:27. In order to reconcile these two contradictory passages, G and D follow the Talmudic opinion that all his children had died at an early age. R cites a second Talmudic contention

הַזֶּה׃ יט וַאֲחִימַעַץ בֶּן־צָדוֹק אָמַר
אָרוּצָה נָּא וַאֲבַשְּׂרָה אֶת־הַמֶּלֶךְ כִּי־
שְׁפָטוֹ יְהוָה מִיַּד אֹיְבָיו׃ כ וַיֹּאמֶר לוֹ
יוֹאָב לֹא אִישׁ בְּשֹׂרָה אַתָּה הַיּוֹם הַזֶּה
וּבִשַּׂרְתָּ בְּיוֹם אַחֵר וְהַיּוֹם הַזֶּה לֹא
תְבַשֵּׂר כִּי־עַל־* בֶּן־הַמֶּלֶךְ מֵת׃ כא וַיֹּאמֶר
יוֹאָב לַכּוּשִׁי לֵךְ הַגֵּד לַמֶּלֶךְ אֲשֶׁר
רָאִיתָה וַיִּשְׁתַּחוּ כוּשִׁי לְיוֹאָב וַיָּרֹץ׃
כב וַיֹּסֶף עוֹד אֲחִימַעַץ בֶּן־צָדוֹק וַיֹּאמֶר
אֶל־יוֹאָב וִיהִי מָה אָרֻצָה־נָּא גַם־אָנִי
אַחֲרֵי הַכּוּשִׁי וַיֹּאמֶר יוֹאָב לָמָּה זֶּה אַתָּה

* כן קרי ולא כתיב

תרגום

הָדֵין׃ יט וַאֲחִימַעַץ בַּר
צָדוֹק אֲמַר אֶרְהוֹט כְּעַן
וַאֲבַסַר יַת מַלְכָּא אֲרֵי
אִתְפְּרַע לֵיהּ יְיָ מִיַּד
בְּעֲלֵי דְבָבוֹהִי׃ כ וַאֲמַר
לֵיהּ יוֹאָב לָא גְבַר כָּשַׁר
לְבַסָרָא אַתְּ יוֹמָא דֵין
וּתְבַסַר בְּיוֹם אוֹחֲרָן
וְיוֹמָא הָדֵין לָא תְבַסַר
אֲלָהֵין דְבַר מַלְכָּא מִית׃
כא וַאֲמַר יוֹאָב לְכוּשִׁי
אֱזֵיל חַוִי לְמַלְכָּא
דַחֲזֵיתָא וּסְגִיד כּוּשִׁי
לְיוֹאָב וּרְהַט׃ כב וְאוֹסֵיף
עוֹד אֲחִימַעַץ בַּר צָדוֹק
וַאֲמַר לְיוֹאָב וִיהֵי מָה
אֶרְהוֹט כְּעַן אַף אֲנָא
בָּתַר כּוּשִׁי וַאֲמַר יוֹאָב
לְמָא דְנַן אַתְּ רָהֵיט בְּרִי
ולך

מהר"י קרא

גובה קומת זה כגובה קומת זה. דהיינו אביו. וזהו שמפרש שאמר אין לי בן בעבור הזכיר שמי: (כב) ויהי מה ארוצה. כן. כי על אשר בן המלך מת לפיכך לא טובה לך הבשורה הזאת:

רש"י

הזכיר שמי. אקים לי מלבת אבן וכנין חשוב היה: (כ) ובשרת ביום אחר. בשורת תשועה אחרת: כי על

רלב"ג

(כ) ובשרת ביום אחר. ר"ל כאשר יקרא דבר טוב ישמח בו דוד אז

רד"ק

לאדכרא שמי: (כ) ובשרת ביום אחר. תשועה אחרת שתזדמן לישראל כי זאת התשועה לא תהיה שלימה בעיני המלך על אשר מת בנו: כי על כן בן המלך מת. כן קרי ולא כתיב והקרי הוא יותר קרוב כאלו אמר כי על אשר בן המלך מת אין אתה ראוי לבשר ויש בו דרש כי ע"כ ועל יושר מת שמרד באביו: (כא) לכושי. מבני כוש היה ונתגייר או אפשר שהיה

מצודת ציון

(יט) ארוצה. ענין מהירות ההליכה: (כב) ויהי מה. ר"ל יהיה מה שיהיה ודוגמתו ויעבור עלי מה (איוב ו) ופי' יעבור מה

מצודת דוד

ידו לזאת הציב מצבת וקראה על שמו לזכרון: (יט) כי שפטו ה'. עשה משפטו לנקום נקמתו מיד אויביו: (כ) לא איש בשורה. לא ראוי לך לבשר בשורה כזאת: ביום אחר. כעת יזדמן תשועה אחרת: כי על כן. כי הבשורה ההיא תהיה על אשר הומת בן המלך ולא תחשב לבשורה טובה: (כא) אשר ראיתה. בנצחון המלחמה וממיתת אבשלום: וישתחו. כהבא שעשה עמו חסד לבלתו כבשור': (כב) ויהי מה. ר"ל אף אם לא אשמחו במיתת אבשלום מ"מ בנצחון המלחמה הלא ישמח: לביה זה. ר"ל למה תעמול לרוץ אליו הואיל ולכה לא יהיה נמלא מתן בשורה כי אף אם יתן מתן הלא לכושי

usual in his complexion. He had vehemently refused to show where Absalom was suspended from the terebinth although Joab prostrated himself before him and beseechd him to show him. He did not yield to his wishes until he took him by the arm and compelled him to do so.

19. And Ahimaaz, the son of Zadok said, "Let me now run and bring news to the king that the Lord has avenged him from the hand of his enemies." 20. And Joab said to him: "You are not the man to bring news this day, but you shall [perhaps] bring news another day, but this day you shall not bring news, because the king's son is dead." 21. And Joab said to the Cushite, "Go tell the king what you have seen." And the Cushite bowed down to Joab, and ran. 22. And Ahimaaz the son of Zadok continued again, and said to Joab, "Come what may, please allow me to run after the Cushite."

And Joab said, "Why should you [desire] to

Commentary Digest

father deserves to have it shot off." Hence, we can render "Yad Absalom" literally, as "Absalom's hand".

19. *Ahimaaz* — After exposing himself to danger when he notified David of Absalom's plan of attack (See above 17:19-22), it was natural that he should desire to be the first to inform David of Absalom's defeat. — Rabinowitz.

avenged him — lit. judged him. G-d judged him worthy of defeating his adversaries. — D.

20. *bring news another day* — *"The news of another deliverance."* — R. When a truly joyous event occurs then you shall be allowed to bear the news of it. — G and K. While Ahimaaz thought that the news of Absalom's defeat would be welcomed by David, Joab knew that David harbored highly ambivalent feelings towards Absalom. He therefore advised Ahimaaz that the news he was about to bring would not be favorably accepted by David and that he would be wise to choose a more joyous occasion to serve as tidings-bearer.

because — *"Because the king's son died, it is not good for you* (to bring) *this news."* — R.

21. *the Cushite* — Either a proselyte or a dark-skinned Israelite who was called 'the Cushite' on account of his color. Abarbanel The latter seems to be accepted by P.E. Ch. 53, where it is suggested that this Cushite was the same Israelite soldier who had found Absalom with his hair suspended from the terebinth tree.

That Midrash, however, explains that the appellation 'Cushite' was given him because he was unusually righteous, just as a Cushite is un-

רָץ בְּנִי וּלְכָה אֵין־בְּשׂוֹרָה מֹצֵאת׃
כג וִיהִי־מָה אָרוּץ וַיֹּאמֶר לוֹ רוּץ וַיָּרָץ
אֲחִימַעַץ דֶּרֶךְ הַכִּכָּר וַיַּעֲבֹר אֶת־
הַכּוּשִׁי׃ כד וְדָוִד יוֹשֵׁב בֵּין־שְׁנֵי
הַשְּׁעָרִים וַיֵּלֶךְ הַצֹּפֶה אֶל־גַּג הַשַּׁעַר
אֶל־הַחוֹמָה וַיִּשָּׂא אֶת־עֵינָיו וַיַּרְא וְהִנֵּה־
אִישׁ רָץ לְבַדּוֹ׃ כה וַיִּקְרָא הַצֹּפֶה וַיַּגֵּד
לַמֶּלֶךְ וַיֹּאמֶר הַמֶּלֶךְ אִם־לְבַדּוֹ בְּשׂוֹרָה
בְּפִיו וַיֵּלֶךְ הָלוֹךְ וְקָרֵב׃ כו וַיַּרְא הַצֹּפֶה
אִישׁ־אַחֵר רָץ וַיִּקְרָא הַצֹּפֶה אֶל־
הַשֹּׁעֵר וַיֹּאמֶר הִנֵּה־אִישׁ רָץ לְבַדּוֹ

וְלָךְ לֵית בְּסוֹרָא מִתְיְהַב׃
כג וִיהֵי מָא כְבְדֵין אֶרְהוֹט
וַאֲמַר לֵיהּ רְהוֹט וּרְהַט
אֲחִימַעַץ בְּאוֹרַח מֵישְׁרָא
וּקְדָים יַת כּוּשִׁי׃ כד וְדָוִד
יָתֵיב בֵּין תְּרֵין תַּרְעַיָא
וַהֲלֵיךְ סַכּוּאָה עַל אֶגַר
תַּרְעָא עַל שׁוּרָא וּזְקַף
יַת עֵינוֹהִי וַחֲזָא וְהָא
גַּבְרָא רָהֵיט בִּלְחוֹדוֹהִי׃
כה וּקְרָא סַכּוּאָה וְחַוִּי
לְמַלְכָּא וַאֲמַר מַלְכָּא אִם
בִּלְחוֹדוֹהִי הוּא בְּסוֹרְתָא
בְּפוּמֵיהּ וַאֲזַל מֵיזַל
וְקָרֵיב׃ כו וַחֲזָא סַכּוּאָה
גַּבְרָא אַחֲרָנָא רָהֵיט
וּקְרָא סַכּוּאָה לְנָטַר
תַּרְעָא וַאֲמַר הָא גַבְרָא
רָהֵיט

ת"א ויהי אחימעץ. פסחים ו: סוכה לט מגילה כא נדה סג:

רש"י

(כב) ולכה אין בשורה מוצאת. אין מתת שכר בשורה מלויה היום: (כג) ויהי מה. כלומר ומה בכך אם

מהר"י קרא

פתרונו מה בכך ארוצה גם אני: ולכה אין בשורה מוצאת. פתרונו בשורה שבן המלך מת אינה לך דבר מציאה. לא

רד"ק

ישראל והוא שחור ככושי לפיכך היו קוראים אותו כושי: (כב) ולכה אין בשורה מוצאת. תרגם יונתן ולך לית בשורתא מתיהב כלומר למה אתה רוצה ללכת לא לך יהיה שכר כזאת הבשורה ומוצאת כמו וימציאו בני אהרן: (כג) ויהי מה. יהיה מה שיהיה על כל פנים ארוץ וכן ויעבר עלי מה יעבר עלי מה שיעבור איני חושש: (כד) בין שני השערים. שהיה לעיר חומה לפנים מחומה ושער לפנים משער ובין שני

רלב"ג

אשלח הבשורה בפיך: (כב) ולכה אין בשורה מוצאת. ר"ל שאין לך בזה בשורה מוצאת שלחה וטוב למבשר אבל היא כמו נקמה לו כי

מצודת דוד

יתנהו כי כבר כן הוא ויבוא אליו לאסון: (כג) ויהי מה. חזר אחימעץ ואמר ואם לא אקבל מתן עכ"ז ארוץ: דרך הככר. והוא הדרך היותר קרוב ולזה עבר את הכושי והקדים לבוא: (כד) בין שני השערים. כי היה להעיר חומה לפנים מהחומה והשערים זה מול זה והיה יושב בין השערים: אל החומה. אשר ממעל להשער: (כה) אם לבדו. ואין כן דרך הנסים מן המלחמה: (כו) אל

מצודת ציון

שיעבור: (כג) הככר. המישור והוא ככר הירדן:

run, my son, since for you there is no [reward] given for the news!" 23. "But, come what may," [he said], "I will run." And he said to him, "Run". And Ahimaaz ran by the way of the plain, and he went ahead of the Cushite. 24. And David sat between the two gates; and the watchman went up to the roof of the gate to the wall, and he lifted up his eyes and looked, and behold [there was] a man running alone. 25. And the watchman called out, and told the king. And the king said, "If he is alone, he has news to tell." And he came nearer and nearer. 26. And the watchman saw another man running; and the watchman called to the gatekeepers, and he said, "Behold, there is a man running alone."

Commentary Digest

me'. — Z. D suggests that Ahimaaz reasoned that though David would be momentarily dismayed over the news of Absalom's death, he would ultimately appreciate the news of his army's victory. Perhaps a more likely possibility is that Ahimaaz had all along intended to feign ignorance concerning Absalom and notify David only of the battle victory.

for you — The Heb. לכה is to be understood as לך. See J.

since for you there is no [reward] given for the news — "No reward for the news shall be made available today." — R. While a courier who brought good news would customarily be compensated for his efforts, here the news will not be considered good and will merit no reward. According to A, Joab warned Ahimaaz that even should a reward be forthcoming, since the Cushite had gathered a substantial lead, the Cushite would receive it.

23. *Come what may — "As if to say; 'So what if I gain no reward".* — R.

"and he went ahead of the Cushite" — R from J. By using a longer but less troublesome route of the plain, Ahimaaz was able to overtake the Cushite who took to the shorter but more treacherous hilly terrain.

24. *between the two gates* — There was an inner and outer city wall, each having its own gate. David sat between the inner and outer gates awaiting news from the battlefront. — K and D.

25. *If he is alone* — Since soldiers fleeing from battle tend to band together into small groups, an isolated runner was assumed to be a courier. — D.

וַיֹּאמֶר הַמֶּלֶךְ גַּם־זֶה מְבַשֵּׂר׃ כז וַיֹּאמֶר
הַצֹּפֶה אֲנִי רֹאֶה אֶת־מְרוּצַת הָרִאשׁוֹן
כִּמְרֻצַת אֲחִימַעַץ בֶּן־צָדוֹק וַיֹּאמֶר
הַמֶּלֶךְ אִישׁ־טוֹב זֶה וְאֶל־בְּשׂוֹרָה טוֹבָה
יָבוֹא׃ כח וַיִּקְרָא אֲחִימַעַץ וַיֹּאמֶר אֶל־
הַמֶּלֶךְ שָׁלוֹם וַיִּשְׁתַּחוּ לַמֶּלֶךְ לְאַפָּיו
אָרְצָה וַיֹּאמֶר בָּרוּךְ יְהוָה אֱלֹהֶיךָ אֲשֶׁר
סִגַּר אֶת־הָאֲנָשִׁים אֲשֶׁר־נָשְׂאוּ אֶת־
יָדָם בַּאדֹנִי הַמֶּלֶךְ׃ כט וַיֹּאמֶר הַמֶּלֶךְ
שָׁלוֹם לַנַּעַר לְאַבְשָׁלוֹם וַיֹּאמֶר אֲחִימַעַץ
רָאִיתִי הֶהָמוֹן הַגָּדוֹל לִשְׁלֹחַ אֶת־עֶבֶד

תרגום

דְהִיט בִּלְחוֹדוֹהִי וַאֲמַר מַלְכָּא אַף דֵין מְבַסַר׃ כז וַאֲמַר כִּדְנָאָה אֲנָא חָזֵי יַת רִיהֲטָא דְקַדְמָאָה כְּרִיהֲטָא דַאֲחִימַעַץ בַּר צָדוֹק וַאֲמַר מַלְכָּא גְבַר טַב דֵין וְאַף בְּסוֹרָא טָבָא יֵיתֵי׃ כח וּקְרָא אֲחִימַעַץ וַאֲמַר לְמַלְכָּא שְׁלָם וּסְגִיד לְמַלְכָּא עַל אַפּוֹהִי עַל אַרְעָא וַאֲמַר בְּרִיךְ יְיָ אֱלָהָךְ דִמְסַר יַת גֻבְרַיָא דַאֲרִימוּ יַת יְדֵיהוֹן בְּרִבּוֹנִי מַלְכָּא׃ כט וַאֲמַר מַלְכָּא שְׁלָם לְעוּלֵימָא לְאַבְשָׁלוֹם וַאֲמַר אֲחִימַעַץ חֲזֵיתִי הֲמוֹנָא סַגִּיאָה בָּתַר דִשְׁלַח יַת עַבְדָא

רש"י

אין לי שכר: ויעבור. וקדים ית כושי: (כט) ראיתי ההמון הגדול. הומים ונעים במלחמה: לשלוח את עבד המלך הוא יואב שהוא עבד המלך אחרי ששלח אותי שגם אני עבדך לבשרך שנצחו אנשיך. ראיתי שנתקבצו המון גדול ולא

מהר"י קרא

טובה תבא לך אם תבשרינה: (כט) שלום לנער לאבשלום ויאמר אחימעץ ראיתי ההמון הגדול לשלוח את עבד המלך יואב ואת עבדך. פתרונו (המון) המון גדול ראיתיו ששלח עבד

רד"ק

השערים היה מקום הישיבה כמו שנאמר למעלה אל יד השער: (כז) ואל בשורה טובה. כמו ובבשורה וכן אל הארון תתן את העדות כמו ובארון: (כח) סוגר. מסר את האנשים וסגרם בידך ואפשר כי בי"ת באדוני המלך עומד במקום שנים: (כט) לשלוח את עבד המלך יואב. לשלוח יואב את עבד המלך כלומר ראיתי ההמון הגדול וראיתי שהיה משתדל יואב לשלוח את

רלב"ג

בנו מת: (כט) ויאמר אחימעץ ראיתי ההמון הגדול. הנה כשראה אחימעץ בן צדוק שלב המלך דוד על אבשלום מנע עצמו מלספר לו זאת הבשורה אשר יכאב לבו כה ולזה התגלגל ואמר שלא ידע בזה דבר אך ראה ההמון הגדול בשלוח יואב את עבד המלך את הכושי: ואת עבדך. אמר זה אחימעץ על עצמו וכאילו אמר שהאמר הבא הוא יודע אמתת הדברים כי לולא זה לא שלחו יואב:

מצודת דוד

השוער. אל שומר השער: הנה איש. הנה עוד איש: ויאמר המלך. כשמוע דבר הצופה: גם זה מבשר. הואיל וגם הוא לבדו בא: (כז) את מרוצת הראשון. ר"ל הנהגת מרוצתו שהוא כמנהג מרוצת אחימעץ ובודאי הוא הוא: איש טוב זה וגו'. כי איש טוב נוטה טבעו לחשוק לבשר טוב: (כח) אשר סגר. היד יואב והכניע: אשר נשאו וגו'. למרוד במלך: (כט) שלום. כמו השלום ובלשון שאלה אמר: ראיתי ההמון הגדול. ראיתי כי נתקבצו כל העם הרב שיואב יבלה את עבד המלך והוא הכושי וגם לשלוח אותי ולזה מסרתי אני נרוץ להקדימו ולבשר ולא נמסר לי כל פרטי הדברים ולא ידעתי מה נעשה בבנך אבל הכושי יודע הוא וכהם לו נפי שלא ראס לבשרו הרעה: לשלוח את וגו'. הוא הפוך וכאלו יאמר לשלוח יואב את עבד המלך:

מצודת ציון

(כח) סגר. מסר כמו להסגיר לאדום (עמוס א): (כט) ההמון. העם

and the king said, "This one also brings news." 27. And the watchman said, "I see the running of the first one is like the running of Ahimaaz the son of Zadok." And the king said, "This is a good man, and he [surely] comes with good news." 28. And Ahimaaz called, and said to the king, "Peace". And he bowed down to the king on his face, to the ground, and said, "Blessed is the Lord your God who has delivered up the men that raised up their hand against my lord the king." 29. And the king said, "[Is there] peace with the young man Absalom?" And Ahimaaz answered, "I saw a great crowd when Joab sent the servant

Commentary Digest

27. *this is a good man* — A man as decent as Ahimaaz would surely not have been chosen to bring bad news since a good person tries to bring only good news. — D.

A explains somewhat differently: He is a good soldier who would surely prefer to fight to the death rather than flee from the battlefront. Hence if he has left the battlefield he surely comes with news of victory.

29. *a great crowd* — "*Tumultuous and moving* (*constantly*) *about in battle*". — R.

when Joab sent the servant of the king and [*me*] *your servant* — "*This is surely an inverted verse* (which is to be correctly understood as follows): לשלח יואב את עבד המלך ואת עבדיך. *After Joab sent the servant of the king* (*the one who is running behind me*)."

"*and your servant* — (*referring to himself*), *I did not know what transpired afterwards*". — R.

Sensing that the king's primary concern was the fate of Absalom, Ahimaaz did not have the heart to tell the truth and chose to feign ignorance concerning everything but the victory. — G, D, and A.

J.K. chooses not to invert the verse and suggests instead that עבד המלך refers to Joab in the following manner: After Joab, the king's servant sent me ('your servant') to deliver the tidings from the battlefront, a crowd began to gather and I had no time to investigate its nature.

הַמֶּלֶךְ יוֹאָב וְאֶת־עַבְדֶּךָ וְלֹא יָדַעְתִּי
מָה׃ ל וַיֹּאמֶר הַמֶּלֶךְ סֹב הִתְיַצֵּב כֹּה
וַיִּסֹּב וַיַּעֲמֹד׃ לא וְהִנֵּה הַכּוּשִׁי בָּא
וַיֹּאמֶר הַכּוּשִׁי יִתְבַּשֵּׂר אֲדֹנִי הַמֶּלֶךְ כִּי־
שְׁפָטְךָ יְהוָה הַיּוֹם מִיַּד כָּל־הַקָּמִים
עָלֶיךָ׃ לב וַיֹּאמֶר הַמֶּלֶךְ אֶל־הַכּוּשִׁי
הֲשָׁלוֹם לַנַּעַר לְאַבְשָׁלוֹם וַיֹּאמֶר הַכּוּשִׁי
יִהְיוּ כַנַּעַר אֹיְבֵי אֲדֹנִי הַמֶּלֶךְ וְכֹל אֲשֶׁר־
קָמוּ עָלֶיךָ לְרָעָה׃ יט א וַיִּרְגַּז הַמֶּלֶךְ
וַיַּעַל עַל־עֲלִיַּת הַשַּׁעַר וַיֵּבְךְּ וְכֹה אָמַר

תרגום

עַבְדָא דְמַלְכָּא יוֹאָב וְיַת
עַבְדָךְ וְלָא יְדַעִית מָה׃
ל וַאֲמַר מַלְכָּא אִסְתַּחַר
אִתְעַתַּד הָכָא וְאִסְתְּחַר
וְקָם׃ לא וְהָא כּוּשִׁי אֲתָא
וַאֲמַר כּוּשִׁי יִתְבַּסַּר
רִבּוֹנִי מַלְכָּא אֲרֵי
אִתְפְּרַע לָךְ יְיָ יוֹמָא דֵין
מִיַּד כָּל דְקָמוּ עֲלָךְ׃
לב וַאֲמַר מַלְכָּא לְכוּשִׁי
הֲשְׁלָם לְעוּלֵימָא
לְאַבְשָׁלוֹם וַאֲמַר כּוּשִׁי
יְהוֹן כְּעוּלֵימָא סַנְאֵי
רִבּוֹנִי מַלְכָּא וְכָל דְקָמוּ
עֲלָךְ לְבִישָׁא׃ א וּרְגַז
מַלְכָּא וּסְלִיק עַל עֲלִית
תַּרְעָא וּבְכָא וּכְדֵין אֲמַר
במיוליה

ת"א ויִרגז המלך סוטה י׃

רש"י

המלך יואב ואת עבדך. הרי זה מקרא מסורס לשלוח יואב את עבד המלך ואת עבדך לאחר ששלח יואב את עבד המלך זה הרץ אחרי: ואת עבדך. על עצמו הוא אומר ולא ידעתי מה היה אחרי כן: (ל) סב התיצב כה. פנה לצד אחר והתיצב כה ונשמע מה יאמר זה:

מהר"י קרא

ידעתי על מי נתקבצו אבל עבדך שלחני אליך לבשרך שנצח: (ל) ויאמר המלך סב התיצב כה. הסב מנגד ותן מקום למבשר אחר שיבא לפני ויבשר מה ההמון הגדול שראית: ויסב. מנגדו ליתן מקום למבשר שני:

רד"ק

עבד המלך והוא הכושי: ואת עבדך. אמר על עצמו ומפני בהירות יואב לשלוח אותנו לא נתעכבנו לדעת מה: (ל) ויאמר המלך סוב התיצב כה. פה לצד אחד והתיצב כה ונשמע מה יאמר זה: (א) על עליית השער. בשער העיר היה עליית על

רלב"ג

(א) והנה בכה דוד בזה האופן הנפלא על מיתת אבשלום לפי שהיה

מצודת דוד

(ל) התיצב כה. עד בוא הכושי ונשמע מה בפיו: (לב) יהיו כנער וגו'. ר"ל הלואי כל אויביך והקמים עליך יהיו כנער שימותו כמוהו:

מצודת ציון

הלך: (ל) סוב. מלשון סבוב והסבה: כה. הנה: יט (א) וירגז. ויחרד: עלית. מלשון עליה: וכה. וכן:

of the king and [me] your servant, but I did not know what it was." 30. And the king said, "Turn aside and stand there." And he turned aside and stood. 31. And, behold, the Cushite came; and the Cushite said, "Let my lord the king receive the tidings that the Lord has avenged you today from all that rose up against you." 32. And the king said to the Cushite, "Is all well with the young man Absalom?" And the Cushite said, "Let the enemies of my lord the king [all] be like that young man, and so with all those that have risen against you for evil."

19

1. And the king trembled, and he went up to the upper chamber of the gate, and wept; and thus he said,

Commentary Digest

30. ***turn aside and stand here*** — *"Turn to another side and stand here and let us hear what this one has to say."* — R. David suggested that Ahimaaz stand aside and wait for the second messenger who could perhaps better inform them as to why the crowd had gathered upon Ahimaaz's departure. — J.K. According to Rabinowitz, David was angry with Ahimaaz for providing only partial information and therefore contemptuously told him to stand aside and make way for someone who comes fully informed. The Midrash seems to maintain the opposite opinion that David was pleased with Ahimaaz's information and notified him that he may now stand aside, fully assured a promotion in rank for his efforts. The Midrash, citing the verse in Isa. 30:18: 'And therefore will he raise those that have mercy on you', proceeds to derive from here in 'a minori' fashion that anyone who speaks in defense of Israel merits much honor: If Ahimaaz, who spoke neither good nor bad concerning the king's son merited all this honor, he who speaks kindly of the children of the Lord (the Israelites) will most certainly merit it. — P.K. Ch. 31, Buber ed.

CHAPTER 19

1. *and wept* — Any man, even of the firmest constitution would be terribly shaken upon seeing his two oldest sons meet with tragic and ignoble death. How much more so David, who had these tragedies decreed upon him by God and knew that he was their indirect cause. Surely many a time he must have wondered if God would have spared his sons or given them the moral fortitude to overcome their tempta-

בְּלֶכְתּוֹ בְּנִי אַבְשָׁלוֹם בְּנִי בְנִי אַבְשָׁלוֹם
מִי־יִתֵּן מוּתִי אֲנִי תַחְתֶּיךָ אַבְשָׁלוֹם בְּנִי
בְנִי׃ ב וַיֻּגַּד לְיוֹאָב הִנֵּה הַמֶּלֶךְ בֹּכֶה
וַיִּתְאַבֵּל עַל־אַבְשָׁלֹם׃ ג וַתְּהִי הַתְּשֻׁעָה
בַּיּוֹם הַהוּא לְאֵבֶל לְכָל־הָעָם כִּי־שָׁמַע
הָעָם בַּיּוֹם הַהוּא לֵאמֹר נֶעֱצַב הַמֶּלֶךְ
עַל־בְּנוֹ׃ ד וַיִּתְגַּנֵּב הָעָם בַּיּוֹם הַהוּא
לָבוֹא הָעִיר כַּאֲשֶׁר יִתְגַּנֵּב הָעָם
הַנִּכְלָמִים בְּנוּסָם בַּמִּלְחָמָה׃ ה וְהַמֶּלֶךְ
לָאַט אֶת־פָּנָיו וַיִּזְעַק הַמֶּלֶךְ קוֹל גָּדוֹל

תרגום

בְּמֵיזְלֵיהּ בְּרִי אַבְשָׁלוֹם
בְּרִי בְּרִי אַבְשָׁלוֹם לְוַי
דְמֵתִית אֲנָא חֲלוּפָךְ וְאַתְּ
קַיָם יוֹמָא דֵין אַבְשָׁלוֹם
בְּרִי בְּרִי: ב וְאִתְחֲוָאָה
לְיוֹאָב הָא מַלְכָּא בָּכֵי
וּמִתְאַבֵּל עַל אַבְשָׁלוֹם:
ג וַהֲוַת תְּשׁוּעֲתָא בְּיוֹמָא
הַהוּא לְאֶבְלָא לְכָל עַמָא
אֲרֵי שְׁמַע עַמָא בְּיוֹמָא
הַהוּא לְמֵימַר אִתְנְסִיס
מַלְכָּא עַל בְּרֵיהּ:
ד וּמִתְגַנְבִין עַמָא בְּיוֹמָא
הַהוּא לְמֵיעַל לְקַרְתָּא
כְּמָא דְמִתְגַנְבִין עַמָא
דְמִתְכַּלְמִין בְּמַפְּקְהוֹן
בִּקְרָבָא: ה וּמַלְכָּא כְּרִיךְ
יַת אַפּוֹהִי וּצְוַח מַלְכָּא
בקל

ת"א ועלב המלך. (ברכות ס): והמלך לאט. שם:

מהר"י קרא

יט (ד) ויתגנב העם ביום ההוא לבוא העיר. מפני שנהרג בן

רש"י

יט (א) בני בני. שמונה פעמים. אמרו רבותינו שבעה דאסקיה משבעה מדורי גיהנם וחד דאייתיה לעלמא דאתי: (ה) לאט את פניו. כריך ית אפוהי כמשפט האבלים: לאט. כמו וילט פניו באדרתו (מלכים א' י"ט י"ג) הנה היא לוטה בשמלה (שמואל א' כ"א י'):

רלב"ג

יודע כי עונותיו סבבו זה: (ה) לאט את פניו. כסה את פניו כי היה כוס מהתפעל כמו זה ההתפעלות החזק כי אין זה מחק המלכים:

רד"ק

השער ועל גג אותה עלייה היה עומד הצופה כמו שאמר למעלה על גג השער: בני בני. כן דרך הנותים לכפול דבריהם וכן מעי מעי אוחילה. ובדרש כי שמנה פעמים אמר בני בשבע' פעמים העלהו משבעה מדורי גיהנם ובשמיני הביאהו לגן עדן: (ג) נעצב. נפעל עבר כי הוא פתח: (ה) לאט.

מצודת ציון

(ה) לאט. עטף וכסה כמו וילט פניו באדרתו (מ"א יט):

מצודת דוד

יט (א) בני אבשלום וגו'. ארז"ל שאמר שמונה פעמים בני כני שבעה להעלותו משבעה מדורי גיהנם והשמיני להביאו לג"ע. ולפי פשוטו כן דרך המיללים לכפול דבריהם כמו מעי מעי אוחילה (ירמיה ד'): מי יתן וגו'. הלואי והייתי אני מת במקומך: (ג) לאבל. נהפך לאבל: (ד) ויתגנב. לא באו לעיר ביד רמה ובשמחה כדרך המנצחים כ"א בהסתר כגנב וכדרך ביאת הנסים מן המלחמה הנכלמים לבוא בפרסום: (ה) לאט את פניו. דרך לעט ואבל:

as he went, "O' my son Absalom, my son, my son Absalom!
would I have died in your stead, O' Absalom my son, my son!"
2. And it was told to Joab, "Behold the king is weeping
and mourning over Absalom." 3. And the victory that day
[turned] into mourning for all the people; for the people
heard on that day, saying: "The king is saddened over his
son." 4. And the people sneaked that day into the city, as
people that are ashamed sneak away when they flee in battle.
5. And the king covered his face, and the king cried with
loud voice:

Commentary Digest

tions and ambitions if he had overcome his own temptation for Bath-Sheba. It is little wonder, therefore, that David wept so bitterly and preferred his own death to that of his son. — Rabinowitz.

my son, my son, — It is common for the mourner, in his anguish, to repeat his words. — K and D. Compare with Jer. 4:19. R, cites the Midrashic contention that David's eightfold mention of 'my son' was intended to serve a very specific function: *"My son, my son — eight times; seven that brought him forth from the seven levels of Gehinom, and one that brought him into the world to come."* — R from T.B. Sot. 10b.

M and Ginsburg suggest that David was tormented by the fact that Absalom was punished for his father's sin. Thus the repetition of '*my* son'.

3. *turned into mourning* — The verse provides a most poignant description of how the joys and festivities of this day of victory dissipated into a mood of sadness.

5. *covered his face* — *"wrapped around his face in the manner of mourners".* — R from J. *covered* — Heb. 'לאט' *"similar to 'and he wrapped his face in his mantle* (I Kings 19:13)', (and) *'It is here wrapped* (לוטה) *in a cloth* (*I Sam.* 21:10)'. —R.

בְּנִי אַבְשָׁלוֹם אַבְשָׁלוֹם בְּנִי בְנִי׃ ו וַיָּבֹא
יוֹאָב אֶל־הַמֶּלֶךְ הַבָּיִת וַיֹּאמֶר הֹבַשְׁתָּ
הַיּוֹם אֶת־פְּנֵי כָל־עֲבָדֶיךָ הַמְמַלְּטִים
אֶת־נַפְשְׁךָ הַיּוֹם וְאֵת נֶפֶשׁ בָּנֶיךָ
וּבְנֹתֶיךָ וְנֶפֶשׁ נָשֶׁיךָ וְנֶפֶשׁ פִּלַגְשֶׁיךָ׃
ז לְאַהֲבָה אֶת־שֹׂנְאֶיךָ וְלִשְׂנֹא אֶת־
אֹהֲבֶיךָ כִּי ׀ הִגַּדְתָּ הַיּוֹם כִּי אֵין לְךָ
שָׂרִים וַעֲבָדִים כִּי ׀ יָדַעְתִּי הַיּוֹם כִּי לא
אַבְשָׁלוֹם חַי וְכֻלָּנוּ הַיּוֹם מֵתִים כִּי־אָז
יָשָׁר בְּעֵינֶיךָ׃ ח וְעַתָּה קוּם צֵא וְדַבֵּר
עַל־לֵב עֲבָדֶיךָ כִּי בַיהוָה נִשְׁבַּעְתִּי כִּי

בְּקָל רַב בְּרִי אַבְשָׁלוֹם
אַבְשָׁלוֹם בְּרִי בְּרִי׃
ו וַאֲתָא יוֹאָב לְוָת מַלְכָּא
לְבֵיתָא וַאֲמַר אַבְהֵיתְתָא
יוֹמָא דֵין יָת אַפֵּי כָּל
עַבְדָיךְ דְשֵׁיזִיבוּ יָת
נַפְשָׁךְ יוֹמָא דֵין וְיָת
נְפַשׁ בְּנָךְ וּבְנָתָךְ וּנְפַשׁ
נְשָׁךְ וּנְפַשׁ לְחֵינָתָךְ׃
ז לְמִרְחַם יָת סָנְאָיךְ
וּלְמִסְנֵי יָת רַחֲמָיךְ אֲרֵי
חֲוֵיתָא יוֹמָא דֵין אֲרֵי
לֵית לָךְ רַבְרְבִין וְעַבְדִין
אֲרֵי אֲנָא יָדַעְנָא יוֹמָא
דֵין אֲרֵי אִלּוּ אַבְשָׁלוֹם
קַיָם וְכוּלָנָא יוֹמָא דֵין
מִתְקַטְלִין אֲרֵי בְכֵן כָּשַׁר
בְּעֵינָךְ׃ ח וּכְעַן קוּם פּוּק
וּמַלֵיל עַל לִבָּא דְעַבְדָךְ
אֲרֵי בְמֵימְרָא דַיְיָ קַיֵמִית

לו קרי

רש"י

(ח) כי אינך יוצא. אם אינך יוצא:

מהר"י קרא

המלך: (ז) כי הגדת היום. בבכי שאתה בוכה כי אין לך שרים

רד"ק

בתרגומו כריך כי כן דרך האבלים להתעטף: (ז) כי הגדת. בלומר בזות הדבר שאתה עושה כאילו אתה מגיד ואומר לכל כי

אין לך שרים: ישר. תואר כי הוא כולו קמוץ: (ח) כי אינך יוצא. כי אם אינך יוצא וכן וצמית והלכת ואם צמית ונתן

מצודת דוד

(ו) הובשת היום. במעשיך ביישת את עבדיך אשר מלטו אותך ובניך וכו' והוא במה שהיה מתאבל על אבשלום: (ז) לאהבה.

מצודת ציון

(ז) לו אבשלום. אם אבשלום כמו לו המיתם (שופטים ח):

להיות אוהב את שונאיך להתאבל על מותו וממילא שנואים לך אוהביך הממלטים נפשך על כי רע בעיניך הריגתם אותו: כי הגדת היום. ר"ל באבלך זה כאלו תגיד שאין לך שרים ועבדים ר"ל שאינם חשובים לכלום כמוהם כאין ואין לך ריוח גדול מזה: כי ידעתי היום. באבלך זה יודע אני שהיה ישר בעיניך שאבשלום ישאר חי וכולנו נמות כי הלא א"א אשר שניהם יתגבר במלחמה כ"א שאחד יפול והואיל ואתה מילר בנפילת בנך יורה שהיה ישר בעיניך בהספכו ונראה מזה שאין אנו חשובים בעיניך לכלום ולכלימה תחשב לנו: (ח) על לב עבדיך. ר"ל דברים טובים המקובלים על הלב בעבור נלחמו המלחמה: כי אינך. תחסר מלת אם ומשפטו כי אם

'O' my son Absalom, O' Absalom, my son, my son!" 6. And Joab came to the king, into the house; and he said, "Today you have embarrassed all your servants, who have today saved your life, the lives of your sons and daughters, the lives of your wives, and the lives of your concubines. 7. By loving those that hate you, and hating those that love you; for on this day you have declared that you regard neither princes nor servants, since I perceive today that if Absalom had lived and we all had died today, then it would have been proper in your eyes. 8. And now arise, go out, and speak to the heart of your servants, for I swear by the Lord, that

[if]

Commentary Digest

6. *Today you have embarassed* — By lamenting over Absalom's death, you have put to shame all those who had fought so valiantly to protect you and your family from him. — D. According to A, Joab chided David for disappointing three separate parties by his behavior; (a) 'your servants', — who have fought to protect you from Absalom. (b) 'your sons and daughters', — Those of your children who remained faithful to you will now begin to question their loyalty in light of your overconcern for the rebellious Absalom. (c) your wives and concubines, — Who were greatly humilated when Absalom came upon ten of the concubines with the knowledge of all the people of Israel (See above II Sam. 16:22). They too will harbor great resentment towards you for not defending their honor.

7. *By loving those that hate you* —By grieving so bitterly over Absalom who despised you and rebelled against you. — D.

those that love you — Your loyal supporters.

for you have declared — By your actions on this day.

you regard neither princes nor servants — Since in battle only one side can be victorious, you indicate by your actions that your servants are of little import to you, and that you preferred their death to Absalom's. — A.

8. *to the heart of your servants* — Words that will find favor with your servants and will serve to appease them. — D.

"if you do not go forth" — R.

אֵינְךָ יוֹצֵא אִם־יָלִין אִישׁ אִתְּךָ הַלַּיְלָה
וְרָעָה לְךָ זֹאת מִכָּל־הָרָעָה אֲשֶׁר־בָּאָה
עָלֶיךָ מִנְּעֻרֶיךָ עַד־עָתָּה׃ ט וַיָּקָם הַמֶּלֶךְ
וַיֵּשֶׁב בַּשָּׁעַר וּלְכָל־הָעָם הִגִּידוּ לֵאמֹר
הִנֵּה הַמֶּלֶךְ יוֹשֵׁב בַּשַּׁעַר וַיָּבֹא כָל־
הָעָם לִפְנֵי הַמֶּלֶךְ וְיִשְׂרָאֵל נָס אִישׁ
לְאֹהָלָיו׃ י וַיְהִי כָל־הָעָם נָדוֹן בְּכָל־
שִׁבְטֵי יִשְׂרָאֵל לֵאמֹר הַמֶּלֶךְ הִצִּילָנוּ ׀
מִכַּף אֹיְבֵינוּ וְהוּא מִלְּטָנוּ מִכַּף פְּלִשְׁתִּים
וְעַתָּה בָּרַח מִן־הָאָרֶץ מֵעַל אַבְשָׁלוֹם׃
יא וְאַבְשָׁלוֹם אֲשֶׁר מָשַׁחְנוּ עָלֵינוּ מֵת
בַּמִּלְחָמָה וְעַתָּה לָמָה אַתֶּם מַחֲרִשִׁים

אֲרֵי לֵיתָךְ נָפֵיק אִם יְבִית
גְּבַר עִמָּךְ בְּלֵילְיָא וּתְהֵי
בִּישָׁא לָךְ דָּא מִכָּל
בִּישְׁתָא רַאֲתַת עֲלָךְ
מִזְעוּרָךְ עַד כְּעַן׃ ט וְקָם
מַלְכָּא וִיתֵיב בִּתְרַעָא
וּלְכָל עַמָּא חַוִּיאוּ לְמֵימַר
הָא מַלְכָּא יָתֵיב בִּתְרַעָא
וַאֲתָא כָּל עַמָּא לִקְדָם
מַלְכָּא וְיִשְׂרָאֵל אַפִּיךְ
גְּבַר לִקְרְווֹהִי׃ י וַהֲווֹ כָּל
עַמָּא מִתְנַכְּחִין בְּכָל
שִׁבְטַיָּא דְיִשְׂרָאֵל לְמֵימַר
מַלְכָּא שֵׁיזְבָנָא מִיַּד
בַּעֲלֵי דְבָבָנָא וְהוּא
פָּרְקָנָא מִידָא דִפְלִשְׁתָּאֵי
וּכְעַן עֲרַק מִן אַרְעָא
מִלְוָת אַבְשָׁלוֹם׃
יא וְאַבְשָׁלוֹם דִּמְשַׁחְנָא
עֲלָנָא מִית בִּקְרָבָא וּכְעַן
לְמָה אַתּוּן שָׁתְקִין
לְאָתָבָא

רש"י

(ט) וישראל נס. אותם שהיו עם אבשלום: (י) כל העם נדון. מתוכחים זה עם זה:

רלב"ג

(י) ויהי כל העם נדון בכל שבטי ישראל. ר"ל שהיו מריבים קצתם עם קצתם לאמר שראוי להם להשיב את המלך שהציל אותם מכף אויביהם ומלטם מיד פלשתים אחר שכבר מת אבשלום שמשחו עליהם למלך:

רד"ק

ה' לכם להם צר ואם נתן ותמאן לשלחו ואם תמאן: ורעה לך זאת. פועל עבר מוסב לעתיד בפני הוי"ו וכן ורעה עינך: (י) נדון. נשפטים זה עם זה ומתווכחים להשיב את המלך וכן תרגם יונתן מתווכחין: מעל אבשלום. שלא יהיה עלינו וכנגדו

מצודת ציון

(ח) ילין. מלשון לינה: (י) נדון. מלשון דין וויכוח: (יא) מחרישים.

מצודת דוד

אינך יוצא אזי נשבעתי אם ילין איש אתך הלילה ר"ל לא ילין מי אתך כי כולם ימאסו בך וילכו להם: ורעה לך. הדבר הזה יגרום לך רעה יותר מכל הרעה וגו': (ט) הגידו. הרואים אותו יושב בשער: ויבא כל העם. בא לראות פניו: וישראל. אותם שהיו עם אבשלו': (י) כל העם נדון. היו מתוכחים זה עם זה ולתוספת ביאור אמר שהוויכוח היה בכל שבטי ישראל: ועתה. ר"ל עם היות ידיו רב לו מול אויבינו על"ז ברח מעל אבשלום וזה יורה שלמותו שלא נתן מקום לבנו להשוא נגדו ביותר: (יא) מת במלחמה. ומזה נראה

Commentary Digest

and forced the king to flee. According to A the people argued as follows: Considering the resourcefulness and military prowess that David had exhibited against Israel's adversaries, David surely fled from Absalom not because he feared him, but because he did not desire to engage his son in battle. Was this not a remarkable testimony to his nobility and character? If so, why do we hesitate to reinstate him as our king?

While A's commentary is highly original, the scripture's account of David's departure (See above 15:14) seems to suggest that David did indeed flee for fear of Absalom's army, which vastly outnumbered his.

11. *and Absalom is dead* — Seeing that the father continues to prosper in all his endeavours while the son is dead, how can we even momentarily hesitate to return the father to his rightful throne? — D

you do not go forth, not one man will remain with you tonight. Now this will be worse for you than all the misfortune that has befallen you from your youth until now."
9. And the king arose, and sat in the gate. And all the people were notified saying, "Behold the king is sitting in the gate." And all the people came before the king, but Israel fled every man to his tents. 10. And all the people argued with one another throughout all of Israel by saying: 'The king delivered us out of the hand of our enemies, and he saved us out of the hands of the Philistines; and now he [was forced to] flee out of the land from before Absalom.
11. And Absalom whom we anointed over us, is dead in battle. Now, therefore, why do you [all] remain silent

Commentary Digest

will remain with you tonight — If you do not appease them by nightfall you shall not be left with even one supporter.

9. *came before the king* — to greet him. — D. Though Joab had cautioned David to speak to the people, nowhere in the chapter is it indicated that such a conversation between David and the people ever transpired. Rabinowitz suggests that because of the emotional strain of the day it was difficult for either king or people to address each other. The people, recognizing this, were fully appeased by the mere fact that David appeared in public.

but Israel fled — *"those that were with Absalom".* — R and D.

10. *argued with one another* — D. G. and Z after J

"argued one with the other." — R. G, K, and D contend that the argument evolved around the question of reaccepting David as king. Rabinowitz adds that although David, after the defeat of Absalom, may have had sufficient strength to reassume his throne by force, he preferred to do so only with the full consent of all the Israelites.

delivered us out of the hands of our enemies . . . and now he fled. — After all he had done on our behalf we nevertheless supported Absalom

לְהָשִׁיב אֶת־הַמֶּלֶךְ׃ יב וְהַמֶּלֶךְ דָּוִד
שָׁלַח אֶל־צָדוֹק וְאֶל־אֶבְיָתָר הַכֹּהֲנִים
לֵאמֹר דַּבְּרוּ אֶל־זִקְנֵי יְהוּדָה לֵאמֹר
לָמָּה תִהְיוּ אַחֲרֹנִים לְהָשִׁיב אֶת־
הַמֶּלֶךְ אֶל־בֵּיתוֹ וּדְבַר כָּל־יִשְׂרָאֵל בָּא
אֶל־הַמֶּלֶךְ אֶל־בֵּיתוֹ׃ יג אַחַי אַתֶּם
עַצְמִי וּבְשָׂרִי אַתֶּם וְלָמָּה תִהְיוּ אַחֲרֹנִים
לְהָשִׁיב אֶת־הַמֶּלֶךְ׃ יד וְלַעֲמָשָׂא תֹּאמְרוּ
הֲלוֹא עַצְמִי וּבְשָׂרִי אַתָּה כֹּה יַעֲשֶׂה־לִּי
אֱלֹהִים וְכֹה יוֹסִיף אִם־לֹא שַׂר־צָבָא

לַאֲתָבָא יָת מַלְכָּא ׃
יב וּמַלְכָּא דָוִד שְׁלַח
לְצָדוֹק וּלְאֶבְיָתָר כַּהֲנַיָא
לְמֵימַר מַלִילוּ לְסָבֵי
יְהוּדָה לְמֵימַר לְמָא
תְהוֹן בַּתְרָאִין לַאֲתָבָא
יַת מַלְכָּא לְבֵיתֵיהּ
וּפִתְגָם כָּל יִשְׂרָאֵל אֲתָא
לְוָת מַלְכָּא לְבֵיתֵיהּ ׃
יג אֲחֵי אַתּוּן קְרִיבַי
וּבִסְרַי אַתּוּן וּלְמָא תְהוֹן
בַּתְרָאִין לַאֲתָבָא יַת
מַלְכָּא ׃ יד וְלַעֲמָשָׂא
תֵימְרוּן הֲלָא קְרִיבַי
וּבִסְרִי אַתְּ כְּדֵין יַעְבֵּיד
לִי יְיָ וּכְדֵין יוֹסִיף אִם לָא
רב

רש"י

כצ"ל

(יב) ודבר כל ישראל בא אל המלך. כל זה מדברי שליחותו: (יד) ולעמשא. שהוא שר צבא תאמרו

מהר"י קרא

ועבדים אהובים כאבשלום אשר ביקש את נפשך: (יב) למה תהיו אחרונים להשיב את המלך אל ביתו. ואתם שאתם קרובי לא כל שכן שהיה לכם להיות ראשונים להשיבני אל ביתי. וזהו שאמר ודבר כל איש ישראל בא אל המלך אל ביתו. וסוף הענין יורה עליו. כשאיש ישראל משיב תשובה

רד"ק

להלחם עמו ותרגם יהונתן מלות אבשלום: (יג) אחי אתם. תכלית הדברים ששלח לצדוק ולאביתר שידברו הדברים האלה אל זקני יהודה ובעוד שהיה משים דוד הדברים האלה בפי השליח בא דבר כל ישראל אל המלך אל ביתו. על ידי שלוחי' וספרים להשיבו ובעבור זה הפסיק בין הדברים ודבר כל ישראל בא: (יד) תמרו. חסר אל"ף וכן אשר ימרוך למזמה:

רלב"ג

(יב) ודבר כל ישראל בא אל המלך אל ביתו. ר"ל שכל ישראל הסכימו בישוב המלך אל ביתו: (יד) אם לא שר צבא תהיה לפני כל הימים תחת יואב. ידמה שעשה זה דוד כדי שלא יירא ממנו עמשא פן יניא את לב איש יהודה מעל דוד או אולי התפעל על זה קצת התפעלות כנגד יואב בעבור הדברים הקשים שאמר לו על בכיתו על אבשלום או אפשר ג"כ שסיפר לו כי יואב עבר על מצותו להרוג את

מצודת דוד

שעדיין דוד בהלחמו עומד: (יב) למה תהיו אחרונים. ר"ל הלא סוף הדבר יהיה שגם אתם תחזירו אותו וא"כ למה יקדימו ישראל ואתם אחריהם הלא דבר ישראל כבר בא אל המלך לשוב אל ביתו כמ"ש למעלה ויהי כל העם נדון וגו' ושלחו מיד אחריו ואף כי לא נזכר וכן נאמר למטה שאמרו ישראל ולא היה דברי ראשון וגו': (יג) אחי אתם. במקום דוד יאמרו שהמה לו נאהים מבני שבט אחד ובהיות כן הראוי להם להקדים ולא להתאחר: (יד) עצמי ובשרי. בן אביגיל אחותי: כה יעשה וגו'. הוא ענין שבועה

מצודת ציון

שותקים: (יד) תמרו. כמו תאמרו כאלף:

ignoring his command to spare Absalom. It must also be recognized that Amasa, in his younger years, was one of David's staunchest supporters (see Commentary Digest above, 17:25). It is possible, therefore, that David sought to regain Amasa's support by indicating to him that despite his recent disloyalty he did not forget his earlier friendship.

about returning the king?" 12. And King David sent to Zadok and to Abiathar the priests, saying, "Speak to the elders of Judah, saying, 'Why should you be the last to return the king to his house?' — while the talk of all Israel has come to the king [to return him] to his house? 13. You are my brethren; you are my own bone and flesh; why then should you be the last to return the king? 14. And to Amasa you shall say, 'Are you not my bone and my flesh? So shall God do to me, and even more, if you shall not be [appointed] captain of the host

Commentary Digest

12. *why should you be the last* — Since you are my tribesman, you ought to be the first and not the last to return me to my throne. — J.K.

while the talk of all Israel . . . (to return him) to his house? — "*All this is still part of the charge* (to Zadok and Abiathar)". — R. Now that all of Israel speaks of reinstating me to my throne, if you do not act hastily, you who are my own tribesman, shall be last to accept me.

Redak explains that while David was speaking to the messengerts to convey his request to the elders of Judah, a missive arrived, notifying him that all Israel had agreed to return the king to his house. therefore, this clause is inserted here in the midst of the quotation.

13. *my own bone and flesh* — And therefore you need not fear reprisal. — M.

bone and flesh — Compare with above 5:1.

14. *And to Amasa* — "*the general* (of Absalom's army) *you shall say: 'Behold you are my sister's son.*" — R. Amasa was the son of David's sister Abigail. — D.

if you shall not be made captain of the host — G attributes to David one of three possible motives for this action. (a) David was concerned that Amasa, out of fear of reprisal, would attempt to control Absalom's army and keep them from returning to David. (b) David, though recognizing the validity of Joab's rebuke, nevertheless may have been angered by the harshness with whicn it was stated and decided to replace Joab as commander-in-chief of his army. (c) David may have suspected that Joab was the one responsible for Absalom's death and decided to replace him for

תִּהְיֶה לְפָנַי כָּל־הַיָּמִים תַּחַת יוֹאָב׃
טו וַיַּט אֶת־לְבַב כָּל־אִישׁ־יְהוּדָה כְּאִישׁ
אֶחָד וַיִּשְׁלְחוּ אֶל־הַמֶּלֶךְ שׁוּב אַתָּה
וְכָל־עֲבָדֶיךָ׃ טז וַיָּשָׁב הַמֶּלֶךְ וַיָּבֹא עַד־
הַיַּרְדֵּן וִיהוּדָה בָּא הַגִּלְגָּלָה לָלֶכֶת
לִקְרַאת הַמֶּלֶךְ לְהַעֲבִיר אֶת־הַמֶּלֶךְ
אֶת־הַיַּרְדֵּן׃ יז וַיְמַהֵר שִׁמְעִי בֶן־גֵּרָא
בֶּן־הַיְמִינִי אֲשֶׁר מִבַּחוּרִים וַיֵּרֶד עִם־
אִישׁ יְהוּדָה לִקְרַאת הַמֶּלֶךְ דָּוִד׃
יח וְאֶלֶף אִישׁ עִמּוֹ מִבִּנְיָמִן וְצִיבָא נַעַר
בֵּית שָׁאוּל וַחֲמֵשֶׁת עָשָׂר בָּנָיו וְעֶשְׂרִים
עֲבָדָיו אִתּוֹ וְצָלְחוּ הַיַּרְדֵּן לִפְנֵי הַמֶּלֶךְ׃

תרגום

רב חילא תהי קדמי כל
יומיא חלף יואב׃
טו ואתפני לבא דכל
אנש יהודה כגברא חד
ושלחו למלכא תוב את
וכל עבדך׃ טז ותב
מלכא ואתא עד ירדנא
ודבית יהודה אתו
לגלגלא למיזל לקדמות
מלכא לאעברא ית
מלכא ית ירדנא׃
יז ואוחי שמעי בר גרא
בר שבט בנימן די
מעלמת ונחת עם אנש
יהודה לקדמות מלכא
דוד׃ יח ואלף גברא
עמיה משבטא דבנימן
וציבא עולימא דבית
שאול וחמשת עסר
בנוהי ועשרין עבדוהי
עמיה וגזו ירדנא קדם
מלכא

מהר"י קרא

כנגד איש יהודה הוא אומר ולא היה דברי ראשון לי להשיב את מלכי. בתמיה: (יח) וצלחו. ויבקעו כמו ויבקע עצי עולה

רש"י

הלא בן אחותי אתה: (יח) וצלחו הירדן. בקעוהו בתריסיהון:

רלב"ג

אבשלום: (יח) וצלחו הירדן לפני המלך. כאלו בקעוהו מרוב עברם

רד"ק

תחת יואב. כי שנא דוד את יואב על שהרג את אבשלום ורצה להסירו שלא יהיה שר צבאו: (טו) ויט את לבב כל איש יהודה. עמשא הטה את לבב כל איש יהודה ויונתן שתרגם ואתפני דומה שהיה קורא אותו ויט בצרי היו"ד והמסר' מעיד עליו שהוא בפתח היו"ד ואמרה כי שנים הם בפתח ויט עלינו חסד וזה: (יח) וצלחו. כמו ועברו וכן תרגם יהונתן וגזו ותרגם על המעברות על מגיזתא או פי' ובקעו וכמוהו פן יצלח כאש בית יוסף ותרגם ויבקע עצי העולה וצלח ית עאי

מצודת ציון

(יח) וצלחו. ועברו ודוגמתו ותצלח עליו רוח ה' (שם יד):

מצודת דוד

וגזם ולא אמר וכמוהו רבים במקרא: תחת יואב. כי על שהרג לאבשלום רצה להעבירו: (טו) ויט. בהדברים האלה הטה דוד את לבב כולם כאשר יטו בנקל לבב איש אחד: (טז) בא הגלגלה. התקבצו לגלגל והיא בעבר הירדן המערבי: (יז) וימהר שמעי. מיהר לבוא מכל בית יוסף: (יח) וצלחו הירדן. עברו הירדן לפניו כעבדים לפני האדון:

Commentary Digest

of a desire for personal gain (See Commentary Digest Above 16:4), he feared that David, upon returning to Jerusalem would learn his true motives from Mephibosheth. He therefore hastened to be among the first to greet David in order to provide the king with further evidence of his loyalty.

split the Jordan — "They split it *with their shields."* — R. That is, they plunged into the Jordan with their shields, giving the water the appearance of being split. G, J.K., and K follow this interpretation. Others render: "They crossed the Jordan."— J, K, A, and Z. A and D add: "they crossed the Jordan before him like servants before their master.

before me continually in Joab's stead'." 15. And he swayed the heart of all the men of Judah, as [the heart of] one man; And they sent to the king, "Return you, with all your servants." 16. And the king returned, and he came to the Jordan. And Judah came to Gilgal to go towards the king and to lead the king across the Jordan. 17. And Shimei the son of Gera, the Benjamite who was from Bahurim hurried and came down with the men of Judah to meet King David. 18. And a thousand men of Benjamin were with him, and Ziba the servant of the house of Saul, and his fifteen sons and twenty servants [were also] with him, and they split the Jordan before the king.

Commentary Digest

15. *the heart* — Their hearts were collectively swayed by David's earnest appeal, as though their hearts were the hearts of but one man. — D. K contends that the subject of the verse is Amasa. Amasa swayed the hearts of the Israelites and convinced them to consent unanimously to David's return.

16. *and Judah came . . . to go towards the king* — Being David's tribesman, they thought it appropriate that they be the ones to return David to Jerusalem.

17. *hurried* — So that he be first of the tribe of Benjamin to greet David. Shimei, having greatly humiliated David upon his exodus from Jerusalem (See above 16:5), now sought to appease him and to request forgiveness publicly so that David should find it difficult to avenge himself of him. — A.

18. *and a thousand men were with him* — He surrounded himself with a huge band of supporters so that David be forced to face the choice of pardoning him, or risk losing the support of such a large following. — A

Ziba — Because Ziba had shown great kindness to David upon his exit from Jerusalem (See above 16:1), Shimei sought out his company in order to make it exceedingly difficult for David to deny him his request for pardon. Rabinowitz attributes the initiative of this union between Ziba and Shimei to Ziba. Because Ziba had supplied David out

יט ועברה העברה לעביר את־בית
המלך ולעשות הטוב בעינו ושמעי
בן־גרא נפל לפני המלך בעברו בירדן:
כ ויאמר אל־המלך אל־יחשב־לי אדני
עון ואל־תזכר את אשר העוה עבדך
ביום אשר־יצא אדני־המלך מירושלם
לשום המלך אל־לבו: כא כי־ידע עבדך
כי אני חטאתי והנה־באתי היום
ראשון לכל־בית יוסף לרדת לקראת

תרגום

מלכא: יט ועברו מגזתא
לאעברא ית בית מלכא
ולמעבד דתקין בעינוהי
ושמעי בר גרא נפל
קדם מלכא במעברביה
בירדנא: כ ואמר למלכא
לא יחשוב עלי דילי
רבוני חובא ולא תדכר
ית די סרח עבדך
ביומא די גלא רבוני
מלכא מירושלם לשואה
מלכא על לביה: כא ארי
ידע עבדך ארי אנא
חבית והא אתית יומא
דין קדמאי לכל בית
יוסף למחת לקדמות
רבוני

רש"י בעיניו קרי נקוד על יצא

(יט) ועברה העברה. ספינת המעברה שעוברים בה את עבר רוחב הנחל: (כא) ראשון לכל בית יוסף. כל ישראל חטאו לך ואני יותר מכולם והנני באתי לבקש מחילה אם תקבלני בטוחים כל ישראל שתקבלם

מהר"י קרא

דאברהם ותרג' וצלח. וצלחו הירדן וגזו ית ירדנא: (כא) כי ידע עבדך כי אני חטאתי והנה באתי היום ראשון לכל בית יוסף לרדת לקראת אדוני המלך. פתר' כל ישראל חטאו לך שמרדו בך. ואני יותר מכולם כמו שמפרש למעלה בענין ושמעי בן גרא בן הימיני יצא יצא ויקלל. אם אתה מוחל לי כל ישראל משלימין לך שיאמרו ומה שמעי שסיקל באבנים לעומתו ועיפר בעפר ויצא יצא ויקלל ואחרי עשותו את כל אלה ירד לקראת דוד ומחל לו דוד. אנו שלא חטאנו כל כך על אחת כמה וכמה שלא ישטימנו ולא ישיב לנו אשר גמלנו אותו וישלים אתנו. אבל אם אין אתה מקבל אותי. כל אחד ואחד בישראל יאמר כשם שלא השלים עם שמעי כך אינו משלים עמנו. חס ושלום אין אנו הולכים אליו ויעמידו להם מלכם

רד"ק

דעלת' כלומר עברו ברגליהם כי היה מקום בירדן בעת תחיא שהיו עוברים שם ברגל: לפני המלך. לבא לפני המלך: (יט) ועברה העברה לעביר. כמו להעביר וכן לשמיד מעוזניה כמו להשמיד ופי' העברה הספינה שעוברים בה את הירדן ולפיכך נקראת עברה: את בית המלך. הנשים והקטנים שלא היו יכולין לעבו' ברגליהם ויש לפרש העברה שם לחברת האנשים וכן תרגם יונתן כמשמעו מגזתא ואפשר שהוא קרא הספינה העוברת מגיזתא וכן הוא ולפיכך תרגם ועברה ועברו: בעברו בירדן. כשבא המלך לעבור את הירדן בא שמעי ונפל לו שיכפר לו על עונו: (כא) לכל בית יוסף. לפי שהיה משבט בנימן ושבט בנימן ואפרים ומנשה נקראים בית יוסף כי הוא היה הראש ויש בו דרש אמר לו שמעי לדוד אחיו של יוסף גמלו אותו רעה והוא גמלם טובה כך אני אני גמלתיך רעת

רלב"ג

שם: (יט) ועברה העברה. היא הספינה קטנה אשר יעברו בה הנהר: נפל לפני המלך. התנפל ונכנע לפניו לבקש ממנו מחילה על אשר העוה כנגדו בגלותו: (כא) לכל בית יוסף. קרא לכל ישראל יוסף לרב בני יוסף עם שמבני יוסף היו רוב המושלים בישראל:

מצודת דוד

(יט) ועברה העבריה. ר"ל ועוד עשה העדה הזאת שעברה הספינה להעביר בה את בית המלך והם הנשים והטף וזהו לעשות הטוב בעיניו להחניפו שימחול לשמעי את מעלו: בעברו בירדן. בעת עברו בירדן: (כ) אל יחשב לי אדוני עון. כמה שהייתי בקושרים לנטות אחרי אבשלום וכאומר הלא כמעט כולם נטו אחריו ולמה יחשב לי לעון יותר מכולם: ואל תזכור. אף כדבר הקללה אשר העויתי אני לבדי שאלתי לבל יזכרם לשומם על לבו: (כא) כי ידע. יודע אני בעצמי שחטאתי ומתחרט אני עליו: ראשון. להראות הכנעה גדולה: לכל בית יוסף. כל

מצודת ציון

(יט) העברה. ר"ל ספינה שעוברים בה רוחב המים: לעביר. כמו להעביר: (כ) העוה. מל' עון:

Commentary Digest

The Midrash contends that Shimei made mention of Joseph in order to hint at Joseph's pardon of his brothers for a far graver offense than Shimei was seeking to be pardoned for. An alternate explanation cited in the Midrash has 'the house of Joseph' referring to all Israel, similar to: 'It may be that the Lord . . . will be gracious unto the remnant of Joseph', of Amos 3:15, ('the House of Joseph' being a reference to all of Israel because Joseph had been their provider in Egypt. — D): Shimei thus argued as follows: *"All of Israel have sinned against you and I* (have sinned) *more than all of them. And behold I have come to beg forgiveness. If you accept me, all of Israel will be assured that you will accept them.*

19. And the barge crossed over to bring the king's household across, and to do what would be pleasing in his eyes. And Shimei the son of Gera fell down before the king when he was crossing the Jordan.
20. And he said to the king, "Let not my lord impute iniquity to me, nor remember that which your servant sinned on the day that my lord the king went out of Jerusalem, [to the degree] that the king should take it to his heart.
21. For your servant knows that I have sinned and I have therefore come this day [as] the first of all the House of Joseph to go down towards

Commentary Digest

19. ***and the barge crossed over*** — *the ferry with which one crosses the width of the river."* — R, K, G, and Z. A suggests that the עברה was a company of David's supporters who carried over the women and children on their shoulders.

what would be pleasing in his eyes —i.e. by transferring the king's family across the river, they did their utmost to please him so that he pardon Shimei. — D. M explains that by transporting the royal family over the Jordan, they accepted David unconditionally, with the full understanding that he could do to them whatever he found pleasing in his eyes.

when he was crossing — Or according to M, when he was about to cross. He attributes to Shimei a very clever motive for seeking David's pardon before he crossed the Jordan. Shimei recognized that once David had crossed the Jordan and reassumed full authority as king he would no longer be capable of granting him forgiveness since it is forbidden for a king to forgo his honor (מלך שמחל על כבודו אין כבודו מחול) R— T.B. Kid. 32b.

21. *the first of all the House of Joseph* — How did Shimei, a Benjamite, refer to himself as a member of the house of Joseph? Rabinowitz suggests that all of Rachel's children, Benjamin, Ephraim, and Menashe, felt a strong common bond for each other and were therefore grouped under the collective title "House of Joseph". (Perhaps the name Joseph was chosen because Joseph's sons Ephraim and Menashe composed two-thirds of this union and were each larger and mightier than the tribe of Benjamin which had only a few decades prior been greatly decimated in the aftermath of the Pilegesh B'givah incident. See Judges 20).

אֲדֹנִי הַמֶּלֶךְ׃ כב וַיַּעַן אֲבִישַׁי בֶּן־צְרוּיָה
וַיֹּאמֶר הֲתַחַת זֹאת לֹא יוּמַת שִׁמְעִי כִּי
קִלֵּל אֶת־מְשִׁיחַ יְהוָה׃ כג וַיֹּאמֶר דָּוִד
מַה־לִּי וְלָכֶם בְּנֵי צְרוּיָה כִּי־תִהְיוּ־לִי
הַיּוֹם לְשָׂטָן הַיּוֹם יוּמַת אִישׁ בְּיִשְׂרָאֵל
כִּי הֲלוֹא יָדַעְתִּי כִּי הַיּוֹם אֲנִי־מֶלֶךְ עַל־
יִשְׂרָאֵל׃ כד וַיֹּאמֶר הַמֶּלֶךְ אֶל־שִׁמְעִי לֹא
תָמוּת וַיִּשָּׁבַע לוֹ הַמֶּלֶךְ׃ כה וּמְפִבֹשֶׁת
בֶּן־שָׁאוּל יָרַד לִקְרַאת הַמֶּלֶךְ וְלֹא־
עָשָׂה רַגְלָיו וְלֹא־עָשָׂה שְׂפָמוֹ וְאֶת־

תרגום

רבוני מלכא: כב ואתיב אבישי בר צרויה ואמר החלף דא לא יתקטל שמעי ארי לט ית משיחא דיי: כג ואמר דוד מה לי ולכון בני צרויה ארי תהוון לי יומא דין לסטן יומא דין יתקטיל גברא בישראל ארי הלא ידענא ארי יומא דין אנא מלכא על ישראל: כד ואמר מלכא לשמעי לא תמות וקיים ליה מלכא: כה ומפיבשת בר שאול נחת לקדמות מלכא ולא שטף רגלוהי ולא ספר ספמיה וית לבושוהי

ת"א ומפיבשת בן שאול. שבת נו: ולא עשה רגליו. יבמות מח קג:

מהר"י קרא

בפני עצמם: (כג) מה לי ולכם בני צרויה כי תהיו לי היום לשטן. שאם איני מקבל זה אין אחד מישראל משלים אתי עוד: (כה) ולא עשה רגליו. לא רחץ גופו ובשרו. וכן בשתים יכסה פניו. פתר' בשתים יכבה גופו: ולא עשה שפמו. לא תיקן

רש"י

ואם לאו יהיו יראים לשוב אליך עוד: (כג) היום יומת איש. בתמיה כי היום אני מלך עד עכשיו הייתי סבור לא זלזל בי אדם גדול כזה אלא אם כן נפסקה מלכותי מאת המקום והוא אמר לו קלל את דוד אבל עכשיו שהוא מתחרט ידעתי כי מלך אני: (כה) ולא עשה רגליו. ל' תקון היא העברת שער שבין הרגלים: שפמו. גרנו"ן בלע"ז:

רלב"ג

(כה) ולא עשה רגליו ולא עשה שפמו. ר"ל שלא הסיר לפרני רגליו

רד"ק

גמלני אתה טובה ויש דרש אחר קרוב מזה כל ישראל נקראו יוסף כמו שכתוב אולי יחנן ה' צבאות שארית יוסף וכן רועה ישראל האזינה נוהג כצאן יוסף אמר לו שמעי לדוד כל ישראל גמלו אותך רעה ואני יותר מכולם וכל ישראל יושבים ומצפים לראות מה אתה עושה עמי אם אתה מקבל אותי כל ישראל באים אליך כאחד ומשלימים לך: (כב) התחת זאת. אם בעבור ההכנעה הזאת שעשה שמעי תכפר לי שלא ימות והוא חטא חטא גדול שקלל את משיח ה': (כה) ולא עשה רגליו ולא עשת

מצודת ציון

(כב) התחת. האם במקום: קלל. מלשון קלות ובזיון: (כג) לשטן. למקטרג: (כה) בן שאול. אף בן הבן יקרא בן: עשה. תקן וכן וימהר לעשות אותו (בראשית יח): שפמו. שער

מצודת דוד

ישראל קרואים בית יוסף כמ"ש אולי יחנן וכו' שארית יוסף (עמוס ה') ועל שלגלגלם במצרים נקראו על שמו: (כב) התחת זאת. וכי בעבור הכנעה קטנה כזאת לא יומת על אשר קלל משיח ה': (כג) מה לי ולכם. ר"ל מה האיבה אשר ביניכו מה עשיתם לי ומה עשיתי לכם אשר תהיו לי היום לשטן ומקטרג לאבד המלוכה עי"ז וכי מהראוי שהיום יומת איש בישראל הלא מכיר אני הדבר שהוא כאלו היום היתה התחלת מלכותי ואם אנקם בו הלא כולם יחשבו שאקח מהם נקם על אשר מרדו בי ותהיה סיבה לבלא ימליכוני מעתה: (כד) לא תמות. בעבור הענין הזה: (כה) ולא עשה רגליו. לא רחץ רגליו ולא תקן שער של השפה וכו' כי נתעלב

Commentary Digest

manded him, 'Curse David'. Now, however, that he repents, I know that I am king." — R from unknown source. R's reference to Shimei's greatness is based on the opinion of R cited above 16:10 that he was head of the Sanhedrin.

that today I am king over Israel — A explains: Since just today I had been reinstated as king, I must proceed with caution and pardon him, lest I lose all my supporters.

24. *swore to him* — Though David took an oath that he personally would not harm Shimei, he nevertheless charged Solomon to seek some other cause for which to avenge himself of Shimei, thereby assuring that justice ultimately be done. See I Kings 2:8, and I Kings 2:42.

25. *the son of Saul* — the grandson of Saul, for a grandson is often referred to as a son.—Z. A conjectures that the verse, in referring to Mephibosheth as the son of Saul, seeks to admonish David for treating him not

my lord the king." 22. And Abishai the son of Zeruiah
responded and said, "In exchange for this shall Shimei not
be put to death for having cursed the Lord's anointed?" 23.
And David said, "What is it between me and you, sons of
Zeruiah, that you should become a hindrance to me today?
Shall any man be put to death today in Israel? For do I not
know that today I am king over Israel?" 24. And the king
said to Shimei, "You shall not die." And the king swore to
him. 25. And Mephibosheth the son of Saul came down
towards the king; and he had not washed his feet, nor did
he trim his mustache, and

Commentary Digest

And If not they will fear to return to you again." — R, J. K., and A from M.Ps. Ch. 3.

22. *In exchange for this* — In exchange for a mere admission of guilt you desire to pardon him? It must be noted that Abishai had desired to kill Shimei when he had originally shamed David. Though he then recognized the validity of David's claim that it was inappropriate to concern themselves with revenge at a time when they were seeking to escape from Absalom, Abishai felt certain that at a more opportune moment, David would seek to avenge himself of Shimei. Now that this moment had come and David was still reluctant to harm Shimei, Abishai repeated his protest.

23. *what is it between me and you?* — "What harm did his actions cause to either you or me that you advise me to act in a manner that will be detrimental to us. — A. Compare to above 16:10.

a hindrance — For if I do not pardon him the people will refuse to return me to my throne. — J.K. and D.

any man — Heb. היום יומת איש Y.S. contends that David foresaw through the divine spirit (רוח הקודש) that Mordecai, who is referred to in the Book of Esther as 'איש' (Est. 2:5), was destined to be descended from Shimei. He therefore declared: 'How can I allow [this] איש to be put to death today?' — Y.S. Vol. II, 151.

be put to death today — *"In interrogative form."*

That today I am king. — *"Heretofore I thought that surely such a great man would not abuse me unless my rule had been terminated by G-d who had com-*

בְּגָדָיו לֹא כִבֵּס לְמִן־הַיּוֹם לֶכֶת הַמֶּלֶךְ
עַד־הַיּוֹם אֲשֶׁר־בָּא בְשָׁלוֹם׃ כו וַיְהִי כִּי־
בָא יְרוּשָׁלִַם לִקְרַאת הַמֶּלֶךְ וַיֹּאמֶר לוֹ
הַמֶּלֶךְ לָמָּה לֹא־הָלַכְתָּ עִמִּי מְפִיבֹשֶׁת׃
כז וַיֹּאמַר אֲדֹנִי הַמֶּלֶךְ עַבְדִּי רִמָּנִי כִּי־
אָמַר עַבְדְּךָ אֶחְבְּשָׁה־לִּי הַחֲמוֹר
וְאֶרְכַּב עָלֶיהָ וְאֵלֵךְ אֶת־הַמֶּלֶךְ כִּי פִסֵּחַ
עַבְדֶּךָ׃ כח וַיְרַגֵּל בְּעַבְדְּךָ אֶל־אֲדֹנִי
הַמֶּלֶךְ וַאדֹנִי הַמֶּלֶךְ כְּמַלְאַךְ הָאֱלֹהִים
וַעֲשֵׂה הַטּוֹב בְּעֵינֶיךָ׃ כט כִּי לֹא הָיָה
כָּל־בֵּית אָבִי כִּי אִם־אַנְשֵׁי־מָוֶת לַאדֹנִי
הַמֶּלֶךְ וַתָּשֶׁת אֶת־עַבְדְּךָ בְּאֹכְלֵי

לְבוּשׁוֹהִי לָא חַוַּר לְמִן
יוֹמָא דִי גְלָא מַלְכָּא עַד
יוֹמָא דַאֲתָא בִשְׁלָם׃
כו וַהֲוָה כַּד אֲתָא
לִירוּשְׁלֵם לְקַדָּמוּת
מַלְכָּא וַאֲמַר לֵיהּ מַלְכָּא
לְמָא לָא אֲזַלְתָּא עִמִּי
מְפִיבֹשֶׁת׃ כז וַאֲמַר
רִבּוֹנִי מַלְכָּא עַבְדִּי שַׁקַּר
בִּי אֲרֵי אֲמַר עַבְדָּךְ
אֶחְשׁוֹק לִי חֲמָרָא
וְאֶרְכּוֹב עֲלָהּ וְאֵיהַךְ עִם
מַלְכָּא אֲרֵי חֲגִיר עַבְדָּךְ׃
כח וַאֲמַר עַל עַבְדָּךְ מִילִין
דְּלָא כַשְׁרָן קֳדָם רִבּוֹנִי
מַלְכָּא וְרִבּוֹנִי מַלְכָּא
חַכִּים כְּמַלְאֲכָא דַיָי
נַעֲבֵיד דְּתַקִּין בְּעֵינָךְ׃
כט אֲרֵי לָא הֲוָה כָּל בֵּית
אַבָּא אֱלָהֵין גַבְרֵי חַיָּבֵי
קְטוֹל לְרִבּוֹנִי מַלְכָּא
וְשַׁוֵּיתָא יָת עַבְדָּךְ

ת"א ויהי כי בא ירושלים. שבת נו: ויאמר אדוני המלך. שם: וירגל. שם:

רש"י

(כו) למה לא הלכת עמי. ללכת מירושלים כשילאתי: (כז) כי פסח עבדך. ואיני יכול לילך ברגלי:

מהר"י קרא

שפמו שלא גילחו: (כח) ואדוני המלך כמלאך האלהים, ליבין אם כחש על עבדך. שאע"פ שאתה מבין שכיחש לך אם בלבך להרע לי עשה הטוב בעיניך שאם תעשה עמי רעה בדין אתת

רד"ק

שפמו. כתרגומו: ולא שטף רגלוהי ולא ספר ספמיה כלומר לא רחץ אפילו רגליו ואין צריך לומר כל גופו ולא גלח אפילו שפמו והוא השער שעל השפה: (כו) כי בא ירושלם לקראת המלך. פירוש כאשר בא דוד ירושלם בא מפיבושת לקראתו ובא שוכר עומד במקום שנים: (כז) עבדי רמני. שהלך בלא ידיעתי ואני אמרתי אחבשה לי את החמור ובתוך כך הלך הוא: וארכב עליה. אתון היתה וחמור כולל זכר ונקבה: (כח) וירגל

רלב"ג

ולא גלח השער אשר בזקנו בשפתו: (כט) כי לא היה כל בית אבי כי אם אנשי מות לאדוני המלך. הנה אמר זה על רוב הרדיפות שרדף

מצודת דוד

כלרת דוד: (כו) כי בא ירושלים. ר"ל כאשר בא דוד לירושלים ילא מפיבושת לקראת המלך: למה לא הלכת עמי. כאשר הלכו שאר אוהבי: (כז) רמני. רימה אותי כי אמרתי אחבשה החמור לרכוב בה כי פסח אני ולא אוכל ללכת ברגלי ובתוך כך הלך הוא לבדו ולא יכולתי ללכת יחידי: (כח) וירגל. והן ידעתי שהגיד עלי דברי רכיל: כמלאך האלהים. לדעת האמת והשקר ולזה עשה כאשר טוב בעיניך כי ודאי לא תטה מן האמת: (כט) אנשי מות. על שאול בקש נפשך ועכ"ז עשית עמי לדקה להיות מאוכלי שלחנך בעבור לדקת אבי יהונתן: ומה יש לי. זולת זה מה יש לי

מצודת ציון

שעל השפה וכן על שפם יעטה (ויקרא יג): (כז) רמני. מל' רמאות: אחבשה. ענין תקון האוכף: לי. לצורכי: פסח. חגר: (כח) וירגל. ענין רכילות וכה"ר כמו לא רגל על לשונו (תהלים ט"ו): (כט) אנשי מות. ר"ל חייבי מיתה: ותשת. ותשם:

Commentary Digest

mously held premise that Mephibosheth's story was the accurate one, is undoubtedly derived from our verse which testifies that the self-imposed mourning of Mephibosheth began from the day of David's departure and not from the day of his return. Compare to Commentary Digest, above v. 18, and above 16:3.

26. *why had you not gone with me.* — *"Gone forth from Jerusalem when I departed".* — R.

27. *my servant deceived me* — Mephibosheth contended that he had planned to join David but was left stranded by Ziba. — D.

is lame — *"and I cannot go by foot".* — R.

28. *slandered* — Heb. וירגל similar to: לא רגל על לשונו (Psalms 15:3:

his clothes he did not wash, from the day of the king's departure until the day that he came [back] in peace. 26. And it came to pass, when he came to Jerusalem towards the king, that the king said to him, "Why had you not gone with me, Mephibosheth?" 27. And he said, "My lord the king, my servant deceived me; for your servant said, "I will saddle me an ass so that I may ride on it and accompany the king," since your servant is lame. 28. And he slandered your servant to my lord the king; but my lord the king is as an angel of God; do therefore what is good in your eyes. 29. For all of my father's house were nothing more than deserving of death [at the hands] of my lord the king; yet you placed your servant among them that eat at

Commentary Digest

like a son of his beloved friend Jonathan, but as befitting a 'son of Saul', his enemy.

had not washed his feet — Based on D. Had not cut the nails of his feet. — G. R. suggests that the Heb. עשה *"is an expression of 'setting in order'*, (in this instance) *the removal of hair of the legs."* — R.

mustache Heb. שפמו, *"Grenon in French"*. — R.

At this juncture we may well have begun to wonder whose version of the story was true, that of Ziba or Mephibosheth? In T.B. Sab 56b. this question seems to have been debated between the two heads of the Babylonian academies, Rav and Samuel.

Close scrutiny of R (on T.B. Sab, *loc. cit.*) indicates, however, that the Talmudic debate does not center around the accuracy of Mephibosheth's claim vis a vis Ziba's account. Both Rav and Samuel agree that Mephibosheth's version was correct but debate only whether David deserved punishment for believing slander. While it is Rav's opinion that David was held accountable for not thoroughly investigating the matter before accepting Ziba's version, Samuel contends that David could not be blamed for his failure to investigate, since it was only natural that David, chancing to find Mephibosheth in an unkempt state, should have been led to believe that Mephibosheth was disloyal to him and mourned his death.

R's contention that it was a unani-

שלחנך ומה־יש־לי עוד צדקה ולזעק
עוד אל־המלך׃ ל ויאמר לו המלך למה
תדבר עוד דבריך אמרתי אתה
וציבא תחלקו את־השדה׃ לא ויאמר
מפיבשת אל־המלך גם את־הכל יקח
אחרי אשר־בא אדני המלך בשלום
אל־ביתו׃ לב וברזלי הגלעדי ירד
מרגלים ויעבר את־המלך הירדן
לשלחו את־בירדן׃ לג וברזלי זקן מאד
בן־שמנים שנה והוא־כלכל את־
המלך בשיבתו במחנים כי־איש גדול
הוא מאד׃ לד ויאמר המלך אל־ברזלי
אתה עבר אתי וכלכלתי אתך עמדי

הירדן קרי

תרגום

באכלי פתורך ומה אית לי עוד זכו ולמקבל עוד קדם מלכא: ל ואמר ליה מלכא למא תמליל עוד פתגמך אמרית את וציבא תפלגון ית אחסנתא: לא ואמר מפיבשת למלכא אף ית כולא יסב בתר דאתא רבוני מלכא בשלמא לביתיה: לב וברזלי גלעדאה נחת מרוגלים ועבר ית מלכא ית ירדנא לאלוויתיה ית ירדנא: לג וברזלי סיב לחדא בר תמנן שנין והוא סובר ית מלכא במיתביה במחנים ארי גבר רב הוא לחדא: לד ואמר מלכא לברזלי את עבר עמי ואסובר יתך עמי בירושלם:
ואמר

ת"א ויאמר לו המלך שם: אתה וציבא. שם יומא כב: גם את הכל. שבת שם:

מהר"י קרא

עושה אותה כי לא היה כל בית אבי אלא אנשי מות לאדוני המלך: (כט) ומה יש לי עוד צדקה ולזעוק עוד אל המלך. מאחר שכל בית אבי אנשי מות לאדוני המלך:

רש"י

(לב) לשלחו. ללותו: (לג) כי איש גדול הוא. בעושר:

רלב"ג

שאול את דוד: (ל) ויאמר לו המלך למה תדבר עוד דבריך. לפי שקבל דוד זה הכזב הרע מציבא לא יכול לצאת מהאמנתו לגמרי בדברי מפיבשת ולזה שם הענין ממוצע בין האמנה ובין בלתי האמנה ואמר שהוא וציבא יחלקו את השדה: (לג) בשיבתו במחנים. ר"ל בישיבתו

רד"ק

בעבדך. ענין רכילות וכן מן הקל לא רגל על לשונו: (כט) ומה יש לי עוד צדקה. מה לבקש עוד ממך צדקה שתעשה עמי ולזעק אליך שתעזרני כי די לך ששמת אותי באוכלי שולחנך: (ל) תחלקו את השדה. השדה כולל לכל הנחלה. ובדברי רבותינו ז"ל כשאמר דוד אתה וציבא תחלקו את השדה יצאת בת קול ואמרה ירבעם ורחבעם יחלקו את המלכות כי קבל לשון הרע מפי ציבא ולא קבל הצטדקות מפיבושת לפניו ואמר לו למה תדבר עוד דבריך והכתוב מעיד עליו ולא עשה רגליו ולא עשה שפמו ואת בגדיו לא כבס: (לב) לשלחו את בירדן. כתרגומו לאלוויתיה ית ירדנא וכתיב בירדן וקרי הירדן ושניהם קרובים: (לג) בשיבתו במחנים. כמו בישיבתו במחנים

מצודת ציון

(ל) השדה. הוא כולל כל הנחלה: (לא) אחרי. הוא כענין הואיל כמו ואחר אם אינכם שומעים (יחזקאל כ): (לב) את המלך. עם המלך: לשלחו. ענין לויה: (לג) כלכל. ענין ספוק המזון כמו

מצודת דוד

עוד צדקה ולזעוק עוד בעבורה להטיב עמי כדבר הנחלה: (ל) למה תדבר וגו'. למה תרבה דברים הן אמרתי וגזרתי שיחולק בין שניכם: (לא) גם את הכל יקח. אף אם ציבא יקח הכל אינני חושב אחרי שבא אדוני בשלום כי בזה אני שמח יותר מבנחלה: (לב) לשלחו. ללוותו את הירדן: (לג) בשיבתו. בעת אשר ישב במחנים: איש גדול. בעושר רב:

Commentary Digest

blasphemous Shimei, David failed to pardon the loyal Mephibosheth.

the land. — the entire estate.

31. *Let him take all* — My concern is not for the property but for the king's safety. — D.

32. *to escort him.* — Heb. לשלחו, *"to escort him."* — R from J.

33. *a very great man* — *"in wealth"* — R. According to M the verse suggests three reasons for David's desire to honor Barzilai: (a) his age; (b)

your table. What more right have I to appeal further to the king?" 30. And the king said to him, "Why do you speak further concerning this matter? I say: You and Ziba divide the land." 31. And Mephibosheth said to the king, "Let him take all, now that my lord the king has arrived safely to his house." 32. And Barzilai the Gileadite came down from Rogelim; and he crossed the Jordan with the king, [in order] to escort him across the Jordan. 33. Now Barzilai was a very old man, eighty years old, and he had sustained the king when he stayed at Mahanaim, for he was a very great man. 34. And the king said to Barzilai, "You come over with me, and I will sustain you with me

Commentary Digest

'No slander is on his tongue'). — D

as an angel of G-d — who will surely discern between the truth and slander. "Do therefore, what is good in your eyes," for I am confident that your decision will be a fair one. — D

Apparently this title was regularly conferred upon David. Compare to I Sam. 29:9, and Above 14:17 — Rabinowitz.

29. *deserving of death* — For Saul's persistent pursuit of David. — G.

30. *You and Ziba divide the land* — David, not knowing whose story to accept, thought it best to retract his previous grant of the field to Ziba and to divide it between Ziba and Mephibosheth. Rav, in T.B. Sab 56b (cited above on v. 25) declared that David was severely punished for this action, "The moment David stated to Mephibosheth that he and Ziba divide the field, a heavenly voice came forth and announced 'Rehoboam, and Jeroboam shall divide the kingdom'." Thus, the division of the kingdom after Solomon's reign which led to the decline and downfall of the state, is attributed in part to this miscarriage of justice.

Rabinowitz suggests that David's decision in this case is placed adjacent to his pardon of Shimei in order to indicate the glaring inconsistency of David's actions. While pardoning the

בִּירוּשָׁלִָֽם׃ לה וַיֹּאמֶר בַּרְזִלַּי אֶל־הַמֶּלֶךְ
כַּמָּה יְמֵי שְׁנֵי חַיַּי כִּֽי־אֶעֱלֶה אֶת־הַמֶּלֶךְ
יְרוּשָׁלִָֽם׃ לו בֶּן־שְׁמֹנִים שָׁנָה אָנֹכִי הַיּוֹם
הַאֵדַע ׀ בֵּֽין־טוֹב לְרָע אִם־יִטְעַם עַבְדְּךָ
אֶת־אֲשֶׁר אֹכַל וְאֶת־אֲשֶׁר אֶשְׁתֶּה אִם־
אֶשְׁמַע עוֹד בְּקוֹל שָׁרִים וְשָׁרוֹת וְלָמָּה
יִֽהְיֶה עַבְדְּךָ עוֹד לְמַשָּׂא אֶל־אֲדֹנִי
הַמֶּלֶךְ׃ לז כִּמְעַט יַעֲבֹר עַבְדְּךָ אֶת־
הַיַּרְדֵּן אֶת־הַמֶּלֶךְ וְלָמָּה יִגְמְלֵנִי הַמֶּלֶךְ
הַגְּמוּלָה הַזֹּֽאת׃ לח יָֽשָׁב־נָא עַבְדְּךָ
וְאָמֻת בְּעִירִי עִם קֶבֶר אָבִי וְאִמִּי וְהִנֵּה

לה נַאֲמַר בַּרְזִלַי לְמַלְכָּא
כַּמָה יוֹמֵי שְׁנֵי חַיַי אֲרֵי
אֶסַק עִם מַלְכָּא
לִירוּשְׁלֵם: לו בַּר תְּמָנַן
שְׁנִין אֲנָא יוֹמָא דֵין
הַאִידַע בֵּין טַב לְבִישׁ
אִם יִטְעַם עַבְדָךְ יָת מָה
דְאֵיכוּל וְיָת מָה דְאֶשְׁתֵּי
אִם אֶשְׁמַע עוֹד בְּקָל
כְּנָרִין וְתוּשְׁבְּחָן וּלְמָה
יְהֵי עַבְדָךְ עוֹד לְמִטוֹל
עַל רִבּוֹנִי מַלְכָּא:
לז כִּזְעֵיר יֶעְבַּר עַבְדָךְ יַת
יַרְדְנָא עִם מַלְכָּא וּלְמָה
יְשַׁלְמִנַנִי מַלְכָּא
תַּשְׁלוּמָא הָדָא: לח יְתִיב
כְּעַן עַבְדָךְ וְאֵמוּת
בְּקַרְתִּי וְאִתְקְבַר בְּקִבְרָא
דְאַבָּא וּדְאִמָּא וְהָא
עבדך

תולדות אהרן
בן שמונים שנה . שבת קנב:

רש"י

(לה) כמה ימי שני חיי. אשר יש לי להיות: כי אעלה וגו'. הלא מעט הם ומה הנייה יש לי בכלכולך: (לו) האדע בין טוב לרע. בין מאכל טוב למאכל רע ואמרו רז"ל שטוף בזמה היה לפיכך קפצה עליו זקנה: (לז) כמעט יעבר עבדך. הלויה מועטת יעביר עבדך ללותך אחר שתעבור את הירדן: הגמולה הזאת. שאינה טובה לי:

מהר"י קרא

(לו) אם יטעם עבדך את אשר אכל ואת אשר אשתה אם אשמע [עוד] בקול שרים ושרות. אדם התאב למעדנים ועלז בקול שרים ושרות. נהנה אם יאכל על שולחן המלך. אבל אדם שכבר כלו ימיו ומצפה למיתה בכל יום מחמת זקנה שקופצת עליו, אינו טועם

רד"ק

חסר פ"א הפועל מן השב כמו שחסר מן המקור בשבתו: (לז) כמעט יעבר. אעבור מעט עבדך מן הירדן ואילך אחר כך אשוב לעירו: (לח) ישב נא. אחר שאעבר עמך תרצה שאשוב בעירי: עם קבר אבי ואמי. אמות בעירי ואקבר עם קבר אבי

רלב"ג

כמחניים או ילדה כזה שהוא כלכל אותו בשובו במחנים: (לז) כמעט יעבר עבדך את הירדן את המלך. רוצה לומר מעט הוא מה שעבר עבדך את הירדן אל המלך ובהיות הענין כן למה יגמלני שמלך הגמולה הזאת בעבור מעט שהטיבותי לו:

מצודת דוד

(לה) כמה ימי שני חיי. אבל יש לי לחיות עוד וכי רבים המה לשאעלה עם המלך להתענג בהם: (לו) בן שמנים וגו'. וא"כ עוד מעט יש לי להיות: האדע. ועוד מה תועלת בבתי עמו אם להלוך לי כבוד להיות מהנבי עלתו וכי אדע בין טוב לרע לגודל זקנתי ואם להאכילני מעדנים וכי אטעם טעם מאכל ומשקה להיות מתכנה במאכל ומשקה תבוכה ואם לשמח לבבי בקול שרים ובלות האם אשמע עוד הלא אזני כבדה משמוע מתבות הזקנה: עוד למשא. לא די בלא יתענג להתעלם כי כי עוד למשא אהבב לי: (לז) כמעט. דרך מועט יעבר עבדך עמך מן הירדן ואילך ואח"ז אשוב לביתי: הגמולה הזאת. כאומר אם חפלו לגמול עמי חסד למה יעבה הגמולה זאת שאינה טובה לי: (לח) ישב. לזאת אשוב ואמות בעירי ואקבר עם קבר אבי: והנה עבדך כמהם. בנו היה ואמר לו הלא כמהם עמנו ויעבור הוא עמך ובזה ישולם הגמול

מצודת ציון

וכלכלתי אותך (כראשית מה): (לה) כמה. מהו המספר: (לו) שרים ושרות. משוררים ומשוררות: (לז) יגמלני. ענין השבת הטובה:

Commentary Digest

(באשה ערוה) J seems to indicate that these female entertainers did not actually sing but only played musical instruments. See T.B. Suc. 51a where it is indicated that the term משורר applies not only to one who sings but also to one who plays a musical instrument. D. Cohen, in his, 'Notes on II Samuel' (*Hadorom*, Nisan 5732), suggests that perhaps these songstresses were pre-menstruate, when their voices were not yet considered sexually stimulating. See also Responsa of 'Seridei Eish', v. II.

37. *a short way shall your servant go past* — *"A short distance shall your servant pass over to escort you, once you cross the Jordan."* — R, K, and D.

with this reward — *"Which is not*

in Jerusalem." 35. And Barzilai said to the king, "How many are the days of my life that I should go up with the king to Jerusalem? 36. I am eighty years old this day, can I [still] discern between good and bad? or can your servant taste what I eat and drink? or can I still listen to the voice of singers and songstresses? Why then, should your servant be yet a burden to my lord the king?" 37. A short way shall your servant go past the Jordan with the king; but why should the king recompense me with such reward? 38. Allow your servant, please, to turn back, so that I may die in my own city by the grave of my father and mother. Here, however, is

Commentary Digest

he had sustained David; (c) because he was a great man. It must be noted, however, that the Midrash did not hold him in high esteem. See Commentary Digest below v. 36.

35. *how many are the days of my life* — *"That I have yet to live"*. — R.

that I should go up — *"They are surely few, so what pleasure could I derive from your sustaining me."* — R.

36. *discern between good and bad? or can I . . . taste what I eat* — If you seek my presence in Jerusalem because you desire my counsel, I can no longer adequately discern between good and bad. If, on the other hand, you do not seek my advice, but desire only to recompense me by providing me with the luxuries of pa'ace life, can I, at my age, yet taste etc? — D.

R, based on T.B. Sab. 152a, suggests that the 'good and bad' of the verse does not refer to moral judgment, but to the ability to distinguish *"between good food and bad food."* The Talmud, citing the case of Rebbi's maidservant who at age ninety-three still enjoyed a fine sense of taste, explains why Barzilai, at age eighty, should have become so feeble: *"Now our Rabbis have stated that he was highly promiscuous and therefore aged rapidly."* — R from T.B. Sab. 152a.

See Maimonides who in Ch. 4 h. 19 of הלכות דעות states his opinion that excessive promiscuity is a major cause of aging and curtailment of life.

songstresses — While hearing a female singing voice is considered an impropriety (T.B. Ber. 24a: קול

עַבְדְּךָ כִמְהָם יַעֲבֹר עִם־אֲדֹנִי הַמֶּלֶךְ
וַעֲשֵׂה־לוֹ אֵת אֲשֶׁר־טוֹב בְּעֵינֶיךָ׃
לט וַיֹּאמֶר הַמֶּלֶךְ אִתִּי יַעֲבֹר כִּמְהָם וַאֲנִי
אֶעֱשֶׂה־לּוֹ אֶת־הַטּוֹב בְּעֵינֶיךָ וְכֹל
אֲשֶׁר־תִּבְחַר עָלַי אֶעֱשֶׂה־לָּךְ׃ מ וַיַּעֲבֹר
כָּל־הָעָם אֶת־הַיַּרְדֵּן וְהַמֶּלֶךְ עָבָר וַיִּשַּׁק
הַמֶּלֶךְ לְבַרְזִלַּי וַיְבָרְכֵהוּ וַיָּשָׁב לִמְקֹמוֹ׃
מא וַיַּעֲבֹר הַמֶּלֶךְ הַגִּלְגָּלָה וְכִמְהָן עָבַר
עִמּוֹ וְכָל־עַם יְהוּדָה וַיַּעֲבִירוּ אֶת־הַמֶּלֶךְ
וְגַם חֲצִי עַם יִשְׂרָאֵל׃ מב וְהִנֵּה כָל־אִישׁ
יִשְׂרָאֵל בָּאִים אֶל־הַמֶּלֶךְ וַיֹּאמְרוּ אֶל־
הַמֶּלֶךְ מַדּוּעַ גְּנָבוּךָ אַחֵינוּ אִישׁ יְהוּדָה
וַיַּעֲבִרוּ אֶת־הַמֶּלֶךְ וְאֶת־בֵּיתוֹ אֶת־

העבירו קרי

עַבְדָּךְ כִּמְהָם יֶעְבַּר עִם
רִבּוֹנִי מַלְכָּא וַעֲבִיד לֵיהּ
יַת דְתַקִין בְּעֵינָךְ׃
לט וַאֲמַר מַלְכָּא עִמִי
יֶעְבַּר כִּמְהָם וַאֲנָא
אַעְבֵּיד לֵיהּ יַת דְתַקִין
בְּעֵינָךְ וְכָל דְתִתְרְעֵי עֲלַי
אַעְבֵּיד לָךְ׃ מ וַעֲבַר כָּל
עַמָא יַת יַרְדְנָא וּמַלְכָּא
עֲבַר וּנְשַׁק מַלְכָּא
לְבַרְזִלַי וּבָרְכֵיהּ וְתַב
לְאַתְרֵיהּ׃ מא וַעֲבַר
מַלְכָּא לְגִלְגְלָא וְכִמְהָן
עֲבַר עִימֵיהּ וְכָל עַמָא
דְבֵית יְהוּדָה אַעְבָּרוּ יַת
מַלְכָּא וְאַף פַּלְגוּת עַמָא
דְיִשְׂרָאֵל׃ מב וְהָא כָּל
אֱנָשׁ יִשְׂרָאֵל אָתַן לְוַת
מַלְכָּא וַאֲמַרוּ לְמַלְכָּא
מָא דֵין כַּסְיוּךְ מִנָנָא
אֲחָנָא אֱנָשׁ יְהוּדָה
וְאַעְבָּרוּ יַת מַלְכָּא וְיַת
אֱנָשׁ בֵּיתֵיהּ יַת יַרְדְנָא
וכל

רש"י

(לח) עבדך כמהם. בנו היה:

מהר"י קרא

את אשר אוכל ואת אשר שותה ואינו שומע בקול שרים ושרות. במותו למה יהיה למשא אל ארוני המלך: (מא) וכל עם יהודה העבירו את המלך וגם חצי עם ישראל. ולאחר שהעבירוהו כל יהודה וגם חצי עם ישראל נוספו עליהם עוד חצי עם ישראל האחר. וילינו עליו. מדוע גנבוך אחינו איש יהודה ויעבירו את המלך ואת ביתו את הירדן:

רד"ק

ואמי: (מא) ויעבירו. כן כתיב וקרי העבירו ושניהם קרובים: חצי עם ישראל. קצת עם ישראל שהרי אמר אחר כן וכל ישראל באים אל המלך אם כן אותם שעברו עמו מישראל מעטים היו ולא היו אלא אותם שהיו בין בני יהודה שעברו עמו בברחו ואלת אלף איש שעברו עם שמעי בן גרא מבנימן ולשון חצי ומחצה ומחצית אינו אלא חלוק החלק מהכלל פעמים הוא חלק כחלק בשוה וזהו ברוב ופעמים אינו בשוה כמו חציו שרפתי במו אש וכן אומר עד צואר יחצה והצואר אינו חצי הגוף בשוה וכמנו ולמעלה אינו אלא קצת מעט מהגוף: (מב) גנבוך. שהעבירוך בסתר להשיבך אל המלכות בלא

מצודת דוד

בעשות עמו החסד שתלה: (לט) אתי יעבור כמהם. כאומר אף אם לא שאלת יעבור עמי מרלין עלמי ואף אעשה עמו הטוב בעיניך ועכ"ז לא יחשב לתשלום גמול כ"א כל אשר תבחר לגוות עלי אעשה לך: (מא) העבירו. את הירדן: חצי עם ישראל. ר"ל מקלת מעם ישראל שהרי נאמר אח"ז וכל איש ישראל באים וגו' כי לפעמים יאמר חצי על חלק הנחלק אם מעט ואם הרבה כמו ויחן את הילדים (בראשית ל"ג): (מב) באים. לגלגל: מדוע גנבוך. ר"ל מדוע בני יהודה הביאוך בהסתר ובחשאי והעבירו את הירדן גם את המלך גם ביתו ואנשיו אשר עמו (ואף שדברו עם המלך אמרו וכל אנשי דוד ולא אמרו ואנשיך כי הספו פניהם גם מול בני יהודה):

Commentary Digest

people of Israel, since the coming of all Israel is first mentioned in the next verse. D adds that there are other instances where the Heb. חצי is used to indicate a fraction other than an actual half. See Gen. 33:1.

42. *steal you away* — Why were they allowed to accompany you in such a secretive manner? — D. The men of Israel complained to David that they had been cheated of the honor of escorting the king back to his palace.

your servant Chimham, let him go over with my lord the king and do to him what is good in your eyes." 39. And the king said, "Chimham shall go over with me, and I will do to him what seems good in your eyes. Now, anything that you shall request of me I shall do for you." 40. And all the people went over the Jordan and the king went over; and the king kissed Barzilai and he blessed him; and he returned to his place. 41. And the king went over to Gilgal, and Chimhan went over with him; and all the people of Judah brought the king over, and also half the people of Israel. 42. And, behold, all the men of Israel came to the king, and they said to the king, "Why did our brothers the men of Judah, steal you away; by having brought the king and his household over

Commentary Digest

(really) *good for me."* — R. If you truly desire to recompense me why do so in a manner which will not benefit me? — D. A prefers to read the verse in past rather than future tense by substituting "a short way has your servant gone' in place of, 'a short way shall go'." According to this interpretation Barzilai sought to minimize the significance of his having sustained David, by making it appear that the only kindness for which David could be seeking to reward him was for the short distance that he had escorted him.

38. *your servant Chimham* — *"He was his* (Barzilai's) *son."* — R. Barzilai, recognizing that at his age he could no longer hope to enjoy the luxuries of palace life, requested that his son be allowed to go in his stead.

39. *Chimham shall go . . . now anything* — Do not think that Chimham replaces you since it was part of my original offer to allow him to accompany you to the palace. Know you, therefore, that I am still willing to do whatever you request of me. — D.

41. *half the people of Israel* — Not actually half, but a fraction of the

הירדן וכל-אנשי דוד עמו: מג ויען כל-
איש יהודה על-איש ישראל כי-קרוב
המלך אלי ולמה זה חרה לך על-
הדבר הזה האכול אכלנו מן-המלך
אם-נשאת נשא לנו: מד ויען איש-
ישראל את-איש יהודה ויאמר עשר-
ידות לי במלך וגם-בדוד אני ממך
ומדוע הקלתני ולא-היה דברי ראשון
לי להשיב את-מלכי ויקש דבר-איש

וכל גברי דוד עמיה:
מג ואתיב כל אנש
יהודה על אנש ישראל
ארי קריב לי מלכא
מדילך ולמה דנן תקוף
לך על פתגמא הדין
המיכל אכילנא מנכסי
מלכא אם מתנא מני
לנא: מד ואתיב אנש
ישראל ית אנש יהודה
ואמר עסרא חולקין
אית לי במלכא ואף
בדוד אנא רעינא מנך
ומא דין אשטתני ולא
הוה פתגמי קדמותא לי
לאתבא ית מלכי ותקיף
פתגם

רש"י

(מג) **כי קרוב המלך אלי**. משבטי הוא: **אם נשאת**. כמו משאת (בראשית מ"ג ל"ד) פרס מבית המלך: (מד) **עשר ידות לי במלך**. שאנו עשרה שבטים: **וגם בדוד**. אע"פ שהוא קרוב לכם אני משוך בו יותר ממך שאני עשר ידות: **ומדוע הקלותני**. להיות אתה קודם וכי לא היה דברי ראשון להשיב את מלכי וקודם לכן בא דברינו אליו להשיבו כמו שכתוב למעלה ודבר כל ישראל בא אל המלך: **ויקש דבר איש יהודה**. לשון התקוששו
היה דבר איש יהודה מדבר איש ישראל. שנראו דבריהם יותר מדברי ישראל. ויקש לשון שוה כמו דבר הבא מן ההקש

מהר"י קרא

(מג) כי קרוב המלך אלי. משבטי הוא. **ואילו אכלנו משלו או** מתנות חילק לנו. ולכם לא קרא ומתנות לא חילק לכם כדי שחילק לנו כדאי הייתם שתלונו עליו. אבל עתה על מה תלינו עליו וכי אפ"ל אם אכל אכלנו ואם נשאת נשא לנו: נשא. לשון מתנות כמו ותרב משאת בנימן: (מד) **ויען איש ישראל את איש יהודה** ויאמר עשר ידות. יש לנו במלך שאנחנו **עשרת השבטים ואיש יהודה** שבט אחד: וגם בדוד. אע"פ **שהוא משבט שלך** יש לי י' חלקים בו יותר ממך. מדוע הקילותני **שלא הודעתני** כשהעברת את המלך את הירדן: ויקש דבר איש יהודה **מדבר** איש ישראל. איש יהודה אומר כי קרוב אלי המלך **ואיש** ישראל אומר עשר ידות יש לי במלך. דבר ומדה השוה לכל

רד"ק

רשותינו ומראים כאילו אין אנו רוצים במלכותך יותר אנו רוצים מהם אלא לבזותינו עשו: וכל אנשי דוד עמו. כמו יכל אנשיך עמך כי עמו היו מדברים וכמוהו ואת יפתח ואת שמואל כאילו אמר ואותי: (מג) אם נשאת. כמו משאות אם נשאתי פרס מבית המלך ויש לומר אם נשאתי מנחה כמו וישא משאת והוא שם בשקל יושבת על מלאת: (מד) עשר ידות. לפי שהם עשרת שבטים כי בנימן עם יהודה ועוד כי אלף איש מבנימין עם שמעי העבירו המלך את הירדן: וגם בדוד אני ממך. כתרגומו ואף בדוד אנא רעינא מנך כלומר אף ע"פ שהוא משבטך אני רוצה בו יותר ממך: ויקש דבר איש יהודה. קשת

רלב"ג

(מג) אם נשאת נשא לנו. ר"ל אם נשא משאת המלך מאת פניו אלינו להאכילנו: (מד) עשר ידות לי במלך. רוצה לומר באיזה מלך שיהיה וגם בדוד יש לי חלק גדול ממך ואף על פי שהוא קרובך: ולא היה דברי ראשון לי להשיב את מלכי. רוצה לומר שכבר היה ראוי לאיש יהודה שימתינו דבר [על] איש ישראל להיותם הרוב בדרך שיהיה דבריהם ראשון להשיב את המלך: ויקש דבר איש יהודה מדבר איש ישראל. וזה כי המלך היה קרוב להם

מצודת דוד

(מג) כי קרוב וגו'. כי הוא מבני שבט יהודה: ולמה זה חרה לך. ר"ל ועוד מה מזיקך שבאתי ראשון וכי אכלנו משל המלך וכי קבלנו ממנו תשורה ומתן לבעבורו לא הבאתם לנו מאומה: (מד) עשר ידות וגו'. הלא יש לי עשר חלקים במלך כי אנחנו עשרה שבטים (אבל מבנימין באו מקצתם והם האלף שבאו עם שמעי ולא יוחשבו לא לאלה ולא לאלה): וגם בדוד. אף שהוא מבני שבטך מ"מ רוצה אני בו יותר ממך: ומדוע הקלתני. בזית אותי כאלו אין ממש בנו והכל ממך: ולא היה דברי ראשון. וכי לא באו אליו דברי בתחילה שישוב אל ביתו כמ"ש למעלה ודבר כל ישראל בא וגו': לי להשיב. ר"ל א"כ מהראוי לי להשיב את מלכי ולא לכם שאתם

מצודת ציון

(מג) על איש ישראל. אל איש ישראל: נשאת נשא. ענין תשורה ומתן כמו ויתן משאת כיד המלך (אסתר ב'): (מד) ידות. חלקים: הקלתני. מלשון קלות ובזיון: ויקש. מלשון קשה:

Commentary Digest

cerning the return of my king? for (indeed) *our words to reinstate him came first; as it is written: 'And the word of all of Israel came to the king"* — R.

And the words of the men of Judah were harsher — "A similar expression *is: 'Correct yourselves etc.* (*Zp.* 2:1)' *The words of the people of Judah seemed* [more] *plausible and correct for they showed them a letter that David had sent them* [stating]: *'Why should you be last to reinstate the king etc.* (above v. 12)'. *In this*

the Jordan, and all of David's men with him?" 43. And all
the men of Judah answered the men of Israel, "Because the
king is near to me; [Furthermore] why are you so angered
over this matter? Have we eaten of the king or has any
present been gifted us?" 44. And the men of Israel answered
the man of Judah and he said, "I have ten parts in the king
and am therefore [closer] to David than to you. Why then
did you slight me? Now was not my word the very first *to*
return my king?" And the words of the men of Judah were

harsher

Commentary Digest

43. *Because the king is near to us*
— "*He is from my tribe.*" — R.
furthermore — If we had been in-
vited to partake of the king's food or
been offered gifts by him, we could
well appreciate your displeasure. Why,
however, do you upset yourselves
over so trivial a matter as your ex-
clusion from the king's escort? —
J.K., and D. To understand Israel's
extreme sensitivity it may serve well
to remember that the charge of
favoritism towards Judah was one of
the primary accusations that Absalom
had leveled against his father. See
Commentary Digest on above 15:2.
has any present — Heb. נשאת
"*similar to* משאת (Gen. 43:34); *a
reward from the house of the king.*"
— R.
and the man of Israel — The
singular 'man' is perhaps used to indi-
cate that all of Israel answered in
unison. It is also plausible that a
single spokesman represented Israel.

we have ten parts in the king —
"*for we are ten tribes.*" — R. Though
there were twelve tribes in Israel
and eleven, rather than ten tribes,
should have been contending with
Judah, since one thousand members
of the tribe of Benjamin had joined
with the tribe of Judah in escorting
David (See above 19:18), they were
sufficiently represented in David's
escort to have no legitimate argument
against Judah — K.
to David — "*Although he is re-
lated to you, I am more drawn to him
since I represent ten parts.*" — R. K
and D translate after J: 'and I desire
David more than you'. The men of
Israel argued that though the people
of Judah were David's tribesmen, it
is the Israelite tribes who cared more
for him since that they were the first
to seek his reinstatement.
why then did you slight me? —
"*By preceding me* (in the king's
escort). *Had I not spoken first con-*

יְהוּדָה מִדְּבַר אִישׁ יִשְׂרָאֵל׃ כ א וְשָׁם
נִקְרָא אִישׁ בְּלִיַּעַל וּשְׁמוֹ שֶׁבַע בֶּן־בִּכְרִי
אִישׁ יְמִינִי וַיִּתְקַע בַּשֹּׁפָר וַיֹּאמֶר אֵין
לָנוּ חֵלֶק בְּדָוִד וְלֹא נַחֲלָה־לָנוּ בְּבֶן־יִשַׁי
אִישׁ לְאֹהָלָיו יִשְׂרָאֵל׃ ב וַיַּעַל כָּל־אִישׁ
יִשְׂרָאֵל מֵאַחֲרֵי דָוִד אַחֲרֵי שֶׁבַע בֶּן
בִּכְרִי וְאִישׁ יְהוּדָה דָּבְקוּ בְמַלְכָּם מִן
הַיַּרְדֵּן וְעַד־יְרוּשָׁלִָם׃ ג וַיָּבֹא דָוִד אֶל־

תרגום

פִּתְגָם אֱנָשׁ יְהוּדָה
מִפִּתְגָם אֱנָשׁ יִשְׂרָאֵל׃
א וְתַמָן אִתְעֲרַע גְּבַר
רַשִׁיעָא וּשְׁמֵיהּ שֶׁבַע בַּר
בִּכְרִי גַּבְרָא מִשִּׁבְטָא
דְּבֵית בִּנְיָמִן וּתְקַע
בְּשׁוֹפָרָא וַאֲמַר לֵית לָנָא
חוּלַק בְּדָוִד וְלָא אַחְסָנָא
לָנָא בְּבַר יִשַׁי גְּבַר
לְקִרְווֹהִי יִשְׂרָאֵל׃
ב וּסְלִיק כָּל אֱנָשׁ יִשְׂרָאֵל
מִבָּתַר דָּוִד לְמֵיזַל בָּתַר
שֶׁבַע בַּר בִּכְרִי וֶאֱנָשׁ
יְהוּדָה לְווֹ עִם מַלְכְּהוֹן
מִן יַרְדְּנָא וְעַד יְרוּשְׁלֵם׃
ג וַאֲתָא דָוִד לְבֵיתֵיהּ

מהר"י קרא

דיונתן לא תירגם כן אלא ויתחזק לשון קושיא. ותקיף פתגם אינשי יהודה מפתגם אינשי ישראל. כמו ותקש בלדתה. ועוד שהם מריבים זה עם זה. איש ישראל אומר יש לי עשר ידות במלך. ואיש יהודה משיבם כי קרוב אלי המלך. נקרא שם איש בליעל:

כ (א) ושמו שבע בן בכרי איש ימיני. ושונא היה [בלבו] על המלך תחת שאול שהיה משבטו: [ויתקע] בשופר ויאמר אין לנו חלק בדוד ולא נחלה בבן ישי. לאחר שאתם אומרים כי קרוב לנו המלך. ועתה יהיה נא כדבריכם אין לנו חלק בדוד ולא נחלה לנו בבן ישי. איש לאוהליך ישראל:

רש"י

(לפניה כ׳ א׳)נראה והשוה דבר איש יהודה שהראה אגרת שלח להם דוד למה תהיו אחרונים להשיב את המלך וגו׳ כך מפרש באגדה. ויש לפרש ויקש לשון קושי וחוזק וכן תרגם יונתן ותקיף:

כ (א) ושם נקרא. נזדמן לשון הקדיש קרואיו (לפניה א׳ ז׳) ויקרא אבשלום לכל בני המלך (שמואל ב׳ י"ג

רלב"ג

לסיות מסכין יהודה והיה גם כן קרוב להם מלך אחר כי ישיבתו היתה בתוך ארץ יהודה ואשר היתה ישיבתו ביניהם היה ראוי שיהיו

רד"ק

דברם וחזק יותר מדבר איש ישראל ודברו איש יהודה לאיש ישראל קשות והמלך היה שותק להם לפיכך חרה לאיש ישראל

מצודת ציון

כ (א) נקרא. מלשון מקרה: בליעל. בלי עול שמים ר"ל רשע: נחלה. הוא חלק וכפל הדבר במ"ש: (ב) ויעל. ענין

מצודת דוד

ממעט ואיתרחם עד כה: ויקש. אנשי יהודה דברו קשות לישראל יותר מישראל ליהודה:

כ (א) ויתקע. להיות סימן על המרד: אין לנו חלק. כלפי שהיו בני יהודה וישראל מתוכחים למי יש חלק יותר בדוד אמר הוא למה תריבו כולכם הנו אין לנו חלק כלל ולכו איש לאהליו: (ב) דבקו במלכם. הלכו עמו מהירדן עד בואו לירושלים:

Commentary Digest

ולא נחלה בבן ישי, since his father was a commoner.

3. *whom he had left to keep the house* — See above 15:16 where this incident is related.

but he came not upon them — Some of our rabbis contend that David's abstention from his concubines was not due to any halachic consideration, but was willingly undertaken as a means of further expiating himself for the Bath-Sheba incident by denying himself the intimacy of women permissible to him in exchange for having taken Bath-Sheba whom he rightfully should have avoided taking. Others, however, suggest that this action was necessitated by legal prohibition based on the 'a minori' argument that if a common woman who had relations with a king is henceforth prohibited to a commoner, the king's women who had relations with a commoner must surely be prohibited to the king.

(The commoner in this case was Absalom. See above 16:22). — K and A from T.P. San. Ch. 2, h. 3.

bound — legally bound both for David and for others since it is prohibited for a commoner to avail himself of the 'vessel' of a king, כלי שנשתמש בו מלך וכו׳ — *Ibid.*

with husband yet — Based on K and D from J.

M suggests that the reason why

than the words of the men of Israel.

20

1. Now there chanced to be there a base man, whose name
was Sheba, the son of Bichri, a Benjamite; and he blew a
'shofar' and declared, "We have no portion of David,
neither have we an inheritence in the son of Jesse; every man
to his tents, O' Israel." 2. And all the men of Israel went
up from after David, following Sheba the son of Bichri, but
the men of Judah cleaved to their king from the Jordan
until Jerusalem. 3. And David came to

Commentary Digest

manner it is explained in the Aggadah, Now one may also explain ויקש *as an expression of harshness and strength. And so did J translate: 'were harsher'."* — R

CHAPTER 20

1. *Now there happened* — Because David failed to take sides in the dispute, the people of Israel were incensed against David and were easily persuaded to forsake him. Perhaps David avoided becoming personally involved because he knew that he could not avoid offending one of the parties. — A. According to the Midrash cited by R in the last verse of the previous chapter, David was in no position to take sides since the people of Judah furnished a letter written by David wherein he specifically requested their presence at his homecoming.

there chanced — Heb. נקרא *"was summoned there; similar to* הקדיש קרואיו *('bid his summoned' of Zep.* 1:7), [*and*]: ויקרא אבשלום לכל בני מלך (*'and Absalom invited all the son's of the king' of II Sam.* 13:23). *It is synonymous with* זימון, *an invitation."* — R. According to R's translation, the verse seems to indicate that Sheba, the son of Bichri was one of those asked to attend David's homecoming. Z, however translates נקרא as 'chanced to be there', from the word מקרה, a chance happening.

a base man — Who seeks to incite the people and create strife — M.

a Benjamite — Perhaps his interest in David's downfall was due to his Benjamitic origin and his loyalty to the House of Saul. — A.

2. *no portion of David* — Rather than argue how much of a portion each group has in David (See Above Ch. 19 v. 44), you ought to abandon him entirely — A.

M suggests that Sheba argued as follows; Any king's claim to his throne must be based on one of two premises; (a) he is desired by the people, (b) he is the son of a king and therefore has inherited royalty. We, however, desire no portion in David, אין לנו חלק בדוד, neither have we yet an inheritence in the son of Jesse,

בֵּיתוֹ יְרוּשָׁלִַם וַיִּקַּח הַמֶּלֶךְ אֵת עֶשֶׂר־
נָשִׁים ׀ פִּלַגְשִׁים אֲשֶׁר הִנִּיחַ לִשְׁמֹר
הַבַּיִת וַיִּתְּנֵם בֵּית־מִשְׁמֶרֶת וַיְכַלְכְּלֵם
וַאֲלֵיהֶם לֹא־בָא וַתִּהְיֶינָה צְרֻרוֹת עַד־
יוֹם מֻתָן אַלְמְנוּת חַיּוּת׃ ד וַיֹּאמֶר הַמֶּלֶךְ
אֶל־עֲמָשָׂא הַזְעֶק־לִי אֶת־אִישׁ־יְהוּדָה
שְׁלֹשֶׁת יָמִים וְאַתָּה פֹּה עֲמֹד׃ ה וַיֵּלֶךְ
עֲמָשָׂא לְהַזְעִיק אֶת־יְהוּדָה וַיּוֹחֶר מִן־
הַמּוֹעֵד אֲשֶׁר יְעָדוֹ׃ ו וַיֹּאמֶר דָּוִד אֶל־

לירושלם ודבר מלכא
ית עסר נשין לחינן די
שבק למטר ביתא
ומנינן בבית מטרא
ומסובר להן ולותהן לא
על נהואה נטירן
ומתקרין עד יום מיתהן
ארמלן דבעליהן קים :
ד ואמר מלכא לעמשא
כנוש קדמי ית אנש
יהודה תלתא יומין ואת
הכא קום : ה ואזל
עמשא למכנש ית
דבית יהודה ואוחר מן
זמנא דאמר ליה :
ו ואמר דוד לאבישי כען
יבאיש

ת"א ויאמר המלך. סנהדרין מט : ויגך. שם :

ויוחר קרי

רש"י

כ"ג) לשון זימון : (ד) הזעק לי את איש יהודה. שיהיו כאן עד ג' ימים : ואתה פה עמוד. לסוף שלשת ימים הוי זהיר להיות עומד כאן לפני כי חפץ היה לרדוף אחרי שבע בן בכרי : (ח) ויוחר מן המועד. אשכחינהו לרבנן

מהר"י קרא

(ד) ויאמר המלך אל עמשא הזעק לי את איש יהודה שלשת (אלפים) [ימים]. לשלשת אלפים : ואתה פה עמוד. עמהם ליום השלישי (צאי). הפקידו לשר הצבא על ישראל כשם שהבטיחו אם לא שר צבא אשימך תחת יואב כל הימים. שכל כי שהוא שר צבא משפטו להזעיק את העם למלחמה כמו שכתוב בסוף ספר ירמיה ואת סופר שר הצבא המצביא את עם הארץ : (ה) ויוחר מן המועד אשר יעדו. שלא בא לזמן שאמר לו הזעק לי את איש יהודה שלשת (אלפים) [ימים] ואתה פה עמוד . וכשראה דוד שלא בא אמר לאבישי הואיל ועמשא ואיש יהודה לא בא קח אתה את עבדי אדוניך הנמצאים כאן .

רד"ק

והלכו אחרי שבע בן בכרי כשתקע בשופר ואמר איש לאוהליו ישראל : (ג) ואליהם לא בא. נחלקו רז"ל מהם אמרו כי מותרות היו לו אלא שכבש את יצרו מחם התמורה מה שהשביע יצרו במה שהיה אסור לו מנע עתה יצרו ממה שהיה מותר לו ומהם אמרו אסורות היו לו אמרו ומה כלי הדיוט שנשתמש בו מלך אסור להדיוט כלי מלך שנשתמש בו הדיוט אינו דין שיהא אסור למלך : צרורות. קשורות שלא היה להם עוד היתר וי"ת נטירין וכן תרגם צור תעודה טר : עד יום מותן. כתרגומו מתקרין עד יום מותן ארמלן דבעליהן קיים : (ד) הזעק לי. אספם לי שירדפו אחרי שבע בן בכרי : שלשת ימים. עד שלשה ימים תאספם אלי : ואתה פה עמוד. כלומר שתשוב עמהם ודעתו היה למניתו שר צבא כמו שיעד לו וכששמע יואב קנא בדבר לפיכך הרגו : (ה) ויוחר מן המועד. כתוב ביו"ד וקרי בוי"ו והכתוב הוא מנחי הפ"א מן הקל מאיתם שפ"איהם יו"ד כמו מן ייטב ויטב והקרי הוא מאות' שפ"איהם אלף והוא בשקל ויסף עוד דוד ופי' אחר שלא בא לשלשת הימים וכשראה דוד שלא בא אמר לאבישי שירדוף אחרי שבע בן בכרי ולא אמר ליואב כי בלבו היה להסירו שלא יהיה שר

רלב"ג

קודמים להשיבו שם : (ג) ויתנם בית משמרת. ר"ל בבית שתהיינה נשמרות בם ויכלכלם שם ולא בא אליהם לפי שכבר בא אליהם אבשלום בנו: ותהיינה צרורות עד יום מותן אלמנות חיות. הנה זה קרא אותן בעבור היותן פילגשי המלך ואין ראוי לאחר להשתמש בהן: (ד) בשלשה ימים ואתה פה עמוד. ר"ל שאחר שלשת ימים ישוב שם : (ה) ויוחר מן המועד אשר יעדו. ר"ל שנתאחר שלא בא אל המלך לשלשת הימים: (ו) ויאמר דוד אל אבישי. לא רצה לומר זה ליואב לפי שכבר העבירו מהיות לו שר צבא: פן מצא לו ערים בצורות והציל עיגנו. הוא מענין אמרו ויצל אלהים את מקנה אביכן והלון כו שאם מצא לו ערים בצורות להמלט שם יבדיל ויפרים מהם שעינינו אליו והוא להשיב אלינו כל מלכות ישראל והוא ימשך לבבם אליו וימנעו מהשיב

מצודת דוד

(ג) בית משמרת. במקום משומר לבל יבוא מי עליהן כי אסורות לכל אדם על היותן פילגשי המלך : ואליהם לא בא. רז"ל נחלקו בדבר מהם אמרו שהיה אסור בהן על שבא אבשלום עליהן ומהם אמרו שמעצמו מנע מהן לא בעבור איסור : צרורות. קשורות מבלי היתר להנשא לאיש : עד יום מותן וגו'. כתרגומו ומתקרין עד יום מותן ארמלן דבעליהן קיים : (ד) שלשת ימים. עד שלשת ימים : ואתה פה עמוד. שוב עמהם לעמוד פה כי רצה להעמידו לשר הצבא תחת יואב : (ה) ויוחר. נתאחר יותר מהזמן שקבע לו : (ו) אל אבישי. לא רצה מעתה לצוות ליואב כי היה כועס עליו על הרגו

מצודת ציון

סלוק כמו ונעלה הענן (במדבר ט): (ג) ויכלכלם. הספיק מזונם: צרורות. קשורות כמו צרורות כספיהם (בראשית מ"ב): (ד) הזעק. אסוף בקול זעקה : (ה) ויוחר. מל' איחור ועכוב : המועד. הזמן : יעדו. ענין קביעות כמו שמעו מטה ומי יעדה (מיכה ו) :

his house in Jerusalem, and the king took the ten women [who were his] concubines, whom he had left to keep the house, and he put them in a guard-house where he sustained them, but he came not upon them. And they remained bound as widows [with husband yet] alive until the day of their death. 4. And the king said to Amasa, "Call together for me the men of Judah [within] three days, then be here present." 5. And Amasa went to call together the men of Judah, but he tarried past the set time which he had appointed him. 6. And David said to

Commentary Digest

David took this action almost immediately upon his return to Jerusalem was to indicate that Absa'om had the legal status of a commoner despite his widespread support. In so doing it served as a declaration of his position concerning Sheba the son of Bichri.

4. *call together for me the men of Judah* — *"So that they be here within three days."* — R.

then be here present — *"After the three days be sure to remain here before me,"* — *for David desired to pursue Sheba the son of Bichri."* — R. K suggests that David bid Amasa to remain because he desired to appoint him commander-in-chief of the army, as he had promised him. See above 19:14.

and he tarried past the set time — Past the three day period granted him.

R cites the Talmud's explanation as to what caused Amasa to tarry and disobey the order of the king: *"He found the rabbis beginning a tractate, as is found in Sanhedrin."* — R from T.B. San. 49a. According to the Talmud, Amasa found the people in the midst of the study of Torah and felt that despite David's command he had no right to disturb them.

6. *And David said to Abishai* — David directed Amasa (instead of Joab) to form an army because he still remained in his initial resolve to replace Joab as general of the army. Nevertheless, it is evident from the ensuing verses that Joab did not remain inactive but accompanied his brother Abishai into battle. — K, G, and D.

will cause us more harm — should

אֲבִישַׁי עַתָּה יֵרַע לָנוּ שֶׁבַע בֶּן־בִּכְרִי
מִן־אַבְשָׁלוֹם אַתָּה קַח אֶת־עַבְדֵי
אֲדֹנֶיךָ וּרְדֹף אַחֲרָיו פֶּן־מָצָא לוֹ עָרִים
בְּצֻרוֹת וְהִצִּיל עֵינֵנוּ׃ ז וַיֵּצְאוּ אַחֲרָיו
אַנְשֵׁי יוֹאָב וְהַכְּרֵתִי וְהַפְּלֵתִי וְכָל־
הַגִּבֹּרִים וַיֵּצְאוּ מִירוּשָׁלִַם לִרְדֹּף אַחֲרֵי
שֶׁבַע בֶּן־בִּכְרִי׃ ח הֵם עִם־הָאֶבֶן
הַגְּדוֹלָה אֲשֶׁר בְּגִבְעוֹן וַעֲמָשָׂא בָּא
לִפְנֵיהֶם וְיוֹאָב חָגוּר ׀ מִדּוֹ לְבֻשׁוֹ וְעָלָו
חֲגוֹר חֶרֶב מְצֻמֶּדֶת עַל־מָתְנָיו בְּתַעְרָהּ

ועליו קרי

תרגום

יבאיש לנא שבע בר בכרי מן אבשלום את דבר ית עבדי רבונך ורדף בתרוהי דלמא ישכח ליה קרוין כריכן ויעיק לנא : ז ונפקו בתרוהי גברי יואב וקשתיא וקלעיא וכל גבריא ונפקו מירושלם למרדף בתר שבע בר בכרי : ח אינון עם אבנא רבתא די בגבעון ועמשא אתא לאפיהון ויואב אסיר מזריז לבושוהי ועלוהי אספנקי חרב מזרזא על חרציה בנדנה והוא אזיל

מהר"י קרא

ורדוף אחרי שבע בן בכרי : (ו) פן מצא לו ערים בצורות והציל עינינו. פתר' הציל עצמו לעינינו : (ח) מדו. כמו וילבש שאול את (מדו) [דוד] מדיו, וכן מדו בד דכהן : מצומדת.

רש"י

דפתחו במסכת כדאיתא בסנהדרין : (ו) אתה קח את עבדי אדוניך. אחרי אשר איחר עמשא שר הצבא ולא הביא את צבא יהודה קח אתה מן הנמצאים סביבי ורדוף אחריו : והציל עינינו. והציל עצמו לעינינו והרי זה מקרא קצר : (ח) מצומדת על מתניו. סמוכה מאוד

רלב"ג

לנו כל הממלכה : (ז) והכרתי והפלתי. הם שני משפחות שזכרנו שהיו מהם הסנהדרין בימי דוד וזכר שכל שתי המשפחות האלו יצאו אחרי אבישי להשיב המלוכה לדוד : (ח) חגור מדו לבושו. הוא כמו אדמת עפר : ועליו חגור חרב מצומדת על מתניו בתערה. הנה הערים יואב שלא שם תער החרב תלוי כמשפט אבל חבר אותה על מתניו בדרך שיפול החרב בקלות וזה היה סבה אל שלא נשמר עמשא

רד"ק

צבאו מפני שהרג אבשלום : (ו) ירע לנו שבע בן בכרי. פועל עומד ופירוש ירע לנו דבר שבע בן בכרי יהיה פועל יוצא שאמר אחריו ויצאו אחריו אנשי יואב : עבדי אדוניך. על יואב אמר וקראו אדוניו כי גדול היה ונכבד ממנו וז"ש ויצאו אחריו אנשי יואב וגם יואב יצא אחר כן אלא שאבישי יצא במצות דוד : פן מצא לו. כמו ימצא עבר במקום עתיד ירבים כמוהו ות"י דילמא ישכח : והציל עיננו. יסור ראותנו ודעתנו שלא נדע באיזה עיר ישגב אם לא נמהר לרדוף אחריו או פירש הבטחתינו והשגחתינו שהייתי בוטח כי שבתי אל מלכותי והנה עתה הלכו אחריו ישראל ואם ישגב באחת הערים הבצורות יהיה לו פנאי למשוך לב ישראל אליו וצריכים אנו למהר לרדוף אחריו ולהרגו וי"ת והציל עינני ויעיק לנא : (ז) והכרתי והפלתי. כבר פירשנוהו : (ח) עם האבן. סמוך לה וכן עם באר לחי רואי : חגור מדו לבושו. וי"ו מדו נוספת כיו"ד מדו בד וסמך מדו אל לבושו ולבוש הוא שם כולל ומדו פורש לאחד מן המלבושים ידוע אצלם תכונתו וי"ת אסיר מזריז לבושוהי : מצמדת. דבוקה : בתערה. הוא תיק החרב : והוא יצא ותפול.

מצודת ציון

(ו) והציל. מלשון הצלה. או הוא מענין הפרשה כמו אשר הציל אלהים (בראשית לא) : (ז) והכרתי והפלתי. ת"י קשתיא וקלעיא : (ח) עם האבן. סמוך להאבן : מדו לבושו. היא היא וכפל המלה בשמות נרדפים כמו אדמת עפר (דניאל יב) : מצומדת. מחוברת כמו צמיד פתיל (במדבר יט) : בתערה. הוא תיק החרב :

מצודת דוד

את אבשלום : ירע לנו. יעשה לנו רעה יותר מן אבשלום : עבדי אדוניך. ר"ל עבדי המלך ולא אמר עבדי כי כן דרך המקרא וכן נשי למך (בראשית ד') עם כי למך עצמו אמר : פן מצא. כמו פן ימצא עבר במקום עתיד : והציל עיננו. יציל עצמו מעינינו. או יסתיר עינינו ממנו : (ז) אנשי יואב. הגבורים אשר היו סרים למשמעתו והלכו עמו מאז אל המלחמה : (ח) הם עם האבן וגו'. כבואם הם סמוך להאבן וגו' : ועליו. על הלבוש היה חגור חרב מצומדת על מתניו לרוחב לא תלוי' על הירך כדרכה וכוונתו היתה

Abishai, "Now Sheba the son of Bichri will cause us more harm than did Absalom; [therefore] take you your lord's servants and pursue after him, lest he find for himself fortified cities and save [himself before] our eyes." 7. And Joab's men went after him with the archers and the slingers and all the warriors; and they went out of Jerusalem to pursue Sheba the son of Bichri. 8. They were by the great stone which is in Gibeon, when Amasa came before them. And Joab was girded with his military coat as apparel, and thereon was a girded sword in its sheath [which was] fastened to his loins

Commentary Digest

we delay longer and not pursue him immediately.

..take you your lord's servants — *"Since Amasa has tarried and has not brought the army of Judah, take you from among those that are found around me and pursue him."* — R.

your lord's servants — David's servants — D. Joab's servants. — K. According to K, David referred to Joab as Abishai's lord because he was more prestigious than Abishai.

save our eyes — *"And save himself before our eyes. Now this is an abbreviated verse."* — R.

K and G offer the most original interpretation of this verse: If we allow him to find shelter he may escape with the kingdom to which we [our eyes] look forward and hope to regain completely.

7. *archers and slingers* — Based on J. See above 8:8 for alternate explanations.

7. *Joab's men* — I.e. the mighty men who were faithful to Joab and followed his orders, who had gone with him to war. — Mezudath David

archers and slingers — Based on J. See above 8:8 for alternate explanations.

אזיל ונפל׃ ט ואמר
יואב לעמשא השלם
את אחי ואחדת ית ימין
יואב בדקנא דעמשא
למנשק ליה׃ י ועמשא
לא אסתמר בחרבא די
ביד יואב ומחהי בה
בסטר ירכיה ושפך
מיעוהי לארעא ולא
תנא ליה ומית ויואב
ואבישי אחוהי רדף
בתר שבע בר בכרי׃
יא וגברא קאים עילווהי
מעולימי יואב ואמר מן
דרעי ביואב ומן די
לדוד ייזל בתר יואב׃
יב ועמשא מתגרף בדמא
בגו

וְהוּא יָצָא וַתִּפֹּל׃ ט וַיֹּאמֶר יוֹאָב לַעֲמָשָׂא
הֲשָׁלוֹם אַתָּה אָחִי וַתֹּחֶז יַד־יְמִין יוֹאָב
בִּזְקַן עֲמָשָׂא לִנְשָׁק־לוֹ׃ י וַעֲמָשָׂא לֹא־
נִשְׁמַר בַּחֶרֶב ׀ אֲשֶׁר בְּיַד־יוֹאָב וַיַּכֵּהוּ
בָהּ אֶל־הַחֹמֶשׁ וַיִּשְׁפֹּךְ מֵעָיו אַרְצָה
וְלֹא־שָׁנָה לוֹ וַיָּמֹת וְיוֹאָב וַאֲבִישַׁי אָחִיו
רָדַף אַחֲרֵי שֶׁבַע בֶּן־בִּכְרִי׃ יא וְאִישׁ
עָמַד עָלָיו מִנַּעֲרֵי יוֹאָב וַיֹּאמֶר מִי אֲשֶׁר
חָפֵץ בְּיוֹאָב וּמִי אֲשֶׁר־לְדָוִד אַחֲרֵי
יוֹאָב׃ יב וַעֲמָשָׂא מִתְגֹּלֵל בַּדָּם בְּתוֹךְ

חסר א׳

רש"י

לגופו לרוחב מתניו שלא כדרך הוגרי הרב כדי שתהא נוחה ליפול ולא יצטרך להוציא' מתערה: והוא יצא. כנגד עמשא: ותפ־ל. החרב מתערה לפי שהיתה חלקה ולטושה והיגה תערה ובידו אחז בזקן עמשא כאילו רוצה לנשקו. ולא אחז בזקנו אלא כדי שלא יראה עמשא חרב שלופה ביד יואב ויבין

מהר"י קרא

מחוברת: והוא יצא. כראות יואב את עמשא יצא מבין אנשיו שהיה מתהלך ביניתם לצאת לקראת עמשא. כאילו חפצו לקדם את עמשא לשאול בשלומו. ועד שלא יצא לקראתו שלף חרבו מתערה והחביאה בצל ידו עד שקרב אצל עמשא. כשבא אצלו עשה כאילו החרב נפלה מתערה לארץ ורוצה להשיבה אל

רד"ק

יצא מהמקום שהיו בו עם האבן הגדולה אשר בגבעון העיר ובצאתו נפלת החרב מתערת ולקחה בידו השמאלית כדי שלא יהא נשמר עמשא שבא להכותו ונתן לו שלום ואחזו בזקנו ביד ימינו לנשק לו: (י) ועמשא לא נשמר. כלומר שלא שמר עצמו מן החרב: (יא) עמד עליו. לזרז הבאים שלא יעמדו על החלל

רלב"ג

מן החרב אשר ביד יואב כי ראה שנפלה לו מעל מתניו: (י) אל החומש. אמרו ללע חמישית שמרה וכבד תלויין בה וידמה שקרא חומש מעניין חמושים והוא המקום אשר חזקו הטבע יותר מכל המקומות הוא אשר שם משכן החיים והחום הטבעי אשר ישולח ממנו אל כל הגוף והנה זה המקום הוא מקום הלב: (יב) מתגולל בדם בתוך המסלה. ר"ל

מצודת דוד

שתפול מתערה בשחיה מוטעת לבל ירגיש בה עמשא: והוא יצא. מהאבן הגדול ונפלה מתערה בשחיה מוטעת אשר שחה לתקן מנעלו כמ"ש במ"א ולקחה מהארץ בשמאלו: (י) לא נשמר. לא היה נשמר מהחרב וגו' כי ראה אשר מעלמה נפלה מתערה ולקחה בשמאלו: אל החומש. אל צלע החמישית מקום שכבד ומרה תלוין: מעיו. בני מעיו: ולא שנה לו. לא הולך להכותו שנית כי בראשונה הומת: רדף. כ"א רדף: (יא) עליו. אצל החלל: אשר לדוד. אשר אוהב לדוד: אחרי יואב. ילך אחרי יואב ולא יעמוד פה על החלל: (יב) מתגולל. היה מתגלגל בדמו באמצע המסילה: וירא האיש. העומד על החלל ראה אשר כל מי שבא למקום החלל

מצודת ציון

(ט) ותוחז. מל' אחיזה:

Commentary Digest

attributes to Joab a purer motive, namely that he considered him a rebel for having disobeyed David's command to return within the three day period alloted him. See introduction to this volume on the punishment of a rebel.

and Joab and Abishai pursued — They did not linger on at the site of the body but resumed their pursuit of Sheba. — A.

11. *One of Joab's young men stood* — Apparently Joab assigned one of his youths to remain beside the corpse in order to dissuade the soldiers from gathering there. — See A and D.

he that is for David — He that is for David should not be concerned with Amasa's death since he was a traitor. — Rabinowitz.

that all the people remained standing — Despite his plea that they move on. — K.

and he went forth, and it fell out. 9. And Joab said to Amasa, "Is all well with you, my brother?" And Joab's right hand took hold of Amasa's beard [as if] to kiss him. 10. And Amasa took no heed of the sword that was in Joab's hand; and he struck him with it to the fifth rib and he spilled out his bowels to the ground, and though he did not repeat, he [nevertheless] died. And Joab and Abishai his brother pursued Sheba the son of Bichri. 11. And one of Joab's young men stood by him and he said, "He that favors Joab, and he that is for David, let him follow Joab." 12. And Amasa was wallowing in blood in the middle

8. *military coat as apparel* — Based on K.

fastened to his loins — *"clinging to his body to the width of his loins and not in a manner that one* (*customarily*) *fastens his sword, in order that it should fall easily and not necessitate removal from its sheath."* — R. Joab, seeking to murder Amasa, arranged to withdraw his sword in as quick and inconspicuous a manner as possible. — K.

and he went forth — *"towards Amasa".* — R. *and it fell out* — *i.e. "the sword from its sheath, since it was smooth and sharpened and it was not suspended at the side of his hip, but* (to the) *width of his loins.* (Thus) *almost as soon as he bent toward the ground it fell from its sheath where he grasped it with his right hand without Amasa becoming aware of it."* — R.

9. *And Joab said to Amasa* — In order to hide his true intentions, Joab engaged Amasa in conversation.

right hand took hold — Since a drawn sword would normally be grasped with the right hand, Joab by taking hold of it with his left hand, while lifting his right hand to Amasa's beard, diverted attention from it. — A.

fifth rib — An area where the gall bladder and the liver are located. — G and A based on T.B. San. 49a. Compare to R above 2:23.

and though he did not repeat — The initial thrust was so powerful that it was unnecessary to repeat — D.

he died — A contends that Joab murdered Amasa because of the animosity that he felt towards him after learning of his appointment as commander-in-chief in his stead. The Talmud, however, (T.B. San 49a),

הַמְסִלָּה וַיַּרְא הָאִישׁ כִּי־עָמַד כָּל־הָעָם
וַיַּסֵּב אֶת־עֲמָשָׂא מִן־הַמְסִלָּה הַשָּׂדֶה
וַיַּשְׁלֵךְ עָלָיו בֶּגֶד כַּאֲשֶׁר רָאָה כָּל־הַבָּא
עָלָיו וְעָמָד׃ יג כַּאֲשֶׁר הֹגָה מִן־הַמְסִלָּה
עָבַר כָּל־אִישׁ אַחֲרֵי יוֹאָב לִרְדֹּף אַחֲרֵי
שֶׁבַע בֶּן־בִּכְרִי׃ יד וַיַּעֲבֹר בְּכָל־שִׁבְטֵי
יִשְׂרָאֵל אָבֵלָה וּבֵית מַעֲכָה וְכָל־
הַבֵּרִים וַיִּקָּלֲהוּ וַיָּבֹאוּ אַף־אַחֲרָיו׃
טו וַיָּבֹאוּ וַיָּצֻרוּ עָלָיו בְּאָבֵלָה בֵּית
הַמַּעֲכָה וַיִּשְׁפְּכוּ סֹלְלָה אֶל־הָעִיר

תרגום

בגו כבשא וחזא גברא
ארי קם כל עמא ואסחר
ית עמשא מן כבשא
לחקלא ורמא עלוהי
לבושא כד חזא כל
דאתי עלוהי וקאים׃
יג כד אפניה מן כבשא
עבר כל גברא בתר
יואב למרדף בתר שבע
בר בכרי׃ יד ועבר בכל
שבטיא דישראל
לאבלה ובית מעכה וכל
בירין ואתכנישו ואתו
אף אינון בתרוהי׃
טו ואתו וצרו עלוהי
באבל בית מעכה
וצברו מליתא על קרתא
ואקפה

ויקהלו קרי

מהר"י קרא

שלדקרו בה שלף אותה וישתבר כמנה: (יג) כאשר הוגה מן המסילה. פתר' כאשר נסחב מן המסילה. כמו הגו סיגים מכסף. שפת' הוצא סיגים מכסף. וכן הוגו מלב דברי שקר.

רש"י

תלויה לצד ירכו אלא לרוחב מתניו וכמעט שבא עמשא לצד הארץ נפלה מתערה ואחזה בימינו ולא הכיר עמשא בדבר: (יב) כאשר ראה כל הבא עליו ועמד. כאשר ראה האיש בכל הבא עליו היה עומד: (יג) באשר הוגה. כאשר הומשך כמו הגו סיגים מכסף (משלי כ"ה ד') וכמו הגו רשע לפני מלך (שם כ"ה ה'): (יד) ויעבור בכל שבטי ישראל. שבע בן בכרי לפתותם שימליכוהו עליהם: ובל

רלב"ג

שהיה מתגולל ומתגאל בדם שילך ממנו בתוך הדרך: (יג) כאשר הוגה מן המסלה. כאשר הוסר מן הדרך: (יד) ויעבר בכל שבטי ישראל אבלה ובית מעכה. ר"ל כי עבר שבע בן בכרי אל אבל ובית מעכה אחר שעברו בכל שבטי ישראל לבקש אנשים על שבטי ישראל והנה שם המקום נקרא אבל וקראו גם כן בית המעכה: וכל הברים ויקהלו ויבאו אף אחריו. וכל הברים אשר בשם אנשי בארות כי בארות היה מבנימין וספר כי כל אנשי המקום ההוא נקהלו עם שבע בן בכרי לעזרו וגם באו אחריו: (טו) ויבאו ויצורו עליו. הנה שמו עיר אבל במצור בעבור שבע בן בכרי שהיה מורד במלכות. וישפכו סוללה ותעמוד בחיל. הנה החיל הוא החומה הפנימית ואמר כי עם הסוללה כבשו החומה החיצונה והיו משתדלים להשחית גם כן החומה

רד"ק

אלא ילכו אחרי יואב וכאשר ראה האיש שלא הועילה ההזהרה לאנשים הבאים אלא היו עומדים על החלל הסירו מן המסילה שלא יראוהו העוברים: (יג) כאשר הוגה. היסר שרשו הגה על דעת אדוני אבי ז"ל והוא בנין שלא נזכר פעלו מן הכבד ומענינו ובשרשו הגה ברוחו הקשה הגה סיגים ועל דעת ר' יהודה ור' יונה שרשו יגה מבנין הפעיל כשפטו בתשלומי הוגה בשקל הגלה: (יד) ויעבר. שבע בן בכרי שהיה בורח כששמע שרודפין אחריו עבר בכל שבטי ישראל עד אבלה ובא בעיר להמלט בה ויש לפרש ויעבור על יואב: אבלה ובית מעכה. שני מקומות סמוכים היו ואחר שאמר באבלה בית המעכה נראה כי היה אבל אחר וזה היה סמוך לבית המעכה והיו סומכים אותו אליו: וכל הברים. מקומות הסמוכות לבארות שהיו לבנימן נקראים ברים ואמר כי עבר כל אלה המקומות ובסוף נכנס באבל שהיא עיר ומבצר וחשב להשגב בה: ויקלהו. כן כתיב וקרי ויקהלו ושניהם א' כי מלים שוים באותיות הפוכות רבי' במקרא כמו כבש וכשב שמלה ושלמה קהלה להקת ומזה יאמר קלהת והקרי הוא נמצא ומבואר: ויבאו אף אחריו. פירוש אחרי יואב ובאמרו אף לפי שהלכו אחרי שבע בן בכרי מתחלה ובראותם כי רדפו יואב ואנשיו אחריו במקומות שהיה עובר יואב לרדוף אחרי שבע בן בכרי היו נקהלים אנשי המקומות ההם ובאים גם אחריו לרדוף אחרי שבע בן בכרי: (טו) סוללה. כתרגומו מליתא והוא תל עפר

מצודת ציון

(יב) המסלה. דרך הכבושה: (יג) הוגה. הוסר כמו הגה ברוחו

מצודת דוד

היה נשאר עומד ולא הועילה אזהרתו: השדה. גררו הבדם מרוחק מהמסילה וכסהו בבגד כראותו שעומד עליו כל הבא:

(יג) כאשר הוגה. אחר שהוסר מן המסלה עברו כולם אחרי יואב: (יד) ויעבור. יואב עבר בכל שבטי ישראל ללכת עמו אבלה ובית מעכה והיא אבלה ובית מעכה בנגד בה שבע בן בכרי: וכל חברים. גם עבר יואב כל הברים והיא שם מחוז ובה מקומות רבות ואנשיו מרובים: ויקהלו. משבטי ישראל ואנשי הברים נקהלו ויבואו אחרי יואב: (טו) עליו. על שבע בן בכרי: וישפכו סוללה. דרך בוני ציר לשפוך עפר מול החומה נעשות תל גבוה ועולים עליה להלחם עם החיל ומ"ב בכוכבים אותה כמקלות ובגלגלי בני אדם

Commentary Digest

the earth into a ramp-like mound which reached to the top of the city wall. K and D.

with only its inner wall — R suggests that the Hebrew בחל is to be translated either as 'army', from the Hebrew חיל, or as 'inner wall': *"And it stood surrounded by the army.*

of the highway. And the man saw that all the people remained standing, so he veered Amasa off the highway into the field, and he threw a garment over him when he saw that everyone who came upon him stood still. 13. When he was removed from the highway, all the people passed on after Joab to pursue Sheba the son of Bichri. 14. And he passed through all the tribes of Israel to Abel, and to Beth Maacah, and all the Berites; and they gathered together and they went after him too. 15. And they came and they besieged him in Abel of Beth-maacah, and they spilled [dirt to form] a mound against the city

Commentary Digest

so he veered Amasa off the highway — to prevent the passersby from seeing him. — K.

when he saw that everyone who came upon him stood still — "*When the man saw that everyone who came upon him remained standing* (there). — R.

13. *when he was removed.* — Heb. הגה. "*When he was taken away, similar to: 'take away the dross from the silver* (הגו סיגים מכסף *Prov.* 25:4.), *and similar to: 'take away the wicked from before the king* (הגו רשע לפני מלך — *Ibid* 25:5)'." — R.

14. *And he passed through all the tribes of Israel* — "*Sheba the son of Bichri, in order to persuade them to appoint him king over them.*" — R and G.

K suggests that Sheba went through all the tribes of Israel to flee David's army; or that Joab passed through the tribes of Israel in an attempt to recruit a large army.

—*the Berites*—Heb. הברים "*I do not know what it is.*" — R. K conjectures that the Benjamite territories near Beeroth may have been known as ברים.

too went after him — While some joined Sheba, others 'also went after *him*' that is, after Joab. — K.

Abel of Beth Maacah — See previous verse where Abel and Maacah are listed as separate towns. K conjectures that there were two cities called Abel (a name which literally means mourning and could very well have been assigned to a number of cities where a tragic incident occurred), and the one near Maacah was known as Abel of Beth Maacah. Compare to 15:20,

spilled a mound — they fashioned

וַתַּעֲמֹד בַּחֵל וְכָל־הָעָם אֲשֶׁר אֶת־יוֹאָב
מַשְׁחִיתִם לְהַפִּיל הַחוֹמָה׃ טז וַתִּקְרָא
אִשָּׁה חֲכָמָה מִן־הָעִיר שִׁמְעוּ שִׁמְעוּ
אִמְרוּ־נָא אֶל־יוֹאָב קְרַב עַד־הֵנָּה
וַאֲדַבְּרָה אֵלֶיךָ׃ יז וַיִּקְרַב אֵלֶיהָ וַתֹּאמֶר
הָאִשָּׁה הַאַתָּה יוֹאָב וַיֹּאמֶר אָנִי
וַתֹּאמֶר לוֹ שְׁמַע דִּבְרֵי אֲמָתֶךָ וַיֹּאמֶר
שֹׁמֵעַ אָנֹכִי׃ יח וַתֹּאמֶר לֵאמֹר דַּבֵּר
יְדַבְּרוּ בָרִאשׁוֹנָה לֵאמֹר שָׁאוֹל יְשָׁאֲלוּ

ואקפה משרין וכל
עמא דעם יואב
מתעשתין לחבלא
שורא: טו וקרת אתתא
חכימתא מן קרתא
שמעו שמעו אמרו כען
ליואב קרב עד הכא
ואמליל עמך: יז וקריב
לותה ואמרת אתתא
האת יואב ואמר אנא
ואמרת ליה שמע
פתגמי אמתך ואמר
שמע אנא: יח ואמרת
למימר אדכר כען מה
דכתיב בספר אוריתא
למשאל בקרתא
בקדמין למימר הכדין
הות לך למשאל באבל:

רש"י

הברים. לא ידעתי מהו: (טו) ותעמוד בחל. ואקפה משריין. ויש פותרין ותעמוד בחל לשון חיל וחומה (איכה ב' ח') הפילו החומה החיצונה ונתחזקה לעמוד על ידי הפנימית: (יז) האתה יואב. שנאמר בך יושב בשבת תחכמוני (לקמן כ"ג ח'): (יח) דבר ידברו בראשונה לאמר. היה לך לדבר לשלום בראשונה אם שלום יענוך ויפתחו לך לא היה לך להלחם עליהם: שאול ישאלו באבל.

מהר"י קרא

שפת' הוצא מלב דברי שקר: (טו) ותעמוד בחל. שתי חומות היו לה חומת וחיל. ותבקע החומה החיצונה ותעמוד העיר בחיל היא חומת הפנימית. ויונתן תרגם ותעמוד בחיל. ואקיפה משירין: (יח) דבר ידברו בראשונה לאמר. העם אשר אתך במשחיתם להפיל החומה היה להם לדבר בראשונה לאמר. לשאול את העם היושבים בעיר אם רצונם להשלים עמך היושבים באבל העיר: וכן התמו. פת' והיה אם יענוך וכן השלימו התמו עמך כדבריך מוטב ואם לא תשלים עמך אז תלחם עמהם. ולא עשית כן אלא פתחת חרב תחלה ולא

רד"ק

ובדברי רז"ל מולייא ברינא ושפיכת הסוללה הוא למלא החפירות אשר סביב העיר עפר ולעשות תל להגיע אל החומ': ותעמוד בחל. עמדה העיר להכבש בחומה כי מלאו החפירות עפר ולא היה להם אלא להפיל החל והוא החומת כמו שפירשו רז"ל חל וחומה שורא ובר שורא או פירש בחל בחפיר' כתרגו' בני בחלת' ופי' אחר ששפכו הסולל' וסתמו החפיר' עמדו אנשי מלחמת בחיל לרגלי החומה וחשבו להפיל' ופי' ותעמוד לשון נק' על המלחמ' וי"ת בחל כמו בחיל ואקפה משריין: משחיתים. משחיתים בכלי המנפץ האבנים להפיל החומה וי"ת מתעשתין לחבלא שורא וענין משחיתים כתרגומו משחיתים בלבם כלומר חושבים ומתכוונים היאך יפילו החומה: (טז) ותקרא אשה חכמה. בדרש מי היתה אשה זאת סרח בת אשר אמרה דבר ידברו בראשונה שאול ישאלו באבל וכן התמו כאן תמו דברי תורת כלומר תמו רברי תורה כאן שאין יודעים אותן אני שמעתי דבר זה ממשה רבינו כשהיו באים להלחם

רלב"ג

הפנימית: (יח) דבר ידברו בראשונה לאמר וגו'. ר"ל הנה ידברו בראשונה הבאים עם שבע בן בכרי למשוך לב העם אליו והוא שישאלו באבל אם יסכימו אליהם בזה ומפני דבריהם אלה האם השלימו אחריהם אנשי אבל שאתה רוצה להשחית כל העיר כאילו היו כלם

מצודת דוד

קדוים סוללים מלשון מסילה: ותעמוד בחל. אח"ז קרבה עדת המלחמה אל העיר ועמדה על החל והיא החומה הנמוכה שאצל
הגבוה כמו חל וחומה (איכה ב): משחיתים. התחיל להשחית החומה כי קרבו אליה לעמוד על החל: (טז) שמעו שמעו. כפלה דבריה כדרך הצועק בבהלה וקראה לאנשי המלחמה שהם ישמעו לה אשר אמריה תאמר אמרו ליואב שיקרב אלי ואדברה אליו: (יח) ותאמר לאמר. ר"ל אמרה ושאלה להשיב על דבריה: דבר וגו'. ר"ל היה לכם לדבר בראשונה לשלום לשמוע מה יאמרו הם כמ"ש בתורה וקראת אליה לשלום (דברים כ): שאול ישאלו באבל. ר"ל דע לך שאם ישאלו שאלת מה באנשי אבל והיא אבלה: וכן

מצודת ציון

הקשה (ישעיה כז): (טו) ויצורו. מלשון מצור: (יח) התמו. מל'

Commentary Digest

gentile cities, a similar courtesy should most certainly have been extended the Israelite city Abel. — See A.

so would they have made peace — *"Immediately the people of the city would have made peace with you."* — R.

The root תמם and the root שלם

and it stood with [only] its inner wall; and all the people that were with Joab were battering to throw down the wall. 16. And a wise woman called out from within the city, 'Hear, hear; say, I pray you, to Joab: 'Come closer to here so that I may speak to you.' 17. And he came near to her, and the woman said, "Are you Joab?" And he said, "I am". And she said to him: 'Hear the words of your handmaid.' And he said: 'I am listening.' 18. And she spoke saying: "Surely they should have spoken first [to hear what they have] to say, had they inquired

Commentary Digest

Others interpret ותעמד בחל *as an expression similar to* חיל וחומה *of Lament.* 2:8. *'They felled the outer wall and it* (the city) *strengthened itself to stand with* (only) *its inner wall."* — R.

16. *And a wise woman* — According to the Midrash, this woman was Serah the daughter of Asher, who was granted immortality for notifying Jacob that Joseph was alive (See Gen. R. 94. (The Torah lists her with those entering Egypt (Gen. 46:17) and among those entering the land of Israel some two hundred and fifty years later (Num. 26:46).

17. *Are you Joab?* — Are you the Joab *"regarding whom it is said: 'Who sits in the assembly of the wise'* (Below 23:8)?" — R from T. P. Vayerah 12, Buber ed., Ecc. R. 9:26.

18. *Surely they should have spoken first* [*to hear what they have*] *to say* — *"You first should have spoken to them* (to see) *if they answer you for peace and open up for you, for then you should not have fought against them,"* — R from Gen. R, 94 and Eccl. R. 9:26.

She questioned the renowned scholarship of Joab and David because both had failed to follow the procedure for conducting warfare outlined in Deut. 20:10: 'When you shall come near a city to wage battle against it, then proclaim peace to it. And it shall be if it makes you an offer of peace and opens up to you, (you shall not wage battle) but . . . they shall pay tribute to you and serve you.':

had they inquired of Abel — *"Had the men of your army inquired of the peace of this city whose name is Abel"* — R. Since the Torah prescribes that a peace inquiry be made when waging battle against

בְּאָבֵל וְכֵן הֵתַמּוּ׃ יט אָנֹכִי שְׁלֻמֵי אֱמוּנֵי
יִשְׂרָאֵל אַתָּה מְבַקֵּשׁ לְהָמִית עִיר וְאֵם
בְּיִשְׂרָאֵל לָמָּה תְבַלַּע נַחֲלַת יְהוָה׃
כ וַיַּעַן יוֹאָב וַיֹּאמַר חָלִילָה חָלִילָה לִי
אִם־אֲבַלַּע וְאִם־אַשְׁחִית׃ כא לֹא־כֵן
הַדָּבָר כִּי אִישׁ מֵהַר אֶפְרַיִם שֶׁבַע בֶּן־
בִּכְרִי שְׁמוֹ נָשָׂא יָדוֹ בַּמֶּלֶךְ בְּדָוִד תְּנוּ־
אֹתוֹ לְבַדּוֹ וְאֵלְכָה מֵעַל הָעִיר וַתֹּאמֶר
הָאִשָּׁה אֶל־יוֹאָב הִנֵּה רֹאשׁוֹ מֻשְׁלָךְ אֵ

תרגום

אִם מְשַׁלְמִין׃ יט אֲנַחְנָא שַׁלְמִין בְּהֵימָנוּתָא עִם יִשְׂרָאֵל דְאַתְּ בָּעֵי לְחַבָּלָא קִירְוָא דְהִיא כְּרַךְ רַב וְאִמָּא בְּיִשְׂרָאֵל לְמָה תְקַלְקֵל אַחֲסָנַת עַמָּא דַיְיָ׃ כ וְאָתֵיב יוֹאָב וַאֲמַר חַס חַס לִי אִם אֲקַלְקֵל וְאִם אֲחַבֵּל׃ כא לָא כֵן פִּתְגָמָא אֲרֵי גַבְרָא מִטוּרָא דְבֵית אֶפְרַיִם שֶׁבַע בַּר בִּכְרִי שְׁמֵיהּ אֲרִים יְדֵיהּ בְּמַלְכָּא בְּדָוִד הָבוּ יָתֵיהּ בִּלְחוֹדֵיהּ וְאֵיהַךְ מֵעַל קַרְתָּא וַאֲמַרַת אִתְּתָא לְיוֹאָב הָא רֵישֵׁיהּ מִיתְרְמֵי

מהר"י קרא

קראת אליה לשלום. וכן תירגם יונתן אדכר כען מה דכתיב באורייתא דמשה למישאל בקרתא מלקדמין למימר הכדין הוה לך למישאל באבל אם משלמין: (יט) [אנכי שלמי אמוני ישראל]. פת׳ אנכי שלוחה אליך מעם ישראל העומדים באמונתם ורוצים להשלים. ואתה מבקש להמית עיר ואם בישראל. פתר׳ עיר המשובחת בישראל וכן תרגם יונתן אנחנא משלימין בהימנותא עם ישראל דאת בעי לחבלא כרך דהיא

רש"י

אם שאלו בני חילך בשלום העיר הזאת שמה אבל: וכן התמו. מיד היו בני העיר משלימים עמכם: (יט) אנכי שלומי אמוני ישראל. אני מבני העיר שלמים ונאמני׳ לישראל ולמלך. ומ"א סרח בת אשר היתה אני השלמתי נאמן לנאמן על ידי נגלה ארונו של יוסף למשה אני הגדתי ליעקב כי יוסף חי: (כ) חלילה חלילה לי. חלילה לי חלילה למלך: (כא) נשא ידו במלך דוד. במלך אפילו אינו דוד חייב מיתה או כדוד שהוא ת"ח אפילו אינו מלך

רלב"ג

מורדים במלכות: (יט) אנכי שלומי אמוני ישראל. הלא אנכי אבל שכנו בי השלמים לשמור אמונה שבישראל ולזה לא הסכימו בני אבל לשבע בן בכרי כי הם שומרים אמונים וכהיות הענין כן לאי זה סבה תשחית עיר לא קטנה אבל היא אם רוצה לומר שיש לה בנות והם הכפרים אשר סביבותיה ועוד למה תשחית את נחלת ה׳ מזולת סבה

רד"ק

על עיר שיהיו פותחין לשלום: (יט) שלמי אמוני ישראל. אני השלמתי נאמן לנאמן ע"י נגלה ארונו של יוסף למשה אני הגדתי ליעקב כי יוסף חי. ותימה הוא אם האריכה ימים כל כך סרח בת אשר אעפ"י שראינו שהאריכה ימים רבים שהרי נמנית עם באי מצרים ונמנית עם באי הארץ והיו שנותיה אז לפחות מאתים וחמשים שנה: דבר ידברו בראשונה. שמעתי שהיו כדברים בראשונה וכן התמו עדיין כלומר מאז ועד עתה כן שמענו אומרים כי בכל עיר שבאים להלחם ישאלו אם תשלים אפילו באומות העולם כל שכן באבל שהיא עיר גדולה והיא משלומי אמוני ישראל שאיננה מורדת במלך וי"ת אידכר כען וגו׳: נחלת ה׳. אחסנת עמא דה׳:(כא) במלך בדוד. דרשו בו במלך אפילו לא היה בדוד המורד בו חייב מיתה כל שכן במלך בדוד שהוא אפילו לא היה מלך המורד בו חייב מיתה ולפי הפשט כי אף על פי שמרד אבשלום דוד היה המלך וכל המורד

מצודת ציון

הם והשלמה: (יט) תבלע. תשחית כמו ובלע בהר הזה (שם כה): (כ) חלילה. חולין וגנאי וכפל המלה לרוב הזרות אלו:

מצודת דוד

התמו. ר"ל כאשר שאלו כן היו משלימים השאלה מבלי שנוי כלל: (יט) אנכי שלומי אמוני ישראל. אמרה בשם כל בני העיר הן אנכי מעולם מבעלי השלום והנאמנים שבישראל ולא נמצא כי מעולם מרד לשקר במלך: אתה מבקש. למה אתה מבקש להמית וגו׳ כי תמאן לשאול שאלתך הלא שאל ונתנה לך: ואם. ר"ל עיר גדולה אשר קטנות סביב לה וניזונות ממנה כי כמו שהעיירות הקטנות נקראות בנות הגדולה כמ"ש עקרון ובנותיה (יהושע טו) כן נקראת הגדולה אם הקטנות: נחלת ה׳. היא העיר שהנחיל להם המקום בנחלתם: (כ) אם אבלע וגו׳. ר"ל גם העיר גם אנשיה: (כא) לא כן הדבר. שאני כוחר ומבקש להמית ולהשחית אלא פה נמצא איש וגו׳: נשא ידו. ר"ל מרד במלך: בעד החומה. דרך החומה

Commentary Digest

"against a king, even if he were not David, he would be deserving of death. Or against David, who is a great scholar, even if he were not a king, he would be deserving of death. How much more so against the king against David. This is the manner in which it has been expounded in Midrash Koheleth." — R from Eccl. R. 9:26. Perhaps here too, Joab was attempting to rebut her claim that David was not as accomplished a scholar as he had been reputed to be. — Ginsburg. According to the Brisker Rav (Rabbi Z. Soloveichik, cited in the introduction to this volume) the repetitive statement 'against the king, against David,' may

of [the people of] Abel, and so would they have made peace.
19. I am of [those] that are peaceful and faithful to Israel;
[Why then] do you seek to destroy a city and a mother in Israel? Why should you swallow up the inheritance of the Lord?"
20. And Joab answered: 'Far be it, far be it from me, that I should swallow up, or that I should destroy.
21. The matter is not so; but a man of the hills of Ephraim named Sheba the son of Bichri has lifted his hand against the king, against David; Give us him alone and I will depart from the city.' And the woman said to Joab, "His head shall be thrown

Commentary Digest

are synonymous, each one conveying both the concept of completion and of peace. D renders: and so they would have ended the matter.

19. *peaceful and faithful to Israel* — "*I am from those people of the city who are peaceful and faithful to Israel and to the king. Now there is a Midrash Aggadah that she was Serah the daughter of Asher* (See above, Commentary Digest v. 16). [According to this Midrash her response was as follows:] *I am the one who surrendered one faithful to another faithful* (i.e., Joseph to Moses. R interprets שלמי אמוני as השלמתי נאמן לנאמן.) *Through me Joseph's casket was revealed to Moses* (See Eccl. R. 9:25); *and I was the one who notified Jacob that Joseph was yet alive.*" — R from Gen. R. 94 and Eccl. R, *Ibid.*

a city and a mother — A known city of the past and one that would surely remain a mother in Israel in the future should you choose to spare it. — Rabinowitz. According to the previously cited Midrash her argument consisted of the following: Why do you wish to destroy the city and in so doing destroy me who has for so long been a mother in Israel?

inheritance of the Lord — The city that has been granted us as our inheritance from the Lord. — D.

20. *far be it, far be it from me* — "*Far be it from me, far be it from the king.*" — R. Because she had questioned the scholarship of both Joab and David (See above v. 17) for their failure to comply with the Torah's command to seek peace, Joab notified her that it was neither his nor David's intention to wage battle against the city.

21. *of the hills of Ephraim* — Although Sheba came from the tribe of Benjamin, he made his home in the hills of Ephraim.

lifted his hand against the king, against David — Had he rebelled

מִיתְרְמֵי לָךְ מִן שׁוּרָא: כב וַאֲתַת אִתְּתָא לְוָת כָּל עַמָּא בְּחוּכְמְתַהּ וּפְסַקוּ יָת רֵישׁ שֶׁבַע בַּר בִּכְרִי וּרְמוֹ לְיוֹאָב וּתְקַע בְּשׁוֹפָרָא וְאִתְבַּדַּרוּ מֵעַל קַרְתָּא גְּבַר לְקִרְווֹהִי וְיוֹאָב תָּב לִירוּשְׁלֶם לְוָת מַלְכָּא: כג וְיוֹאָב מְמַנָּא עַל כָּל חֵילָא דְיִשְׂרָאֵל וּבְנָיָה בַּר יְהוֹיָדָע עַל קַשָּׁתַיָּא וְעַל קַלָּעַיָּא: ואדורם

אֵלֶיךָ בְּעַד הַחוֹמָה: כב וַתָּבוֹא הָאִשָּׁה
אֶל־כָּל־הָעָם בְּחָכְמָתָהּ וַיִּכְרְתוּ אֶת־
רֹאשׁ שֶׁבַע בֶּן־בִּכְרִי וַיַּשְׁלִכוּ אֶל־יוֹאָב
וַיִּתְקַע בַּשּׁוֹפָר וַיָּפֻצוּ מֵעַל־הָעִיר אִישׁ
לְאֹהָלָיו וְיוֹאָב שָׁב יְרוּשָׁלַ͏ִם אֶל־הַמֶּלֶךְ:
כג וְיוֹאָב אֶל כָּל־הַצָּבָא יִשְׂרָאֵל וּבְנָיָה
בֶּן־יְהוֹיָדָע עַל־הַכְּרֵ*י וְעַל־הַפְּלֵתִי:

הכרתי קרי

רש"י

חייב מיתה וכ"ש במלך כדוד כך נדרש במדרש קהלת: (כב) ותבא האשה אל כל העם בחכמתה. שנינו בתוספתא אמרה להם הואיל והוא נהרג והם נהרגין תנוהו להם אם היה יכול להנצל כגון שהוא מבפנים ואתם מבחוץ ואתם בסכנה והוא יכול להמלט אין דוחין נפש מפני נפש להורגו בשביל הצלתכם אבל עכשיו שגם הוא יהרג עמכם הואיל ונהרסו החומה' ואין כח להמלט מוטב ימות לבדו ואל תמותו עמו. רבי שמעון אומר כך אמר' להם המורד במלכו' בית דוד חייב מיתה: (כג) ויואב אל כל הצבא. אע"פ שאמר דוד אל עמשא כי שר צבא אשימך תחת יואב עכשיו

מהר"י קרא

כרך ואימא דישר': (כב) ותבוא האשה אל כל העם בחכמתה. אמרה להם מאה מכם הוא שואל אמרו לה לכי עוד ובואי אל יואב ואמרת אליו אולי [יחסרון] ממאה חמשים התשחית בחמשים את כל העיר. ועשתה כאילו הלכה אליו והשיבה אמר לי יואב לא אשחית אם יתנו חמשים. וכן עשתה בחכמתה ותצא יצא ושוב כאילו דיברה אל יואב ומשיבה דבר ליושבי העיר עד שירדה ממאה איש לשבע בן בכרי. וכל זאת כדי שיתנוהו בלב שלם: (כג) ובניהו בן יהוידע. על הכריתי ועל הפליתי. יואב בן צרויה היה שר צבא על ישראל. ובניהו בן יהוידע היה שר צבא על שתי אמות הללו כרתים ופלתים:

רד"ק

בו חייב מיתה ויהרג כמו שנהרג אבשלום: (כב) בחכמתה. לפי שהיתה העיר מבני בנימן היתה צריכה לפתותם בדברי חכמה שיהרגו שבע בן בכרי לבדו ואל יהרגו כלם אמרה להם הנה העיר קרובה להכבש ויואב יחשוב אותנו כלנו כמורדים במלכות ואחר שיכבוש העיר בחזקה ולא נשלם עמו יהרוג כלנו כי המורד במלכות חייב מיתה שנאמר כל איש אשר ימרה את פיך וגו' יומת וכן אמרו תני את האנשים ונמית' אלא ששאול מחל על כבודו ואעפ"י שאין כבודו מחול הוא צוה שלא יומתו ואפילו בדברי זקנים שנאמר הן למות הן לשרשי הן לענש נכסים ולאסורי' ובדברי רז"ל סיעה של בני אדם שאמרו להם תנו לנו אחד מכם ונהרוג אותו ואם לאו הרי אנו הורגים את כלכם יהרגו כלם ואל ימסרו להם נפש אחת ואם ייחדוהו להם כגון שייחדו לשבע בן בכרי יתנוהו להם ואל יהרגו כולם אמר רבי יהודה אימתי בזמן שהוא מבפנים והם מבחוץ כמו שעשו בני יהודה בשמשון פי' שהיה יכול להמלט שמשון שהיה מבפנים בסלע לפיכך לא נתנוהו אלא מדעתו אבל הוא והם מבפנים היאיל והוא נהרג והם נהרגין יתניחו להם ואל יהרגו כולם כגון שהוא אומר ותבא האשה אל כל העם בחכמת' אמרה להם הואיל והוא נהרג והם נהרגין תנוהו להם ואל תהרגו כלכם רבי שמעון אומר כך אמרה להם כל המורד במלכות בית דוד חייב מיתה. נוסחא אחרינא ר' שמעון אומר והוא שנתחייב מיתה כשבע בן בכרי ועוד בדבריהם אתו אמרין ליה ליהויקים נבוכדנצר בעי לך אמר להם אפשר כן וכי דוחין נפש מפני נפש אתון מחיין ית נפשכון וממיתים לדילי אמרו ליה לא כן עשו אבותינו בשבע בן בכרי הנה ראשו מושלך אליך: (כג) ויואב אל כל הצבא. למעלה כתוב גם כן מספר השרים אשר לו כשהניח ה' לו מכל המלחמות ואפסו כל בית שאול ומלך על כל ישראל ספר כל השרים אשר לו ועתה כאשר שב אל מלכותו שמת אבשלום ומת שבע בן בכרי שחשב למרוד בו להסיר המלוכה ממנו ספר גם כן השרים אשר לו כאילו עתה תחלת מלכותו ומה שאמר אל כל הצבא מה שלא אמר כן במקום אחר לפי שהיה בלב דוד להסירו ולשום במקומו עמשא או בכל הצבא או במקצתו והנה עתה מת עמשא ויואב הרג שבע בן בכרי שהיה בייד במלכותו נתנא' יואב בזה הדבר כנגד דוד ולא יכול דוד להשיבו ומנהו על כל הצבא ושמר לו עונו עד אחר מותו: על הכרי ועל

רלב"ג

תביאך אל זה: (כג) ויואב אל כל הצבא ישראל. ר"ל אל כל הצבא צבא ישראל כי היה שר צבא: ובניהו בן יהוידע על הכרתי ועל הפלתי. ר"ל שהיה מופלא שבב"ד והיה ראש לסנהדרי גדולה והוא היה כהן כאמ' בניהו בן יהוידע הכהן וזה כבר ראוי שיהיה הגדול שבסנהדרין כהן כאמרו בתורה ובאת אל הכהן והטעם כי לא תאבד תורה מכהן והוא מבואר שאין הרצון בכרתי צבא גבורים כי כבר היה יואב שר

מצודת דוד

תמעל לה: (כב) בחכמתה. באמרה אם יכבשו את העיר יהרגו את כולם בעבור המחזיק בידי המורד: ויכרתו. ולא מסרוהו חי כי פחדו פלא יגלה לדוד ואנשיו שגם הם היו בקשר המרד: ויתקע. לסימן שילכו מן העיר: (כג) אל כל הצבא. לפי שרצה דוד להעמיד את עמשא תחתיו להיות שר הצבא ולזה אמר כאשר הומת עמשא נשאר יואב בשררותו על כל הצבא כמו שהיה: ובניה. אף שכבר חשבו

מצודת ציון

(כב) ויפצו. ענין פזור:

Commentary Digest

debate applies only where a specific individual is sought. If, however, the request is for an unspecified individual then even if all should die, one may not choose a person for surrender. See Gen. R. *Ibid.*

And they cut off the head of Sheba — Maimonides, in Laws of Kings ch. 3, Hal. 8 declares that only the king has the power to put a rebel to death. Why then, did not the

to you over the wall." 22. And the woman came to all the people in her wisdom. And they cut off the head of Sheba the son of Bichri and threw it to Joab. And he blew the shofar, and they dispersed from the city, every man to his tents. And Joab returned to Jerusalem to the king. 23. And Joab was over the entire army of Israel; and Benaiah the son of Jehoiada was over the archers and the slingers.

Commentary Digest

have been a reference to the fact that Sheba was deserving of death on two counts; (a) as one who had undermined the authority of a king and is therefore a מורד במלכות (rebel), and (b) as a מורד במלכות בית דוד one who had denied the divine selection of the House of David, who is to be killed as a heretic. — Z Soloveichik, in 'Chidushei Ha-Griz al Ha-Torah'.

22. *And the woman came to the people in her wisdom* — Since Abel was a Benjamite city it took a powerful argument to get their consent to kill Sheba, their own tribesman. — K What argument did she offer to justify the surrender of Sheba? "*We learned in the Tosefta* (Tarumot ch. 7) *that she said to them*: *'Since he and they* (*the soldiers* of the city of Abel) *shall be killed, present him to them. If he could conceivably save himself; if he were, for example, on the inside* [of the city wall] *and you were on the outside, and only you were in a state of danger while he could save himself, one dare not disregard one human life for the sake of another human life by killing him in order to save yourselves. Now, however, that he too will be killed together with you, since the walls have been destroyed and we have no strength to save ourselves, it is better that he die alone and you die not with him."* "*R. Simeon stated*: *'This is what she told them*: *Whosoever rebels against the Davidic dynasty is deserving of death."* — R. from Tosefta Terumot, ch. 7, and Gen. R. ch. 94. R. Simeon maintains that Sheba's inability to save himself would have proved insufficient ground to surrender him were he not also deserving of death. See the commentary Matnat Kehunah on Gen. R. *loc cit.* who explains that R. Simeon comes only to supplement the previous opinion cited by Gen. R. in the name of R. Judah, and does not offer an entirely new rationale for delivering Sheba. See also T.P. Ter. ch. 8 where R. Jochanan and Reish Lakish also debate whether one may surrender a man *undeserving* of death because he cannot possibly save himself. It should be noted, however, that this entire

כד וַאֲדֹרָם עַל־הַמַּס וִיהוֹשָׁפָט בֶּן־
אֲחִילוּד הַמַּזְכִּיר: כה וּשְׁיָא סֹפֵר וְצָדוֹק
וְאֶבְיָתָר כֹּהֲנִים: כו וְגַם עִירָא הַיָּאִרִי
הָיָה כֹהֵן לְדָוִד: כא א וַיְהִי רָעָב בִּימֵי
דָוִד שָׁלֹשׁ שָׁנִים שָׁנָה אַחֲרֵי שָׁנָה

פתח באתנח ושוא קרי

תרגום

כד וַאֲדוֹרָם מְמַנָא עַל
מַסְקֵי מִסִין וִיהוֹשָׁפָט
בַּר אֲחִילוּד מְמַנָא עַל
דוּכְרָנַיָא : כה וּשְׁוָא
סַפְרָא וְצָדוֹק וְאֶבְיָתָר
כָּהֲנַיָא : כו וְאַף עִירָא
יָאִירָאָה דְמִתְּקוֹעַ הֲוָה
רַב לְדָוִד : א וַהֲוָה כַּפְנָא
בְּיוֹמֵי דָוִד תְּלַת שְׁנִין

ת״א ועירא היאירי. עירובין סג.

מהר״י קרא

(כו) וגם עירא היארי היה כהן לדוד. רב על אנשי ביתו: **כא** (א) ויהי רעב בימי דוד שלש שנים. שנה אחר שנה:

רש״י

שמת עמשא לא זז יואב ממקומו וע״י יואב הוזקק לימנות את חבריו: (כו) **עירא היארי**. תרגם יונתן עירא יאירהאה דמן תקוע וכן הוא קרוי בספר הזה עירא בן עיקש התקועי ויאירי נקרא ע״ש ששנינו במנחות תקוע אלפא לשמן ששמן זית מלוי לשם שממנו מדליקין הנרות: **היה כהן לדוד**. לו היה נותן כל מתנות כהונה שלו כך אמרו רבותינו ופשוטו של מקרא שעשאו שר ושופט:

רלב״ג

נגא לכל ישראל: (כד) ואדורם על המס. הוא היה ממונה לגבות המס מהגוים אשר היו למס ומישראל: ויהושפט בן אחילוד המזכיר. הוא היה מזכיר לאדורם את דבר המס ושונא אותו לגבותו: (כה) ושוא סופר. לכתוב החשבונות האלו: וצדוק ואבית׳ כהנים. הנה ידמה שהעיקר היה צדוק הכהן ואף על פי ששניהם היו משמשין בכהונה גדולה: (כו) וגם עירא היאירי היה כהן לדוד. ידמה ששמהו דוד בממשלה מה לא נזכרה והוא לפי מה שאחשוב עירא היתרי אשר נזכר בגבורי דוד והוא מבני יתר הישראלי לפי מה שאחשוב או יהיה

רד״ק

הפלתי. כן כתיב וקרי הכרתי והם קרובים בלשון וכבר פרשנו מי הם ודעת יונתן ג״כ שתרגם קשתיא וקלעיא: (כד) על המס. להעלות מס על ישראל כשהיה צריך לתת לחייליו או לעשות רצונו כי הוא משפט המלוכה כמו שכתוב ואתם תהיו לו לעבדים ופי׳ רז״ל שיוכל להטיל עליהם מס כתיב הכא לעבדים וכתיב התם והיו לך למס ועבדוך ולמעלה לא כתב שר על המס כי היה תחלת מלכותו ולא היה מטיל מס על ישראל עדיין: המזכיר. ממנא על דוכרניא כלומר על ספר הזכרונות: (כה) כהנים. שרי הכהונה אעפ״י שנסתלק אביתר לא נסתלק מכל וכל מהכהונה עד שמלך שלמה וגרשו: (כו) וגם עירא היארי. ת״י ואף עירא דמתקוע הוא עירא הנמנה עם הגבורים שנאמר עליו עירא בן עקש התקועי אם כן היאירי הוא שם משפחתו כי אביו או זקנו היה שמו יאיר ועוד יש לפרש כי קראו יאיר לפי שהיה מתקוע והית תקוע רבת השמן כמו שכתבנו בדבר התקועית והשמן נקרא יצהר ויאיר ויצהר אחד הוא: היה כהן לדוד. כתרגומו הוה רב לדוד כלומר גדולו ובעל עצתו וכן אמר בשלמה זביד בן נתן כהן רעה המלך וכבר זכר הכהנים אלא כהן ר״ל גדולו ובעל עצתו כמ״ש רעה המלך כן בכאן זכר כהן אחר הזכר הכהנים אם כן ר״ל גדילו ובעל עצתו ועוד שאמר לדוד ואם כהן כמשמעו כן היה כהן לכל ישראל למה אמר לדוד וכן אמר ובני דוד כהנים היו שפי׳ שרים וגדולים כמו שפירשנו ורז״ל פירשוהו כהן ממש ומלת וגם מסייע לדבריהם ופי׳ כהן לדוד פי׳ שהיה מכירו ונותן לו מתנות כהונה היוצאים מביתו ודרשו סמוכים ואמרו כל המשגר מתנות לכהן אחד מביא רעב לעולם שנאמר וגם עירא היאירי היה כהן לדוד וכי לדוד היה כהן לכולי עלמא לא היה כהן אלא שהיה משגר לו כל מתנותיו וכתיב ויהי רעב בימי דוד:

מצודת דוד

למעלה חשבו כאן על כי חשב שאר השרים: (כד) על המס. לגבות המס מישראל ועל שמרדו בו בעלת אבשלום ראה להטיל עליהם מס: המזכיר. היה ממונה על ספר הזכרונות: (כה) כהנים. ר״ל שרי הכהנים לדוק היה ממונה לכהן גדול לשמש בימי שלמה ואביתר היה סגן במקום בנו אחימלך הנזכר למעלה: (כו) וגם עירא וגו׳. גם הוא היה שר לדוד ובעל עצתו נוסף על האמורים למעלה כמו

Commentary Digest

candles." — R from J and T.B. Men. 85b. Compare to C.D. above 14:2.

was a chief official — Heb. כהן lit. 'priest'. *"He would give him all his priestly gifts. This is what our rabbis said. However, the simple meaning of the verse is that he appointed him as an official or judge."* — R. from T.B. Erub 63a and J.

CHAPTER 21

1. *three years, year after year* — The question arises, why did it take David three years to determine the cause of the famine?

K, citing Saadiah Gaon, contends that the first year he attributed the famine to chance phenomenon, the second year he attributed it to his failure to destroy the idolatrous shrine of Micah. After destroying the shrine and seeing that the famine persisted, he finally inquired of the Urim and Tumim. A citing P.E. (ch. 17) contends that first David thought that it was caused by idolatrous practice, then he thought that it was caused by a breach of sexual mores, and finally he decided that some unavenged murder brought about the famine, since all of these three are indicated by scripture to be punish-

24. And Adoram was over the tribute; and Jehoshaphat the son of Ahilud was recorder. 25. And Shvah was scribe; and Zadok and Abiathar were the priests. 26. And Ira the Jairite was a chief official to David.

21

1. And there was a famine in the days of David for three years, year after year.

Commentary Digest

townspeople merely surrender Sheba to Joab instead of decapitating him first? A suggests that the people of Abel were concerned that Sheba would try to implicate them in his plot and judged him to be in the category of a pursuer (רודף) whom one has a right to kill before he endangers others. The Brisker Rav (cited above on v. 21 and in the introduction to this volume) claims that Sheba, in attempting to undermine the God chosen Davidic dynasty, was not only a rebel but also a heretic. While only the king may put a rebel to death, anyone may kill a heretic (See Maimonides Hilchot Mamrim, ch. 3 Halachot 1, 2).

23. *And Joab was over the entire army* — *"Although David had said to Amasa: 'I will appoint you as general in Joab's stead* (*Above* 19:14)*', now that Amasa was dead Joab did not move from his position. Now on account of Joab he was obliged to also make mention of his associates."* — R. While the primary objective of the verse was to indicate that Joab remained firmly entrenched in his position, David's other appointments are also mentioned in passing. K suggests that David's appointments are mentioned in order to indicate that with the death of Absalom and Sheba a new era had begun. Perhaps a further motive for mentioning David's appointees was to indicate that David had learned from his bitter past experience, and therefore failed to appoint any of his remaining sons to a prestigious position which could be used as a springboard for rebellion. Compare to Commentary Digest above, 8:18.

archers and slingers — A special unit of David's army. Compare with above 8:18.

24. *was over the tribute* — In charge of taxing the Israelites.

recorder — of the taxes. — G. Keeper of the royal chronicles. — K and D.

Abiathar — Compare to above 15:24.

26. *Ira the Jairite* — *"J translates: 'Ira the Jairite from* (the city of) *Tekoah', and so we find him referred to in this book* (below 23:26) *as Ira the son of Ikkesh the Tekoite. Now he was called the Jairite* (from יאיר lit. will light) *because we learned in* (T.B.) *Men: 'Tekoah is famous for oil, since olive oil is* (abundantly) *found there from which we light the*

וַיְבַקֵּ֥שׁ דָּוִ֖ד אֶת־פְּנֵ֣י יְהוָ֑ה * וַיֹּ֣אמֶר יְהוָ֗ה אֶל־שָׁאוּל֙ וְאֶל־בֵּ֣ית הַדָּמִ֔ים עַ֥ל אֲשֶׁר־

שְׁתָא בָּתַר שַׁתָא וּבְעָא דָוִד רַחֲמִין קֳדָם יְיָ וַאֲמַר יְיָ עַל שָׁאוּל וְעַל בֵּית חַיָבֵי קְטוֹל עַל דִקְטַל יַת

פב"פ

רש"י

כא (א) אל שאול. על עון שאול שנקבר פתאום ובהחבא שנכבוהו אנשי יביש גלעד וקברוהו ולא נספד לפי כבודו: ואל בית הדמים. שהרג נוב עיר הכהנים: על אשר המית את הגבעונים. כשהרג נוב עיר הכהנים המית מהם ז' ב' חוטבי עצי' ושני שואבי מים ושמש וחזן וסופר כך מפורש בגמ' ירושלמית בסנהדרין. ורבותינו אמרו מתוך שהרג את הכהנים שהיו מספיקין להם מזון העל' עליו הכתוב כאלו המיתם ואל תתמה שהרי היה הקב"ה תובע כבודו ותובע סרחונו שכך כתוב אחר משפטו פעלו (לפניה

מהר"י קרא

ויבקש דוד את פני ה'. שיודיענו על מה זה הרעב: ויאמר ה' אל שאול ואל בית הדמים. פת' בעבור שאול שהיה איש דמים ובעון [בית] הדמים הם (יבניו) [בניו] שנשארו שלא פקדתי עליו עד עכשיו דמים אשר שפך שאול אני מביא רעב לעולם. ואי זה דמים שפך שהמית הגבעונים כמו שמפרש על אשר המית את הגבעונים. ובסמוך מפרש היכן המית את

רד"ק

(א) ויבקש דוד את פני ה'. יש לשאול מפני מה לא בקש עד השנה השלישית. פי' רבינו סעדיה גאון ז"ל שנה ראשונה חשב מקרה הוא כדרך העולם. שניה חשב כי בעון פסל מיכה היה ובער כל מה שמצא. כשהיה רעב בשנה הג' ידע כי עון אחר היה ובקש את פני ה' לדעת מה זה. ויש לשאול אנה הרג שאול את הגבעונים. ונשיב כי בהכותו נוב עיר הכהנים היו שם הגבעונים עמהם חוטבי עצים ושואבי מים והרגום הכהנים ומ"ש והגבעונים לא מבני ישראל המה כי מיתר האמורי לפי שהכהנים מחלו על דם אחיה' והם לא רצו למחול ומ"ש יותן לנו שבעה אנשים מבניו לפי שלא נשארו מן ההורגים אלא אלו השבעה ועליהם אמר ואל בית הדמים ואמרו אין לנו כסף וזהב עם שאול אין אנו רוצים לקחת ממון אלא נפשות בעבור הנפשות שהרגו ונשיאי העדה נשבעו להם ומ"ש ויחמל המלך על מפיבשת פי' רב סעדיה גאון וישמח כי מפיבשת לא היה מן ההורגים כי קטן היה כמ"ש הכתוב כי בן חמש שנים היה בבוא שמועת שאול ויהונתן לפיכך פי' ויחמול וישמח כמו וחמלתי עליכם כאשר יחמול איש על בנו העובד אותו כי הבן העובד אין צריך חמלה אלא אדם שמח בבנו העובד אותו וכן פי' ויחמל וישמח ושמח עליו שלא נכשל בדבר על הבריה והשבועה שהיה בינו ובין יהונתן וכי היה אוהבו מאד לפיכך שמח על בנו שלא נכשל בזה הדבר ונצל ממיתה זו ומה שלא הורידו אותם מהעצים כמצות התורה לא תלין נבלתו על העץ פי' כי המלך צות להלותם והשב המלך כי הורידום בערב מהעצים ולא עשו כן כי אמרו המלך צוה לתלותם והוא יצוה להורידם אך כאשר עברו ימי הקציר ובאו ימי הגשמים בקשו מהמלך שיצוה להורידם בעבור צדקת רצפת שהיתה שומרת עליהם ולא נתנה עוף השמים לנוח עליהם. ומ"ש חמשת בני מיכל. בני מירב היו אלא שגדלה אותם מיכל תקראו על שמה ומוכיח זה אשר ילדה לעדריאל ומיכל לא היתה אשת עדריאל אלא מירב היתה אשתו כמו שנאמר אשר נתנה לעדריאל המחולתי. אלה השאלות והתשובות כך סידר' רבינו סעדיה גאון ז"ל. ומה שפירשו רבותינו ז"ל בענין זה זהו שנה ראשונה אמר להם דוד לישראל שמא עובדי ע"ג יש בכם דכתיב ועבדתם אלהים אחרים והשתחויתם וגו' ועצר את השמים וגו' בדקו ולא מצאו. שניי' אמר להם שמא עוברי עבירה יש בכם דכתיב וימנעו רביבים ומלקוש לא היה ומצח אשה זונה היה לך בדקו ולא מצאו. שלישית היה רעב אמר אין הדבר תלוי אלא בי מיד ויבקש דוד את פני ה' מאי היא ששאל באורים ותומים. ויאמר ה' אל שאול ואל בית הדמי'. אל שאול שלא נספד כהלכה ואל בית הדמים שהמית את הגבעונים והיכן מצינו שהמית שאול את הגבעונים אלא מתוך שהרג נוב עיר הכהנים שהיו מספיקי' להם מים ומזון מעלה עליו הכתוב כאילו הרגם אמר דוד שאול נפקו ליה תריסר ירחי שתא ולאו אורח ארעא למספדיה גבעונים נקרינהו ונפייסינהו מיד ויקרא המלך לגבעוני'. יותן לנו שבעה אנשים מבניו. אמר דוד שלשה סימנין יש באומה זו ישראל רחמנים וביישנ' וגומלי חסדים רחמני' דכתיב ונתן לך רחמים וגו' ביישנים דכתיב למען תהיה יראתו על פניכם לבלתי תחטאו גומלי חסדים דכתיב כי ידעתיו למען אשר יצוה וגו' כל שיש בו שלשה סימני' הללו ראוי לקרבו וכל שאין בו ג' סימנים אלו אין ראוי לידבק באומה זו מיד גזר עליהם שלא יבואו בקהל שנ' והגבעונים לא מבני ישראל המה ואע"פ שיהושע גזר עליהם שלא לבא בקהל יהושע לא גזר עליהם אלא כל זמן שבית המקדש קיים כמו שאומר לבית אלהים בא דוד וגזר עליהם לעול' כמו שכתוב בספר עזרא כי הנתינים היו מתאחדי' וקראם נתיני' לפי שנתנו לעבודה ולא לבא בקהל וכן כתוב ומן הנתינים אשר נתן דוד והשרים לעבודת הלוים. ויקח (שלשה) [שני] בני רצפה בת איה. מאי שנא חני אמר רב הונא שהעבירום לפני הארון כל שהארון קולטו למיתת והא כתיב ויחמול המלך על מפיבשת שלא העבירו לפני הארון וכי משוא פנים יש בדבר אלא שבקש רחמים שלא יקלטנו הארון והא כתיב לא יומתו אבות על בנים ובנים לא יומתו על אבות ולמה המיתו הבנים בעון שאול אמר רבי יוחנן מוטב שתעקר פרשה אחת מן התורה ולא יתחלל שם שמים בפרהסיא כלומר שנשבעו להם נשיאי העדה בימי יהושע. עד נתך מים עליהם. והא כתיב לא תלין נבלתו על העץ א"ר יוחנן מוטב שתעקר פרשה אחת מן התורה ויתקדש ש"ש בפרהסיא שהיו עוברין ושבין אומרים מה טיבן של אלו בני מלכים מה עשו פשטו ידיהם בגרים גרורים מה היו אומרים אין לך אומה ראויה להדבק בה אלא זו מיד נתוספו על ישראל מאה וחמשים אלף דכתיב ויהי לשלמה שבעים אלף נושא סבל ושמנים אלף חצב בהר וכתיב וימצאם מאה וחמשים אלף גרים ואמרו גדול קדוש השם מחלול השם בחלול השם כתיב לא תלין נבלתו על' עץ ובקדוש השם

רלב"ג

אחד מהכהנים ובחרו דוד לתת לו כל מתנותיו: (א) על אשר המית את הגבעונים. ידמה שבכלל המית מהם בקנאתו לבני ישראל ויהודה כמו שזכר אחר זה ובקש להכותם כלם והשמידם מהתילך בכל גבול ישראל כי הוצרכו לברוח ולחשוב בעצה זה בעבור ההתכולה אשר הכיאו בה נשיאי ישראל להשבע להם כמו שנזכר בספר יהושע:

מצודת דוד

ובני דוד כהנים היו (לעיל ח) או שהעמידו למשוח מלחמה במקום לדוק כשישמש בכהונה גדולה בימי שלמה ובדברי רבותינו ז"ל שהיה מבגר לו מתנותיו:

כא (א) ויבקש דוד וגו'. שאל באורים: אל שאול. אחז"ל על העון הנעשה בשאול שלא נספד לפי כבודו שמהרו לקוברו בהלכה: ואל בית הדמים. ועל מה שהיו בית שאול בית הדמים כי דם שפך ולא מיחו בו ישראל וחוזר ומפרש מהו הדם ששפך ואמר על אשר המית את הגבעונים כי כשהרג כהני נוב הרג אז גם הגבעונים שהיו בה חוטבי עצים ושואבי מים לבית ה' אבל מה שהמית כהני נוב לא יכלו למחות בו כאמרו שמרדו בו והיו בקושרים

And David sought the face of the Lord. And the Lord said: "(It is) for Saul, and (also) for his bloody house, because he

Commentary Digest

able by famine (See Deut. 18:17, Jer. 3:2, and Num. 35:33). After his investigation failed to produce any incident relating to any of the three, he proceeded to inquire of the Urim and Tumim.

sought the face of the Lord — Inquired of the Urim. — D.

it is for Saul — It is "*for the wrong* (done) *to Saul, for he was buried suddenly and secretively since the people of Jabesh Gilead smuggled him out and buried him without eulogizing him in a manner befitting him.*" — R from T.B. Yeb. 78b. According to P.E. ch. 17, Saul was further wronged by being denied burial in the land of Israel.

and (also) for his bloody house— "*For having killed Nob the priestly city* (*I Sam.* 22:19). — R. from T.B. Yeb. *loc. cit.*

because he put to death the Gibeonites. — "*When he* (*Saul*) *murdered the priestly city of Nob he killed seven of them* (*Gibeonites*); *two wood cutters and two water drawers, an attendant, a carrier, and a scribe. In this manner it is explained in the Palestinian Talmud, Tractate Sanhedrin.*" — R from T.P. San. ch. 6; h. 7. The Gibeonites, relegated to servitude by Joshua ('And Joshua made them on that day hewers of wood and drawers of water for the congregation, and for the altar of the Lord.' — Josh. 9:27.), were placed in the service of the priest. Hence when Saul destroyed the city of Nob some of the Gibeonites that were in their employ were also killed. The Midrash cites the death of seven Gibeonites in order to explain why they sought to kill the precise number of seven of Saul's descendants. See below v. 6.

"*But our rabbis* (i.e. of T.B.) *stated, since he slew the priests who had provided them* (the Gibeonites) *with food, scripture considers it as though he had slain them.*" — R from T.B. B. Ka 119a. This declaration of the moral responsibility of man for any incidental result of his deeds, is a theme commonly found in Talmudic literature. See, as an example T.B. Sab. 56b.

"*Now do not wonder that the Holy One Blessed is He demands his honor and* (simultaneously) *demands punishment for his sin, for so it is written: 'that have executed his judgment* (אשר משפטו פעלו — Zeph. 2:3).' *Where there is found his judgment, there can also be found his execution* (lit. his work, his good deeds)." — R from T.B. Yeb. 78b. G-d does not balance virtue against sin by allowing one to conceal the other, but rewards and punishes separately for each of man's deeds. — Pidanki.

הֵמִית אֶת־הַגִּבְעֹנִים׃ ב וַיִּקְרָא הַמֶּלֶךְ
לַגִּבְעֹנִים וַיֹּאמֶר אֲלֵיהֶם וְהַגִּבְעֹנִים לֹא
מִבְּנֵי יִשְׂרָאֵל הֵמָּה כִּי אִם־מִיֶּתֶר
הָאֱמֹרִי וּבְנֵי יִשְׂרָאֵל נִשְׁבְּעוּ לָהֶם
וַיְבַקֵּשׁ שָׁאוּל לְהַכֹּתָם בְּקַנְאֹתוֹ לִבְנֵי־

תרגום

גִבְעוֹנָאֵי : ב וּקְרָא מַלְכָּא לְגִבְעוֹנָאֵי וַאֲמַר לְהוֹן וְגִבְעוֹנָאֵי לָא מִבְּנֵי יִשְׂרָאֵל אִינוּן אֱלָהֵין מִשְּׁאַר אֱמוֹרָאֵי וּבְנֵי יִשְׂרָאֵל קַיָּמוּ לְהוֹן וּבְעָא שָׁאוּל לְקַטָּלוּתְהוֹן בְּדִקְנֵי לִבְנֵי יִשְׂרָאֵל

ת"א והגבעונים לא . יבמות פח (סנהדרין כג קידושין עה) :

מהר"י קרא

הגבעונים : (ב) ויקרא המלך לגבעונים ויאמר אליהם . כן וכן נאמר לי שאפייס אתכם ואנקום נקמתכם מבית שאול על אשר שפך שאול את דמכם והולך ומפרש מה ראה שאול להמיתם. שהגבעונים לא מבני ישראל המה . כי אם מיתר האמורי ובני ישראל נשבעו להם ובקש שאול להכותם בקנאתו לנקום נקמת בני ישראל ויהודה מן העמים וזה היה כשמלך על ישר' ויהודה לא אבה לקבל עליו שבועה שנשבעו להם נשיאי העדה בדורו על יהושע להחיותם . כשבא שאול אמר שבועה זו נשבעו נשיאים ראשונים להחיותם אינה חלה עלי מצוה היא לא תחיה כל נשמה כי החרם תחרימם ויגרשם שאול וישמידם מהתיצב בכל גבול ישראל ועבר על השבועה שנשבעו ראשונים וקבלו

רש"י

כ"ג) כאשר משפטם פעלו כך שניהו כיזמו': (ב) ויאמר אליהם · דברי ריצוי שיעברו על מדותיהם וימחלו לשאול ולביתו : והגבעונים לא מבני ישראל המה · כלומר והן הראו בעצמם מדת אכזריות שאינן מזרעו של אברהם אבינו ואינן ראויין לידבק בישראל ולכך גזר עליה' דוד שלא יבואו בקהל. אמר שלשה סימנין יש באומ' זו רחמנים וביישנים וגומלי חסדים מי שיש בו שלשה סימנים הללו ראוי לידבק בו : נשבעו להם . בימי יהושע כשנתנום חוטבי עצים ושואבי מים למזבח : בקנאתו לבני ישראל · בתתו לב לנקות ולטהר את ישראל ולעשות צרכיהם בקש להורגם וקנא' זו לטובה כמו המקנא אתה לי (במדבר י"א כ"ט) וכן בקנאו לה' דיהוא זה פשוטו . ולפי מדרשו לא אמר להרוג אלא את הכהנים וקנאה זו האמורה כאן אינה לטובה כי אם לרעה

רד"ק

כתיב ויהיו תלויי' מתחלת קציר עד נתך מים עליהם מלמד שהיו תלויים מי"ו בניסן עד י"ז במרחשון ועוד אמרו למה בקשו כמנו שבעה אנשים כי שבעה אנשים הרגו מהגבעונים עם הכהנים שני חוטבי עצים ושני שואבי מים ושמש וחזן וסופר . ולפי פשט הפסוקים נראה כי לא נאמר דבר הגבעונים על נוב עיר הכהנים שהרגם שאול בכלל הכהנים שהרי אמרו האיש אשר כלנו ואשר דמה לנו נראה כי להם לבדם כלה ודמה ועוד שאמר בקנאותו לבית ישראל ויהודה שגזר שלא יהיו הגבעונים חוטבי עצים ושואבי מים לבית ה' כי אמר מוטב שיהיו מישראל שמשים לפני ה' ועוד מפני שרמו את ישראל וגנבו את דעתם ובטעות נשבעו להם נשיאי העדה וקנא שאול בדבר זה והרג מהם וגירש מהם הנשארים שלא ישבו בארץ ישראל וזהו שאמר נשמדנו מהתיצב בכל גבול ישראל ואע"פ שנראה כי לכוונה טובה עשה זה שאול נענש על המעשה הזה כי יהושע נביא ה' נתנם להיות חוטבי עצים ושואבי מים לבית ה' וכדי לקיים השבועה שנשבעו להם לא רצה להרגם אע"פ שבטעות נשבעו להם כדי שלא יהיה בדבר חלול ה' כי יאמרו השומעים הנה נשבעו להחיותם ואח"כ הרגום אין שבועת ה' חשובה בעיניהם ויהיה בדבר חלול השם וכ"ש בימי שאול שהרי כמה דורות היה להם שנשתקעו בישראל שהיה בהריגתם חלול השם גדול ושאול לא חשש לחלול השם על השבועה לפיכך נענש זרעו בדבר זה וא"ת מפני מה נענש זרעו במה שחטא הוא יתכן כי אלו הבנים היו מההורגים הגבעונים גם יתכן כי לא היו אלה השבעה מההורגים שהרי קטנים היו אז כי שאול לא מלך אלא שתי שנים ומירב נתנה לעדריאל לאשה מעת שחשב לתתה לדוד ואם נאמר כי קודם מלכות שאול נתנה לעדריאל וחשב שאול להכריחו לגרשה לתתה לדוד זה רחוק אבל זה העונש לא היה מידי אדם כי כשאמר הכתוב לא יומתו אבות על בנים ובנים לא יומתו על אבות לא אמר אלא במיתה בידי אדם שאין לב"ד לענוש האב על הבן ולא הבן על האב אבל בידי שמים כתיב פוקד עון אבות על בנים וגו' והוא כשהבנים אינם צדיקים כמו שאמרו כשאוחזין מעשה אבותיהם בידיהם וזו המיתה אע"פ שהיתה בידי אדם במצות האל היתה והרי היא כמיתה בידי שמים ומה שאמר ויחמול המלך על מפיבשת כיון שלא בקשו הגבעונים אלא שבעה מבני שאול והיו בהם שבעה זולתי מפיבשת חמל עליו על השבועה אשר היתה בינו ובין יהונתן ולא נתנו בידם ועוד כי נראה לו שהיה טוב מהאחרים ואין ראוי ליפול עליו עונש שאול זה הוא הנראה בעיני בענין הזה : (ב) ויאמר אליהם . אמר להם מה רצונם שיעשה להם כמו שאמר מה אעשה לכם והפסיק הענין לפרש מה היה ענין תלונתם ופי' גם כן שהיו מיתר האמורי ולא מבני ישראל שיחמולו על דמם ואמר והגבעונים לא מבני ישראל המה ורז"ל כל שאינו מקבל פיוס אינו מבני ישראל שנא' והגבעונים לא מבני ישראל המה: ויבקש שאול להכותם. פי' והכם וכן להרגו בערמת והרגו לשכב את בת יעקב ושכב : בקנאותו . כבר פירשנוהו :

מצודת ציון

כא (ב) בקנאתו . ענין כעס כמו הם קנאוני בלא אל (דברים לב) :

מצודת דוד

עם דוד : (ב) ויאמר אליהם . דברי ריצוי למחול הדבר לבני ישר' ולבקש אותם לא נקבול ולעורר דין עליהם: לא מבני ישראל המה. ר"ל לא חמלו עליהם על כי לא היו מבני ישראל כ"א מיתר האמורי ולאויבים המה לישראל : ובני ישראל נשבעו להם . ר"ל עם שהתורה אמרה על אנשי האמורי לא תחיה כל נשמה עכ"ז בע"כ החיו אותם כי בני ישראל נשבעו להם בימי יהושע להחיותם: ויבקש שאול להכותם . בקש להרוג את כולם בעת אשר קנא לכעוס על ישראל ויהודה על מה שלא גלו אזנו בדבר מרידת דוד ומלא אז פילה עליהם לומר שגם הם ידעו ממרידת דוד בהיותו בעירם בנוב ולזה בקש להכות את כולם ולא עלתה בידו והרג מקלהם והנשארים

put to death the Gibeonites." 2. And the king called the Gibeonites and said to them — now the Gibeonites were not of the children of Israel, but of the remnant of the Amorites; and the children of Israel had sworn to them; but Saul (nevertheless) sought to slay them in his zeal for the sake of the children

Commentary Digest

2. *and he said to them* — "*Words of appeasement in order that they forgo retaliation and pardon Saul and his household.*" — R.

Now the Gibeonites were not of the children of Israel — "*That is, they exhibited the characteristic of being merciless* (which gave indication) *that they are not of the seed of Abraham. As a result David decreed upon them that they may not enter the* (Israelite) *community. He said: 'This* (Israelite) *nation possesses three signs; they are compassionate, they are bashful, and they are benevolent.* (Only) *whosoever possesses these three virtues is worthy of joining it.*" — R from T.B. Jeb. 79a.

Ginsburg explains that the Gibeonites' actions exhibited that they lacked all three Israelite virtues. Had they been compassionate they could not have sought vengeance; had they been bashful they could not have made such an ignoble request, and had they been benevolent, upon recognizing that they were the cause of such widespread suffering they would have forgiven the House of Saul and put an immediate end to the draught.

had sworn to them — "*In the days of Joshua when they were appointed wood cutters and water drawers for the altar.*" — R.

in his zeal for the sake of the children — "*When he made up his mind* (lit his heart) *to cleanse and purify Israel and to provide for their needs, he sought to kill them. Now the* קנאה *of the verse is meant in a positive sense, similar to: 'are you zealous for my sake* (*Num.* 11:29)' *or: 'my zeal for God* (2 Kings 10:16)' mentioned in connection with *Jehu. This is the simple explanation. According to the Midrashic explanation, however, he commanded only to kill the priests* (but was blamed for the death of the Gibeonites because the priests provided for them. Had he desired to kill the Gibeonites directly we may be able to attribute to Saul the positive motive of attempting to purge Israel of all impure elements. However, according to this explanation, that he decreed to kill only the priests and only indirectly caused death to the Gibeonites, we cannot attribute any noble motive for the murder of the priests, and must therefore interpret קנאה in its negative sense), *thus the envy stated here is not for good but for bad. He knew that his kingdom would be discontinued from the day he failed to heed the com-*

יִשְׂרָאֵל וִיהוּדָה: ג וַיֹּאמֶר דָּוִד אֶל־
הַגִּבְעֹנִים מָה אֶעֱשֶׂה לָכֶם וּבַמָּה
אֲכַפֵּר וּבָרְכוּ אֶת־נַחֲלַת יְהוָה: ד וַיֹּאמְרוּ
לוֹ הַגִּבְעֹנִים אֵין־לִי כֶּסֶף וְזָהָב עִם־
שָׁאוּל וְעִם־בֵּיתוֹ וְאֵין־לָנוּ אִישׁ לְהָמִית
בְּיִשְׂרָאֵל וַיֹּאמֶר מָה־אַתֶּם אֹמְרִים
אֶעֱשֶׂה לָכֶם: ה וַיֹּאמְרוּ אֶל־הַמֶּלֶךְ
הָאִישׁ אֲשֶׁר כִּלָּנוּ וַאֲשֶׁר דִּמָּה־לָנוּ

לנו קרי

תרגום

וִיהוּדָה: ג וַאֲמַר דָּוִד
לְגִבְעוֹנָאֵי מָה אַעְבֵּיד
לְכוֹן וּבְמָה אֶתְכַּפַּר
וּבָרִיכוּ יַת אַחְסָנַת עַמָּא
דַיָי: ד וַאֲמַרוּ לֵיהּ
גִּבְעוֹנָאֵי לֵית אֲנַחְנָא
צְרִיכִין לְמִיסַב כְּסַף
וּדְהַב מִן שָׁאוּל וּמִן
בֵּיתֵיהּ וְאַף לָא אֱנָשׁ
לְמִקְטַל בְּיִשְׂרָאֵל וַאֲמַר
מָה אַתּוּן אָמְרִין אַעְבֵּיד
לְכוֹן: ה וַאֲמַרוּ לְמַלְכָּא
גַּבְרָא דְשֵׁיצְיָנָא וּדְחַשֵּׁב
לָנָא אִשְׁתֵּיצָיָנָא
מלמידר

ה"א ויאמר דוד. יבמות עט׳ אין לנו כס׳

רש"י

שידע שלא תמשך מלכותו מיום שלא שמר מלות הקדוש ב"ה בעמלק ומאז נתקנא בהם: (ג) וברכו את נחלת ה׳. התפללו עליהם: (ד) אין לנו כסף וזהב עם שאול. כי אם נפשות בקש לפייסם בממון ולא רצו אמר שמא הם מתביישין זה מזה הלך ופיים כל אחד וא׳ לעצמו ולא נתפייסו לכך כתיב אין לי כסף וזהב וגו׳ לשון יחיד. זו ראיתי בירושלמי: ואין לנו איש להמית. בכל שאר בני ישראל שלא הטאו לנו: (ה) ואשר דמה לנו נשמדנו. אשר אמר כלנו שנשמדנו על ידו מהתילב וגו׳ שחשב להשמידנו: דמה לנו.

מהר"י קרא

שבועה זו עליהם ועל בניהם להחיותם לדורות: (ג) ויאמר דוד אל הגבעונים מה אעשה לכם. ובמה אכפרה פניכם על דבר שעשה לכם שאול: וברכו את נחלת ה׳. התפללו שירפא אלהים לארץ ליתן מטר עליה: (ד) ויאמרו לו הגבעונים אין לנו כסף וזהב עם שאול ועם ביתו. פתר׳ אילו נטל ממנו כסף וזהב או שאול או ביתו ואתה בא לפיים אותנו על כך היינו אומרים ישיבו לנו בני ביתו הגזילה שגזלו ממנו או העושק אשר עשק ממנו. ואנו היינו מתפייסים. אבל על שפיכת דמים שכלתה אותנו חרב שאול כמו שמפרש בסמוך האיש אשר כלנו ואשר דמה לנו נשמדנו. היאך נתפיים בכסף ובזהב או נתפלל ויעתר אלהים לארץ ולארץ לא יכופר לדם אשר שופך בה כי אם בדם שופכו. ואם תאמר שפכי גם אתם דמי בניו ויכופר לארץ לכך נאמר אין לנו איש להמית בישראל. פתר׳ אין כח בידינו להמית איש בישראל שאנו נתונים חוטבי עצים ושואבי מים. ואילו היינו אומרים לך תנה לנו לשפוך דמי בניו ונפיים יודעים אני בך שלא תשמע לנו על כך: ויאמר. המלך: מה אתם אומרים. תנה לנו בני שאול להמיתם אני נותן: (ה) ויאמרו אל המלך האיש אשר כלנו. בחרבו:

רד"ק

(ד) אין לי כסף וזהב. לי כתיב וקרי לנו והענין אחד כי כן דרך המקר׳ לדבר בל׳ רבים פעם בל׳ כלל פעם ל׳פרט. ויש בו דרש שבקש מהם שימחלו דם אחיהם ויתן להם ממון ולא רצו אמר דוד אבקש מכל אחד לבדו שמא הם מתביישין זה מזה לקחת

מצודת דוד

בלחו לנפשם: (ג) מה אעשה לכם. מהו המשפט שאעשה בעבורכם. ובמה אכפר לבטל מכם הכעס אם בנקיחת נקם אם בממון: וברכו. בכדי שתברכו והתפללו על נחלת עם ה׳ אשר הארץ תתן יבולה: (ד) אין לנו כסף וגו׳. ר"ל לא נקח מי מידינו כלום לשנבקש כסף וזהב ואין לנו דבר עם ישראל להמית מהם איש: מה אתם אומרים. ר"ל ומה המשפט שאתם חפצים אמרו נא ואעשנה: (ה) האיש. משפט האיש אשר כלה אותנו מהארץ היא וחשב להכות אותנו ועי"ז נשמדנו מלהתילב בכל גבול ישראל כי

מצודת ציון

(ג) אכפר. ענין בטול הרוגז כמו אכפרה פניו (בראשית לב): (ה) דמה. חשב כמו אותי דמו להרוג (שופטים כ): נשמדנו. מלשון השמדה וכליון:

of Israel and Judah. 3. And David said to the Gibeonites, "What shall I do for you? And with what shall I make atonement so that you shall bless the inheritance of the Lord?" 4. And the Gibeonites said to him, "We have no [matters] of silver and gold with Saul, or with his house, and we [care not] to put to death any man in Israel." And he said, "What do you request [that] I shall do for you?" 5. And they said to the king, "The man who consumed us and who plotted [against] us

Commentary Digest

mand of the Holy One Blessed Is He concerning the Amalekites, and there upon became jealous of them (the priests who had harbored David)." — R from T.B. Job. 78b.

3. *And David said to the Gibeonites* — If the oracles notified David that the famine resulted from, (a) the failure to grant Saul decent burial, and (b) because of the breach of Joshua's promise to the Gibeonites, why did David undertake to rectify these wrongdoings in the reverse order, by first appeasing the Gibeonites and then relocating Saul's body? Pidanki answers that David judged from the nature of the punishment, a famine, that it resulted primarily from the cutoff of the Gibeonites' food supply, for it is G-d's nature to offer retribution-in-kind. See T.B. San. 90a.

bless the inheritance of the Lord — So that you shall *"pray for them"* that the famine come to an end. — R and J.K.

4. *We have no matters of silver and gold* — *"Only of lives. He sought to appease them with money but they refused. He said* (to himself), *'Perhaps they are ashamed before one another* (to consent to take money) *He therefore went and appeased each one individually but they nevertheless refused to be appeased. It is on account of this that it is written, 'I have no matters of silver and gold etc., in singular form. This I have seen in the Jerusalem Talmud."* — R from T.P. San. ch. 6 h. 7. and Num. R. 8:4.

This incident cited by the Jerusalem Talmud tends to indicate just how merciless the Gibeonites were, for despite their enormous poverty they refused a substantial ransom and insisted on the murder of Saul's descendants. — Rabinowitz.

and we (care not) to put to death — *"any of the other people of Israel who have not wronged us."* — R.

5. *and who devised against us that*

נִשְׁמַדְנוּ מֵהִתְיַצֵּב בְּכָל־גְּבֻל יִשְׂרָאֵל׃
ו יֻנַּתַן־לָנוּ שִׁבְעָה אֲנָשִׁים מִבָּנָיו
וְהוֹקַעֲנוּם לַיהוָה בְּגִבְעַת שָׁאוּל בְּחִיר
יְהוָה * וַיֹּאמֶר הַמֶּלֶךְ אֲנִי אֶתֵּן׃ ז וַיַּחְמֹל
הַמֶּלֶךְ עַל־מְפִיבֹשֶׁת בֶּן־יְהוֹנָתָן בֶּן
שָׁאוּל עַל־שְׁבֻעַת יְהוָה אֲשֶׁר בֵּינֹתָם
בֵּין דָּוִד וּבֵין יְהוֹנָתָן בֶּן־שָׁאוּל׃ ח וַיִּקַּח
הַמֶּלֶךְ אֶת־שְׁנֵי בְּנֵי רִצְפָּה בַת־אַיָּה
אֲשֶׁר יָלְדָה לְשָׁאוּל אֶת־אַרְמֹנִי וְאֶת־
מְפִבֹשֶׁת וְאֶת־חֲמֵשֶׁת בְּנֵי מִיכַל בַּת־

מִלְמֵיקַם בְּכָל תְּחוּם אַרְעָא דְיִשְׂרָאֵל׃
ו יִתְיַהֲבוּן לָנָא שִׁבְעָא גֻּבְרִין מִבְּנוֹהִי וְנִצְלְבִינּוּן קֳדָם יְיָ בְּגִבְעֲתָא דְשָׁאוּל בְּחִירָא דַיְיָ וַאֲמַר מַלְכָּא אֲנָא אֶתֵּן׃
ז וְחָס מַלְכָּא עַל מְפִיבֹשֶׁת בַּר יְהוֹנָתָן בַּר שָׁאוּל עַל שְׁבוּעֲתָא דַיְיָ דְבֵינֵיהוֹן בֵּין דָּוִד וּבֵין יְהוֹנָתָן בַּר שָׁאוּל׃
ח וּנְסֵיב מַלְכָּא יָת תְּרֵין בְּנֵי רִצְפָּה בַּת אַיָּה דִילֵידַת לְשָׁאוּל יָת אַרְמוֹנִי וְיָת מְפִיבֹשֶׁת וְיָת חַמְשַׁת בְּנֵי מֵרַב

ת"א יותן לנו גם (סנהדרין מג קידושין סה) והוקענום לה' ברכות יב סנהדרין לד: ויחמול המלך יבמות עט: שני בני רצפה. גם סנהד' יט:

יתן קרי פב"פ

מהר"י קרא

ואשר דמה לנו. פת' ואשר השחית אותנו. כמו גם מדמן תדמו אחריך הלך חרב. וכמו הדמין תתעבדון דנבוכדנצר: (ו) והוקענים. ונצלובינון. שתוקע שתי יתידות בארץ זה כנגד זה. ומתקן עליהם צליבא לתלות בה את החייב בתלייה: (ז) ויחמל המלך על מפיבשת. שלא נתן בידם. שלבד מפיבשת נמצאו שם שבעה מבני שאול: (ח) ואת חמשת בני מיכל בת שאול אשר ילדה לעדריאל בן ברזילי המחולתי. מירב ילדה ומיכל גדלה ונקראו על שמה. וכן ת"י וית חמשא בני מירב

רש"י

חשב עלינו להשמידנו: (ו) והוקענום. תלייה: לה'. לשמו של מקום להודיע משפטו: בחיר ה'. בת קול יצאה ואמרה בחיר ה': (ז) ויחמול המלך. בקש רחמים שלא יקלטנו הארון שהעבירם לפני הארון כל שהארון קולטו למיתה: (ח) בני מיכל בת שאול אשר ילדה לעדריאל. וכי מיכל ילדה והלא מירב ילדה לו אלא מירב ילדה ומיכל גדלה

רלב"ג

(ו) והוקענום. הוא מענין תלייה כי בה יתקע הנפש מהגתלה בזולת נכה וחבורה: (ח) ואת חמשת בני מיכל בת שאול אשר ילדה לעדריאל. ידוע כי עדריאל היה בעל מירב אחות מיכל כמו שקדם ולזה הוא מבואר כי לא היו אלו בני מיכל ועוד שהרי אמר במה שקדם ומיכל בת שאול לא היה לה ולד עד יום מותה ולזה הוא מבואר שהרצון

רד"ק

ממון בדבר זה ועשה כן וכל אחד אמר לו אין לי כסף וזהב עם שאול ועם ביתו: (ו) ינתן לנו. כן כתיב וקרי יתן ושניהם ענין אחד אך כי הכתיב ינתן מבנין נפעל והקרי יתן מבנין הפעל ויש מעט הפרש ביניהם כי פי' הכתוב ינתן אע"פ שלא תתנו אותם הקב"ה יפרע לנו מהם ופי' הקרי יתן שתתנו אותם: והוקענים. ונתלה אותם כתרגום וניצלובינון ובקשו לחם זו הכיתה כדי שיראו כל ישראל נקמתם וישמרו ישראל מנגוע בהם עוד: לה'. להודיע משפטו כי הוא רוצה לנקום נקמתינו מהם: בחיר ה'. שהאל בחרו למלך. ובדרש הם לא אמרו בחיר ה' אלא בת קול יצתה ואמרה בחיר ה' כלומר שנתכפרו לו עוונותיו: (ז) ויחמל המלך. כבר פירשנוהו: (ח) את ארמוני. ברי"ש: בני מיכל. בני מירב היו אלא שמיכל גדלה אותם ונקראו על שמה כענין שנ' יולד בן לנעמי וכן הוא תרגום בני מירב דרביאת מיכל וכה"א אשר ילדה לעדריאל ומירב היא שהיתה אשת עדריאל לא מיכל כמו שכתיב על מירב והיא נתנה לעדריאל חמחולתי וכן כתוב אלה תולדות

מצודת ציון

(ו) והוקענים. ענין תליה כמו והוקע אותם לה' (במדבר כה): (ז) בינותם. כמו ביניהם:

מצודת דוד

בע"כ ילאנו ממנה למלט את נפשותינו: (ו) יתן לנו. משפט הראוי הוא שיתן לנו שבעה אנשים מבניו נפש תחת נפש כי שבעה אנשים הרג שאול מהגבעונים כן אמרז"ל: לה'. בעבור ה' כי ישראל נשבעו בה' להחיותם וכאשר שאול ועבר על השבועה: בגבעת שאול. מקום עיר מלכותו למען ידעו הכל אשר בניו המה: בחיר ה'. אמרז"ל הם אמרו בגבעת שאול ובת קול יצאה ואמרה בחיר ה' הוא: אני אתן. לא תבחרו אתם כ"א אני והיתה כונתו לחמול על מפיבושת: (ז) בן יהונתן. ר"ל בעבור שהיה בן יהונתן ראוי לחמול עליו כי לא היה מדעת יהונתן להרוג את הגבעונים ובעבור דוד כי אוהב היה לדוד על כי היה שבועת ה' ביניהם וחוזר ומפרש בין דוד וגו': (ח) בני מיכל. הנה מיכל לא ילדה אף לא היתה נשאת לעדריאל כ"א מירב אחותה והיא ילדתם ומיכל אחותה גדלתם ובעבור זה נקראו על שמם:

Commentary Digest

gests instead, that because of the great profanation of God's name (חילול השם) caused by the failure to heed the promise made to the Gibeonites, it was permissible to sanctify God's name by offering up Saul's descendants. This is based on the principle of עת לעשות לה' הפרו תורתיך, that in time of great religious crisis we may temporarily set aside a law of the Torah. Compare with R below v. 10.

that we be destroyed from remaining within any of Israel's borders. 6. Let there be delivered to us seven men from among his sons, and we will hang them for (the sake of) the Lord in Givath Saul, the chosen of the Lord." And the king said, "I shall deliver (them)." 7. But the king took pity on Mephibosheth, the son of Jonathan the son of Saul, because of the Lord's oath that was between David and Jonathan the son of Saul. 8. And the king took the two sons of Rizpah the daughter of Ayah, whom she bore to Saul, Armoni and Mephibosheth; and the five sons of Michal the

daughter of

Commentary Digest

we be destroyed — "who planned in his heart, by whom we have been destroyed from remaining etc.', i.e., who devised to destroy us." — R.

devised against us — "He devised against us to destroy us." — R. and Z.

6. *seven men* — In place of the seven Gibeonites who had been killed during the attack on the priestly city of Nob. (See R. above v. 1). A does not attach any significance to the Gibeonite request for seven of Saul's descendants but suggests that the seven represented all the known survivors of the House of Saul other than Mephibosheth, whom they knew David would not relinquish because of his close friendship with his father Jonathan.

"hang them" — R, G and D. Considering the previously cited halacha (Above 20:22) that it is prohibited to surrender the life of one individual in order to save others, how was David able to surrender these seven men in order to save the Israelite people from famine? Furthermore, does not this entire episode contradict the Torah's principle that sons shall not be taken to task for the crimes of their fathers? A suggests that these set of laws apply only to humanly administered justice. Here however, because David had been commanded by God to rectify the injustice committed against the Gibeonites, it was as if the heavenly courts took the responsibility for their fate. Alschich, rejects A's implication that the heavenly courts are not bound to the human code of justice, and sug-

שָׁאוּל אֲשֶׁר יָלְדָה לְעַדְרִיאֵל בֶּן־בַּרְזִלַּי
הַמְּחֹלָתִי׃ ט וַיִּתְּנֵם בְּיַד הַגִּבְעֹנִים
וַיֹּקִיעֻם בָּהָר לִפְנֵי יְהוָה וַיִּפְּלוּ שְׁבַעְתָּים
יָחַד וְהֵם הֻמְתוּ בִּימֵי קָצִיר בָּרִאשֹׁנִים
*תְּחִלַּת קְצִיר שְׂעֹרִים׃ י וַתִּקַּח רִצְפָּה
בַת־אַיָּה אֶת־הַשַּׂק וַתַּטֵּהוּ לָהּ אֶל־
הַצּוּר מִתְּחִלַּת קָצִיר עַד נִתַּךְ־מַיִם
עֲלֵיהֶם מִן־הַשָּׁמָיִם וְלֹא־נָתְנָה עוֹף
הַשָּׁמַיִם לָנוּחַ עֲלֵיהֶם יוֹמָם וְאֶת־חַיַּת

דִּרְבִיאַת מִיכַל בַּת
שָׁאוּל דִּילֵידַת לְעַדְרִיאֵל
בַּר בַּרְזִילַי דִּמְחוֹלוֹת׃
ט וּמְסַרִינוּן בִּידָא
דְגִבְעוֹנָאֵי וּצְלוֹבִינוּן
בְּטוּרָא קֳדָם יְיָ וּנְפַלוּ
שִׁבְעַתְהוֹן כַּחֲדָא וְאִינוּן
אִתְקְטַלוּ בְּיוֹמֵי חַצְדָא
בְּקַדְמָאִין בְּשֵׁרוּיוּת חֲצַד
סְעוֹרִין׃ י וּנְסִיבַת רִצְפָּה
בַּת אַיָּה יָת סַקָּא
וּפְרַסְתֵּיהּ לַהּ עַל טִנָּרָא
מִשֵּׁרוּיוּת חַצְדָא עַד
דִּנְחָתַת מִטְרָא עֲלֵיהוֹן
מִן שְׁמַיָּא וְלָא שַׁבְקַת
עוֹפָא דִשְׁמַיָּא לְמִנַּח
עליהון

יתיר י׳ והמה קרי בתחלת קרי

רש״י

לפיכך נקראו על שמה שהמגדל יתום ויתומה בתוך ביתו כאלו ילדה ונקרא על שמו: (ט) בתחלת קציר. בימי ניסן: (י) עד נתך מים. בימות הגשמים בתשרי שלא נתנו לקבור׳ והלא כתיב לא תלין נבלתו (דברים כ״א כ״ב) אלא אמרו מוטב תיעקר אות אחת מן התור׳ ויתקדש שם שמי׳ בפרהסיא שהיו עוברין ושבין של אלו אומרים להם מה טיבן של אלו אומרים מה עשו פשטו ידם בגרים גרורים אומרים

מהר״י קרא

דרביאת מיכל בת שאול: (ט) והם הומתו בימי קציר בראשוני׳ בתלת קציר שעורים: (י) ותקח רצפה בת איה את השק ותטהו לה אל הצור מתחלת קציר עד נתך מים עליהם מן השמים. שכן צוה המלך דוד שלא יורידום מן העץ אשר נתלו עליו עד שירדו גשמים לעולם. אע״פ שכתוב בתורה לא תלין נבלתו על העץ כי קבור תקברנו ביום ההוא. מאחר שרעב זה על

רד״ק

אהרן ומשה ולא זכר אלא בני אהרן אלא שמשה גדלם ולמדם כאלו הם תולדותיו: (ט) לפני ה׳. כי הארון היה שם ואורים ותומים כשנתקבצו דוד וישראל לשאול את ה׳ על הרעב ולא נפרדו משם עד שקראו לגבעונים ונגמר המעשה: ויפלו שבעתים. ביו״ד כתיב ר״ל שתי פעמים שבעה כמו שבעתים יוקם קין ואמר שבעתים לפי שלא נשאר מהם זרע כן נדרש הכתוב ודרש אחר אומר על מפיבושת בן יהונתן שחסר מהן והקרי הוא שבעת׳ ר״ל הם השבעה כמו ויצאו שלשת׳ הם השלשה ומה שאומר שנפלו יחד כי יחד הוקעו והנפילה היא היא המיתה: והם. כתיב וקרי והמה ושניהם א׳ וכבר כתבתי בזה ובדומיה׳ כי נסחאות נמצאו אחר הגלות והלכו בקריאת אחר הרוב וכן כתיב תחלת קציר שעורים וקרי בתחלת כתיב תלום שם הפלשתים וקרי תלאום שמה פלשתים ושניהם ענין אחד: בראשונים. בימים הראשונים של קציר שעורים כמו שפירש בתחלת קציר שעורים: (י) ותטהו לה אל הצור. על הצור היו נתלים כמו שאמר ויוקיעום בהר והטתה השק אל הצור לחתכסות תחתיו יום ולילה. ובדרש מה ותטהו לה אל הצור. שאמ׳ הצור תמים פעלו שהצדיקה עליה את הדין:

מצודת דוד

(ט) בהר. אשר בגבעת שאול: לפני ה׳. כרשותו כי העמידום לפני הארון וכלכדו כן ארז״ל: ויפלו. הומתו כאחד: בראשונים. בימים הראשונים מימי הקציר והו״ר ומפרש בתחלת קציר השעורים שהם נקצרים ראשון לכל קציר: (י) ותטהו לה. נטתה ופרשה לעצמה את השק לשבת תחתיו לשמור התלוים מן החיות והעופות: הצור. הוא ההר שנתלו בו: עד נתך מים. שמרה אותם מעת נתלו עד נתך המים עליהם כי אז הורידום והשגח׳ המקום יהד גשם מעט למען יורידום ולמען דעת אשר בעון אשר לאחר שנעשה משפט התחילו הגשמים כאומם אשר היתה עצירת הגשמים בעון

מצודת ציון

(ט) ויוקיעום. ותלאום: שבעתים. מלשון שבע: (י) השק. יריעה עבה: הצור. הסלע: נתך. נשפך כמו ומטר לא נתך ארצה (שמות ט): לנוח. ר״ל להתעכב:

Commentary Digest

from bird and beast all the while they were left for public display. — D.

upon the rock — Upon the mountaintop where they were hanged. — D.

until water was poured upon them —Until the rains came and indicated that Israel's sins had been forgiven. — A. R, however, explains: "[*Until water etc.* —] *In the rainy season of Tishrei; for they were not given over for burial. But is is not written*: *'You shall not allow his body to remain overnight* (Duet. 21:22)'? *However, they said*: *It is preferable that one letter* (lav.) *of the Torah be uprooted so that the Divine Name be publicly hallowed, for when passersby would inquire*:

Saul, whom she bore to Adriel the son of Barzillai the
Meholathite. 9. And he delivered them into the hands of
the Gibeonites, and they hanged them in the mountain
before the Lord, and they fell all seven together. And
they were put to death in the days of the harvest, in the
first (days), at the beginning of the barley harvest. 10.
And Rizpah the daughter of Aiah took the sackcloth and she
spread it for her upon the rock, from the beginning of the
harvest until water was poured upon them from heaven;
and she allowed not the birds of the heaven to rest on them
by day, nor the beasts

Commentary Digest

for the sake of — *"For the Lord's name, in order to publicize His judgment."* — R based on T.B. Yeb. 78b and Num. R. 8:4.

chosen of the Lord — Whom the Lord has chosen as king. — K. It seems rather strange that the very people who despised him should give Saul this exalted title. R, citing T.B. Ber. 12b explains: *"A heavenly voice came forth and declared*: (He is) *the chosen of the Lord."* (Thereby testifying that Saul had been forgiven by G-d for all his sins. — K.) — R.

7. *took pity* — *"He begged that the ark should not clutch him; for he led them all in front of the ark, and those that the ark clutched* [*were selected*] *for death."* — R from T.B. Yeb. 79a. David could not spare Mephibosheth at the expense of another of Saul's descendants, and therefore had to pray that he not be one of those selected by the ark.

8. *the five sons of Michal* — *"Now did Michal bear them? Did not Merab bear them? We conclude that Merab bore them but Michal raised them and they therefore were called after her name; for one who raises an orphan in his house is as if he had begotten them and he is called* (or credited) *after his name."* — R from T.B. San. 19b.

9. *before the Lord* — Before the holy ark that was stationed there. — K.

all seven together — The 'ketib' שבעתים, literally two-fold seven, indicates that they died a two-fold death since none had left any children. — K. from

at the beginning of the barley harvest — *"In the days of Nissan."* — R.

10. *the sackcloth* — Perhaps a tent that was pitched over the bodies — Rabinowitz.

and she spread it — The bereaved mother spread a sackcloth to protect the bodies of her children

השדה לילה: יא ויגד לדוד את אשר־
עשתה רצפה בת־איה פלגש שאול:
יב וילך דוד ויקח את־עצמות שאול
ואת־עצמות יהונתן בנו מאת בעלי
יבש גלעד אשר גנבו אתם מרחב
בית־שן אשר תלום שם הפלשתים
ביום הכות פלשתים את־שאול
בגלבע: יג ויעל משם את־עצמות
שאול ואת־עצמות יהונתן בנו ויאספו
את־עצמות המוקעים: יד ויקברו את־
עצמות־שאול ויהונתן בנו בארץ
בנימן בצלע בקבר קיש אביו ויעשו
כל אשר־צוה המלך ויעתר אלהים

תרגום

עליהון ביממא וית חיות
ברא בליליא: יא ואתחוא
לדוד ית דעבדית רצפה
בת איה לחינתא
דשאול: יב ואזל דוד
ונסיב ית גרמי שאול
וית גרמי יהונתן בריה
מלות יתבי יבש גלעד
דגנבו יתהון משורא
דבית שן דצלבונון תמן
פלשתאי ביומא דקטלו
פלשתאי ית שאול
בגלבוע: יג ואסיק
מתמן ית גרמי שאול
וית גרמי יהונתן בריה
וכנשו ית גרמי צליביא:
יד וקברו ית גרמי שאול
ויהונתן בריה בארע
שבט בנימין בצלע
בקברא דקיש אבוהי
ועבדו כל דפקיד מלכא
וקביל יי צלותא דדיירי
ארעא

תלאום קרי שמה קרי פלשתים קרי

מהר"י קרא

שאול ועל בית הדמים על אשר המית את הגבעונים דין הוא שיהיו תלוים ועומדים עד ישוב ה' מחרון אפו ויוריד ויתן גשמים לארץ ויעתר אלהים לארץ. כך פתרתי אחר פשטן של מקראות ומדרשים דרשו רבות' במס' יבמות. וחדלתי לכותבו לפי שידוע לכל: (יד) ויעתר. פתר' קיבל התפלה:

רש"י

אין לך חומה ראויה לידבק בה כחומה זו: (יב) ויקח את עצמות שאול. שנאמר לו עליהם אל שאול שלא נספד כהלכה: (יג) ויאספו את עצמות. שבעת המוקעים כאן: (יד) כל אשר צוה המלך. להספיד עליהם בכל ערי

רלב"ג

כזה שככר גדלה אותם: (יד) ויעתר אלהי' לארץ אחרי כן. ר"ל אחר שלקחו נקמת הגבעונים מבני שאול וקברו עצמות שאול ויהונתן ועצמות המוקעים בקבר קיש אבי שאול כמו שצוה המלך והנה זכר המלך כי הגבעונים לא מבני ישראל המה לפי מה שבקשו מזה היה

רד"ק

(יא) ויגד לדוד. כי דבר גדול עשתה ומפני זה נכמרו רחמיו וצוה לקברם. ובדרש ראה כי אשת חיל היתה ולקחה לאשה וכבר כתבנו מה שפירשו רבותינו ז"ל כי היו נתלים מי"ו בניסן עד י"ז במרחשון שהוא זמן הגשמים וכל כך למה כדי שיתקדש שם שמים על ידיהם ונראה כי רצון האל היה בזה שיהיו מוקעים עד זמן גשמים כדי שיודע כי בעונם היה עצירת גשמים וכמה שאמר עד נתך מים עליהם ירדו גשמים מעט להודיע שיקברו אותם ואחר שקברו אותם נעתר האלהים לארץ וירדו גשמים הרבה כמ"ש ויעתר אלהים לארץ אחרי כן: (יד) בצלע.

מצודת ציון

(יב) בעלי. אדוני: (יג) המוקעים. התלואים: (יד) בצלע. שם מקום: ויעתר. ענין רצוי כמו ויעתר לו ה' (בראשית כה):

מצודת דוד

הגשמים לרדת: ולא נתנה. בעוד שהיו תלוים: (יב) וילך דוד. כשמוע החסד שעשתה רצפה עם המתים ואשר עדיין קיימים הם ולא נאכלו מן החיות והעופות לזה התעורר אף הוא לעשות חסד עמהם לקברם עם עצמות שאול ויהונתן: ויקח את עצמות שאול. על כי נאמר לו אל שאול שלא נספד כראוי כי נקבר בהחבא לזאת לקח עצמותיו לקברו בית בקבר אביו ולהספידו כראוי: מרחוב. ובסוף ס"א נאמר מחומת כי החומ' פתח להראות: (יג) ויעל משם. דוד העלה מיבש גלעד את עצמות וגו': המוקעים. אשר נתלו בגבעת שאול: (יד) ויקברו את עצמות שאול. עצמות

Commentary Digest

13. *and they gathered the bones* — "*Of the seven who were hanged here.*" — R.

14. *the sephulcre of Kish his father* — D. Cohen, in an article in Hadorom (Nissan 5732), cites Shulchan Aruch Yoreh Deah 363, halacha 1, that though it is forbidden to transfer bones from one grave to another, when it is done with the intent of transferring the body to the sephulcre of his fathers it is per-

of the field by night. 11. And it was told to David what Rizpah the daughter of Aiah, the concubine of Saul, had done. 12. And David went and he took the bones of Saul and the bones of Jonathan his son from the men of Jabesh-gilead, who had stolen them from the street of Beth-shan, where the Philistines had hanged them, on the day that the Philistines slew Saul in Gilboa. 13. And he brought up from there the bones of Saul and the bones of Jonathan his son; and they gathered the bones of those that were hanged. 14. And they buried the bones of Saul and Jonathan his son in the country of Benjamin in Zela, in the sephulcre of Kish his father; and they did all that the king commanded. And God was entreated

Commentary Digest

'Who are these'? They would say to them: "They are princes." "And what did they do?' 'They stretched out their hands against those who attached themselves but were [proselytes] not accepted. They would then say: 'There is no nation that one ought to join like this one." — R from T.B. Jeb. 79a and N.R. 8:4. As a result of this incident, one-hundred and fifty thousand gentiles became proselytized — *Ibid.*

11. *was told to David what Rizpah . . . had done*—Moved by her act of devotion to her children, he took pity and commanded that they be buried. —K. According to the Midrash, he was impressed by her noble manner and took her for a wife. — K from unknown source.

12. *and he took the bones of Saul* — After complying with the Gibeonite request, David proceeded to turn his attention to the second cause of the famine, the failure to provide Saul with decent burial, *"for he was told regarding them* (Saul and Jonathan): *It is for Saul, for he was not eulogized properly."* — R. D suggests that once he had decided to bury Saul's descendants, he proceeded to exhume the bones of Saul and Jonathan to bury them in the sephulcre of their fathers.

who had stolen them — Cf. I Sam. 31:12.

לָאָרֶץ אַחֲרֵי־כֵן: טו וַתְּהִי־עוֹד מִלְחָמָה לַפְּלִשְׁתִּים אֶת־יִשְׂרָאֵל וַיֵּרֶד דָּוִד וַעֲבָדָיו עִמּוֹ וַיִּלָּחֲמוּ אֶת־פְּלִשְׁתִּים וַיָּעַף דָּוִד: טז וְיִשְׁבּוֹ בְּנֹב אֲשֶׁר בִּילִידֵי הָרָפָה וּמִשְׁקַל קֵינוֹ שְׁלֹשׁ מֵאוֹת מִשְׁקַל נְחֹשֶׁת וְהוּא חָגוּר חֲדָשָׁה וַיֹּאמֶר לְהַכּוֹת אֶת־דָּוִד: יז וַיַּעֲזָר־לוֹ אֲבִישַׁי בֶּן

אַרְעָא בָּתַר כֵּן: טו נְהַוַת עוֹד קְרָבָא לִפְלִשְׁתָּאֵי עִם יִשְׂרָאֵל וּנְחַת דָּוִד וְעַבְדוֹהִי עִמֵּיהּ וַאֲגִיחוּ קְרָבָא עִם פְּלִשְׁתָּאֵי וְאִשְׁתַּלְהִי דָּוִד: טז וְיִשְׁבִּי בְּנוֹב דִּי בִּבְנֵי גִּבָּרָא וּמַתְקַל סוֹפִינֵיהּ מַתְקַל תְּלַת מְאָה סִלְעִין דִּנְחָשָׁא הוּא אֲסִיר אִסְפַּנְקֵי חַדְתָּא וַאֲמַר לְמִקְטַל יַת דָּוִד: יז וּסְעֵיד לֵיהּ

ת"א ויטבי בנוב. סנהדרין לה: ויעזר לו. שם:

וישבי קרי

רש"י

ישראל: (טז) ומשקל קינו. הוא כמו תיק שבראש בית יד הרומח שקורין ארישטוויי"ל בלע"ז רצה לומר (ארע"ט שאוועלין. בל"א דיא דיקע דר שפיסע) ועשוי ככובע. ויש דוגמתו בזבחים רמוני המעיל למה הם דומין כמין קולסות שבראשי התינוקות קולסות היימל"ש בלע"ז: והוא חגור. חגורה חדשה. ושמעתי שאותו היום נתחנך ללבוש כלי מלחמ' ודרך המתחנכים לעשות נלהון וגבורה ביום חינוכם לקנות בם לכך ויאמר להכות את דוד: (יז) ויעזר לו. שעזרו

מהר"י קרא

(טו) ותהי עוד מלחמה לפלשתים את ישראל. סמך פרשה זו למלחמת אבשלום שאף זו כן המלחמות שנצחו אויבי דוד את דוד וסוף נעשה לו נס ונפלו הם בידו: (טז) ומשקל. קינו. כובע נחשת שעל ראשו: והוא חגור חדשה ויאמר להכות את דוד. כחונך מחדש לחגור חרב לצאת למלחמה ומנהג המחונך לחגור חרב מחדש. שביום שיחגור תחלה מחדש יתהדר בגבור. וביום ראשון שחגר ישבי בנוב חרב מחדש היה

רלב"ג

בו מן האכזריות ומיעוט החמלה כאילו יאמר שזאת התכונה היתה נאה לו כי לא מבני ישראל המה: (טו) ויעף דוד. רצה לומר שהיה יגע ויגע ולזה נתרחק קצת מעבדיו ומלאו ישבי בנוב שהיה מילדי הרפה ואמר להכותו לולי שסבב הש"י בהרגים בזה אבישי בן צרויה והלך אחר דוד להצילו: (טז) ומשקל קינו בלם מאות משקל נחשת. אהשוב שקרא קינו להבת החנית וקראו קן מצד הנקבות שבו אשר בו יכנס עץ החנית כי הוא כמו קן או יהיה קנו כובע נחשת אשר על ראשו כי

רד"ק

מלרע והוא שם מקום הנזכר בספר יהושע וצלע האלף: ויעשו כל אשר צוה המלך. להביא העצמות ולקברם כמו שאמר לא הוסיף דבר אלא שכן דרך המקרא לכפול הדברים בהתחזק המעשה. ובדרש כי זה בא להוסיף שצוה המלך להספידם בכל מקום שהיו עוברים שם בערי ישראל: (טו) ויעף דוד. בפתח פ"א הפעל להקל הקריאה וכן ויעף העם אבל ויעף אלי אחד בקמץ להבדיל ביניהם כמו שענינם מובדל: (טז) וישבי בנוב. כך היה שמו וכתוב בוי"ו וקרי ביו"ד. ובדרש ישבי בנוב איש שבא על עסקי נוב כלומר כי בא על דבר נוב עיר הכהנים שהיה דוד סבת הריגתם קרה לו לדוד שהיה בסכנה. ודרשו ויעזר לו אבישי שעזרו בתפלה וכל זה רחוק ומהם אמרו עזרו ממש ואמ' כי קפצה לפניו הארץ כי לא היה שם אבישי עם דוד כי הוא ויואב היו נלחמים בבני עמון ועברה יונה לפני אבישי מטרפה בכנפיה ויודע כי דוד היה בסכנה ובצרה וקפצה לפניו הארץ והלך שם ועזר לדוד והרג את ישבי בניב: הרפה. כמו הענק והיא אחד מן רפאים ונכתב בה"א ובאל"ף כן כתב אדוני אבי ז"ל וכת"י גברא וכבר כתבנו דעת חדרש למעלה שהוא שם האם: קינו. הוא עץ החנית וכן נקרא בערבי עץ

מצודת דוד

המוקעים קבר עם עצמות שאול וגו': כל אשר צוה. להספידו כראוי לפי כבודו ודוד עצמו הספידו מאז כמ"ש ויקונן דוד וגו' על שאול (לעיל א): אחרי כן. אחר שעשה משפט הגבעונים ואחר אשר הספידו לשאול כראוי נתרצה להם המקום וירד הגשם די ספוקם: (טו) ותהיו עוד וגו'. ר"ל לבד המלחמה בנזכר למעלה בנלחמו ישראל אלו באלו בדבר אבשלום היה עוד מלחמה לפלשתים עם ישראל: ויעף דוד. נתייגע ונחלש: (טז) אשר בילידי הרפה. אשר היה מילידי הענקה: משקל נחשת. שקל שבוקלין בו נחושת: והוא חגור חדשה. בהמלחמה ההיא חגר חרב חדשה ומדרך אנשי המלחמה הגבורים להתאמן בכל עוז לעשות גבורות בעת יחגרו חרב חדשה: ויאמר. חשב בדעתו ועשה התפעלות להראות גבורה ולהכות את דוד בעבור כי ראה אותו עיף ויגע: (יז) לו לאבר. על דוד

מצודת ציון

(טז) וישבי בנוב. כן היה שמו: הרפה. הענקה כמו ויכו את

Commentary Digest

a reputation, he therefore thought (lit. — said) *to smite David.*" — R and J. K.

17. *aided him* — Helped him defeat the giant. — J.K. and K. According to R "*he aided him through*

for the land after that. 15. And the Philistines waged war again with Israel; and David went down with his servants and they fought against the Philistines, but David became faint. 16. And Ishbi, who was one of the sons of Raphah was in Nob; and the weight of his spear was three hundred [shekels] of brass in weight; and he was girded with new armor, and he thought to smite David. 17. But Abishai the son of Zeruiah aided him,

Commentary Digest

missible, for we assume that the dead man gladly submits himself to the disgrace encountered in transfer for the opportunity to join his ancestors.

Cohen also suggests that the fear and pain to which Saul was subjected in the process of having his body relocated, may have been retribution-in-kind for the similar pain that he had caused Samuel when he had a necromanceress raise his body. (See I Sam. Ch. 28).

all that the king commanded them —"*To eulogize them in all of Israel's cities.*" — R.

was entreated — Accepted their prayers. — J. K. Though some rain had descended earlier [according to K on v. 10] it was only after proper respect had been bestowed upon Saul that the drought was completely over. See R above v. 10.

15. *became faint* — Feeling faint, David straggled somewhat behind his men and was alone when spotted by the enemy. — G.

16. *Raphah* — The Midrash contends that this Raphah was the same as Orpah, the daughter-in-law of Naomi who, unlike Ruth, failed to follow her mother-in-law to the *land* of Israel. According to tradition, she nevertheless shed four tears upon her departure from her mother-in-law, and was rewarded for it with the birth of the four giants mentioned in this chapter. — T.B. Sot. 42b.

and the weight of his spear — Heb. קינו "*It is like the sheath at the end of the handle of the spear which is called 'arestojjl' in French, and is made like the hat. Its parallel is* (found in T.B.) *Zebachim*: '*What are the blossoms of the robe like,* (they are) *like the helmets that are on the heads of infants. Now* קולסות *are 'beajjlmes' in Fr.*" — R. Compare to R on T.B. Zeb. 88b. K suggests that three hundred shekels was not the weight of the handle but that of the blade of the spear.

and he was girded — "*With a new outfit. Now I heard that on that day he was initiated into the wearing of armor. Since it is common for the* (newly) *initiated to perform* (an act of) *victory and heroism on the day of their initiation in order to acquire*

צְרוּיָה וַיַּךְ אֶת־הַפְּלִשְׁתִּי וַיְמִתֵהוּ אָז
נִשְׁבְּעוּ אַנְשֵׁי־דָוִד לוֹ לֵאמֹר לֹא־תֵצֵא
עוֹד אִתָּנוּ לַמִּלְחָמָה וְלֹא תְכַבֶּה אֶת־
נֵר יִשְׂרָאֵל׃ יח וַיְהִי אַחֲרֵי־כֵן וַתְּהִי־עוֹד
הַמִּלְחָמָה בְּגֹב עִם־פְּלִשְׁתִּים אָז הִכָּה
סִבְּכַי הַחֻשָׁתִי אֶת־סַף אֲשֶׁר בִּילִדֵי
הָרָפָה׃ יט וַתְּהִי־עוֹד הַמִּלְחָמָה בְּגוֹב
עִם־פְּלִשְׁתִּים וַיַּךְ אֶלְחָנָן בֶּן־יַעְרֵי אֹרְגִים
בֵּית הַלַּחְמִי אֵת גָּלְיַת הַגִּתִּי וְעֵץ חֲנִיתוֹ

לֵיהּ אֲבִישַׁי בַּר צְרוּיָה
וּמְחָא יַת פְּלִשְׁתָּאָה
וְקַטְלֵיהּ בְּכֵן קַיִימוּ גֻבְרֵי
דָוִד לֵיהּ לְמֵימַר לָא
תִפּוֹק עוֹד עִמַּנָא לִקְרָבָא
וְלָא תִיטְפֵּי יַת מַלְכוּתָא
דְיִשְׂרָאֵל׃ יח וַהֲוָה בָּתַר
כֵּן וַהֲוַת עוֹד קְרָבָא
בְּגוֹב עִם פְּלִשְׁתָּאֵי בְּכֵן
קְטַל סִבְּכַי דְמִן חוּשַׁת
יַת סַף דְבִבְנֵי גִבָּרָא׃
יט וַהֲוַת עוֹד קְרָבָא
בְּגוֹב עִם פְּלִשְׁתָּאֵי וּקְטַל
דָוִד בַּר יִשַׁי מָחֵי פְרוֹכַת
בֵּית מַקְדְשָׁא דְמִבֵּית
לְחֶם יַת גָלְיַת גִתָּאָה
ואעא

ת"א או נשבעו.שב: לא חלה. מקידס
בער עה: הרגס. סוטה מג:

מהר"י קרא (ריש זעירא)

מתגשא לאמר אני אכה את דוד ובא ונלחם עמו ונתעייף דוד ויעזר לו אבישי בן צרויה. זהו פשוטו. ומדרשו בחלק: (יח) [את סף] אשר בילידי הרפה. סף היה אחד מבניית של ענקית ויכתו סבכי החושתי: הרפה. ענקית. כמו חהוא יקרא ארץ רפאים. ענקים: (יט) ותהי עוד המלחמה בגוב עם פלשתים ויך אלחנן בן יערי אורגים בית הלחמי את גלית הגתי. אי אפשר לומר זה שדוד הכה את גלית שכאן הוא אומר ותהי

רש"י

כתפלה. כדאיתא בהלק: (יח) ותהי עוד המלחמה. ככר קדמה זו לכולס ולא מנאה כאן אלא לצרף מיתת ארבע' בני ערפה: (יט) אלחנן. דוד: בן יערי אורגים. שהיו משפחתו אורגים פרוכת למקדש הקרוי יער: כמנור אורגים. כאכסן דגרדאין הקרוי אינשובל"א בלע"ז תבא

עוד מלחמת בגוב ולהלן הוא אומר ויחנו בין שוכה ובין עזקה באפס דמים ושאול ואיש ישראל נאספו ויחנו בעמק האלה. ועוד כאן הוא אומר ויך אלחנן בן יערי אורגים בית הלחמי את גלית ולהלן הוא אומר שהכהו דוד על כרחך אין זה גלית האמו' להלן. ועוד שמצאתי בדברי הימים ויך אלחנן בן יעיר את לחמי אחי גלית הגתי. מדבריו למדנו שאין זה גלית ואין זה דוד אלא

רלב"ג

הוא כמו קן או יהיה קנו העץ ויהיה חסר הכושא והרלון בו להכות חניתו: (יז) ולא תכבה את נר ישראל. אמרו זה כאילו יאמרו שכל ישראל מושגחים בעבור דוד וכאלו יכבה נרם אם ימות במלחמה: (יט) ועץ חניתו כמנור אורגים. הוא העץ שמקפלים סביב את הארוג והוא גם עבה מאד וזה ממה שיורה על גבורת הפלשתי הזה:

רד"ק

תחנית אלקנה ולא אמר המשקל על קינו אלא להבת החנית וקראו קינו בכלל הלהבת עם העץ ועל הלהבת אמר שהיה משקלו שלש מאות משקל נחשת כי על העץ לא יאמר משקל וכן אמר בגלית ולהבת חניתו שש מאות שקלים ברזל ומשקל הברזל והנחשת אינו שוה כי לכל אחד משקל מיוחד וכן לכסף ולזהב וי"ת ומתקל סופיניה מתקל תלת מאה סלעין דנחשא:

והוא חגור חדשה. חרב חדשה וכמותו ומאכלו בריאה ר"ל שה בריאה וכן דרך המקרא בהרבה מקומות והחסרון יתבונן לפי הענין: ויאמר להכות את דוד. כשראה כי עיף דוד חשב להכותו ועזר לו אבישי: (יח) בגוב עם פלשתים. ובדברי הימים כתוב בגזר שני שמות היו לאותו המקום וכמוהו רבים וכן כתב פה סף ושם ספי וקרובים הם: (יט) אלחנן בן יערי אורגים בית הלחמי את גלית הגתי. ובדברי הימים כ' אלחנן בן יעור אורגים את לחמי אחי גלית הגתי וקרי יעור ויעיר ויערי אחד ופירו' את גלית אשר אמר הנה את מי שהיה עם גלית והוא אחיו הרגו אלחנן בנוב וגלית הרגו דוד באפס דמים ואלחנן זה מבית לחם היה לפיכך קראו בית הלחמי וכן מ"ש בדברי הימים את לחמי כמו מלחמי כלומר מבני לחמי ר"ל מהגבורים המתיחסים לבית לחם וכן יאמר שם ומן חגרי נבדל אל דוד למצד ר"ל כן המתיחסים לגד או פירוש עם בית הלחמי והוא דוד ר"ל כי דוד עזרו וז"ש שם את לחמי עם דוד שהוא לחמי שעזרו והרגו ולדעת יונתן אלחנן זהו דוד וכן תרגום הפסוק וקטל דוד בר ישי מחי פרוכתא דבית מקדשא. דמבית לחם ית גלית קרא ישי יערי לפי שהיה אורג פרוכות הצריכות לבית המקדש ובית המקדש נקרא יער שכתיב יער הלבנון מצאנות בשדי יער אבל מה שקרא דוד אלחנן לא ידעתי לו טעם: כמנור אורגים. כאכסן דגרדאין והוא העץ שמקבל עליו האורג הבגד בארגו וגרדאין הם אורגין ותרגום ירושלמי מעשה אורג עובד דגרדאי וכן בדברי

מצודת ציון

קינו. שם כלי זיין ואין לו חבר: (יח) בגוב. הוא גזל האמור בד"ה: סף. ובד"ה נאמר ספי והוא הוא: (יט) יערי אורגים. כן בא אביו ובד"ה נאמר בן יעור והוא הוא:

מצודת דוד

לפאים (בס יד): נשבעו לבלי תת אותי ללאת עוד במלחמה: את נר. כי המלך דומה הוא לנר המאיר ומשפיע לכל: (יט) ועץ חניתו. הוא בית

בית הלחמי. ר"ל הכה את בית הלחמי והוא לחמי האמור בד"ה: את גלית. עם גלית ור"ל אף שהיה מלחמה עם גלית לא יוכל לעזור לו ובד"ה נאמר שהיה אחי גלית: כמנור אורגים. ת"י כאכסן דגרדאין ור"ל תלגם על יתד הארג (שופטים טז) והוא הען

and he struck the Philistine, and killed him. Then the men of David swore to him saying, "You shall no longer go out with us to battle, so that you extinguish not the lamp of Israel."
18. And it came to pass after this, that there was war again at Gob with the Philistines; Then Sibbcai the Hushathite slew Saph, who was one of the sons of Raphah:
19. And there was war again Gob with the Philistines; and Elhanan the son of Jaare-oregim the Beth-lehemite slew Goliath the Gittite, and the staff of his spear

Commentary Digest

prayer, as is found in Helek, (the 10th chapter of tractate Sanhedrin)." — R from T.B. San. 95a.

the lamp of Israel — A reference to David. — D.

19. *And there was war again* — "*This one preceded them all, but is mentioned here only to connect the deaths of the four sons of Orpah.*

Elhanan — "*David.*" — R from J. See K who is at a loss to explain how this name refers to David. See, however, Ruth R. Ch. 2, where it is derived from חנני ק-ל, the one whom God favored.'

the son of Jaare-oregim — Heb. אורגים lit. 'weavers'. " *For his family wove curtains for the Holy Temple which was called Jaar* (See I Kings 10:17, and 10:21)." — R from J.

as a weaver's beam. — "*As a weaver's beam which is called 'esoble' in French.*" — R It is the beam upon which the weaver places the garment. — K. The mention of weaving in the description of both the hero and the defeated warrior has not gone unnoticed by the commentaries: "*Let* (one) *weaving come and stand up against* (another) *weaving.*" — R and J.K. from J and Ruth R. Ch. 2. David, who was descendant from a family who occupied themselves with weaving for the needs of the Temple, was a most fitting choice to defeat this haughty giant who constructed his weapon-handle with the thickness of a weaver's beam.

R's commentary identifying Elhanan with David, and Goliath the Gittite with Goliath the Philistine mentioned in Sam. 1, 17, is difficult to reconcile with I Chron. 20:5, which states . . . and Elhanan the son of Jair smote Lahmi the *brother* of Goliath the Gittite . . . Because of this difficulty, K maintains that Elhanan was not David, neither was Goliath the Gittite the same as Goliath the Philistine. Elhanan was simply a hero of David's army, who slew the one who was *with* Goliath, i.e.,

כִּמְנוֹר אֹרְגִים׃ כ וַתְּהִי־עוֹד מִלְחָמָה
בְּגַת וַיְהִי׀ אִישׁ מָדִין וְאֶצְבְּעוֹת יָדָיו
וְאֶצְבְּעוֹת רַגְלָיו שֵׁשׁ וָשֵׁשׁ עֶשְׂרִים
וְאַרְבַּע מִסְפָּר וְגַם־הוּא יֻלַּד לְהָרָפָה׃
כא וַיְחָרֵף אֶת־יִשְׂרָאֵל וַיַּכֵּהוּ יְהוֹנָתָן בֶּן

וְאָעָא דְמוֹרְגִיתֵיהּ
כְּאַכְסַן דְגַרְדָאִין׃ כ וַהֲוַת
עוֹד קְרָבָא בְּגַת וַהֲוָה
גְבַר דְמִשְׁחָן וְאֶצְבְּעָת
יְדוֹהִי וְאֶצְבְּעָת רַגְלוֹהִי
שִׁית וְשִׁית עַשְׂרִין וְאַרְבַּע
בְּמִנְיָן וְאַף הוּא אִתְיְלִיד
בְּגִבָּרָא׃ כא וְחַסִּיד יַת
יִשְׂרָאֵל וְקַטְלֵיהּ יְהוֹנָתָן
בַּר

ת"א ותהי עוד מלחמה בגבורה מה

מדון קרי

רש"י

ארוגה ותעמוד כנגד ארוגה: (כ) איש מדון. כתרגומו גבר דמשחן שאין עיקר התיבה אלא מ"ס ודל"ת כמו משאון (תהלים ס"ה ה') שי"ן ואל"ף ומהמון (ברא' י"ז ד') ה"א ומ"ם (ובדברי הימים א' י"א כ"ג) כתיב איש מדה כלומר גבוה מאוד שאומדין כמה מדתו: שש ושש וגו'. פירשו רבותינו בבכורות שהולך לומר עשרים וארבע שלא תאמר אצבעות שתי ידיו אינן אלא שש ואצבעות רגליו אינן אלא שש לכך נאמר עשרים וארבע. ואם כתב עשרים וארבע ולא אמר שש ושש הייתי אומר שבעה באחת וחמשה באחת ומהו מספר שכולן היו נספרות כסדר האצבעות כנגד היד:

מהר"י קרא

אלחנן בן יעיר אחד מגבורי דוד הכה את לחמי אחי גלית. זת פשר של דבר. וי"ת ומחא דוד בר ישי מחי פרוכית בית מקדש' דמבית לחם את גלית נתאה ואעא דמורגיתיה כאכסן דגירדאין. ואפרש לך מי הכהו לומר כן. ראה שהמכה שהכה שם אביו יערי אורגים וגלית המוכח עץ חניתו כמנור אורגים. לפיכך עלה בדעתו לומר. יבא בנו של איש האורג פרוכת לבית המקדש ויכה גלית שעץ חניתו כמנור אורגים: (כ) ותהי עוד מלחמה בגת ויהי איש מדון. פת' איש גדול שכן בדברי הימים אומר ותהי עוד מלחמה בגת ויהי איש (אחד) מדה. והוא כמו כן שאומר וכל העם אשר ראינו בתוכה אנשי מדות:

רד"ק

דז"ל נקרא האורג גרדי וכן מנור אורגים היא מכלי האורג בדבריהם באמרם העושה בתי נירין בנירים ובקירום: (כ) איש מדון. כתיב ביו"ד וקרי בוי"ו ואחד הוא בדברי הימים איש מדה וכת"י גבר דמשחן וא"כ הנח אשר במדון הוא במקום הדגש במדה: שש ושש עשרים וארבע. אלו אמר שש ושש ולא אמר עשרי' וארבע הייתי אומר שבין ידיו ובין רגליו לא היו אלא שש ושש לכך צריך עשרים וארבע ואלו אמר כ"ד ולא אמר שש ושש הייתי אומר ה' באחת ושבע באחת לכך נאמר שש ושש:

רלב"ג

(כ) איש מדון. ר"ל איש בעל ריב ומלחמה: (כא) ויחרף את ישראל. לפי מה שאחשוב במה שאמר שלא ימצא בישראל איש שלא ינצחוהו כמו שאמר גלית אל שאול. זהו מה שיראה לנו שילמדך אל באור במה שהגבלנו באורי פה באלו הספורים: ואולם התועלות המגיעים מהם הם אלו: הראשון הוא במדות והוא להודיע שראוי לכל אדם שיעשה מה שיעשהו אחר יישוב רב ועלה ראויה ולא יסמוך על עלתו הנראים לו מתחלת הענין ולזה תמצא שהשפ"י שידמה שהיה מבואר היות ראוי לדוד שישב באחת ערי יהודה אחרי מות שאול לפי שלא ברח מפני דוד אלא מפני יראת שאול ועוד כי כבר משך לב עם יהודה אליו במה ששלח להם משלל אויבי ה' עם שכבר נתפרסם להם בזה טוב הצלחת דוד שלא אויביו במתי מעט ורוע הצלחת שאול שנפל ביד אויביו עם היות כל ישראל עמו ועוד כי גם בהיות שאול מלך על ישראל אוהבים מאד את דוד בראותם הצלחתו כמו שקדם הנה עכ"ז לא רצה דוד ללכת שם אם לא בשישאל תחלה את פי ה' ולזה שאל אם יעלה באחת ערי יהודה וכאשר ענהו הש"י על ידי אורים ותומים שיעלה שם שאל עוד באיזה מהם יעלה והתהו התשובה שיבא לחברון ושם בא בדבר הש"ת: השני הוא להודיע כי שם שאר מקומות יותר נאותים אל שיגיע להם תכלית מה מקלת מקומות אחרים ואף על פי שהש"י שליט להגיע אשר יחפוץ הנה יבקש בזה ברוב הענינים הסבות הנאותות מלד ההשגחה הכוללת כביה האפשר זה ולא יחדש הש"י המופתים אלא כשהביא לזה הכרח כמו שזכרנו פעמים רבות ולזה באר השם יתברך שיבא דוד לחברון להגלות הענין אללו שמשם תצמח לו המלוכה בקלות יותר ולזה תמצא שתכף שבא דוד שם התעוררו אנשי יהודה מעצמם למשיח דוד למלך עליהם עם שכבר היה אפשר שלב בני חברון היה יותר שלם את דוד מלב זולתם מבני יהודה ואילו סבבו הם מפני בא דוד לחברון למשוך לב יהודה למשוח דוד למלך עליהם: השלישי הוא במדות הוא להודיע שראוי לאדם לגמול טוב לאש' גמלוהו טוב ולזה תמצא בהעלה דוד עמו את אנשיו אשר הלכו אתו בהיותו נרדף כדי שישמחו בהצלחתו וייטב להם בה ולזה הושיבם בערי חברון כדי שיהיו קרובים אליו עם בזה ישלם לו ג"כ העזר הראוי: הרביעי והוא במדות הוא להודיע שראוי לאדם כשיעתק ממקום למקום שיעתיק אשתו וביתו עמו בהעתקו כי בזה תועלת לשמור עצמו מהרהור עבירה ולתת לאשתו הקה מהעונה כדי לשמור הותה מהתאוה ובזה עוד תועלת להנהגה במוסר בני הבית ולא יתעלם מהם ולזה תמצא שספר שהעלה דוד עמו שתי נשיו ובכבר העלה עמו את אנשיו איש וביתו: החמישי הוא במדות והוא להודיע שאין ראוי למלך שישים אלו ועם חברתו האנשים אשר יתהלכו עמו קודם היותו מלך כי מפני מה שאלו מעניינו כשיה בייניהם מהחברה קודם היותו מלך לא תהיה יראתו על פניהם ויהיה זה סבה לסקל במלכות הלא תראה כי אע"פ שהיה דוד לכבד לאלו האנשים שהיו עמו הנה היו מקילים בו עד שכבר תמצא שאמרו לסקלו על דבלת ברישת לקלג ולזאת הסבה תמצא שלא הסכים דוד להושיב את אנשיו בחברון אך הושיבם בערים הסמוכים לחברון כאמרו וישבו בערי חברון ולזאת הסבה תמצא ביואב שהיה בהכרה הסיא שכבר הקל בדוד בדבר בכיו על אבשלום בנו כמו שנזכר באלו הספורים: הששי הוא במדות והוא להודיע שראוי לאדם כשיהבב שיהיה לו כשיכוין להגיע תכלית מה יראה לו מונע מה מהגעת התכלית ההוא

מצודת דוד

יד בל החנית: (כ) שש ושש. לכל אחת היו שש ובגלל נחשב שבשתי ידיו היו שש וכן בשתי רגליו שלש לכל אחת לזה חוזר ופירש עשרים וארבע מספר: (כא) ויחרף. חרף את ישראל בדברים:

מצודת ציון

העגול שלפני האורג יכרוך עליו חוטי השתי ובמשנה יקראו כוכד (שבת קג): (כ) מדון. מל' מדה ור"ל בעל מדה גדולה וכן אנשי מדות (במדבר יג): (כא) ויחרף. ענין בזיון:

was as [thick as] the weavers' beam. 20. And there was again war at Gath, and there was [there] a man of great stature, and the fingers of his hands and the toes of his feet were six and six, totalling twenty four; and he too was born to Orpah. 21. And he taunted Israel, and Jonathan the son of

Commentary Digest

Goliath's brother. את לחמי K explains as "from Bethlehem." Thus, one verse complements the other.

20. *a man of stature* — "*As its Targum*: '*A man of measure*'; *for the root of the word is basically the* מ *and* ד (*from* מדה, a measure), *just as in* משאון of Ps. 65:8 (where it is the) ש *and* א, *and* מהמון (where it is the) ה *and* מ. *Now in* I Chron. 11:23 *it is* (expressly) *written*: '*a man of measure* (איש מדה); *that is a man so tall that one* [*is inclined*] *to estimate how tall he is.*" — R. G prefers to translate איש מדון as 'a man of war'.

six and six totalling twenty four — "*Our rabbis have explained in* (T.B.) *Bechoroth that it was necessary to state twenty-four so that you should not say that the fingers of his two hands were only six* (three on each hand), *and the toes of his feet were only six; it therefore mentions twenty-four. Now if it had mentioned twenty-four and not six and six, we would say* (that he perhaps had) *seven on one hand and five on the other. Now what does* מספר *imply? That all are* (to be) *counted in the order of fingers on the hand* (Thus the first six is the sum of the fingers counted on one hand, the second, of the second hand, etc.)." — R from T.B. Bech. 45b.

שלא יקצר מהסרת המונע ההוא ולזה תמצא כאשר נתבאר לדוד שאנשי יבש גלעד השתדלו לעשות חסד גדול עם שאול והיה זה ממה שימנעם מלהסכים שיהיה דוד מלך עליהם להשנם כי כלבו עליהם על מה שהראו אהבה חזקה למי שהיה שונא את דוד ורודף אותו הנה הראה להם שעל מה שעשו מהחסד את אדניהם שבחם ולזה בירך אותם ויאמר להם שהוא מוכן להטיב להם גמול טוב על מה שעשו הזה כי זה ממה שיורה שהם אנשים שהם נאמנים למלכות ולזה יבטח דוד בהם שהם נאמנים לו ולזאת הסבה הודיעם שתחזקנה ידיהם ויהיו לבני חיל ולא ייראו שיקרא להם רע מזה מדוד אבל ישולם להם מצד זה גמול טוב: השביעי הוא להודיע שהמלך זוכה לבניו בממלכתו תמיד כמו שאמרה התורה למען יאריך ימים על ממלכתו הוא ובניו ולזה תמצא שמלך איש בשת אע"פ שהיה מפורסם לכל ישראל כי השם בחר לדוד למלוך על עמו ישראל כמו שזכר זה שאול ויהונתן ואמר אותו אבנר ג"כ וזכר כל ישראל אותו כמו שנזכר זה כמה שאמרו לדוד בעת שהמליכו אותו כל ישראל עליהם: השמיני הוא במדות והוא להודיע שאין ראוי לאדם לדחוק את השעה ולמהר את הקץ בדברים העתידים לו אך ראוי שימתין בו אם בסבות הנאותות פן ימהר יותר מן הראוי ויסיר ממנו הטובות ההם הלא תראה כי דוד לא השתדל להלחם עם בית שאול להביאו אליו המלוכה ולזה תמצא שספר ששתי שנים מלך איש בשת על ישראל קודם שהיתה מלחמה בין אנשי איש בשת ובין אנשי דוד וגם אז לא היתה ביניהם מלחמה לולא שעורר המלחמה ההיא אבנר וגם אחרי זה לא השתדל דוד בהמתת איש בשת כדי שתגיע [אליו] המלוכה אבל לקח נקמתו מההורג אותו: התשיעי הוא להודיע יושר לב דוד ושמרו הברית שכרת עמו שאול לבלתי ישמיד את שמו מתחת השמים ואף על פי שהיה שאול רודף אותו בכל עוז כמו שקדם הנה שמר דוד את הברית שהיה ביניהם ולא הלך כלל לאיש בשת להשתדל בהרמתו אבל הספיק לו מה שזכה מהמלכות: העשירי והוא במדות להודיע שאין ראוי לאדם שיקל בהריגת האנשים מעם ה' אפי' בדרך המלחמה הלא תראה כי אבנר הקל בהריגת הנערים אשר אמר שיקומו וישחקו לפני אבנר ויואב וקרה לו שנהרג מפני מה שקרה לו בזאת המלחמה מהריגת עשהאל כאילו שלם לו השם מדה כנגד מדה ואף על פי שיחשב שלא היה לו בהריגת עשהאל חטא כי הוא היה רודפו הנה עם כל זה לא נצל אבנר מן החטא במה שסבב מהריגת הנערים ההם שהיה סבה לכל זה עם שכבר היה לו חטא בזה כשלא השתדל להציל עצמו מעשהאל בזולת הריגה כי לא הותר לנרדף להרוג הרודף כשהיה יכול להציל עצמו בזולת שיהרגהו כאילו תאמר שיכהו במקום שלא ימות בו אשר ישלם לו בו ההצלה ואמנם אבנר ידמה שכיון להכותו במקום שימות בו ולזה כיון להכותו אל החומש: האחד עשר הוא במדות והוא להודיע שראוי להשמר מהריב והמדון ואע"פ שהיה חלוש בתחלתו כי כל מה שימשך יתחזק הלא תראה כי אבנר לא חשב שיולד דבר אחר מזה זולתי המכות שיכו האחד את האחד מהנערים ההם ונתחדשה מזה זאת המלחמה העצומה עד שלולא שתקע יואב בשופר למנוע המלחמה היתה נמשכת המלחמה עד להשחית ואולי גם כן מפני זה המלחמה ביניהם אחר זה כמו שזכר בזה הסיפור: השנים עשר הוא במדות והוא שראוי לאדם שלא למסור עצמו לסכנות מפני קלות תנועתו הלא תראה עשהאל לקלות תנועתו לא פחד ממה שאמר אבנר להכותו אם לא ישוב מאחריו ונהרג על יד אבנר ולא הועיל לו קלות רגליו: השלשה עשר והוא במדות והוא שראוי לאדם שלא יחזיק במלחמה עם עם ה' ואע"פ שיש שם סבה חזקה תביאהו על זה אבל ראוי שיניח מקום לשלום הלא תראה כי יואב אעפ"י שהשיגהו הפעלות גדול על אבנר ממיתת עשהאל הנה תכף שבקש ממנו שיאמר לעם שישובו מרדוף איש מאחרי אחיו נדרש יואב לשאלתו ולא מנעו מזה חום לבבו מדם אחיו: הארבעה עשר והוא במדות והוא להודיע שראוי לכל אדם שלא יקל מלירא ממה שהוא אפשר שיגיע לו בו רע ולזה תמצא שאעפ"י שתקע יואב בשופר שישובו איש מאחרי אחיו לא סמך על זה לב אבנר ולזה ספר שהלכו הוא ואנשיו כל הלילה וכזה תמצא ג"כ ליואב שלא בטח על זה ולזה הלכו כל הלילה יואב ואנשיו עד שבאו לחברון כי אם ישכבו בדרך היה אפשר שיתקבצו מבנימין חיל עליהם ויהרגום: החמשה עשר הוא להודיע כי אם ה' לא יבנה בית שוא עמלו בוניו בו ולזה תמצא שספר מהצלחת דוד ורוע הצלחת איש בשת עד שכבר נספדו מעבדי איש בשת שלש מאות וששים איש ומאנשי דוד לא מתו כי אם עשרים וכאשר נגרע מזה שנים עשר איש מהמשחקים שמתו מכל אחד מהחלקים תמצא שכבר הרגו מאנשי איש בשת שלש מאות וארבעים ושמנה ולא מתו מעבדי דוד כי אם שמנה וספר ג"כ לזאת הסבה שבית דוד היה הולך וחזק ובית שאול הולכים ודלים ולזאת הסבה ג"כ תמצא שספר הש"י שנתחדש ריב בין איש בשת ובין אבנר למען הסיר הממלכה מעל בית שאול ולהביאה אל דוד כי זה היה סבה אל שמשך אבנר כל ישראל אל דוד עד שלא השתדלו אחרי מות איש בשת להמליך איש על ישראל מבית שאול אך שבאו תכף אל דוד להמליכו: הששה עשר הוא להודיע שאין ראוי לאדם כשיראה שיגיע לו טוב מה שיקצר מפני זה בבקש' טוב אחר עמו אשר יתכן לו להשיגו אבל ראוי שישתדל להגיע לו כל הטובות אשר יראה שהוא נכון להגיע אליו ולזה תמצא שאע"פ ששלח אבנר לדוד שאם יכרות ברית עמו יסב אליו את כל ישראל הנה לא קצר מפני זה מלשאול שיביא לו את מיכל אשתו והנה לא רצה דוד להתאחר ביאת מיכל אחרי בא אבנר אליו לפני במה

היה העניין כן מאחר על דרך התחבולה יתכן שהיה מיכל יודעת זה ותגלה הסוד אל דוד כמו שגלתה לו הסוד כמה שדמה שאול להרוג את דוד ואמרה לו אם אינך ממלט את נפשך מחר אתה מומת והסבה השנית הוא כי זה מהכבוד לדוד ר"ל אם תובא לו מיכל אשתו בעוד בית שאול מחזיקים במלוכה אמנם אם לא ימשול בהבאתה אליו כי אם אחר סור הממשלה מבית שאול הנה לא יהיה זה לדוד לכבוד וזה מבואר מאד: השבעה עשר הוא להודיע כי ברצות ה' דרכי איש גם אויביו ישלים אתו ולזה תמצא שספר שכבר התעורר אבנר לבקש שלום דוד והשתדל להשיב לו המלוכה באופן שמי שהיה מונע הממלכה מדוד הוא בעצמו שם הש"י כלי להסב הממלכה אליו ולהסירם ממשפחתו: השמנה עשר הוא במדות והוא להודיע שראוי לאדם שיפחד תמיד על מה שראוי הלא תראה כי מפני שאבנר לא פחד מיואב על הרגו עשהאל אחיו ולא יירא מלבוא אל חברון גם לא שאל מהמלך דוד שישלים ביניהם קרה לו שמת בידו ולזאת הסבה ג"כ למדנו שאין ראוי לאדם שילך למקום שונאיו אע"פ שישלחוהו שלוחים או מכתב שאחד מהאנשים אשר הוא בוטח בו שולח לקראו כי יש לו לירא שהיה זאת התחבולה מאויביו הלא תראה כי יואב שלח לאבנר מלאכים בשם דוד להשיבו לחברון ודוד לא ידע אך סבב זה יואב להמית את אבנר שם: התשעה עשר הוא במדות והוא שראוי לאדם כשהוא נקי מפעל מה מגונה אשר יתכן שיחשב שמאתו נהיה שיפליג להראות שהוא נקי ממנו באופן יתבאר לכל שהוא לא סבב זה הפעל המגונה כ"ש כשיהיה בו מה שירחיק ממנו התכלית שהוא סובה אליו אם לא יתבאר שהוא נקי ממנו ולזה תמצא שהפליג דוד להראות איך היה קשה בעיניו דבר הריגת אבנר ולזה קלל בני צרויה שהיו עבדיו וקלל את יואב בזאת הקללה הנפלאה ר"ל שלא יכרת מביתו זב ומצורע ומחזיק בפלך ונופל בחרב וחסר לחם ולזה הלך המלך דוד אחרי מטתו ועם לא היה זה מחק המלך ונשא את קולו ובכה אל קבר אבנר וקונן עליו את הקינה הזאת אשר הראה בה גנות הורגיו ולזה נשבע ג"כ שלא יטעם לחם או כל מאומה לפני בא השמש כי זה כלו ממה שהביא כל העם וכל ישראל להאמין כי לא היה מהמלך להמית את אבנר עם שבה האמין ישראל כי במות מאת המלך נהיה רושם גדול למנוע ממנו המלוכה כי לא יתרצו האנשים להמליך עליהם מי שלא יקפיד להריגת השרים והגדולים בתחבולה ובמרמה ולזאת הסבה בעינה צוה להרוג הורגי איש בשת בן שאול כדי שלא יחשבו כי מאתו נהיה להמיתו בזאת התחבולה על משכבו: העשרים הוא שכבר למדנו מזה המקום על דרך הרמז כי ירושלים לא נתחלק' לשבטים ולזה תמצא שכאשר היה דוד מלך על יהודה לבד היה יושב בחברון שהיא משבט יהודה אמנם אחר שהומלך על ישראל נעתק לירושלים וזה ממה שיורה שירושלים היתה לכלל ישראל וכבר התירו רבותינו הספק ממה שנראה מספר יהושע שכבר באה לגורל יהודה ולגורל בנימין: העשרים ואחד הוא להודיע שראוי למי שיגיע שנתחדשה לו הצלחה שישתמש בשיגיע לו ממנה מה שאפשר מהטוב ולזה ספר כי מפני שראה דוד כי נשא הש"י ממלכתו בעבור עמו ישראל והוא עתה באופן מההשגחה האלהית נוסף על מה שהיה מקודם זה השתדל לקחת נשים ופלגשים לחשבו שהבנים שיולידו עתה יהיו יותר ראוים למלוכה מהראשונים וכן היה כי מהראשונים לא מלך אחד כי אשר היו חושבים מהם למלוך נהרגו ומאלו הבנים שהוליד עתה מלך שלמה כמו שנזכר אחר זה בספר מלכים: העשרים ושנים הוא להודיע ולפרסם הצלחת דוד בכל מלחמותיו להיות הש"י עמו מפני עשותו הישר בעיני ה' כמו שנתפרסם בכל אלו הספורים רק בדבר אוריה החתי ולזה ג"כ אמר וילך דוד הולך וגדל וה' צבאות עמו ולזה תמצא שספר כי דוד ואנשיו שרפו את עצבי הגוים אשר הגיעו לידם להעיר כי דוד היה מייסר אנשיו בכל עוז להתנהג בדרכי התורה: העשרים ושלשה הוא להודיע שאף על פי שהש"י שלוט בכל אשר יחפוץ הנה יקבץ במה שיעשהו הסבות הנאותות כשאפשר לו זה ולא יחדש המופתים אם לא כשיביא לזה הכרח ולזה תמצא שכאשר שאל דוד בה' היעלה אל פלשתים להנטש בעמק רפאים באהו דבר הש"י שלא יעלה אליהם אך יסב מאחריהם ממול בכאים בדרך שלא יראו אותו פלשתים וכשמעו קול הצעדה בראשי הבכאים אז יחרץ לעלות אליהם כי אז לא יבינו בקול צעדי חיל דוד לחשבם שהוא קול הצעדה אשר בראשי הבכאים וזה ממה שיעזור מאד לדוד לנצח את פלשתים ואפשר גם כן שתחובר בזה העניין סבה אחרת והיא כי אולי אז יגיע עת תמוט בו רגלם כי הש"י נמצאהו ג"כ שימתין לפעמים כאמרו לי נקם ושלם לעת תמוט רגלם ואמר וגם רשע ליום רעה: העשרים וארבעה והוא במדות הוא מה שלמדנו מזה הספור כי מה שאמרה תורה בעניין ארון ה' בכתף ישאו הוא הרחקה שלא ישאוהו בזולת זה האופן ולזה תמצא שפרץ ה' פרץ בעוזה על אשר לא נשאו הארון באופן הכתוב בתורה כמו שנזכר בספר דברי הימים על דבר זה הספור ולזה השתדל דוד אחר זה שישאו הלוים ארון ה' באופן הנזכר בתורה: העשרים והחמשה הוא לפרסם ענין קדושת ארון ה' הנפלאה עד שתכף שיפילו דבר מקדושתו יגיע הש"י על דרך מופת אלו הטובות הנפלאים כמו שמצאהו באנשי בית שמש שהיתה בהם מגפה גדולה כי ראו בארון ה' וכזה המקום בענין פרץ עזה כי זה כלו ממה שיוסיף האמנה בעניין קדושת התורה ושהיא נאצלת מן הש"י: העשרים וששה הוא להודיע שמה שהוא לעבודת הש"י ולכבודו ראוי שיעשה בשמחה ובטוב לבב ולזה ספר

מס

מה שעשה דוד להפלגת השמחה בזה הענין כשהביאו הארון למקומו אשר נטה לו דוד ויהיה זה כן לפי שעבודתו יתברך אינה דבר יכבד על האדם אבל היא בעצמותה מושכת האנשים אליה בהפך הענין בנימוסי מולך כי הם לא יקובלו כי אם על צד ההכרח והאונס כי את בניהם ואת בנותיהם ישרפו באש לאלהיהם: העשרים ושבעה הוא להודיע בראוי לכל אדם שיחשד עצמו במנהגי הקדושה ויחשב כי אולי אין מנהגו ומחשבותיו באופן מהשלמות אשר יצטרך שיהיו למי שהוא במקום קדוש כי זה ממה שיישירהו לדקדק בפעולותיו ומחשבותיו שיהיו לפי הראוי לפי מה שאפשר ולזה ספר שירא דוד את ארון ה' להביאו אליו לחשדו עצמו שלא יוכל לנהוג בו בקדושה הראויה ויקרה לו מזה עונש כשלא עד שנתבארו לו שברך ה' את בית עובד אדום ואת כל אשר לו בעבור ארון ה' ולשערו שאין פעלות עובד אדום יותר שלמות ויותר נקיות מפעולותיו הסכים להביאו אליו ולזאת הסבה בעינה מלאכו ביעקב שאמר מה נורא המקום הזה אין זה כי אם בית אלהים להורות על שבמקומות הקדושים ראוי שינהג האדם בקדושה יתירה: העשרים ושמנה הוא להודיע שמי שיכבד התורה באופן הראוי וינהג בה בקדושה תבואהו ברכת השם יתברך בכל אשר לו כי זה ממה שיישיר לעמוד על דברים הקדושים ולהתנהג בהם אשר ימשך מזה דבקות ההשגחה האלהית לאדם כמו שנתבאר בדברי התורה ולזה זכר שכבר ברך ה' את בית עובד אדום ואת כל אשר לו כי בודאי הוא הקפיד לנהוג בו מנהג קדושה יתירה ליראתו מפרץ עזא ובראותו כי גם דוד ירא מהביאו אליו: העשרים ותשעה הוא במלות והוא להודיע שבשעת התר הבמות הותרה העבודה בזול ולזה ספר בזה המקום דבר העלאת ארון ה' מבית עובד אדום כי דוד העלה עולות לפני ה' וזבח שלמים ואחר כך ברך העם בשם ה' צבאות והוא מה שאמר כי לא באתם עד עתה אל המנוחה ואל הנחלה כמו שבארנו בביאורנו לדברי התורה: השלשים הוא להודיע שאין השמחה הראויה בעבודת השם יתברך שיזבח האדם שלמים לאכלם בעצמו אבל ראוי לשמח בו כל הצריכים ולזה תמצא שדקדקה התורה במה שצותנו לשמוח בחגינו שנשמח בזה העניים והם הלוי והגר והיתום והאלמנה כמו שבארנו שם ולזאת הסבה תמצא בזה המקום שמח דוד מהשלמים שזבח לפני ה' כל ישראל ונתן לכל אחד מהם אשפר אחד והיא חתיכה גדולה משבר השלמים והשלים להם המצטרך לשמחה מלחם ויין כדי שתכלל זאת השמחה כל ישראל ויהיה ענינם מסודר לעבודת השם יתברך לא לבקשת התענוג הגופיי: השלשים ואחד הוא להודיע שביותר גדול שבאנשים ראוי שיהיה שפל בעיניו מאד לפני מעלת הש"י ר"ל במה שהיה מפזז ומכרכר להראות עוצם שמחתו לעבודת הש"י ולא הראה לו בזה הענין גדול על שאר האנשים אבל השפיל עצמו כהם או יותר כי כן ראוי ולפי שגנתה מיכל זה המנהג הטוב שנהג דוד בזה וחשבה שלא יהיה ראוי למלך להשפיל עצמו כל כך לפני הש"י מנע הש"י ממנה פרי הבטן: השלשים ושנים הוא להודיע שאין ראוי במה שאפשר שתגיע לאדם ידיעה שלימה שיסתפק האדם בידיעה חסרה והמשל שאין ראוי לנביא שישפט בדברים על צד האומד והמחשבה אבל ראוי שימתין שיבאהו דבר ה' על הדבר שנשאל ממנו כמו שמצאנו במשה שאמר עמדו ואשמעה מה יצוה ה' לכם ולזה תמצא בזה המקום כי נתן הנביא מפני שאמר לדוד מה שאמר על צד האומד כששאל ממנו דוד אם יבנה בית ה' ישים בו ארון ה' והוא אמרו כל אשר בלבבך לך עשה כי ה' עמך הנה השיגתהו בזה החרטה והוא שכבר אמר לו הש"י בנבואה בלילה ההוא בהפך מה שאמר נתן מעצמו לדוד על צד האומד: השלשים ושלשה הוא להודיע כי במשכן שילה לא נבנה בית לארון ה' ואע"פ שהיה שם בנין בתלים הנה לא היה מקורה מלמעלה אבל היה עליו אהל ולזאת הסבה אמר כי לא ישבתי בבית למיום העלותי את בני ישראל ממצרים ועד היום הזה ואהיה מתהלך באהל ובמשכן: השלשים והארבעה הוא להודיע שהדברים הנעשים לפרסם גדולת השם יתעלה ראוי שיעשו על יד מי שהוא גדול יותר בעיני האנשים כי בזה תתישר יותר ההגדלה וההאדרה לש"י ובהיות הענין כן והוא מבואר בדוד כי לקחו מאחרי הצאן למלוך על ישראל לא הסכים השם יתעלה שיהיה נבנה בית המקדש על ידו כי הוא בא להעיד על גדולת הש"י אשר אינ' דבר נתחדש בו אחר שלא היה ולזה בחר שיבנהו שלמה שהיה בן מלך מלידה ומבטן ומהריון ולזאת הסבה ג"כ נוכל לומר שהיה אחר שרצון הש"י באיש נבחר שיהיה בן מלך מהריון לזה לא צוה הש"י לאחד מן השופטים והמלכים אשר היו לפני דוד לבנות לו בית והנה איש בשת אע"פ שהיה בן מלך לא היה בן מלך מהריון כמו שיתבאר במה שנזכר ממספר השנים שהיו בין יציאת מצרים ובנין בית המקדש וכבר הארכנו בזה בספר שופטים ועוד כי לא רצה הש"י שתשאר לו המלוכה ולזה גם כן בחר הש"י שיהיה זה הבנין נעשה על יד שלמה כי לו ולזרעו נתנה הממלכה מי שהתמיד העולם להיות נמצא ר"ל כי כשתהיה מלוכה בישראל תהיה לו וראוי שיהיה זה נעשה על ידו להעיד כי גדולת הש"י אין לה קץ וסוף ועוד נכלנה בזה סבה אחרת והוא מפני כי אין מדרך הש"י לעשות כי אם הטובות כי הרעות כשיעשה אותם יעשם מצד מה שהם טובות והיה ראוי שלא יהיה זה הבנין נעשה על יד דוד כי דמים רבים שפך כמו שנתבארה הסבה בזה הספור בספר דברי הימים ואולם שלמה היה ראוי לזה מפני שכל ימיו היה לו שלום ולא נלחם מלחמות עם שכבר נתקבן בזה תועלת אחר והוא כי כשגרם החטא חורבן בית המקדש אולי אם היה נבנה על יד דוד היו מתיחסים חורבן הבית לדוד מצד רוב הדמים אשר שפך ורוב הרעות שקרו לו בימיו ורוב הרדיפות שנרדף ויאמרו כי פעולותיו גם כן הם כך ר"ל שראוי שיקרום מקרים לקושי ויהיה זה סבה אל שלא יסורו מחטאיהם בסבת העונש שיביא הש"י עליהם ואולם כשהיה הבנותו על יד שלמה סרה זאת הטענה כי היה איש מצליח מאד וכל ימיו היה לו שלום מסביב: השלשים וחמשה הוא להודיע שמלכות בית דוד לא תכלה ותפסק הפסק עולמי אבל תשאר נצחית ואע"פ שתפסק זמן מה ולזה אמר וחסדי לא יסור ממנו כאשר הסירותי מעם שאול ר"ל שלא תסתלק ממנו הממלכה לגמרי להנתן לאחר כמו שהיה הענין בשאול ולזה גם כן אמר וכוננתי את כסא ממלכתו עד עולם ר"ל כל הימים שהעולם נמצא ואם תפסק עלינו ממה שאמרה חנה וישב שם עד עולם שלא היה זמנו כ"א ימי חיי שמואל אמרנו לך כי הענין שם יחייב שיהי' שוב העולם לזמן שמואל כי לא יתכן שישב שם אחר מותו ואולם בזה המקום שב ההכרח אל העולם לא אל חיי שלמה ולזה אמר דוד לאמר ה' צבאות אלהים על ישראל ובית עבדך דוד יהיה נכון לפניך להורות כי תמידות זה כתמידות זה ואולם תמידות ישראל התבאר בתורה בדבר הקללות כמו שבארנו שם וזה מורה על נצחיות מלכות בית דוד: השלשי' וששה הוא בדעות והוא לבאר שהיעודים אשר לא יקחו זמן מה אבל יקחו כל הזמן יש בהם תנאי בהכרח והוא שיהיה המקבל ראוי ולזה תמצא כי כששמע דוד זה היעוד הנפלא שיעד אותו הש"י על יד נביאו התעורר להתפלל אל השם יתעלה שיתקיים לו היעוד ההוא כי תפלת דוד אפשר שתעזור בזה לפי שכבר היתה רוח הקדש שורה עליו כאמרו רוח ה' דבר בי ומלתו על לשוני וכבר התפרסם זה מספר תהלים אשר זכרו דוד ברוח הקדש ולזאת הסבה תמצא בזה המקום ולא יוסיפו בני עולה לכלותו כי זה מחוייב מצד ברית הש"י עם האבות כמו שבארנו בבאורנו לדברי התורה ואפשר עוד שמה שאמר בכאן ושמתי מקום לעמי ישראל ונטעתיו ושכן תחתיו ולא ירגז עוד ולא יוסיפו בני עולה לענותו כאשר בראשונה הוא רמז למלכות משיח בן דוד כי אז יתאמת זה לפי מה שנתבאר מספר דניאל וממקומות רבים מדברי הימים והנה הודיע לו הש"י בזה המאמר תכלית והצלחה שתהיה למה שיצמח מדוד ואחר זה באר מה שיהיה אחרי דוד ואמר והגיד לך ה' כי בית יעשה לך ה': השלשים ושבעה טוב הכונת דוד שלא נלחם עם הגוים ההם לכספו על הממון אבל לעלות התורה האמיתית ולהכניע החולקים עליה ולזה תמצא כי כשנלחם דוד על אותם המלכים והכניע אותם לא נטה לקחת השלל לעצמו אבל לקח אותו לה' לבאר שלא מפני תשוקתו אל השלל היה נלחם עמהם אבל מפני הפסד דעותיהם ואמונותיהם ובזה היה עוד תועלת לבאר כי ה' נלחם בישראל ולזה היה מקדיש דוד לה' הכסף והזהב והנחשת אשר בא אליו כי הוא הסבה בכל זה: השלשים ושמנה לפרסם שכבר נתקיים הייעוד שנזכר בתורה כאמרו דרך כוכב מיעקב וקם שבט מישראל ומחץ פאתי מואב כי זה נתאמת על יד דוד שהשכיב אותם ארצה וימדד שני חבלים להמית וחבל אחד להחיות: השלשים ותשעה הוא להודיע יושר דוד שכבר היה עושה משפט וצדקה לכל עמו לא היה מעלים עינו מאחד מהם כי זאת התכונה ראוי שתהיה למלך הגון וראוי לזאת הסבה זכר גם כן שכבר חרד דוד אם נותר איש לבית שאול ויעשה לו חסד ה' בעבור יהונתן ולזה גם כן ספר שגם לחנון בן נחש השתדל דוד לעשות חסד להשיב לו גמול תחת החסד שגמל לו אביו: המ' הוא להודיע שאין ראוי לאדם שיתן ממשלה לבניו בחייו הלא תראה מה שקרה לדוד מהרע מפני מה שעשה בניו שרים כי לולי זה לא היה חוטא אמנון עם אחותו ולא מרד אבשלום בו ולא קרה לאדניהו מה שקרה וזה מבואר מאד: המ"א הוא להודיע איך עמקו מחשבות הש"י שפעם עשות דוד חסד לחנון בן נחש כלי להשחי' בני עמון ועוזריהם כי זה היה סבה אל שילקח חנון עבדי דוד ויביישם ובזה בתכלית מה שאפשר והם בעצמם היו סבה להדיח על עצמם הרעה לחשבם כי נבאשו בדוד: המ"ב הוא להודיע שאין ראוי לאדם שיפנה אל התענוגים בעת היות חברו בצער הלא תראה כי אוריה החתי לא הסכים בעצמו ללכת לביתו לשכב עם אשתו מפני היות יואב וכל ישראל בצער ר"ל שהיו חונים על פני השדה לצור על רבה וראה מה קרה לדוד מהרע בתתו אז לעצמו התענוגים עד שחשק בבת שבע עם ידיעתו שהיא אשת איש ובא אליה ותהר לו כי זה היה סבה אל שהוסיף פשע על חטאתו והשתדל שימות אוריה בחרב בני עמון כשראה שלא נשלם לו מה שחשב שיבא שישכב עם אשתו בדרך שיתכסה קלון דוד: המ"ג הוא להודיע קיום יעודי הש"י אשר יעד לדוד על חטא אשת אוריה החתי ואיך עמקו מחשבותיו לסבב שתצמח מביתו הרעה ויצא משם מי שימרוד בו וישכב עם נשיו לעיני השמש ונגד כל ישראל והוא היה אבשלום והנה שלם תחת כבשה ארבעתים בשני הפנים וזה כי הוא לקח אשה אחת ואבשלום לקח ממנו עשר פלגשים והוא המית אוריה ומתו מבניו ארבעה והם אמנון ואבשלום ואדניה והבן הנולד או לבת שבע והנה ידוע כי הבן הנולד לבת שבע מת בעבור זה החטא כמו שנזכר בזה המקום ולפי שענין מרד אבשלו' צמח מענין ענות אמנון את תמר אחותו וענין החזקת אדניה במלוכה היה סבה לו דבר אבשלום כי חשב היותו מלך בעבור שנולד אחרי אבשלום הנה יתאמת שמיתת אלו השלשה היתה על דבר זה החטא לפי שהוא גם כן שפט כי בן מות האיש הזה אך הכעיסו נתן הנביא

כי

כי הש"י הסביר חטאתו בזה העונש האחד שזכר ולזה לא ימות והנה הוא שכבר לקח כל הרעה הזאת מביתו לפי שיונדב שנתן העצה לאמנון היה בן אחיו ואמנון היה בנו ותמר בתו ואבשלום היה בנו וכן היתה מיתת אדניה על יד שלמה שהיה מביתו: המ"ד הוא להודיע שאע"פ שגזר הש"י להביא רע מה שאין ראוי לאדם מלהמנע להתפלל לה' להסיר הרעה היא כי חנון ה' ונחם על הרעה ולזה תמצא שאע"פ שייעד הש"י לדוד על יד נביאו כי מות ימות הילד ההוא הנה לא נמנע דוד מלהתפלל עליו ומלצום צום והיה שוכב ארצה לרוב ההכנע לפני השם יתברך אולי יחננו ה' ויחי הילד ומזה המקום למדנו שמה שאמרה התורה וכי תבאו מלחמה בארצכם על הצר הצורר אתכם והרעותם בחצוצרות ונזכרתם וגו' הנה הרצון בו עם התפלה והתענית כמו שבארנו בביאורנו לדברי התורה: המ"ה הוא במדות והוא להודיע שאין ראוי לצום ולהתפלל על הצרה אחר שכבר הגיעה כי אין ראוי להתפלל על הדבר הנמנע לאלהים אם לא היה המתפלל נביא והיה שואל זה על דרך המופת ולזה אמר דוד למה זה אני צם האוכל להשיבו וגו' וכבר בארנו זה בביאור התורה ממה שאמר על הצר הצורר ולא שכבר צרר: המ"ו הוא להודיע שכבר נבחר שלמה מלידה ומבטן ומהריון לזה נקרא שמו מאת ה' ידידיה להורות על שהש"י אהבו: המ"ז הוא להודיע שמה שיכבשו יחידים מישראל לא תנהג בו קדושת ארץ ישראל ולזה דקדק יואב בעת שלכד את עיר רבה ונקרא במי עליה ולזה שלח אל דוד שיבא שם עם יתר ישראל כדי שיהיה שם המלך וכל ישראל ויהיה זה הכבוד מיוחס לכלם: המ"ח הוא להודיע לכל אדם שראוי שימנע מעצת היועצים הרעים ומהפעלות המגונות הלא תראה מה שקרא לאמנון מפני שמעו לעצת יונדב עם מה שהיה בדבריו מהפיוס לו: המ"ט הוא להודיע שזרע יפת תאר אשר יהיה מהביאה הראשונה שנבעלה בגיותה איני מיוחס לאב כלל ולזה הגיד כי תמר לא היתה אסורה לאמנון כאמרה ועתה דבר נא אל המלך כי לא ימנעני ממך: הנ' והוא במדות והוא מה שלמדנו שענין השנאה יוכר לנו כשלא ידבר עם שונאו למרע ועד טוב כאמרו ולא דבר אבשלום לאמנון למרע ועד טוב כי שנא אבשלום את אמנון ומזה המקום למדנו כי מה שאמרה התורה בהורג נפש בשגגה והוא לא שונא לו מתמול שלשו' יוכר בזה האופן כי אנחנו לא נדע מה שיש בלבו אך אם ראינוהו שלא דבר עמו שלשה ימים ידענו כי הוא שונא לו ולא יהיה גולה על הרציחה ההוא כי גדול עונו משיכופר ע"י גלות: הנ"א היא להודיע שראוי לאדם שיתיישב במה שישאל ממנו אם אפשר שיקרה ממני נזק קודם הסכימו לדבר השאלה ההיא הלא תראה כי דוד בעבור שלא התישב על מה ששאל ממנו שילך אתו אמנון נתן לו את שאלתו והיה זה סבה להמתת אמנון כי כבר היה אל דוד לתת אל לבו דבר השנאה אשר שנא אבשלום את אמנון על דבר תמר אחותו עם שזה היה מסובב מהשם ית' להקים על דוד את הרעה מביתו כי הריגת אמנון היה מסלול ודרך אל התכלית ההוא כמו שנראה מדברי זה הספור: הנ"ב הוא להודיע שאין ראוי לבקש דבר מאיש מה אם היה מבואר שלא יתן בקשתו ולזה ספר שלא התעורר יואב להשתדל עם המלך דוד להשיב את אבשלום עד אשר ידע כי לב דוד על אבשלום כי נחם על אמנון כי מת: הנ"ג הוא להודיע שמי שיירא אם יבקשו ממנו דבר מה אם למשפט אם לחסד שימנעהו הנה ראוי שיבא אליו בענינים דומים לדבר ההוא אשר ישוער שהוא ישפוט בהם לפי הדרוש ואחר זה כשיעתיקהו אל הנושא שהיה בו השאלה לא יתכן לו למנוע מה שכבר שפט שהוא ראוי ולזאת הסבה תמצא כי מפני שהיה ירא יואב מלבקש מהמלך דוד להשיב את נדחו פן ימנע ממנו בקשתו כי יחס לבבו על דם אמנון סבב להעתיקו אל מה שידומה לזה ממה שספר' לו האשה התקועית וכאשר נתבאר מדבריו שהוא חמל על ההורג ונשבע שלא יפול משערת ראשו ארצה אז היה קל להפך השאלה אל שישיב המלך את נדחו ובזה נתגלה המלך לעשות בקשת יואב: הנ"ד הוא להודיע כי יש מין מן הנזירות יהיה בו אדם נזיר עולם ויגלח משנה לשנה כמו שנראה מענין אבשלום במה שהיה מגלח ראשו משנה לשנה כי כבד עליו לפי מה שזכרנו בביאורנו לזה הספור: הנ"ה הוא להודיע שהזרע שיצא מיפת תאר הוא בלתי ראוי כמו שהעידה עליו התורה בפרשת כי תצא למלחמה כמו שבארנו שם הלא תראה איך היה ענין אבשלום בתכלית הרוע והוא היה בן יפת תאר לפי מה שיתבאר מענין תמר: הנ"ו הוא להודיע איך ענש השם אבשלום שכבר היו לו שלשה בנים וכלם מתו קודם מותו על שהוצרך לבנות מצבה וקרא שמו עליה כי אמר אין לי בן שיקרא שמו עליו: הנ"ז הוא להודיע כי אין היופי עדו' על יושר הלב ולא יושר הדברים כי לפעמים יעשה אדם זה על דרך תחבולה כמו שמצאנו באבשלום שמדבריו לישראל היה נראה שהוא איש חסיד ורודף הצדק והיושר והיה זה כלו על צד התחבולה למשוך לב ישראל אליו והנה אעפ"י שהיה היפה שבישראל לא היה טוב אך היה בתכלית הרוע והנה גנב אבשלום בזאת התחבולה לב ישראל ועמם זקני ישראל כי כלם היו נסכמים בהריגת דוד כמו שנתבאר מעצת אחיתופל: הנ"ח הוא במדות והוא להודיע שאין ראוי שיתבלבל האדם מלקיחת עצה מפני הפלגת רוע המקרים אשר יקרו לו ולזה תמצא שהתנהג דוד בחכמה נפלאה בכל זה הענין בברחו מפני אבשלום בנו וזה שהוא ירא אם ישאר שם שיצלחו אבשלו' בנו כי כבר ייעדו הנביא שיקים השם רעה מביתו ויתנו נשיו לרעו וישכב עמהם לעיני השמש ולעיני כל ישראל וזה לא היה אפשר שיתקיים אם ישאר שם דוד אם לא בשיפול דוד בידי אבשלום ולא רצה דוד לקחת כל נשיו אתו בברחו כי כבר ימשך מזה ג"כ אם יתקיים ייעוד הש"י יצלחהו אבשלום במקום אשר ברח שם ולזה הניח דוד שם הפלגשים לבד כי יותר מעט בזה היה לו מן הגנות והצער אם ישכב אבשלום עמהם ממה שיקרה לו מזה אם ישכב עם נשיו והנה ברח המלך ברגליו כדי שלא יכירו כל רואיו כי הוא המלך כי בזה יתכן לו שישלם ההמלט מן אבשלום ולזאת הסבה גם כן לא רצה שישאו לו ארון ה' והניח שם אנשים טובים יוכל לבטוח בהם שיגידו לו האמת להודיע לו מה שיסכים אבשלום לעשות כנגדו והשתדל לשלוח שם איש חכם למען יפר את עצת אחיתופל הטובה ועם הכנתו עצמו לפו'העל' הכין עצמו לתפלה ולזה התפלל לש"י שיסכל עצת אחיתופל ועם זה היה לב דוד נשבר ונדכ' והיה הולך ובוכה וראש לו חפוי וסבל הקללות הנמרצו' שקללו שמעי בן גרא להכנע בתכלית מה שאפשר אל הש"י אולי יחננו ויצילו ונחם על הרעה והכין עצמו עם זה למלחמה לפי הסדור הראוי ולזה שם על מחנהו שרי אלפים ושרי מאות: הנ"ט הוא להודיע כי גם בעת הרע' על הצדיק לא יעזבנו הש"י ביד הרשע ולא יסיר השגחתו ממנו לגמרי הלא תראה כי עם היות דוד נרדף הוכנו ענינים רבים לו להצלתו עד שבבחורים שהיו שם בני ימיני שהיה ראוי שישנאו דוד הוכנה שם אשה הביאה אחימעץ ויהונתן באופן שהשלימו המבוק' מדוד לדעת מה שיסכימו לעשות אבשלום וישראל כדי שיוכל לקחת עצה להמלט ממה שחשבו לעשו' כנגדו ומל' גם כן בדרכו רבים נשאו לו מנחה ולעם אשר ברגליו כי לא יגרע הש"י מצדיק עיניו ובעת המלחמה ג"כ נפלו עם אבשלום ואבשלום ביד אנשי דוד כי כבר סבב הש"י שנפוצו ישראל הנה והנה לברוח והיה זה סבה אל שנפל אבשלו' ביד עבדי דוד ולא יכול לברוח כי כבר סבב הש"י והיה תלוי בלב האלה: הס' הוא להראות עוצם בטחון דוד בשם ית' עד שצוה יואב ואבישי ואתי שיחמלו על הנער אבשלום ולא ימיתוהו להשענו שכבר ינצח אבשלו' ולבא ישראל אשר עמו מפני רדפם אותו על לא חמס בכפיו וזה גם כן הורה על טוב תכונ' דוד שלא היה רוצה לגמול לו מדה כנגד מדה אך לא יכול דוד למנוע זה כי מן השמים נלחמו עם אבשלום שיפול ביד פשעיו עם שבזה נתישר הדבר שתהיה המלוכה לשלמה כאשר גזר הש"י והנה היתה תכונת דוד חזקה בזה הענין עד שכבר נתאבל על אבשלום זה האבל הנפלא הנזכר בזה הספור: הס"א הוא להודיע שאין ראוי לאדם טוב לבשר בשורה לגדול לא ישמח בה ולזה הרחיק יואב את אחימעץ מלבשר אל המלך דוד דבר הריגת אבשלום ולזה אמר לו לא איש בשורה אתה היום הזה על זה הענין ובשרת ביום אחר כאשר יקרה דבר טוב ישמח בו דוד אז תשאת הבשורה בפיך ולפי שחשב אחימעץ שישמח בה דוד בקש שירוץ הוא לבשר אל המלך זאת הבשורה וכאשר הרגי' שידאג המלך בזה לא רצה לבשר זאת הבשורה ובזה תמצא שאמר המלך דוד איש טוב הוא ואל בשורה טובה יבא למדנו מזה שאין מדרך האיש הטוב לבשר הבשורה הרעה: הס"ב הוא להודיע שראוי שיתנהג האדם בחכמה גם בעת האבל והצער ולא יסור ממנו הצער טוב העצה הלא תראה כי תכף שהרגיש דוד מה שיקרה לו מן הנזק אם יראה לעבדיו שהוא דואג ומיצר על מיתת אבשלום ולזאת הסבה קם וישב בשער להראות שאינו מיצר על מיתתו ולזה תמצא שהנהיג דוד בחכמה נפלאה בענין השבתו למלכותו ולזאת הסבה בעינה שלח לבקש בדברי שלום ואהבה ואחוה מהיותר קרובים אליו שישתדלו בהשבתו כדי שלא יראו שיהיה לבבו עליהם על אשר מרדו בו ומשחו אבשלום עליהם למלך ושלח להם כי דבר כל ישראל בא להשיב אל המלך כדי שימהרו להשיבו באופן שלא יקדמו להם ישראל כי זה יהיה בשת להם ולזאת הסבה גם כן שלח לעמשא גם כן בזה האופן ונשבע לו שיעשהו שר צבא תחת יואב והנה רצה המלך שיסכימו זה זקני יהודה כי לא ידע מה ילד יום כי אולם יקים לו הש"י שטן אחד כי במעט סבה יתרצו ישר' להמליכו עליהם לבטח על ענין דוד ולהבטם כי נמאסו בעיניו ולזאת הסבה תמצא דוד שמחל לשמעי בן גרא את דבר הקללו' אשר קללהו ונשבע לו שלא ימות ליראתו שיהיה לשטן לו ולזה גם כן תמצא שכאשר קם שבע בן בכרי להיות לדוד לשטן מהר דוד להפילו טרם יתחזק ענינו כי אז יכבד לו יותר ואולי ימותו בזה רבי' מישראל ולזה השתדל למהר להמיתו לבדו: הס"ג הוא במדות והוא להודיע שראוי להתרחק מלקבל לשון הרע הלא תראה כי על לשה"ר שספר ציבא על מפיבשת ענש דוד מפיבשת ונתן לעבדו את השדה אשר היה לשאול וכאשר נתבאר שקרות הדברי' ההם הוכרח להשאיר מהעונש ההוא קצתם מפני ההטבות שהיטיב לו ציבא בעת היותו נרדף והנה הסכימו ז"ל שכל מה שאמר דוד למפיבשת אמרתי אתה וציבא תחלקו את השדה נענש דוד כשנחלק המלכו' קצתו לרחבעם וקצתו לירבעם והיה זה כן לפי שעון קבול לשון הרע קשה מאד הלא תראה מפני מה שקבלו ישראל לשון הרע מאבשלו' כנגד דוד מתו כמה נפשות מישראל: הס"ד הוא במדות והוא להודיע שראוי למקבל הטובה שישלם גמול למיטב על הטבתו ולזה ספר שכבר נתעלם דוד עם ברזלי והעביר אתו כמהם להיטיב לו כאשר שאל ברזלי: הס"ה הוא להודיע שראוי לכל אדם להיות מפחד תמיד כשהיתה שם סבה מביאה אל זה ואם כבר יראה בתחלת המחשבה שלא נתישר הענין לתכלית שיגיע לו נזק הלא תראה כי עמשא עם היותו ראוי שיפחד מיואב שימיתהו כדי שלא ירד מגדולתו ר"ל שלא ירד מהיות שר צבא והיה החרב ביד יואב עם כל זה לא פחד להשבו שזה לא היה לכוונת שיהרגהו אך מקרה היה שנפלה החרב מתערה יקרה לו מזה המות ·

Commentary Digest

David's song of tribute and praise to the Almighty, which is read publicly in the synagogue on the seventh day of Passover, was inserted into the Book of Samuel as a most fitting conclusion to all the personal and national tribulations that David encountered in his multi-episodic lifetime. Its essential theme is David's steadfast belief in G-d and his dependence upon Him as his savior, protector, and comforter. David never attributes any of his success to his own shrewdness or military prowess. He gives full credit to the Lord, without whose aid calamity would most certainly have befallen him.

There are two opposing opinions regarding the time of authorship of this chapter. R, along with most other exegetes, shares the view that this song, which had also been embodied in the Psalter (Ps. 18), was composed in the latter stage of David's lifetime in gratitude for having been delivered unscathed from the hands of his enemies. A, however, maintains that David composed this psalm in his youth in order to have a means of praising G-d at every success and salvation that he would ultimately experience.

Although many other psalms also relate to events found in this Book of Samuel, A explains that because this psalm does not speak of any specific event, but rather has as its theme the general role which G-d played in David's life, it alone was incorporated into this book.

The chapter is divisible into four distinct segments. After the opening introductory verse, in the initial part (v. 2-20) David describes his moments of danger and how they always resolved themselves in a positive manner. In the middle section (v. 20-29), he suggests that all his successes may only be attributed to his unswerving faith in G-d. In the third segment (v. 29-51), David praises G-d for providing him with the strength to save himself and to humble his enemies. In the fourth and final section (v. 47-51), David praises G-d for constantly intervening on his behalf.

While this chapter seems to be identical with the eighteenth Psalm, closer scrutiny of the two versions indicates a startling number of discrepancies. (The entire eighth chapter of Tractate Soferim, a minor tractate of the Babylonian Talmud, is devoted to the discrepancies between the two versions. According to A, they number seventy-four in all).

A suggests that the version that David originally composed is the one found in our chapter. However, in preparing this song of praise for the Psalter, David felt compelled to exclude all personal references and to substitute for them a more general version with which all Israelites could identify in their moments of need or triumph. Thus, as an example, סלעי ומצודתי ומפלטי was substituted for the ומפלטי לי ('He was to *me* as my rescuer.') of our verse. It is evident, however, that in the course of his editing, David also chose to incorporate some lesser stylistic changes as well.

שמעי אחי דוד: כב את־ארבעת אלה
ילדו להרפה בגת ויפלו ביד־דוד וביד
עבדיו: כב א וידבר דוד ליהוה את־
דברי השירה הזאת ביום הציל יהוה
אתו מכף כל־איביו ומכף שאול:
ב ויאמר יהוה סלעי ומצדתי ומפלטי־
לי: ג אלהי צורי אחסה־בו מגני וקרן

ת״א את הרבעה. סוטה מב: ויפלו. שם: וידבר דוד. מגלה לא מ״ק טז: שמעא קרי

תרגום

כב שמעה אחוהי דדויד:
כב ית ארבעת אילין
אתילידו לגברא בגת
ואתמסרו בידא דדויד
ובידא דעבדוהי:
א ושבח דוד בנבואה
קדם יי ית פתגמי
תושבחתא הדא על כל
יומיא דשיזיב יי ית
ישראל מיד כל בעלי
דבביהון ואף לדויד
שיזביה מחרבא דשאול:
ב ואמר יי תוקפי
ורוחצני ומשיזיב יתי:
ג אלהי דאתרעי בי
קרבני לדחלתיה תוקפי דמן קדמוהי מתיהב לי תקוף ופורקן לאתגברא על בעלי דבבי רוחצני

רש״י

כב (א) ביום הציל ה׳ אותו. לעת זקנתו לאחר שעברו עליו כל צרותיו וניצול מכולם: ומכף שאול. והלא שאול בכלל היה אלא שהיה אויבו ורודפו מכולם כיוצא בו תשעה עשר איש ועשהאל (לעיל ב׳ ל׳) כיוצא בו לכו ראו את הארץ ואת יריחו (יהושע ב׳ א׳) וכיוצא בו והמלך שלמה אהב נשים נכריות ואת בת פרעה (מלכים א׳ י״א א׳): (ב) סלעי ומצודתי. לשון חוזק הם. סלע. כמשמעו. מצודה היא מצודת יערים שקורין פליישא״ן בלע״ז ועל שם הנס שנעשה לו בסלע המחלקות והמצדות בהורשה (שמואל א׳ כ״ג כ״ה): ומפלטי לי. מפלטי עם צבא ישראל במלחמ׳ ופעמים שהוא מפלט לי כשאני לבדי כגון מן יושבי בנוב: (ג) צורי. לשון סלע שהסלע מחסה לעוברי דרך מן המטר

מהר״י קרא

כב (א) וידבר דוד לה׳ את דברי השירה הזאת: (ב) ויאמר ה׳ סלעי. שכשם שאדם בורח על שן סלע וניצול כך אני בורח אליו וניצול: ומפלטי לי. מפלט לי: (ג) אלהי צורי אחסה בו. שכשם שאדם בורח בנקרת הצור מפני הרוח

דעל

רד״ק

להרפה. לענק ובא בה״א הידיעה עם למ״ד השמוש כמשפט אלא שברוב נפלה ה״א הידיעה לתקל וכמוה להצם הזה להגדוד הבא אליו: (א) וידבר דוד לה׳. שירה זאת חבר׳ דוד בסוף ימיו כשהניח ה׳ לו מכל אויביו. ואמר ומכף שאול כי הוא היה שקול כנגד כל אויביו וכתובה שירה זו בספר תהלים ומתהפלת במקומות במלים והענין אחד וי״ת השירה הזאת על הצלת ישראל מאויביהם גם דבר פרעה זכר בפסוק עלה עשן באפו: (ב) סלעי ומצודתי. שהייתי נשגב בו מאויבי: ומפלטי לי. הוא קל הלמ״ד וכמוהו רבים מבנין הדגוש ומה שאמר לי אחר יו״ד הכינוי הוא תוספת ביאור כי די באחד מהם או תהיה יו״ד של ומפלטי נוסף׳ ואיננה לכינוי כיו״ד המגביהי לשבת היושבי בשמים: (ג) אלהי צורי. אחרי שאלהי סמוך יהיה

רלב״ג

הס״ו הוא להודיע שאין ראוי שיתסרו נפשם להריגה בני העיר בעבור הצלת נפש אחת מישראל כשהיה האיש ההוא מחוייב מיתה כשבע בן בכרי ומזה יתבאר גם כן שאם לא היה מחוייב מיתה כשבע בן בכרי לא הותר להם זה לפי המקומות הכוללים שזכרנו בפתיחת באורנו לדברי התורה ולזה תמצא שהסכימו אנשי העיר ההוא להרוג שבע בכרי להסיר מעליהם אנשי המלחמה שהיו משתדלים להשחית העיר בכללה בעבור שבע בן בכרי אם לא יתנוהו להם כי אם לא יאותו להם הם ג״כ מורדים במלכות ויתחייבו מיתה ולזאת הסבה תמצא שספרה האשה החכמה שהיתה שם כי בני העיר ההיא אינם מורדים במלכות אך הם שלומי אמוני ישראל: הס״ז הוא להודיע כי העונש לא יבא בזולת מרי ולזה ספר שכבר היה רעב בימי דוד שלש שנים שנה אחר שנה והיה זה אלגס דבר זר מאד לחוזק השגחת השם יתברך על דוד ולזה בקשו לדעת במה היתה החטאת הזאת וכאשר נתאמת להם שבסבת חטא הגבעונים היה על מה שרדפם שאול והרגם והשמידם מהתיצב בכל גבול ישראל כי כבר עבר בזה על השבועה שנשבעו להם נשיאי העדה פייסו׳ באופן אחר ולא נתרצו עד שנתלו בזה האופן שבקשו שהיה בו מהאכזריות מה שלא יעלם והנה זכר כי בזה נעתר להם השם ית׳ לארץ: הס״ח הוא להודיע שהש״י יקח נקמה ממי שיונה השפלים וירדפם להשבו כי אין בשער עוזרם ולזה תראה שיותר נענש שאול על הריג׳ הגבעונים ורדיפת׳ ממה שנענש על הריגת נוב עיר הכהנים והנה היה זה לשתי סבות האחת כי מי שיתחכך בזאת התכונה הפחותה ר״ל לרדף השפלים ימלאו לו תמיד מה שאין כן ברדיפת הבלתי שפלים והב׳ כי בהריגת הכהנים אשר בנוב היה שאול כלי להשלים מה שייעד הש״י מהרע לבי׳ עלי ולזה לא מלאנו כשזכ׳ הטאות שאול שיזכור זה ההטא וגם שאריך בפרטי אלו הסיפורים להוסיף המאמנה בהם: (א) וידבר דוד לה׳ עד סוף הספר. ביאור המלות: (ב) סלעי ומצודתי. הם ענין חוזק כי ברוב יהיו הבניינים החזקים על שן סלע והמצודה הוא הבנין החזק: ומפלטי. ר״ל ומציל אותי מהרעות אשר אני בהם והצלון בזה ס׳ לי סלעי ומצודתי לא אצטרך למקו׳ חזק ולמציל אחר: (ג) אלהי צורי. ר״ל אלהי חזקי: וקרן ישעי. ותוקף ישעי והמשיל התוקף לקרן כי הוא כלי

מצודת דוד

כב (א) ביום הציל. ר״ל לעת זקנותו שניצול מכל התלאות ועבדיו מנעוהו מלרדת עוד במלחמה כמ״ש למעלה אז אמר השירה הזאת. או ר״ל בכל עת שבא עליו צרה וניצל ממנה אז היה שר השירה הזאת: (ב) ה׳ סלעי. ה׳ מחסי כבנין מסלע וכמצודה: (ג) צורי. ה׳ הוא חזקי אשר אחסה בו: וקרן ישעי. הוא לי לישע ועזר

מצודת ציון

כב (א) מכף. מיד: (ב) ומצודתי. מגזר חזק: ומפלטי. מציל׳ ואמר לי לתוספת ביאור: (ג) צורי. מלשון צור וסלע וכפל

Commentary Digest

and a rescuer to me. "[He was] *my rescuer* (when I was) *together with the army of Israel engaged in battle. On occasion,* (however) *he rescued me when I was alone, as from Ishbi in Nob* (*Above* 21:16)." — R. R seeks to explain the unnecessary addition of the word לי, since מפלטי in itself means 'my redeemer'. He sug-

Shimea David's brother smote him. 22. These four were born to Raphah in Gath; and they fell by the hand of David, and by the hand of his servants.

22

1. And David spoke to the Lord the words of this song, on the day that the Lord delivered him from the hand of all his enemies, and from the hand of Saul; 2. And he said, "The Lord is my rock and my fortress, and a rescuer to me. 3. God is my rock, under whom I take cover; My shield, and the horn of

Commentary Digest

CHAPTER 22

1. *In the day that the Lord delivered him* — "*In his later years when all his troubles had passed over him and he had been saved from them all.*" — R and K. See the introduction to this chapter for A's opinion regarding the time of authorship of this song.

and out of the hand of Saul — "*But is not Saul included* (among his enemies)? *However, he was his enemy and pursuer to a greater degree than all the others* (and was therefore cited separately). *Similarly* (we find): *'nineteen men and Asahel'* (*Above* 2:30). *Similarly 'And King Solomon loved foreign women, and the daughter of Pharoah* (*I Kings* 11:1)'." — R. from M.Ps. Ch. 7. While R suggests that special mention was made of Saul because he was David's major enemy, A contends that Saul was listed separately precisely because David did not consider him an enemy, but a figure who was to pitied rather than hated.

According to T.B. M.K. 17b, God admonished David very sharply for composing this song of praise over Saul's downfall: "Said the Holy One Blessed is He: 'David, you compose a song over Saul's downfall? If only you were Saul and He David, I would have destroyed many Davids from before him.' Were you in Saul's position as a guardian of the kingdom, and Saul in your position as the rightful heir to the throne, I should have destroyed many Davids from before him." — M'iri, Hor, Ch. 3, 11b. Rashi adds: For he is more righteous than you. See Introduction to the Book of I Samuel of this Judaica Press series for a discussion of the comparative merits of Saul versus David.

2. *my rock and my fortress* — "*They are expressions of strength; Rock, requires no explanation; fortress refers to the fortresses of the forests which are called 'pljsdec' in French. This is an allusion to the miracle that was performed on his behalf at the rock of Machloketh* (I Sam. 23:28), *and at the fortresses at Harsha* (I Sam. 23:15-19). — R from M.Ps. Ch. 18.

יִשְׁעִי מִשְׂגַּבִּי וּמְנוּסִי מֹשִׁעִי מֵחָמָס
תֹּשִׁעֵנִי: ד מְהֻלָּל אֶקְרָא יְהוָה וּמֵאֹיְבַי
אִוָּשֵׁעַ: ה כִּי אֲפָפֻנִי מִשְׁבְּרֵי־מָוֶת נַחֲלֵי
בְלִיַּעַל יְבַעֲתֻנִי: ו חֶבְלֵי שְׁאוֹל סַבֻּנִי

דְעַל מֵימְרֵיהּ אֲנָא רָחִיץ בְּעִדָּן עָקָא מָגֵין עֲלַי מִבַּעֲלֵי דְבָבִי נַאֲמַר לְאַרָמָא קַרְנִי בְּפוּרְקָנֵיהּ סוֹמְכָנִי דַהֲוָה מֵימְרֵיהּ סָמֵךְ לִי כַּד הֲוֵיתִי עֲרִיק מִן קֳדָם רָדְפֵי פּוּרְקָנִי מִבַּעֲלֵי דְבָבִי וְאַף מִיַּד כָּל חָטוֹפִין שֵׁיזֵיב יָתִי: ד אֲמַר דָוִד בְּתוּשְׁבְּחָא אֲנָא מְצַלֵּי קֳדָם יְיָ דִבְכָל עִדָּן מִבַּעֲלֵי דְבָבִי פָּרִיק יָתִי: ה אֲרֵי אַקִּיפְתַנִי עָקָא כְּאִתְּתָא דְיָתְבָא עַל מַתְבְּרָא וְחֵילָא לֵית לַהּ לְמֵילַד וְהִיא מְסַכְּנָא לִמְמָת סִיעַת חַיָּבִין בְּעַתַת יָתִי: ו מַשְׁרְיַת רַשִׁיעִין אַקְפוּנִי קַדְמוּנִי דִמְזַיְנִין בְּמָנֵי קְטוֹל: אמר

מהר"י קרא

ומפני חזועות והגשמים. כך אני מתכסה תחת צל שלו: אחסה בו. פתר' אתכסה בו. שחסיון לשון כיסוי הוא. תדע שכן הרי הוא אומר אשר באת לחסות תחת כנפיו. והיה למקרא לומר באת לתתכסות תחת כנפיו. וכן בכל מקום שאתה מוצא חסיון אתה מוצא צל בצדו כמו בצל כנפיך יחסיון דדוד. וכן תחית לצל יומם מחורב ולמחסה ולמסתור מזרם וממטר. וכן באו חסו בצלי דיותם. וכן חסות בצל מצרים: וקרן ישעי. מנהג בעולם כשישא גוי אל גוי חרב המתגבר על עם אחר תוקע קרן ישע להשמיע שנתגבר על אויבו ונצחו אותו הוא קרן ישעי: משגבי. פתרונו הצלה שלי. כמו שאתה אומר מגדל עוז שם ה' בו ירוץ צדיק ונשגב. שפת' בו ירוץ צדיק וניצול: ומנוסי. אליו אנוס בצר לי: (ד) מהולל אקרא ה' ומאויבי אושע. כך נהגתי כל ימי כשרדפוני אויבי קראתי אל ה'. שמהולל מאד ואותה שעה הושיעני מאויבי: (ה) כי אפפוני משברי מות. לשון חרון אף. ובו שתי פיין אחת ליסוד ואחת לשימוש: משברי מות. שבר שלי היה דומה לאשה שתקרב ללת תהיל תזעק בחבליה וכח אין ללידה ומיישיבון אותה על המשבר ומוטלת בין חיים למיתה. כמו כן כשהגעתי למשברי מות חבלי נחלי בליעל יבעתוני הבעיתוני: (ו) חבלי שאול

רש"י

והרוחות אבריאמ"ש בלע"ז: אחסה. לשון כסוי שהייתי מתכסה לעזרה: משגבי. סומכי: ומנוסי. שהייתי נס אליו לעזרה: (ד) מהולל אקרא ה'. כתרגומו בקראי לו אהודנו לפי כי מאויבי אני בוטח שאושע ויתכן לפתור אקרא ואושע ל' הוה: (ה) אפפוני. הקיפוני: משברי מות. כתרגומו כאתא דיתבא על מתברא כן שם מושב האבנים שהאשה יולדות שם: נחלי. גייסות שוטפות כנחל: (ו) חבלי. כתרגומו משרית כמו חבל נביאים (שמואל א'

רלב"ג

לבעלי הקרנים להסיר ממנו כל מזיק ולפי שהוא ישתמש בה ג"כ להזיק וזה דבר לא יתכן שייוחד להש"י אמר קרן ישעי הוא להושיע ולהציל מהרע כי הש"י לא יעשה רע אם לא מצד מה שהוא טוב: משגבי. ר"ל חזקי ותקפי: ומנוסי. כמו שינוס האדם אל המקום הידוע לו שיתכן לו שימלט בו כי אין לי מנוס זולתי אל הש"י: (ד) מהלל אקרא ה'. ר"ל כשאקרא לשם יתעל' ואתפלל לו הנה יהיה קודם זה מהולל ר"ל שאסדר שבחיו תהלה כי בזה יתכן שתהיה התפלה נשמעת כי בספור השבחים ישלם לאדם הדבקות עם הש"י ואז יתכן שתהיה תפלתו נשמעת מפני דבקות ההשגחה בו: (ה) אפפוני משברי מות. רלה לומר הקיפוני רעות שוברות מובילות אל מות או יהיה אפפוני מענין אף והוא מענין פנים כאמרו ויפל לאפיו ארצה והרצון בו שמו פניהם אלי ואפשר שיהיה משברי מות מענין אמרו כל משבריך וגליך עלי עברו והרצון בו על צד המשל גלי הים המביאים אל מות שמו פניהם אלי: נחלי בליעל. נחלי רשע והנה קרא נחלי רשע הנחלים השוטפים והולכים בכח וזה כלו משל על הרעות הגדולות: (ו) חבלי

רד"ק

צורי שם לא תואר ובתהלים אלי צורי ושניהם תואר ואפשר כי צורי לעולם שם ר"ל כי הוא החוזק שלי וכל צור עולמים חוזק העולמים וקיומם: וקרן ישעי. דרך המקרא לכנות החוזק בקרן כמו וקרני ראם קרניו לפי שהאיל והשור והראם חזקם וכחם בקרניהם שהם מנגחים בהם: מחמס. כאנשי חמס וכת"י ואף מיד כל חטופין ואנסין שזיב יתי: (ד) מהולל אקרא ה'. כשאני מתפלל ואקרא ה' מהולל שאהללנו בתחלותי אז מן אויבי אושע: (ה) משברי מות. הם הצרות החזקו' שהיה בהם קרוב למות כמו שהיה בסלע המחלקות ופי' משברי כי הצרות שוברות לב האדם באנחותיו ודאגותיו או פי' משברי על דרך משל כאלו אמר גלי מות כי הגלים החזקים נקראים משברים כמו שאמר כל משבריך וגליך עלי עברו ונקר' הגל כן לפי שהוא נשבר בתנועתו החזקה ויונתן פירש שהיה בצרה כאשה יושבת על משבר והיא מסוכנת למות: נחלי בליעל יבעתוני. על דרך משל כמי הנחל השוטף כן הצרה הגדולה ובליעל אמר על כל רשע ורשע כאויביו או יהיה בליעל שם הרשע ויונתן תרגם סיעת חייבין ואפשר לפרש נחלי מן נחלה מכתך: (ו) חבלי שאול. ענין כאב מן חבלי יולדה ויהונתן תירגם משרית רשיעין

מצודת ציון

דבריו במ"ש כדרך השיר: ומנוסי. מלשון ניסה ובריחה: מחמס. הוא כענין גזל: (ה) אפפוני. סבבוני כמו כי אפפו עלי (תהלים מ): משברי. מלשון שבר: נחלי. מלשון הולי כמו נחלה מכתך (נחום ג): יבעתוני. מלשון בעתה וחרדה: (ו) חבלי. מכאובי כמו חבלי יולדה (הושע יג): קדמוני. באו לפני כמו במה אקדם

מצודת דוד

כמו קרן לבעל הקרנים: ומנוסי. אנוס אליו מפחד האויב: מחמס. מאנשי חמס: (ד) מהולל. כאשר אני קורא אל ה' בהלל אז אני נושע: (ה) כי אפפוני. כאשר סבבו אותי משברי מות ר"ל כאבי מות וכאשר החיים הבאים מאנשי בליעל בעתו וחרדו אותי: (ו) חבלי. וכאשר כאבי שאול סבבוני ובאו לפני מוקשים

Commentary Digest

streams of scoundrels — *"Armies that overflow like a stream."* — R. K, A and D suggest that the root of נחלי is חולי: 'Strong pains frighten me.'

6. *bands* — Heb. חבלי — *"As its Targum: 'Bands', similar to: Bands of prophets* (חבל נביאים) *of* I Sam. 10:10.) — R. from J. Others translate חבלי שאול as 'deathly pains', שאול being synonymous with קבר (a grave). See Genesis. 37:35 — G, A, and D.

"confronted me" — R.

my salvation, my support, and my refuge; [He is] my savior Who saves me from violence. 4. With praise, I call to the Lord, for from my enemies I shall be saved. 5. For the pains of death have encompassed me; streams of scoundrels would affright me. 6. Bands of [those that shall inherit] the nether world have surrounded me

Commentary Digest

gests that the meaning is 'he was my redeemer when I was alone.'

Hirsch explains that the three expressions סלעי, מצדתי, מפלטי indicate three distinct ways in which God protected David. Sometimes God would be his rock, who raised and strengthened him to meet the enemy's challenge. At other times God would benevolently encompass him as a fortress so that the enemy could not even approach him. Finally on those rare occasions when the enemy would actually entrap him, God became his rescuer.

3. *my rock* — Heb., צורי, *"Synonymous with* סלע (He was his rock) *since the rock protects travellers from the* (force of) *the rain and the wind, 'abriemant' in French."* — R.

under whom I take cover — *"An expression of covering. I would cover myself* (waiting) *for* (His) *aid."* — R.

"my support." — R.

and my refuge — *"For I would run to Him for aid."* — R. According to A this verse comes to explain the previous one. In what manner was God a rock, fortress, and rescuer to David? Just as a rock could be used as a place of refuge or as a point from which to attack, so God proved to be not only a savior and place of refuge, but also provided him with the source of strength with which to attack his enemies.

In all David makes use here of ten distinct expressions of praise. According to M.Ps. (Ch. 18) this was an allusion to the ten enemies from whom God had delivered him; Saul, Doeg, Ahithophel, Sheba the son of Bichri, Shimei the son of Gera, Shobach, and the four sons of Raphah.

4. *With praise I call to the Lord*— *"Just as its Targum. Upon calling Him I* (already) *praise Him, for I am confident that I will be saved. It is also plausible to interpret it: 'I call and I am saved', in present tense."* — R. A and G interpret: When I am prepared to call upon the Lord I precede my request with praise of Him. Compare with T.B. Ber. 32a: 'Man should first arrange His praise and then pray.'

5. *"have encompassed me"* — R, D, and G.

pains of death — Heb. משברי מות *"As its Targum: Like a woman who sits on the travailing chair* (who lacks the strength to face childbirth and fears for her life — Targum of J). *This* (משבר) *is the term for the stone seat whereupon a woman gives birth."* — R. K, G, and A translate משברי מות as mighty waves, or breakers that endanger the lives of seafarers.

קדמני מקשי־מות: ז בצר־לי אקרא
יהוה ואל־אלהי אקרא וישמע מהיכלו
קולי ושועתי באזניו: ח ו*תגעש ותרעש
הארץ מוסדות השמים ירגזו ויתגעשו
כי־חרה לו: ט עלה עשן באפו ואש
מפיו תאכל גחלים בערו ממנו: י ויט

ויתגעש קרי

ז אמר דוד כד עקא לי
אנא מצלי קדם יי וקדם
אלהי אנא מתחנן
ומקבל מהיכליה צלותי
ובעותי קדמוהי
מתעבדא: ח ואתרגישת
ואתרגישת ארעא
שכלולי שמיא זעו
ואתרכינו ארי תקיף
רוגזיה: ט סליק זדוני
דפרעה רשיעא כתננא
קדמוהי בכן שלח
רוגזיה באשא בערא דמן
קדמוהי משיצאה מזופיתיה בגומרין דנור דלקא מימריה: י וארכין שמיא ואתגלי יקריה וענן אמיטתא

רש"י

י"ו):קדמוני. באו לפני:(ז) בצר לי אקרא ה' וגו' וישמע וגו'. כך דרך לשון הווה מדב' לשון עבר ולשון עתיד בפעם אחת: (ח) ויתגעש ותרעש. לא על ניסי' שאירעוהו נאמ' אלא על ניסי' שנעשו לישראל וראש המקר' מחובר על סופו: כי חרה לו. כי משמש כאן בלשון כאשר וכן פתרונו וכשחר' לו מפני מכעיסיו נתגעשה ונתרעשה הארץ ומוסדו' השמים רגזו ורעשו:(ט)עלה עשן באפו. כן דרך הכועס יוצא עשן מנחיריו וכן אלה עשן באפי (ישעי' סה). וזהו כל לשון חרון אף שהאף נוחר ומעלה הבל: ואש מפיו תאכל. מגזרת דבר פיו תאכל אש ברשעים: (י) ויט שמים. להנקם מאויביו

מהר"י קרא

סבוני קדמוני מוקשי מות באותה שעה קראתי אל ה' כמו שמפרש בצר לי אקרא ה' יפתרונו בשעה שצר לי קראתי אל ה': (ז) ואל אלהי אקרא. פת' משעה שקראתי אל ה' אותה שעה וישמע משמים מהיכל קדשו קולי ושועתי באה באזניו: (ח) ותגעש ותרעש הארץ. פת' משמשמע ממרום קדשו קולי ושועתי באה באזניו. אותה שעה ויתגעשו ויתרעשו האיתנים מוסדי ארץ המצירים לי: מוסדות השמים ירגזו. שהרעיש הקב"ה גם צבא השמים בשבילי. כמו שמפרש בסמוך וירכב על כרוב ויעף וירא על כנפי רוח. והיכן מצינו שהקב"ה ירד ממעון קדשו לעזור לדוד דכתיב ויהי כשמעך את [קול] צעדה בראשי הבכאים אז תחרץ כי אז יצא ה' לפניך להכות במחנה פלשתים: ויתגעשו כי חרה לו. פת' ויתגעשו כל צבא המרום כשחרה אפו של הקב"ה על אויבי שהיו מציקים לי: (ט) עלת עשן באפו ואש [וגו']. פי' כשעלה עשן באפו. ואש מפיו תאכל וגחלים בערו ממנו. שחמתו בערה בו לבער את הקמים

רד"ק

כמו חבלי נביאים: (ז) מהיכלו. מן השמים: ושועתי באזניו. באה באזניו וכן כתוב בתהלים תבא באזניו: (ח) ותגעש. כתיב כמו בתהלים וקרי ויתגעש והענין אחד וקריאת המל' מלרע וכל הענין הזה עד ישלח ממרום רמז להשחית ולכלות אויבי ישראל כי להם הוא רעש הארץ והשמים וחשך וערפל וגחלים ואש וחצים וברק הכל דרך משל וכן ויט שמים וירד כאילו ירד לכלותם במהרה וזהו וירכב על כרוב ויעף וירא על כנפי רוח רמז למהירות הכליה והאבדון לאויבים: (ט) עלה עשן משל על חרון אפו באויבים כמו אז יעשן אף ה' וקנאתו:

רלב"ג

שאול סבוני. כאשר מות סבבוני והנה קרא שאול מות כי יהוא בם נקבר וכאלו אמר שהלאכים ההם מובילים אל מות: קדמוני מוקשי מות. קדמו אותי אויבי נגו' בדרכי אשר אני הולך מוקשים אשר בהם מוליכים אל מות: (ז) בצר לי אקרא ה' ואל אלהי אשוע. ידמה שכפל הענין במלות שונות כי זה דרך השירים ואפשר עוד שהאשון יכוין שיקרא שם ה' והוא ההשתדלות בהשגתו יתברך בהמציאות כדור שבהיו כי זה הוא קריאת השם לו ואחרי זה היה מתפלל לש"י ובזה האופן עלתה שועתו באזני הש"י ואם חזקה מאד מדרגתו ממדרגת האדם: (ח) ויתגעש ותרעש הארץ. הגעש והרעדה הוא דבר אחד: מוסדות השמים. הם מקומות הארץ כי הם כמו מוסדותיהם להיום תנועותיהם סביב המרכז ואמר עליהם שירגזו וירעשו מאד היות האש בבטן הארץ וזהו אמרו כי חרה לו והוא מענין חום ושרפה על רוב הכעס וזה כלו משל על הנפלאות שהיה עושה השם יתברך בעבור הצלת דוד מאויביו ויתכן שרמז באמרו ומוסדות השמים על מוסדות ההרים כי הם גבוהים ולזה תארם בשם שמים כאמרו אשר תעוף בשמים ודמה שענין כן לפי שכבר נמצא תמורת זה בספר תהלים וממוסדי הרים: (י) ויט שמים וירד. ר"ל שהוא הטה שמים אל מה שלמה שיגיע בנפלאות הנפלאות להציל דוד ויורה הפעלה הנפלאת

מצודת דוד

המביאים את המיתה: (ז) בצר לי. כאשר היה צר לי בעבור הדברים האלה אז קראתי לה' ושמע קולי ולעקתי באה באזניו וכפל הדבר במלות שונות וכדרך מליצת השירה:
(ח) ויתגעש. נעו ונדו אויבי יושבי הארץ מרוב הפחד: מוסדות השמים. הוא משל על השרים מכוכבן: כי חרה לו. כאשר חרה לו לנקמת מהם נקמתי: (ט) עלה עשן באפו. הוא ענין כעס ואמר בלשון הנופל באדם שעל ידי חמום הכעס נראה כעין עשן יוצא מנחירי האף וכן יעשן אפך (תהלים ע"ד): תאכל. את הקמים עלי: ממנו. ר"ל מעמו באו הגחלים ובערו לשרוף בשונאי: (י) ויט.

מצודת ציון

ה' (מיכה ו): (ח) ויתגעש. ענין התנודה והתנועה החזקה כמו וכנהרות יתגעשו מימיו (ירמיה מו): ירגזו. יחרדו:

Commentary Digest

issued forth) *from His mouth, a fire consumed the wicked.*" — R. In this passage the volcanic eruption is viewed as fire that bursts forth from the mouth of God. — M.

10. *and He bent the heavens* — "*To avenge Himself of His enemies; i.e., from Egypt and Pharoah.*" — R based on J. Compare with R above, v. 8.

and He came down — God 'came down' by leaving His lofty abode in heaven to descend to earth to aid David. — G.

and thick darkness under His feet — Even when God intervenes in the

the snares of death confronted me. 7. When I am in
distress, I call upon the Lord, yes I call upon my God; and
out of His abode He hears my voice, and my cry enters His
ears. 8. Then the earth shook and quaked, the [very]
foundations of heaven did tremble; and they were shaken
when he was angered. 9. Smoke went up in His nostrils,
and fire out of His mouth did devour; coals flamed forth
from Him. 10. And He bent

Commentary Digest

7. *I call upon . . . He hears* — lit., 'he heard.': "*That is the nature of the present tense, it speaks in past and future tense simultaneously.*" — R.

M.Ps. (Ch. 18) sees in this and the previous verse a prophetic reference to four troublesome episodes of Jewish history: 'For the pains of death have encompassed me' — In Babylonia (following the destruction of the First Temple); 'streams of scoundrels . . . affright me', the Medes (at the time of Mordecai and Esther); 'Bands of the nether world have surrounded me', the Greeks (In the Hasmonean period); 'the snares of death confronted me', during the Roman period (at the time of the Second Temple's destruction). For each, David offers a prayer for Israel's salvation; 'When I am in distress I call upon the Lord', in Babylonia; 'yes, I call upon my God!, in Medea; 'out of His abode He hears my voice', to save me from the Greeks; 'and my cry enters into His ears', when I suffered at the hands of the Romans.

from His abode — From heaven. — K.

8. *the earth shook etc.* — "*Not in reference to the miracles that took place on his own behalf was this said, but in reference to the miracles that were performed on behalf of all Israel. Now the beginning of the verse is connected to the end.* (See ensuing R)." — R from J.

when He was angered — Heb. כי — "(The word) כי *is used here as 'when'* (instead of 'because'), *with the following interpretation*: '*Now when He was angered by those that rouse His temper, the earth shook and quaked . . . and the very foundations of the earth did tremble.*" — R.

Hirsch comments on v. 8-10: When mighty historic upheavals convulse the world (described here as earthquakes and the like), it is G-d who sets them in motion. His dissatisfaction with the behavior of mankind is the true cause of the upheaval.

9. *smoke went up in His nostrils* — "*So it is with one who is angry, smoke comes forth from his nostrils. Similarly: 'These are a smoke from His nostrils'* (Isa. 65:5). *Now this is always the meaning of the term* חרון אף; (lit. — 'anger coming forth from the nostrils) *the nose snorts and raises up vapors.*" — R.

and fire out of His mouth did devour — "*Due to the command* (that

שָׁמַיִם וַיֵּרַד וַעֲרָפֶל תַּחַת רַגְלָיו:
יא וַיִּרְכַּב עַל־כְּרוּב וַיָּעֹף וַיֵּרָא עַל־כַּנְפֵי־
רוּחַ: יב וַיָּשֶׁת חֹשֶׁךְ סְבִיבֹתָיו סֻכּוֹת
חַשְׁרַת־מַיִם עָבֵי שְׁחָקִים: יג מִנֹּגַהּ
נֶגְדּוֹ בָּעֲרוּ גַּחֲלֵי־אֵשׁ: יד יַרְעֵם מִן־
שָׁמַיִם יְהוָה וְעֶלְיוֹן יִתֵּן קוֹלוֹ: טו וַיִּשְׁלַח

חצים

ת"א חשרת מים. תענית ט י:

תרגום

כבש קדמוהי: יא ואתגלי בגבורתיה על כרובין קלילין ודבר בתקיף על כנפי רוחא: יב ואשרי שכינתיה בערפילא ועגן יקר סחור סחור ליה מחית מין תקיפין מרכפת ענגין קלילין ברום עלמא: יג מזיו יקריה מבהיקין שמי שמיא מזופיתיה כגומרין דנור דלקא מימריה: יד אכלי מן שמיא יי ועלאה ארים מימריה: טו ושלח מחתיה כגירין ובדרינון

מהר"י קרא

עלי אותה שעה ויט שמים הרכין שמים וירד להצילני: (י) וערפל תחת רגליו. פת' שירד לארץ למטה מעשרה טפחים שמעולם לא ירדה שכינה למטה מעשרה טפחים. אלא הרכין ערפל תחת רגליו: (יא) וירכב על כרוב ויעף וירא על כנפי רוח. לבעבור קל יבא מהרה לעזרתי. ד"א ותגעש ותרעש הארץ. מוסדות (הרים) [השמים] ירגזו. ויתגעשו כי חרה לו. מצינו שמקצפו של הקב"ה רעשה הארץ ורגזו מוסדות השמים. ארץ דכתיב למטה בענין. ויראו אפיקי מים יגלו מוסדות תבל בגערת ה' על הים כשניער פרעה וחילו. מוסדות שמים ירגזו. ירעם מן שמים ה' וישלח חצים ויפיצם. כמו בעבורי הרעיש שמים והרגיז ארץ להלחם על שנאי כשרודפים אותי: (יב) וישת חשך סביבותיו סכות חשרת מים עבי שחקים. מקרא זה מחובר למקרא של מעלה וכה פתרונו כשרכב על כרוב ויעף וירא על כנפי רוח לעזרני אותה שעה אע"פ ששם חושך סביבותיו סכות מחבת חשרת מים המעכבים*) את השחקים. אעפ"כ מנוגה נגדו בערו גחלי אש לחשרת מים שסביבות סכו וירדו למטה על ראש רודפי להומם ולאבדם ולא חשרת מים מכבים לגחלי אש. וזהו שמפרש בספר תהלים מנוגה נגדו עבריו ברד וגחלי אש עברו את עביו המלאים מים ולא כיבו אותם המים: (יד) ירעם. הרעים משמים ה' על אויביו ועליון נתן קולו עליהם ויהומם. כענין שנאמר בשמואל ויהי שמואל מעלה העולה ופלשתים נגשו להלחם בישראל וירעם ה' בקול גדול על פלשתים ויהומם: (טו) וישלח

*) אולי צ"ל המעבים

רש"י

ממצרים ומפרעה: (יב) וישת חשך סביבותיו. לסוכה כענין שנאמר ויהי הענן והחשך מפסיק בין מצרים לישראל: חשרת מים עבי שחקים. מאין היה החשך עבי שחקים היו שהן חושרין מים על הארץ: חשרת. לשון כברה הוא שהוא נופל על הארץ דק דק וכן הוא אומר באגדות הרבה חושרין אותו בכברה ויש לפתור חשרת לשון קשר שמתקשרין השמים בעבים ע"י המים כמו וחשוריהם האמור באופני המכונה שהם זרועות העץ המהדקין וקושרין עיגוליה יחד: (יג) מנגה נגדו. שלא תאמר בחשך הוא שרוי אלא הנוגה

רלב"ג

ממנו על זה או רלה בזה והוא הנכון יותר שהיא כאילו נטה מהשמים אשר שם משכנו לפי מה שיחשב וירד בנמצאות השפלות להשגיח בי ולרוב החשך והאפל אשר בנמצאות השפלות האלו קרא שם ערפל ולזה אמר וערפל תחת רגליו: (יא) וירכב על כרוב ויעף. אמר כי הש"י רכב על כרוב והוא השכל הפועל שהוא מלאכו השלוח ממנו להשגיח על אישי האדם כמו שנתבאר בספר מלחמות ה' והנהיג אותו אל שישגיח בדוד ומרוב מהירו' הגלות פעולתו אמר שרכב ועף על כנפי רוח ללכת אליו במהירות: (יב) וישת חשך סתרו סביבותיו סכתו. אמר זה על דר המשל למה שהמציא הש"י להיות לסכה ולמחסה לדוד מאויביו: חשרת מים עבי שחקים. ר"ל קשור המים בעבים ואמר זה לפי שמהם יצאו המים והם בו בכח וכאלו יאמר שמה שהמציא הש"י מזה הוא מכוון תחלה להשפיע טוב לדוד ולהצילו כמו שהמים היורדים מהעבים הם מצמיחים הצמחים ובו גם כן מה שיקרה בו רע והשחתה לאויבים דרך משל כמו הברק והאש היוצא מהפיד הקיטורי שלפעמים ירד המטר וירדו עמו הברקים והאש והברד ויתחדשו הקולות המרעידים והרעמים: (טו) וישלח חצים

רד"ק

ואש מפיו תאכל. אש שיצאה מפיו תאכלם: (יא) וירא. ובתהלים וידא בדל"ת מן כאשר ידאה הנשר והענין קרוב: (יב) חשרת מים. ובתהלים חשכת מים והענין אחד כי חשרת מים הוא קשור העבים זו בזו כמו וחשוקיהם וחשוריהם הכל מוצק וכשהעבים מקשרים זו בזו הוא החשכה: (יג) מנוגה נגדו. מניגה שהוא נגדו אל אוהביו בערו גחלי אש לאויביו כלומר אשו מאיר לאוהביו ובוער בשונאיו: (יד) ירעם. מן

מצודת ציון

(י) וערפל. ענין עב הענן: (יא) כרוב. מלאך ורז"ל אמרו כרביא (חגיגה יג) והוא התרגום של נער כי דמות אדם להנה: ויעף. ענין פריחה: (יב) וישת. ענין שימה כמו שתו בשמים פיהם (תהלים עג): חשרת. ענין קשור כמו וחשוקיהם וחשוריהם (מ"א ז): (יג) מנגה.

מצודת דוד

נטה את השמים למטה לארץ וירד עליהם להתקרב אל שונאי להכות בהם והוא מדרך משל לומר שהיה ממהר ליפרע מהם: תחת רגליו. להיות מוכן להפרע מהם בחושך של ערפל: (יא) וירכב. נמהר לבוא: וירא. היה נראה בא על כנפי רוח ודימה נסיעת הרוח לעפיפת כנפי העוף: (יב) וישת חשך. שם החושך סביבות סוכתו להיות מוכן להתכיך להאויב: חשרת. החשך ההיא באה מחשכת רבוי המים הנקשרים בעבים הפרושים מתחת השחקים: (יג) מנוגה נגדו. מהמת

Commentary Digest

stead of causing God to become apparent, these tragic occurences become as booths about Him (סביבותיו סוכות), so that He still goes unnoticed.

13. *from the brightness before Him* — "*In order that one not* (be led to) *say that He dwells in darkness* (for) *there is a brightness from within the partition* (of the cloud) *and from this brightness that is before Him flame forth coals of fire, which were sent as arrows upon the Egyptians.*" — R from M.Ps. Ch. 18.

the heavens and He came down; and thick darkness was
under His feet. 11. And He rode upon a cherub and did
fly; He was seen upon the wings of the wind. 12. And
He fixed darkness about Him as booths; gathering of waters,
thick clouds of the skies. 13. From the brightness before
Him flamed forth coals of fire. 14. The Lord thundered
from heaven; and the Most High gave forth His voice. 15.
And He sent out

Commentary Digest

affairs of man, He remains invisible as if there were dark clouds beneath Him. — Hirsch.

11. *cherub* — Angel. — Z. Our rabbis stated that the Heb. כרוב is derived from the Aramaic כרביא, (like a young lad), the cherub being in the form of a youth. —T.B. Chag. 13.

seen upon the wings of the wind — Though He remains invisible, His presence becomes noticeable on the wings of the winds which blow across the world to agitate it. In such troublesome times one may come to recognize the Divine Presence in the affairs of men. — Hirsch.

12. *And He fixed darkness about Him* —God made himself as a dark, boothlike protection about David, leaving his enemies without means of access to him. — G.

R interprets the verse as a reference to God's intervention on behalf of the Israelites in Egypt: "*And he fixed darkness etc. — as a booth, just as it stated: "and the cloud and darkness separated between the Egyptians and Israelites!* (Ex. 14:20)" — R based on J.

13. *gathering of waters, thick clouds of the skies* — According to R, the second portion of this verse serves to explain the first half: "*Now from where did this darkness emanate? There were thick clouds of the skies that would distill water upon the earth.*" — R.

gathering — Heb. חשרת "*synonymous with* כברה (a sieve) *since it distills* (the water) *onto the earth drop by drop. And so it is stated in numerous 'aggadot': 'They* (the clouds) *distill it* (the rain) *as a sieve* ('חושרין אותו ככברה') G. R. 13:10). *It is further possible to interpret it as 'a knotting', since the skies become knotted with clouds on account of the water, similar to* "וחשוריהם" *mentioned in reference to the wheels of the bases,* (I Kings: 7:33) *which are wooden spokes that fasten and join its rings together.* — R.

Hirsch offers a most unique interpretation: When God brings about events terribly dark and dismal (וישת חשך), rather than accepting the events for what they truly are, the direct administration of God's justice, thoughtless mankind sees in them only the blind fury of uncontrolled, unchained forces. In-

חצים ויפיצם ברק ויהמם : טו ויראו
אפיקי ים יגלו מסדות תבל בגערת
יהוה מנשמת רוח אפו : יז ישלח ממרום
יקחני ימשני ממים רבים : יח יצילני
מאיבי עז משנאי כי אמצו ממני :
יט יקדמני ביום אידי ויהי יהוה משען
לי

ברקין ושגשינון :
טו ואתחזיאו עומקי ימא
אתגליאו שכלולי תבל
בזופיתא מן קדם יי
ממימר תקוף רוגזיה :
יז שלח נביוהי מלך
תקיף דיתיב בתקוף
רומא דברני שיזבני
מעממין סגיאין :
יח שיזבני מסנאי אדי
תקפני מבעלי דבבי
ארי אתגברו עלי :
יט יקדמוני ביום טלטולי

ת"א ויגלו. ערכין סה תענית ח : ויהם קרי

רש"י

לפנים מן המחילה ומאותו נוגה אשר לפניו בערו גחלי אש שבשתלחו הגים על מצרים : (טז) יגלו מוסדות תבל. שנבקע התהום כשנבקע ים סוף נבקעו כל מימות שבעולם : מנשמת. מכה נשיבת רוח אפו : (יח) כי אמצו. כאשר שניהם נתגעשו כשחרה לו : (יז) ישלח ממרום יקחני. פת' ישלח ממרום מלאכיו ולקח אותי מיד צר. לקיחה זו לשון הצלה הוא. כמו מעוצר וממשפט לוקח : ימשני ממים רבים. שיזבני מעממין תקיפין. ויונתן תרגם ישלח ממרום יקחני. שלח נביוהי מלך תקיף דיתיב בתקוף רומא דברני שיזבני מעממין סגיאין. וכן מצינו ששאון לאומים שנאספים על ישראל נמשלו למים רבים דכתיב הוי מים רבים כהמות ימים יהמיון ושאון לאומים כשאון מים כבירים ישאון : (יט) יקדמוני ביום אידי. פת'

מהר"י קרא

חצים. של אש ויפיצם וברקים של אש ויהומם : (טז) [ויראו אפקי ים]. וכן כשהשקיף ממעון קדשו אל מחנה מצרים על הים מגערתו שנער בים ויבשהו ומנשמת רוח אפו דכתיב וברוח אפיך נערמו מים נצבו כמו נד נוזלים קפאו תהומות בלב ים מגערתו ומנשמת רוח אפו ויראו אפיקי ים : יגלו. נגלו מוסדות תבל למדנו שמוסדות תבל ומוסדות השמים

רד"ק

רעם : (טו) ויהמם. כמו בתהלים כתוב וקרי ויהם ואין ביניהם אלא הכנוי : (טז) אפיקי ים. המים הנגרים בכח נקראים אפיקים וכל המקומות שהמים נגרים בהם נקראים אפיקים על שמם : (יז) ימשני ממים רבים. דרך משל שהצילהו מצרות רבו' והוא מגזרת כי מן המים משיתהו וענינם ענין המשכה והוצאה : (יח) מאויבי עז. לשון יחיד על גלית או על ישבי בנוב ואפשר על שאול : (יט) יקדמוני ביום אידי. תרגם יונתן יקדמוני ביום טלטולי כלומר ביום שהייתי נע ונד היו אויבי מקדימים אותי

רלב"ג

ויפילם. הם האשים הבוערים שילדו בחוזק מהענן לאמ"ש בלפ"ז והם גם כן מתהדשים מגוף הברק לזה אמר ברק ויהם : (טו) ויראו אפיקי ים. הם מעמקי ים : יגלו מוסדות תבל. הם המקומות השפלים שאלל מרכז הארץ כאילו יאמר שהדברים הנסתרים שלא חשב איש שיתחדשו נתחדשו כאילו הפעולות הנפלאות השופעת מהש"י והמשל כי לא חשב איש שיתהדש מהרע לשאול ולבניו בהר הגלבוע אשר נגלה בו מה שרלה הש"י לתת הממלכה לדוד שאם נשאר יהונתן לא היה דוד חולק עמו על דבר המלוכה ולזה סבב הש"י שמתו יחד וגם ענין איש בשת לא עלה בלב אדם שיהיה כך ר"ל שתתהדש מריבה בינו ובין אבנר ויקומו עליו אנשים להרגו על משכבו בביתו : (יז) ישלח ממרום יקחני. ישלח ממרום מה שיקחני וינהגני על הפלי : (יט) יקדמוני ביום אידי. ר"ל יקדמוני הרע ביום אידי להוסיף רעה על רעה כמו הענין בזיפים בעת היותו נרדף משאול וכמו הענין באחיתופל שהיה יועץ אבשלום להמית אביו בעת שפלתו והיותו נרדף :

מצודת דוד

האורה שלפניו אשר הפלו להאיר ולהושיע לי לזה בערו גחלי אש בהקמים עלי : (טז) ויראו. היו נראים קרקעות מי הים כי נבקעו המים: יגלו וגו'. כי נבקע הארץ: בגערת. בעבור גערת ה' בהקמי' עלי: מנשמת. מנשיבת רוח אפו והכל הוא בדרך משל : (יז) ישלח ממרום. ישלח עזרתו ממרום ויקחני מיד האויב ויוליאני מיד הרבים הקמים עלי השוטפים כמים רבים: (יח) כי אמצו. כאשר התחזקו ממני אז ילילני מידם: (יט) יקדמוני. האויב היה מקדים לבוא עלי בעת יקרני מקרה רע בחושבו כאשר הבילותי לנפול לא אוסיף לקום אבל ה' היה לי נמשען

מצודת ציון

ענין האורה וזריחה : (טו) ויהם. מלשון מהומה : (טז) אפיקי. כן יקרא המים הנגרים בחוזק ורודפים וכן כאפיק נחלים (איוב ו) : מנשמת. מלשון נשימה ונשיבת הפה : (יז) ימשני. ענין הוצאה כמו מן המים משיתיהו (שמות ב) : (יח) אמצו. ענין חוזק : (יט) אידי. ענין מקרה רע כמו הלא איד לעול (איוב לא) : משען

arrows and He scattered them, lightning and He discomfited them. 16. And the depths of the sea appeared; the foundations of the world were laid bare, by the rebuke of the Lord and the blast of the breath of His nostrils. 17. He sent from on high [and] He took me; He drew me out of many waters. 18. He delivered me from my mighty enemy; from them that hated me; for they were too powerful for me. 19. They confronted me on the day of my calamity; but the Lord was a support

Commentary Digest

Again Hirsch's interpretation is most unique: Just as dark clouds (חשרת מים עבי שחקים) hide the sun, so even in the most tragic moments of history there is a source of light beyond the visible darkness which, if man should choose to recognize it, will lead him to a greater awareness of the presence and nearness of God.

flamed forth coals of fire — That same brightness which glistens upon the righteous, when it descends upon the wicked, flames forth coals of fire, destroying and consuming all. — See Hirsch.

14. *the Lord thundered from heaven* — Perhaps a reference to the event of I Sam. 7:10.

15. *He scattered them* — The wicked are forced to scatter to the very corners of the earth in order to escape God's wrath.

lightning — Either actual lightning, or calamatous events that strike with the swiftness of lightning. — Rabinowitz.

and He discomfited them — The suddenness of G-d's actions confuse and discomfit the inhabitants of the world who refuse to recognize His presence.

16. *and the depths of the sea appeared* — Even the most fixed rules of nature are to be broken by the Almighty ruler of nature.

R views the passage as a reference to the splitting of the Red Sea: *"and the depths of the sea appeared — the very interior of the earth split. For when the Red Sea split, all the waters of the world* (simultaneously) *split."* — R. The appearance of the depths of the sea caused the splitting of all the waters of the earth since, in the opinion of our rabbis, the 'tehom', the innermost portion of the earth, serves as the source from whence comes forth all the earth's waters. See T.B. Suc. 53a, and T.B. Mak. 11a.

Hirsch claims that the sea, being the mother of all springs and streams, symbolically represents the fundamental condition of life (as seen in Eccl. 1:7 where the return of all waters to the sea alludes to the repetitive nature of human history). Thus, David, in depicting G-d as the One who uncovers the very depths

לִי׃ כ וַיֹּצֵא לַמֶּרְחָב אֹתִי יְחַלְּצֵנִי כִּי־
חָפֵץ בִּי׃ כא יִגְמְלֵנִי יְהוָה כְּצִדְקָתִי
כְּבֹר יָדַי יָשִׁיב לִי׃ כב כִּי שָׁמַרְתִּי דַּרְכֵי
יְהוָה וְלֹא רָשַׁעְתִּי מֵאֱלֹהָי׃ כג כִּי כָל־
מִשְׁפָּטָו לְנֶגְדִּי וְחֻקֹּתָיו לֹא־אָסוּר
מִמֶּנָּה׃ כד וָאֶהְיֶה תָמִים לוֹ וָאֶשְׁתַּמְּרָה
מֵעֲוֹנִי׃ כה וַיָּשֶׁב יְהוָה לִי כְּצִדְקָתִי כְּבֹרִי

ת"א והכיב . זוכר אדרת תבא : משפטיו קרי לנגד

תרגום

נהות מימרא דיי סמך
לי : כ ואפיק לרווחא
יתי שיזבני ארי אתרעי
בי : כא אמר דוד
ישלמינני יי כזכותי
כברירות ידי יתיב לי
יי : כב ארי נטרית אורחן
דתקנן קדם יי ולא
הליכית ברשע קדם
אלהי : כג ארי כל דינוהי
גלן לקבלי למעבדהון
וקימוהי לא עדית
מנהון : כד והוית שלים
בדחלתיה והוית נטר
נפשי מחובין : כה ואתיב

מהר"י קרא

כשקדמוני ביום אידי היה ה' למשען לי : (כ) ויוצא למרחב אותי . בתחילת הענין הוא אומר בצר לי אקרא ה' ופת' קראתי ה' ובסוף הענין אומר ויוצא למרחב אותי . הוא שמקלס במקום אחר . מן המצר קראתי יה ענני במרחב יה : יחלצני . הצילני כמו חלצה נפשי : (כא) יגמלני ה' כצדקתי . שכמה פעמים נסגר שאול בידי ולא אביתי לשלוח ידי בו . וכן בספר הזה היא אומר וה' ישיב לאיש את צדקתו ואת אמונתו אשר סגרני ה' בידך ולא הרגתני : (כב) כי שמרתי דרכי ה' . שלא לשלח יד במשיחו : ולא רשעתי . ממצות אלהי : (כג) כי כל משפטיו לנגדי . פת' כל משפטיו שויתי לנגדי : (כד) ואשתמרה מעוני . נשמר הייתי מחטוא : (כה) וישב ה' לי כצדקתי . וכמדה זו שהייתי מתנהג עם בריותיך מעולם :

רש"י

אמלו : (כא) כצדקתי . כשילאו אחריו למדבר וסמכו על

וחקותיו . ואף החקותיו הם הדברים שטעמיהם נעלמים : לא אסור . אפילו מאחת ממנה לא אסור את עצמי : (כה) וישב .

רלב"ג

(כב) ולא רשעתי מאלהי . ר"ל לא רשעתי לנטות מאלהי אך שמרתי כל מצות הש"י והנה הרשע הוא הנטייה מדבר הראוי כמו שהצדק הוא ההליכה בדרך הראוי : (כג) כי כל משפטיו לנגדי . ר"ל כי כל משפטי הש"י הם לנגד עיני תמיד להנהיג עצמי בהם : וחוקותיו לא אסור ממנה . ר"ל כי חוקותיו הם תמיד לנגדי ובכלל הנה לא אסור מן התורה כלל או יהיה באמרו ממנה אל מה שאמר יגמלני ה' כצדקתי והרצון בזה שלא יסור מן הצדקה : (כד) ואשתמרה מעוני . ר"ל שנשמרתי מעון והיה היו"ד נוספת או ירצה בזה כי כשעלה בלבי לחטוא בדבר נשמרתי מאותו עון ולא הוצאתי לפועל מחשבתי הרעה או ירצה בזה שאחר שחטאתי בדבר בת שבע ושבתי אל הש"י מאותו עון הנה נשמרתי מאותו עון שלא יגיעני נזק בעבורו

רד"ק

ברעותיהם כמו שעשו הזיפים : (כב) ולא רשעתי מאלהי . לא רשעתי שיצאתי מדרכי אלהי ודרכי שזכר עומד במקום שנים ויונתן תרגם ולא הליכית ברשע קדם אלהי : (כג) לא אסור ממנה . מכל מצוה וחוקה ובתהלים לא אסור מני והענין אחד :

מצודת ציון

ענין סעד : (כ) יחלצני . ענין הוצאה ושליפה כמו בצלים קראת והלך (תהלים ס"ח) : (כא) יגמלני . מלשון גמול ותשלום שכר : כבור . מלשון ברור ונקי :

מצודת דוד

ואף כי נפלתי הנה קמתי : (כ) למרחב . למקום רחב להנצל מיד : יחלצני . יוציאני מן המיצר כי חפץ בי : (כא) בצדקתי . כפי צדקתי כי לא הרעותי את אחד מהם : כבור ידי . כפי הדבר כמ"ש : (כב) מאלהי . ממצות אלהי : (כג) לנגדי . להתבונן בהם :

Commentary Digest

because they were the logical and proper thing to do but because they were the ways of the Lord', I was recompensed accordingly, not only on the basis of my deeds, but also in accordance with my feelings. — M.

the commandments of my God. — I refrained from evil not merely because of the impropriety of the deeds, but because they were the commandments of my God. As a consequence, my passive abstention from sin took on a positive form and I was recompensed on that basis. — M. (Compare with Commentary above v. 21).

23. *from it* — The Heb. ממנה is in the singular, meaning even one of the statutes. Hirsch suggests that all the laws of the Torah together comprise one whole.

24. *single-hearted* — Undivided in my devotion.

from my iniquity — I.e. I refrained from committing any iniquity which came to my mind. Also, I kept myself from committing a sin similar to my iniquity, i.e. the sin of Bathsheba. We may also render "and I kept myself from iniquity" (J). According to this interpretation the "yud" is added for style. — G.

26. *with a kind one* — God's treatment of David was fully congruous with His treatment of all

to me. 20. And He brought me forth into a wide place;
He delivered me because He took delight in me. 21. The
Lord rewarded me according to my righteousness; According
to the cleanness of my hands He recompensed me. 22. For
I have kept the ways of the Lord and have not wickedly
departed from [the commandments of] my God. 23. For
all His ordinances were before me; and [as for] His statutes,
I did not depart from it. 24. And I was single-hearted
toward Him, and I kept myself from my iniquity. 25. And
the Lord has recompensed me according to my righteousness;
according to my cleanness

Commentary Digest

of the seas, presents Him as the One who disrupts the normal flow of human activity.

blast of the breath — "*From the force of the blast of His breath.*" — R.

17. *He sent from on high etc.* — Though calamatous events occurred all about him, David never fell victim to them since God would always send from on high to spare him. — A.

18. *for they were too powerful* — "*When they were too powerful.*" — R.

19. *in the days of my calamity* — based on G and Z.

20. *brought me forth into a wide place* — Took me out of entrapment —D.

21. *righteousness - cleanness; rewarded - recompensed* — According to M there is a distinction between righteousness and cleanness. While righteousness is measured by one's active performance of positive commands, cleanness refers to passive restraint from sinful acts. Similarly, there is an essential difference betweeen the Heb. יגמלני which is reward for a positive feeling demonstrated toward someone, and ישיב לי which is recompensation for actual deeds that one performs on behalf of another. Thus the verse, by connecting the reward for a passive feeling (יגמלני) with the active 'righteousness', and the active recompensation with the passive 'cleanness', indicates to us that God not only recompensed David for his active performance of 'mitzvot', but also rewarded him for the thought that went into them. Furthermore, God rewarded David far beyond his passive restraint by 'recompensing' him, that is, by considering his abstentions from evil as if they were positive deeds. Compare with M below v. 22.

according to the righteousness — "*When they went out after Him into the desert and relied on His promise.*" — R.

cleanness of my hands — righteousness of my deeds.

22. *of the Lord* — Since I did not perform God's commandments simply

לְנֶגֶד עֵינָיו׃ כו עִם־חָסִיד תִּתְחַסָּד עִם־
גְּבוֹר תָּמִים תִּתַּמָּם׃ כז עִם־נָבָר תִּתָּבָר
וְעִם־עִקֵּשׁ תִּתַּפָּל׃ כח וְאֶת־עַם עָנִי

יְיָ לִי כִּזְכוּתִי כְּבְרִירוּתִי
קֳדָם מֵימְרֵיהּ׃ כו עִם
אַבְרָהָם דְּאִשְׁתְּכַח חֲסִיד
קֳדָמָךְ בְּכֵן אַסְגֵּיתָא
לְמֶעְבַּד חִסְדָּא עִם
זַרְעֵיהּ יִצְחָק דַּהֲוָה
שְׁלִים בְּדַחְלְתָךְ בְּכֵן
אַשְׁלֵמְתָּא מֵימַר רְעוּתָךְ לְמֶעְבַּד עִמֵּיהּ׃ כז עִם יַעֲקֹב דַּהֲלִיךְ בִּבְרִירוּתָא קֳדָמָךְ בְּחַרְתָּא בְנוֹהִי
מִכָּל עַמְמַיָּא וְאַפְרַשְׁתָּא זַרְעֵיהּ מִכָּל פְּסוֹלָא פַרְעֹה וּמִצְרָאֵי דַּחֲשִׁיבוּ מַחְשְׁבָן עַל עַמָּךְ
בַּלְבֵּלְתִּינוּן בְּמַחְשַׁבְתְּהוֹן׃ כח וְיָת עַמָּא בֵּית יִשְׂרָאֵל דְּמִתְקָרָן בְּעָלְמָא הָדֵין עַם חֲשִׁיךְ אַתְּ עָתִיד

ת״א עם נבר. מגלה יג בתרא קכג: ואת עם עני. סנהדרין לח:

רש״י

הבטחתו: (כו) עם חסיד. תמים. נבר. כנגד שלשה אבות שלם הקב״ה גמול לדקתם לבניהם: (כז) ועם עקש. פרעה: תתפל. לשון נפתל ועקש וכספר (תהלים י״ח כ״ז) כתוב תתפתל. ד״א ישלח ממרום יקחני. על עלמו אמר כשהיה נחפז ללכת מפני שאול בסלע המחלקות והיה קרוב להתפש ומלאך בא אל שאול לאמר מהרה ולכה כי פשטו פלשתים. וישב וגו׳ כלדקתי. שלא הרגתיו בכרתי כנף

מהר״י קרא

(כו) עם חסיד תתחסד. כל מי שהולך לפניך בחסידות גם אתה נהגת עמו כמו כן בחסידות: עם גבור תמים תתמם. פת׳ ועם כל מי שהיה כח בידו להרע וכבש את יצרו והלך לפניך בתמימות גם אתה נהגת עמו בתמימות: (כז) עם נבר תתבר. וכל מי שהלך לפניך בבור לבב גם אתה נהגת עמו בברירות לב. נהגת עמו כאבות הראשונים שהתהלכו באמת ובצדקה ובישרות חלב עמך גם אתה שמרת לבניהם את הברית ואת החסד אשר נשבעת לאבותם. ועם עקש ופתלתל שעקשו דרכם לפניך כרשעי כל דור ודור. אף אתה דנת אותם כאורחות דרכם: (כח) ואת עם עני תושיע. פת׳ עם שפל ועניו. כמו לענות

מפני. שפת׳ לאיתכניעא: ועיניך על רמים תשפיל. פת׳ וכל אדם שיש לו רמות רוח אתה נותן עיניך בו להשפילו:

רד״ק

(כו) תתחסד. מי שהוא חסיד בדרכיו אתה מראה לו גם כן שאתה חסיד בהטיבך עמו: עם גבור. כמו איש שתרגומו גבר וכן הוא בתהליס גבר וי״ת הפסוק על האבות חסיד ותמים ונבר ותרגם עקש על פרעה: (כז) תתבר. משפטו תתברר ובא חסר הכפל ואם היה אומר תתבר ידמה מנחי הלמ״ד לפיכך שמו תנועות התבר בתתבר ודגש התי״ו להורות שהוא מפעלי הכפל: תתפל. בא כן לזווג המלות עם התבר ותתמם ועיקרו תפתל ומשפטו התפתל ונהפכה עין הפעל בפא הפעל כמו אם ישוב ישיבני וענין התפל תבוא עליו כדרכו הנפתלה וכן ענין אם ללצים הוא יליץ יביא עליהם שיכשלו בליצנותם:

רלב״ג

או נשמרתי מחטא אחר זה במה שידמה לאותו עון: (כו) עם חסיד תתחסד. אמר שהש״י עושה חסד לחסידים לא יענשם בחטאיהם באופן ענשו זולתם וכאילו אמר זה על החסד שעשה לו הש״י בדבר חטאת בת שבע והנה על חטאת קטן ממנו נענש שאול העונש הנפלא שנזכר בזה הספר ואמנם היה זה כן כי דוד היה רלונו שלם עם הש״י ומשתדל תמיד לעשות הישר והטוב בדברים וזה מבואר מספורי דוד אשר תמלא מהם מה שיורה על חסידות דוד הוראה נפלאה אלא שנתגבר יצרו עליו על דבר בת שבע ולא יכול נגלח אותו ואולם שאול נמלא ענינו בהפך זה עד שכבר תמלא ששאול היה רולה להכחיש דברי הנביא כשגג׳ אותו על חטאו ולא היה בוש מזה ואולם דוד הודה

מצודת דוד

ולכך וישב ה׳ לי וכו׳: לנגד עיניו. אשר הוא לנגד עיניו ולא נגד בני אדם ולהתיכר: (כו) עם חסיד וגו׳. ר״ל כן דרכך להתנהג בחסד עם החסיד: (כז) עם נבר. עם איש ברור ונקי תתנהג בברירות ר״ל תשלם לאיש כמעשהו: (כח) עם עני. מוכנע כעני: ועיניך. תתן עיניך על המתגאים ותשפיל אותם:

מצודת ציון

(כו) גבור. ענינו כמו גבר וכן נאמר בתהלים והוא תרגום של איש:
(כז) נבר תתברר. מלשון ברור ונקי: עקש תתפל. ענין שניהם

before His eyes. 26. With a kind one, You show Yourself kind.
With an upright mighty man, You show Yourself upright.
27. With a pure one, You show Yourself pure; But with a
perverse one, You deal crookedly. 28. And the humble people

Commentary Digest

mankind, for if one shows himself to be kind, God is in turn, kind towards him. — Rabinowitz.

kind . . . upright . . . pure **— The three expressions *"represent the three forefathers to whom the Holy One Blessed Is He had paid the reward for their righteousness to their children."* — R based on J.**

But with a perverse one — According to R this verse refers to God's treatment of "*Pharoah.*" — R from J and M.Ps. Ch. 18.

With an upright mighty man — I.e. if anyone had the opportunity to harm and controlled his temptation and walked before You with uprightedness, You too deported Yourself with uprightedness toward him. — J.K.

27. *With a pure one, You show Yourself pure* — Whoever went before You with purity of heart — You too deported Yourself with him with purity of heart. E.g. the patriarchs went before You with purity of heart, with truth and righteousness and with integrity, and You kept for their descendants the covenant which You swore to their forefathers. — J.K.

crookedly — Heb. תתפל, "*Its meaning is crooked and perverse* (Compare to Deut. 32:5). *Now in the book* (of Psalms 18:27) *it is written* תתפתל". While heretofore R has related the entire chapter to Israelite history, at this point he offers a reinterpretation of v. 17 onward in light of David's personal life. "*An alternate explanation is: He sent from on High, He took me. — He said it regarding himself. when he was rushing to escape from Saul at Sela Hamachlekoth and was nearly captured, an angel came to Saul saying: 'Make haste and go, for the Philistines have spread out etc.* (I Sam. 23:27). *'And recompensed me according to my righteousness' — for I did not kill him* (*Saul*) *when I severed the skirt of his coat* (I Sam. 24:5)." — R and J.K. from M. Ps. Ch. 18.

28. *humble people You do not deliver* — The Israelite nation, the fewest in number of all the nations, is constantly shown special favor from God. Thus the favored treatment of the Israelite nation may be attributed to both their merit and their humble station. — Targum Jonathan, J.K.

תּוֹשִׁיעַ וְעֵינֶיךָ עַל־רָמִים תַּשְׁפִּיל׃ כט כִּי־
אַתָּה נֵירִי יְהוָה וַיהוָה יַגִּיהַּ חָשְׁכִּי׃
ל כִּי בְכָה אָרוּץ גְּדוּד בֵּאלֹהַי אֲדַלֶּג־
שׁוּר׃ לא הָאֵל תָּמִים דַּרְכּוֹ אִמְרַת יְהוָה
צְרוּפָה מָגֵן הוּא לְכֹל הַחֹסִים בּוֹ׃ לב כִּי
מִי־אֵל מִבַּלְעֲדֵי יְהוָה וּמִי צוּר מִבַּלְעֲדֵי
אֱלֹהֵינוּ׃ לג הָאֵל מָעוּזִּי חָיִל וַיַּתֵּר תָּמִים

ת"א כי מי אל. זוהר לד לך:

תרגום

לְמִפְרַק וּבְמֵימְרָךְ
תַּקִּיפָא דְמִתְגַּבְּרִין
עֲלֵיהוֹן תַּמְאִיךְ׃ כט אֲרֵי
אַתְּ הוּא מָרֵי נְהוֹרֵי
דְיִשְׂרָאֵל יְיָ וַיְיָ יַפְקִינַנִי
מֵחֲשׁוֹכָא לִנְהוֹרָא
וְיַחֲזֵינַנִי בְּעָלְמָא
דַעֲתִיד לְמֵיתֵי לְצַדִּיקַיָּא׃
ל אֲרֵי בְמֵימְרָךְ אַסְגֵי
מַשְׁרְיָן וּבְמֵימַר אֱלָהִי
אֲכַבֵּשׁ כָּל כְּרַכִּין
תַּקִּיפִין׃ לא אֱלָהָא
דְּכֵיוָנָא אוֹרְחֵיהּ אוֹרַיְתָא
דַיְיָ בְחִירָא הִיא תַּקִּיף
הוּא לְכָל דִּי מִתְרַחֲצִין
עֲלוֹהִי׃ לב בְּכֵן עַל נִסָּא וּפוּרְקָנָא דִי תַעְבֵּיד לִמְשִׁיחָךְ וְלִשְׁאָרָא דְעַמָּךְ דְּאִשְׁתְּאֲרוּן
יוֹדוּן כָּל עַמְמַיָּא אוּמַיָּא וְלִישָׁנַיָּא וְיֵימְרוּן לֵית אֱלָהָא אֶלָּא יְיָ אֲרֵי לֵית בַּר מִנָּךְ
וְעַמָּךְ יֵימְרוּן לֵית דְּתַקִּיף אֶלָּא אֱלָהָנָא׃ לג אֱלָהָא דְסָעִיד לִי בְּחֵילָא וּמְתַקֵּן שְׁלִים

רש"י

מעילו: (לא) אמרת ה' צרופה. ברורה מבטיח ועושה:
(לג) ויתר תמים דרכי. מכל מכשול ומכל חטא ומכל

מהר"י קרא

(ל) כי בכה ארוץ גדוד. כענין שאמר וישאל דוד בה' הארדוף אחרי הגדוד הזה האשיגנו ויאמר ה' רדוף כי השג תשיג והצל תציל: באלהי אדלג שור. ובמימר אלהי אכנוש כרכין תקיפין:
(לא) האל תמים דרכו. אינו מורה לבריות ללכת בדרך עקש ודרך לא סלולה כי אם בדרך ישר: אמרת ה' צרופה. לא כבני אדם ששוא ידברו איש את רעהו שפת חלקות בלב ולב ידברו: (לב) כי מי אל מבלעדי ה'. שיש כח בידו לאמץ חיל את הגוי המאמין בו כי מעוזי חיל: (לג) ויתר תמים דרכי. הקב"ה שהוא תמים התיר דרכי לפניו שבתחלה היה דרכי כאילו קשור'

רד"ק

(כח) ועיניך על רמים תשפיל. עינך התן על רמים עד שתשפילם וכן הוא בתלים בזה הענין אף על פי שאין המלו' שוות ועינים רמות תשפיל: (כט) כי אתה נירי ה'. נכתב בו הנח והוא היו"ד עי"ן הפועל הצרה היא החשכה והתשועה ממנה היא האורה והנוגה וזהו שאמר יגיה חשכי: (ל) כי בכה. נכתבה בו הה"א הנחה אשר אחרי הכ"ף הקמוצה וכן ובכה ובעמכת הנצבת עמכה והדומים להם וברוב לא תכתב זאת ההא ופירושו בעזרתך אשבר גדוד אויבי וארוץ משרש רצץ ובא בשורק כמו ירון ושמח ישוד צהרים אי פי' ארוץ לקראת גדוד אויבי ולא אירא מהם וכן אדלג שור אדלג חומ' ערי אויבי לכבשם ואומר אדלג למהירות כבושו אותם כאילו בדלוג נכנס בהם וי"ת בך ארוץ גדוד במימרך אסגי משריין: (לא) האל תמים דרכו. שמשלם לכל איש כמעשהו והשיב לי כצדקתי ולאויבי כרשעתם ואמרתו צרופה שאין בכל משפטיו סיג אלא הכל ברור ונקי עשויי' ביוש' ובאמונה צרופים ומזוקקי' מכל סיג: (לב) כי מי אל. לא כאות' שהיו בוטחים באליליהם ובהתגברי על אויבי בכל עת יש להם לדעת כי שקר נסכם ואין צור אלא אלהינו ולפי תרגום יונתן כי אז יודו לו כל העמים ויאמרו מי אל מבלעדיו בכן על ניסא וגו': (לג) האל מעוזי חיל. נכתב בוי"ו עם הדגש והדומים לו כתבנו בספר מכלל ופי' חיל בחיל כלומר בכח או פירושו כשהייתי בחיל ובצבא היה הוא מעוזי. ופי' ויתר שהתיר ופתח דרכי במלחמה ושמהו תמים ושלם שלא נפקד אחד מאנשי במלחמה וכתי' דרכו כי דרכי היה דרכו כי

רלב"ג

הכף ואמר תטלאתי לה': (כח) ועיניך על רמים תשפיל. ר"ל עיניך על רמים להוכיחם עד שתשפילם: כי אתה נירי ה'. ר"ל נהאיר לי מחשך הגלות: (ל) ארוץ גדוד. אשבר וארוץ חיל רב: אדלג שור. אקפץ החומה באופן שלא תמנעני מהכנס לעיר להכניע אויבי: (לא) האל תמים דרכו. ר"ל שדרך תורתו במלות ובאזהרה הוא שלם ונגלה התועלת ואמרת ה' והוא ספורי התורה היא צרופה ר"ל שאין בה דבר סיגי' במדרגת הסיגים והדבר שאין בו תועלת או יהיה הרצון באמרו תמים דרכו שפעלו ודרך הנהגתו בזה העולם השפל הוא תמים ושלם ואמרתו והיא התורה צרופה שאין בה סיגים ודבר ללא תועלת: (לג) האל מעוזי חיל. ר"ל האל הוא מעוזי מעוז חיל והרצון

מצודת דוד

(כט) כי אתה נירי. אתה תאיר לי כנר: יגיה חשכי. ר"ל יוציאני מן הצרה: (ל) בכה. בעזרתך ארוץ אל גדודי העובדי כוכבים: אדלג שור. אקפוץ על החומה לכבוש עירות: (לא) תמים דרכו. גמול לאיש כמפעלו: צרופה. ככסף צרוף מבלי סיג כן אין באמרי הבטחתי דבור בטל: מגן. מחסה כמגן: (לב) כי מי אל. אשר יוכל לעמוד כנגדו ולמחות בידו מלקיים הבטחתו: (לג) מעוזי חיל. מחזק

מצודת ציון

עקמימות כמו דור עקש ופתלתול (דברים ל"ב) והוא בדרך הסוסף: (כט) יגיה. מלשון נוגה והורה: חשכי. מלשון חושך: (ל) גדוד. לאסות עם: אדלג. ענין קפילה: שור. ענין חומה כמו בנות צעדה עלי שור (בראשית מ"ט): (לא) צרופה. מלשון צרוף וזקוק: (לב) מבלעדי. ענינו כמו זולת: צור. ענין חוזק: (לג) מעוזי. מחזקי: חיל. כח: ויתר. ענין דלוג וקפילה כמו

You do deliver; But Your eyes are upon the haughty [in
order] to humble them. 29. For You are my lamp, O'
Lord; And the Lord does light my darkness. 30. For by
You I run upon a troop; By my God I scale a wall. 31.
[He is] the God Whose way is perfect; The word of the
Lord is tried; He is a shield unto all them that trust in him.
32. For who is God, save the Lord? And who is a rock,
save our God? 33. God is He who has fortified me with
strength; and He looseth perfectly

Commentary Digest

29. *For You are my lamp* — my soul, the lamp of man being the soul that he is entrusted with by God. — A.

Rabinowitz suggests that David, because he had been hailed as 'the Lamp of Israel' (See I Sam. 21:17), sought to deny that he possessed any intrinsic light other than that of which God was the source.

does light my darkness — Through the many dark moments in David's lifetime, he found refuge in his Lord, who provided a source of light to brighten them.

30. *For by You I run upon a troop* — See II Sam. 30:8. 'And David inquired of the Lord: 'Should I pursue the troop etc?'

run upon a troop, scale a wall — There are two types of warfare, open field combat, where troop is pitted against troop, and warfare conducted against a fortified city. In both instances it was faith in God that provided David with his determination and courage. — A.

31. *whose way is perfect* — who rewards and punishes in a perfectly just manner. — G and D.

the word of the Lord — the Torah of the Lord. — K. According to R, the 'word of the Lord' refers to the Lord's oath or promise: *"The word of the Lord is pure; He promises and performs."*

32. *Who is God . . . who is a rock* — Who is a God in Whom one can find spiritual salvation, and who is a rock upon Whom one can rely for physical protection? — A.

33. *He looseth perfectly my path* — *"From every stumbling block, from every sin, and from every fence until it is perfect and paved."* — R. Perhaps the verse can also be interpreted as a reference to God's grant of free will to man. David recognized that God has a manner of intervening on behalf of man without denying him his basic free will. In this manner 'God looseth perfectly' the path of men.

דַּרְכּוֹ : לד מְשַׁוֶּה רַגְלָיו כָּאַיָּלוֹת וְעַל־
בָּמֹתַי יַעֲמִדֵנִי : לה מְלַמֵּד יָדַי לַמִּלְחָמָה
וְנִחַת קֶשֶׁת־נְחוּשָׁה זְרֹעֹתָי : לו וַתִּתֶּן־לִי
מָגֵן יִשְׁעֶךָ וַעֲנֹתְךָ תַּרְבֵּנִי : לז תַּרְחִיב
צַעֲדִי תַּחְתֵּנִי וְלֹא מָעֲדוּ קַרְסֻלָּי :
לח אֶרְדְּפָה אֹיְבַי וָאַשְׁמִידֵם וְלֹא אָשׁוּב

אוּרְחִי : לד מְשַׁוֵּי רִגְלַי קְלִילִין כְּאַיַּלְתָא וְעַל
בֵּית תּוּקְפֵי יְקִימִנַּנִי :
לה מַלִּיף יְדַי לְמֶעְבַּד
קְרָבָא וּמְתַקִּיף בְּקֶשֶׁת
נְחָשָׁא בִּדְרָעַי : לו וִיהַבְתְּ
לִי תְּקוֹף וּבְפוּרְקָנָךְ
וּבְמֵימְרָךְ אַסְגֵּיתַנִי :
לז אַסְגֵּיתָא פְּסִיעָתִי
תְּחוֹתָי וְלָא אִזְדַּעְזָעָא
רְכוּבָתִי : לח רְדָפִית
סַנְאַי וְשֵׁיצִיתִינוּן וְלָא
תָּבִית עַד דִּי גְמַרְתִּינוּן:

ת"א ועגותך תרבני . עקידה שער ח׳ :

דרכי קרי   רגלי קרי

רש"י

מסוכן עד כי היה שלום וכבוש : (לה) ונחת קשת נחושה זרועותי . ונדרכה קשת נחושה על זרועי שיש בי כח לדרכ׳ קשתו׳ היו תלוים לדוד בביתו והיו מלכי האומו׳ באין ורואין אותן ואומרים זה לזה אתה סבור שהוא יכול לדורכן אין זה אלא לייראנו ודוד שומע ונוטלן ומכתתן לפניהם . ודריכת קשת ל׳ חתת היא וכן חציך נחתו בי : (לו) וענותך תרבני . הגדלת לי מדת ענותנותך : (לז) תרחיב צעדי . כשאדם מדבק רגליו זו בזו הוא נוח ליפול וכן הוא אומר בלכתך לא

רד"ק

בשמי הייתי בא להלחם וכן רגליו שכתוב וקרי רגלי אומר על דרך משל עזרתו והוא מכנה רגליו ע"ד שמה הנחת ה׳ גבוריך : (לד) משוה רגלי . משים כמו שויתי ה׳ לנגדי תמיד ותרגום שם שוי אמר אם הצרכתי לברוח להמלט שם רגלי כאילות ולא השיגוני אויב : ועל במותי יעמידני . ואחר כך במקום שהייתי נמלט שם והם במותי יעבידני שם בטוח : (לה) ונחת . ובספר תהלים ונחתה כי קשת תכונה בלשון זכר ונקבה ורוצה לומר כל כך למד ידי למלחמה עד שאפילו קשת נחושה לא עמדה לפני אלא נשברה בזרועותי ופי׳ נחושה חזקה כנחושה והוא ברזל חזק מאד וכן ואת ארצכם כנחושה ונחתה שרשו חתת והוא נפעל כפעלי הכפל : (לו) וענותך . פי׳ ובענותך תרבני כתרגומו ובמימרך אסגיתני ויהי׳ לדעתי ענותך מן וענית ואמרת ובספר תהלים ועניתך בקריא׳ הוי"ו מן עקב ענוה יראת ה׳ וענוים ירשו ארץ שהוא ענין חסידות ורוח נמוכה ויהיה וענותך הנכתב הנה כמוהו ואף על פי שנחה הוי"ו ותהיה תי"ו תרבני לנקבה על הענוה שזכר כמו וימינך תסעדני שאמר בתהלים ופי׳ שמתני ענותך לעם רב כי אף על פי שהייתי בעם מעט ואויבי בעם רב אני הייתי מנצח כי ענותך היתה עמי כאילו הייתי אני עם רב מהם ויש לפרש עזרתך ורצונך וכן והכסף יענה את הכל : (לז) תחתני . כמו תחתי ובא בנו"ן יו"ד שלא כמנהג בשמות : קרסולי . כרעי ותרגום אשר לו כרעים

מהר"י קרא

וגדורה לפני ומסוככת בסירים . דכתיב ויהי דוד נחפז ללכת מפני שאול ושאול ואנשיו עוטרים אל דוד ואל אנשיו לתופשם ובא הקב"ה והתירה לפני דכתיב ומלאך בא אל שאול ויאמר מהרה ולכה כי פשטו פלשתים על הארץ וכתיב ויעל שאול מאחרי דוד : (לד) ועל במתי יעמידני . כאדם שעומד על הר גבוה ותלול על שן סלע ומצודה שאינו מתיירא מכל אדם : (לה) ונחת . פתר׳ ושבר כמו קשת גבירים חתים וכן הנחת ה׳ גבוריך : (לו) ותתן לי מגן ישעך . פת׳ היית מגן לי : וענתך תרבני . פת׳ ענוה גדולה שיש בך היא גרמה שהרבית לעשות עמי טובה : (לז) ולא מעדו קרסולי . שלא נפלתי ביד שונאי :

רלב"ג

בו מעוז נפלא או ירצה בזה הנה האל הוא מעוזי לתת לי חיל וידמה שכן הוא כי כבר אמר בספר תהלים תמורת זה האל המאזרני חיל : ויתר תמים דרכי . ר"ל כל כך מהר להגיע אלי הטוב עד שהוא כאלו יתר ויקפץ דרכי אל המקום היותר שלם ותמים וזה מבואר שכן היו הצלותיו עם רודפיו כמו שמצאנו בשאול ובאבשלום ולזה אמר משוה רגלי קלות לרוץ כאילות ועם קלות המרוץ ההוא יעמידני על הצלות רוממותי:(לה)ונחת קשת נחושה זרועותי. ר"ל והוריד קשת נחושה כל אחד מזרועותי ואע"פ שהיתה הקשת ההיא חזקה וקשה מאד להכפף כאילו היא מנחושה שהוא הברזל היותר קשה וענין ההורדה בקשת היא הורדת ראשי הקשת בכפיפתו כדי לירו׳ בו חצים או יהיה חסר יתר אז יהיה הרצון והוריד יתר קשת נחושה כל אחד מזרועותי וענין היתר היא שיורידיהו אל המקו׳ מהקשת המוגבל לירות משם החצים:

מצודת דוד

אותי בכח : ויתר תמים דרכי . מדלג אותי בדרכי להיות תמים מבלי מכשול : (לד) משוה . משים רגלי קלות לרוץ מהר אחר האויב כאילה זו הרצה מהרה : ועל במותי . העמיד אותי על גבהי וגדולתי : (לה) למלחמה . להלחם בטוב וכדרך תכסיסי המלחמה : ונחת . נתת בי כח לשבר קשת נחושה בעת המתחי לירות : (לו) מגן ישעך . ישעך היה לי למגן : וענתך תרבני . הענוה שבך להשגיח בי עשה אותי כאלו הייתי עם רב אף כי היו אנשי מתי מספר נלחתי באויב כאלו היו רבים עמדי : (לז) תרחיב צעדי . הרחבת פסיעתי לבל ימעדו רגלי לנפול בארץ :

מצודת ציון

כמו ויתר גוים (חבקוק ג׳) : (לד) משוה . משים כי וישם ת"א ושוי : במתי . ענין גבהות : (לה) ונחת . מלשון חתת ושבירה : (לו) וענתך . מלשון ענוה : תרבני . מלשון רבוי : (לז) צעדי . פסיעותי . כמו ויהי כי צעדו (לעיל ו׳) : מעדו . ענין ההלקה והשמטה מן המקום כמו לא תמעד אשוריו (תהלים ל"ז) : קרסולי . תרגום של כרעים הוא קרסולין : (לח) כלותם . מלשון כליון :

Commentary Digest

his feet one next to the other it is easy [for him] *to fall. And so it is written*: '*When you walk, your steps shall not be narrow*' (Prov. 4:12)." — R.

ankles have not slipped — A warrior, even if he possesses the strength to subdue his adversary, may inadvertently slip and cause his downfall. God never allowed this to happen to David.

ankles — "*heels*", according to R. In Ps. 18:37, R. elaborates: "They are the feet from the ankles down."

The word "קרסלים," used both in Hebrew and Aramaic, always re-

my path. 34. He makes my feet like hinds; And sets me
upon my high places. 35. He trains my hand for war, so
that mine arms do bend a brass bow. 36. And You have
given me the shield of Your salvation; And You have
increased Your modesty for me. 37. You have enlarged
my step[s] beneath me; And my ankles have not slipped. 38.
I have pursued my enemies and have destroyed them;
Never turning back

Commentary Digest

34. *my feet like hinds feet* — Even when I am compelled to flee, He makes my feet like deer's feet so that no one overtake me. — K.

sets me upon my high places. — To be linked with the first part of the verse. He provides me with swiftness until He has set me upon my high places where I am safe from all my pursuers. — K.

35. *do bend a brass bow* — "*And a brass bow was bent by my hands, for I possess the strength to bend it.*" — R.

"*David had bows hanging in his palace, and foreign kings would come and see them and say to each other: 'Do you suppose that he can actually bend them? They are merely intended to frighten us'. And David would overhear and would take them* (the brass bows) *and crush them before their eyes* (sic). (R. in Ps. 18:35 'and bend them.' This is obviously the correct version.) *Now* נחת *is an expression of bending. And so we find 'Your arrows were flung* (by bending the bow) *into me.* (Ps. 38:3)." — R from unknown source.

Some suggest that נחת be translated as 'break or shatter'. In either case the meaning of the verse is that God provided David with such superhuman strength that even a brass bow would shatter in his hands by the force with which he drew back his bow. — J.K., K, and D.

Hirsch suggests a most unique explanation of the verse.

Interpreting נחת as 'to bend down' (See T.P. Ber. IV. 'לפני שמי נחת הוא'. Before mentioning My Name one must bow.') he offers: 'He guides me in war (מלמד ידי למלחמה), but also teaches my arms to keep the brazen bow lowered for peace.'

a brass bow — A weapon which obviously required exceptional strength. See Job. 20:24.

36. *the shield of Your salvation* — Your salvation was a shield to me.

and You have increased Your modesty for me — "*You have increased for me Your trait of humility*". — R.

According to M the interpretation of the verse is as follows: Because You are modest You gave the credit for victory to me while it actually belongs to You. In so doing 'Your modesty has made me great.'

37. *enlarged my steps beneath me* —In this manner protecting David from stumbling: "*When a man keeps*

עַד־כַּלּוֹתָם׃ לט וָאֲכַלֵּם וָאֶמְחָצֵם וְלֹא
יְקוּמוּן וַיִּפְּלוּ תַּחַת רַגְלָי׃ מ וַתַּזְרֵנִי חַיִל
לַמִּלְחָמָה תַּכְרִיעַ קָמַי תַּחְתֵּנִי׃ מא וְאֹיְבַי
תַּתָּה לִּי עֹרֶף מְשַׂנְאַי וָאַצְמִיתֵם׃
מב יִשְׁעוּ וְאֵין מֹשִׁיעַ אֶל־יְהוָה וְלֹא עָנָם׃
מג וְאֶשְׁחָקֵם כַּעֲפַר־אֶרֶץ כְּטִיט־חוּצוֹת
אֲדִקֵּם אֶרְקָעֵם׃ מד וַתְּפַלְּטֵנִי מֵרִיבֵי עַמִּי
תִּשְׁמְרֵנִי לְרֹאשׁ גּוֹיִם עַם לֹא־יָדַעְתִּי

ת״א ותזרני חיל. יומא מו: חס׳ א׳

תרגום

לט וְשֵׁיצֵיתִינוּן וּגְמַרְתִּינוּן וְלָא יְכִילוּ לְמֵיקָם וּנְפַלוּ קְטִילִין תְּחוֹת פַּרְסַת רִגְלָי׃ מ וְסַעֲדְתַּנִי בְּחֵילָא לְמֶעְבַּד קְרָבָא תְּבַרְתָּא עַמְמַיָּא דְקָיְמִין לְאַבְאָשָׁא לִי תְּחוֹתָי׃ מא וְסָנְאַי תְּבַרְתָּא קֳדָמַי מְחַוְרֵי קְדָל בַּעֲלֵי דְבָבִי וְשֵׁיצֵיתִינוּן׃ מב בְּעַן סְעִיד וְלֵית לְהוֹן פָּרִיק מְצַלָּן קֳדָם יְיָ וְלָא מְקַבֵּיל צְלוֹתְהוֹן׃ מג וְדוּשַׁשְׁתִּינוּן כְּעַפְרָא דְאַרְעָא כְּסִין שׁוּקִין בְּעַטֵּית בְּהוֹן רְפַסְתִּינוּן׃ מד וְתְשֵׁיזְבִנַּנִי מִפַּלְגוּת עַמָּא תְּמַנֵּינִי רֵישָׁא לְעַמְמַיָּא עַמָּא דְּלָא יְדָעִית יִפְלְחוּנַנִי׃ בני

מהר״י קרא

(מ) ותזרני. כמו ותאמצני: (מא) ואצמיתם. פת׳ ואכלה אותם כמו צמתו בבור חיי. שפת׳ כלו בבור חיי: (מב) ישעו. יצעקו: (מג) ארקעם. כענין שנאמר ויך את מואב וימדדם בחבל השכב אותם ארצה: (מד) ותפלטני מריבי עמי. שמנעתני מחטוא לך שלא שלחתי יד בשאול. וזכות זה גרם

רש״י

יצר לעדך (משלי ד׳ י״ב): קרסולי. עקבי: (מב) ישעו ואין מושיע וגו׳. הרי זה מקרא מסורס ישעו אל ה׳ ולא ענם ואין מושיע כמו ישעה האדם אל עושהו (ישעיה י״ז ז׳) כמו יפנה. ומנחם חברו עם וישע ה׳ אל הבל (בראשית ד׳ ד׳) ופתר בו לשון עתירה ונופל הלשון על המעתיר ועל הנעתר כמו ויעתר יצחק לה׳ ויעתר לו ה׳ (בראשית כ״ה כ״א) אף כאן ישעו ואין מושיע נופל על המתפלל וישע ה׳ נופל על הלשון על מי שמתפללין לפניו: (מג) ארקעם. ארמסם והרב׳ יב׳ ספר יחזקאל ורקע ברגלך (ו׳ י״א) ורקעך ברגל (כ״ה ו׳): (מד) מריבי. מדואג ואחיתופל ושאול והזיפים: תשמרני לראש גוים. לפנתי לכך. ומדרש אגדה אמר

רלב״ג

(מב) ישעו ואין מושיע. ר״ל יפנו אל הש״י שיושיעם ואין מושיע: (מג) ארקעם. הוא מענין ורקע ברגלך והרצון בו ארמסם: (מד) ותפלטני מריבי עמי. ר״ל והצלתני מהמריבים עמי כמו שאול ונבל ואחיתופל ואבשלום: תשמרני לראש גוים. פירושו תשמרני להשים אותי לראש גוים ואמר כן כי גוים רבים היו עובדין אותו:

רד״ק

דליה קרסולין וי״ת רכובתי והם הברכים: (מ) ותזרני. משפטו כמו ותאזרני שמחה מהבנין הדגוש ולהקל נעלמה האל״ף והוטלה תנועתה על התי״ו ופי׳ חיל כח כתרגומו חילא ואדוני אבי ז״ל כתבו מענין הפעיל משרש זרה ופי׳ הזרית לי חיל וכח בכל אברי לעשות מלחמה: (מא) תתה. כמו נתת חסר פ״א הפעל שלא כמנהג בעוברים: (מב) ישעו. ר״ל יביטו כמו ולא ישעו אל קדוש ישראל ולא ישעה אל המזבחות ופירוש יביטו אל ה׳ ולא יושיעם: אל ה׳ ולא ענם. בעבור כי הם רשעים וקוראים אל ה׳ ולבם לא נכון עמו: (מג) אדיקם. כמו וידק לעפר: ארקעם. מענין וירקעו את פחי הזהב: (מד) מריבי עמי. כמו עבים וכן הרודד עמי תחתי ויתכן לפרש כמשמעו והוא שאול והסומכים אותו: תשמרני לראש גוים. ובספר

מצודת ציון

(לט) ואמחצם. ענין הכאה ופליעה כמו מחץ ראש (שם ק״י): (מ) ותזרני. מלשון אזור והגורה: תכריע. ענין הנפילה על כרעים: קמי. האויבים הקמים עלי: (מא) תתה. נתת: עורף. הוא אחורי הפנים: ואצמיתם. ענין כריתה כמו אותו אצמית (שם ק״א): (מב) ישעו. ענין הפנה כמו ולא ישעה אל המזבחות (ישעיה י״ז): ענם. מלשון עניה ותשובה: (מג) ואשחקם. ענין כתישה כמו ושחקת ממנה הדק (שמות ל׳): אדקם. מלשון דק: ארקעם. ענין רדוד ושטיחה כמו וירקעו את פחי הזהב (שם ל״ט): (מד) ותפלטני. ענין הצלה:

מצודת דוד

(מ) ותזרני. אזרת אותי כח להלחם ואת שונאי הפיל לכרוע תחתי: (מא) תתה לי עורף. כי ינוסו ויהפכו לי עורף: משנאי. ר״ל וכן משנאי תתה לי עורף והוא כפל ענין במ״ש כדרך מליצת השיר: ואצמיתם. ר״ל עם כי ינוסו אשיגם ואצמיתם: (מב) ישעו. יפנו אל מלכי האדמה: אל ה׳. ר״ל גם ר״ל יפנו אל ה׳ להתפלל אליו אבל לא יענם: (מג) כעפר. להיות דק כעפר: כטיט חוצות. כטיט המושלך בחוצות אעשה אותם דק דק ואדדד אותם ט״ס האדמה: (מד) מריבי עמי. מאנשי מלחמתי אשר בבני עמי הלוחמים עמדי: תשמרני. שמרתני מיד כולם עד הכיאתני להיות ראש: עם לא ידעתי. ר״ל

Commentary Digest

bereth' was one of the earliest sources on Biblical grammar.

43. *"stamp them down"* — R and G. "*Now it is found numerous times in Ezekiel*: '*and stamp with your foot* (Ezek. 6:11),' [and] '*and you have stamped with your feet* (Ezek. 15:6).'" — R.

44. *contenders* — "*From Doeg, Ahithophel, Saul, and the Ziphites.*" — R.

amongst my people — God spared David not only from external, but also from internal forces that rose up against him. — Rabinowitz.

shall keep me as head of nations

until they were consumed. 39. And I have consumed them,
and I have crushed them that they cannot rise; Yes, they are
fallen under my feet. 40. For You have girded me with
strength for the battle; You have subdued under me those
that rose up against me. 41. And of my enemies You have
given me the back of their necks; them that hate me, that I
may cut them off. 42. They looked about, but there was
no one to save them; [Even] to the Lord, but He answered
them not. 43. Then I ground them as the dust of the
earth, as the mud of the streets I did tread upon them, I did
stamp them down. 44. And You have allowed me to
escape from the contenders amongst my people; You shall
keep me as head of nations; a people whom I have not
known

Commentary Digest

fers to some joint. In Jud. 1:8, J uses it to mean thumbs. In Ez. 47:3, he uses it to mean ankles. Here, he renders it as knees. R explains it as the foot which extends from the ankle joint to the heel. Thus, we reconcile his commentary here with that of Ps.

40. *that rose up against me* — While אויבי (enemies is a reference to external forces, קמי and מריבי (contenders of v. 44) refer to internal Israelite forces that opposed David. — Hirsch. This is clearly indicated by the milder tone with which David terms their downfall.

41. *given me the back of their necks* — When one flees the scene of battle only his back is visible. — Z.

42. *They looked about but there was none to save them* — "*This is a transposed verse* (which should be understood as if it were in the following order): *'They look to the Lord but He answered them not, there was none to save him,'* [the word ישעו being] *similar to*: *'man looks towards his Creator* (ישעו אדם אל עשהו)*'* *of* Isa. 17:7 [*where it is to be taken as*] *similar to* יפנה (to turn towards). *Now Menahem has associated it with* וישע ד' אל הבל (And the Lord hearkened to Abel' of Gen. 4:4), *interpreting it as 'entreaty'. Now this term is applicable to both the beseecher and the beseeched, as in 'And Isaac beseeched the Lord* (ויעתר יצחק אל ד') *and 'The Lord hearkened to him* (ויעתר לו ד') *of* Gen. 25:21. *Here too* ישעו ואין מושיע *refers to the beseecher, while* וישע ד' (Gen. 4:'4) *refers grammatically to the one who is being beseeched."* — R. The Menachem mentioned by R is a reference to the early Mediaeval grammarian Menahem b. Saruk who's work 'Mach-

יעבדני : מה בני נכר יתכחשו־לי
לשמוע אזן ישמעו לי : מו בני נכר יבלו
ויחגרו ממסגרותם : מז חי־יהוה וברוך
צורי וירם אלהי צור ישעי : מח האל
הנתן נקמת לי ומוריד עמים תחתני :
מט ומוציאי מאיבי ומקמי תרוממני

מה בני עממיא יתכדבון
לי לשמוע אודן
ישתמעון בי : מו בני
עממיא יסופון ויזועון
מבירניתהון : מז בכן
על ניסא ופורקנא
בעבדתא לעמך בית
ישראל אודיאו ואמרו
קים הוא יי ובריך
תקיפא דמן קדמוהי
מתיהיב לנא תקוף
ופורקן ומרומם אלהא
תקוף פורקננא :
מח אלהא דעבד פורענותא לי ותבר עממיא דקיימין לאבאשא לי תחותי :
מט ופרקי מסנאי ועל דקיימין לאבאשא לי תגברינני מגוג וממשירית עממין

רש"י

דוד רבונו של עולם הלילי מדינו של ישראל שאם אטהו או
ארדה את ישראל בעבודתי אני נענש אלא לראש הפלשתים
תשימני והם יעבדוני ועליהם לא אענש : (מה) יתכחשו
לי. מחמת יראה יאמרו לי כזבים : לשמוע אזן ישמעו
לי. אפילו שלא בפני יגורו מפני לשמע אזניהם לסור אל
משמעתי : (מו) בני נכר יבולו. ילאו לשון והעלה נבל
(ירמיה ח׳ י״ג) פגישטירו״ט בלע״ז : ויחגרו. לשון
פסחים : ממסגרותם. מקושי יסורי מסגר שאני מייסרן
בהם : (מז) חי ה׳. העושה לי אלה :

מהר"י קרא

לי ששמרתני לראש גוים. הפקדתני לראש גוים : (מה) בני
נכר יתכחשו לי. קיימת לי ויכחשו אויביך לך : לשמוע אזן
ישמעו לי. לשמע אזן שהיו הרחוקים שומעים את שבעי הי׳
נשמעים לי : (מו) יבלו. לשון נפילה. פת׳ יפלו ממועצותיהם.
והוא כמו נבל תבל שפת׳ נפל תפול. וכן מפורש בתשובת דונש
בן לברט : ויחגרו. נעשו כאילו הגורים. ויונתן שתירגם
ויזועון לפי שראה בספר תהלים כתיב ויחרגו ממסגרותיהם
והוא לשון חיל ולשון אימה. כמו מחדרים אימה שתרג׳ הרגת
מותא : ממסגרותם. מכרכים חזקים ומגדלים גבוהים וערים
בצודות שלהם שהם נסגרים שם ויושבים לבטח ומשם היו

רד"ק

תהלים תשימני לראש גוים ופירוש תשמרני שמרתני ונתת
עיניך בי לטובה עד שהייתי לראש גוים : (מה) יתכחשו לי.
מיראת׳ אותי יכזבו לי ויאמרו לא חטאנו לך : לשמוע אוזן.
ובספר תהלים לשמע אוזן והוא שם וכן לשמוע שם בפלס שאור
יאור תהום וענין הפסוק כמו בכתוב ויע״ש דוד שם : ישמעו
לי. כענין וסר אל משמעתך ואותם בני נכר שאינם נשמעים
לי יבלו מעלה נבל ויחגרו ממסגרותם כלומר שהם נסגרים
מפחדם ופי׳ ויחגרו כמו ויחרגו הפוך כמו שכתיב בספר תהלים
והוא ענין תנוע׳ הפחד מתרגום ומחדרים אימה חרגת מותא
וכת״י ויזועון מבירניתהון : (מז) חי ה׳. הפסוק הזה דרך הודאה ותהלה הוא כלומר ה׳ צורי ואלהי ישעי הוא חי וברוך

רלב"ג

(מו) יבולו. ילאו מענין נבול תבול או יהיה מענין הבלוי וההשחתה
ויחגרו. ר״ל ויפחדו מהמקום בהם נסגרים בו ר״ל כי מהדריש
תהיה להם אימות מות או יהיה הרצון בזה שהם יחגרו כלי מלחמה
מהמקום שהם נסתרים בו אך לא ילאו חוץ להלחם לרוב פחדם :
(מז) חי ה׳ וברוך צורי. ר״ל ה׳ העוזר אותי הוא חי וקיים ומי שהוא
תקפי וחזקי הוא ברוך על כל ברכה ותהלה ולזה אין לי לירא שיהדל
עזרו ממני והאלהים שהוא תוקף ישעי הוא רם על כל רמים ולזה
לא אירא שתקל׳ ידו מלהושיעני : (מט) ומקמי תרוממני. ר״ל שתשימני

מצודת דוד

העם אשר המה מארץ מרחק : (מה) יתכחשו לי. כדרך הירא
המתהלל בפני מי אשר ירא ממנו אף בדברי כזב בעבור הפחד :
לשמוע אוזן. בעבור כי ישמעו רב כחי ואומץ ידי לזה יהיו נשמעים
אלי לכל אשר אצוה : (מו) יבולו. ר״ל יהיו מיוסרים ואבודים :
ויחגרו. יהיו חגרים ממה שיהיו סגורים בידי בכבלי ברזל : (מז) חי ה׳. ר״ל הלא ה׳ חי לעולם וכזאת יעשה כל הימים : וברוך צורי.
וכן יהיה ה׳ צורי ברוך לעולם : וירום. כי כשעושה נקמות בעובדי כוכבים הוא מרומם ומנושא : (מח) הנותן נקמות לי. ר״ל הנוקם
נקמתי : (מט) ומקמי. יותר מן קמי תרומם אותי :

מצודת ציון

(מה) יתכחשו. מלשון כחש ושקר : (מו) יבולו. ענין כמישה כמו
והעלה נבל (ירמיה ח׳) : ויחגרו. מלשון חגר ופסח : (מז) צורי.
חזקי : (מח) ומוריד. מלשון ירידה : (מט) ומקמי. האויבים הקמים

Commentary Digest

48. *who takes* — in present tense. He is the God who not only has *taken* vengeance for me, but continues to do so. — M.

49. *enemies* — foreign adversaries. *that rise against me* — Israelite opponents. See Commentary Digest above v. 40.

serve me. 45. Strangers lie to me; as soon as their ears hear, they obey me. 46. The strangers will wilt, and become lame from their bondage. 47. The Lord lives, and blessed be my Rock; And exalted be the God, [who is] my rock of salvation. 48. The God who takes vengeance for me; And brings down peoples under me. 49. And that brings me forth from my enemies; And above those that rise against me, You have lifted me

Commentary Digest

— "*You have preserved me for this. Now the Midrash Aggadah* (interprets it): '*Said David, Lord of the Universe, spare me from the judgmeint of Israel, for if I err or force the Israelites into my service I shall be punished. Place me instead as head of the Philistines for they will serve me and for them I shall not be punished.*" — R from M.Ps. Ch. 18. See Buber note 264.

45. *strangers lie to me* — In fulfillment of Moses' prophecy of Deut. 34:29: 'And your enemies will lie to you, and you shall tread upon their high places.'

deceive me — "*Because of their fear, they lie to me.*" — R.

as soon as their ears hear, they obey me — "*Though they are not before me, they fear me. Hence from the moment their ears hear they turn to obey my command.*" — R.

46. "*will wilt*" — R. "*Its usage is as: 'and the leaf wilts* (Jer. 8:13)' *'pleistre' in French.*" — R.

shall become lame — Heb. ויחגרו: *An expression meaning lame.* — R. K based on J translates 'and they shall tremble.'

from their bondage — "*From the great pains of the imprisonment with which I punish them.*" — R. D explains that prisoners would often become lame from the foot chains that were tied to them. M connects this verse to the end of the previous one: Even those that live at such distance that they become weary and lame from the great distance between their enclosed cities (ממסגרותם) and my palace, hear my decree and obey for fear of me.

47. The Lord lives — Here David shifts from God's role in his own life to a wider outlook of God's role in the history of mankind whom he, by the words of his Psalms, would bring to recognition among the nations of the world, far beyond Israelite circles. — Hirsch.

the Lord lives — "*The One who performs all this for me.*" — R. Since the Lord lives eternally, I pray that he continue forever to perform these kindnesses for me. — D.

and exalted be the God. — God, when taking revenge upon idol-worshippers, Himself becomes exalted. — D.

מֵאִ֥ישׁ חֲמָסִ֖ים תַּצִּילֵֽנִי׃ נ עַל־כֵּ֛ן אוֹדְךָ֥
יְהוָ֖ה בַּגּוֹיִ֑ם וּלְשִׁמְךָ֖ אֲזַמֵּֽר׃ נא מִגְדּ֛וֹל
יְשׁוּע֥וֹת מַלְכּ֖וֹ וְעֹֽשֶׂה־חֶ֥סֶד לִמְשִׁיח֛וֹ
לְדָוִ֥ד וּלְזַרְע֖וֹ עַד־עוֹלָֽם׃ כג א וְאֵ֛לֶּה
דִּבְרֵ֥י דָוִ֖ד הָאַחֲרֹנִ֑ים נְאֻ֧ם דָּוִ֣ד בֶּן־יִשַׁ֗י
וּנְאֻ֤ם הַגֶּ֙בֶר֙ הֻ֣קַם עָ֔ל מְשִׁ֙יחַ֙ אֱלֹהֵ֣י

ת"א ואלה. מ"ק טז כל הפרשה עקידה שער סו : גלוס דוד . שם ע"ג ה: מגדול קרי קמץ בז"ק

חֲטוּפִין דְעִימִיה הְשֵׁיזְבִינַנִי : נ עַל כֵּן אוֹדֵי קֳדָמָךְ יְיָ בְּעַמְמַיָא וְלִשְׁמָךְ אֵימַר הוּשְׁבְּחָן : נא מַסְגֵי לְמֶעְבַּד פּוּרְקַן עִם מַלְכֵּיה וְעָבֵד טֵיבוּ לִמְשִׁיחֵיה לְדָוִד וּלְזַרְעֵיה עַד עָלְמָא : א וְאִילֵין פִּתְגָמֵי נְבוּאַת דָוִד דְאִתְנַבִּי לְסוֹף עָלְמָא לְיוֹמֵי נֶחָמְתָא דַעֲתִידִין לְמֵיתֵי אֲמַר דָוִד בַּר יִשַׁי וַאֲמַר גַבְרָא דְמַרְבָּא לְמַלְכוּ מְשִׁיחָא בְּמֵימַר אֱלָהֵיה דְיַעֲקֹב וְתַקִּין לְמִימְנֵי בְּחֵיךְ מְבוּסַם

מהר"י קרא

יראים כפני : (נא) מגדול ישועות מלכו. מגדול ישועות הוא למלכו. שכשם שאדם נס במגדל עוז והוא ניציל מאויביו. כמו כן נסתי אליו ונושעתי מאי בי : ועושה חסד למשיחו לדוד ולזרעו עד עולם. שכן הבטיחני והקימותי את זרעך אחריך אשר יצא מ״עיך וכוננתי את כסא ממלכתו עד עולם וחסדי לא יסור ממנו : כג (א) ואלה דברי דוד האחרונים. למעלה הוא אומר וידבר דוד לה׳ את דברי השירה הזאת ביום הציל ה׳ אותו מכף כל אויביו. ואלה דברי דוד שאמר באחרונה : ונאום הגבר הוקם על. זה על קמץ היא לפיכך פת׳ הוקם למעלה. וכן

רש"י

כג (א) ואלה דברי דוד. נבואת דוד אחרונים ומי הם הראשונים דברי השירה האמורים למעלה אבל בכל שירות ותשבחות שאמר אין נקראים דברים : הוקם

רלב"ג

כאלו ירם כממעלה יותר מקמי והנה אמר זה כנגד שאול ואבשלום או היה הלשון כזה ומקמי הפסילני ותגביהני כלא תהיה כי ידם : (נ) אודך ה׳ בגוים. ר״ל בפרסום לעיני הגוים : (נא) מגדול ישועות מלכו. ר״ל שהוא תוקף ישועות מלכו והיה דוד כמו המגדול שהיה תוקף העיר : (א) הוקם על. כמו הוקם למעלה והוא מעלת ככא

רד"ק

ורם : (נ) על כן אודך ה׳ בגוים. שהצלתני מאנשי חמס ורוממתני מאויבי ונתת לי נקמות מהם אודך בגוים לפני כל עם ועם : (נא) מגדול. מגדיל כתיב ביו״ד וקרי בוי״ו כמו שהוא בספר תהלים בקריא׳ גם כן הקרי מגדיל בחולם והוא תואר והענין אחד. מלכו ומשיחו. על עצמו הוא אומר כמו שהגדיל ישועתי ועשה לי חסדים כן יעשה לי ולזרעי עד עולם : (א) ואלה דברי דוד האחרונים. עוד מלבד השירה אמר דברים אלה שהם דברי שבח והודאה לאל שהקימו למלכות ואמר האחרונים שהיו אחרונים לכל השירות והמזמורים שאמר כי אחר זה לא הופיע עליו רוח הקדש וי״ת ואלין פתגמי נבואת וגו׳ : הוקם על. הוקם עליון ומלך : ונעים זמירות ישראל. על הזמירות שעשה בספר תהלים שהיו משוררים המשוררים הלוים בהם לפני הארון

מצודת ציון

עלי : (נא) מגדיל. מלשון גדול : כג (א) נאם. מענין אמירה ודבור : הגבר. האיש : על. למעלה וכן מקנה אף על עולה (איוב

מצודת דוד

(נ) על כן. בעבור החסדים האלה : בגוים. לפרסם חסדך : (נא) מגדול. ר״ל וכן אודך כי אספר לומר דעו אשר ה׳ מגדול וגו׳ ר״ל עושה ישועות גדולות למלכו ולא בעבור הטלוס גמול כי אם בחסד : ולזרעו. כמו שעשה לדוד כן יעשה לזרעו עד עולם ואף שדוד עצמו אמרו אמר לדוד ולזרעו ולא אמר לי ולזרעי כי כן דרך המקרא וכן ויבלהו ה׳ וגו׳ ואת שמואל (ש״א י״ב) ועם כי שמואל עצמו אמרו לא אמר ואותי : כג (א) ואלה דברי דוד האחרונים. רוצה לומר מה שאמר אחר כל המעשים והשירים אשר שר לה׳ ומשם והלאך לא דבר עוד ברוח הקודש : נאם דוד בן ישי. ר״ל וזה דברו נאם דוד וגו׳ ר״ל זה הדבר דברתי עוד בהיותי דוד בן ישי רועה לאן בשפל המדרגה : ונאום הגבר. וזה בעצמו דברי עתה אף כי אני הגבר אשר הוקם למעלה להיות משיח אלהי יעקב למלוך בישראל ולהיות מנעים זמירות ישראל ר״ל לסדר זמירות נעימות בישראל לשורר בבית ה׳ וכלומר אחר כל הגדולה הזאת לא נשתנית דעתי מאשר היתה מאז :

Commentary Digest

out my life. What I said when I was a shepherd for my father Jesse, I maintain now as king. — D.

sweet singer of Israel — *"The Israelites do not sing in the Temple* (any songs) *other than his praises and songs."* — R. A prefers: 'The darling of the songs of Israel.' David was the subject of many popular songs in Israel. See I Sam. 18:7: 'Saul smote his thousands but David his ten thousands.' M, (following A that this segment of the chapter serves as an introduction to all of David's works) suggests that David indicates here that his works consist of the following three categories; (a) Psalms relating to his personal life; 'the words of David the son of Jesse.' (b) Songs that were composed by David after he had ascended the throne; 'the words of the man raised on high, as the anointed of the G-d of Israel.' (c) Songs concerning the fate of the Israelite nation, where David assumes the role of 'the sweet singer of Israel.'

from the violent man You deliver me. 50. Therefore I will
give thanks to You, O' Lord, among the nations, and to your
name I will sing praises. 51. He gives great salvation to
His king, and He performs kindness to His anointed; to David
and to his seed, forevermore.

23

1. And these are the last words of David; the saying of
David the son of Jesse, and the saying of the man raised on
high, the anointed of the God

Commentary Digest

50. *Therefore . . . among the nations* — Because of the manifold kindnesses that G-d had shown David, he considered himself uniquely suited to carry into the world the recognition of Him. — Hirsch.

51. *he gives great salvation* — G and J.K. translate: 'He is a tower of salvation.'

to David and to his seed, forevermore — Just as He has done to me, so shall he do to my children forevermore. — K.

CHAPTER 23

1. *the last words of David* — A. The words of prophecy of David concerning the last, or end, of days. — J "*The concluding words of prophecy of David. Now which were the first (prophetic words of David)? The words of the song of praise that were stated above. However all the* (other) *songs and praise that he had said are not referred to as 'words'.*" — R. from Sifre Deut. I which suggests that the term 'words' indicates prophecy.

A argues that 'words' alone does not refer to prophecy unless it is part of a fuller expression, such as; 'The words that came to David', or, 'and God spoke to David'. He similarly rejects the opinion that this chapter was intended as a continuation of the Psalm of the previous chapter by arguing that it too should then have found its way into the psalter. Instead, A proposes that in these verses David sought to provide us with a general introduction to all of his works, since it is here that he notifies us of his station in life and suggests his sources of inspiration. These verses were therefore omitted from the psalter because they were not intended as a psalm, yet were deemed appropriate for the Book of Samuel, since this book provides us with those episodes that helped David attain his position and served as his sources of inspiration and motivation. Hence,

the last words of David — The words of introduction that David wrote upon the completion of his works — A.

"*raised on high.*" — R.

saying of David the son of Jesse, saying of the man raised on high — I have remained steadfast through-

יעקב ונעים זמרות ישראל: ב רוח יהוה
דבר-בי ומלתו על-לשוני: ג אמר
אלהי ישראל לי דבר צור ישראל
מושל באדם צדיק מושל יראת
אלהים: ד וכאור בקר יזרח-שמש בקר
לא

ת״א ונעים. (סוכה נה): אמר אלהי ישראל: מ״ק שם: וכאור בקר. פסחים ב זוהר מקץ:

תושבחתיה דישראל:
ב אמר-דוד ברוח נבואה
דיי אנא ממליל אלין
ופתגמי קודשיה בפומי
אנא סדר: ג אמר דויד
אלהא דישראל עלי
מליל תקיפא דישראל
דשליט בבני אנשא
קושטא דאין אמר
למנאה לי מלכא דהוא
משיחא דעתיד דיקום
וישלוט בדחלתא דיי: ד טוביכון צדיקיא עבדתון לכון עובדין טבין דאתון עתידין

רש״י

על. הוקם למעלה: ונעים זמירות ישראל. אין ישראל משוררים במקדש אלא שירותיו וזמירותיו: (ב) דבר בי. השרה בי רוח קדשו ונדבר בי. וכל לשון נבואה נופל בו ל׳ דבר כמו הרק אך במשה דבר הלא גם בנו דבר אדבר בו (במדבר י״ב ב׳) וטעמו של דבר לפי שהרוח נכנס בו בקרב הנביא ומדבר בו: (ג) לי דבר צור ישראל. אלי דבר וזהו צור ישראל שאהיה מושל באדם בישראל שנקראו אדם שנאמר אדם אתם ואהיה צדיק מושל וירא אלהים. ורבותינו פירשוהו בלשון אחר אמר דוד אלהי ישראל לי דבר אלי דבר צור ישראל מושל באדם אני ומי מושל בי צדיק שאני גוזר גזירה והוא מבטלה. אבל לפי ישוב המקראות הראשון הוא פשוטו של מקרא: (ד) וכאור בוקר יזרח שמש. והבטיחני שתלך גדולתי הלוך וגדול כאור נוגה אשר הולך ואור: בוקר

נזהר״י קרא

תירגם יונתן אומר גברא דמרבא למלכו: משיח אלהי יעקב. משיח במאמר אלהיה דיעקב: ונעים זמירות ישראל. פת׳ והופקד להנעים על פיו זמירות ישראל. שעשרה צדיקים הנזכרי׳ בספר תהלים וכולם נאמרו על פיו לפי שהיה יפה (חיל) [קול] וממטיב נגן ויודע להשמיע לישראל זמירות של הקב״ה בקול נעים. וכן ת״י ותקין לממני בחיך בסום תשבחתיה דישראל: (ב) רוח ה׳ דבר בי. ומלתו על לשוני. פת׳ הללו שאני אומר עכשיו לא מעצמי אני אומרם אלא מרוח הקודש שדיבר בי. ומלתו שדבר אלי אני אומר על לשוני: (ג) אמר אלהי ישראל לי דבר צור ישראל מושל באדם. פת׳ אמר דוד עלי גזר צור ישר׳ שאהא מושל באדם צדיק מושל ביראת אלהים כמותך. כדי שאותת שאמר (שילך) [שימלך] באדם. שאתנך נגיד על עמי ישראל וכן ת״י אמר דוד אלהא דישראל עלי מליל: (ד) וכאור בוקר

רד״ק

ובבית המקדש וי״ת ותקין למימני בחיך וגו׳: (ב) רוח ה׳ דבר בי. הזמירות ברוח הקדש אמרתי אותם אשר דבר בי ומלתו היתה על לשוני באמרי הזמירות כי רוח הקדש עוררה אותי והופיעה הדברים על לשוני ות״י אמר דוד ברוח נבואה דה׳ וגו׳: (ג) לי דבר. כפל דבר הוא כמנהג הלשון ופירושו אמר לי דבר בעבורי ואמר ודבר לשמואל הנביא שאהיה מושל באדם משחני למלך ובלבד שתהיה ממשלתי ביראת אלהים ואהיה צדיק ודעת המתרגם שיצא ממני מלך המשיח שיהיה מושל ביראת אלהים וכן תרגם אותו אמר דוד אלהא דישראל וגו׳: (ד) וכאור בקר. כאור הבקר כשיזרח השמש אז האור נוסף וכן ירצה לומר שהצלחתו במלוכה תתחזק תמיד כמו הענין באור הבקר אשר אין התפשטותו מהעבים והעננים, שיזרח אורס

רלב״ג

המלוכה: ונעים זמירות ישראל. ר״ל בהוא אמר לש״י בנעים שבמיני הזמירות והם זמירות ישראל כי הם חוברו שיזמרו בהם ישראל לש״י וזה מבואר בזמירות הנזכרות בספר תהלים: (ב) רוח ה׳ דבר בי ומלתו על לשוני. אמר שעניינו באלו הזמירות הנעימות שחבר היה שרוח הש״י דבר בו ובמה שנאלל עליו מרוח הקדש היה דבר השם יתעלה על לשונו להגיד אלו הזמירות ולהכרס בספר: (ג) אמר אלהי ישראל לי דבר צור ישראל. ר״ל כי בעבורי אמר הש״י ודבר שאהיה מושל באדם היותר נבחר והוא ישראל מפני היותי צדיק מושל ביראת אלהים ר״ל שכל הנהגתי וממשלתי הוא ביראת אלהים ולזה זכיתי לזאת המעלה: (ד) וכאור בקר יזרח שמש. ר״ל בזריחת ממשלתי ולמתת מלכותי הוא כמו זריחת אור בקר שיזרח שמש אחריה שיהיה

מצודת דוד

(ב) רוח ה׳. ר״ל הדבר אשר הדבר מאז ועד עתה לא מהכמה באה לי אך רוח ה׳ דבר בי ומלתו וגו׳ והוא כפל ענין במ״ש ובא לחזק הדבר: (ג) אמר אלהי ישראל. ר״ל וזהו דברי אשר אלהי ישראל אמר וכאילו דבר לי ליחד אלי הדבור ר״ל מיד ה׳ הופיע אלי להשכיל הדבר הזה: מושל באדם צדיק. כאשר יועמד לדיק למשול בבני אדם אז ימשול יראת אלהים כי כל ממשלתו להכריח העם על היראה א״כ היא המושלת והמתגברת: (ד) וכאור בוקר. ר״ל המושל כזה הוא סיבה להמשיל היראה כמו אור הבוקר המאיר בעלות השחר

מצודת ציון

(ל״ו): ונעים. ענין ערבות ומתיקות: (ב) ומלתו. ענין דבור כמו

Commentary Digest

masses. M views the verse as a prophecy: In the end of days there will be a righteous ruler over all mankind (מושל באדם צדיק) who will rule with the fear of the Lord, as prophesied by the prophet Isaiah: 'And there shall come forth a rod out of the stem of Jesse . . . and the spirit of the Lord shall rest upon him . . . the spirit of knowledge and of the fear of the Lord (Isa. 11).

4. *And as the light of the morning when the sun shines* — "*And he assured me that my greatness would increase constantly like the light of the morning that grows ever brighter.*" — R. and K. Alschich interprets the 'light of the morning' as the light that will follow the lengthy period of darkness of the Israelite exile. David notes that the true glory of the House of David will

of Jacob, And the sweet singer of Israel. 2. The spirit of
the Lord spoke in me, And His word was upon my tongue.
3. The God of Israel said, concerning me spoke the Rock of
Israel: 'A ruler over men shall be the righteous (man), he
that rules in the fear of God. 4. And as the light of the
morning (when) the sun shines; a morning

Commentary Digest

2. *the spirit of the Lord spoke in me* — Unlike other authors who are self-inspired, my inspiration is derived from the spirit of the Lord that spoke in me. — A.

spoke in me, and His word was upon my tongue — A, in arguing that David was not a prophet (See Commentary Digest above v. 1), recommends that this verse serves us as a basis for distinguishing between נבואה which David did not possess, and רוח הקודש which he did.

While prophecy is a spirit that descends upon both the intellect and power of imagination of the individual enabling him to visualize great and awesome sights and become the recipient of God's message, רוח הקודש only descends on the 'tongue' and lips of man. The words are his own, though they blossom forth in a Godly inspired manner.

spoke in me — R suggests that David had attained actual prophecy: "*He lodged in me the spirit of his holiness which spoke within me. Now all expressions of prophecy are indicated by* (the word) דבר, *just as with: 'Has the Lord indeed spoken only in Moses? Has he not spoken also in us?'* (Num. 12:2: הרק אך במשה דבר, הלא גם בנו דבר) *or: 'In him shall I speak'* (Num. 12:8: 'אדבר בו וכו'). *The reason for this is that the spirit* (of God) *enters the prophet and speaks from within him.*" — R based on Sifre Deut. Ch. 1.

3. *concerning me* — K. God spoke concerning David to Samuel the prophet and commanded that he anoint him ruler of Israel on condition that he rule God fearingly.

R translates: "*To me spoke etc. — To me spoke and commanded the Rock of Israel that I be a ruler over man, i.e., over Israel who is known as 'man', as it is written: 'You are man'* 'אדם אתם', Ez. 34:3); *and that I be* (both) *a righteous ruler and a God fearing man. Now our rabbis have interpreted it in a different manner: Said David: 'The Lord of Israel spoke to me, to me spoke the Rock of Israel: I am the ruler of men. Now who is the ruler over me? The righteous man, for I pass a decree and he* [has the power to] *revoke it.* (T.B. Mo. Ka. 15b.)'. *However, according to the flow of the verses the first is the more literal interpretation of the text.*" — R from T.B. Mo. Ka. 15b.

A and D interpret: When a righteous man rules, then the fear of God rules, since his whole ambition is to instill the fear of God in the

לֹא עֲבוֹת מִנֹּגַהּ מִמָּטָר דֶּשֶׁא מֵאָרֶץ׃
ה כִּי־לֹא־כֵן בֵּיתִי עִם־אֵל כִּי בְרִית עוֹלָם
שָׂם לִי עֲרוּכָה בַכֹּל וּשְׁמֻרָה כִּי־כָל־

ח"א ערוכה בכל. ערוכין נד:

תרגום

לְאַנְהָרָא בְּזֵיהוֹר יְקָרֵיהּ כִּנְהוֹר צַפְרָא דְאָזֵיל וְתָקִין וּכְשִׁמְשָׁא בַעֲתִיד לְאַנְהָרָא כְּזֵיהוֹר יְקָרֵיהּ עַל חַד תְּלָת מְאָה אַרְבְּעִין וּתְלָתָא כִּנְהוֹר שִׁבְעַת כּוֹכְבַיָא שִׁבְעַת יוֹמַיָא יַתִּיר מְסַגִּין הִתְרַבּוּן וְיֵיטַב לְכוֹן דַּהֲוֵיתוֹן מְחַמְדִין לִשְׁנֵי נֶחָמָתָא דְאָתְיָן הָא כְּאִכָּרָא דִמְסוֹבַר בִּשְׁנֵי בַּצּוֹרְתָא דְיֵחוֹת מִיטְרָא עַל אַרְעָא׃ ה אֲמַר דָּוִד יַתִּירָא מְסַגִּין בֵּיתִי קֳדָם אֵל אֲרֵי קְיָם עָלָם קַיֵּם לִי לְמֶהֱוֵי מַלְכוּתִי קַיָּמָא כְּמָא דְקַיָּימִין סִידְרֵי בְּרֵאשִׁית וּנְטִירָא

מהר"י קרא

יזרח שמש בוקר לא עבות מניגה. פת' ומלכות שנתן לי מלכות שאינה קרועה לא ממני ולא מזרעי לעולם. לא מעורבב אלא מלכותי נמשלת לאור בוקר כשהחמה זורחת ויפיו אורה לעול' דכתיב כסאו כשמש נגדי כירח יכון לעולם. וכן הוא אומר וכוננתי את כסא ממלכתו לעולם: בוקר לא עבות כנוגה ממטר דשא מארץ. שמא תאמר לאחר שנמשלה מלכותי לאור בוקר פעמים שהשמים מתקשרים בעבים והיום סגריר מחמת שימלאו העבים גשם תאמר גם במלכותי בו ערבוביא. לכך נאמר בוקר לא עבות מניגה שלו. ופת' לאותו בוקר שלא יחשיך מנוגה שלו מחמת מטר היורד להצמיח ולהעלות דשא בארץ ואין הבוקר עב ותשוך מחמת שמתקשרים שמים בעבים לאותו נמשלה מלכותי: (ה) כי לא כן ביתי עם אל. שיהא נמשל לבוקר עבות שאורו מעורבב וחושך כמלכותו של שאול שהיה מעורבב ופסקו ביתו אחריו שהיו הולכים ודלים. לא כן ביתי עם אל. אלא ערוכה בכל ושמורה. כענין שאמר אצמיח קרן לדוד ערכתי נר למשיחי: בכל. פת' בכל דור ודור: ושמורה. כענין שנאמר ותשמור את החסד הגדול הזה ותתן לו בן יושב על כסאו כיום הזה: כי כל ישעי וכל חפץ. פת' כל התשועות

רש"י

לא עבות. אור שאינו אפל: מנוגה ממטר דשא מארץ. מאיר בוקרי יותר מנוגה הבא ממטר כהים לא כלי אור כשהמטר יורד על ארץ מלאה דשאים והשמש זורח עליו ומבהיק. וכן פתרונו יותר מנוגה הבא ממטר של דשא מארץ: (ה) כי לא כן ביתי עם אל. שיהא בוקרי עבות: כי ברית עולם. התורה אשר שם לי ערוכה בכל ביתי ושמור': כי כל ישעי וכל חפץ. צרכי מוכנים לפניו והרי זה מקרא

רלב"ג

מנגה שיתחדש ממטר יורד על דשא מארץ והוא הקשת כי זה האור יהיה הולך הלוך וחסור אך הוא כאור בקר שיזרח שמש אחריו ובזה רמז דוד אל שתאמת מלוכה ממנו יהפכה אל מלכותו יחס אור השמש אל אור השחר והוא מלכות משיח בן דוד שתגדל מלכותו ונשא וגבה מאד אז יהיה הלוך בזה כאור בקר שיזרח בו השמש אשר היא מתמי' הקיום והוא האור הגל' כן הענין במלכות בית דוד אור בקר שלא יסתר בו השמש בסבת העבים כי אז יהיה האור מגיע מהעבים אשר הם מהירי ההפסד ולא יהיה הבקר ההוא תנגה שילמח ממטר ויולד ממנו כמו הענין בברק שילא בהשך תכף ולא כמו דשא מארץ אשר בבקר ילין ולמה ובערב ימולל ויבש: (ה) כי לא כן ביתי עם אל. ר"ל שיסיר מלכותי תכף כמו הענין במלכות שאול: ערוכה בכל ושמורה. ר"ל ממשלתי ערוכה בכל הזמן ושמורה לזרעי אע"פ שתסור מהם בקצת העתים: כי כל ישעי וכל חפץ כי לא ילמיח. ר"ל שהיא

רד"ק

כשהולך ואור כן תהיה מלכותי ממשלת בקר שאין בו עכירות אלא בהיר כי בקר שהוא עבות וענן פעם נגה ופעם מטר ואינו טוב אלא להצמיח דשא מן הארץ: (ה) כי לא כן. אבל ביתי אינו כן אלא נוגה בכל עת ובכל זמן כי ברית עולם שם לי שלא תפסוק ותהי' ערוכה ושמורה בכל: כי כל ישעי. כל חפץ וכל ישע שלי הוא שלא יהי' כצמח השדה אשר ייבש אבל ישגי

מצודת ציון

כי אין מלה כלשוני(תהלים קל"ט): (ד) עבות. ענינים: מנוגה. ענין סהרה וזריחה: דשא. חציר: (ה) ערוכה. ענין סדור: חפץ.

מצודת דוד

אשר היא סיבה ידוע לשיזרח אחריו השמש אבל כשאור הבקר לא יהיה מעונן בעבים כי כשיהיה מעונן אין אור הבוקר סיבה ידוע לזריחת השמש כי לא יהיה נראה כי העבן יכסנו: מנוגה במטר. כמו מנוגה השמש וממטר השמים אשר משניהם יחד באה הסיבה להצמיח דשא מן הארץ וכן הדבר במושלים כאלה כי אף אשר אור הבוקר היא סיבה ידוע לזריחת השמש אין זו סיבה לשיתמיד בזריחתו כי יבוא העבן ויכסנו כן צדיק המושל לא ימשול היראה כ"א בעוד ימשול הוא ולא בסור ממנו הממשלה אף לא אחרי מותו וכמו שנוגה השמש ומטר השמים המה יחד סיבה להצמיח דשא ולא זה בלא זה כן צדיק אחד מושל לא יוכל להמשיל היראה אם המושל חבירו עומד נגדו ומוחה בידו: (ה) כי לא כן ביתי. אלא ממשלת בית מלכותי לא כן היא עם הממשלת יראת האל: כי ברית עולם שם לי. ממשלת המלוכה שם לי לבדו וברית עולם היא: ערוכה בכל. ר"ל הכל תלוי בה על היותה מלוכה ונתנה ביד אחד ואינה כממשלת מושלים שאין הכח ביד האחד כאשר חבירו עומד נגדו אשר ידמו לנוגה השמש ומטר השמים שאין הכח ביד אחד זולת חבירו להצמיח הדשא: ושמורה. גם המלוכה הלא היא שמורה לי ולזרעי מדור לדור ואינה כממשלת שאר מושל אשר טמו תמות או בחייו תוסר ומעביו בטלים אשר ידמה לאור הבוקר שהיא סיבה ידוע לזריחת השמש ובבוא העבן יכסהו: כי כל ישעי. כי כל הישע הבאה היא ישעי כי על ידי או ע"י זרעי תבוא וכמו כן על ידינו תבוא כל חפץ

without clouds, more than the light that follows the rain that
falls upon the grass of the earth. 5. For my house is not
so with God. For an everlasting covenant has He made with
me, fully set forth and heeded for all

Commentary Digest

come then, during the Messianic era.

without clouds — "*a light that does not dim.*" — R.

from the light that follows the rain that falls upon the grass of the earth — "*My morning will shine brighter than the light that comes forth from the rain, like a resplendent heat* (the sun) *upon light. When the rain descends upon land covered with grass, and the sun shines upon it, the* [*moist*] *grass shines. Now this is its interpretation*: *More than the light which comes from the rain of the grass of the earth.*" — R. A interprets somewhat differently: The rule of the righteous shall be as the light of a perfect morning that is neither cloudy nor rainy but shines ever brighter.

5. *for my house is not like that* — "*That my light should be cloudy.*" — R. My light shall not be like the light of Saul's kingdom which terminated in darkness. — J.K.

for an everlasting covenant — R, based on the fact that the verse uses the term 'an everlasting covenant' in place of 'an everlasting kingdom' interprets 'the covenant' as a reference to his household's observance of the Torah: "*The Torah* (which is an everlasting covenant) *that God set before me, is fully set forth throughout all my house, and is observed.*" — R.

J.K. interprets בכל as if it were בכל דור ודור and translates: 'My kingdom is fully established for all generations.'

all my salvation and all the desire— "*of my needs are prepared before Him. Now this is an abbreviated verse*" — R. My whole desire and striving, כל ישעי וכל חפץ, is for only one purpose, that I not be like dried up grass (כי לא יצמיח), that is, that my kingdom not end. — K. A explains that something 'sprouts forth' only in the wake of waste and destruction. David's whole striving, was, therefore, that he not 'sprout forth', but that his kingdom be permanently established.

will not sprout forth — "*another as king after my kingdom. An alternate interpretation is*: *An everlasting covenant has He made with my household that my kingdom should attain permanence. Now this covenant has 'been set forth by all'*, i.e., *in the mouths of all the prophets.*" — R. All the prophets of Israel prophesied concerning the establishment of the House of David.

יִשְׁעִי וְכָל־חֵפֶץ כִּי־לֹא יַצְמִֽיחַ׃ ו וּבְלִיַּעַל
כְּקוֹץ מֻנָד כֻּלָּהֶם כִּי־לֹא בְיָד יִקָּֽחוּ׃
ז וְאִישׁ יִגַּע בָּהֶם יִמָּלֵא בַרְזֶל וְעֵץ חֲנִית
ובאש

תרגום

לַעֲלְמָא דְאָתֵי אֲרֵי כָּל
צָרְכִי וְכָל בָּעוּתִי
קֳדָמוֹהִי מִתְעַבְדִין בְּכֵן
כָּל סַלְכוּ לְקַבְלֵיהּ עוֹד
לָא תִתְקַיַּים׃ ו וְרַשִׁיעַיָּא
עָבְדֵי חַטָּאָה דָמַן לְכֻבִּין
דְּבִמַפְקָהוֹן בְּכֵיבִין
לְמִקְטַף וְכַד אֱנָשׁ חַיִּים עֲלֵיהוֹן וְשָׁבִיק לְהוֹן אָזְלִין וְתַקְפִין עַד דְּלֵית אֶפְשַׁר לְמִקְרַב לְהוֹן בְּיַד׃
ז וְאַף כָּל אֱנָשׁ דְּמִשְׁרֵי לְמִקְרַב בְּחוֹבִין אָזְלִין וְתַקְפִין עֲלוֹהִי עַד דְּחָפִין לֵיהּ כִּלְבוּשׁ דְּפַרְזְלָא דְּלָא
יָכְלִין לֵיהּ כְּאָעֵי מוֹרְנִין וְרוֹמְחִין בְּכֵן לֵית פּוּרְעֲנוּתְהוֹן בְּיַד אֱנָשׁ אֱלָהִין בְּאֶשָּׁתָא עֲתִידִין

רש"י

קלר: כי לא יצמיח. עוד למלך אחר מלכותי. דבר אחר כי ברית עולם שם לביתי להיות מלכותי קיימת והברית ערוכה בכל כפי כל הנביאים: (ו) כקוץ מונד. קרדו"ן בלע"ז (בל"א דיסטעלן) (כמו שמות כ"ב ה') שבקטנותו רך ונע ונד וסופו מתקשה עד אשר לא ביד יקחוהו: (ז) ואיש יגע בהם ימלא. צריך שילבש את בשרו ברזל וימלא ידו

מהר"י קרא

ששאלתי ממנו שיושיעני וכל חפצי ששאלתי ממנו לא מנע ממני הכל מלא. וכן ת"י ארי כל צרכי וכל בעותי קדמוהי מתעבדין: כי לא יצמיח. כי לא יצמח ישועה במלכות שיתקיים על ידי אחר ולא יעלה שכל אדם שיכנס במלכותי במקומי שאינו מזרעי לא יצלח במלוכה. וכן מצינו בכל מלכי ישראל שמלכו כשנקרעה מלכות מרחבעם בן שלמה ונתנה לירבעם וחביריו לא נתקיימה בידם. וכן ת"י בכן מלכו לקבלה לא תתקיים: (ו) ובליעל כקוץ מנד כלהם. פת' מלכותי דומה לאור הבוקר שמתגבר והולך. אבל בני בליעל דומין לקוץ שמונח על גבי

ד"א על ידי כלי ברזל ועץ חנית כמו שמפרש בסמוך. איש אשר יגע בהן ימלא ברזל ועץ חנית: כי לא ביד יקחו. אינו יכול ליקח אותם בידו שלא יהא נעקץ: (ז) ואיש. אשר יגע בהם כיצד יעשה שלא יהיו עוקצין אותו: ימלא ברזל ועץ חנית. לכרות אותם ואף לאחר שנכרתו אין בהם הנאה לכלום כי אם לשריפה שלא יצליחו במלאכתם לבנות מהם בנין ולא יקחו (יותר) [יתד] לתלות עליו כלי. כל הנאתם לשריפה כשאדם יושב להתחמם לאורו כנגד המדורה כמו שמפרש והולך שרוף

רד"ק

לא יפסק לעולם וי"ת שני הפסוקים האלה כן וכאור בקר טוביכון דצדיקיא וגו' כבעמוד: (ו) ובליעל. אבל הרשעים יהיו כקוץ מונד כמו הקוץ שמניד אותו ומשליכו כל מוצאו כן הם כי הם מכאובים לנוגע בהם ולא יקחו אותם ביד אבל משליכים אותם ברגלים או בדבר אחר: (ז) ואיש יגע. ואם יגע אדם בהם במקום שצומחים ימלא ברזל ר"ל יקח ברזל לכרות אותם ואמר ימלא כנגד המשל שהוא על רשעים ולא יקרב אדם להם אלא אם ימלא כלי ברזל כלומר שילבש שריון שלא יוכלו להרע לו או פי' ימלא יכרת כמו בלא יומו תמלא ופי' יכרת הקוץ בברזל כלומר אם ירצה אדם לגעת בהם צריך שיכרתנו בברזל או בעץ חנית מרחוק או ישרפו אותם במקום שבתם כלומר במקום שהם צומחים כן הרשעים צריך שישתדל האדם לכלותם בעצמו אם יוכל או על ידי אחרים כמו שעושים לקוץ עם החנית או יתפלל עליהם שיכלו ויסופו במקומם כמו לקוצים שישרפו' בשבת וי"ת אל שני הפסוקים כן ורשיעיא עבדי חטאה דמן לכובין וגו' ואיש יגע ואף כל אנש

רלב"ג

ערוכה בכל כי ימלא לישראל כל ישע וכל חפץ כי זה יהיה בעת לכתם בדרכי התורה ואולם כאשר לא ימלא זרעם לתת פריו וזהו כסודם מאמרי הש"י אז היא שמורה כי לא יתכן שתהיה להם המלוכה: (ו) ובליעל כקוץ מונד כלהם. ואולם הרשעים כשיקחו הממשלה הם כלם כקוץ מונד שיזיק אנה ואנה למתקרבים אליו ויתקבם בקוליו כי לא יקחו האנשים ביד את הקוצים כי יזיקו בהם והמשילם עוד לקוץ שאינו עושה פרי וכאילו רמז בזה אל מלכות ירבעם וחבריו: (ז) ואיש יגע בהם ימלא ברזל ועץ חנית. ר"ל כי כאשר יגע ברשעים ויקרב אליהם ימלא כל גופו ממכות הברזל: ועץ חנית. ר"ל שאחר שיכנס בגופו ברזל החנית יכנס העץ: ובאש שרוף ישרפו בשבת. ר"ל כי בהשבת הממלכה מהם יכלו הם וזרעם כליון חרוץ כמו שנתבאר מענין ירבעם והדומים לו כי בעת שבתה הממלכה מהם לא השאירו להם נין ושאר: ביאור הדברים. אמר שכבר דבר לה' את דברי השירה הזאת לתת לו שבח והודאה ביום אשר נתבאר לו כי הציל ה' אותו מכף כל אויביו הרודפים אותו כמו גלית הפלשתי ואכיש מלך גת והעמלקים אשר פשטו אל צקלג ואיש בשת והפלשתים שבאו להלחם עמו וחנון בן נחש והדרעזר ואבשלום ואחיתופל ושבע בן בכרי וישבי

צנ"ב והציל אותו גם כן מכף שאול והוא שקול כנגד כלם כי שאול רדף את דוד והוא מלך ודוד היה עבדו ולזה היה תכלית הסל' לתוקף יד שאול פי' דוד איך נצל מידו. ויאמר הנה ה' לי סלעי ומצודתי ומצילי לא יצטרך לי תוקף אחר ולא עוזרי כח וחיל אחר באלו הצרות אשר נצלתי מהם הנה הוא מנהיג החוזק והתוקף שלי ומאתו היה נצול מפני השגחתו בי. הנה בו אחסה ואסתר בסתר אהלו מכל כנעות הנכונות לבא עלי כי הוא לי למגן להגן עלי מכל דבר הרעות אשר יכולני להזיק והוא תוקף ישעי. כי מאתו יסודרו כלי' להפחיד הקמים עלי שלא יזיקוני כמו שידחה הבעל חי בקרניו כחיה הנגחה נטרפו. הנה הוא בית החוזק שלי והמנוס שאנוס להמלט מכל הקמים

מצודת דוד

כי לא יצמיח מי למלכות מבלעדינו: (ו) ובליעל. אבל בית בליעל כירבעם וחבריו כולם יהיו כקוץ מונד ר"ל כמו הקוץ המונח ברגלי אדם אשר מנידים אותו ממקום למקום בדרך מהלכם: כי לא ביד יקחו. כי בעבור החדודים הבולטים בו א"א נקחתו ביד לסלקו מן הדרך אל מקום מיוחד ולזה בע"כ הוא מונח ברגלי אדם ומנידים אותו ממקום למקום ולא יונח זמן רב במקום אחד וכ"כ לא תעמוד בית בליעל על זמן רב: (ז) ואיש יגע בהם. ר"ל אולם בית הבליעל לא תהיה דומה להקוץ הזה אשר לא תגע בו יד איש כי בהם יגע

מצודת ציון

רצון: (ו) מונד. מלשון נדידה: כלהם. מלשון כנ: (ז) בשבת. ענין

my salvation and all the desire [is before Him], for He will not sprout forth [another on the throne]. 6. But the wicked are all as thorns thrust away, for they cannot be taken in hand. 7. But if a man touch them, he should be armed with iron and the staff of a spear;

Commentary Digest

6. *are all* — Heb. כלהם same as, כלם. — D.

Alschich conjuctures that the superfluous ה is intended to symbolically indicate that even the wicked can escape their fate by means of repentance. The ה, while it is open below towards 'gehinom', provides one with an escape along the side of the letter. See T.B. Men. 29b.

as thorns thrust away — K. R translates: *'as swaying thorns'*: *'chardon' in French*: (*as in* Ex. 22:5). *It is tender when yet small and shakes to and fro, but eventually becomes firm to the degree that it can no longer be taken in hand."* — R.

D and G see in the verse a prophetic reference to the kingdoms of Jeroboam and associates who, unlike his own kingdom, bore no healthy fruits but were like thorns to all those subjected to their rule.

7. *But if a man touch them he should be armed* — "*He must cover his skin with* (shields of) *iron, and load his hand with weaponry in order to cut them down."* — R. If one desires to associate himself with the wicked he must be well protected lest he harm himself. — G.

and with fire they shall be utterly burned — "*They* (the thorns) *serve no useful purpose other than* (for) *burning and sitting and warming oneself before them. So it is with the wicked who have no way out other than by being consumed by 'gehinom'."* — R.

in their place — Heb. בשבת: R translates: "*When He sits* — (When) *the Holy One Blessed Is He sits on His throne of Justice."* — R.

עני והוא מושיע אותי מאויבי המה הרודפים אותי על לא חמס בכפי כי הענין כמו הענין בשאול ואבשלום והדומים בזה והנה אלו התשועו' אשר הושיעני הש"י מאויבי יביעו לי באמצעות תשועה שלמה שאהלל לש"י אחר שספרתי מתהלותיו הנוראות המעידות אל השגחתו יתברך הנה בעת שפפו אלי רעות נפלאות מביאות אל מות ובעתוני אימות מות הנה בעת ההיא אשר ראיתי כי צר לי והייתי בזה הפחד הנפלא אז השתדלתי לקרות שם ה' המורה על פליאותו ביותר על מה שאפשר . ובדבקי בו בזה האופן התפללתי אליו והוא שומע תכף קול תפילתי מהיכל מעלתו אשר הוא בתכלית הרוחק ממדרגת האדם והנה גם עלתה שועתי באזניו להשתדל בהצלתי . והנה מרוב חרון אף השם על אויבי הרשעים עולמו כאילו נולד מאף הש"י אשר בבטן הארץ יתחדש ממנו הרעש וירעשו חלקי הארץ וגם יסודות ההרים הגבוהים יתגעשו וירעשו : ואמר ממשל כי מרוב הכעס עלה עשן באף הש"י ותלא אש מפיו תאכל אויביו ותשחיתם עד שלהוזק האש ההוא בערו ממנו גחלים . והנה היה זה המשל להעיד על הפלגת הרעש שחדש הש"י כדי שיפלו אויבי דוד במהירות וזה שכבר סבב הש"י שינגפו ישראל במלחמה ומתו עמהם שאול ובניו וכן הענין במיתת אבשלום ובכלל הנה כשנחקור בספורי הקורות שקרו לדוד נמצא פלא עצום בסבות אשר בהם הש"י הביא הרע לאויבי דוד כאשר המלט לדוד . ואמר כי לרוב השגחת השם על דוד כאילו ירד מן השמים ודרך על הארץ ושלח מלאכו בקלות כאילו התעופף . ושת סביב דוד ענן וחשך להסך עליו ולהסתר שם מאויביו כאילו היה זה משל אל מה שסבב הש"י כשרדף שאול אחרי דוד שלא יכול למצאו וכאשר מצא אותו והיה קרוב אל שיתפש דוד סבב הש"י שבא מלאך אל שאול כי פשטו פלשתים על הארץ והוכרח לעזוב דוד . ואמר כי מהענן בעצמו שחדש הש"י ע"י מלאכו להסתיר דוד ונמלטו מאויביו ממנו יצא ברק בערו ממנו גחלי אש והם הלפידים היורדים מהענן אשר נעצר בו אד קיטורי וממנו נתחדשו רעמים בנתחדשו לאויביו מהדב' בעיניו אשר הודם להציל דוד . והנה בזה האופן כאילו נבקעה הארץ מרוב הרעש בנתחדש בגערת ה' מנשמת רוח אפו . ונראה מעמקים ונגלו מוסדות תבל כמו שימצא הענין בעתות הרעש בתבקע הארץ ויראו המקומות השפלים מהארץ ויראו שם נהרות גדולים נתחדשו ממה שהיה באיד בחדש הרעש מהטבע המימיי . והנה קרא המים ההם ים כי ענינם דומה במליחות למי הים מפני רבוי השריפה בנתחדשה שם כי הוא ג"כ הסבה במליחות מי הים כמו שנתבאר בטבעיות והנה אפשר שאמר זה להפלגת הסרת ענין אויביו במהירות כמו הענין בארץ הנבקעת מפני הרעש כי יתהפך המקום הגבוה להיות למטה ולזה קרא ענין המפלת סדום הפכה אמר כמהפכת סדום ועמרה ואפשר עם זה שרמז בזה להגלות בקלות ובמהירות דבר הנעלם מהאורבים מהצלחת דוד וכאשר השלים זה המשל אמר זה הענין בדברים יותר מבוארים ואמר הנה הש"י ישלח מלאכו ויקחני וינהגני וימשוך אותי ממימי הרעות אשר הסבו אויבי להטביע אותי בהם . ובזה האופן יצילני הש"י מאויבי שהיה חזק ועז ביחס אלי בתכלית נפלא והוא שאול כי הוא היה מלך ואני הייתי עבדו ובכלל הנה יצילני בזה האופן מכל שונאי כאשר חזקו ממני . והנה אויבי מקדמים אותי רע ביום אידי כי חשבו שאז היה עת רעה ויגיעו מבוקש' . והנה אז היה הש"י למשען לי בדרך שלא נפלתי בידם ואשר בזה היה משל על הזיפים שהודיעו לשאול כי דוד מסתתר עמהם במערה ועל מה שיעץ אחיתופל לרדוף אחר דוד בלילה להמיתו והנה הש"י הוציא אותי למרחב מהצרה שהייתי בה ומלט אותי מיד אויבי כי חפץ בי להיות מלך על ישראל ונתן לי גמול כצדקתי והשיב לי כבור ידי שבררו התכונות המשובחות והנה אמר זה להעיר כי בכל עוז היה רודף הדרכים המשובחים וזה מבואר מהספורים שבאו בענין דוד זולתי בחטא אשת אוריה . והנה היתה לי הטובה מאת הש"י לפי ששמרתי דרכי ה' והלכתי אחרי מצותיו ולא הרשעתי לנטות מדרכי הש"י כי כל משפטי הש"י והם משפטי התורה שויתי תמיד נגדי לזכור אותם כדי שאתנהג בהם וכן הענין בחוקותיו כדי שלא אסור מדרכי התורה כלל ואהיה שלם בעיני הש"י כי כל מגמתי היתה לפנות אליו וזה סבה פעמים רבות שנשמרתי מעוני אשר הביאתני להשתוקק אליו רתיחת טבעי . והנה השיב ה' לי כצדקתי וכנקיון לבבי כפי מה שידע הש"י ממנו וזה היה בעת שענשני על החטא שחטאתי כי לא הפליג מאד בעונשי להגלות אליו טוב לבבי והפליג בעונש שאול להגלות אליו רוע לבבו ואף על פי שהיה חטאו יותר עצום לפי הנראה מחטא שאול והנה יורה על טוב לב דוד כי הוא לא השכים בהריגת אחד משונאיו ואף על פי שנפלו בידיו כמו הענין בשאול ואבנר ואבשלום ושמעי בן גרא אבל היה חומל ומרח' כמו שנראה מספור קורותיו והנה ענייני שאול היו בהיפך זה והנה בכלל כשתחקור על כל ספורי קורות דוד וסיפורי כל קורות שאול יתבאר לך ההבדל העצום שהיה בין תכונת דוד ובין תכונת שאול הנה אתה הש"י מתחסד עם חסיד לעשות לו חסד גם אם יחטא לך בתקלת מעשו כמ"ש בדוד גם ה' העביר חטאתך לא תמות . והנה הולך בתום ובכבדות הלב עם איש תמים וכבד לזאת הסבה ג"כ ואמנם עם איש עקש אתה מביא אליו העונש בדרכים עקלתונים להפליג בענשו על החטא מפני היות לבו מוכן להתנהג בזה המנהג הפחות . והנך יושיע השפלים אעפ"י שהם מהמון העם אשר אזלת יד מהם . ועיניך על רמים להשפילם כשיתגאו לך ואעפ"י שהם מלכים והנה אמר זה

מפני שהשם הושיע דוד בעת הזאת מהעם שהיה עבד לשאול והיה אז עיני הש"י להשפיל שאול שהיה מלך בעבור שהגיעה המלוכה לדוד הנה אתה היית נרי ה' להאיר לי בהיותי בגלל חשך הצרות ואז הגהת חשכי וזה בעת שהיה דוד נרדף משאול ואבשלום . הנה בעזר שהיה לי ממך שברתי הגדוד הבא אלי ובעזר אלהי דלגתי וקפלתי החומה הנפלאה שהיתה ביני ובין הגדוד ההוא וזה היה רמז אל הגדוד שבא מעמלק לצקלג ושרפו את צקלג באש ונהגו לפניהם נשי דוד ואנשיו וטפי' וכל קניניהם כי היה מאת הש"י שסבב שהסרנים לא הסכימו בהליכת דוד עמם פן יהיה להם לשטן עד שהוצרך שאכיש מהר דוד שישוב לצקלג וזה היה סבה אל שיכול להשיג הגדוד ההוא כי לולא שלחו אכיש לא היה יכול ללכת שם והנה זאת החומה הגבוה שדלג אז להשיג הגדוד ההוא . הנה דרך האל יתברך ומנהגו בפעולותיו הוא בתכלית השלימות ואמרת הש"י בדברי התורה היא צרופה שאין בה סיגים אבל כל עניניה מגיעים לתועלת נפלא . הנה הש"י מגן הוא לכל החוסים בו להצילם מן הרעות הנכונות לבא עליהם והנה ענין התחסו' בו הוא התנהג בדרכי התורה ולזה הקדים לזה אמרו אמרת ה' צרופה כי באמצעות' יהיה הש"י מגן לאדם והדבק בו בהשגחתו כמו שהתבאר מדברי התורה כי מי אל מבלעדי ה' שיוכל להיות למגן לכל החוסים בו הנה זה לא ישלם זולתו מהאמצעים ששם האל יתברך בינו ובין הנמצאות השפלות כי מהם יסודר פעם רע ופעם טוב ולא יוכלו לשנות סדורם ואולם הש"י לבדו יוכל על זה . ומי הוא גם כן תקיף לעזור לכל הקוראים אליו באופן ראוי מבלעדי הש"י הנה הוא האל אשר הוא מעוזי נתן לי חיל . והוא סבה שקפץ דרכי ודלג אל התכלית השלם הדרוש והנה אמר זה להפלגת מהירות הגעתו לדרכו אל התכלית והנה הוא שמני קל המרוץ כאילות ובזה המהירות והמרוצה העמידני על רוממות הצלחתי מה שלא היה ראוי להיות כן לפי הנהוג כי המהירות בענינים יהיה טוב העלה ואולם היה כל זה מסודר ממך ולזה היה מגיע בו הטוב בתכלית מה שאפשר . הנה הש"י מפני השגחתו בי למד ידי למלחמה עד שכבר הוריד יתר קשת חזקה מאוד אל המקום שמשם תהיה יריית החצים כל אחד מזרועותי והנה אמר זה כי בעת שהלך להלחם עם גלית לא רצה לקחת כלי המלחמה כי לא נסה ואחר זה בזולת למוד אחר והרגל היה מצליח מאד במלחמות כמו שנזכר בספורי דברי שאול . והנה אז נתת לי מגן ישעך שהגינות עלי שלא נפלתי ביד גלית הפלשתי . וענותך אותי אז בעת הצרה ההיא תרבני ותגדל מעלתי כי זה היה סבה ששמהו שאול על אנשי המלחמה ושהיה חתן למלך כמו שנזכר בספור דברי שאול ומזה נתגלגלה הצלחתו בהתפרסם לישראל טוב הצלחת דוד במלחמותיו ומזה ג"כ היתה סבה לשמור דוד מנפול ביד שאול כי מיכל אשתו גלתה לו הסוד והצילה אותו . תרחיב צעדי תחתי בברחי מפני שאול כשהשב להכותי בחניתו ביום היותי מנגן לפניו . ולא מעדו קרסולי שאם הייתי נופל מהבהלה והפחד היה הורג אותי ובזה האופן ג"כ נתת לי כח לרדוף אויבי ולהשיגם באופן שאשמידם ולא אשוב עד כלותם וזה היה בימי שאול שהכה דוד מכה רבה בפלשתים ובעת רדפו אחר גדוד עמלק כשברפו לצקלג והנה אכלם אותם אז ואכה אותם באופן שלא יקומון ויפלו תחת רגלי ואחר זה כשמלך איש בשת הזרתני חיל למלחמה והכרעת אויבי תחתי כי תמיד היו אז במלחמת בית שאול הולכים ודלים ובית דוד הולך וחזק . ואז נתתה לי אויבי עורף כי אבנר ואנשי איש בשת הפכו עורף במלחמ' ואנשי דוד היו הולכים ורודפים אותם בדרך שאכרית משנאי והנה היו פונים אל השם יתברך שיושיע' ואין מושיע אותם והיו מתפללי' אל ה' ולא ענם עד ששחקתי אותם כעפר ארץ וכטיט חוצות שירמסהו ברגל ויכתתו העפר שבו ויפזרוהו כן אשברם וארמסם . והנה פלטת אותי מהמריבים אתי מעמי כמו איש בשת ואבשלום ושבע בן בכרי תשמרני להשים אותי לראש גוים רבים והם הגוים שנלחמתי אותם במלחמה שהיו לי לעבדים עד שעם לא ידעתי יעבדוני וזה שכבר היו מואב וארם ואדום לעבדים לדוד . בני נכר יכחשו לי מרוב יראתם ממני . לשמע אזן לבד היו שמעים לי לעשות רצוני ואע"פ שלא ידעו רוממות מעלתי וגודל הצלחתי . הנה בני נכר מרוב יראתם ממני היו נובלים כנבול עלה מגפן כי מת לבב בקרבם מרוב הפחד והנה גם בחדריהם שהיו נסגרים בהם נפלו עליהם אימות מות ממני . הנה הש"י העוזר אותי הוא חי וקיים תמיד ותקפי שהוא הש"י הוא ברוך לא יחסר כחו בעת מהעתים כמו הענין באשר הם שהם תחת מערכו' הככבים כי הם ישפיעו פעם טוב ופעם רע ומי שהוא מנהיג תוקף ישעי שהוא הש"י אשר ישעי מסודר ממנו על דרך ההשגחה הפרטית הוא תמיד רם ונשא על כל הנמצאות ולזה אין לי לירא שיסור עזרו ממני בעת מהעתים הנה זה האל הוא הנותן נקמות לי מאויבי ומוריד עמי תחת ממשלתי והוא המוציא אותי מאויבי שלא אפול בידם . והנה האל הזה מרומם אותי מקמי והם איש בשת ואבשלום ושבע בן בכרי והצלתני מאיש חמסים והוא שאול ואמר זה כי בחמס היה רודפו ונראה גם כן מעניניו שכבר היה איש חמסים כשיעויין בתכונותיו כמו שזכרנו במה שקדם . על כן אודך ה' בגוים ואתן לך תודה כמו שגמלתני מהטובות ולשמך אזמר ואשבח . הנה הש"י הוא תוקף ישועות מלכו שהוא דוד והוא עושה חסד למשיחו שנתן המלוכה לדוד ולזרעו כל זמן שיתקיים העולם כמו שיראה הבטחתי בזה על יד נתן הנביא : ואלה דברי דוד האחרונים . ר"ל אחר שיימו דבר ספר תהלים בכללה ואחר זכרו דברי השירה בזה המקום אחר דבריו

בזה

8. The remainder of this chapter is devoted to a list of heroes who had distinguished themselves in David's military campaigns. A similar list of warriors is found in I Chronicles, though with numerous and often major discrepancies, all of which are cited by A.

Though many of the inconsistencies are given ample consideration in the course of the commentary of this chapter, there are numerous structural deviations between the two chapters which merit special attention prior to the commencement of our commentary.

In I Chronicle 11:10, immediately following the Israelite acceptance of David as King and the description of the ensuing campaign against the Jebusites, the Chronicler begins:

(v. 10) Now these are the chief of the mighty men who supported David, who held strongly with him in his kingdom, together with all Israel to make him king, according to the word of the Lord concerning Israel. (v. 11) And this is the number of the mighty men who supported David; Jashobam, the son of Hachmoni, the chief of the captains, he stirred his spear against three hundred and slew them at one time. (v. 12) And after him was Eleazar the son of Dodo, the Ahohite, who was etc. . .

The list of forty-six warriors provided in I Chronicles Chap. 11 on the whole corresponds with the account provided here in our chapter. The Chronicler continues, however, with two further presentations of warrior heroes. First in I Chronicles 12:1 there is found the following account: 'Now these are they that came to David to Ziglag, while he was yet shut off because of Saul the son of Kish; and they were among the mighty men, his helpers in war . . . The chief was Ahiezer, then Joash, the sons of Shemaah the Gibeathite etc.' None of these is recorded in our chapter. Finally in I Chron. 12:23: 'And these are the numbers of the heads of them that were armed for war, who came to David to Hebron to turn the kingdom of Saul to him, according to the word of the Lord. The children of Judah that bore shield and spear were six thousand etc.' This last census of David's warrior supporters is similarly omitted from our chapter.

On the basis of these accounts, A raises the following questions: (a) If all of the warriors mentioned by the chronicler were David's heroes, why is only the initial group enumerated in our chapter?; (b) Why does that initial group, which clearly parallels in some measure the list of our chapter, consist of forty-six warriors while only thirty are enumerateed here? (c) Why of the thirty, do only twenty-four correspond with the warriors of I Chronicles?

A provides the following explanation. The list of I Chronicles follows the account of David's ascension to the throne and his acceptance as king of Israel. It therefore stands to reason that the warriors mentioned there were not necessarily those fighting men who remained with David after his coronation, but consisted only of those who had initially supported his rise to power. In our chapter, the enumeration of David's heroes follows the song of praise that David offered God for having delivered him unharmed from his many moments of danger. Here the pur-

וּבָאֵשׁ שָׂרוֹף יִשָּׂרְפוּ בַּשָּׁבֶת׃ ח אֵלֶּה שְׁמוֹת הַגִּבֹּרִים אֲשֶׁר לְדָוִד יֹשֵׁב בַּשֶּׁבֶת תַּחְכְּמֹנִי רֹאשׁ הַשָּׁלִשִׁי הוּא

ת"א שמות הגבורים . מ"ק טז : ראש השלישי . שם : יושב בשבת (מכות לא) :

לְאִתּוֹקָדָא יִתּוֹקְדוּן בְּאִתְגְּלָאָה בֵּית דִּינָא רַבָּא לְמִתַּב עַל כּוּרְסֵי דִינָא לְמִידַן יָת עָלְמָא׃ ח אִלֵּין שְׁמָהַת גִּבָּרַיָּא דִּבְווֹ עִם דָּוִד גִּבָּרָא רֵישׁ מַשְׁרִיתָא יָתִיב עַל כּוּרְסֵי דִינָא וְכָל נְבִיאַיָּא וְסָבַיָּא מַקְּפִין לֵיהּ מְשִׁיחַ בִּמְשַׁח קוּדְשָׁא בְּחִיר וּמְפַנַּק שַׁפִּיר בְּרֵיוֵיהּ וְזֵיו בְּחֶזְוֵיהּ חַכִּים בְּחוּכְמְתָא וְסוּכְלְתָן בְּעֵצָה גְּבַר בִּגְבוּרְתָּא רֵישׁ גִּבָּרַיָּא הוּא מְתַקֵּן

רש"י

בכלי זיין לקללו : ובאש שרוף ישרפו בשבת . ואין שם תקנה אלא שריפ' ולשבת ולהתחמם כנגדה כך הרשעים אין להם תקנה אלא שריפה בגיהנם : בשבת . הקב"ה יושב על כסא הדין : (ח) אשר לדוד יושב בשבת . יושב בשב' סנה' והוא תחכמוני והוא ראש השלישי אב בנוי בחכמה ובגבור' בג' דברי' הללו הוא ראש כמו שנא' ונבוו דבר ואיש תואר

מהר"י קרא

ישרפו בשבת . כן בני בליעל . כשב"ת בחם והיו עמים משרפות סיד . קוצים כסוחים באש יצתו : (ח) אלה שמות הגבורים אשר לדוד . הגדול שבהם שהיה יושב בישיבה ודן היה מחוכם שבחכמים. כמו שמפרש והולך יושב בשבת (בישיבה) תחכמוני:

רד"ק

דמשרי למיקרב בחובין אזלין וגו' כבעמוד : (ח) יושב בשבת . דעת המתרגם וכן דעת רז"ל כי זה הפסוק על דוד ר"ל אלה שמות הגבורים אשר לדוד שהיה יושב בשבת וכו' אלה שמות גבורותיו של דוד וי"ת כך אלין שמהת גיבריא וגו' והם ז"ל פי' יושב בשבת שהיה יושב בישיבה של תורה : ראש השלישי . ראש לג' האבות : עדינו העצני . בשעה שהיה עוסק בתורה מעדן עצמו כתולעת ובשעה שהיה יוצא למלחמה מקשה עצמו כעץ וי"ש מרבותינו ז"ל שאמרו כי על יואב אמר זה הפסוק שהיה חכם גדול וראש סנהדרין שנאמר תחכמוני ראש השלישי ולפי הפשט נראה כי גבור אחד היה מגבירי דוד וראש גבורי דוד היה ושמו עדינו העצינו וספר עליו שהיה חכם מוסף על גבורתו והיה יושב בשבת סנהדרין וחכמי ישראל והיה ראש להם וזהו שאמר ראש השלישי והוא כמו השלישי' וכן לכרי ולרצים כמו לכרים ושלישים הוא לשון גדולה גדולים ונכבדים כמו חשליש אשר למלך ומבחר שלישיו ותחכמוני שם תואר מן חכמה וספר מגבורותיו על שמנה מאות חלל ר"ל שהיה על שמנה מאות חלל כלומר שהרג שמונה מאות אנשים במלחמה אחת זהו בפעם אחת ובדברי הימים קורא אותו ישבעם ר"ל שהיה יושב בראש העם וכנין א' הוא עם מה שכתוב כאן יושב בשבת ומה שאמר הנה על שמנה מאות חלל ושם אומר הוא עורר את חניתו על שלש מאות חלל שני מלחמות היו באחת הרג שמנה מאות ובאחר' שלש מאות ומה שאמר הנה תחכמוני ושם בן חכמוני בן שנאמר שם כמו איש כמו בן חיל ר"ל בן חכמה או יהיה שם אביו תחכמוני או חכמוני כי אחד

רלב"ג

בזה המאמר . נאם דוד בן ישי ונאם הגבר הקם על כסא המלוכה אשר משחו אלהי יעקב בשמן המשחה על יד נביאו והוא נעים זמירות שחבר אלו הזמירות הערבות הנכללות בספר תהלים שהם זמירות ישראל כי כל הזמירות שישבחו ישראל ישבחו השם ית' באלו הזמירו'. הנה רוח ה' דבר בי בחבר הזמירות ההם ודברו היה על לשוני ומפיו חוברו אלו הזמירות ר"ל שבחבר חוברו ברוח הקדש . הנה כבר אמר אלהי יעקב ותקפו שאהיה מושל באדם מפני היותי צדיק ומושל ביראת אלהים והנה זריחת אורי והצלחתי תהיה כאור בקר לעלות השחר שיזרח השמש אחר האור ההוא בדרך שיהיה האור הולך ונוסף כן ממשלתי תחזק תמיד או ירצה בזה שיהי' כאור בקר בזריחת השמש שהוא אור שלם ואחר זה מתמיד ונוסף והמשילו לשמש לפי שהוא קיים וכמו זה מלכותו קיים ולזה אמר וכאלו כשמש נגדי כן הענין במלכו' בית דוד אור בקר שלא יסתר בו השמש בסבת העבים שיסתירוהו כמו שהיה הענין במלכות ירבעם וחבריו שלא היה במלכות ההוא אור כלל על דרך האמת והיה האור הנראה מהעבים אשר אין להם קיום כלל ולא יהי' גם כן האור ההוא מנגה שתתחדש ההארה ההוא מנגה שיתחדש ממטר כשהיה בענן שילא ממנו המטר אחר קיטורי באופן שיברק הברק כי האור ההוא הוא סר תכף וכן היה הענין במלכות שאול שעמדה זמן מועט כמו דשא מארץ שמהרה ילמח ומהרה ייבש . הנה לא כן בית מלכותי עם אל כי ברית עולם שם לי להיות המלוכה לי ולזרעי . הנה הברית הזאת סדורה וערוכה בכל אשר תמשך לו הגדולה מזרעי לא תפסק מהם הממשלה כי יהיה לישראל כל ישע וכל חפץ וזה יהי' בעת שידבקו בש"י ויתנהגו בדרכי התורה כי לא תקצר יד הש"י מהגיע להם אז כל ישע ואף על פי שמצד ההשגחה הכוללת לא היו ראוים לו כי מצד ההשגחה הפרטית יושיעם בכל עת ויגיע להם כל השלם והיא שמורה לזרעי אם תפסוק מלוכה לישראל וזה יהי' כאשר לא יצמיח ישראל ר"ל בעת שיסורו מאחרי הש"י כי או לא תתקיים להם מלוכה והש"י ישמרנה לזרעי כי מזרעי ילא מלך ימלוך בישראל הוא ובניו כל הימים כמו שהתבאר בזולת זה המקום מדברי הנביאים ואולם אנשי הרשע כמו ירבעם וחבריו שימלכו ברשע לא ישע לא בירא' אלקים כמו הענין במלכותי הנה הם כקוץ מונד כלהם שלא יקחוהו האנשים ביד לירא' פן תנקב ידם וגם לא יקרב אליו כי מצד תנודתו יבא אל היד ויזיקה כן האיש שיקרב בבני הבליעל ינקב וימלא גופו ברזל החנית והעץ אשר הוא תקוע בו כי מרוב השחתתו הקרבים אליו לא יספיק לו ההכנס הברזל בגוף אבל יכניס שם אחריו עץ החנית . ובסוף הענין כשתשבת מלכותם שרוף ישרפו ולא ישאר מהם שארית : (ח) יושב בשבת תחכמוני . ידמה שזה היה לשבח עדינו העצני וכן היה הענין בשאר התארים שזכר בו בזה המקום ואמר שנקרא יושב בשבת תחכמוני כי מרוב אהבתו החכמה היה שובת מכל מלאכה אחרת ומתעסק תמיד בהגיון החכמה : ראש השלישי . אמרו בזה התאר לפי שהיה ראש באלו השלשה

מצודת דוד

איש לנגוע בחרב ובחנית והגוף של כל אחד מהם יהיה מלא מברזל החניתות וגם עץ הנלב תבוא בו אחר להב החנית : באש שרף וגו'. בתבערת אש ישרפו בעת יושבת מלכותם . או ר"ל בעבור יושבת זכר למו וכן היה בבית ירבעם ואחאב והדומים להם : (ח) אשר לדוד . כאשר הזקין ותש כחו היו אלה שלשת הגבורים סביב לו לבל יבואו מי ויכנו נפש : יושב בשבת תחכמוני . ר"ל האחד היה יושב עם דוד בישיבת החכמה והיה ראש הגבורים ושמו עדינו העצני (ובד"ה במקום יושב בשבת נאמר ישבעם הוא כאלו אמר יושב בעם ובמקום תחכמוני נאמר שם בן חכמוני והיא היא כי

מצודת ציון

בטול כמו שבת נוגש (ישעיה י"ד) : (ח) השלישי . ענין גבורים ונכבדים כמו ושלשים על כלו (שמות י"ד) ונפלה מ"ם הרבים וכן

Commentary Digest

sat among the common people.

the wise — Heb. תחכמוני. Now in Chron. 11:11, we find בן תחכמוני A contends that they are one and the same since the latter is not to be translated as 'son of Hachmoni' but as one known for his wisdom' (See T.B. San. 5a, b on בן אחותי). K suggests that perhaps the chronicler seeks to indicate that not only he but also his father was renowned for wisdom. R suggests that there were two

and with fire they shall be utterly burned in their place. 8.
These are the names of the mighty men who (served) David.
He who sat in the assembly of the wise, the chief of the three-
some, he was

Commentary Digest

pose of the list is clearly to indicate which of David's warriors were constantly at his side and shared in (and perhaps even contributed through their acts of bravery to) God's deliverance of David. This distinction between our list and the Chronicler's list is made evident by the Chronicler's introduction to his list: 'Now these are the chief of the mighty men who supported David, who held strongly with him . . . to make him king.' It stands to reason, therefore, that the list of the Chronicler, consisting of all those that had attended his inaugral should be substantially longer than the list of heroes that remained at his side. It must also be assumed that the warriors of our chapter which do not correspond with those of I Chronicles joined David's military corps after his coronation as king.

A contends further that the two supplementary lists provided by the Chronicler are also not of David's constant military companions but, as suggested by their introductions, (a) of David's earliest backers who had supported him while he was fleeing from Saul, and (b) the army officers who were in attendance with their fighting units at his inauguration. Because these men failed to remain at his side later, they too have no place in our account.

who sat in the assembly of the wise — R, based on J, interprets the entire verse as symbolically referring to David who, as commander of his army, heads the list of warriors of this chapter: "*Sat in the assembly—sat in the assembly of the Sanhedrin who are the wise. Now he was a threefold head* (ראש השלישי), *since he was leader in terms of beauty, in terms of wisdom, and in terms of strength. Now in these three he was* (indeed) *a leader, as it is stated*: '. . . *and he is understanding, handsome, and a mighty warrior*' (I Sam. 16:18)." — R from J and T.B. M.Ka. 16b. K cites another rabbinic source (T Parshat Mass'ai) which suggests that the chapter lists only David's warriors and not David himself. Instead they suggest that the verse refers to Joab b. Zeruiah who would otherwise be inexplicably omitted from this chapter. He, too, sat in the assembly of the Sanhedrin and was known for both wisdom and strength ('chief of the threesome'). Simply the verse refers to a wise and noble warrior by the name of Adino the Etznite who was placed at the head of the list because he was the mightiest of David's warriors. — K.

who sat in the assembly — יושב בשבת. In I Chronicles' version we find ישבעם. A suggests that the chronicler's version be interpreted as יושב [בין] העם. David, being humble,

עדינו העצנו על־שמנה מאות חלל
בפעם אחד: ט ואחרו אלעזר בן־דדו
בן־אחחי בשלשה *גברים עם־דוד
בחרפם בפלשתים נאספו־שם
למלחמה ויעלו איש ישראל: י הוא
קם ויך בפלשתים עד כי־יגעה ידו
ותדבק ידו אל־החרב ויעש יהוה
תשועה גדולה ביום ההוא והעם ישבו

תרגום

בְּמָנֵי זֵינָא נְפַק בְּפוּם קָלָא וּנְצַח בִּקְרָבָא וּמִתְהַגִּיב עַל יְדֵי מוּרְנִיתֵיהּ תַּמְנֵי מְאָה קְטִילִין בְּזִמְנָא חֲדָא: ט וּבָתְרוֹהִי אֶלְעָזָר בַּר דוֹדוֹ בַּר אֲחוּהִי בִּתְלָתָא גִבָּרַיָא עִם דָוִד כַּד חֲסִידוּ פְּלִשְׁתָּאֵי וְאִתְכְּנִישׁוּ תַמָן לַאֲגָחָא קְרָבָא וּסְלִיקוּ אֱנָשׁ יִשְׂרָאֵל: י הוּא קָם וּקְטַל בִּפְלִשְׁתָּאֵי עַד דְּלָאִית יְדֵיהּ וְאַדְבִּיקַת יְדֵיהּ עִם חַרְבָּא וַעֲבַד יְיָ פּוּרְקָנָא רַבָּא בְּיוֹמָא

מהר"י קרא

העצני קרי אחת קרי ואחריו קרי דודי קרי הגבורים קרי

ראש השלישי. פת' ראש הגבורים אשר לדוד הוא עדינו העצני. עדינו היה שמו ושם מקומו עוצן. ומה היה גבורתו. הרג שמונה מאות בפעם אחת: (ט) ואחריו אלעזר בן דוד בן אחוחי בשלשה הגבורים עם דוד. פת' זה היה נמנה בשלשה גבורים שהיו עם דוד. ומה היה גבורתו בחרפם בפלשתים נאספו שם למלחמה ויעלו איש ישראל. והוא קם ויך בפלשתים עד כי יגעה ידו. פת' פעם אחת חרפו ישראל את פלשתים ופלשתים את ישראל שנאספו למלחמה. ויעלו איש ישראל פת' וינוסו איש ישראל מפני פלשתים והוא קם ויך בפלשתים כולם נסו והוא עמד מלחמתו ויך בפלשתים עד כי יגעה ידו: (י) והעם ישובו אחריו אך לפשט. פת' העם שנסו להם מתחלה מפני

רש"י

וגבור חיל (שמואל א' ט"ז י"ח): עדינו העצני. כשעוסק בתורה כורך ומקשר עצמו כתולע' כמו מעדנות כימה (איוב ל"ח ל"א) וכשיוצא למלחמה היה קשה כעץ והורג שמונ' מאות חלל במלחמה אחת: (ט) בן דודו. כך שמו: בשלשה הגבורים. המעולים שבגבורים: בחרפם בפלשתים.

רלב"ג

גבורים שזכר תחלה והם עדינו העצני אלעזר בן אחחי שמה בן אגא הררי: בחרפם בפלשתים. ידמה שהם היו מחרפים בפלשתים להתפאר עליהם שלא יוכלו להם במלחמה כמו שהיה מחרף גלית הפלשתי מערכו' ישראל: (י) עד כי יגעה ידו ותדבק בחרב. הנה יגעה

רד"ק

הוא וזהו עדינו היה בנו: העצני. כתיב בוי"ו וקרי ביו"ד: בפעם אחד. כתיב בדל"ת לשון זכר וקרי אחת בתי"ו לשון נקבה: (ט) אלעזר בן דודו. כך היה שמו וכת"י בר דודו וקרי דודו בוי"ו וכתיב דודי ביו"ד: בן אחחי. ובדברי הימים האחחי אחחי שם משפחה היה לפיכך אמר בן אחחי ואמר האחחי כמו בן קנז הקניזי: בשלשה גבורים. וקרי הגבורים והענין אחד והג' גבורים הם הנזכרים הנה עדינו ואלעזר ושמה בן אגא ור"ל בשלשה כי היה השלישי שהיה עמהם במלחמה זאת עם דוד והוא היה ראש המלחמה הזאת: בחרפם. כבנין פעל הדגוש כי החי"ת מעמדת בגעיא וענינו כמו חרף נפשו למות שענינו גלה וכן בחרפם גלו נפשם לסכנה על דרך וישלך את נפשו מנגד וי"ת כד חסידו פלישתאי דעתו כי בחרפם אומר על פלשתים א"כ תהיה הבי"ת בפלשתים נוספת ולפי הפשט בחרפם אומר על אלה הגבורים שגלו עצמם להלחם בפלשתים שנאספו שם להלחם וישראל עלו מפניהם ואלה שלשת הגבורי' התגבר במלחמה זאת יותר מהשנים ועליו אמר הוא קם ויך בפלשתים: (י) והעם ישבו אחריו. אמר ידו אליהם ואלעזר

מצודת ציון

לכרי ולרצים (מלכים ב' י"א) ומשפטו לכרים: (ט) בחרפם. מלשון חרפה ובזיון: ויעלו. נסתלקו כמו כעלות גדים (איוב ה): (י) יגעה.

מצודת דוד

וכן איש ירושלים הלא נקרא ירושלמי וגם נקרא בן ירושלים ומוכן אחד להם): על שמנה מאות. מוסב למעלה לומר שהיה יושב בישיבת החכמה על אשר היה הורג בפעם אחת שמונה מאות חלל ואף כי נתייגע בהורגו הרג כב מ"מ חזר לישב בישיבת החכמה על ההריגה וסמוך לה (ובד"ה נאמר הוא עורר את חניתו על ג' מאות חלל וגו' כי שם משבחו בהגבורה לבד לומר על הריגת ג' מאות חלל וסמוך לה היה עורר את חניתו להלחם עמו כאלו עתה התחיל להלחם וכאן משבחו באהבת החכמה עם הגבורה): (ט) ואחריו. במעלה: בשלשה הגבורים. ר"ל הוא היה אחד בשלשה הגבורים אשר היו עם דוד בעת חרפם את הפלשתים אשר נאספו שם למלחמה. ולא הזכר במקרי מן המלחמה ההיא ומתי היתה: ויעלו. נסתלקו מלהלחם בהם: (י) עד כי יגעה ידו. מרוב התנועות וההכאות יגעה ידו ונדבקה אל החרב כי סר אז ממנה כח התפשטות היד כדרך המרבה בתנועות והכאות: והעם ישובו. אחר שנסתלק מלהלחם שבו אחריו אך לפשט מלבושי החללים ולא עזרוהו להכות בהם:

Commentary Digest

for 'he stirred his spear' (I Chronicles 11:11), suffering no fatigue until he had slain a minimum of three hundred warriors. A also suggests a possible connection between this verse and the preceding one: His commitment to learning was so great that 'he sat in the assembly of the wise the moment he would return from a battle where he had slain eight hundred warriors. As soon as his military obligations would end he would resume his studies. See also R on I Chron. 11:11 cited earlier in this verse.

9. the son of Dodo — *"That was his name."* — R. Having offered a symbolic interpretation to the name

Adino the Etznite; [who lifted his spear] against eight
hundred slain at one time. 9. And after him [came] Eleazar
the son of Dodo the son of an Ahohite, [who was] among
the three mighty men [that were] with David, when they
risked their lives against the Philistines that were gathered
there to do battle, while the men of Israel had departed.
10. He rose up and smote the Philistines until his hand was
weary, and his hand cleaved to the sword; and the Lord per-
formed a great victory that day; and [when] the people
returned

Commentary Digest

warriors, a father and a son. While I Chronicles mentions the heroics of Jeshabom the son of Hachmoni who had slain three hundred warriors, our version informs us of the exploits of the father, who had slain eight hundred. — R on I Chronicles 11:11.

who sat — Heb בשבת. G, by suggesting that בשבת be translated as a form שביתה, rest, offers the following interpretation of יושב בשבת תחכמוני: He who rested from all other pursuits and endeavors and engaged himself only with the pursuit of wisdom.

of the threesome — Of those possessing the threesome of wisdom, looks, and strength (R). K, based on T.B. M.Ka. 16b interprets: Chief of the three patriarchs: Abraham, Isaac, and Jacob. This interpretation may perhaps be based on T.B. Pes. 119b where the Talmud states that David, rather than any of the patriarchs, is to be honored with the recitation of grace at the Feast of Leviathan that God has prepared for the righteous in the world to come. (See Maharsha in his Chidushei Aggadoth, who explains why David merited this honor).

Adino the Etznite — K. Those who interpret the verse in reference to David, obviously take the name symbolically: "*When he was engaged in the learning of Torah, he would wrap and knot himself as a worm* (he would be very flexible) *similar to* התקשר מעדניות כימה *of Job* 38:31. *But when he would go out to battle he became firm as wood* (עץ) *and would strike eight hundred dead in one battle.* — R from T.B. M. Ka. *loc it.*

against eight hundred slain — Or, against eight hundred that were slain by him. In I Chronicles the number slain is given as three hundred. A conjectures that I Chron. and our chapter speak of different elements of Adino's military prowess. While here we are told of the remarkable number that he would slay in the course of a day's military activities, in I Chron. we are informed of Adino's incredible stamina

הַהוּא וְעַמָא תָּב בָּתְרוֹהִי בְּרַם לְחַלָצָא קְטִילַיָא: יא וּבָתְרוֹהִי שַׁמָה בַר אָגֵא דְמִן הָרָר טוּרָאָה וְאִתְכְּנִישׁוּ פְלִשְׁתָּאֵי לְחַיְתָא וַהֲוַת תַּמָן אַחֲסָנַת חַקְלָא מַלְיָא טְלוּפְחִין וְעַמָא אַפֵּךְ מִן קֳדָם פְלִשְׁתָּאֵי: יב וְאִתְעַתַּד בְּגוֹ אַחְסַנְתָּא וְשֵׁיזְבֵיהּ וּקְטַל יַת פְלִשְׁתָּאֵי וַעֲבַד יְיָ פוּרְקָנָא רַבָּא: יג וּנְחָתוּ תְּלָתָא גִבָּרַיָא מִגִבָּרֵי רֵישֵׁי מַשְׁרְיָתָא וַאֲתוֹ לַחֲצָדָא לְוַת דָוִד לִמְעָרַת עֲדֻלָם וּמַשְׁרְיַת פְלִשְׁתָּאֵי שַׁרְיָא בְּמֵישַׁר גִבָּרַיָא

אחריו אך לפשט: יא ואחרו שמה בן
אגא הררי ויאספו פלשתים לחיה
ותהי־שם חלקת השדה מלאה
עדשים והעם נס מפני פלשתים:
יב ויתיצב בתוך־החלקה ויצילה ויך
את־פלשתים ויעש יהוה תשועה
גדולה: יג וירדו שלשים מהשלשים
ראש ויבאו אל־קציר אל־דוד אל־
מערת עדלם וחית פלשתים חנה

ת"א ותהי שם . ב"ק ס (סנהדרין כ) : ויצילה וכל הענין . שם (שם) : ואחריו קרי שלשה קרי

רש"י

תקעו כף להלחם בהם ולנלחם: (י) אך לפשט. תרגם יונתן להללא קטיליא לא היה איש לעזרו להרוג אלא כולם פושטים אחריו את החללים: (יא) הררי. מן ההר: לחיה. לגדוד כחיות השדה: (יג) מהשלשים ראש. ת"י מגברי

מהר"י קרא

פלשתים שבו אחריו ולא לעזור שלא היה צריך לעזרתם שכבר הכם: אך לפשט. אך לדבר זה שבו אחריו לפשט את החללים: (יא) ואחריו שמה בן אגא הררי. אי אפשר לומר שהיה שוה לאלעזר לגבורה שאין דומה מוצא גזל (את) שלו בעוד שהוא גוזל את הגזלה [מכה] את הגזלן עד שמציל את הגזילה מידו ובבריחו לזה שהולך הולך והכות אחר האויב עד שיתיגע ידו וידבק אל החרב. כך אלעזר הכה בפלשתים עד כי יגעה ידו. אבל שמה בן אגא לא התגר בם ולא רדף אחריהם אלא שהציל את הגזילה דכתיב ויתיצב בתוך החלקה ויצילה. לכך נאמר ואחריו שמה בן אגא אבל לדמותו ולהשוותו לגבורת אלעזר אי אפשר כמו שפירשתי: (יג) וירדו שלשה מהשלשים ראש. פת' וירדו שלשה שכל אחד מאלו שלשה [היה]ראש גבורים אשר לדוד: מהשלשים. פת' מהגבורים (ראש). כמו ושלישים על כולו. וראיה לדבר מתרגום של יונתן שתרגם ונחתו תלתא גבוריא מגברי ריש משיריתא: וחית פלשתים. פת' מחנה פלשתים כמו שנאמר ויאספו פלשתים לחיה שפת' מחנה.

רד"ק

ישובו כי כבר נסו מפני פלשתים כמו שאמר ויעלו איש ישראל וכאשר ראו גבורת אלעזר שהיה מכה בפלשתים שבו אחריו: אך לפשט. כלומר לא היו צריכים להכות בפלשתים אלא לפשט את החללים לבד שהי' מכה אלעזר: (יא) ואחריו שמה בן אגא הררי. ת"י שמה בר אגא דמן הרר טוראה: לחיה. עיר פרזות שאין לה חומה והמקום ההוא נקרא אפס דמים כמו שאמר בדברי הימים כי שם היתה מלחמה זאת: מלאה עדשים. ובדברי הימים אמר מלאה שעורים עמרים היתה מלאה כי החלקה כבר נקצרה אלא שאספו בתוכה עמרים מהשדות האחרים ואותם העמרים היו מהעדשים ומהשעורים והיתה מלאה מהם ואמר הנה עדשים ושם אמר שעורים: (יב) ויתיצב. ובדברי הימים אמר ויתיצבו ר"ל הוא ואלעזר ואמר הנה ויתיצב כי שמה היה עיקר המלחמה ההיא: (יג) וירדו שלשה. וכתוב שלשים ר"ל הגדולים והגבורים שבשלישים כמו ושלישים על כלו וקרי שלשה כי השלשה היו אלה הגבורים אשר ירדו אל דוד: מהשלשים ראש. מהשלישים שהיו ראשי המחנות וכת"י מגברי רישי משריתא אבל הוא תרגם שלשים כמו שלשים: ויבואו אל קציר. בעת קציר כאילו אמר בקציר וכן אמר ואל הארון תתן את העדות אשר אתן אליך כמו ובארון: אל מערת עדולם. ובדברי הימים אמר על הצור אל דוד אל מערת עדולם כי צור חזק ונבוה היה שם והיא המצודה שאמר ודוד אז במצודה וזה הענין היה כשהיה דוד בורח מפני שאול ונכלם

רלב"ג

ידו מרוב התנוע' וההכאות שהכה בפלשתים בתוקף ודבקה בחרב כי סר מהאלצעות כח הפשיטה ונשארו כפופים או היה זה מרוב הדם הנאחז ביד והבאור הראשון הוא נראה יותר: אך לפשט. ר"ל לפשט החללים: (יא) ויאספו פלשתים לחיה. ר"ל שכבר נאספו לקחת המחיה מהשדה והיא התבואות ומיני קטנית ומה שידמה לזה ממה שהוא מזון: (יג) וירדו שלשה מהשלשי' ראש. ר"ל שכבר ירדו שלשה שהיו ראש מהשלשים גבורים שזכר אחר זה: וחית פלשתי'.

מצודת דוד

(יא) ואחריו. במעלה: לחיה. להיות עדה ומחנה שלימה: מלאה עדשים. ובד"ה נאמר שעורים כי באמת זו מלחמה אחרת וזו אחרת בפעם אחר כי כאן נאמר ששמה הגילה ושם נאמר שאלעזר הצילה: (יב) ויצילה. לבל יגזלו אותה: (יג) מהשלשים ראש. ר"ל מהשלשה היה ראש מהשלשים הגבורים הנזכרים למטה: אל קציר. כמו בקציר וכן אל הארון (שמות כ"ה) ומשפטו ובהארון ר"ל בעת הקציר: מערת עדלם. ובד"ה אמר עוד על הצור כי צור גבוה וחזק

מצודת ציון

מלשון יגיעה ועייפות: לפשט. ענין הסרת המלבוש: (יא) לחיה. ר"ל לעדה וכן חיתך ישבו בה (תהלים ס"ח): חלקת. אחוזת שדה:

Commentary Digest

in I Chronicles, the scene of the fighting was a barley field. Furthermore, while our account is given in the singular, 'he stationed, he defended, etc'.' in I Chronicles the incident is described in plural form: 'they stood, they defended'.

A suggests that Eleazer and Shammah simultaneously defended the field. However, since Eleazar's role was the greater, the event is attributed to him by the Chronicler

after him (it was) only to strip (the slain). 11. And after him (came) Shammah the son of Agei the mountaineer. Now the Philistines were gathered together into a troop, and there was a plot of ground full of lentils; and the people (had) fled from the Philistines. 12. But he stationed himself in the midst of the plot and he defended it, and he slew the Philistines; and the Lord performed a great victory. 13. And three of the thirty chiefs went down, and they came in the harvest time to David to the cave of Adulam; and the troop of Philistines were encamped

Commentary Digest

of the previous verse, R indicates that here the name is to be taken literally.

among the three — The three being Adino the Etznite, Eleazer the son of Dodo, and Shammah the son of Agei. This triad had become the most celebrated warriors in Israel.

among the three mighty men — "*the most prominent of the mighty men.*" — R.

risked their lives — based on K. A translates: 'when they reviled (the Philistines)'. It was the common practice of the time to attempt to incite the enemy by yelling insults at them. See I Sam. Ch. 17. R offers: "*When they pledged to fight* (the Philistines) *and defeat them.*" — R.

only to strip the slain — "*J translates*: '*to strip the slain.*' *There was no one to help him in killing* (the enemy), *but they would all* (merely) *strip the dead after him.*" — R

11. *the mountaineer* — "*a mountaineer*", from the Heb. הר, a mountain.— R.

gathered together into a troop — Heb. לחיה, lit. 'a wild beast: "*into a troop; just as the wild beasts of the field* (gather into troops)." — R. K translates: 'gathered together into open unfortified cities', called חיות.

12. *he defended it* — There are numerous discrepancies between the accounts provided here and that of I Chronicles. Here the defense of the grain field is credited to Shammah, while in I Chronicles it is attributed to Eleazer the son of Dodo, with Shammah omitted completely.

A second discrepancy concerns the description of the field where the fighting took place. While here it was a lentil patch that was defended,

בְּעֵמֶק רְפָאִים: יד וְדָוִד אָז בַּמְּצוּדָה
וּמַצַּב פְּלִשְׁתִּים אָז בֵּית לָחֶם: טו וַיִּתְאַוֶּה
דָוִד וַיֹּאמַר מִי יַשְׁקֵנִי מַיִם מִבֹּאר בֵּית־
לֶחֶם אֲשֶׁר בַּשָּׁעַר: טז וַיִּבְקְעוּ שְׁלֹשֶׁת
הַגִּבֹּרִים בְּמַחֲנֵה פְּלִשְׁתִּים וַיִּשְׁאֲבוּ־
מַיִם מִבֹּאר בֵּית־לֶחֶם אֲשֶׁר בַּשַּׁעַר
וַיִּשְׂאוּ וַיָּבִאוּ אֶל־דָּוִד וְלֹא אָבָה
לִשְׁתּוֹתָם וַיַּסֵּךְ אֹתָם לַיהוָה: יז וַיֹּאמֶר

תרגום

גִבָּרַיָא: יד וְדָוִד בְּכֵן
בְּחַקְרָא וְאִבְטַרְטִיג
פְּלִשְׁתָּאֵי בְּכֵן בְּבֵית
לָחֶם: טו וַחֲמִידַת נַפְשָׁא
דְדָוִד וַאֲמַר מַן יַשְׁקִינַנִי
מַיָא מְגוּבָא דְבֵית לֶחֶם
דִי בְּתַרְעָא: טז וּבְזָעוּ
תְּלָתָא גִבָּרַיָא בְּמַשְׁרִיַת
פְּלִשְׁתָּאֵי וּמְלוֹ מַיָא
מְגוּבָא דְבֵית לֶחֶם
דִבְתַרְעָא וּנְסִיבוּ
וְאַיְתִיאוּ לְוָת דָוִד וְלָא
אֲבָא לְמִשְׁתֵּיהוֹן וַאֲמַר
לְנַסָכָא יַתְהוֹן קֳדָם יְיָ:
יז וַאֲמַר חַס לִי מִן קֳדָם

ת"א ויתאוה דוד. בס: ויבקעו וגו'. בס: ויסך וגו'. בס ס"ח:

מבור קרי מבור קרי

רש"י

ריסי משיריתא: (יד) ומצב פלשתים אז בית לחם. החיל היה חונה בעמק רפאים ושלהו מלב שלהם לבית לחם: (טו) מי ישקני מים. אמרו רבותינו הולרך לשאול שאלה מסנהדרין היושבים בשער בית להם: (טז) ויסך אותם לה'. אמר כך מקובלני מבית דינו של שמואל הרמתי כל המוסר עלמו למיתה על דברי תורה אין אומרים שמועה

רלב"ג

כיא עדת פלשתים: (יד) ומלב פלשתים. הם האנשים ההולכי' לפני החיל והם בעלי הבנות: (טז) ויסך אותם לה'. מזה המקום למדנו שכבר ינסכו מים לש"י שאם לא היה נעשה זה במקדש לא היה דוד מנסכם לה' ולפי שלא מלאנו מקום יותר ראוי לזה הנסיך מחג הסוכות וזה לסבות האחת כי הש"י כבר אז שיקחו מלאמהי' הגדלים על המים כאמרו וענף עץ עבות וערבי נחל והבנית כי אז ראוי לבקש המים מהש"י וכמו שיקרבו העומר בפסח לבקש ברכת הקליר והבכורים בעלרת לבקש ברכת פירות האילן כן יקרבו המים בחג הסוכות לבקש מהשם יתברך ברכת הגשמים כי אז יבא עת הזריעה וילטרכו לגשמים והשלישי' כי גם לנד תמלא הטערה בתורה על רבוי הנסכים הנה ראוי שיהיו אלו הנסכים בחג הסוכות בזה האופן:

רד"ק

אל מערת עדולם ועל המקום ההוא אמר כל ימי היות דוד במצודה: וחית פלישתים. מחנה פלשתים כמו שאומר בדברי הימים ומחנה פלשתים הנה בעמק רפאים וחיה הוא לשון קבוץ ועדה כמו חיתך ישבו בה כמו עדתך: (יד) ומצב פלשתים. ובדברי הימים ונציב פלשתים ואחד הוא וכת"י ומצב ואבטרטיג כמו שתרגם נציבים בכל מקום וכן תרגם ויצא מצב פלשתים ופי' ומצב ונציב שרי החיל ואמר כי המחנה הגדול היה בעמק רפאים והשרים היו עם קצת החיל בבית לחם: (טו) מי ישקני מים. כמשמעו שהתאוה לאותן המים שהיו יקרים וטובים וימי קציר היו כמו שאומר ובאותן הימים אדם מתאוה למים קרים מפני החום אולי במצודה שהיה שם דוד לא היו שם מים טובים ואחר שהביאו אותם נתחרט על ששמו עצמם שלשת הגבורים האלה בסכנה גדולה בעבור תאותו אל המים: (טז) ולא אבה לשתותם. שהיה חושב בנפשו אילו שתה אותם כאילו שתה דמם כי בנפשותם הביאום: ויסך אותם לה'. כלומר שפכם לארץ לשם ה' כי לא היה שם מזבח. ומה שכתבו רז"ל בענין זה הם דברים של תימה כי חברו שני העניינים האלה כאחד והיו בשני המקומות כי דבר חלקת השדה היה באפס דמים ודבר המים היה במערת עדולם והם פי' מי ישקני מים דרך משל כי המים הם התורה כמו הוי כל צמא לכו למים. ופי' מי ישקני מים הלכה נצרכה לו לשאול מסנהדרין שהיו בבית לחם וזהו שאמר מבאר בית לחם אשר בשער כמו השערה אל הזקנים וההלכה אשר הוצרכה לשאול מהם הוא דבר חלקת השדה מלאה עדשים ושעורים ונחלקו בדבר זה מהם אמרו כי הגדישים משעורים ומעדשים היו מישראל ופלשתים היו טמונים בהם ושאל דוד אם יש לו רשות לשלח איש בגדישים בעבור שישרפו עמם הפלשתים ושלחו לו אסור להציל עצמו בממון חבירו אבל אתה מלך ומלך פורץ לעשות לו דרך ואין ממחין בידו ומהם אמרו כי הגדישים

מצודת ציון

(טו) ויתאוה. מלשון תאוה וחשק: (טז) ויסך. מלשון נסך:

מצודת דוד

היה שם והוא המלודה שאמר למעלה: וחית פלשתים. עדת פלשתים: (יד) ומצב. ובד"ה נאמר ונציב והיא היא ויקרא כן לפקיד וממונה:

(טו) מי ישקני מים. לא שלוה להביא המים אלא כאומר מי יתן והיה נמלא לי מי שוף בית להם על כי הזמן היה חם והמים היו קרים וערבים: (טז) ויבקעו. כאשר שמעו בהתאוה להם הלכו מעלמם לעשות נחת רוח לדוד ועברו דרך המחנה וכאלו בקעוה לעשות בה דרך לעלמם: ויסך. שפכם אלה לשם ה': (יז) ויאמר. נתן טעם על שלא שתה מהם ואמר חלילה וגו' ר"ל הולין הוא לבתותם מחמת

Commentary Digest

15. *And David desired* — Being harvest time, the heat made David thirsty. — K.

Oh if one would only give me — Based on A and D who suggest that David merely desired water but never openly requested it. K contends that David did indeed request water but later had a change of heart and refused to partake of it. Our rabbis explain the verse symbolically: "*Our rabbis said, 'It was necessary for him to ask a* (legal) *question of the Sanhedrin who were seated at the gate of Bethlehem.*" — R from T.B. B.Ka. 60b. The symbolic allusion to Torah as water is common in midrashic literature and is

in the valley of Rephaim. 14. And David was then in the
stronghold, and the garrison of the Philistines was then in
Bethlehem. 15. And David desired, and he said; "Oh if
one would only give me water to drink from the well of
Bethlehem which is by the gate." 16. And the three mighty
men broke through the camp of the Philistines, and they drew
water out of the well of Bethlehem, that was by the gate, and
they carried it and brought it back to David, but he did not
care to drink it and he poured it out before the Lord. 17. And
he said:

Commentary Digest

who uses only the plural form to hint at Shammah's role. The contradictory descriptions of the fields are also reconciled by A who suggests that both barley and lentils were grown on the field where the fighting took place (Perhaps Eleazar defended the barley field while Shammah fought on the lentil patch). The Midrash, however, suggests that two separate battles transpired, one in which Eleazar was the hero and the other in which Shammah gained his prominence. — M.S. Ch. 20.

13. *And three of the thirty* — The three whose exploits are anonymously mentioned in this verse apparently formed a new triad of warriors second in rank and prestige to the initial three. According to A, the verse records the common exploites of Abishai and Benayahu, the warriors whose individual exploits follow, plus that of a third warrior who perhaps remained anonymous because of a later disloyalty to David.

of the thirty — of the initial thirty cited in I Chron. who were the bravest of David's warriors. — A. According to Rabinowitz, though thirty-seven warriors are listed in our chapter, there was a constant order of only thirty. R, however, renders thus: "*J translated: of the warriors the chiefs of the camps.*" — R, K, J.K.

They translate שלשים, not as 'thirty', but as warriors, similar ot Ex. 15:4.

Cave of Adullam . . . valley of Rephaim — Apparently this incident occurred while David sought to escape from Saul. See I Sam. 21:1 — K.

14. *and the garrison of the Philistines was then in Bethlehem* — "*The army was encamped in the Valley of Rephaim, but they had sent a garrison of theirs to Bethlehem.*" — R.

garrison. — Some suggest a unit of officers (K and D), others a unit of scouts (G).

חָלִילָה לִּי יְהוָה מֵעֲשֹׂתִי זֹאת הֲדַם הָאֲנָשִׁים הַהֹלְכִים בְּנַפְשׁוֹתָם וְלֹא אָבָה לִשְׁתּוֹתָם אֵלֶּה עָשׂוּ שְׁלֹשֶׁת הַגִּבֹּרִים׃
יח וַאֲבִישַׁי אֲחִי ׀ יוֹאָב בֶּן־צְרוּיָה הוּא רֹאשׁ הַשְּׁלֹשִׁי וְהוּא עוֹרֵר אֶת־חֲנִיתוֹ עַל־שְׁלֹשׁ מֵאוֹת חָלָל וְלוֹ־שֵׁם בַּשְּׁלֹשָׁה׃
יט מִן־הַשְּׁלֹשָׁה הֲכִי נִכְבָּד וַיְהִי לָהֶם לְשָׂר וְעַד־הַשְּׁלֹשָׁה

השלשה קרי

יְיָ מִלְּמֶעֱבַד דָא הֲדַם גֻבְרַיָא דַאֲזַלוּ בְנַפְשָׁתְהוֹן וְלָא אֲבָא לְמִשְׁתְּיֵהוֹן אִלֵין עֲבַדוּ תְּלָתָא גִבָּרַיָא׃
יח וַאֲבִישַׁי אֲחוּהִי דְיוֹאָב בַּר צְרוּיָה הוּא רֵישׁ גִבָּרַיָא וְהוּא תַּקֵיף יַת מוּרְנִיתֵיהּ עַל תְּלַת מְאָה קְטִילִין וְלֵיהּ שׁוּם בִּתְלָתָא גִבָּרַיָא׃
יט מִן גִבָּרַיָא הֲוָה יַקִּיר וַהֲוָה לְהוֹן לְרַבָּא וּלְתְלַת גִבָּרִין לָא מְטָא׃

ובניהו

רש"י

מפיו ומאי ויסך אותם לה' דאמרינהו משמיה דגמרא: (יז) הדם האנשים. לשון תמיהה: (יט) ועד השלשה

מהר"י קרא

וכן ת"י והית פלשתים. ומשירית פלשתאי: (יח) ואבישי אחי יואב בן צרויה הוא ראש השלשה. שבקעו במחנה פלשתים ושאבו מים מבור בית לחם והביאו אל דוד: (יט) מן השלשה הכי נכבד. כמו שאמרנו שעורר חניתו על שלש מאות חלל: ויהי להם לשר ועד השלשה לא בא. פת' אבל לא הגיע לגבורת שלשה גבורים הנזכרים למעלה בתחלת הענין הם עדינו העצני ואלעזר בן דודו. ושמה בן אגא. שעדינו דמן עצן עורר את חניתו על שמונה מאות חלל. וזה אינו עורר אלא על ג' מאות חלל בלבד. ואלעזר בן דידו החזיק מעמד מלחמתו. ונלחם

רד"ק

משעורים היו של עדשים של ישראל והגדישים היו של פלשתים ושאל אם יש לו רשות לתת השעורים לפני הבהמות שהיו עמו לאכול וישלם הילופם לבעלי השעורים מגדישי העדשים ושלחו לו חבול ישיב רשע גזלה ישלם אעפ"י שמשלם נקרא רשע אבל אתה מלך ומלך פורץ לעשות לו דרך ואין ממחין בידו ופי' ויתיצב בתוך החלקה ויצילה שלא הניח דוד לשרוף את הגדישים או להאכילם לבהמותיו ופי' ולא אבה דוד לשתותם שלא אמר הלכה זו בשם שלשה אלא כך אמר מקובלני מבית דינו של שמואל הרמתי כל המוסר עצמו למיתה על דברי תורה אין אומרין דבר שמועה מפיו ומאי ויסך אותם לה' דאמרינהו משמיה דגמר'. ודברים אלה רחוקים מאד מדרך הפשט כי הפסוקים הם ספור הגבורים אשר לדוד ומספר הגבורות אשר עשה כל אחד מהשלשה הראשונים ומה שעשו שלשת האחרונים בהביאם המים ולא היה שאלת ההלכה בחלקה ההיא אבל מלחמה גדולה היה עד שנס ישראל מפני פלשתים כמו שאמר הכתוב ושמה התגבר והתיצב בתוך זאת החלקה והצילה שלא שרפו אותם פלשתים ואמר שהכה בפלשתים ואמר ויעש ה' תשועה גדולה ואין לחבין בכל זה אלא פשט הכתוב כמו שהוא ומהם אמרו כי מ"ש במקום אחר מליאה עדשים שתי שדות היו אחת של שעורים ואחת של עדשים ומהם אמרו כי בשתי שנים הי' דבר הזה בשנה אחת שהיו בחלקה זאת היתה מלאה עדשים ובשנת האחרת היתה מלאה שעורים ויש מרבותינו ז"ל שפי' דברים אלה כמשמען שנתאוה דוד למים אבל אמרו כי הזמן הזה היה חג הסכות שהיו מנסכין בו המים ובמה עשה דוד שם כי היתר הבמות היה אז ונסך מים אלו בבמה ואמרו למה שלח שלשה אחד היה הורג ואחד היה מפנה ההרוגים ואחד מכניס צלוחית בטהרה ודברי אלה קרובים מן הראשונים וי"ת ויסך אותם לה' ואמר לנסכא יתהון קדם ה': (יז) חלילה לי ה'. כמו מה' וכן אלחנן בן דודו בית לחם מבית לחם אז יהיה ה' קריאת כנגד הש"י: (יח) הוא ראש השלשי. כן כתיב וקרי השלשה והכתיב הוא מן שלישים על כלו ופי' ראש השלשה מביאי המים והיה לו שם בהם כי היה נזכר בגבורה עמהם ומה שאמר מן השלשה הכי נכבד ויהי להם לשר כפל דבר לחזק הענין כי כן דרך הלשון ובדברי הימים מן השלשה בשנים נכבד נראה כי היא הי' א' מהשלשה והי' נכבד מהשנים ושר עליהם ומה שאמר הנה מהשלשה הכי נכבד ר"ל משלשתם כי הוא היה אחד מהם ומה שאמר ועד השלשה לא בא ר"ל עד שלשה הראשונים

רלב"ג

(יח) ואבישי אחי יואב בן צרויה הוא ראש השלשה. ר"ל שהוא היה היותר נכבד מן השלשה שהיו ראש לשלשים הגבורים הנזכרים אחר זה: (יט) מן השלשה הכי נכבד ויהי להם לשר ועד השלשה לא בא. אך לא בא למעלת השלשה הראשונים שהיה עדינו העצני ראש להם:

מצודת דוד

יראת ה': (יז) הדם האנשים. וכי אשתה דם האנשים אשר הלכו בסכנת נפשותם ר"ל הלא כדם יחשב: (יח) הוא ראש השלשה. הוא היה הראש מהשלשה שבקעו להביא המים לדוד: והוא עורר וגו' על וגו'. ר"ל על ההריגה וסמוך לה היה עורר את חניתו להלחם עמו כאלו עתה התחיל להלחם: ולו שם בשלשה. ר"ל שהיה מפורסם לגבור בין ג' הגבורים הראשונים והם עדינו ואלעזר ושמה אשר גם הם על כל גבורתם החשיבו גם את אבישי לגבור: (יט) מן השלשה. ר"ל מבין ג' שואבי המים והם ראשי השלשים: הכי נכבד. האמת הוא היה המכובד שבהם ולזה היה לשר על השנים אשר עמו: ועד

מצודת ציון

(יז) ה'. כמו מה': (יח) עורר. מלשון התעוררות והנעה: (יט) הכי. המלה הזאת עם הה"א התימה מורה על אמתת הדבר:

Commentary Digest

before the Lord at a more opportune moment. (A)

17. [*shall I drink*] *the blood of the men* — "It is an expression of wonder." — R.

Be it far from me, O' Lord — Or perhaps, "It is forbidden to me by the Lord. — K and D.

and he refused to drink it — Even after much urging, thus the repetition of his refusal. — Rabinowitz.

18. *the brother of Joab* — Joab himself, though not cited by name,

"Be it far from me, O' Lord, that I should do this; [Shall I drink] the blood of the men that went in jeopardy of their lives?" And he would not drink it. These [deeds] performed the three mighty men. 18. And Abishai, the brother of Joab, the son of Zeruiah, was chief of the three. And he roused his sword against three hundred slain at one time, and he had [acquired] a name among the three. 19. Of the three he was most honored; and he was their captain; but to the [first] three

Commentary Digest

based on the verse in Isa. 55:1: 'Ho, all that are thirsty, come to the water' in which the prophet refers to a thirst for the word of God.

K cites a second rabbinic source that David sought water with which to perform the ceremonial 'pouring of the waters (ניסוך המים)', According to this source, the incident took place on the holiday of Succoth. — K from M.S. Ch. 20.

16. *poured it out before the Lord* — Again the rabbis explain symbolically: "*He said: This tradition I had handed down to me from the court of Samuel the Ramathite: Whosoever endangers his life for the sake of the word of the Torah* (one is to heed the Halacha but not at the cost of life) *we are not to state the decision* (for which he had endangered his life) *in his name. Now how do we explain 'and he poured it out before the Lord'; that we state it not in his own name but* (anonymously) *in the name of the entire academy* (in this manner 'pouring it out' without due credit to the one who stated it, but simply for the sake of the Lord)." — R from T.B. B.Ka. 61a.

Rabinowitz, citing this Midrash, conjectures that perhaps it was as a consequence of this tradition handed down from Samuel's court that the three heroes who had endangered their lives to fetch the 'water' remain unnamed and are called the three of the thirty'. A contends that David refused to drink the water because he sought to make the effort of his men commensurate with the goal. Recognizing that his men had risked their lives merely to satisfy his thirst, David preferred instead to make their efforts more worthwhile and therefore 'poured it out before the Lord'.

poured it out before the Lord — Perhaps he built an altar there (K), or perhaps he saved it to pour out

לֹא־בָא׃ כ וּבְנָיָהוּ בֶן־יְהוֹיָדָע בֶּן־אִישׁ
חַי רַב־פְּעָלִים מִקַּבְצְאֵל הוּא הִכָּה
אֵת שְׁנֵי אֲרִאֵל מוֹאָב וְהוּא יָרַד וְהִכָּה
אֶת־הָאֲרִיה בְּתוֹךְ הַבֹּאר בְּיוֹם הַשָּׁלֶג׃
כא וְהוּא הִכָּה אֶת־אִישׁ מִצְרִי אֲשֶׁר
מַרְאֶה וּבְיַד הַמִּצְרִי חֲנִית וַיֵּרֶד אֵלָיו
בַּשָּׁבֶט וַיִּגְזֹל אֶת־הַחֲנִית מִיַּד הַמִּצְרִי
וַיַּהַרְגֵהוּ בַּחֲנִיתוֹ׃ כב אֵלֶּה עָשָׂה בְּנָיָהוּ

תרגום

כ וּבְנָיָהוּ בַּר יְהוֹיָדָע בַּר גְּבַר דָּחֵיל חֶטְאִין דִּילֵיהּ עוֹבְדִין מִקַּבְצְאֵל הוּא קְטַל יַת תְּרֵין רַבְרְבֵי מוֹאָב וְהוּא נְחַת וּקְטַל יַת אַרְיָא בְּגוֹ גוּבָא בְּיוֹמָא דְתַלְגָא׃ כא וְהוּא קְטַל יַת גַּבְרָא מִצְרָאָה גְּבַר דְּחֶזְוָא וּבִידָא דְמִצְרָאָה מוֹרְנִיתָא וּנְחַת עֲלוֹהִי בְּחוּטְרָא וַאֲנֵיס יַת מוֹרְנִיתָא מִידָא דְמִצְרָאָה וְקַטְלֵיהּ בְּמוֹרְנִיתֵיהּ׃ כב אִלֵּין עבד

ת"א ובניהו. ברכות יח זוהר בראשית: ויגזול. ב"ק עט (בס כו):

חיל קרי הארי קרי הבוד קרי איש קרי

מהר"י קרא

בפלשתים כשברח איש ישראל מפניהם. וזה לא מצינו שעמד לבדו בפניהם וכן עשה שמה בן אגא כשנס העם מפני פלשתים נצב לבדו בתוך החלקה ויצילה. וזה לא מצינו בו שעמד לבדו בפני מחנה פלשתים: (כ) ובניהו בן יהוידע בן איש חיל. פת' איש חיל. כמו בן חכם ישמח אב. שפת' איש חכם ישמח אב. וכן הרבה: רב פעלים. פת' זה עשה גבורות רבות שהגבורים שהוזכרו למעלה לא סיפר הכתוב כל אחד ואחד מהם אלא גבורה אחת, אבל בבניהו סיפר הכתוב שעשה גבורות הרבה. כמו שמספר והולך: מקבצאל. שם מקום: הוא הכה את שני אריאל מואב. שני שרי מואב. וכת"י תרין רברבי מואב: והוא ירד והכה את הארי בתוך הבור. הרי שני גבורות: (כא) והוא הכה את איש מצרי איש מראה. גבה קומה היה ומראהו נורא מאוד: (כב) אלה עשה בניהו בן יהוידע. גבורות אלה עשה

רש"י

לא בא. ולתלת גברין לא מטא: (כ) את שני אריאל מואב. ית תרין רברבי מואב. ורבותינו אמרו שלא הניח כמותו לא במקדש ראשון ולא במקדש שני: אריאל מואב.

רלב"ג

(כ) ובניהו בן יהוידע בן איש חיל רב פעלים מקבצאל. הנה תאר אותו שמעלת הגבורה באה לו מאבותיו ולזה אמר עליו שהוא בן איש חיל ר"ל שאביו היה גבור חיל והיה רב פעלים בענייני הגבורה כי עשה פעלו' רבות מיוחסות לגבור והוא היה מעיר קבצאל שהיתה לגורל בני יהודה והנה הכתוב בזה בן איש חי הנה הרצון בו גבור כי הגבור יראה בו פעל החיות יותר מזולתו ומזה ג"כ אמרו כי חיות הנה ר"ל רבות הכח והגבורה: הוא הכה את אריאל מואב. הנה המגדל החזק יקרא אריאל ולזה נקרא בית המקדש אריאל והרצון בו שהוא הכה אנשי המגדלים החזקים ההם שהיו במואב והמלה מורכבת מארי ומאל וענינו ארי תקיף כי הארי הוא רב הגבורה והמש' גם כן שהיה בהם לוחם אריה להורות על התוקף והחוזק: והוא ירד והכה את הארי בתוך הבור ביום השלג. אמר ביום השלג להורות על רוב

רד"ק

והם עדינו ואלעזר ושמה לא הגיע עד גבורתם ות"י ולתלת גבורין לא מטא כלומר לא הגיע בגבורתו לשלשה הגבורות שעשו השלשה: (כ) בן איש חי. כן כתיב וקרי איש חיל כי יהוידע אביו גם כן היה גבור חיל. ומה שכתוב חי דרשו בו שהיה צדיק גמור וצדיקים אפילו במיתתם קרואים חיים וי"ת בן איש חיל בר גבר דחיל חטאין: רב פעלים. שהיה גדול במעשים טובים: מקבצאל. שם מקום נזכר בנחלת בני יהודה קבצאל ועדר ויגור ורבותינו ז"ל דרשו שהרבה פעלים וקבץ לתורה: את שני אריאל מואב. כתרגומו ית תרין רברבי מואב והיא מלה מורכבת מן ארי ומן אל וארי יש לו גבורה ואם הוא לשון חוזק ואעפ"י שהיה בניהו כהן ואסור להטמא למתים להלחם באויבי ה' היא מצוה כשצוה הקב"ה להלחם בשבעת גוים ובשאר האומות המצירות לישראל לא חלק בין כהנים לישראל וכן צוה להיות כהן משוח מלחמה ולהכנס עם ישראל למלחמה והנה פנחס טמא עצמו למצוה כשהרג זמרי וכזבי וכן הלך למלחמת מדין עם ישראל: והכה את האריה. ה"א כתיב ולא קרי והענין אחד ארי או אריה: ביום השלג. אמרו כי האריה ביום צנה ושלג נוספת גבורתו ובדברי רז"ל את שני אריאל שלא הניח כמותו לא במקדש ראשון ולא במקדש שני ואריאל שם בית המקדש כמו הוי אריאל ופי' מואב שבנה אותו שלמה שבא מרות המואביה ומה שאמר ביום השלג דרשו בו איכא דאמרי דתבר גיזזי דברדא ונחית וטביל ואיכא דאמרי דתנא סיפרא דבי רבי ביומא דסתוא וכל אלה דברים רחוקים מדרך הפשט כי הכתוב מספר גבורת כל אחד מהם לא תלמודו וחסידותו וכת"י הפסוקים על דרך הפשט: (כא) אשר מראה. כתיב רצה לומר איש מצרי אשר היה לו מראה וגודל וקרי איש מראה כמשמעו. ובדברי הימים איש מדה

מצודת ציון

(כ) איש חי. איש מזורז וכאשר יאמרו הבריות: (כא) בשבט.

מצודת דוד

השלשה. אבל לא בא למעלת השלשה הראשונים: (כ) רב פעלים. פעל הרבה גבורות: מקבצאל. שם מקום: שני אריאל מואב. ת"י תרין רברבי מואב. וע"ש גבורתם קראם אריאל שהוא מלה מורכבת מן ארי ומן אל שהוא ענין חוזק כמו ביד אל גוים (יחזקאל ל"א): בתוך הבור. עם כי המקום דחוק להתחזק בו: ביום השלג. עם היות כי טבע הארי להתחזק ביותר בזמן הקור ומטבע האדם להמנע ממנו הפעולות החיוניות, בהתגבורת הקור על"ז נתגבר עליו והכהו נפש: (כא) איש מראה. ר"ל בעל קומה גדול המטיל אימה: (כב) אלה. הפעלים ההם: ולו שם. ר"ל שהיה מפורסם לגבור בין שלשה הגבורים שואבי המים שהיו ראשי השלשים ור"ל בעבור כל

Commentary Digest

Solomon built it, who was a descendant of Ruth the Moabitess." — R based on T.B. Ber. *loc. cit.*

inside a pit — where one has little room to maneuver — A and D.

on a snowy day — Despite the fact that a lion is usually stronger and a human being naturally weaker on a cold snowy day. — A and D.

21. *of striking appearance* — A

he did not attain. 20. And Benayahu the son of Jehoiada, the son of a valiant man great in deeds, of Kabzeel, he smote the two mighty men of Moab, and he went down and smote the lion inside a pit on a snowy day. 21. And he slew an Egyptian, a man of striking appearance; and in the Egyptian's hand was a spear; and he went down to him with [only] a staff. And he grabbed the spear from the hand of the Egyptian, and slew him with his own spear. 22. These [deeds] performed Benayahu

Commentary Digest

appears as Adino the Etznite (See above v. 8). According to the literal explanation of that verse, perhaps Joab was omitted because as general of David's army, he was superior to the warriors cited and needed no mention (R), or perhaps because he had fallen into disfavor for having killed Absalom against David's express wishes.

acquired a name among the three — Among a second order of three, but to the first order of Adino, Eleazar, and Shammah 'he did not attain'. — K and A.

to the three he did not attain — "*But to the three warriors* (of the the first order) *he did not attain.*" — R.

20. *the son of a valiant man* — based on the 'kri' חיל. The 'ketib' בן איש חי 'the son of a man yet alive', indicates that Jehoiada other than having been a valiant warrior, was also a very righteous man, for the deeds of the truly righteous outlive their physical existence, in this manner keeping their memories alive. — See T.B. Ber. 18a.

son of a valiant man — Thus Benayahu's courage and strength were inherited from his father. — G and A.

great in deeds — Great in military accomplishments (J.K.), or, in accordance with the 'ketib', great in his deeds of righteousness. (J and K).

of Kabzeel — a city in the Negeb near the border of Edom. See Josh. 15:21.

"*the two mighty men of Moab — But our rabbis stated that he neither left anyone like him, in the* (period of the) *First Temple, nor in the* (period of the) *second Temple.*" — R from T.B. Ber. 8a. In Isa. 29a the prophet refers to the Temple as אריאל. G contends that אריאל is synonymous with מגדל, a tower. Thus Benayahu's strength consisted of his knocking out two of the fortifications of Moab.

of Moab — ("The Temple is here referred to as 'of Moab') *because*

עבד בניהו בר יהוידע
וליה שום בתלתא
גבריא : כג מן גבריא
יקיר ולתלת גבורן לא
מטא ומנייה דוד על
משמעתיה : כד עשהאל
אחוהי דיואב בגבריא
אלחנן בר דודו דמבית
לחם : כה שמה דמן חרוד
אליקא דמן חרוד :
כו חלץ דמן פלט עירא
בר עקש דמתקוע :
כז אביעזר דמן ענתות
מבני דמן חשת :
כח צלמון דמן אחח
מהרי דמן נטופה :
כט חלב בר בענה
דמנטפה אתי בר ריבי
מגבעתא דבני בנימן :
בניהו

בן־יהוידע ולו־שם בשלשה הגברים :
כג מן־השלשים נכבד ואל־השלשה
לא־בא וישמהו דוד אל־משמעתו :
כד עשהאל אחי־יואב בשלשים אלחנן
בן־דודו בית לחם : כה שמה החרדי
אליקא החרדי : כו חלץ הפלטי עירא
בן־עקש התקעי : כז אביעזר הענתתי
מבני החשתי : כח צלמון האחחי מהרי
הנטפתי : כט חלב בן־בענה הנטפתי
אתי בן־ריבי מגבעת בני בנימן :

רש"י

על שם שבכאו שלמה שבא מרות המואביה : (כג) מן השלשים. כל שלשים שבפרש' זו ת"י גבריא:

מהר"י קרא

בניהו בן יהוידע : ולו שם בשלשה הגבורים. הוא היה מן השלשה שבקעו במחנה פלשתים ושאבו מים והביאו אל דוד : (כג) מן השלשים נכבד. שלא היה בהם אחד גבור כמותו. אבל אל [השלשה] הראשונים הנזכרים בתחלת הענין הם עדינו העצני ואלעזר בן דודו ושמה בן אגא לא בא לגבורת': וישמהו דוד אל משמעתו. כינהו יועץ שלו והיה מגלה לו סידו : (כד) עשהאל אחי יואב בשלשים. נמנה עם (ג') [ל'] גבורים :

רד"ק

והענין אחד כי איש מדה ר"ל מדה גדולה כמו אנשי מדות ואיש מראה ר"ל בעל פרצוף גדול : (כב) ולו שם בשלשה הגבורים. המביאים את המים : (כג) מן השלשים נכבד. מן השלשים הגבורים שנזכר אחר אלה וי"ת מן גיברא יקיר תרגם השלשים כמו השלישים : ואל השלשה לא בא. תחכמוני ואלעזר ושמה וי"ת ולתלת גבורין לא מטא כלומר לא הגיע בגבורתו לשלש הגבורו' שעשו השלשה : וישימהו דוד אל משמעתו. אל עצתו או פי' שהפקידו על אנשי משמעתו והם הכרתי והפלתי כמו שאמר למעלה ובניהו בן יהוידע על הכרתי ועל הפלתי : (כד) עשהאל אחי יואב בשלשים. במספר השלשים היה והם שלשים גבורים ממנו עד אוריה החתי ויונתן תרגם בגיבריא : אלחנן בן דודו. כך היה שמו דודו וכת"י בר דודו : בית לחם. מבית לחם. וכן השמרו לכם עלות בהר מעלות : (כה) שמה החרדי. הראשון ריש והשני דל"ת וכן אליקא החרדי הראשון ריש והשני דל"ת ושניהם ליחס בקומם

רלב"ג

גבורתו שעם היות כחו אז הלוה מלד תגבורת הקור והיה ג"כ בתוך הבור שהם ישלוט הקור יותר לקרירת המקום ההוא ולא היו לו ולאריה מנוס שלא ישהית האחד את האחר עם כל זה ירד בניהו בן יהוידע הכהן הגדול ולא ירא שיזיקהו הארי בירידתו שם והכה הארי לרוב גבורתו : (כב) ולו שם בשלשה הגבורים. ר"ל שהכבר היה לו שם בשלשה הגבורים האלו שהיו ראש מהשלושים אך מדרגתו לא באה אל מדרגת השלשה גבורים האלה ולזה לא נמנה עמהם ולא נמנה גם כן עם השלשים כי היה יותר נכבד מהם : (כג) וישימהו דוד אל משמעתו. ר"ל ששם אותו אחד ממשרתיו השרים אל משמעתו והנה לא היה בניהו בן יהוידע מן השלשה שהיו מן השלשים ראש אך היות נכבד מהשלשים ולזה היה מניגם בכללם ל"ז והג' הראשונים שהיו עדינו העצני ראש להם והג' השניים שהיו מהשלשים ראש ובניהו בן יהוידע שהיה ענינו ממוצע בין השלשה ובין השלשים ושלשי' הגבורים הם ל"ז אך לא זכר בזה המקום השלשה הגבורים השניים כי אם אבישי ולזה לא תמצאם בזה המספר כי אם ל"ה :

מצודת דוד

גבורתם החשיבו גם אותו לגבור אבל שלשה הגבורים הראשונים לא החשיבו אותו למאומה לגודל הגבורה אשר היה בהם : (כג) מן השלשים. החשוב למעלה בענין היה נכבד מאד ולזה לא חשבוהו עמהם אבל לא בא למעלת שלשה שואבי המים ראשי השלשים ולזה לא חשבוהו גם עמהם : אל משמעתו. להיות עמו לשמוע ולעשות כל אשר יצוה : (כד) בשלשים. ר"ל עם שהיה נכבד קלת מן השלשים מ"מ לא גדלה מאוד מעלתו עליהם ולזה נכתב גם הוא עם השלשים שחושב והולך וא"כ היו שלשים במספר זולת עשהאל :

מצודת ציון

בשריטו : (כד) בית לחם. מבית לחם:

the son of Jehoiada, and he had [acquired] a name among
the three mighty men. 23. Of the thirty he was the most
honored, but to the first three he [never] did attain. And
David placed him over his following. 24. Asahel the
brother of Joab was among the thirty. Elhanan the son of
Dodo of Bethlehem; 25. Shammah the Harodite, Elika
the Harodite; 26. Helez the Paltite, Irah, the son of Ikkesh
the Tekoite; 27. Abiezer the Anathothite, Mebunnai the
Hushathite; 28. Zalmon the Ahohite, Maharai the Netophathite;
29. Heleb the son of Baanah the Netophathite, Ittai the son
of Ribai of Gibeah of the children of Benjamin;

Commentary Digest

huge menacing looking warrior. — D. In I Chron. 11:23, we find, איש מדה, a man of enormous proportions.

23. *of the thirty he was most honored* — He was most honored of the thirty that followed but failed to measure up to those previously mentioned. Rabinowitz suggests that there was a constant order of thirty warriors. Though we find more than thirty mentioned in this chapter, some had died early in David's reign (Asahel, for one, was killed by Abner early in David's reign), and were replaced by others. Thus, while there were thirty-seven warriors that served in this order, only thirty served simultaneously.

R cites J who translates שלשים not as 'thirty' but as 'warriors, (compare to K above v. 13): "*Every mention* שלשים *in this chapter, J translates as warriors.*" — R. from J.

over his following — He became David's chief counsel. — K and J. In above II Sam. Ch. 8 v. 18 the Midrashim were cited that placed him either over the Sanhedrin, or, (as High Priest) in charge of the 'Urim' and 'Tumim'.

25. *Harodite* — Perhaps the 'Ein Harad' mentioned in Jud. 7:1.

26. *Tekoite* — There were two cities named Tekoah, one in the portion of Asher, the other in the territory of Judah. Here the reference is to the Asherite city, the other having first been built in the days of Rehoboam. See II Chron. 11:6. — Rabinowitz.

27. *the Anathothite* — A Levite city near Jerusalem. See Jos. 21:18.

the Hushathite — The Heb. חשתי is his family name, not his hometown. I Chron. 11:28 cites his hometown as Savchi. — Rabinowitz.

תרגום

ל בְּנָיָהוּ פִּרְעָתֹנִי הִדַּי מִנַּחֲלֵי גָעַשׁ׃
לא אֲבִי־עַלְבוֹן הָעַרְבָתִי עַזְמָוֶת
הַבַּרְחֻמִי׃ לב אֶלְיַחְבָּא הַשַּׁעַלְבֹנִי בְּנֵי
יָשֵׁן יְהוֹנָתָן׃ לג שַׁמָּה הַהֲרָרִי אֲחִיאָם
בֶּן־שָׁרָר הָאֲרָרִי׃ לד אֱלִיפֶלֶט בֶּן־אֲחַסְבַּי
בֶּן־הַמַּעֲכָתִי אֱלִיעָם בֶּן־אֲחִיתֹפֶל
הַגִּלֹנִי׃ לה חֶצְרוֹ הַכַּרְמְלִי פַּעֲרַי הָאַרְבִּי׃
לו יִגְאָל בֶּן־נָתָן מִצֹּבָה בָּנִי הַגָּדִי׃ לז צֶלֶק
הָעַמֹּנִי נַחְרַי הַבְּאֵרֹתִי נֹשְׂאֵי כְּלֵי יוֹאָב
בֶּן־צְרֻיָה׃ לח עִירָא הַיִּתְרִי גָּרֵב הַיִּתְרִי׃
לט אוּרִיָּה הַחִתִּי כֹּל שְׁלֹשִׁים וְשִׁבְעָה׃
כד א וַיֹּסֶף אַף־יְהוָה לַחֲרוֹת בְּיִשְׂרָאֵל

ל בְּנָיָהוּ דְמִפִּרְעָתוֹן הִדַּי
דְמִנַּחֲלֵי גָעַשׁ : לא אֲבִי
עַלְבוֹן דְמִן עַרְבַת
עַזְמָוֶת דְמִבַּרְחָם:
לב אֶלְיַחְבָּא דְמִשַּׁעַלְבוֹן
בְּנֵי יָשֵׁן יְהוֹנָתָן :
לג שַׁמָּה דְמִן הֲרַר טוּרָאָה
אֲחִיאָם בַּר שָׁרָר דְמִטּוּר
גְבוֹהַ : לד אֱלִיפֶלֶט בַּר
אֲחַסְבַּי בַּר מַעֲכַת
אֱלִיעָם בַּר אֲחִיתוֹפֶל
גְלוֹנָאָה : לה חֶצְרַי דְמִן
כַּרְמְלָא פַּעֲרַי דְמִן אֲרָב:
לו יִגְאָל בַּר נָתָן דְמִצּוֹבָה
בְּנֵי מִשֵּׁבֶט גָד : לז צֶלֶק
דְמִבְּנֵי עַמּוֹן נַחֲרַי דְמִן
בְּאֵרוֹת נָטֵל זַיְנֵיהּ דְיוֹאָב
בַּר צְרוּיָה : לח עִירָא דְמִן
יָתֵר גָרֵב דְמִן יָתֵר :
לט אוּרִיָּה חִתָּאָה כָּל
גִבָּרַיָּא תְלָתִין וּשְׁבַע :
א וְאוֹסִיף רוּגְזָא דַיְיָ
לְמִתְקַף

ת"א אליעם בן אחיתופל. סנהדרין סט :

חצרי קרי יתיר י'

מהר"י קרא

(לג) בני ישן יהונתן. פת' כל בני ישן יהונתן בלבד. ולשון בני אדם הוא שנהיגים לומר כשיש לו בן אחד כל בנים שיש לו פלוני בלבד. כמו ובני דן חושים. ובני פלוא אליאב. ובני עזריה איתן :

כד (א) ויוסף אף ה' לחרות. מלבד חרון הראשון [אשר] חרה

רש"י

(לט) שלשים ושבעה. ואינן מנוין כאן ואני אומר יואב לא הוצרך להזכי' שהוא שר הצבא ושאר שחסרו שמא בני ישי (נ"ל ישן) ג' או ד' היו :

כד (א) ויסף אף ה' לחרות בישראל. לא ידעתי על

רלב"ג

(א) וזכר אחד זה שכבר הוסיף אף ה' לחרות בישראל מלבד מה שחר' אפו על דבר הגבעונים שהיה רעב שנה אחר שנה : ויסת את דוד בהם לאמר לך מנה את ישראל ואת יהודה. ראוי שתדע שראוי שיובן מזה

רד"ק

כתרגומו דמן חרוד וכן הוא במסרה ובפסוק : (לב) בני ישן יהונתן. כמו ובני פלוא אליאב ובני דן חושים : (לג) שמה ההררי. כתרגומו דמן הרר טוראה : אחיאם בן שרר האררי. האלף נחה ותרגומו דמטור גבוה : (לה) חצרו. כתוב בוי"ו וקרי ביו"ד : הארבי. בבית : (לז). נושאי כלי יואב. כתוב ביו"ד לשון רבים ר"ל על צלק ועל נחרי וקרי נושא על נחרי : (לט) כל שלשים ושבעה. אלה השלשים המנויים הם מעשהאל עד אוריה ושלשת הראשונים תחכמוני אלעזר ושמה ושלשה מביאי המים הם ששה ואבישי בן צרויה היה אחד מאלה הג' כמו שפירשנו ובניהו בן יהוידע הרי שבעה ויואב לא הוצרך למנות כי שר צבא היה : (א) ויוסף אף ה'. לא ידענו זה החרון למה היה אם היה רע בישראל דוד היה מבער אותו אולי היה

מצודת ציון

כד (א) לחרות. מלשון חרון אף : ויסת. מלשון הסתה :

מצודת דוד

(לב) בני ישן יהונתן. כמו בן ישן ודוגמתו ובני דן חושים (בראשית מו): (לז) נושא כלי יואב. חוזר הוא על נחרי שהי' נושא כלי מלחמתו: (לט) כל שלשים ושבעה. כל הגבורי' היו במספר שלשי' ושבעה כי שלשים מנויין כאן לבד מעשהאל ועמו הרי ל"א ועדינו ואלעזר ושמה הרי ל"ד ושלש' שואבי המים לאשי השלשים המנוין הרי ל"ז ואבישי היה אחד משואבי המי' כמ"ש למעלה ובניהו לא יורשב עמה' כי שמהו דוד על משמעתו ומגע א"ע מלרדת במלחמה בתמידות שלא יטמא את עצמו למת כי כהן היה ואף יואב לא יוחשב עמהם שאין זה מכבודו לחשבו עם שאר הגבורים על כי היה שר כל הצבא החשוב מאוד מאוד מכולם : כד (א) ויוסף אף ה' לחרות בישראל. מלבד מה שחרה אפו בדבר

Commentary Digest

among the anonymous warriors who had fetched David water, contends that the thirty-seven begin with Abishai and do not include the first two orders. Though an actual count from Abishai hence renders thirty-two, R. explains: "*thirty-seven — Now they are not* (all) *listed here: I therefore say that it was unnecessary to mention Joab since he was the commander-in-chief. Regarding the others that were missing, perhaps the sons of Jesse* (Jashan. See above v. 32) *were three or four* (three if we include Joab, four if we do not)." — R

30. Benaiahu a Pirathonite, Hidai of Nahale-noash; 31.
Abi-albon the Arbothite, Azmaveth the Barhumite; 32.
Eliahba the Shaalbonite, [of] the sons of Jashen, Jonathan;
33. Shammah the Haraite, Ahiam the son of Sharar the
Ararite; 34. Eliphelet the son of Ahasbai, the son of the
Maachathite, Eliam the son of Ahithophel the Gilonite; 35.
Hezrai the Carmelite, Paarai the Arbite; 36. Igal the son
of Nathan of Zobah, Bani the Gadite; 37. Zelek the
Ammonite, Nahri the Beerothite, the armorbearer of Joab
the son of Zeruiah; 38. Ira an Ithrite, Gareb an Ithrite;
39. Uriah the Hitite; thirty-seven in all.

24

1. And again the anger of the Lord was kindled against Israel

Commentary Digest

30. *a Pirathanite* — A city in Ephraim mentioned in Jud. 12:15.

32. *Shaalbonite* — a city in the territory of Dan. See Jos. 19:42.

[of] *the sons of Jashen, Jonathan* — A. According to this translation, Jonathan was the only one of Jashen's sons who was part of the order of mighty warriors. R on v. 39 seems to indicate that the verse mentioned Jonathan because he was the most prominent of his sons, though others also served in this order. Rabinowitz cleverly translates 'The sons of Jashen-Jonathan', that being the name of the father. Accordingly, the verse indicates that all his sons served.

34. *Eliam* — the father of David's wife Bath-sheba. See above 11:3.

35. *The Carmelite* — Either the Judean city (Josh. 15:55), or a city of the same name in the territory of Asher (Josh. 19:26).

39. *Uriah the Hittite* — the husband of Bath-sheba.

thirty-seven in all — A conjectures that the thirty-seven consisted of the trio of Adino, Eleazar, and Shammah; the triad of warriors of the water fetching incident (which, according to A above v. 13, includes Abishai and Benaiahau b. (Jehoiada), Joab, (who as commander-in-chief was more honored than even those of the prestigious first two orders of three and needed no specific mention,) plus all the warriors honored by inclusion into the order of thirty commencing with Asahel. R, apparently of the opinion that Abishai and Benaiahu were not

וַיָּסֶת אֶת־דָּוִד בָּהֶם לֵאמֹר לֵךְ מְנֵה
אֶת־יִשְׂרָאֵל וְאֶת־יְהוּדָה׃ ב וַיֹּאמֶר
הַמֶּלֶךְ אֶל־יוֹאָב ׀ שַׂר־הַחַיִל אֲשֶׁר־אִתּוֹ
שׁוּט־נָא בְּכָל־שִׁבְטֵי יִשְׂרָאֵל מִדָּן וְעַד־
בְּאֵר שֶׁבַע וּפִקְדוּ אֶת־הָעָם וְיָדַעְתִּי
אֵת מִסְפַּר הָעָם׃ ג וַיֹּאמֶר יוֹאָב אֶל־
הַמֶּלֶךְ וְיוֹסֵף יְהוָה אֱלֹהֶיךָ אֶל־הָעָם
כָּהֵם ׀ וְכָהֵם מֵאָה פְעָמִים וְעֵינֵי אֲדֹנִי־

לְמִתְקַף בְּיִשְׂרָאֵל וּגְרֵי
יַת דָּוִד בְּהוֹן לְמֵימַר
אֱזִיל מְנֵי יַת יִשְׂרָאֵל וְיַת
דְּבֵית יְהוּדָה׃ ב וַאֲמַר
מַלְכָּא לְיוֹאָב רַב חֵילָא
דְּעִמֵּיהּ הֲלִיךְ כְּעַן בְּכָל
שִׁבְטָא דְּיִשְׂרָאֵל מִדָּן
וְעַד בְּאֵר שֶׁבַע וּמְנֵי יַת
עַמָּא וְאִידַע יַת חֻשְׁבַּן
עַמָּא׃ ג וַאֲמַר יוֹאָב
לְמַלְכָּא וְיוֹסֵף יְיָ אֱלָהָךְ
עַל עַמָּא כְּאִלֵּין וּכְאִלֵּין
מְאָה זִמְנִין וְעֵינֵי רִבּוֹנִי
מלכא

ת״א ויסת את דוד. ברכות סב:

רש״י

מה: ויסת. גירה: (ג) כהם וכהם. כהם כפלים וכהם שני כפלים הרי ארבעה כפלים וכן חוזר וכופל את הכפילה עד מאה פעמים נמצאת ברכתו של יואב יתירה על של משה שאמר ככם אלף פעמים ועוד שברכתו של משה לזמן מרובה ושל יואב מיד שנאמר בה ועיני אדוני המלך

מהר״י קרא

בהם כשהביא עליהם רעב שלש שנים: ויסת את דוד בהם לאמר לך מנה את ישראל [ואת] יהודה. כאן סתם הכתוב את דבריו שלא לימדך הכתוב מי הסיתו ומפרש בד״ה ויעמוד שטן על ישראל ויסת את דוד למנות את ישראל: (ג) ויוסף ה׳ אלהיך אל העם כהם וכהם מאה פעמים. נמצאת ברכתו של יואב יתירה על ברכתו של משה שאמר יוסף ה׳ עליכם אלף

רד״ק

בישראל עוברי עבירה בסתר ומה שאמר ויוסף כי דבר אבשלום חרון אף היה בה׳ על ישראל אע״פ שהיה הדבר ההוא לעונש דוד שברח מפני בנו וששכב עם נשיו וג״כ נענשו ישראל שנגפו בעת ההיא כ׳ אלף ביום אחד א״כ הדבר ההוא היתה סבה מאת ה׳ לחרות בישראל על מעשים רעים שהיה בסתר בהם וכן עתה הוסיף אף ה׳ להרות בישראל על נסתרות שהיו ביניהם כי אלו היו גלוי׳ לא הניחם דוד ולפי שלא היו גלויות העני׳שם האל על ידי סבה כי כל משפטיו צדק ואמת והסית את דוד ונתן בלבו שימנה אותם או אמר ויוסף על הרעב שהיה שלש שנים ואעפ״י שנגלה אותו העון חרון אף היה על כל ישראל ועתה היסיף להרות בהם והסית את דוד שימנה אותם וכבר היה דבר זה נודע בישראל מן התורה כי אם ימני את ישראל שלא יתנו איש כופר נפשו שיהיה בהם נגף ואפילו ימנה אותם לצורך וצוה דוד את יואב שימנה אותם והיה קשה בעיני יואב לעשות זה הדבר לפי שידע שיחסרו וכן אמר בדברי הימים למה יהיה לאשמה לישראל ואע״פ שיקח מהם כסף או שום דבר כיון שימנה אותם שלא לצורך יחסרו. כמו שפי׳ למעלה בפסוק ויפקדם בטלאים ואמרו רז״ל כל זמן שנמנו ישראל לצורך לא חסרו שלא לצורך חסרו כמו בימי דוד לפיכך היה קשה בעיני יואב לעשות זה הדבר עד שחזק דבר המלך אל יואב ועל שרי החיל ומה שאמר ויסת את דוד בהם כלומר ששם בלבו למנותם ומה שאמר לאמר לך מנה את ישראל היה בלב דוד שיאמר לאחד משריו לך מנה את ישראל לא שהאל אמר לו בנבואה לך מנה שאם כן איך אמר דוד חטאתי מאד ואם האל אמר לו מה חטא אלא ששם בלבו למנותם בעבור עון ישראל ודוד לא ידע כי מה׳ הוא ות״י וגרי ית דוד בהון והיצר שהיה בלבו למנותם הוא השטן שנאמר בדברי הימים: ויוסף ה׳. וי״ו זו להתחלת הדברים ולא להוספת דבר וכמוהו ווי״ן רבים במקרא כמו שכתבנו בתחלת ספר יהושע: (ג) אל העם. כתרגומו על עמא:

רלב״ג

שאין הש״י הוא המסית את דוד למנות אותם שאם היה זה כן לא היה אשם לדוד על זה ואיך ענשהו א״כ הש״י בזה העונש הנפלא האלהי אלא בכ׳ שזאת ההסתה מיוחסת לש״י באופן כולל לפי שהוא הסבה בכל מה שיתחדש על הלד שאמר ותהי אשה לבן הדיך כאשר דבר ה׳ לא אתם שלחתם אותי הנה כי האלהי׳ ואפשר שנאמר עוד כי היה גם כן הש״י סבה מה בזאת ההסתה וזה כי להשגחתו על דוד היה הש״י מסיר מדוד זאת התשוק׳ לולי כעסו על ישראל. והנראה בעיני שהיה אמרו ויסת את דוד חסר והרצון בו ויסת לבו את דוד כאמרו ותכל דוד שהוא חסר ועינו ותכל נפש דוד והנה החטא היה בזה המספר לפי מה שאחשוב כי זה יורה על שדוד היה שם בשר זרועו בבטחו על רוב העם ולא היה ראוי שיבטח כי אם בשם יתברך לבדו ועוד כי התורה צותה שבפקוד אותם יתנו איש כפר נפשו למנות מה שיתנו לו ולא יהיה בהם נגף בפקוד אותם כמו שאמרנו בפרשת כי תשא:

מצודת דוד

הגבעונים שהיה בעבור זה רעב שלש שנים הוסיף עוד לחרות (ויתכן שהחרון היה על מה שמרדו בדוד בדבר אבשלום ושבע בן בכרי. או היה בידם עון נסתר ונעלם מעיני דוד): ויסת את דוד בהם. ר״ל מי שדרכו להסית הסיתו וכן נאמר בד״ה שהשטן הסיתו והקב״ה מסרו בידו והסתתו היה בדבר הרע להם לאמר לך מנה וגו׳ ובעבור זה באה התקלה עליהם כמפורש בענין: (ב) ופקדו. אתה והנסיך אשר ילכו עמך: (ג) ויוסף ה׳. על כי היה נראה משאלת המלך אשר יחשוב כי רבים המה ולכן התאוה לדעת מספרם ולזה אמר לו יואב מי יתן ועוד יוסף ה׳ עליהם כמו שהם עכשיו ועוד יוסף כמספר אשר יהיו אחר ההוספה הראשונה ועוד יתכפלו ויחזרו

מצודת ציון

(ב) שוט. ענין הליכה אנה ואנה וכן משוט בארץ (איוב א׳): ופקדו.

Commentary Digest

that He is the Prime Mover in history. (b) Though ordinarily God would have dissuaded David from his desire to take a census, in this instance, because He was angered at Israel, He allowed David to follow through his intent. Thus, only in this passive manner did God move David against Israel. (c) The verse is to be understood as if it read ויסת לבו את

and He moved David against them, saying, "Go count
Israel and Judah." 2. And the king said to Joab the
captain of the host that was with him, "Go please, to and
fro throughout all the tribes of Israel, from Dan as far as
Beer-sheba and take census of the people, so that I may
know the number of the people." 3. And Joab said to the
king, "May the Lord your God add to the people a hundred-
fold of whatsoever they may be, and the eyes of my lord,

Commentary Digest

Rabinowitz, cited above on v. 20, suggests that all the warriors of this chapter were part of a constant order of thirty.

CHAPTER 24

1. ***and again*** — The first instance being the occasion of Absalom's rebellion where God had exacted punishment from Israel for siding with the rebellious Absalom by causing twenty thousand Israelites to die. — A. Others claim that God's initial wrath was shown during the three year famine brought about by the inhumane treatment of the Gibeonites. See above Ch. 21.

against Israel — The exegetes are at a loss as to what perpetrated this anger: "*I do not know regarding what*" — R. A proposes that God sought to punish Israel for having sided with Sheba the son of Bichri even after the defeat of Absalom. Nachmanides, in his commentary to Num. 16, suggests that Israel's punishment came about because the general masses, other than David, showed no interest in the building of the Temple. This view is also expressed in M.Ps, Ch. 17: "Those thousands of Israelites that fell in the time of David fell for no other reason than for not demanding the building of the Temple."

and He moved David against them saying — This verse raises a serious theological problem. If God had commissioned David to take a census of Israel and Judah, why did this act warrant punishment? Furthermore, why did David admit any wrongdoing (v. 10) if he were merely following the will of God? G offers a few alternatives; (a) that God did not move David in any specific manner but only in a general sense, as the Ultimate Cause of all that happens in the universe. I Chronicles, version: 'And Satan stood up against Israel' seems to lend credence to this view. This view is further substantiated by Maimonides in his Guide to the Perplexed, Part II Ch. 48, where he cites numerous instances in the Biblical literature where events are attributed to God only in the sense

המלך ראות ואדני המלך למה חפץ
בדבר הזה: ד ויחזק דבר־המלך אל־
יואב ועל שרי החיל ויצא יואב ושרי
החיל לפני המלך לפקד את־העם
את־ישראל: ה ויעברו את־הירדן ויחנו
בערוער ימין העיר אשר בתוך־הנחל
הגד ואל־יעזר: ו ויבאו הגלעדה ואל־
ארץ תחתים חדשי ויבאו דנה יען

מלכא חזן ורבוני מלכא
למא אתרעי בפתגמא
הדין: ד ותקיף פתגמא
דמלכא על יואב ועל
רבני חילא ונפק יואב
ורבני חילא קדם מלכא
למימני ית עמא ית
ישראל: ה ועברו ית
ירדנא ושרו בערוער
דרום קרתא דבגו נחלא
דשבטא גד ואל יעזר:
ו ואתו לגלעד ולארעא
דרומא לחדשי ואתו לדן
יען ומתמן אסתחר
לצידון

מהר"י קרא

פעמים ולברכתו של יואב אין מספר: (ד) ויחזק דבר המלך אל יואב. דבר דוד נתחזק על דבריו של יואב וציוהו למנותם על כרחו: (ו) ואל ארץ תחתים חדשי. שמעתי שלא רצה לעבור בעיירו׳ יושבת הארץ אשר מעולם כי רבים המה. אלא בעיירות שנתישבו מחדש מפני שדיוריה מועטים: דנה יען. תרגם

רש"י

רוחות: (ה) הגד ואל יעזר. התחיל בבני גד לפי שהם גבורים וקשים אמר הלואי וילחמו בי ויעכבו על ידי: (ו) ואל ארץ התחתים חדשי. מקום ישוב חדש שאוכלוסיהן מועטו׳ אולי בתוך כך יתחרט דוד וישלח אליו שליח שיחזור בו:

רד"ק

(ה) ויעברו את הירדן. מעבר הירדן התחילו למנות וכשעברו הירדן חנו בערוער: ימין העיר. מחוץ לעיר ושם הסכימו באיזה מקו׳ יעברו למנות ואותו המקום שחנו בו היה בתוך הנחל וזהו שאמר אשר בתוך הנחל: הגד ואל יעז׳. כתרגומו דבגו נחלא דבשבטא גד ואל יעזר וי"מ הגד מעניין מלא על כל גדותיו: (ו) ואל ארץ תחתים חדשי. ת"י לארע׳ דרומא לחדשי לא ידעתי למה תרגם תחתים דרומא: חדשי. מקום ישוב חדש: דנה יען. לדן יען כן היה שם המקום: דנה. מלעיל והנו"ן רפה: וסביב אל

מצודת ציון

ועין מנין ומספר: (ד) לפני המלך. כמו מלפני המלך: (ה) הנחל.

מצודת דוד

ויתכפלו עד מאה פעמים: ועיני וגו׳. בימיו יתרבו כהחשבון הזה ובעיניו יראה: למה חפץ. ר"ל הואיל ואין צורך למנותם מוטב הוא בלא למנותם כי אין הברכה מצויה אלא בדבר הסמוי מן העין: (ה) ימין העיר. חנו בימין העיר ערוער והימין היתה בתוך הנחל ומחנות בני גד: ואל יעזר. משם הלכו אל יעזר: (ו) חדשי. הנתישב מחדש ומזמן קרוב: דנה יען. לדן יען והיא שם מקום: וסביב.

Commentary Digest

the census indicated that he had placed his faith in military might.

3. *and Joab said to the king* — Joab sought to dissuade David from his plan.

of whatsoever they may be — Heb. כהם וכהם. "כהם *implies double,* וכהם *is twice double or fourfold. Then he continues to increase the progression up to one hundred times. Consequently, Joab's blessing was greater than that of Moses who stated: 'a thousand times what you presently are'* (Deut. 1:11). *Furthermore, Moses' blessing was over a lengthy period of time while Joab's was to take immediate effect, as it stated: "and the eyes of my Lord the king may see it'."* — R from Pesik R. Ch. 11, and M.S. Ch. 30.

5. *of Gad, and a Jaezer* — *"He began with the children of Gad since they were mighty and firm and he reasoned: If only they would fight me* (put up opposition to the census taking) *and hold me back* (from my mission)." — R from Pesik. R., *loc cit.*

6. *to the land of Tahtim-Hodshi* — Heb. חדשי. "*A new settlement where there were yet few people.* (He reasoned): *Perhaps in the interim David would have a change of heart and send him a messenger that he return.*" — R and .J.K. from unknown sources.

the king may see it; but my lord the king, why does he desire such a thing?" 4. But the word of the king prevailed against Joab, and against the captains of the host. And Joab and the captains of the host went out from the presence of the king, to number the people, the Israelites. 5. And they crossed the Jordan, and they camped in Aroer, to the right of the city that is [situated] in the middle of the valley of Gad, and to Jaezer. 6. And they came to Gilead, and to the land of Tahtim-hodshi; and they came to Dan to the city of Jaan

Commentary Digest

דוד, "his heart moved David, etc." God only used David's free will to execute His plan of punishing Israel.

He moved — Heb. ויסת, *"provoked."* — R.

go count Israel — The exegetes offer various interpretations of David's sin. R, and Nachmanides (Ex. 30:12) are of the opinion that the offense lay in David's failure to collect the atonement fee required by the Torah (Ex. 30:12) as a means of circumventing the evil eye (עין הרע) that is ordinarily invoked by a direct count. This interpretation is also suggested by the ancient Jewish historian Josephus in his 'Antiquities' (7:13): "He forgot the commandment of Moses who had stated that when the masses are counted they should contribute half a shekel to God for every head". See also T.B. Ber. 62b.

In Num. 1, N offers an alternate suggestion that the sin lay in the fact that the census served no useful purpose and was undertaken solely for David's personal satisfaction. He suggests that since Israel's military entanglements had already come to an end, there was no practical need for assessing the nation's military might. This interpretation also seems to enjoy Midrashic support: R. Elazar stated in the name of R. Yosi the son of Zimra: "Whenever the Israelites were numbered with a purpose in mind they were not diminished; without purpose they were diminished. When were they numbered for a purpose? In the days of Moses. Without purpose? In the days of David." (Num. R. Ch. 2). A third opinion of N also stated in Num. 1, suggests that David erred in seeking a census of all Israelites from thirteen years and above while the Torah stipulates that only those from twenty to fifty be counted. A, after carefully evaluating the above stated views, favors G's interpretation that David's sin was not in the act, but in the spirit with which he went about taking this census; since

לְצִידוֹן׃ י וַאֲתוֹ לְקִירְוִין
כְּרִיכָן וְכָל קִרְוֵי חִוָּאֵי
וּכְנַעֲנָאֵי וּנְפַקוּ לִדְרוֹם
יְהוּדָה לִבְאֵר שָׁבַע׃
ח וְהַלִּיכוּ בְּכָל אַרְעָא
וַאֲתוֹ מִסּוֹפֵי תִשְׁעַת
יַרְחִין וְעַסְרִין יוֹמִין
לִירוּשְׁלֶם׃ ט וִיהַב יוֹאָב
יַת חֻשְׁבַּן מִנְיַן עַמָּא
לְמַלְכָּא נְהֲווֹ יִשְׂרָאֵל
תְּמַנֵי מְאָה אַלְפִין גְּבַר
גבר

וְסָבִיב אֶל־צִידוֹן׃ ז וַיָּבֹאוּ מִבְצַר־צֹר
וְכָל־עָרֵי הַחִוִּי וְהַכְּנַעֲנִי וַיֵּצְאוּ אֶל־נֶגֶב
יְהוּדָה בְּאֵר שָׁבַע׃ ח וַיָּשֻׁטוּ בְּכָל־הָאָרֶץ
וַיָּבֹאוּ מִקְצֵה תִשְׁעָה חֳדָשִׁים וְעֶשְׂרִים
יוֹם יְרוּשָׁלִָם׃ ט וַיִּתֵּן יוֹאָב אֶת־מִסְפַּר
מִפְקַד־הָעָם אֶל־הַמֶּלֶךְ וַתְּהִי יִשְׂרָאֵל
שְׁמֹנֶה מֵאוֹת אֶלֶף אִישׁ־חַיִל שֹׁלֵף

ת"א ותהי ישראל טעם לחילוף זה המספר מהאמור בדברי הימים עקידה שער לח:

כצ"ל

רש"י

דנה. בבני דן: **יען.** שם המקום: (ט) **מספר מפקד.** אם מספר למה מפקד שני אנפירארות עשה גדולה וקטנה אמר אראנו את הקטנה ואם יקצוף אראנו את הגדולה לכך נאמר מפקד לשון הסרון כך נדרש בפסיקתא: **ותהי ישראל.** תשש כחן כנקבה: **שמונה מאות אלף.** (ובד"ה א' כ"א ה') הוא אומר אלף אלפים ומאה אלף. באגדת אמוראים מצינו אמר רבי יהושע בן לוי הכתובים מוסיפין כאן מה שחסרו כאן אלו ב' שבטים שלא נמנו שכך כתיב בדברי הימים (א' כ"א ו') ולוי ובנימן לא פקד בתוכם כי נתעב דבר המלך את יואב. אמר יואב באלו אני יכול להשמט

מהר"י קרא

לדן יען ומתמן אסתח' לצידון: (ט) ויתן יואב [את] מספ' מפקד העם. מספר כל העובר על הפקודים. ומדרשו. אם מספר למה מפקד. אלא שני שטרי אנפריאות עשה קטנה וגדולה אמר אראנו את הקטנה ואם יכעוס אראנו הגדולה לכך נאמר מפקד ל' חסרון בפסיקתא: ותהי ישראל. ותהי קבצת ישראל אומה של ישראל. כגון ותהי ארם עבדים לדוד. ותהי תשש כוחר כנקבה: ישראל שמונה מאות אלף [וגו'] ואיש יהודה חמש

רד"ק

צידון. כתרגומו דמתמן אסתחר לצידון: (ז) מבצר צור. מבצר שהיה בצור גבוה ועל כן נקרא מבצר צור וכן הוא נזכר בספר יהושע בנחלת בני אשר ועל עיר מבצר צור: וכל ערי החוי והכנעני. שהיו יושבים בהם חוי וכנעני עם ישראל שלא הורישם בני ישראל והיו למס: (ט) את מספר מפקד העם. כתרגומו ית חושבן מנין עמא והוא כפל דבר לחזק ובא סמוך על סמוך כמו מבחר וטוב לבנון נהרי נחלי דבש וחמאה: ותהי ישראל. ותהי עדת ישראל וכן ותהי מואב לדוד לעבדים: שמנה מאות אלף איש חיל וגו' ואיש יהוד' חמש מאות אלף איש. ובדברי הימים ויהי כל ישראל אלף אלפים ומאה אלף ויהודה ארבע מאות ושבעים אלף מצאנו באגדה אמר רבי יהושע בן לוי הכתובים מוסיפים כאן מה שחסרו כאן אלו שני שבטים

מצודת דוד

מקום סובב עלמו והלך אל לידון: (ז) מבצר צור. מבלר חזק שעומד על הלור: וכל ערי החוי והכנעני. ר"ל הערים אשר החוי והכנעני יושבים בהר בתוך בני ישראל: באר שבע. אל באר שבע: (ט) מספר מפקד. כפל המלה בשמות נרדפים לתוספות ביאור וכן אדמת עפר (דניאל י"ב): שמונה מאות אלף. ובדברי הימים נא' אלף אלפים ומאה אלף על כי עזרא כלל עמהם גם בני בנימין ובני

מצודת ציון

השמק: (ח) וישוטו. הלכו אנה ואנה:

and round about to Zidon. 7. And they came to the stronghold of Tyre, and to all the cities of the Hivites, and of the Caananites; and they went out to the South of Judah, to Beer-sheba. 8. And they had gone to and fro throughout the entire land, and they came at the end of nine months and twenty days [back to] Jerusalem. 9. And Joab presented the sum of the number of the people to the king; And Israel consisted of eight hundred thousand valiant men

Commentary Digest

to Dan — "*among the children of Dan.*" — R.

9. *sum of the number* — R quotes the Midrash which seeks to find meaning in the repetitive expression 'sum-number' since either 'number of the people' or, 'sum of the people' should have sufficed: "*If sum why number? And if number, why sum? Joab* (attempting to minimize the harm that would come upon the counted) *made two lists, a large and a small one. He said*: *'I shall show him the small one but if he gets angry then I will show him the larger one'. This is why it says* מפקד *which is an expression of lacking. So it is explicated in the Pesikta.*" — R from Pesikta. R. *loc cit.*, Num. R. Ch. 2, and M. Sam. Ch. 30. A suggests that the larger list included the tribes of Levi and Benjamin while the smaller list excluded them.. See below. M. explains that מפקד is a sum of all those counted, while מספר is a detailed tribe by tribe or city by city accounting. Joab thus sought to give the more general sum in order to avoid enumerating each individual.

and Israel consisted — Heb. ותהי in feminine gender: "*Their strength ebbed as that of a female.*" — R from M.S. Ch. 30. R suggests here that the negative effect of the census was felt immediately upon its completion.

eight hundred thousand valiant men — R attempts to reconcile the huge discrepancies between the sum provided here and that of I Chron: "*Now in I Chronicles* 21:5 *it is written 'one million, one hundred thousand'. In the Aggadah of the Amoraim* (the post-Mishnaic rabbis of the Talmud) we find: R. *Joshua the son of Levi said*: *The verses add here what they omitted elsewhere,* [i.e.] *the two tribes that were not counted, for it is written in I Chronicles* (2:6): *But Levi and Benjamin he did not number among them; for the king's word was abominable to Joab. Joab said, 'From these I can free myself by claiming that the tribe of Levi is not* (to be) *counted among the other tribes but from one month and above* (while the other tribes were counted from ages twenty

חֶרֶב וְאִישׁ יְהוּדָה חֲמֵשׁ־מֵאוֹת אֶלֶף
אִישׁ׃ י וַיַּךְ לֵב־דָּוִד אֹתוֹ אַחֲרֵי־כֵן סָפַר
אֶת־הָעָם * וַיֹּאמֶר דָּוִד אֶל־יְהוָה חָטָאתִי
מְאֹד אֲשֶׁר עָשִׂיתִי וְעַתָּה יְהוָה הַעֲבֶר־

גְבַר שָׁלְפֵי סַיְפָא וֶאֱנָשׁ
יְהוּדָה חֲמֵשׁ מְאָה אַלְפִין
גִבְרָא׃ י וְחַשׁ דָוִד
בְּלִבֵּיהּ בָּתַר כֵּן דִמְנָא
יַת עַמָא וַאֲמַר דָוִד קֳדָם
יְיָ חָבֵית לַחֲדָא דַעֲבָדִית
הָדָא וּכְעַן יְיָ אַעֲבַר כְּעַן
יָת

מהר"י קרא פב"פ

מאות אלף. ובד"ה ויהי כל ישראל אלף אלפים ומאה [אלף] איש שולף חרב. בהגדת אמוראים מצינו אמר ר' יהושע בן לוי, [הכתובים מוסיפין כאן] ממה שחיסרו כאן אלו שני שבטי' שלא נמנו שכן הוא אומר בד"ה ולוי ובנימן לא פקד בתוכם כי נתעב דבר המלך אל יואב. אמר באלו אני יכול לישמט ולומר שבט לוי לא נמנה בתוך בני ישראל. כי אם מבן חודש ומעלה. ובנימן דיו שחסר וכל' בפלגש בגבעה. ובל"ב מדות דר' אליעזר בן ר' יוסי הגלילי שנינו כתיב אחד אומר שמונה מאות אלף וכתיב אחר אומר אלף אלפים ומאה אלף נמצא ביניהם ג' מאות אלף. ומה טיבן בא הכתו' השלישי והכריע ביניהן. ובני ישראל למספרם ראשי האבות ושרי האלפים והמאות [וגו'] לכל דבר המחלקו' הבאה והיצאת חדש בחדש לכל חדשי השנה המחלק' האחת עשרים וארבעה אלף. מלמד שאלו ג' מאות אלף היו כתובים בנימוסו של מלך ולא היו צריכים למנית. כיצד כ"ד אלפים לכל חדש הרי כאן מאתי' ושמונים ושמונה נשתיירו י"ב אלפים הם נשיאי ישראל. ואני אומר לפי פשוטו נ"ל שאין להקשות כי כאן נראה ותהי ישראל שמונה מאות אלף. אבל בד"ה כתיב ויהי כל ישראל אשר מנה כאן ואיש יהודה חמש מאות [אלף] איש (זה ייתור) [ייתור זה] שעל ד' מדות וע' אלף **איש שולף חרב**. אינו (על פי) [שולפי] חרב אלא שומרי הכלים של גבורי יהודה המספקים לגבורים מים ומזון: **(י) ויך לב דוד אותו**. תרג' וחש דוד בלביה **אחרי כן**. לאחר שספר אותם פעמים מנין זה המועט תחלה ולא פקד בתוכ' לוי ובנימן ושוב

רש"י

ולומר שבט לוי אינו נמנה במנין שאר שבטים כי אם מבן חודש ומעלה ובנימן דיו שנחסר וכלה בפלגש בגבעה. ובשלשים ושתים מדות דר' אליעזר בנו של רבי יוסי הגלילי שנינו כתוב אחד אומ' ויהי כל ישראל אלף אלפים ומאה אלף ויהודה ד' מאות ושבעי' אלף וכתוב אחד אומר ותהי ישראל שמונה מאות אלף ואיש יהודה ה' מאות אלף נמצא ביניהם ג' מאות אלף אלו ג' מאות אלף מה טיבן בא הכתוב הג' והכריע (שם כ"ז א') ובני ישראל למספר ראשי האבות ושרי האלפים והמאות ושוטריהם המשרתים את המלך לכל דבר המחלקות הבאה והיוצאת חדש בחדש לכל חדשי השנה המחלקות האחת כ"ד אלף. מלמד שאלו ג' מאות אלף היו הכתובים בנימוסו של מלך ולא היו צריכין לימנות כיצד עשרים וארבעה אלף לשנים עשר הרי כאן מאתים ושמונים אלף ושמונת אלפים נשתיירו שנים עשר אלף הן הן נשיאי

רד"ק

שלא נמנו שכך כתוב בדברי הימים ולוי ובנימן לא פקד בתוכם כי נתעב דבר המלך אל יואב אמר יואב באלו אני יכול להשמט ולומר שבט לוי אינו נמנה במניין שאר השבטים כי אם מבן חדש ומעלה ובנימן דיו שחסר וכלה בפלגש בגבעה ולזה הפי' פסוק זה ולוי ובנימן לא פקד בתוכם בכאן היה לו לכתוב אותו לא בדברי הימים כי כאן הוא חסר המספר והיה לתת טעם לחסרון גם לחסרון שחסרו בני יהודה בדברי הימים לא נתן טעם ובשלשים ושתים מדות דרש רבי אליעזר בנו של רבי יוסי הגלילי אומר בשני כתובים המכחישים זה את זה יבא הכתוב השלישי ויכריע ביניהם כיצד כתוב אחד אומר ויהי כל ישראל אלף אלפים ומאה אלף ויהודה ארבע מאות ושבעים אלף וכתוב אחד אומר ותהי ישראל שמנה מאות אלף ואיש יהודה חמש מאות אלף נמצא ביניהם שלש מאות אלף אלו ג' מאות אלף מה טיבן בא הכתוב השלישי והכריע ובני ישראל למספרם ראשי האבות ושרי האלפים והמאות ושוטריהם המשרתים את המלך לכל דבר המחלוקת הבאה והיוצאת חדש בחדש לכל חדשי השנה המחלוקת האחת כ"ד אלף מלמד שאלו שלש מאות אלף היו הכתובים בנימוסו של מלך ולא היו צריכים להמנות כיצד ארבעה ועשרים אלף לשנים עשר הרי כאן מאתים ושמונים אלף ושמונת אלפים נשתיירו י"ב אלף הן הן נשיאי ישראל והשליכם הכתיב מכאן וחזר וכללן להלן וגם זה לא נתן טעם לחסרון מספר יהודה שנמצאו בדברי הימים חסרים שלשים אלף ואפשר שאותם שלשים אלף אלו מתו במגפה כי שבעים אלף היו המתים במגפה ושלשים אלף מהם היו מיהודה ומתו כל כך מיהודה לפי שהוא שבטו של דוד והוא היה הסבה או היו באותו שבט רוב החוטאים. ובדרש עוד שני פתקי' עשה יואב אחד מרובה ואחד מועט אמר אם מקבל הוא את המועט טוב ואם לאו אני נותן לו את המרובה: **(י) ויך לב דוד אותו**. כתרגומו וחש דוד בליביה כלומר חשש על העון שעשה שיקרהו עונש בזה לו ולישראל והכה לבו אותו בעבור זה כלו' הומה וחרד לבו ונתחרט ובקש רחמים מהאל שיעביר עונו: **אחרי כן ספר**. אשר ספר וכמוהו רבים:

מצודת ציון

(י) אחרי כן. אחר אשר וכן כי על כן באו (בראשית י"ח) ר"ל על

מצודת דוד

לוי אבל יואב לא מנה אותם בתוך בני ישראל כמ"ש בדברי הימים: **שולף חרב**. ר"ל אנשי המלחמה: **חמש מאות אלף**. ובדברי הימים נאמר ד' מאות ושבעים אלף על כי שם נאמר שולף חרב והם לא היו כי אם ד' מאות ושבעים אלף אבל כאן חושב את כולם אף אותם אשר לא היו שולפי חרב ועמהם היו כמספר חמש מאות אלף: **(י) ויך לב דוד אותו**. ר"ל המס נבו וחרד על אשר לוה למנותם על כי הדבר הזה הוא סבה להביא עליהם הנגף וכמ"ש ונתנו איש כופר נפשו וגו' ולא יהיה בהם נגף (שמות ל') אבל בלא כופר הנה הנגף מעותד לבוא: **חטאתי מאד אשר עשיתי**. ר"ל במה שעשיתי סבה להביא הנגף על העם הנה בזה חטאתי מאוד: **העבר נא וגו'**. ר"ל לא

that drew the sword; and the men of Judah were five hundred thousand men. 10. And David's heart smote him after he had counted the people. And David said to the Lord: I have sinned greatly in what I have done; and now, 'O Lord, put aside

to fifty). *Now concerning Benjamin it is enough that they were diminished and* (nearly) *destroyed in the incident of the Concubine in Gibeah* (Jud. Ch. 20). *Also in the thirty-two rules* (of interpretation) *of R. Eliezer the son of Rabbi Yosi of Galilee we learned: One verse states that 'all of Israel were one-million and one-hundred thousand . . . and Judah was men', while another verse states that 'Israel consisted of eight hundred thousand . . . and the men of Judah were five hundred thousand.' We thus find a discrepancy of three hundred thousand between them. What is to be said concerning these three hundred thousand? Comes the third verse* (in I Chron. 27:1) *and clarifies, 'And the children of Israel after their number, the heads of father's houses and the captains of thousands and of hundreds, and their officers that served the king, in any matter of the divisions which came in and went out month by month throughout all the months of the year, of each division were twenty-four thousand'. We learn from here that these three hundred thousand were written in the royal record and required no* [additional] *accounting. How* (do we derive this sum)? *Twenty-four thousand* (multiplied) *by twelve* (tribes) *totals two-hundred and eighty-eight thousand, leaving twelve thousand who were the rulers of Israel'."* — R from Pesik R. *loc. cit.*

A suggests that the Chronicler was not interested in citing the exact sum and merely stated the round number of five hundred thousand.

in what I have done — For risking a plague upon the people — D.

נָא אֶת־עֲוֺן עַבְדְּךָ כִּי נִסְכַּלְתִּי מְאֹד׃
יא וַיָּקָם דָּוִד בַּבֹּקֶר * וּדְבַר־יְהוָה הָיָה
אֶל־גָּד הַנָּבִיא חֹזֵה דָוִד לֵאמֹר׃ יב הָלוֹךְ
וְדִבַּרְתָּ אֶל־דָּוִד כֹּה אָמַר יְהוָה שָׁלֹשׁ
אָנֹכִי נוֹטֵל עָלֶיךָ בְּחַר־לְךָ אַחַת־מֵהֶם
וְאֶעֱשֶׂה־לָּךְ׃ יג וַיָּבֹא־גָד אֶל־דָּוִד וַיַּגֶּד־
לוֹ וַיֹּאמֶר לוֹ הֲתָבוֹא לְךָ שֶׁבַע־שָׁנִים ׀
רָעָב ׀ בְּאַרְצֶךָ וְאִם־שְׁלֹשָׁה חֳדָשִׁים
נֻסְךָ לִפְנֵי־צָרֶיךָ וְהוּא רֹדְפֶךָ וְאִם־הֱיוֹת
שְׁלֹשֶׁת יָמִים דֶּבֶר בְּאַרְצֶךָ עַתָּה דַּע

יָת חוֹבָא דְעַבְדָךְ אֲרֵי
אִתְּפַּכָּלִית לַחֲדָא׃ יא וְקָם
דָּוִד בְּצַפְרָא וּפִתְגָם
נְבוּאָה מִן קֳדָם יְיָ הֲוָהִי
עִם גָּד נְבִיָּא חָזְיָא דְדָוִד
לְמֵימָר׃ יב אֱזִיל וּתְמַלֵּיל
עִם דָּוִד כְּדְנַן אֲמַר יְיָ
חֲדָא מִתְּלַת אֲנָא רָמֵי
עֲלָךְ בְּחַר לָךְ חַד מִנְהוֹן
וְאֶעְבֵּד לָךְ׃ יג וַאֲתָא גָד
לְוַת דָּוִד וְחַוֵּי לֵיהּ וַאֲמַר
לֵיהּ הֲתֵעוֹל לָךְ שְׁבַע
שְׁנִין כַּפְנָא בְּאַרְעָךְ אִם
תְּלָתָא יַרְחִין תְּהֵי עֲרִיק
קֳדָם סָנְאָךְ וְהוּא רָדִיף
לָךְ וְאִם מֶהֱוֵי תְּלָתָא
יוֹמִין מוֹתָא בְּאַרְעָךְ כְּעַן
דע

פב"פ

רש"י

ישראל: (יב) שלש אנכי נוטל עליך. אחת משלש וכן: בשתים תתחתן בי היום (שמואל א׳ י"ח כ"א) באחת משתי׳. שלש אני נוטל עליך כנגד שלש שהטלת על שאול כי אם ה׳

מהר"י קרא

צירפן עם ישראל ועלו למנין דברי הימים. ועל כן חרה אף ה׳ בישראל שנאמר בד"ה וירע בעיני האלהים על הדבר הזה ויך את ישראל: (יב) שלש אנכי נוטל עליך. אלו ג׳ כנגד אלו ג׳ שאמר כי אם ה׳ יגפנו או יומו יבא ומת או במלחמ׳ ירד ונספה:

רד"ק

(יא) ויקם דוד בבקר. לא שכב לבו בלילה יקם בבקר והנה בא אליו גד הנביא בדבר ה׳ שנגלה אליו בלילה: חוזה דוד. כי נבואותיו היו לדוד ועל ידו היה מדבר הקב"ה עם דוד ואע"פ שלא נכתבו מנבואותיו אלא זאת: (יב) ודברת אל דוד. כשהיה חוטא היה אומר אל דוד וכשרצ׳ לבנות הבית אמר לך ואמרת אל עבדי דוד: שלש אנכי נוטל עליך. כתרגומו חדא מתלת וכן אמר בחר לך אחת כהם ואמר שלש לשון נקבה כלומר שלש גזירות לפיכך כתבה גם כן לשון נקבה: (יג) שבע שנים. ובדברי הימים שלש שנים לא אמר לו אלא שלש אלא מה שאמר שבע לפי שזה הענין היה אחר שלש שני רעב שהיו בימי דוד שנה אחר שנה והנה אם יהיו עתה שלש שנים אחרים הנה יהיו שש שנים והשביעית אע"פ שירד בה מטר לא תכלם בלא רעב שנה שתבא אחר שש שנים רעב ועוד כי עד עת הקציר לא יהיה להם לחם בשביעית: והוא רודפך. שלא יהיה לך תקומה מפניו צריך שיכירו הכל כי מאת האל הוא והוא רודפך:

מצודת דוד

ימותו לשחת וא"כ ממילא יעבור העון וילך לו הואיל ולא יבא הנגף: כי נסכלתי מאד. ר"ל הלא אני עשיתי סכלות גדול מאוד למנותם בלא כופר נפש ומה שטעו הם לפימותו במגפה וכאשר לא ימותו לא ימלא כי עון: (יא) ויקם דוד בבקר. ר"ל מיד כאשר קם דוד בבוקר הי׳ דבר ה׳ אל גד וגו׳: חוזה דוד. נקרא כן על כי כל נבואותיו לא היה רק לדוד ולא לזולת: (יב) שלש. ר"ל אחת משלש וכן בשתים תתחתן בי (ש"א י"ח) ור"ל באחת משתים: (יג) התבוא. זה רולה אתה אשר תבוא ז׳ שנים רעב תמורת הנגף המעותד לבוא בעבור המנין מבלי כופר. ובד"ה נאמר שלש שנים כי באמת לא אמר רק שלש שנים אבל על כי כבר עברו שלש שנים רעב בעבור דבר הגבעונים א"כ הרי ששה שנים ותמשך עוד ממילא בשנה השביעית עד זמן הקציר: ואם שלשה וגו׳. רלה לומר או אם תרלה לקבל להיות שלשה חדשים וגו׳: שלשת ימים דבר. ר"ל יקבל כדבר להיות

מצודת ציון

אשר כאו: נסכלתי. מל׳ סכלות ושטות: (יב) נוטל עליך. מוטה עליך וכן ונטל החול (משלי כ"ו): (יג) התבוא. בה"א השאלה: נסך.

Commentary Digest

the seven would have coincided with David's reign.

A queries regarding the obvious similarity of the judgments; *three* years famine (based on above Commentary Digest), '*three* months that you shall flee before your oppressors; and *three* days pestilence. He suggests that the aforementioned M.Ps. (See Commentary Digest, above v. 12) which attributes the three judgments to David's desire that one of three calamities befall Saul, may also provide us with the reason for the continued repetition of the number three. Based upon his previous contention that this calamity was due Israel for their support of Sheba the son of Bichri, A further conjectures that perhaps the three correspond with the three occasions in which the Israelites failed to support David;

please, the iniquity of your servant, for I was very foolish!
11. And David rose up in the morning; and the word of
the Lord came to Gad the Prophet, the seer of David, saying:
12. "Go and speak to David, 'So says the Lord, "Three things
I offer you, choose for yourself one of them, and I shall do
it to you'." 14. And Gad came to David and he told
him, and he said to him, "[Do you prefer] that seven years
of famine in your land shall come upon you? or three months
that you shall flee before your oppressor while he pursues
you? or, that there be three days pestilence in your land?
Now know

Commentary Digest

11. *the seer of David* — Since all the prophecies received by Gad concerned David, the verse refers to him as David's personal prophet. — K.

12. *three things I offer you* — "*One of three. The same with 'with two you shall become my son-in-law,* (where the intent is) *with one of two.*" — R.

"*three things I offer you — Coinciding with the three that you wished* (lit. placed) *upon Saul: 'the Lord will smite him; or his day will come and he will die; or, he will go down to war and perish'* (I Sam. 26:10)" — R from M.Ps., Ps. 17.

Rabinowitz conjectures that the present choice of plague, famine, or defeat in battle corresponds in full to the three that David had wished upon Saul, the meaning of the first two being obvious while 'his day will come' suggests a decline from his present state of prosperity, and therefore corresponds with the choice of famine.

13. *seven years of famine* — In I Chronicles however, the initial choice offered David was not seven but 'three years of famine'. K explains that the choice was offered David one year after the conclusion of the previous draught that had come upon Israel (See above Ch. 21). Consequently, had David chosen famine, a new three year period of suffering, coupled with the previous three year period, plus the one intermittent year of respite which would surely have proven insufficient for economic recovery, would have resulted in a full seven year famine. M. contends that the incident transpired three years prior to David's death. Thus, while the famine was intended for a duration of seven years, only three of

וּרְאֵה מָה־אָשִׁיב שֹׁלְחִי דָּבָר: יד וַיֹּאמֶר
דָּוִד אֶל־גָּד צַר־לִי מְאֹד נִפְּלָה־נָּא בְיַד־
יְהוָה כִּי־רַבִּים רַחֲמָו וּבְיַד־אָדָם אַל־
אֶפֹּלָה: טו וַיִּתֵּן יְהוָה דֶּבֶר בְּיִשְׂרָאֵל
מֵהַבֹּקֶר וְעַד־עֵת מוֹעֵד וַיָּמָת מִן־הָעָם
מִדָּן וְעַד־בְּאֵר שֶׁבַע שִׁבְעִים אֶלֶף
אִישׁ: טז וַיִּשְׁלַח יָדוֹ הַמַּלְאָךְ ׀ יְרוּשָׁלַםִ

תרגום

דַע וַחֲזֵי מָה אָתֵיב שַׁלְחִי
פִּתְגָמָא: יד וַאֲמַר דָוִד
לְגָד עָקַת לִי לַחֲדָא
נִתְמְסַר כְּעַן בְּיַד מֵימְרָא
דַיְיָ אֲרֵי סַגִיאִין רַחֲמוֹהִי
וּבִידָא דֶאֱנָשָׁא לָא
אִתְמְסַר: טו וִיהַב יְיָ
מוֹתָא בְּיִשְׂרָאֵל מֵעִידָן
דְמִתְנַכֵס תְּמִידָא וְעַד
דְמִתְסַק וּמִית מִן עַמָא
מִדָן וְעַד בְּאֵר שֶׁבַע
שַׁבְעִין אַלְפִין גַבְרָא:
טז וְאוֹשִׁיט יְדֵיהּ מַלְאָכָא

ת"א ויתן ה׳ דבר. ברכות כב יומא כג:

רחמיו קרי ועליו קרי

מהר"י קרא

(יד) צר לי מאד. הקטנה שבהם קשה מאד: נפלה נא ביד ה׳. הדבר ולא החרב והרעב שגם הוא מסור לעשירי׳ ואוצרי פירות. אמר ר׳ אלכסנדרי אמר דוד אם אני בוררו החרב עכשיו ישראל אומרים בטח בגבוריו שהוא לא ימות והאחרים ימותו. ואם אני בורר הרעב הם יאמרו בוטח בעשרו. אברור לי [דבר] שהכל שוין [בו]: (טו) מהבקר ועד עת מועד. כתרגומו מעידן

רש"י

יגפנו או יומו יבא ומת או במלחמה ירד ונספה (שמואל א׳ כ"ו י׳): (יד) צר לי מאד. הקטנה שבהם קשה מאד: נפלה נא ביד ה׳. הדבר ולא החרב והרעב שגם הוא מסור לעשירים אוצרי פירות אמר רבי אלכסנדרי אמר דוד אם אני בורר לי החרב עכשיו ישראל אומרי׳ הוא בוטח בגבוריו שהוא לא ימות והאחרים ימותו ואם אני בורר הרעב יאמרו בוטח הוא בעושרו אברר לי דבר שהכל שוין בו: (טו) מהבקר

רד"ק

(יד) נפלה נא ביד ה׳. זהו הדבר כמו הנה יד ה׳ הויה ועוד כי ברעב אף על פי שהוא ביד ה׳ יפלו גם כן ביד אדם שילכו למצרים או לשאר ארצות לשבור בר ולחם אבל הדבר אין בו אלא יד השם לבד לפיכך המובן מפלת ביד ה׳ הוא הדבר לפיכך בחר הוא בדבר כי הוא ביד ה׳ לבד אבל בשנים היה חרפה בגוים בנוסם לפני אויביהם ונגפים לפניהם וכן ברעב כי היו הולכים בארצות הגוים והיו חרפה בהם וכן אומר הכתוב ולא אתן אתכם עוד חרפת רעב בגוים. ובדרש חשב דוד בדעתו ואמר אם בוחר אני רעב עכשיו כל ישראל אומרים כה איכפת לו לבן ישי על אוצרותיו הוא בוטח וישראל ימותו ברעב ואם בורר אני חרב עכשיו ישראל אומרין כה לו על גבוריו הוא בוטח שהם יצאו למלחמה הם ימותו והוא ינצל אמר יבא דבר שהכל שוין בו. ד"א אם בורר אני רעב עכשיו כל ישראל מוכי רעב בדרכים אם בורר אני חרב עכשיו כל ישראל מוכי חרב בדרכים יבא דבר. וי"א גד רמז לו דע וראה מה אשיב שולחי דבר דבר הוא דבר באותיות: (טו) מהבקר ועד עת מועד. כתרגום מעידן דמתנכים תמידא ועד דמתסק ויש מרז"ל שפירשו עד חצי היום והוא עת מועד ממועדי השמש כי זריחתו מועד אחד וחצי היום מועד אחר ובא השמש מועד אחר ומהם אמרו משהאיר מזרח עד הנץ החמה והנה מרחמי האל קצר זמן הדבר שהרי אמר לו ג׳ ימים ולא היה אלא מהבקר ועד עת מועד. ובדרש ויתן ה׳ דבר שלשים וששה שעות של פורענות נגזר עליהם באותו היום באו פרקליטין גדולים ובטלו אותם ואלו הן חמשת ספרי תורה שבעת ימי השבת ח׳ ימי ברית מילה וזכו׳ שלשת אבות נשתיירו שלשה עשרה תרי אמוראי חד אמר בזכות שנים עשר שבטים וחד אמר בזכות עשרת הדברות ושני לוחות נשתיירה שם שעה אחת רבי חייא אמר משחיטת התמיד עד זריקת דמו: (טז) וישלח ידו המלאך. הראה הקב"ה דמות מלאך והרבו שלופה בידו נטוי׳ על ירושלים והעבידו סמוך לגרן ארונה היבוסי כדי שיראהו דוד שם ויתפלל ויעתר לו האל במקום ההוא ותעצר המגפה ויהיה סימן לדוד כי שם הוא מקום העזרה ושם יהיה

מצודת ציון

תהיה גם וכולה: (יד) צר. מלשון לרה ודחק: (טו) מועד. זמן:

מצודת דוד

זמן מוגבל בהשגחת המקום: וראה. כראיית הלב וההבנתה: שלחי. לשלחי והיא המקום כ"ה: (יד) צר לי מאד. כאומר הלא כולם קשות הם למאוד ועכ"ז נפלה ביד ה׳ זו הדבר כי רחמיו מרובים ורחם ירחם: וביד אדם. כי גם בעבור הרעב ילטרכו לבני אדם והמה לא ירחמו: (טו) מהבקר. מעת הבוקר בבחר הנבואה אל גד כמ"ש למעלה ומיד אמרה לדוד ובחר בדבר ואז התחיל הדבר והתמיד עד עת אותו מועד למהרתו: (טז) וישלח. המלאך המשחית בעת שלח ידו להשחית גם אנשי ירושלים ואז נחם ה׳ וגו׳: רב עתה.

Commentary Digest

voking thirty-five hours, all but one hour of the decree, in which time seventy thousand Israelites died. This Midrashic tradition is also the basis of R's translation: "*from the time when the daily burnt-offering was slaughtered until its blood was sprinkled*" (R from J) which is an hour's duration (See also T.B. Ber. 62b). Others suggest that the pestilence lasted from morning until noontime, or six hours. (T.B. Ber, *Ibid.*). M aptly indicates that those who contend the plague was of one hour's duration, suggest that it was originally intended to strike at all Israel since the seventy thousand who perished in the one hour, multiplied hours of the duration of the plague by seventy-two, (the number of had it lasted a full three days), would total 5,040,000, or the approximate

and consider what I shall reply to Him that sent me. 14.
And David said to Gad; "I am greatly oppressed; let us fall
now into the hand of the Lord; for His mercies are great; but
into the hand of man let me not fall." 15. So the Lord
sent a pestilence upon Israel from the morning until the
appointed time; And there died of the people from Dan to
Bee-sheba seventy thousand men. 16. And the angel
stretched out his hand toward Jerusalem

Commentary Digest

(1) When they supported Ish-bosheth; (2) On the occasion of Absalom's rebellion; (3) When they supported Sheba the son of Bichri.

13. *I shall reply to Him that sent me* — Heb. מה אשיב שלחי דבר. K suggests that Gad cleverly hinted to David that his best choice would be pestilence since 'davar' and 'dever' (pestilence) consist of the same letters.

14. *I am greatly oppressed* — "*Even the least of them is very harsh.*" — R, and J.K.

hand of the lord — pestilence, as it is written: 'Behold, the hand of the Lord is upon your cattle (Ex. 9:3)' R explains why, of the three, only pestilence can be totally attributed to the Lord and not man. "*Pestilence, but not sword or famine, for it, too, is* (partially) *in the hands of the wealthy who store produce* (who may choose to make their produce accessible to the public.

Rabbi Alexandri said: '*Said David*: *If I should choose the sword, the Israelites would then say that he depends on his mighty warriors that he will not die and only others will die. If I should choose famine they will say he depends on his wealth. Let me therefore choose pestilence in which all are equal.*" — R from Pesik, R. *loc. cit.*

for His mercies are great — God is more merciful than man. If, therefore, I choose that which is in His hands alone, I can expect mercy. — D.

15. *from the morning until the appointed time* — Though the pestilence was to last three days, God mercifully eased the initial decree and reduced it to one full day, from the morning that Gad came to David until that same appointed time the next day. — D. The Midrash Pesik R. *Ibid.*) contends that initially thirty-six hours (three periods of day) of divine visitation was decreed upon Israel. Came, however, the five books of Moses, the seven days of the Sabbath, the eight days of circumcision, the three patriarchs, the ten commandments, and the two tablets, thirty five in all, and pleaded with God to spare Israel, arguing that if Israel be destroyed they too would cease to exist. Being thirty-five in number, their intercession proved successful in re-

לשחתה וינחם יהוה אל-הרעה ויאמר
למלאך המשחית בעם רב עתה הרף
ידך ומלאך יהוה היה עם-גרן האורנה
היבסי: יז ויאמר דוד אל-יהוה
בראתו | את-המלאך | המכה בעם
ויאמר הנה אנכי חטאתי ואנכי העויתי
ואלה הצאן מה עשו תהי נא ידך בי
ובבית אבי: יח ויבא-גד אל-דוד ביום
ההוא ויאמר לו עלה הקם ליהוה
מזבח בגרן ארניה היבסי: יט ויעל דוד
כדבר-גד כאשר צוה יהוה: כ וישקף

לירושלם לחבלותה
ותב יי מן בישתא ואמר
למלאכא דמחבל בעמא
מסת כען אנח ידך
ומלאכא דיי הוה שרי
בבית אידרי דארנון
יבוסאה: יז ואמר דויד
קדם יי כד חזא ית
מלאכא דמקטל בעמא
ואמר הא אנא חבית
ואנא סרחית ואלין עמא
דאינון כענא ביד רעיא
מה עבדו תהי כען
מחתך בי ובבית אבא:
יח ואתא גד לות דויד
ביומא ההוא ואמר ליה
סק אקים קדם יי
מדבחא בבית אידרי
בארנון יבוסאה: יט וסליק
דויד כפתגמא דגד כמא
דפקיד יי: כ ואסתכי

ת"א ויעל דוד (ע"ג מג):

הארונה קרי ארונה קרי

רש"י

ועד עת מועד. מעידן דמתנכים תמידא ועד דמתסק: (טז) היבוסי. שר מצודת ציון היה ששמה יבוסי: (כ) וישקף ארונה. מתחבא היה מפני המלאך כך כתוב

מהר"י קרא

דמתנכים תמידא עד דמתסק: (טז) היבוסי. שר מצודת [ציון] היה ששמה יבוסי: (כ) וישקף ארונה. מתחבא היה ארונה מפני המלאך שראה. [כדכתיב] בדברי הימים וישב ארנן וירא את המלאך וארבעת בניו עמו מתחבאים וארנן דש חטים:

רד"ק

בית המקדש ושם בית התפלה והעבודה כמו שצוה לו האל על ידי גד להקים שם מזבח ושם נעתר לו באש שירד מן השמים על העולה כמו שאומר בדברי הימים: אל הרעה. כמו על הרעה ורבים כמוהו: רב עתה הרף ידך. די במגפה אל תשחת ירושלם. ויש בו דרש אמר לו הקדוש ברוך הוא למלאך טול הרב שבהם באותה שעה מת אבישי בן צרויה ששקול כרובה של סנהדרין: עם גורן. סמוך לגורן: האורנה. כתוב בוי"ו קודם לרי"ש וקרי הארונה רי"ש קודם לוי"ו ואחד הוא כי רבים כמוהו בהפוך האותיו' ומה שאמר אדם בה"א הידיעה הוא שלא כמנהג ואפשר שהוא שם תואר: (יח) עלה. לפי שגרן ארונה שהיה מקום בית המקדש הוא במעלה כנגד ירושלם: (יט) כדבר גד. בכ"ף ובדברי הימים בדבר גד בבי"ת:

רלב"ג

(טז) למלאך המשחית בעם. ידמה לפי מה שאחשוב שזה המלאך היה נביא ולזה היה נראה בהקין לדוד והוא היה משחית בעם כמלו' הש"י על דרך מאמר הנביאים ללוט כי משחיתים אנחנו את העיר והיה נראה לדוד שתהי' חרבו בידו נטויה על ירושלם להעיר על שהוא היה מביא הדבר שם במלאכות ה' ואחשוב שזה המלאך היה פנחס בן אלעזר בן אהרן כי הוא היה חי בימי דוד כאמרו הוא פנחס בן אלעזר בן אהרן הכהן נגיד על האוצרות לפנים וה' עמו וכבר ביארנו כמה שקדם בספר שופטים במקומות רבים שנזכר שם ביאת מלאך ה' שהוא היה פנחס והוא אמר לגד שהיה לדוד אומר שיבנה מזבח בגרן ארונה כמו שנזכר בספר דברי הימים ומלאך ה' אמר אל גד לאמר וגו': (יח) והנה גרן ארונה היה בהר המוריה כמו שנזכר בספר דברי הימים וידמ' שנבחר זה המקום להיות בו בית המקדש

מצודת דוד

די עתה כמה שמתו וסרף ידך מלהשחית עוד כזאת כי אם מעט מעט: היה עם גורן. היה עומד סמוך לגורן וגו': היבוסי. מבני יבוס ולרז"ל שהיה גר צדק: (יז) אנכי חטאתי. ר"ל אני הסיבה בהמגפה הזאת: ואלה הצאן. ר"ל בני העם: ידך. מכת ידך זו הדבר: (יח) ויאמר לו. בדבר ה': (יט) ויעל דוד. אל הגורן אשר עמד

מצודת ציון

(טז) וינחם ה'. ענין הפוך מחשבה: רב. ענינו כמו די וכן רב לך (דברים ג'): הרף. מל' רפיון: (יז) העויתי. מלשון עון: (כ) וישקף.

Commentary Digest

half of Israel, coupled with the stay of the pestilence on Aravnah's field and the ensuing command to erect a sacrificial altar on this site, indicated to David in unmistakable terms that this threshing floor was destined to become the cite of the Holy Temple, the permanent place of entreaty and sacrifice for the Israelite nation.

G renders מלאך as 'prophet of God'. A prophet of God appeared on the threshing-floor of Aravnah the Jebusite with sword outstretched in the direction of Jerusalem to indicate symbolically that God was about to destroy it.

to destroy it, and the Lord regretted the evil, and he said to the angel that destroyed among the people, "It is enough; now stay your hand." And the angel of the Lord was by the threshing-floor of Aravnah the Jebusite. 17. And David said to the Lord when he saw the angel that smote among the people, and he said, "Behold I have sinned, and have acted iniquitously; but these sheep, what have they done? I beg that Your hand be against me, and against my father's house." 18. And Gad came to David on that day, and said to him, "Go up to erect an altar to the Lord in the threshing-floor of Aravnah the Jebusite." 19. And David went up according to the word of Gad, as the Lord had commanded. 20. And Aravnah looked afar

Commentary Digest

amount of people, men women and children, in all Israel. This fact is clearly indicated by the previously cited Midrash where it is mentioned that the intercessors on Israel's behalf feared that *all* of Israel would be destroyed if God would not ease the plague. According to the alternate Midrashic opinion that the plague lasted six hours, a projection of the death toll for seventy-two hours (or twelve times as long as its actual duration) would render 840,000, the approximate sum of the Israelite warriors in Joab's census. It is therefore plausible to assume that this argument hinges upon the previously cited debate whether the cause of the plague was the failure to support David, or the people's disinterest in the building of the Temple. If it was the latter reason then all Israel was at fault and deserved to die in the plague. If, however, the plague was caused by the Israelite failure to support David, then the warriors of Judah were blameless since they had generally remained loyal to David. Thus the plague was designed to strike only at the Israelite warriors who at the slightest provocation forsook David.

16. *And the angel stretched out his hand toward Jerusalem* — An angel appeared on the threshing-floor of Aravnah the Jebusite with sword outstretched ready to strike at Jerusalem. K explains that God intended that David see the angel and pray that the slaughter come to an end. God's acceptance of David's prayers on be-

אֲרַוְנָה וַיַּרְא אֶת־הַמֶּלֶךְ וְאֶת־עֲבָדָיו
עֹבְרִים עָלָיו וַיֵּצֵא אֲרַוְנָה וַיִּשְׁתַּחוּ
לַמֶּלֶךְ אַפָּיו אָרְצָה׃ כא וַיֹּאמֶר אֲרַוְנָה
מַדּוּעַ בָּא אֲדֹנִי־הַמֶּלֶךְ אֶל־עַבְדּוֹ
וַיֹּאמֶר דָּוִד לִקְנוֹת מֵעִמְּךָ אֶת־הַגֹּרֶן
לִבְנוֹת מִזְבֵּחַ לַיהוָה וְתֵעָצַר הַמַּגֵּפָה
מֵעַל הָעָם׃ כב וַיֹּאמֶר אֲרַוְנָה אֶל־דָּוִד
יִקַּח וְיַעַל אֲדֹנִי הַמֶּלֶךְ הַטּוֹב בְּעֵינָו
רְאֵה הַבָּקָר לָעֹלָה וְהַמֹּרִגִּים וּכְלֵי
הַבָּקָר לָעֵצִים׃ כג הַכֹּל נָתַן אֲרַוְנָה

תרגום

אֲרַוְנָן וַחֲזָא יַת מַלְכָּא וְיַת
עַבְדוֹהִי עָבְרִין עִלוֹהִי
וּנְפַק אֲרַוְנָן וּסְגִיד לְמַלְכָּא
אַפּוֹהִי עַל אַרְעָא׃
כא וַאֲמַר אֲרַוְנָן מָא בֵין
אֲתָא רִבּוֹנִי מַלְכָּא לְוַת
עַבְדֵיהּ וַאֲמַר דָּוִד לְמִזְבַּן
מִנָּךְ יַת בֵּית אִידְרֵי
לְמִבְנָא מַדְבְּחָא קֳדָם יְיָ
וְיִתְכְּלֵי מוֹתָנָא מֵעַל
עַמָּא׃ כב וַאֲמַר אֲרַוְנָן
לְדָוִד יִסַּב וְיִסַּק רִבּוֹנִי
מַלְכָּא דְתַקִּין בְּעֵינוֹהִי
חֲזֵי תוֹרַיָא דִכְשֵׁרִין
לַעֲלָתָא וּמוֹרִיגַיָא וּמָנֵי
תוֹרַיָא לְאָעַיָא׃ כג כֹּלָא
יהב

תולדות אהרן

ויאמר ארונה. מגלה טו ע"ג כד זבחים קיו. מנחות כב: הכל נתן. זוהר ויקהל:

מהר"י קרא

בעיניו קרי

(כב) והמוריגים. כלי עץ מלא חריצים וכבד הוא ומעבירין אותו על הקש ומחתכו להיות תבן למאכל בהמות. כגון למורג חרוץ חדש: וכלי הבקר לעצים. ובדברי הימים והחטים למנחה הכל נתתי: (כג) ארונה המלך. מלך היבוסי היה: ירצך. יקבל

רש"י

(בדברי הימים א' כ"א כ'): (כב) והמרגים. כלי עץ מלא חריצין וכבד הוא ומעבירין אותו על הקש תמיד ומחתכו להיו' תבן למאכ' בהמה: (כג) ארונה המלך. שר היבוסי

רלב"ג

מקדש והוא המקום שבנה אברהם בו מזבח לעקד את יצחק בנו כי הוא היה גם כן בהר המוריה כמו שנזכר בתורה. והנה באר דוד לסוב תכונתו שימות הוא ובית אביו ולא ימותו ישראל אלד החטא שחטא דוד. וידמה שארונה היבוסי נתגייר ולזה נשאר בירושלים עם ישראל ואולם קראו מלך לפי שכבר היה מלך על היבוסי שהיה שם קודם שלקחו אותה ישראל מהם: (כב) המוריגים. הם כלים מפן דשים בהם התבואה: וכלי הבקר. הם הכלים שיש בהם עלים המוכנים לחרישה ולהיישיר כמו דרבן ומה שידמו לו ובספר דברי הימים זכר שכבר נתן ג"כ ארונה החטים שכבר היה בגרן למנחה ושם זכר שכלל נתן דוד במקום שקלי זהב מספר שש מאות והנה אחשוב שהגרן עם הבקר קנה דוד בכסף שקלים חמשים לבנות שם מזבח ולהעלות הבקר לעולה ואולם המקום ההוא בכללו שנבנה בית המקדש שם קנה בשש מאות שקלי זהב וזהו אמרו לפי מה שנזכר

רד"ק

(כ) אפיו ארצה. כמו על אפיו: (כב) והמוריגים. למורג חרוץ: וכלי הבקר. ושאר כלי הבקר ובדברי הימים עוד והחטים למנחה: (כג) הכל נתן. הוא נתן אבל לא רצה דוד לקבל במתנת: ארונה המלך. מלך היבוסי היושב בירושלם היה כי אף בימי דוד היה היבוסי בירושלים כמו שנשארו שם. משכבשות בני יהודה כמו שכתוב וישב היבוסי את בני יהודה בירושלים עד היום הזה והיו שם למס עובד והיו להם בתים שדות וכרמים ע"י המס שהיו עובדים לבני יהודה ובני בנימן וזה השדה והגורן היה לארונה היבוסי ורצה לתתם לדוד ולא רצה לקבלם כי אם במחיר ואף אחר שכבש דוד המצודה הניחם לשבת בעיר ירושלם אותם שהיו יושבים בעיר מתחלה למס עובד והיו שם עד שבנה שלמה את הבית וזה היבוסי לא היה מן שבע אומות אלא מפלשתים מזרע אבימלך כמו שפירשנו בספר יהושע והית מותר להניחם לשבת בארץ כיון שקבלו עליהם שלא לעבוד ע"א ושאר מצות שהוזהרו עליהם בני נח ואפי' מז' אומות היו יכולין לשבת בארץ בתנאי זה שלא יחטיאו שנאמר לא ישבו בארצך פן יחטיאו אותך לי אבל כל זמן שאינן חוטאין שקבלו עליהם ז' מצות מותר להניחם בארץ ובמקצת נסחאות התרגום

מצודת ציון

ענין הבטה וראיה: עליו. סמוך לו: אפיו. על פניו: (כא) ותעצר. ענין מניעה וכן ועצר את השמים (שם י"א כ"ב): (כב) והמרגים. הוא לוח עץ ובתחתיתו תחובים אבנים דקים ובו דשים התבואה וגם

מצודת דוד

בהר: (כא) מדוע בא. כאומר היה לך לשלוח אחרי לבוא אליך: לבנות מזבח לה'. ובאתי הנה לכבוד המקום ב"ה: ותעצר. כדי שתעצר המגפה: (כב) יקח ויעל. יקח הגורן לזבוח ויעלה עליו משלי את הטוב בעיניו ראה הבקר מוכן לעולה וגו': וכלי הבקר. וגם שאר כלי הבקר יהיו לעצים להבעיר האש על המזבח: (כג) הכל נתן. הכל נדב לתת למלך: ארונה המלך. הוא היה למלך על היבוס עד שלא כבשה דוד ומשכבשה נתגייר ונשאר עליו שם מלך: ירצך. יהיה מרוצה לך לקבל עולותיך ברצון שתעצר המגפה:

and he saw the king and his servants passing on towards him; and Aravnah went out and he bowed down to the king with his face to the ground. 21. And Aravnah said, "Why has the lord my king come to his servant?" And David said, "To acquire from you the threshing-floor, in order to build an altar to the Lord, that the plague be stayed from the people." 22. And Aravnah said to David, "Let my lord the king take and offer up what seems good in his eyes; behold the oxen for the burnt-offering and the threshing tools, and the [wooden] tools of the oxen for [fire] wood." 23. All this Aravnah the

Commentary Digest

It is enough — Do not strike at Jerusalem. — K. The reason for the plague's cessation in Jerusalem was perhaps either to show that it was destined to become the city of entreaty to which all of Israel's prayers shall be directed, or, in the opinion of those who attribute the plague to Israel's failure to support David, because Jerusalem was in the territory of the tribe of Judah who had been loyal to David.

17. *And David said to the Lord* — The order of this chapter is somewhat reversed since David's plea on behalf of his people came prior to God's command to stay the plague. — A.

I have sinned — It was my own desire to seek a census that caused the pestilence.

18. *go up* — Aravnah's threshing-floor was on the cite of the Temple Mount, thus the command to 'go up'.

Aravnah the Jebusite — According to T.B. Av. Zar. 24b he was a convert to Judaism.

20. *And Aravnah looked afar* — *"He was hiding from the angel. So it is written* (*in* I Chron. 21:20). — R.

21. *come to his servant* — It would have been more appropriate if you, as king, had requested that I come to you. — A.

to acquire from you — Though David had defeated the Jebusites in the campaign of above Ch. 5, David did not take their territory but chose, instead, to make them tributaries. Compare to Commentary Digest above 5:9.

22. *threshing tool* — *"A wooden tool full of incisions. Now this instrument is heavy and is constantly drawn over the straw so that it chops it into feed for the animals."* — R.

המלך למלך * ויאמר ארונה אל־המלך
יהוה אלהיך ירצך: כד ויאמר המלך
אל־ארונה לא כי־קנו אקנה מאותך
במחיר ולא אעלה ליהוה אלהי עלות
חנם ויקן דוד את־הגרן ואת־הבקר
בכסף שקלים חמשים: כה ויבן שם דוד
מזבח ליהוה ויעל עלות ושלמים
ויעתר יהוה לארץ ותעצר המגפה
מעל ישראל:
פב"פ

יהב ארון מלכא למלכא
די בעא מניה מלכא
ואמר ארון למלכא יי
אלהך יקביל קורבנך
ברעוא: כד ואמר מלכא
לארון לא ארי מזבן
אזבון מנך בדמין ולא
אסיק קדם יי אלהי
עלון מגן וזבן דוד ית
בית אידרי וית תוריא
בכסף סלעין חמשין:
כה ובנא תמן דוד
מדבחא קדם יי ואסיק
עלון ונכסת קודשין
וקביל יי צלות דירי
ארעא ואתכלי מותנא
מעל ישראל:

ת"א ד' אלהיך ירלך. (בס מ) : ויקן דוד . זבחים קיו .

סכום הפסוקים של זה ספר אלף וחמש מאות ושש וסימנו אשרו חמון . וסדריו לד וסימנו פותח את ידך. וחציו ולאשה עגל מרבק :

רש"י

היה : (כד) שקלים חמשים . ובד"ה (א כ"א כ"ה) הוא אומר שקלי זהב משקל שש מאות הא כיצד גבה חמשים שקלי' כסף מכל שבט ושבט הרי שש מאות ונתן לו כסף בדמי הזהב וכן שנינו בסוף שחיטת קדשים גבה כסף בבה מאות כסף בשקלי זהב וכן שנינו בספרי : חסלת ספר שמואל

מהר"י קרא

קרבנך ברצון : (כד) אעלה . לשון מפעיל : ויקן דוד את הגורן ואת הבקר בכסף שקלים חמשים . ובדברי הימים כתיב ויתן דוד לארנן במקום שקלי זהב משקל שש מאות . כיצד יתקיימו שני כתובים . מקום הגורן בשש מאות . מקום המזבח בחמשים . ר' אמר מש"ם אבא יוסי בן דוסא כתוב שקלים חמשים וכתיב שקלי זהב שש מאות אלא נטל חמשים שקלים מכל שבט ושבט נמצאו שש מאות.זו אף בשחיטת קדשים יאא בספרי מצאתי הרי שש מאות שקל לשנים עשר שבטים רב אלעזר בן שמו' אומ' ויקן דוד את הגורן (ואת הבקר) כדמפורש בענין [בעד] שש מאות אבל הבקר לעולה והמוריגים וכלי הבקר לעצים בכסף שקלים חמשים : (כה) ויעל עולות . לשון הפעיל, העל עולות לכהן : ויעתר ה' לארץ . תרגום וקבל ה' צלותא דדיירי ארעא . לחיותנו כיום הזה וגו' .

רד"ק

תרגם נתן ארונה המלך למלך יהב ארון למלכא די בעא מיניה מלכא : ירצך . כתרגומו יקבל קרבנך ברעוא : (כד) מאיתך במהיר . כמו מאתך כי רבים מן הרפים כענין עם : בכסף שקלים חמשים. ובדברי הימים שקלי זהב משקל ו' מאות אמרו רז"ל גבה מכל שבט ושבט נ' שקלים שהן שש מאות כסף ומשקלם במשקל של זהב וז"ש שקלי זהב ועוד אמר כתוב אחד אומר באחד שבטיך וכתוב אחד אומר מכל שבטיכם זהו שר' יהודה אומר כסף מכל שבטיכם בית הבחירה משבט אחד ר' אומר משום אבא יוסף בן דוסתאי בקר ועצים ומקום המזבח בחמשים וכל הבית כלו בשש מאות ולשון הפסוקים מוכיחים דברי ר' כי אומר תנה את הגרן ואת הבקר בכסף שקלים המשים ובגרן היה המזבח ובדברי הימים אומר ויתן דוד לארונה במקום שקלי זהב וגו' ר"ל כל המקום שהוא בשדה שנבנה בו הבית : (כה) ויעתר ה' לארץ ותעצר המגפה מעל ישראל . וקביל ה' צלות דיירי ארעא . ובדרש כל האלפים האלה שנפלו בימי דוד לא נפלו אלא ע"י שלא תבעו בית המקדש והרי דברים קל וחומר ומה אם אלו שלא היה בימיהם ולא חרב בימיהם נפלו על שלא תבעו אותו אנו שהיה בימינו וחרב בימינו על אחת כמה וכמה לפיכך התקינו זקנים ונביאים ליטע בפיהם של ישראל להיות מתפללים שלשה פעמים בכל יום השב שכינתך ומלכותך לציון וסדר עבודתך לירושלם אכי"ר סלה : סליק ספר שמואל

רלב"ג

כספר דברי הימים זהו בית ה' האלהים וזה מזבח לעולה לישראל כי זה ממה שיורה שבכאן קנה המקום שנבנה בו בית המקדש: (כה) ויעל עולות ושלמים . הנה לא נאסרו הבמות עד שנבנה בית המקדש ולזה

מצודת דוד

(כד) לא . ר"ל לא אקבלם במתנת חנם אלא אקנה בכסף דמי שויים : חנם.מהדבר הניתן לי בחנם: בכסף שקלים חמשים. ובדברי הימי' יאמר שקלי זהב משקל שש מאות כי המקבי' שקלים נתן לו בעבור הגורן מקום המזבח ובעבור הבקר ומאשר ראה כי שם יהיה בית האלהים קנה כל השדה סביב הגורן ובעבורם נתן שש מאות בשקלי זהב : (כה) ויעתר . נתרצה לאנשי הארץ ונעצרה המגפה מכל וכל מעל ישראל :

מצודת ציון

למורג חרוץ (ישעיה מ"א): (כד) מאותך. מאתך וכן ובם אדבר אותך (יחזקאל ג') : במחיר . ענין דמי הדבר וערכו כמו ובלא מחיר יין וחלב (ישעי' נ"ה):(כה)ויעתר.נתרצה כמו ויעתר לו ה'(בראשי' כ"ה):

king gave to the king. And Aravnah said to the king, "May
the Lord your God accept you."
24. And the king said
to Aravnah, "No; for I will only buy it from you at a price;
so that I will not offer to the Lord my God burnt-offerings
[which I had received] for nothing." And David bought the
threshing-floor and the oxen for fifty shekels of silver.
25.
And David built there an altar to the Lord, and he offered
up burnt-offerings and peace offerings. And the Lord was
entreated for the land, and the plague was stayed from Israel.

Commentary Digest

wooden tools — Though other wood was surely available, because of the sanctity of the location, David desired that all utensils used for his sacrifice come from Aravnah threshing-floor. — Rabinowitz.

23. *all this . . . gave* — *offered to give.* — D and K.

Aravnah the king — "*He was the lord of the Jebusites.*" — R and J.K.

the Lord your G-d accept you — The Midrash held a tradition that it was not David's but Aravnah's prayer that finally caused the plague to be stayed. Consequently, it is derived from here that even a commoner's blessing must always be taken most seriously. — A from T.B. Meg. 15a.

24. *for fifty shekels of silver* — "*Now in* I Chronicles 21:25 *it states: 'six-hundred shekels of gold by weight.' How can this be? He gathered fifty shekels of silver from each and every tribe which totals six hundred* (silver shekels) *and he presented him with silver equal to the amount of* (fifty shekels) *of gold. This we learned at the end of* Tractate Zev. (116b). i.e., *that he gathered silver in the amount of six hundred* (shekels) *of silver* (equivalent to fifty) *golden shekels. We also learned it in Sifre* (p. R'h)." — R

Undoubtedly, David's motive for gathering the sum from all the tribes was to include all Israel in the purchase of the Temple Site.

An alternate explanation found in the Talmud is that David initially bought the instruments and site of the altar for fifty shekels, then the entire temple mount for six hundred. — T.B. Zev. *Ibid.*

25. *And the Lord was entreated for the land, and plague was stayed from Israel* — The plague was stayed upon the offering of sacrifices on Aravnah's

threshing-floor in order to indicate the sanctity of the location. It follows that since the plague resulted from a lack of interest in the building of the Temple, that once the Temple site was chosen, the plague was stayed.

and built there — Though David was denied the honor of building the Temple (See above Ch. 7:12,13), God did not deny him the privilege of acquiring the site for its construction.

there — On Aravnah's threshing-floor which had previously been vested with enormous sanctity when it was chosen by God as the site of the 'akeidah, the binding of Isaac. — A. A adds that though it may be difficult for the human mind to comprehend this mystical concept, it is nevertheless clear that some locations possess a greater concentration of sanctity than others, as is evidenced by God's choice of a Land of Israel, and of a Temple site.

K closes his commentary to this book with an appropriate Midrash: "Now in the Midrash (we find): The thousands that fell in the days of David fell only because they did not demand of him the building of the Temple. Now we can derive 'a minori' that if they who did not possess it in their time, nor was it destroyed in their time, died because they did not demand it, we who possessed it and saw it destroyed how much more so (must we demand it). Therefore, the elders and prophets (of the Great Assembly) decreed to implant in the mouths of Israel to pray each day for the 'return of Your glory and kingdom to Zion, and the Order of Your service to Jerusalem. Amen, and so be it His will. — K from M.Ps. Ch. 17.

Errata: Additional Rashi Translations

3:34. *Your hands were not bound*—So how did a mighty man like you fall before these wicked men?

6:10. *Oved-edom*—He was a Levite (as stated in I Chronicles 26:4); one of the gatekeepers.

10:16. *And Shobach the captain of the host of Hadadezer*—Since he was mighty and extremely ruthless, he is mentioned by name.

15:2. *Of one of the tribes of Israel is your servant*—From such-and-such a tribe.

15:27. *Your two sons [shall be] with you*—Through them you can inform me about what you hear from the house of the king, and based on your information I will be able to [plan an] escape.

24:16. *the Jebusite*—He was the commander of the citadel of Zion, which was called Jebusite.

היה אפשר לדוד להעלות עולות ושלמים ואע"פ שהיה זר וזהו מה שצריך אל ביאור לפי הנראה לנו במה שהגבלנו באורנו בזה המקום:

ואולם התועלות המגיעים ממנו הם אלו: הראשון הוא במדות והוא שראוי לכל מקבל טובה מאחר שיתן לו תודה כעל כל אשר גמלהו וכל שכן אם היה השם יתברך המטיב כי בנתינת התודה לו תועלת נפלא להיישיר לאמונתו יתב' ושכל הטובות ממנו ולזה תמצא שאחר שהטיב הש"י לדוד כל אלו הטובות הנכללות באלו הספורים נתן לו דוד תודה כללות על כולם ואעפ"י שכבר הודה לו על אחת אחת מהם בייחוד כמו שיראה מדבריו בספר תהלים ולזה ספר שדבר דוד לה' את דברי השירה הזאת לה' ביום הציל ה' אותו מכף כל אויביו ומכף שאול: השני הוא להודיע שהש"י כשיתחדשו ממנו הרעות לא יתחדשו ממנו כי אם מצד מה שהם טובות ולז"א דוד שהש"י הוא קרן ישעו להעיר שלא יחדש הש"י הרע כי אם מצד שהוא ישע לאוהביו והוא להצילם מאויביהם ולדחותם מעליהם כמו שידחה הבעל חי בעל קרנים בקרנים מעליו את החי המזיק לו: השלישי הוא להודיע שהתפלה תהיה נשמעת כשיהיה המתפלל מסדר משכחי הש"י מה שיגיעהו השגחתו לפי מה שאפשר כי אז הוא דבק בו ואז תהיה תפלתו נשמעת מפני דבקות ההשגחה האלהות בו וזהו אמרו מהולל אקרא ה' וגו' ולזה ג"כ אמר בצר לי אקרא ה' ואל אלהי וגו' כמו שבארנו: הרביעי הוא בדעות והוא להודיע כי מה שיחדשהו הש"י ע"ד ההשגחה הפרטית יהיה מתחדש על יד מלאך ישולח מאתו על זה כאמרו אלהי שלח מלאכיה וסגר פום אריותא ולזה אמר בזה המקום וירכב על כרוב ויעף כמו שבארנו: החמישי הוא להודיע כי כשיבוא הסברה שיחדש השם רעות להציל אוהביו הנה יסודרו ממנו ענינים להיטיב לאוהביו ומהם יתחדש רע במקר' לאויביו כשהיה אפשר שישלם המכוון בזה האופן וזה כלו להעיר כי הש"י מרחיק עשיית הרעות לפי מה שאפשר כי מה שיתחדש ממנו תמיד הוא הטוב והנה כמו שהענינים שיהיה מהם מטר הם המתחדשים לתכלית טוב שירוה את הארץ והולידה והצמיחה ויקרה מהם רע במקרה כמו הברד והרעמים והברקים והלפידים כן ייטיב הש"י לאוהביו בכמו זה הטוב שיסודר ממנו רע במקרה לאויביהם וזהו אמרו מספר מה שהשגיח הש"י להצילו ולהכניע לאויביו וישת חשך סתרו סביבותיו סוכתו חשכת מים עבי שחקים מנגה נגדו בערו גחלי אש ירעם מן שמים ה' וגו': הששי הוא במדות והוא להודיע שמי שירצה שישיג מבוקשו מנצוח אויבו ראוי שישתדל בזה בעת היותו קשה יום כי אז יתכן יותר להשיג המבוקש כאמרו אל תתחר במצליח דרכו שיורה כי מצד היותו מצליח יצלח ומזה יתבאר שהקשה יום ראוי שינוצח ולזה אמר דוד מספר בהשגחת הש"י יקדמוני ביום אידי ויהי ה' למשען לי כאילו יאמר שהם התחכמו להרע לו בעת היותו נכון לקבל הרע לולי ה' שהי' לו: השביעי היא להודיע שההשגחה הפרטית מהש"י תדבק באדם מצד שמרו דרכי הש"י והתנהגו בתורתו והתבונן בה תמיד כי זה יביא אל קנין השלמות האנושי בתכלית מה שאפשר אשר הוא סבת דבקות ההשגחה בש"י ולז"א דוד בספרו חוזק דבקות ההשגחה האלהית בו גמלני ה' כצדקתי כבור ידי ישיב לי כי שמרתי דרכי ה' ולא רשעתי מאלהי כי כל משפטיו לנגדי וחקותיו לא אסור ממנה הורה בזה כי הוא מתהלך בדרכי הש"י ומתבונן בחקותיו ומשפטיו: השמיני הוא להסיר הספק למה נענש שאול יותר מדוד עם היות חטא דוד יותר עצום הרבה מחטא שאול וזה כי דוד היה הולך בכל דרכיו בדרכי הש"י והיו מדותיו ותכונותיו בתכלית השלימות והחסידות בכל עניניו רק בדבר אוריה החתי וזה ממה שיורה שדוד היה משתדל בכל עוז שתהיינ' פעולותיו תמיד לפי הראוי אלא שלא יכול לנצח יצרו בענין בת שבע וממנו סובב דבר הריגת אוריה לכסות קלונו ולמלט שלא תהיה פעולתו מבעילת בת שבע בעילת אשת איש עם שהיה קלת דין בהריגתו מפני שלא קיים מצות המלך . ואולם חטא שאול היה נראה היותו כנגד השם מפני שאר התכונות שראינו לשאול שלא היו מתיחסות אל היושר והחסידות ולזה גם כן תראה ששאול היה חושב להתנצל לשמואל בדברי שקר ואולם דוד הודה תכף ואמר חטאתי לה' ולזה אמר דוד להסיר את הספק הזה עם חסיד תתחסד ועם גבר תמים תתמם עם נבר תתברר ועם עקש תתפל כמו שבארנו: התשיעי הוא להודיע שדרכי הש"י ופעולותיו הם תמימות בתכלית מה שאפשר וכן הענין באמרתו והיא התורה עד שאין בה דבר בלא תועלת ומה שחסר מהטוב בקצת פעולותיו שיקרה מהם רע לבני אדם בקצת העתים הנה העריס הש"י להשלי' מה שחסר מזה בשם האדם בעל בחירה ורצון לא יתשלו אל הבחירה ההיא מה שיסודר מהם זה הרע במקרה ולזה יתכן שינצל האדם ממנו בזה האופן כשתהיה בחירתו אל הטוב המסודר מן התורה ובאמצעותו ידבק הש"י ויהיה לו למגן מהרעות ההם כי הוא לבדו אפשר שיהיה מגן לכל החוסים בו: העשירי הוא להודיע שכבר ימשך מחוזק דבקות השגחת הש"י שיביא האדם מהרע אל הטוב בקלות כאלו קפץ ודלג אליו מזולת שידרך בהגעתו אליו הנה כמו שיעשה הש"י מהמטה נחש על דרך מופת בזולת סבותיו כן יביא הטוב בקלות לאוהביו בזולת סבותיו וזהו אמרו האל מעוזי חיל ויתר תמים דרכי משוה רגלי כאילות ועל במותי יעמידני: האחד עשר הוא להודיע כי הש"י נתן המלוכה לזרע דוד כל הימים שהעולם נמלא על צד החסד מצד הברית שכרת לדוד על זה מצד הצדק והיושר שמצא בו וזה ימשך תמיד לזרעו כשיעשו ישראל הטוב בעיני הש"י בדרך שיוכל לעשות להם כל ישע וכל חפץ גם בעת שהיה נכון לבוא עליהם רע מצד ההשגחה הכוללת ואולם כשלא יהיה זה ותפסק המלכות מישראל הנה לא תסור מבית דוד אבל היא שמורה לו וזה ממה שיתבאר ממנו כבר יצא חטר מגזע ישי ונצר משרשיו יפרה וימלך ותתקיים על ישראל כי אי אפשר שתסור הממלכה מזרעו הסרה נצחית וכבר נתבאר זה יותר בדברי הנביאים וזהו אומר ועושה חסד למשיחו לדוד ולזרעו עד עולם ואמר כי ברית עולם שם לי ערוכה בכל ושמורה כי כל ישעי וכל חפץ כי לא יצמיח: השנים עשר הוא מה שהודיע ששאר המלכים שיקומו על ישראל מפני שאינם מושלים בירא' אלהים אבל הם אנשי רשע לא תתקיים מלכותם ויזיקו ישראל בעבורם ובסבתם והם וזרעם יהיו לכליון חרון וזה ממה שנתקיים בענין מלכות ירבעם וחבריו כאמרו ובליעל כקוץ מונד כלהם כי לא ביד יקחו ואיש יגע בהם ימלא ברזל ועץ חנית ובאש שרוף ישרפו בשבת וגם על הטובים אמר שלא תתקיים מלכותם אך יהיו כמו דשא מארץ שתהיה להם צמיחה זמן לא ארוך מאד ואחר ייבשו וכן אמר הש"י לירבעם שאם ילך בדרכיו יבנה לו בית נאמן כאשר בנה לדוד אך לא יתקיים זה לו כל הימים ולזה תראה שמלכות החשמונים לא נתקיים מאד בבית שני: השלשה עשר הוא להודיע שגבורי דוד היו כלם אנשים חכמים ג"כ בחכמת התורה ולכן היתה דבקה השגחת הש"י בהם ולזה תאר עדינו העצני שהוא יושב בשבת תחכמוני ולזה גם כן היה מהגבורים בניהו בן יהוידע הכהן שהיה מופלא שבב"ד והיו גם כן מהם הכרתי והפלתי והם הסנהדרין כמו שנתבאר במה שקדם ולזה תמצא שכאשר שבח אלו הגבורים אמר מן השלשה הכי נכבד ולא אמר מן השלשה היה חזק או תקיף אבל תארו בכבוד מצד גודל המעלה ולזה הגיע מגבורתם מה שזכר מפני הדבק בהם ההשגחה האלהית: הארבעה עשר הוא להודיע שאין ראוי לאדם שיבקש דבר ויואיל בבקשת קנינו דברים יותר נכבדים ממנו והמשל כי מי שאבד דבר שוה פרוטה אין ראוי שיואיל בבקשה דבר שוה יותר וכ"ש שאין ראוי שיסכן עצמו או איש אחד מן האנשים בבקשתו ולזה תמצא כי כשנתאוה דוד ואמר מי ישקני מים מבור בית לחם אשר בשער וסכנו עצמם שלשה הגבורים להביא מהם אליו לא רצה לשתותם להורות כי לא הסכים שיסכנו עצמם בעבור זה ואעפ"י שאמר זה במאמר על צד התאוה אל המים ההם כי כמה פעמים יאמר אדם כך במה שאין רצונו שישתדלו בהגעתו וגם בדברי' הנמנעים כאמרו מי יתן לי אבר כיונה ולזה הסכים לנסך אותם לה' לרמוז כי על עבודתו יתברך לבד ראוי לסכן נפשו כאמרו ואהבת את ה' אלהיך בכל לבבך ובכל נפשך: החמשה עשר הוא במצו' והוא להודיע כי כבר היה במקדש נסוך המים ולזה נסך דוד המים ההם לה' כי הוא מן השקר שיעבוד דוד הש"י בדבר לא הוסכם שיעבוד בו במקדש הנה כמו שלא יעשה אחד מן האנשים הטובים קרבן מן הגזל לה' כן לא היה ראוי לנסך המים אם לא היו מנסכים אותם במקדש ומזה המקום יש סמך גדול וחזק למ"ש רבותינו מנסוך המים בחג הסוכות: הששה עשר הוא להודיע כי ממוקשי עם יקרם שיעשה המלך דבר בלתי ראוי להיות כלי להדיח הרעה עליהם וזהו אמרו ויוסף אף ה' לחרות בישראל ויסת את דוד בהם לאמר לך מנה את ישראל ואת יהודה הנה כמו שימלוך אדם חנף ממוקשי עם כן יקרה ממוקשי עם למנהיג הטוב שגגה מה שהיה נשמר ממנה מהש"י לולי חטא העם הלא תראה כי דוד לא עשה זה במרד ובמעל כי תכף שהרגיש שחטא השיגתהו החרטה ובקש מהש"י המחילה: השבעה עשר הוא להודיע כי מן הרעות ראוי לבחור במה שהוא רע מעט מאיזה צד שיהיה אם מפני היותו מעט רע בעצמותו אם מפני שיקל יותר לקחת העלה עליו והנה מפני זה בחר דוד היות הדבר באלו שלשת ימים להשענו כי רבים רחמי הש"י ונחם על הרעה ואעפ"י שגם כן הרעב הוא נפילה ביד הש"י הנה בו מה שהוא ביד אדם והוא השחתת האויבים יבול הארץ והוא היותר קשה וידמה שלזה המין מהרעב כיון בזה המקום והנה היו אלו הרעות משוערות כי הניסה לפני האויבים והם רודפים היא יותר קשה מהרעב כי זה הוא אימת מות והאחר הוא אימת חסרון המזון ואע"פ שימשך מחסרון המזון מות לקצת האנשים הנה בתחבולות ינצלו הרבה מהמזון כמו שמצאנו שעשו ישראל במשול מלך מדין עליהם והדבר הוא יותר קשה מהניסה מאויבים והם רודפים כי ממנו לא יתכן לנוס כי הוא באויר שהוא אצל האדם ולזה הושם בקירוב יחס זמן הדבר אל זמן הניסה כיחס זמן הניסה אל זמן הרעב: השמנה עשר הוא להודיע שאפי' מחטאת דוד נמשך טוב הלא תראה כי בעבור זה החטא נגלה לו מקום בית המקדש אשר בחרו הש"י אשר רמז אליו בתורה באמרו אל המקום אשר יבחר ה' ובאמרו כי לא באתם עד עתה אל המנוחה ואל הנחלה וכמו כן נמשך טוב מחטא בת שבע שילא ממנו שלמה אשר נתנה לו הממלכה לנצח ועל החטא ההוא גם כן עשה דוד הרבה מהזמירות הנזכרים בספר תהלים שהם זמירות ישראל לשבח בהם הש"י ולשוב מחטאיהם וזה כלו מורה על יושר לבב דוד עם הש"י: התשעה עשר הוא להודיע שהדבר שיש בו קדושה נפלאה לש"י אין ראוי שיהיה לאדם השתמשות בדברים הנוגעים בו כי זה ממה שיביא להקל בקדושתו ולזה תמצא שכאשר נבחר זה המקום הקדוש להיות בו מזבח לה' לא רצו שיהיה הדברי' שבו לשמוש אדם ולזה רצו ועשו מהבקר עולה ומהמוריגים וכלי הבקר עשו עצים להעלות העולה ומהחטים מנחות שאם ישתמשו בהם לצורך הדיוט יביא זה להקל בקדושת המקום הקדוש ההוא ולזאת הסבה ג"כ

תמלא שכאשר בא ארון ה׳ משדה פלשתים על ידי הפרות שאסרום בעגלה הנה בקעו עצי העגלה ואת הפרות העלו עולה לה׳: העשרים הוא להודיע שאין ראוי להעלות לש״י עולות יתכן שיחשב בהם שיהיה בהם קצת אונס כמו הענין בזה שהיה נותן ארונה לדוד שהוא אפשר שלא היה נותן זה כי אם על צד היראה ממנו להיותו מלך ולזה רצה דוד על כל פנים לקנות אותם ולקנות הגרן שעשה בו המזבח לזאת הסבה בעינה שלא יעבד הש״י בדבר גזל ובמה שהוא לא לו ומפני זה הולך לקנות כל המקום ההוא אשר נבנה בית המקדש : העשרים ואחד הוא להודיע מה שהעיר בזה הספור שהקרבנות הם סבה להמשיך ההשגחה בישראל ולעצור המגפה והמזבחות מהם כי זה ממה שיישיר לעמוד על המכוון בענין הקרבנות שהוא מביא באופן שלם אל הדבקות בש״י כמו שבארנו בבאורנו בספר ויקרא הנה כמו שהיה הענין על הכפרת ובין שני הכרובים בכל דור ודור שהיה מדבר הש״י עם משה להישיר ישראל לעמוד על כוונת התורה ועל סודות הנבואה כן רצה הש״י לעצור המגפה על יד הקרבנות האלה להעמידנו על המכוון בהם כי כבר התבאר מדברי השירה שסבות ההשגחה הם הדבקות בשם יתברך והליכה בדרכיו וההתבוננות בדרכי התורה בכללם :

ובכן נשלם באור ספר שמואל והיתה השלמתנו אותו בראש אדר ראשון של שנת תשעים ושמונה לפרט האלף הששי ותהלה לאל לבדו אשר עזרנו ברחמיו וברוב חסדיו יתברך ויתרומם על כל ברכה ותהלה :

מנחת שי ספר שמואל א

(כל תיבה אשר אותיותיה נפרדות אליה ירה המחבר אבן פנת רעיוניו)

א (א) וַיְהִי . בהרכא : (ג) חפני ופנחס . בספרים כ״י נמסר עליו לית חסר וגם בריש פרשת פינחס נמסר כלם מלאים בר מן א׳ הכא חפני ופנחס ואין בזה מחלוקת בין מערבאי ומדנחאי ועיין בספר שנת רזא ריש פרשת פינחס ובדפוס ישן כת״א במארי; ובשאר ספרים בגלגל לכן נ״ל שטעות נע בקריאת כל שאר פינחס שבמקרא ומה גם כי זה עצמו דגן עלי נזכר פעמים רבות בספר זה בסימן ב׳ וסימן ד׳ וסימן י״ד ושמו יוכיח עליו שהוא נע ואף תרגומו דכלא ביו״ד ועיין מ״ש בפרשת ויצא ע׳ מלת גנבתי ובפרשת משפטים על תהרסם ובמאמר שכתבתי על המאריך : (ו) הרעמה . הרי״ש בדגש להפארה. רד״ק בפירוש ובמכלול דע״ב וכן הוא במסורת : (ח) למה תבכי וגו׳ . שלשתם מלעיל והמ״ם בשוא ורפי מכלול דף רס״ו : (ט) אחרי אָכְלָה. מקור בתוספת ה״א והאל״ף בקמץ חטוף והלמ״ד קמוצה וכה״א רפה כן הוא בספרים כ״י מדוייקי׳ ובדפוסי׳ קדמו׳ וכן משמע בהדיא מפירוש רש״י ורד״ק ודין הוא קדמאה מן מלין דמשמשין חד א׳ וחד ת׳ ולית. דכוותהון ע״פ המסורת וחברו וְאָבְדָה מצידי ובספרי׳ שבלמ״ד בחולם טעות הוא וצריך להיות בקמץ והכי מוכח בגמרא דברכות סוף פרק אף על פי ומדברי התוס׳ שם. והואיל דאתא לידי איתא ביה מלתא מפני ששמעתי לקצת משיגים שקראו אָכְלָה בחולם הלמ״ד כמו שמצאו בכמה ספרי הדפוס וטעות זה בבואם לפרש הגמרא והתוספות שלא כהוגן ואין דבריהם עולים בשופה ולא נכונים בטעם וכגון דין לא צריכין להדורי אפירושי דחיקי דלית בהון ממשא ולאפוקי שמעתא מדוכתא ברם הכי היא ליבנא דהדין דרשא ופירושה : דרש ר׳ יהודה איש כפר נבוריא מנין שאין פוסקים יינות לאשה (פירש״י אין ב״ד פוסקין לה יין שהיין מרגילה לתאות תשמיש) שנאמר ותקם חנה אחרי אָכְלָה בשלה ואחרי שתה שָׁתָה ולא שָׁתָת הלא מעתה אָכְלָה ולא אָכְלוּ הכי נמי (ובעל חכמת שלמה הגיה אָכְלָה ולא אָכַל) אין מדשני קרא בדבוריה קאמרינן מכדי אָכְלָה בגווה קא עסיק והאי מ״ט שאני ש״מ שָׁתָה ולא שָׁתָת ע״כ ופי׳ התוס׳ ז״ל דגרסינן הגירסא אחרי אָכְלָה כמו אָכְלָה מפיק ה״א משמע ואף על פי שלא אכלה כדכתיב ולא תאכל מ״מ אית לן למדרש הכי ותקם חנה אחרי שעת אכילתה שהיה לה לאכול ואחרי שתה אלקנה וביתו חוץ ממנה שלא היה לה לשתות ולכך ויחשבה עלי לשכורה שתה ולא שתה מדלא קאמר ואחרי שתה דומיא דאכילה שהלשון אחרי אָכַל ואחרי שָׁתָה כדכתיב אֱכוֹל וּשְׁתֵה יאמר לך (משלי כ״ג) ומדשני קרא בדבוריה דריש הכי כדמפרש לקמן אָכְלָה ולא אָכְלָה הכי נמי (בתמיה) וכי נדרוש כמו כן שאין פוסקים מזונות לאשה (כידר לי יוס לבעל חוב) מכדי בגוה קא עסיק ואתי דהא כתוב הנה בקריאה וכתיב נמי אָכְלָה א״כ. ליכתוב נמי שתותה או לא ליכתוב קרא בגוה וליכתוב אָכַל וְשָׁתָה מ״ט שאני ש״מ שתה ולא שתת ע״כ: הנקרוא׳ בעיניך מהגמ׳ ומדבריהם לרפה שכתוב אָכְלָה בקמץ כל׳ והה״א נוספה ובלא מפיק. אך דרשוהו כאלו היתה במפיק מדשני קרא בדבוריה ולא כ׳ אחרי אָכְלָה ואחרי שתותה או אָכַל וְשָׁתָה ויש לי להתמוה על רד״ק ז״ל שכ׳ ובעל הדרש שאמר שתה ולא שתתה לא דקדק ואחרי שקבלת המלה ממנו לא דקדק הוא בטעם הזאת שגם ר׳ יהודה ידע שמלת שָׁתָה מקור והוא משמש ליחיד ולרבים ולזכרים ולנקבות ואם כן אף חנה שיהם בכלל אך יצאת מן הכלל מדכתב בקרא שָׁתָה ושאני בדבוריה כדאמרן ומדכתיב והנבה ולא תאכל פירשו אחרי אָכְלָה אחר שעת אכילה׳ של חנה וכוכרהו לפרש ואחרי שָׁתָה אחר שעת שתיה לאחרים ולא לה מדשני קרא ומכאן שאין פוסקים יינות לאשה והו לא מידי בכך שמצאה ומלאה אגב שיטפא אשמעינן בספר המוזכר בדברי רד״ק בשרש קרב הנקרא בשם אָכְלָה וְאָכְלָה הוא ספר אחד ממסורת שבראשונה בבבם תחלתם בהרין מלין אלין והובא גם במסרה גדולה שנדפסת בוויניציאה בעשרים וארבע הגדול במער׳ אות אל״ף ורובן של מסורת אינן אלא מספר ההוא כמו שכתב ר׳ אליה המדקדק בהגהת שרשים בשרש הנ״ל ובהקדמה השלישית לספר מסורת המסורת ועיין עוד מ״ש ביחזקאל סימן ג׳ ותהלים מזמור קי״ח : (טז) וכעסה . בעי״ן בשוא לבדו וכתב רד״ק בשרשים שבכל הספרים המדוייקים הוא בסמ״ך ור׳ יונה כתב שהוא בשי״ן שמאלית כמו לו שקול ישקל כעשי (איוב ו׳) והאריך עכ״ל. גם אני מצאתיו בנסחא כ״י בשי״ן שמאלית אכן כפי המסורת יש להכריע כגירסת הספרים שהוא בסמ״ך שבמערכת אות הכ״ף נמסר כעס ד׳ כתיב שי״ן בליבנא ואין זה ממניינם : (יז) את שלתך. חסר אל״ף ובאגדה שמואל שלתך כתיב אמר לה הבן הזה שאת עתידה להעמיד הרבה שלא הוא עתיד לשלוט בהורה ע״כ . ורש״י פירש חסר אל״ף לדרוש כי לשון נגיס כמו ונפליתה שיאלה . ועיין עוד בכלי יקר ובמראות הצובאות לרל״ג ומסורת הברית הגדול סימן תקס״ג : (יט) וישכמו בבקר . בספרים מדוייקים חסר יו״ד וכן במסורת וישכמו ג׳ חסר וסימנהון וישכמו בבקר ויעלו אל ראש ההר (במדבר י״ד מ׳) ויהי ביום השביעי וישכמו כעלות השחר (יהושע ו) וכל שמואל דכות׳. ליבנא אחרינא וישכמו ג׳ חסר וסימן ויעלו אל ראש ההר ויהי ביום השביעי. ושמואל ע״כ. וכל ספר שמואל חשיב כחד כך הם הגרסאות הנכונות במסורות כ״י והמסרה שנדפסה במקרא גדולה פרשה שלא כך מבינתה :

ב (ג) אל תרבו תדברו. כתיב׳ רפה ועיין מ״ש בפרשת וארא ועי׳ פסוק אתה הדבר : ולא נתכנו. ולו קרי ובאגדה שמואל ולו נתכנו עלילות אין אנו יודעין אם לו נתכנו עלילות אם עלילות אינן מכוונות לו ת״ל יודיע דרכיו למשה לבני ישראל עלילותיו : (ה) חדלו. בלמ״ד בדגש להפארת מכלול משקל פְּעֻל : (ט) חסידו. חסידיו קרי וביומא פרק אמר להם הממונה אמר ר׳ חייא בר אבא אמר ר׳ יוחנן אפי׳ בשביל צדיק א׳ עולם מתקיים שנאמר וצדיק יסוד עולם ר׳ חייא בר אבא דידיה אמר מהכא רגלי חסידיו ישמור חסידיו תרתי משמע אר״נ בר יצחק חסידו כתיב ע״כ . ובספר הזוהר פרשת ויקרא דף קי״ב חסידו כתיב חד ודא אברהם דקב״ה נטיר ליה תדיר ולא אעדי נטירו מיניה לעלמין וגו׳ ובמדרש הנעלם דריש ליה נמי על אברהם כשרדף אחר המלכים ד״א זה יעקב שנא׳ לו הנה אנכי עמך ובמדרשן ובאגדה שמואל זה יוסף ועיין כלי יקר : (י) מריבו . מריביו קרי ובאגדת שמואל אמר ר׳ אבא בר כהנא אם חד הוא יפול ואם תרין אינון יפלון עיין כלי יקר ובספר הזוהר פרשת ויקרא סוף דף י״ט : עלו. עליו קרי ובאגדה שמואל אמר ר׳ אבא בר כהנא אם עולים הם לשמים משם אני מרעים בקולי ומורידם עיין כלי יקר : (טז) ואמר לו . לא ק׳ כן הוא בספרים כ״י מדוייקים וכ״כ רד״ק כתוב בוא״ו וקרי באל״ף ע״כ . ותרגומו במקרא גדולה ואמר ליה אבל במקרא שוינציאה שנת רע״ח מתורגם ואמר לא ועוד עתיד אני לכתוב מזה בישעיה סי׳ ט׳ כ״ד : (יט) ותולדה לו . ספ״א ועיין בפתח ותשוי בל״ד ומלרע כי הטעם ביו״ד כמו שכתוב

בכתוב

בכתוב במכלול דף קנ"ז: (כב) אשר ישכבון. בירושלמי פרק בתרא דכתובות ובפרק קמא דסוטה ישכיבון כתיב שהיו הנשים מביאות קיניהן לטהר לבתיהן והיו משהין אותן שהקב"ה מעלה עליהן כאילו הן שוכבין אותן. ופירש ה שם מראה ישכיבון כתיב שהוא לשון הפעיל כאילו אחרים השכיבום עם הנשים והיינו מה שהעלה עליהם הכתוב כאילו שכבו להעניסם לע"פ שהם לא עשו והי קשיא דבכל ספרים לא כתוב אלא ישכבן בלא יו"ד והיכא כתיב ישכיבון ואולי כן היה בספריהם ובדרך שכתבו התוספות בפרק במה בהמה גבי מעבירם כתיב שפעמים הגמרא חולקת על ספרינו ע"כ לשונו. ולא ידענא מאי דריש על יו"ד דבתר כ"ף דהך דרשא גופא איתא בבבלי פרק במה בהמה גבי כל האומר בני עלי חטאו אינו אלא טועה אלא מה אני מקיים אשר ישכבון את הנשים מתוך ששהו את קיניהן שלא הלכו אצל בעליהם מעלה עליהם הכתוב כאלו שכבום והכי איתא בב"ר פ"ס ובאגדת שמואל פ' ז' ולא גרסינן ישכיבון כתיב כדגרסינן בירושלמי ואמרינן תו התם בבבלי גופא אמר רב פינחס לא חטאו וכו' שהכתוב ייחסו לשבח ופריך הלא הא כתיב ישכבון אשר ישכבן כתיב ע"כ. ואפי' ר' דס"ל יש אם למקרא כלומר דבתר קרייא אזלינן דהוא עיקר נדרש בריש פרק קמא דסנהדרין אשר ירשיען אלהים הרי משמע. נאמר אלהים למטה שהוא ירשיען אלהים. ונאמר אלהים למעלה עד האלהים יבוא. מה למטה שנים אף למעלה שנים ואין בית דין שקול מוסיפים עליהם עוד אחד הרי כאן חמשה שיגמר הדין בשלשה ורבנן פליגי עליה ואמרו (ירשיען כתיב) הכא אפילו רבי מודה משום דקרא מוכח דפנחס לא חטא שייחסו הכתוב: (כד) מעברים עם ה'. בכל הספרים המדוייקים חסר יו"ד אחר הבי"ת וכן ראוי ע"פ המסורת שהוא חד מן ח' חסר בלישנא פי' חסר אחר הבי"ת וסי' נמסר ביהושע סי' ד' במ"ג והוא מלא אחר הרי"ש ובספר אחר דפוס ישן מעבירם כתיב והכי איתא באגדת שמואל ודריש מיניה לנשיא שחטא דמעבירים אותו כדאמרינן בירושלמי דסנהדרין פרק כהן גדול. וכן הגיה בעל אות אמת באגדת שמואל מעבירים עם ה' מעבירים כתיב מעבירין אותו ומחזירין אותו ובבבלי פרק במה בהמה דרשינן דחפני לבד חטא ולא פינחס דפרכינן התם והא כתיב מעבירים אמר רב הונא ברי' דר' יהושע מעבירם כתיב וכתב גם רש"י ז"ל שבספרים מוגהים כתיב מעבירים וגם במסורת הגדול במקום שמנויים שם כל התיבות דלא כתיב בהן יו"ד וקורין לא נמנה זה. והתוספות כתבו שבגמרא שלנו חולקת על ספרים שלנו שכתוב בהן מעבירים וכן מליט בירושלמי פרק קמא דסוטה בשמשון כתוב א' אומר וישפט את ישראל בימי פלשתים ארבעים שנה (שופטים ט"ו) וכתוב א' אומר והוא שפט את ישראל עשרים שנה (שופטים ט"ז) אמר ר' אחא מלמד שהיו הפלשתים יראים ממנו עשרים שנה לאחר מותו כדרך שהיו יראים ממנו עשרים שנה בחייו ובכל הספרים שלנו כתיב עשרים שנה גם בשופטים ט"ז עכ"ל. וכן כתב בעל יפה מראה וכן הוא במדבר רבה פ' י"ד ובעל כלי יקר טרח לפרש הירושלמי באופן שלא יהיה נגד הספרים ע"ש. ובהקדמת מקרא גדולה. ומ"ש בפרשת בא על פסוק ונתנו על שתי המזוזות ובפרשת נשא על כלות משה ובסוף פרשת מצורע הנ"ל והנושא אותם יכבס בגדיו: (כה) ופללו. למ"ד עי"ן הפעל רפה: מי יתפלל לו. מתהלפת **יתפלל** לו: (כח) לעלות על מזבחי. במקרא גדולה מסור עליו ב' מטעים פירוש דמטעים ביה דסבירין להעלות כי כן משפטו כמ"ש רד"ק והכרו נ"ל שהוא לעלות עמים תחתיו (איוב ל"ו) וכן מתורגם בשניהם לאסקא: (לג) ולאדיב. בכל ספרים שלפנינו האל"ף בשו"א ופתח שלא כדברי רב פעלים שכתב ובנוה הפ"א האל"ף מהמבטא את נפשך ע"מ **לשמיד ולאדיב** מעוני' מן השלמים:

ג (ב) ועינו. ועיניו ק': החלו. הלמ"ד בדגש: (ג) ושמואל שכב בהיכל ה'. הקשו בפ' עשרה יוחסין והלא אין ישיבה בעזרה אלא למלכי בית דוד בלבד אלא נר אלהים טרם יכבה בהיכל ה' ושמואל שוכב במקומו פי' ושמואל שוכב בהיכל ה' הדא מילתא משמע ועל כרחך מפסקינן ליה ושמואל שוכב במקומו בבית משמר בלוים שהיו שומרים את הבית וכן תרגם יונתן בעזרת ליואי והיכל אנר קאי שהמנורה היתה בהיכל משכן שילה ע"כ פ' רש"י ז"ל. ועיין עוד בפירושו על הפסוק ובכלי יקר. ולפי דרכנו למדנו מעלת הטעמי' שהאתנח מפריד תיבת שכב מתיבת בהיכל כדי שלא יובן שהיה שוכב בהיכל ה': (ח) שמואל בשלישת. בספרים מדוייקים חסר יו"ד העיין והוא חד מן ד' דכתיבין כן על פי המסורה וסימן במ"ג פרשת פינחס: (י) ויתיצב. בדפוסים אחרונים הצדי"ק בצירי ובדפוסים ישנים וגם בכמה ספרים כ"י מדוייקים בפתח ובספר אחד ישן כתיבת יד גם בדפוס ישן בקמץ: שמואל. ושמואל. חד פ' ר' שמות מופלים וכו'ס לדיקים גמורים וכבר הארכתי בזה בענין בפרשת ואלה שמות על משה משה: (יג) כי מקללים להם בניו. זה אחד מן י"ח פסוקים שהם תיקון סופרים והיה לו לומר מקללים לי אלא שכינה הכתוב רש"י ורד"ק ומדרש ילמדנו ומכילתא פרשת בשלח ומסורת ופירוש תקון סופרים אבאר בעזרת הא-ל בזכריה ב': (טו) ויקרא עלי את שמואל. בספר אחר כתיבת יד קדמון כתוב אל שמואל וכן הוא בקונקורדאנציאה ואף בדפוס ישן מתורגם לשמואל אכן בשאר ספרים כתוב את תרגומו ית: (יח) בעיט. בעיניו קרי:

ד (ג) וישענו. בספרים מדוייקים חסר דחסר ובמסורת ג' וסימן נקחה אלינו, אל תחרש ממנו (שמואל א' ז'). קוינו לו ויושיעינו (ישעיה כ"ה). ובמ"ג נמסר כך ויושיענו ג' ב' מלאים וא' חסר וכו' קדמאה חסר אבל בישעיה סימן כ"ה נמסר במסרה קטנה ג' ב' חסר וא' מלא וכן בספרים מדוייקים תרתי דשמואל חסר דחסר וחד דישעיה מלא דמלא: (ו) מה קול התרועה. מה שנמסר במ"ג כ"ד וכל דסמיך לאהה"ע כוותיה וכו' ר"ל וכל דסמוך להי"ת ועיי"ן כמ"ש בפרשת נגעים. וכנ"ל לקמן על מה קול ההמון: (ז) ויראו הפלשתים. ביו"ד במאריך ועיין מ"ש בסימן ז' בפסוק וייראו מפני פלשתים: (יג) יך. יד קרי: (יז) המבשר. ברוב הספרים הבי"ת במאריך ובלא דגש במ"ס: נס ישראל לפני פלשתים. כן כתוב לפני לא מפני כמו שמצאתי בס"ת כ"י וכמו שנרשם בדפוס ישן: וארון האלהים נלקח. למעלה אומר נלקח לשון זכר וכאן נלקחה לשון נקבה ובאגדת שמואל תפשה מדה הדין כנקבה: (יט) כי נהפכו עליה צריה. בסגול הה"א וקל הפ"א ע"פ המסורת כמ"ש בדניאל סימן יו"ד וכן במכלול דף ע"ב ובשרשים: (כ) וכעת. בכ"ף: מותה. בשורק וכן במסורת עד יום מותו (שמואל ב' ו') מלאפום וחד קמוץ פום וכעת מותה וסימניך דאית לה בנין שרקא דלית לה בנין חלמא:

ה (ג) וישכמו אשדודים ממחרת. חסר יו"ד וכן וישכמו בבקר שבסמוך וכמו שכתבתי בסימן א': (ו) אל האשדודים וישמם. כן כתיב אל לא על והתרגום הוא דרך פי': ויך אתם בעפלים. בטחרים ק' ובספרים כ"י אין בבי"ת מאריך ויש דגש בעי"ן לסורות על דגשות הטי"ת וכן הכו בעפלים שבסמוך: (ז) ויראו אנשי אשדוד. בספרים מדוייקים אין ביו"ד מאריך וכן ראוי כי מן ראה הוא וכן ת"י וחזו: (ט) וישתרו להם. כתיב בשי"ן שמאלית כמו בסמ"ך רד"ק וכ"כ רש"י כמו ויסתרו שהרי הוא במסורת מן הכתובים שי"ן ומפרשים בלשון סמ"ך מכה בית הסתרים עכ"ל והמסני שביהושע ב' נמסר במ"ג מלין דכתיבין שי"ן וקריין סמ"ך ואין זה מהם: להם עפלים. טחורים ק' והעי"ן בשו"א לבדו: (יא) מהומת מות. בנסחאות כ"י ודפוסים ישנים הה"א במאריך: (יב) הכו בעפלים. בטחרים קרי:

ו (ד) עפלי. טחרי קרי והעי"ן בשו"א לבד: (ה) עפליכם. טחריכם קרי והעי"ן בשו"א לבד: (ז) עגלה חדשה אחת. האל"ף בסגול והחי"ת בקמץ בנסחאות כ"י מדוייקות ודפוסים ישנים ובדפוסים אחרונים כולו פתוח וכן מצאתי בס"ת כ"י ומוטעים הם שהרי במסורה פרשת בשלח על לגלגלת אחת נמסר ו' פתחין וקמין וליח דין מנהון ועיין במכלול דף רנ"ה: (יח) ואת גלמי טחריהם. כתוב במסורת טחרים דכתבן עפלים ו' בקריאה והשיב להו התם ובתר הכי קאמר וב' כדקריין כן כתבן וסי' ואת גלמי טחריהם ואלה טהרי הזהב. ובהקדמת מקרא גדולה הקשה המגיה מהא דגרסינן במגילה פרק הקורא את המגילה עומד תנו רבנן כל המקראות הכתובים בתורה לגנאי קורים אותם לשבח כמו ישגלנה. ישכבנה. בעפלים. בטחרים. ובמסורה לא מנו כי אם ו' דכתיב בעפלים וקרינן בטחרים וכו'. וסוף דבריו כתב דלא ידע לתרוצי אלא דאורחיה דתלמודא לפליגי על המסורת עד כאן לשוני. ולי נראה דעיקר קושיא מעיקרא ליתא ואילו השמיע המקשה לאזניו דברי רבותינו ז"ל לא הוה קשיא ליה מידי דעד כאן לא אמרינן בגמרא אלא שכל המקראות הכתובים לגנאי קורין אותו לשבח כמו ישגלנה שיותר מפורסם בנשים משגל משכב וכן עפלים לשון מפורש לגנאי יותר מטחרים כמו שפירש רש"י בגמרא אבל השנים הטחרים למעלה הנכתבים בפסוק בלשון טחרים יוצאים מכלל חבריהם שנקראים ונכתבים לשבח ואין בהם שום גנאי ואם ישאל השואל מה נשתנו שניים אלו מכל האחרים אשיב כי אחר שהושמו אצל הארון שינה הכתוב בעבור קדושתו וכנה אותם בלשון נקייה וזה טעם לשבח לע"ד: (יב) וישרנה הפרות. עיין מה שכתבתי בפרשת ויצא על ויחמנה הצאן ומדלא קאמר ותישרנה דרשו רבותינו ז"ל בב"ר פ' כ"ב סימן ו' שהיו הולכות בדרך ישרה. ודרשוהו עוד על

פנים

פנים אחרים ע״ש. וכיפה תואר סי״ו: (יד) ויבקעו. הקו״ף דגושה: (יז) ואלה טחרי הזהב. ב׳ כתיבי וק׳ בענין כמו שכתבתי למעלה:

ז (ו) ויאמרו שם חטאנו לה׳. ירושלמי פ׳ סדר תעניות כיצד. ויאמר שמואל חטאנו לה׳ אמר רב שמואל בר רב יצחק לבש שמואל חלוקן של כל ישראל וכו׳ וכתב בעל יפה מראה אם אין טעות בגירסא יש לומר דאף על גב דויאמרו שם חטאנו כתיב משום דשמואל לבש חלוקו וכו׳ כדבסמוך חשיב ליה כאילו שמואל הוא האומר חטאנו אבל כנראה דט״ס הוא ולא גרסינן אלא ויאמרו שם חטאנו והכי איתא באגדת שמואל: (ז) ויראו מפני פלשתים. כתוב במכלול דף קל״ג שהוא ביו״ד האות״ן לבד וצריך להמשיך האותיות הנוספות **ביראו תיראו** להורו׳ על היו״ד פ״א הפעל תריה כתובה או ׳ ולא ׳ וכתובה צריך להורות עליה בקריאתה: (ח) מזעק. הזי״ן דגושה: ויושענו. חסר דהכר כמ״ש לעיל סימן ד׳: (ט) ויעלה. ויעלהו ק׳ ובס׳ אין מעמידין (דף כד). אמר ר׳ אחא בר אהבה מניין לעולה נקבה שהיא כשרה בבמת יחיד שנאמר ויקח שמואל טלה חלב אחד ויעלהו עולה ויעלהו לשון זכר משמע אמר ר׳ נחמן בר יצחק ויעלה כתיב: (יז) ושפט את ישראל. ר׳ יונה בס׳ הרקמה מנה זה עם הזרים שבאו בקמץ שלא בהפסק ובמסורת ליה קמץ וכל שופט גבר דכוותיה:

ח (א) את בניו שופטים. בלא מאריך בשי״ן: (ג) נדרכו. בדרכיו ק׳: ויטו אחרי. בחיר״ק היו״ד: **שימה לנו** כ״כ: (יא) ורצו. מלרע שלא כמנהג: (יד) שדותיכ׳ ׳ בלא מאריך בדל״ת: (יט) ויאמרו לא. הלמ״ד דגושה ע״פ המסורת כמ״ש בפרשת וירא סימן י״ט: (כ) מלחמתינו. ס״א מלחמתנו חסר:

ט (א) מבן ימין. מבנימן ק׳ מלה אחת וכתיב שהי מלות: (ד) בארץ שלשה. בספרים כ״י מדוייקים מלעיל וחסר והכרו מוכיח עליו ואיש בא מבעל ש ל ש ה (מלכים ב ד) וכה כ׳ הכרים על פי המסורה: (ו) בוא יבוא. בספרים כ״י מדוייקים בניהם מלאים ו׳ ואל״ף ועיין מ״ש בסוף פרשת בשלח על פסוק עד בוא השמש: נלכה שם. השי״ן דגושה: (י) לכה נלכה. כן כתיב נלכה לא ונלכה בוי״ו וזה ברור ממסורה הגדולה דחשיב הדין פסוקא באלפא ביתא מן תרתין תיבותא לא נסבין וא״ו ברים תיבותא ומטעין אינשי בהון: (כי) וישכמו. כל ספרא חסר כמ״ש בסימן א׳: ויהי כעלות. בכ״ף: הגג. הגגה קרי:

י (ג) נבל יין. ברוב ספרים מדוייקים שאלינו בחמש נקודות. ובשרשים ואחד נשא נ ב ל יין בשש נקודות ויש ספרים בחמש נקודות ע״כ: (ה) אחר כן תבוא גבעת. בדפוסים אחרונים כתוב תבוא אל גבעת ובדפוסים ישנים ובספרים כ״י מדויקים ליכא מלת אל וכן הוא במהיר נתיב: ויהי כבאך. במקצת ספרים הכ״ף דגושה ובמכלול דף ק״ז כמנה עם הרפין ועיין מ״ש בתהלים סימן קמ״ז: ופגעת. בשני גרשין: (ז) הבאינה. יתיר יו״ד: (ח) תוחל. במקצת ספרי הדפוס החית בחירק וביתנים בצירי וכן הוא בכל כ״י: (יא) מאתמול. במקרא אחת דפוס ישן וגם במקרא כ״י מצאתי האל״ף בסגול והתי״ו רפה אכן בשאר ספרים האל״ף בחירק והתי״ו דגושה וכ״כ רד״ק בפי׳ ושרשים ומכלול דף רכ״ט: עם נביאים נבא. ויאמר הנה. במקצת ספרים יש פיסקא באמצע פסוק: (יב) על כן היתה למשל הגם שאול בנביאים. בספרים מדוייקים חסר יו״ד קדמאה וכן נמסר עליו: (כא) למשפחתו. למשפחתיו ק׳: ויבקשהו. הקו״ף רפה: (כב) הבא הלם איש. ויאמר. פסקא באמצעות פסוק: (כד) הראיתם. בדגש הרי״ש ע״פ המסורה ועיין במכלול דף ע״ב ודף ס״א:

יא (ב) ויאמר אליהם. בספרים מדוייקים מלא יו״ד: (ו) בשמעו. כשמעו ק׳ והוא חד מן י״ד מלין דכתיב בי״ת וקריין כ״ף וסימניהון בריש הושע כמ״ג: (ז) אחרי שאול ואחר שמואל. בס״א כ״י ובדפוס ישן כתוב ואחרי שמואל וכן נרשם מבחוץ בדפוס אחר להורות על חילוף זה ובשאר ספרים כתיב ואחר: (ט) בחם. כחום ק׳ והוא חד מן מלין דכתיבין בי״ת וקריין כ״ף:

יב (ה) ויאמר עד. י״ב דסבירין ויאמרו ובאגדת שמואל סוף פ׳ י״ד ויאמרו נדיס אין כתוב כאן אלא ויאמר עד אמר להן הקב״ה אתם מעידים עליו על מה שבגלוי ואני מעיד עליו על מה שבסתר ובמסכת מכות פ׳ אלו הן הגולין אמר רבי אליעזר בג׳ מקומות הופיע רוח הקודש בבית דינו של שם ובבית דינו של שמואל ובבית דינו של שלמה וכו׳ בבית דינו של שמואל דכתיב הנני ענו בי וגו׳ ויאמר עד ויאמרו מבעיא ליה יצאה בת קול ואמרה אני עד וכן בב״ר פ׳ פ״ה סימן י״ג ע״ב ביצה הואר ובמורה מקום:

(ו) את אבותיכ׳. אמר המגיה קרה נפשי מאד בראותי רוב החילופים על כל אבותיכם שבשמואל ורוב הספרים אינה עולים בסגנון א׳ דזה ככה וזה ככה וליה חד מנהון דאזיל בתר מסורת דאיתא במערכת א״ב ומה לי לעשות עוד אמרתי אחכמה והיא רחוקה ממני על כן בחרתי להדפיסם כמו שנמסרו במסרה רבתא וז״ל שמואל כולם מלאים במ״ב חסרים וסימן ואשפטה אתכם לפני. כאשר בא יעקב מצרימה קדמאה דפ׳. ואם שגיתי הבינו לי ע״ש): (ח) וישבום במקום הזה. בספרים כ״י חסר יו״ד וכן הוא בדפוס ישן ועיין מ״ש בשמואל א׳ ל׳: (י) ויאמר. ויאמרו ק׳: (כד) אך יראו. חד מן ג׳ שהאל״ף נחה כמ״ש בסוף יהושע:

יג (ג) במכמש. בספרים כ״י מדוייקים כולם שבענין בשי״ן שמאלית כמ״ש בישעיה י׳ ובעזרא סי׳ ב׳ ונחמיה סימן ז׳ כתיב אנשי מ כ מ ס בסמ״ך ונמכר עליהם ב׳ כתיב סמ״ך: (ה) בית און. כן כתיב בספרים כ״י בלא מקף: (ו) כי נגש העם. בשי״ן שמאלית וכן תרגם יונתן ופי׳ רד״ק: (ח) וייחל. ויוחל ק׳: (יט) אמר. אמרו ק׳: (כא) והיתה. הוא״ו בגעיא: ולהציב הדרבן. בספרי הדפוס וגם בכ״י הבי״ת בקמץ ורד״ק כתב בפי׳ ומכלול דף רכ״ג ושרשי׳ שבלו קמץ לב״ג ולב״א הבי״ת בפת״ח ולפניהם הדל״ת מעמדת בגעיא עכ״ל. וראיתי ספרים אחרים מדפוסים ישנים משונים בנקודות אלו והם דלא כמאן ועיין מ״ש בפ׳ הזוה על ו י ש פ ה: (כג) מעבר מכמש. כולם בענין בשי״ן שמאלית כמו שכתבתי למעלה:

יד (ג) אי כבוד. ברוב ספרים כ״י חדא מלה ובהרבה לא נפסק: (ד) הנה כתב בעל מכלל יופי שהוא מלעיל והנו״ן בסגול ובדגש עכ״ל וכן ראיתי בדפוסים ישנים ובספרים מדוייקים כ״י: (יב) ונודיעה אתכם דבר. ויאמר יונתן וגו׳. במקצת ספרים יש פיסקא באמצע פסוק: (יד) מענה. העי״ן בחטף פתח: (טו) החרדה במחנה. בס״ס הבי״ת רפה שהקדמא אינו טעם מפסיק: (יט) הלוך ורב. ויאמר שאול וגו׳. פיסקא באמצע הפסוק: (כד) ואיש ישראל נגש. בשי״ן שמאלית וכן ת״י אידחיק וכן פירשו כל המפרשים וכן הוא לפי המסורה שכתבתי בישעיה כ״ט: (כז) ביערת. ברוב הספרים העי״ן בשוא לבדו: והראנה. ותארנה ק׳: (לב) ויעש. ויעט ק׳ והיו״ד פתוחה כמ״ש בסימן כ״ה מזה הספר: בשלל. כשלל ק׳: (לג) חטאים. הטי״ת בחירק והאלף נחה כמו ק ר א י ם אל ה׳: גלו אלי. הלמ״ד דגושה בספרים מדוייקים: לאכל אל הדם. בדפוס עם פי׳ אברבנאל וגם במקצת ספרים כ״י כתיב על הדם: (לו) ונבזה. הוא״ו בגעיא: בעיניך עשה * ויאמר הכהן. פיסקא באמצע פסוק: (מז) בכל איביו. הבי״ת בגעיא: איביו. אין באלף מאריך:

טו (א) למשחך. השי״ן בקמץ רחב והחי״ת בחטף קמץ במקצת ספרים וספרים אחרים החי״ת בחטף פתח ובס״ס אין מאריך בשי״ן. ורד״ק כתב בפי׳ ובשרשים שהשי״ן בקמץ רחב והחית בחטף קמץ וכן במכלול ד׳ מ׳ ובלוית חן ס״ו פ״ג ובס׳ דקדוק ישן כתוב לעולם לא יבא חטף פתח אחר חטף קמץ בסמוך הוא מאחד **לִמְשָׁחֳךָ** למלך דשאול ע״כ: (ו) פן אספך עמו. במקצת ספרים יש מאריך בה׳ ובס״ס המדוייקים הוא בא״לף ובמסורת כ״י אספך ג׳ חסר וסימן ויאמר שאול אל הקיני. לכן הנני אספך על אבותיך דיאשיהו במלכים. ואזכרו דדברי הימים עד כאן. והשנים אחרים הם בלא מאריך בסמ״ך בכל הספרים שמע מינה דבי הדדי נינהו והדא קריאה היא לכולהו. וע׳ מה שאכתוב במאמר המאריך: (טז) ויאמרו לו דבר. ויאמר ק׳: (כב) החפץ לה׳ בעלות וזבחים כשמע. מלה כשמע בכ״ף:

טז (ד) ויקרא בית לחם. הלמ״ד בקמץ מפני ההפסק בכל ספרים כ״י וגם ברוב ספרי הדפוס. ובמקצת דפוסים בסגול: (יא) לסמוך עליכם: ויאמר שלם בואך. זהו אחד מאותם דסבירין ויאמרו מסורה שופטים י״ח: שלם בואך. עיין מ״ש בשמואל י״ה: (י) לא בחר ה׳ באלה. ב׳ במסורת בקמץ הבית ואידך לא יוכל ללכת באלה דויחגור דוד לקמן סימן י״ז: (יב) וטוב ראי * ויאמר וגומר. במקצת ספרים פיסקא באמצעות פסוק: (טו) מבעתך. בחירק העי״ן ובדגוש התי״ו ודקדוק המלה עיין במכלול דף ע״ה וגם המכלול יופי העתיק דבריו: (יז) והביאותם. בספרים כתובי יד וקצת דפוסים ישנים בוא״ו אחר האל״ף:

יז (א) ויאספו פלשתים. הפ״א רפה: ויאספו שכה. בספרים מדוייקים חסר וא״ו בין שי״ן לכ״ף ומסרה רבתא אתיא כוותייהו ואידך דפסוק מלא וא״ו: (ז) וחץ חניתו. ועץ ק׳ ובטוטה פ׳ מצות מלחמה דרשו רבותינו ז״ל על הכתוב עדיין לא הגענו לחצי

בבהו

בכתו על לוהו רשע . ובשמואל ב׳ כ״א כתוב ועץ חניהו כמ״ש שם וכן בד״ה א׳ כ׳ . ועיין מ״ש בסוף פרשת דברים : (ט) והכיתיו . (א״ה ברוב ספרי הדפוס חסר יו״ד קדמאה אבל במ״ג ערך הן נמסרו והכיתיו ג׳ ב׳ חסר ואחד מלא ולא מסיימי הי ניהו המלא אבל מדהזינא בכל ספרי דב׳ דלקמן חסרים אינון אשתמע מינייהו דדין מלא וכן השכחנא בקצת ספרי ע״כ) : (יא) ויחתו ויראו מאד . מלא ויראו היו״ד במאריך : (יז) איפת הקליא . חד מן י״ב מלין דכתיבין אל״ף בסוף תיבותא ולא קריין מסורת ריש פרשת שלח לך ודניאל ג׳ : (כ) המעגלה . ברוב ספרי הדפוס וכתובי יד מלעיל הזקף בגימ״ל : (כג) ממערות . ממערכות ק׳ . וכן נדרש בסוטה סוף פ׳ משוח מלחמה כתיב ממערות וקרינן ממערכות הני רב יוסף שהכל הערו באמו והכי איתא במדרש רות רבתי פרשתא ב׳ אבל בספר הזוהר פ׳ בלק דף ר״ו כתיב שם . והיינו דכתיב ממערכות פלשתים אל תיקרי ממערכות אלא ממערות דומה שהוא כתוב ממערכות וכ״כ בעל מתנות כהונה במדרש רות וכן הוא בירושל׳ פרק החולץ ובאגדת שמואל פסוק כ׳ והדבר צ״ע ומ״ש שם בירושלמי ויצא איש הבינים ממערכות פלשתים הוא פסוק מורכב משני פסוקים כמנהג בכמה מקומות : (כה) הראיתם האיש . בדגש הרי״ש ע״ע המסורת ומכלול דף ע״ב : והיה האיש . הוא״ו בגעיא : (לד) ונשא שה מהעדר . במקצת ספרי הדפוס כתוב זה וטעות הוא כי בכל ספרים כ״י וגם בדפוסים ישנים כתוב שה וכן תרגום יונתן אימרא וכן כתבוהו החכם אברבנאל ובעל כלי יקר בפירושיהם והקונקורדאנציא בשרש נשא ושרש שה ושרש עדר : (לה) יבמיתיו . נכתב ביו״ד אחר מ״ם עם דגש בתי״ו : (לו) גם את הארי גם הדוב . בפסוק זה רבו החילופים בספרים ובמדרשים ובפירושי המפרשים במדרש ל״ב מדות דר׳ יוסי הגלילי מריבוי אחר ריבוי כיצד גם את הארי גם את הדוב הכה עבדך אילו נכתב ארי ודוב הייתי אומר שתים בלבד כשהוא אומר גם את גם הרי שלשה ריבויים מלמד שהיו שם חמשה חיות רעות כיצד ארי ושני גוריו והדוב וגורו כן נמצא זה במדרש בספר כריתות ובהליכות עולם וגם רד״ק הביאו עם שינוי מעט וכן במכילתא סוף פרשת בשלח ושים באזני יהושע זה אחד מארבעה צדיקים שנתן להם רמז שנים חשו ושנים לא חשו וכו׳ . דוד נתן לו רמז והוא שנאמר גם את הארי גם את הדוב וגו׳ . וכן הובא בילקוט שמואל ריש רמז קנ״ו וזו היא גירסת בעל מאיר נתיב אבל באגדת שמואל סוף פ׳ כ׳ גרים גם את הארי ואת הדוב הכה עבדך הני בשם ר׳ נתן ארבעה אריות וג׳ דובין הכה דוד באותו היום הה״ד ארי . הארי . את הארי . גם את הארי . דוב . הדוב . ואת הדוב ע״כ . וכן מצאתי בס״א כ״י ואת הדוב . ובילקוט מייתי הך אגדתא בלישנא אחרינא ומשבשתא היא ומשום הכי לא כתבינן לה ואולם בספרי דוקני ועתיקי דאתו לידן כתיב גם את הארי גם הדוב וכן תרגם יונתן וזו היא גירסת רד״ק ורבינו ישעיה והכי איתא בכולהו נסחי דספרד ובויקרא רבה סוף פ׳ כ״ו ובמדרש אסתר רבתי פסוק ויהי אומן את הדסה . ובבא מציעא פרק המקבל וילמדנו סוף פרשת בשלח ונ״ל דעל כרחין צריך להגיה כן בל״ב מדות דר׳ יוסי הגלילי דאמר התם בהדיא גם את גם הרי ג׳ ריבויין ואי גרסינן גם את הארי גם את הדוב כדמייתי קרא התם מעיקרא הוו להו ד׳ רבויין ואי הוה גרסינן הכי גם באגדת שמואל ניחא נמי למידרש דוב הדוב גם הדוב ואיכא בינייהו דאגדת שמואל דריש ריבוי אחי הכי״ן ה״א דהארי וה״א דהדוב לפניה עוד שניה אחרים ור׳ יוסי הגלילי בהי״ן לא דריש ורש״י ז״ל נראה שיש לו נסחא אחרת בפסוק ובמדרש ל״ב מדות עיין עליו ובעת יספיק מה שכתבתי במקום הזה : והיה הפלשתי . הוא״ו בגעיא : (לח) ונתן קובע נחשת על ראשו . בקו״ף ומלעיל וי״ם שכתוב בכ״ף והיא שגגת הסופרים שהמסורה מעידה עליו לית כותיב בקו״ף וחד לנס ומגן וקובע (יחזקאל כ״ג) והוא מלרע ותרויהון מלאים ואחר הקרויא כובע בכ״ף כלהו בר מן אילין תרין בקו״ף רד״ק בשי׳ ושרשים : (לט) ללכת באלה . ב׳ בקמץ ע״פ המסו׳ כמ״ש למעלה סי׳ ט״ז :

יח (א) ונפש יהונתן נקשרה בנפש דוד . מריש סדרא עד סבא יונתן בר מן הדין יהונתן וסימן ויאמר יהונתן אל הנער נשא כליו לכה ונעברה וגו׳ ויאמר יהונתן הנה אנחנו עברים אל האנשים והרוויהו בחד עניינא לעיל ס מן י״ד ומן הכא עד סוף סדרא יהונתן בר מן חד וידבר שאול לקמן ריש סימן י״ט ועיין מ״ש כלי יקר ומסורת ברית בגדול סימן תתקס״ט : ויאהבו . ויאהבהו ק׳ : (ו) ויהי בבואם . בהי״א דגושה : לשור . לשיר ק׳ : (ז) ותאמרן . כל נביאים וכתובים ותאמרנה נו״ן ה״א בסוף תיבה חוץ מזה שכתוב בנו״ן פשוטה מסורת פרשת ויצא : באלפו . באלפיו ק׳ : (ט) עון . עוין ק׳ : (י) ויתנבא בתוך . מלא בתוך ברוב ספרים כ״י הבי״ת דגושה ולא ידעתי למה : (יד) ויהי דוד לכל . במסורת סוף פ׳ תרומה מונה זה עם ס״א לכל דמטעין בהון דסבירין כל וקריין לכל : דרכו . דרכיו ק׳ : (כ) ויישר הדבר בעיניו . כתב רד״ק בפירוש על ויישר הדבר בעיני דוד שבסמוך שהוא ביו״ד אית״ן לגד ויו״ד השרש נפלה מהמכתב ועל זה לא כתב מלומה ובספר מכלול דף קכ״ד כתבו בתחלה ביו״ד אחד ואחר כך כתב שבמקצת ספרים ויישר הדבר בעיניו מלא בשני יודי״ן אבל ויישר הדבר בעיני דוד חסר אבל בספרים שלפנינו שניהם ביו״ד אחת וכן נכון ע״פ המסורת דפרשת בלק שנמסר א׳ ויישר וב׳ ויישר מלאים ואין זה מהם : (כב) הן עבדו . עבדיו קרי : (כה) אין חפץ למלך במהר כי במאה ערלות . חד מן כ׳ פסוקים דלית בהון אם ומטעים בהון וסימן במ״ג פרשת חיי שרה : (כז) וימלאום . קל הלמ״ד וכן במסורה ב׳ ומלאים ותגרו וימלאום עשר פרשת תולדות יצחק : (כט) ויאסף שאול . נכתב בא׳ במקום וא״ו ובמקצת ספרים כ״י נכתב מכהון ויוסף קרי :

יט (ז) ויבא יהונתן את דוד אל שאול . בספר אחד כ״י נגררה האל״ף ונשאר לשאול ואין כן בשא״ר ספרים : (י) וימלט בלילה הוא . ד׳ דסבירין היא וכתיבין הוא וסימנם בלשון ארמי שהם ודמן וקב וערק : (יז) למה ככה רִמִּיתָנִי . בס״א רִמִּיתָנִי בקמץ הרי״ו ולא יתכן שהמסורה מעידה רִמִּיתָנִי ב׳ חלא ברחל (בראשית כ״ט) ואתם שאול (שמואל א׳ כ״ח) : למה אמיתך . מלרע ורפי כמשפט בשיבא על אותיות אהו״ע : (יח) וישבו בנוית . בניות קרי וכ״כ רד״ק נכתב הוא״ו קודם היו״ד וקרי היו״ד קודם הוא״ו ע״כ . וכן מצאתי כל הכתובים בענין בספרים מדוייקים כ״י ובדפוסים קדמונים אבל בספרי הדפוס אחרונים יש חילופים אחרים ואין בהם ממש ובזבחים פרק איזהו מקומן דרש רבא מאי דכתיב וילך הוא ושמואל וישבו בנויות וכתיב הנה דוד בניות ברמה וכי מה ענין ניות אצל רמה אלא יושבים ברמה ועוסקים בנויו של עולם פירוש בבית המקדש (כלומר) באיזה מקום יהיה כן כתוב בפירוש רד״ק אמנם בנוסח גמרתינו כ׳ וישבו בניות בשני ואוין והיו״ד באמצע . ונלע״ד דרבא דריש קרא ומסורת כהדא דקרא היינו וא״ו קדים ליו״ד ומסורת יו״ד קדים לוא״ו והוי כאילו נכתב בנויות ובהכי מידריש שפיר ועוסקי׳ בנויו של עולם דאי לאו תרי ואוי״ן לא מצינן למימר בנויו ובמסורה רבתא במערכת הוה וא״ו חשיב להו בהדי מלין דכתיב מוקדם מאוחר וחשיב לכולהו ב״מ הרי בתראי ולא ידענא טעמא : (יט) הנה דוד בנויות . בניות קרי : (כא) ויתנבאו גם המה ויסף שאול . אין ריוח באמצע כמו שהוא במקרא גדולה : (כב) בשכו . בשי״ן בסגול במקצת ספרים ובמקצת בציר״י : ויאמר הנה בנוית . י״ב דסבירין ויאמרו ועיין מ״ש בסוף פרשת מטות : הנה בנוית . בניות קרי : (כג) אל נוית . ניות קרי : בנוית . בניות קרי :

כ (א) מנוית . מניות קרי : (ב) לוא יעשה . לא יעשה קרי ועיין כלי יקר ומ״ש בישעיה סי׳ מ״ט : (ג) כי כפשע . ברוב ספרי הדפוס בשי״ן הנקודה לצד ימין . וזהו פשע רב שהיא לשון פסיעה כמו שפירשו כל המפרשים מלשון אפשעה בה (ישעיה כ״ז) וכן פי׳ שם הראב״ע אפשעה בה כמו כי כפשע ע״כ . וכן אמרו במדרש בפסיעה אחת בפסיעתי מלפניו נצלתי גם בכל ספרים כ״י בשי״ן הנקודה לצד שמאל : (ה) ישב אשב . במקצת ספרים כ״י במאריך ביו״ד לא בשי״ן : (ו) ועשית חסד על עבדך . על דסבירין עם ועיין מ״ש בפרשת ויצא סימן ל׳ : (טו) ולא בהכרת . בספרים מדוייקים כ״י ודפוסים ישנים חסר יו״ד וכן במסורת ב׳ חד חסר וחד מלא ודין הוא החסר והמלא הוא דאיזבל . והמדפיסים טעו בזה : (כ) צדה אורה . ה״א הכנוי רפה מ״ס במסורת ומפסק לביות במפיק ואין לומר כי הה״א בזה במקום למ״ד בתחלתה שאם כן היה ראוי להיות בטעם מלעיל וזהו בטעם מלרע שרשים והגה״ה בה : (כד) על הלחם . אל הלחם קרי : (כט) אמלטה נא . מלעיל אמלטה נא שמה פרשת וירא מלרע כמ״ש שם : (ל) בן נעות . מלא בן בסגול וכ״כ השרשים בשרש עוה ובספר הרכבה אות הנו״ן . וכ״כ במכלול יופי שאינו במקף ובספרים מדוייקים בלשני הוא במקף ועיין לויה חן פ״ז משער השביעי : (לה) נער יהונתן את החצי . החצים קרי : (מ) לך הביא העיר . מלא יו״ד ע״פ המסורת ועיין מסורת הברית בגדול סי׳ תתק״ל : (מא) וישקו איש את רעהו . בשי״ן בדגש בכל ספרים כ״י וגם בדפיסים ישנים :

נבה

כא (ב) נבה. מלעיל: (ו) עצרה לנו. הצד"י במאריך: ההמול. בספרים כ"י ודפוסים ישנים מלא וא"ו ועיין מ"ש בפרשה ויצא סימן ל"א: (ט) ויאמר דוד לאחימלך ואין. מלת ואין האל"ף בחיר"ק בכל המדויקים וכ"כ רד"ק ובמקצת ספרי הדפוס האל"ף בצירי ואין להשגיח בהם: (י) תנה לי. הלמ"ד דגושה מכלול דף ק"ו: (יב) באלפ"ו ודוד ברבבת"ו. פיו קרי תיו קרי: (יד) ויתו על דלתות. תו בקמץ התי"ו שלא כמנהג חביריו מכלול דף קנ"ט: (טו) יבא אל ביתי. בספרים כ"י ודפוס ישן מלא בוא"ו והאל"ף:

כב (ה) ובאת לך. הוי"ו בקמץ: (ו) ושאול יושב בגבעה. בספרים מדויקים מלא וא"ו והוא א' מן המלאים בסיפרא על פי המסורת עיין עליהם: תחת האשל. במקצת ספרים מדויקים האל"ף בסגול ועיין מ"ש בפרשה וירא על ויטע אשל: ולידה. ברוב ספרים ישנים מלא יו"ד: (יב) שמע נא. השי"ן בגעיא: (יג) אליו. אלי קרי: ושאול לו. האל"ף בחולם: (יד) ונכבד בביתך. במקצת ספרים הבי"ת בקמץ כמשפט הבינוני והאחרים בפתח ובמסורת נכבד ב' פתח וסימנהון ולא נכבד עליך (שמואל ב' י"ג) וישב דוד לביתו וגו' מה נכבד היום (שמואל ב' ו') וכתב גם רד"ק מה נכבד היום נפעל עבר כי הוא פתוח: (טו) לשאול לו. חד מן תיבותא דיתירין וא"ו וחטפין קמצין וסימן במסרה רבתא: (יז) אזנו. אזני קרי: נפגע. עיין מ"ש בפרשת חקת על מלת לסבב: (יח) ויאמר המלך לדויג. לדואג קרי כי היה נקרא דויג ודואג כמו שאומר ויסב דויג ולא קרי דואג. וי"ס שגם הוא קרי דואג והקרי הוא לפי שבכתוב היו קוראים אותו דואג ונראה כי בשעת המעשה קראו הכתוב דויג לגריעותא עמו ע"כ לשון רד"ק. ובירושלמי פ' חלק ויאמר המלך לדויג אמר ר' יהודה בר פזי לדויג כתיב א"ל נתפסת כדג אתה עכרת רבתא טוב אתה ופגע בכהני ה' פי' אמר לו שאול נתפסה כדג שנאחז במצודה שאחר שעשית הגדולה דהיינו שהלשנת עליהם והייתם מיתה גם כן יש לך להרגם על דרך יד העדים תהיה בו בראשונה. והתם בבבלי דריש ר' יוחנן בהאלהים היה הקדוש ברוך הוא כביכול יושב ודואג שמא יצא זה להרבות רעה לאחר שיצא אמר ווי שיצא זה ופירוש רש"י אמר ווי לפיכך כתיב דויג ובמסורה דואג ג' וסימן ושם איש מעבדי שאול. והוא נצב על עבדי שאול. ויבא דואג האדומי. ושארהון דויג כתיב ועיין כלי יקר: (כ) וימלט בן אחד. ד' בצירי ומקף וסימנהון ותלד בן שני ליעקב. ודין והוליד בן פרץ: ולמפיבשת בן קטן וסימן יעקב זעיר אשתזיב מאחוה ועיין מ"ש בפרשה ויצא סימן ל': (כב) כי שם דויג. דואג קרי:

כג (א) את הגרנות. הגימל בחטף קמץ בנסחאות כ"י וגם בדפוסים קדמונים ועיין עוד מ"ש ביהושע סימן כ: (ב) בפלשתי' האלה ויאמר. פיסקא באמצעות פסוק: (ג) ואף כי נלך קעלה. בספרים מדויקים חסר יו"ד: (ד) קום רד קעילה. בספרים מדויקים מלא יו"ד: (ה) ואנש"ו. ואנשיו קרי: וישע דוד את ישבי קעילה. מלא ובקצת ספרים חסר: (יא) הגד נא לעבדך ויאמר. בקצת ספרים יש פיסקא באמצע פסוק: (יב) ביד שאול ויאמר. בקצת ספרים יש פיסקא באמצע פסוק: (יג) ויצאו מקעלה. בספרים מדויקים חסר יו"ד וכן הוא כפי המסורת שהביא המדפיס במקרא גדולה ולפי דבריו רבו החילופים בספרים וכבר כתבנא כל דוכתי דאית בהון פסיקא כדאשכחנא בספרי עתיקי: (טו) במדבר זיף בחרשה. הרי"ש בשוא נח שהמלה מלעיל והה"א נוספת וכן כולם שבפרשה: (כח) מרדף. בספר אחד כ"י המ"ם בצירי וטעות היא כי בשאר ספרים בחירק. וכ"כ רד"ק בחירק המ"ם שלא כמנהג ובכמה ספרים מדויקים המ"ם בלא מאריך ובמסורת ב' וחסר וחברו מרדף אחרי ישראל (שמואל ב' י"ח) וגם הוא בלא מאריך ובחיר"ק כמ"ש פה וכן במכלול דף ס':

כד (ג) ויבא להסך וגו'. כאן מתחיל סימן כ"ד: (ה) אויבך. איבך קרי: (ט) מן המערה. מהמערה קרי והוא חד מן ח' מלין דכתיבין ב' מלין וקריין חדא מלה וסימן במ"ג ד"ה ב' ל"ד: (יא) אשר נתנך ה' | היום | בידי. יש פסיק בין ה' להיום ובין היום לבידי ודכוותיה בפסיקתא דנביאים אשר נתנך ה' | היום | ביד דלקמן ס"ס כ"ו. אך בספרים שלנו אין בפסוק דלקמן פסיק כי אם בין ה' להיום: ואמר להרגך. לב"נ הרי"ש בקמץ חטוף הגימ"ל בשוא ולב"א הרי"ש בקמץ רחב עם געיא והגימ"ל בשו"א ופתח כ"כ רד"ק בפי' ובמכלול דף ל"ט ובגנבת לוים הן פ"ו פ"ג וכן ראיתי בחילופי ב"א וב"נ ובכמה ספרים מצאתי כב"נ ואחד מכל אלה לא מצאתי כב"א ובספרים ספרדיים הרי"ש בקמץ רחב עם מאריך והגימ"ל בשו"א נגדו ואפשר שזה יהיה דעת ב"א. ולפי דעתי זהו אחת מן המבוכות שנפלו במקצת ספרים שכל שו"א הבא אחר מאריך עשאוהו שוא ופתח כמו הגעיא שהוא ברא"ש תיבה ולא הבחינו ביניהם וכעת כתבתי בקיצור שעתיד אני להאריך בענין זה במאמר מיוחד בס"ד אם יאריך ה' ימי. ותחס עליך. התי"ו בקמץ חטוף לא בפתח ועיין מ"ש ביחזקאל כ': (יט) ואת' ואתה קרי:

כה (ג) ושם אשתו אבגיל. חסר יו"ד קדמאה וכן צריך להיות במסורת (שמואל ב' ג'): כלבו. כלבי קרי: (ה) ושאלתם. האל"ף בסגו"ל וכ"כ רד"ק בשרשים ותמיהני על מה שראיתי במקרא כ"י ישנה האל"ף בפתח וגם בחילופי הדפוס וכ"י כתוב לבן אשר בפתח ולבן נפתלי בסגו"ל ודבר זה שאלתי את רבותי ולא אמרו לי דבר: (ז) לא הכלמנום. הה"א בסגו"ל ומשפטו בחירק על המנהג בשלמים מסורת ורד"ק בשרש ומכלול דף פ"ה ושרשים: (ח) על יום טוב בנו. חסר אל"ף מהמכתב ונשארה במבטא רד"ק בפי' ומכלול דף קמ"ט ושרשים והוא חד מן ט' מלין חסר אל"ף בלישנא דכוותהון וסי' במסורת ירמיה ל"ט: (יא) את לחמי. החי"ת בשו"א לבדו: (יב) ויהפכו. בספרים כ"י מדויקים היו"ד והה"א בפתח והפ"א בשוא נח וכ"כ רד"ק בשרשו ובמקצת דפוסים ישנים היו"ד בצירי והה"א בקמץ וַיְהָפְכוּ ובמקצת דפוסים אחרונים וַיַּהַפְּכוּ בדגש הפ"א וכ"י עקר וראיה גמורה ממסרה רבתא דבמערבא אות הוא"ו איכא כ"ב זוגין נסבין וא"ו יו"ד בריש תיבותא ונסבין וא"ו בסופיה חד מלרע וחד מלעיל כמו וְיִתְאָו המלך יפיך (תהלים מ"ה) מלרע. וַיִּתְאַו דוד ויאמר (ד"ה א י"א) מלעיל. וחד מן זוגיא דאמרי בהם הוא דין וישלחם וְיַהַפְכוּ ארץ (איוב י"ב) מלרע. וַיַּהַפְכוּ נערי דוד לדרכם מלעיל. וזהו מן האחד מענין מלעיל ומלרע הנזכר מבעלי המסורה שאינו על הנחת טעמים רק על השתנות הנקודות והם המלות שנמצאו שתים שתים שקראו להם זוגים ובראשן אותיות כל"ב או הוא"ו שבראש האית"ן ובמלה אחת כן נקודות בשוא ובחברתה בפתח ודגש אחריה כמו שזכר בעל מסורת המסורת במאמר ד' ואין הספקות אחר ביניהם: ויגדו לו. בספרים מדויקים חסר יו"ד: (יד) ויעט בהם. היו"ד קמוצה מענין עיט שהוא העוף אבל ו י ע ט העם אל השלל (שמואל א' י"ד) היו"ד פתוחה שהוא מענין עטייה וכן במסורת ויעט ב' חד קמץ וחד פתח: (יח) ותמהר אבוגל. אביגיל קרי: עשוות. עשויות קרי ורבותינו דרשו בפרק ראשית הגז שמעשות את בעליהן ואומרות לו קום עשה מלוה חדשה מאי ניהו ראשית הגז דכתיב ביה לשון דמשמע מרובה דהוי בבכורה ומתנות אפי' חדא מחייבא: (כ) והיה היא רכבת. חסר וא"ו וראה מ"ש בפרשה נח סימן ז': (כג) ותשתחו ארץ. חד מן ה' דסבירין ארצה וסימן במ"ג בפרשה ויגש: (כד) באזניך. האל"ף בקמץ לבד: (כו) ועתה אדוני. כ"כ ועתה לא ואתה וכן תרגם יונתן וכען: (כט) לִרְדָפְךָ. הדל"ת בקמץ חטוף ובכ' כ"י מצאתי לִרְדָּפְךָ ואין לרדוף אחריך והחילופים בדל"ת רפה לקריאת ב"א ולב"נ בדגש ואין שינוי אחר ביניהם: וצוך. הוא"ו בגעיא: (לא) ולשפך דם חנם. איתא במסרה רבתא במערבא אות הוא"ו כל תיבותא דיתירים וא"ו וקמצין חטפין ותמן כתוב לשפך דם נקי דאביגיל ולא נמצא במקרא רק זה הפסוק שכתוב ולשפך דם חנם ובכל הספרים הוא בלא וא"ו והוא מן הטעם ולי יש לומר דאולי זאת היתה קריאת ב"נ ודברי בעל מסורה זו מיוסדים עליה כמ"ש אצל הדרוש רשעו כל המלה (תהלים י') ואין אנו סומכים על קריאתו: (לב) ויאמר דוד לאבגל. הגימ"ל בפתח ויש ספרים שגם זה כתוב לאביגיל וטעות נפל בהם וכן במדרש הובא בילקוט אמר ר' יצחק פסוק זה הזכיר פגם של אביגיל. אבגל חסר יו"ד מפני שנתנה בו עיניה כשהיא אשת איש. ולשון המדרש באגדת שמואל כך הוא וזכרת את אמתך אמר ר' יצחק פסוק מוזליך וחסיל שותקין לפי שנתנה עיניה בו כשהיא אשת איש לפיכך פגמה הכתוב אביגל תניינא אביגל כתיב ע"כ. ואם אין טעות בגירסא נ"ל דקרי תניינא לשני הנזכר בפסוק בתר שראתה את דוד דהיינו מתחלת ותרא אביגיל את דוד וגו' וכן אמרו בירושלמי דסנהדרין פ' כהן גדול וזכרת את אמתך מלמד שהפקירה עצמה וכיון שהפקירה עצמה פגמה הכתוב בכל קרייא אפקרי אביגיל בר מהדין פסוקא ויאמר דוד לאביגל. ואפילו הכא דאמרינן בפ"ק דמגילה וב"ק פרק החובל היינו דאמרי אינשי איתתא בהדי שותא פלכא אי נמי שביל ואזיל בר אווזא ועינוהי מטייפין: (לג) והשע ידי לי. במקצת ספרים חסר וא"ו בין ה"א לשי"ן וכן נמסר עליו לית חסר ובמסורה בירמיה סימן א' והושע ג' וסימן מבוא בדמים והושע ידך לך דלעיל: וברוך טעמך וברוכה. והושע לא יושיעו להם בעת רעתם (ירמיה ב') ע"כ. ושלשתם השי"ן בצירי לא בחירק כמו שראיתי בספר אחד

כ"י: (לד) לולי מהרת. במקצת ספרים כ"י כתוב לולא בא"לף ומסור עליה לולא ד' בקריא וסימן כי לולא התמהמהנו. לולא חרשתם בעגלתי. כי לולא מהרת. לולא האמנתי לראות ע"כ. אבל בספרים אחרים כתוב לולי ביו"ד ומסרה שלהם גם כן ד' לולא בא"לף ומשמיטים זה ומונים לולא דב"ת כי אז (שמואל ב' ב') דהא דבהנהו ספרי נמי דכתיב הכא לולא בא"לף לא קבעי נסבייהו במסרא דילהון ולא מברר להו שפיר. ובשמואל ב' סימן ב' מסרי כליבנא דמסרה דמסרה דילן התם ובפרשת מקץ: והבאתי. והבאת קרי ועיין בספר הרכבה אות בוא"ו: (לז) ויגד לו אשהו. במקראות כ"י ודפוסים קדמונים רבי"ה בסגו"ל: (מג) הבלכת. במקצת ספרים מלא וא"ו בתרא ולפום מאי דמסיר נעד המסורת בס' ואלה שמות חסר דחכר:

כו (א) כישימן. כרוב ספרים ישנים חסר וא"ו וכן הכרו בסמוך: (ה) סביבות"ו: סביבותיו קרי: (ז) מראשת"ו. מראשותיו קרי: סבינת"ו. סביבתיו קרי והוא מלא יו"ד אחר הבי"ת: (ח) אויביך. כן הוא בספרים מדוייקים ונמסר עליו לית וכתיב כן לא כמ"ש במקצת ספרים אוֹיִבְיךָ ביו"ד יתירה. וכ"נ שזהו דעת רד"ק שלא כתב על זה כלום כמ"ש למעל' בסימן כ"ד: (יא) החנית חסר מראשת"ו. מראשתיו קרי: (טז) המים אשר מראשת"ו. מראשתיו קרי: (כב) הנה החנית. חנית קרי: (כג) ולא אמנהו. בכמה דפוסים אחרונים בחטף פתח ואין להאמין להם כי בכל ספרים הרצותים בכתב אמת וגם בדפוסים ראשונים בחטף סגול:

כז (א) לבקשני עוד. בספרים כ"י ובקצת דפוסים ישנים הקו"ף רפה: (ב) בן מעוך. בקצת ספרים הע"ין בשורק ובגמרא היא שהמסרה מעידה לית מלאפום וחד ומעוך וכתות: (ג) היזרעאלת. במקצת ספרים כ"י חסר יו"ד ונמסר עליו ה' ב' חסר יו"ד והכי נמי נמסר במסרה רבתא מערכת אות היו"ד זיל קרי בהם: (ד) יוסף. יוסף קרי: (ו) צקלג. נ"א ציקלג מלא וי"ס שבלד"י במאריך בשנים שבפסוק אף על פי שאין בהם יו"ד כמ"ש בסי' ל' דספר זה ובספר שני ס' ד': לכן היתה צקלג. סבירין ע"כ. מסורת: (ח) והגרזי. והגזרי קרי: (י) הירחמאלי. היו"ד דגושה בספרים מדוייקים:

כח (ג) ושמואל מת וגו' ושאול הסיר האבות ואת הידענים. במקצת ספרים כתוב הסיר את האבות אבל במדוייקים כ"י אין בהם מלת את וכן במאיר נתיב שרש אוב ושרש סור: (ח) ויראה. כתוב בספרים ביו"ד אחת בלבד: ויחרד. במקצת ספרי הספרדים החי"ת בשו"א לבדו: (ח) קסומי. יתיר וא"ו והסמ"ך בחטף קמץ והוא חד מן יתירין וא"ו חטפין קמצין על פי המסורה: (ט) ולמה אתה. מלא ולמה מלרע ורפה כמשפט: (ו) אם יקרך. דגש הקו"ף לתפארת מכלל דף ד' ועיין עוד בדף קס"ה: (ט) למה הרגזתני. מלא למה בא כדגש ומלעיל על כל כ"א מכלל דף ר"ו ובפירוש רבינו ישעיה כאן ועיין מ"ש בירמיה ע"ו: (טז) ערך. חסר יו"ד ברוב בספרים: (כ) ויהא מאוד. בספרים מדוייקים ביו"ד אית"ן לבד ויו"ד השרש נעלמת מהמכתב וכ"כ רד"ק: (כג) וישב אל המטה: (כד) ולאשה עגל. הלי השפר:

כט (ה) בהלפ"ו. באלפיו קרי. וי"ם שכתוב בפסוק באלפיו ביו"ד: ברבבת"ו. ברבבותיו קרי: (י) באך אלי. בספרים מדוייקים בלא וא"ו אחר הבי"ה:

ל (א) ואנשיו צקלג. יש ספרים שבלד"י במאריך כמ"ש לעיל בסימן כ"ו: (ב) ויכבגו. המסורה עליו לית מלעיל ואחד מלרע וַיִּנְהֲגוּ וַיֵּלְכוּ שבפרשה זו לקמן וזהו האחד מהזוגים שזכרתי למעלה בסימן כ"ה ע"ש: (ו) מרה. לית בטעם מלעיל וכן נמנה במסרה גדולה בשטה חדא דכל חד וחד מלעיל ולית כוותיה וגם רד"ק כתב כי מרה פעל עבר כי הוא מלעיל בבני השטין: על בניו. בניו קרי: (יג) למי אתה. בספרים מדוייקים כ"י ובדפוס קדמון הלמ"ד בגעיא: (יד) ואת ציקלג. נ"א צקלג ועיין מה שכתבתי לעיל: (טו) השבעה לי. בס"א כ"י בשי"ן במאריך: ואורדך. בספרים כ"י אין מאריך ברי"ש: (כא) וישיבם. במסורת הדפוס וישיבם ב' וסימן ויושיבם בסר וכו' וטעות הוא וצריך לומר וישבום במקום הזה (ש"א י"ב) ומשהניין באתיהון ובנקודתהון: (כד) היורד. ספר אחד הירד כתיב חסר היורד קרי מלא. וס"א הירד כתיב וקרי וס"א היירד כתיב היורד קרי:

לא (א) ינים. בספרים מדוייקים מלא יו"ד ואזלא כוותיה מסורת דסוף שופטים: (יג) ויקחו את עצמותיהם. אין בלד"י דגש: התת האשל. יש ספרים בשש נקודות ויש ספרים בחמש ועיין מה שכתבתי בפרשת וירא על ויטע אשל:

שמואל ב

א (א) וישב דוד בצקלג. מתחלפים בספרים כמ"ש למעלה: (ב) בבאו אל דוד. בבי"ת רד"ק: (ו) הדבקהו. בספרים ישנים חסר יו"ד וכן בס"א כ"י מסור עליו לית וחסר: (ח) ויאמר אליו. ואמר קרי מסירת נחמיה ה': (ט) עמד נא עלי ומתתני. בס"א כ"י עמד המ"ם בחולם ואין לעמוד עליו כי בכל שאר ספרים בקמץ חטף: (י) ואמותתהו. הוא"ו פתוחה ומשפטה להיות בקמץ כי הענין לעבר עיין בפי' רד"ק: אחרי נפלו. בס"א כ"י הנו"ן בקמץ חטוף ובכל שאר ספרים בחירק וכ"כ רד"ק בשרשו: (יא) בבגדו. בבגדיו קרי: (טז) דמיך. דמך קרי: (כא) ושדי תרומת. במדוייקים חסר וא"ו הניינא וכן ראוי כמ"ש במשלי כ"ט בס"ד: (כב) לא נסוג. לית כתיב שי"ן ועיין מ"ש בתהלים סימן מ"ד בס"ד: (כו) נפלאתה. הלא"ף בפתח במדוייקים והאחד מהם כתוב עליו פתח בס' מוגה:

ב (ט) ועל ישראל כלה. עיין מ"ש בירמיה סימן ב': (יז) ויננף אבנר. במקרא גדולה כתוב וינגב ובגמה יצאה מלפני המדפים: (יט) ועל השמאול. כרוכן של ספרים כ"י מלא באל"ף וא"ו: (כב) למה אכבה. מלעיל ודגש סמוך לא"ה עיין מ"ש בירמיה ט"ו אלו סכין: (כו) תחת"ו. תחתיו קרי ובמסורת כ"י תחתו ד' חסר וסימנהון עשהאל. ויצלת אבנר מלאכים בסימן ג'. אשר מלכת תחתיו סימן ט"ו בכאי סיפרא תתתו שחתו (איוב ט'):

ג (א) ארכה. חד מן ג' חסר ודגשים במסורת איוב י"א: (ב) וי"לדו. ויולדו קרי: (ג) לאביג"ל. לאביגיל קרי: כראש כלב אנכי. לשון רש"י כלב אנכי מוקף במקף וכן הוא במק"ג אבל בכמה ספרים כ"י מדוייקים מלת כלב בטעם גלגל ובקצת מהם מלת אנכי בנו"ן בטעם מלבד הזרקא בבשופה ובמסורה פ' בראשית נמנה עם אותם שהם בטעם מלעיל: כמאיתך. לית וחסר יו"ד בההה: (יב) התח"ו. תחתיו קרי כמ"ש לעיל בסימן ב': (יג) בבאך. בס"ס בבואך מלא: (טו) פלטיאל. סנהדרין פ' כהן גדול: כתיב פלטי (שמואל א כ"ה) וכתיב פלטיאל א"ר יוחנן פלטי שמו ולמה נקרא שמו פלטיאל שפלטו אל מן העבירה מה עשה נעץ חרב בינו לבינה אמר כל העוסק בדבר זה ידקר בחרב. ובויקרא רבה פ' כ"ג ג' הם שברחו מן העבירה ושתף הקב"ה שמו עמהם. יוסף. ויעל. ופלטי. פלטי מנין כתוב א' אומר ושאול נתן את מיכל בתו לפלטי וכתוב א' אומר לפלטיאל קרי ליה פלטי וקרי ליה פלטיאל מי נקיב פלטי ומי יהב פלטיאל בהמיסה אלא מעיד אני עליו שלא נגע באשת דוד: לוש. ליש קרי: (יח) כיד דוד עבדי הושיע. בס"א כ"י אושיע בא"לף ובכל שאר הספרים כתוב הושיע בה"א וכ"כ רד"ק שהוא מקור במקום הושיע כלומר אמרתי להושיע את ישראל בידי. וכן ואהכם הוציא מתוכה כאילו אמר הוציא וכן ת"י הושיע אפרוק עכ"ל. ורבינו ישעיה כתב שנחלף הא"לף בה"א ופי' אושיע שאותיות אהו"י מתחלפות זו בזו וכן וכל מלבושי אגאלתי נחלף בה"א בא"לף והיה לו לומר הגאלתי ע"כ. ובמסורה כ"י הושיע ב' עתה ודין ר"ל ס' עתה ידעתי כי הושיע ה' משיחו (תהלים כ'): (כא) אקומה ואלכה. בס"ס הוא"ו בגעיא: (כב) והנה עבדי דוד ויואב בא. עיין מ"ש ביחזקאל כ"ג: מבולך. תובלך קרי: (לד) הגשו. במקצת ספרים בגימ"ל בפתח: (לה) להברות את דוד. בדפוס ישן כתיב להכרות בכ"ד וקרי להברות בבי"ת וכן בסנהדרין פ' כ"ג דרש רבא מאי דכתיב ויבא כל העם להברות את דוד כתיב להכרות בכ"ף וקרינן להברות בבית בתחלה להכרותו ולבסוף להברותו ופירש רש"י ז"ל בתחלה להכרותו שהיו סבורין שמאתו היתה הריגת אבנר ולבסוף להברותו שידעו בבירור שלא מאת דוד נהרג אבנר עכ"ל. וכן כתבו מנחם בן סרוק ור' יהודה חיוג ור' יוסף קמחי כי הכתיב בכ"ף. אכן בספרים אחרים שלפנינו כתוב בבית ואין כאן קרי וכתוב כלל וכן העידו רד"ק ורבי יונה המדקדק שלא מצאו כתוב בכ"ף בשום ספר מדוייק ולא במסורה ובעל כלי יקר כתב לפי דרכו שגם חז"ל לא היה להם כתיב וקרי רק להברות בבי"ת יעויין שם: (לט) לעשה הרעה. בספרים ישנים מהדפוס וכ"י השי"ן בסגול לא בצירי כמו שהוא בדפוסים אחרים:

ד (ב) שרי גדודים. במקצת הספרים המאריך ברי"ש לא בשי"ן וי"ס בגלגל ויש ג"כ בלא שום טעם כלל בשום ספרים שאין שום טעם בשי"ן: (ו) והנה באו. בשני ספרים ישנים אחד מהם כ"י והאחד מהם מהדפוס מצאתי כתוב וְהִנָּה ופעמים כל האומרים כן כי במסורת

במסורה נמסר וְהֵנָּה ג' בקריאה וסימן וְהֵנָּה באו עד הון בניה והנה אמרתי הסיהוק (ירמיה ל"ח) וְהֵנָּה בבני הלכנם (יחזקאל ל'): (ז) ויסרו את ראשו.

בס"ס ודפוס ישן חסר יו"ד: (י) ואהרגהו בצקלג. בס"א כ"י הכ"א בסגול ובספרים אחרים בצירי והכירו ע"פ המסורה קשרתי אל אדוני וָאֲהַרְגֵהוּ (מלכים ב' י') וגם הוא בשני בוולין וכ"כ במכלול דף מ"ס: בצקלג. בספרים מתחלפים כמ"ש בשמואל א' כ"ז:

ה (א) הננו עצמך. קל ובאות ע'ן ראשונה כמ"ש בירושע ט': (ב) אתה הייתה ○ מוציא. היית קרי המוציא קרי והכ"א שהיתה בסוף מלת הייה נקראת עם מלת מוציא והוא חד מן ג' מלין קדמיתא נסיב מן תניינא וסיין דין יַדַעְתָּה ○ שַׁחַר מקומו (איוב ל"ח) וּמִתַּחְתֶּה ○ לִשְׁכוֹת האלה (יחזקאל מ"ב ט') וכן מלאהים נס' כ"י קדמון מדוייק והילופיהון נמסר לקמן בסימן כ"א: והמבי"א. והמביא קרי: את ישראל ויאמר. בספרים כ"י ובדפוס ישן אין כאן פיסקא באמצע פסוק: (ד) הירבעים בנה מלך. הרגעים בלא וא"ו והוא חד מן אלפא ביתא מן חד חד מתרתין היגוהן לא נסבין וא"ו בריש תיבותא ומטעין בהון וסימן נמסר במסרה רבתא אות וא"ו:

(ו) הסירך העורים והפסחים. ברוב ספרים מדוייקים הכ"א בשוא וסגול וכן כתב רד"ק בשרשים ובמקצת ספרים בשוא ופתח: (ח) מכה. במקצת ספרים הכ"ף בסגול: בואו. בנוי קרי: (יט) התתנם בידי ○ ויאמר. בספרים ישנים אין כאן פסקא באמצע פסוק: (כג) וילכדו עוד פלשתים. הכ"א כ"י חסר יו"ד וכן נסגר אחר מדוייק נגררה היו"ד ומסורה בלקא כוותייהו עיין במסרה רבתא אות היו"ד: (כד) בשמעך. בשמעך קרי בכ"ף והכתיב בבי"ת והוא חן י"א מלין דכתיבין כן והבי"ת בשוא:

ו (ס) ובצלצלים. במקצת ספרים כ"י ודפוסים ראשונים לד"י שנייה בשוא לבדו ובמקצת ספרים כ"י מדוייקים וגם בדפוסים אחרונים בחטף סגול ורד"ק בשרשים כתב וכן בהבדל כפ"א ובמנענעים ובצלצלים בסגול הפ"א וכגים ר' אליהו המדקדק היה לו לומר בסגול הפ"א הראשונה והשנייה בחטף סגול כדרכה: (ו) ויבאו עד גרן נכון. ובד"ה א' י"ג ויבאו עד גרן כידן ובסוטה פ' אלו נאמרין בתהלה כידן ולבסוף נכון עיין שם בפי' רש"י והכמת שלמה דף י"ו וכאן בפי' רד"ק ובירושלמי סוף פ' החולק ומדבר רבה פרק ד': (יא) את עבד אדם ואת כל ביתו. בספרים כ"י מדוייקים ודפוסים ישנים חסר וא"ו כהבריו בנעין ומה שנמסר במקרא גדולה כל אדום דעבד אדום חסר בר מן חד מלא לא מצאתי כן בספרים כ"י הדרכא גם' א' כ"י מדוייק נגררה הוא"ו והאריכו הדל"ת: (כג) לא היה לה ילד. למדינחאי כתיב ולד בוא"ו וקרי ילד ביו"ד ולמערבאי כתיב ילד ביו"ד וקרי בוא"ו ולד כ"כ רד"ק ובחלופי כ"א וכ"ג שאלנו בדפוס למערבאי ילד כתיב וקרי. למדינחאי ולד כתיב ילד קרי ובספרים מתחלפים ואין להכריע מהם. והחכם לוזינו בעבים והרבע שלו מהדפיס שבתוב בפסוק ולד כתב כנגדו ב"א ילד ועיקר למדינחאי כתיב ולד ואנן קריין כמערבאי עכ"ל. והמסרות מסייעות לנכחא שלפנינו הליבא דמערבאי דכתיב וקרי ילד ביו"ד דבמסרה גדולה נמסר סימן מן נ"ב מלין דכתיבין יו"ד בריש תיבותא וקרינן וא"ו ולא נמנה זה עמהם גם לא נמנה במכלי סימן י"א עם ו' מלין דכתיבין וא"ו בריש תיבותא וקרינן יו"ד והזינא במקצת נסחי דדפוסא בסוף סדרא דנח גבי ותהי שרי עקרה אין לה וָלָד דמסרי עליה לית וחד לא היה לה וָלֶד וליתא בשיטה נסחי דכתיבין כתב ידא: עד יום מותה. בחולם אבל וכעת מותה (שמואל ד') בשורק כמ"ש שם:

ז (ד) ויהי בלילה ההוא ויהי דבר. במקצת ספרים יש כאן פיסקא באמצע פסוק: (ט) את כל אויביך. (אמר המגיה בית"ג ובמקצת ספרים חסר יו"ד והרי זה טעות גמור שהרי במזמור פ"ג נמסר ש' מלאים דמלאים כתיבי וג' הכרים דחסרים ואין זה עמהם ובאורה אויביך מלא ביו"ד בהרבה כתיבי ועיין מ"ש במחבר בפרשת כי תצא ונפרשת שופטים על פסוק כי תצא למלחמה): (י) ושמתי מקום לעמי ישראל. במקצת ספרים כתוב לעמי ישראל והוא דנסחי דיקי דאהו קדמי כתוב לישראל גלמ"ד אבל בד"ה א' י"ז כתוב לעמי ישראל: (טז) וְנֶאְמַן בֵּיתְךָ. במקצת ספרים האל"ף בחטף סגול אך במדוייקים בשוא לבדו וכ"כ רד"ק במכלול דף ע"ב ובשרשים וכ"כ בעל רב פעלים ובמכלי י"א על פסוק וְנֶאְמַן רוח מכסה דבר נמסר עליו במקרא גדולה כ' אֶ וָאִ וסי' הדבר ר"ל כ' ואלמן חד בחטף סגול היינו של מכלי וחד בשוא שבוא זה דבשמואל ושן מצאתי בספרים מדוייקים כ"י שנמסר כאן בשמואל לְ וח' וְנֶאְמַן רוח והכוונה פתחין:

(יח) הביאתני. בספרים מדוייקים חסר יו"ד ובד"ה א' י"ז מלא יו"ד וכן נמסר כאן חד חסר וחד מלא דין חסר (ופי' ח"י) ובד"ה נמסר ג' וחסר וא"ו והא והא איתא: (כא) את כל הגדולה. נכתב בוא"ו עם בדגש ו ן הברו בבסמוך רד"ק: (כב) בכל אשר שמענו. בספרים מוגהים בכל בכי"ת: (כג) אשר הלכו אלהים. גבל בו מהלוקת אם הוא קודש או חול כי במדרש יפלה דבתי בפסוק טוב שם משמן טוב ר' נון בשם ר' שמואל בר נחמני אמר מצינו שהלך הקב"ה מהלך חמש מאות שנה לקנות לו שם דכתיב אשר הלכו אלהים לפדות לו לעם ולשום לו שם משמע שהוא קדש והכי כתב בהד שבי איתא כתיב אשר הלך האלהים (ד"ה א' י"ו) ולהלן הוא אומר אשר הלכו האלהים הלך זה הקב"ה אלהים זה משה ואהרן והכי איתא באגדת שמואל פ' כ"ז אלמא דגל הוא וכן משמע בירושלמי דסנהדרין פ' כ"ג ובהוריות דאמרינן התם היא וכל דיגין דידיה פי' פלמיה אשר הלך אלהים אין כתיב כאן אלא אשר הלכו אלהים אבל בגמרא דילן פ' א' דיני ממונות משמע שהוא קדש דהביא ליה גבי אהריני דכל מקום שפקרו המינים ורביהן גלדן הילכן טוב להם ר בלא למוהקו. אשר פדית לך ממצרים גוים ואלהיו ירושלמי פ' לולב וערבה הני בשם ר' אלעזר ע"ה עגרה עם ישראל כ"ס מה עשאה מפני עמך אשר פדית לך ממצרים גוי ואלהיו היינו פסל מיכה שעליו נאמר ועבר בים צרה כדאיתא בפרק חלק אמר לו ר"ע ה"ו אם אומר אתה כן נמצאת עושה את הקדש חול פי' מלה ואלהיו שהוא שם קדש ואיני נותק אתם עושה אותו חול ובריה למקרים מה ת"ל אשר פדית לך ממצרים כביכול כאלו עצמך פדית ע"כ. ונ"ע מהירושלמי הזה דגרים גוי ואלהיו והכי גרסינן בספרי פרשת בהעלותך ובמכילתא פרשת בא ומדרש קהלת פסוק טוב שם משמן טוב יש"ר פ' כ"ז ופ' מ"כ אבל בשמות רבה פי ט"ו גרסינן גוים וכן כתוב בדברי הימים א' י"ז אשר פדית ממצרים גוים ועיין מה שכתוב בתילים מזמור ס': (כד) ותכונן. בשני שוואים:

ח (ב) וימדדם בחבל. בשש נקודות ברוב הספרים וכן ומלא החבל שבסמוך: (ג) ויך דוד את הדרעזר. ברוב הספרים בשני דלתי"ן והדא מלה וכן הבירו בנפרשה: ואמר הגעיר רפאל חיים המגיה אבל בדפוסים אחרונים בין בל אמשטרדם בין בל ויניציאה כולם ברי"ש. ולברומט על המרגה שראיתי בדפוסי ויניציאה אשר בכוגם לקמן על פ' לעזור להדדעזר נרשם מבחוץ בנ"ל ר וכן כולם שלאחריו נרשם ביד קטנה להוריה שהם ברי"ש וקצה דאלו על פ' זה ויך דוד לא נרשם כלום דלכאורה נראה דזה נכתב בדל"ת. איברא דמצל לומר דהמדפיס לא מצא מהלוקת על זה אבל על אחרים שמצא בהם מאן דפליג רבם דבנ"ל ברי"ש. הביא מיהא קביא אליבייהו דהני דפליגי ובברי דהנך בתראי הם בדל"ת וקמא בריש דהרי במסרה רבתא אות דל"ת נסדרו הני מילי דהד דל"ת וחד רי"ש ולית דכוותייהו כגון אריקם. אריקם הדלת. הררת. ולית דין נהדייהו אלא ודאי כולהו דמיין להדדי וליכא הפרש בינייהו ומדהזינא להרב המחבר שכתב דכולהו איגון בתרי דלתי"ן לית לזוע מיניה דודאי דק ואשכח): בנהר פרת. הבי"ת במאריך בספרים כ"י: בנהר ○○○. פרת קרי והוא חד מלין דקריין ולא כתיבין על פי הגמרא בנדרים פ' אין בין המודר ועל פי המסורה בריש סדר אלה הדברים ובמגלת רות ולכן הניחו מקום הלך בפנים ושמו שם הנקודות להורות עליהם והזכירו שכתוב בשני מקומות בשמואל ובדברי הימים א' י"ח פעם ראשון אמר להשיב ידו בנהר ופעם שני אמר להציב ידו בנהר פרת ולהודיע שהוא נהר פרת ולא נהר מצרים כתוב הולה לו פרת. כך מצאתי בסדר קרי ולא כתיב ופירושו ומלהו: (י) וישם דוד נצבים. בספרים כ"י ודפוסים ישנים חסר יו"ד קדמאה וכן הבירו בנעין: (יג) (בשבו. א"ב בדפוסי ויניציאה נכתב בגליון נס"א מוגה מלא וא"ו ולית דהמסרה מעידה עליו לית חסר):

ט (י) אתה ובניך ועבדיך והבאת. מלא והבאת מלעיל אעפ"י שהוא לעתיד רד"ק בשרשים ובהגהות א"א לפי שהוא ענין אחר ר"ל מענין הבולה לפיכך נשתנה הטעם וכן השמר והבקע וכו': (יב) ולמפיבשת בן קטן. הבי"ת בצירי ע"פ המסורת:

י (ג) החקר את העיר. כן כתוב את העיר לא את הארץ: (ס) שבו בירחו. בספרים מדוייקים כ"י וגם בדפוסים קדמונים הרי"ש בחירק לא בצירי והוא חסר יו"ד אחר הרי"ש ברובם: (ט) בחורי בישראל. ישראל קרי: (י אבשי. בשוא הבי"ת ונמסרה בכיפרא לית כוותיה וכל ד"ה כוותיה כן כתב רד"ק וכן מצאתי במסורת וכתב רש"י בד"ה א' י"ט שכל אותו הספר נכתב בשביל כבודו של דוד ואין זה כבודו שיקראו לבן אחותו אבישי דמשמע גם אני השוב כדוד כי אני הוא ישי לכך בכל ספר ד"ה אבשי ובכל ספר שמואל אבישי לבד מזה אבשי ולא יתר הטעם ניתן ביד אבשי. ועל פי המסורת

שהרי

שהרי כן הוא שהיה ישי אבי אמו לרויה שהיא היתה אמו עכ"ל ולשון רש"י שם בהגהתו נראה שנשתבש מהמדפיסים וצריך תיקון : (יא) חרב ממני . כן כתיב לא מ מ נ י הרס כמו שראיתי בס"א : ויהיה לו . ביו"ד אחת בלבד ברוב הספרים וכן כתב רד"ק : (טז) הדדעזר . כולם שבפרשה בשני דלתי"ן בספרים כ"י ועיין דברי הימים א' סימן י"ח וסי' י"ט : ושובך . בשי"ן ימנית ובשמות רבה פ' מ' על פסוק והיה כן שובך על שהעמיד שובך לאלהים זה המשכן שהיה עומד כשובך . ופירש בעל מתנות כהונה שנוטריקון שובך שוכן לאלהים ע"כ . ומלת שובל גם כן בשין ימנית . ועיין עוד מ"ש בד"ה א' י"ט בס"ד : (יט) ויראו ארם . ביו"ד אחת לבד ובמאריך בספרים כ"י מדוייקים ובדפוס ישן וכן דינו להיות חסר יו"ד על פי המסורה שנמסר במערכה אות היו"ד ויראו ד' חסרים וסימנ' שם ונהר כבי אמר וכל שמואל דכותה בר מן א' וכל איש ישראל והוא בשמואל א' י"ז וסוף הפסוק וינסו מפניו וייראו מאד והכא נמי נמסר לית מלא בסיפרא :

יא (א) המלאכים . יתיר אל"ף : ודוד יושב בירושלם . יושב מלא וא"ו ובספרים מדוייקים וכן הוא במסורה שמואל ב' י"ט : (י) ויגדו לדוד . בספרים כ"י ודפוסים ישנים חסר יו"ד : (כב) וירא המוראים . וירו המורים קרי : (כה) כי כזה וכזה תאכל החרב . הראשון בחולם והשני בסגול רד"ק :

יב (ט) מדוע בזית וגו' לעשות הרע בעינו . בעיני קרי כן מצאתי בס"ס המדוקדקים ודין הוא חד מן מ"ח מלין דכתיבין בין וא"ו בסוף תיבותא וקריין י' וסימן נמסר בריש האי סיפרא וריש ירמיה . ובמקצת ספרים בעינו כתיב וקרי בעיניו ומסורת כלישנא עלייהו : (יח) ויראו עבדי דוד . ביו"ד אחד לבד ובמאריך להורות על הסרון יו"ד פ"א הפועל ועיין מ"ש לעיל בסימן י' : (כ) שמלתיו קרי : (כב) יחנני . וחנני קרי : (כד) את בת שבע אשתו . מצאתי בספר א' כתיב אשו קרי אשתו והפשתי בספרים מדוייקים ולא מצאתי כן וסמכתי על המסרה שמצאתי שאומר י"א מלין קורין הי"ו ולא כתיב ומלבד זה אנו מוצאים אותם יותר כדברי הספר הזה הם י"ב אלו דברי רד"ק ועיין עוד שם : והלד בן ויקרא . ותקרא קרי : (כה) ידידיה . פליגי עליה אמוראי בפ' ערבי פסחים לר' יוחנן מלה הדא ורב ורבה תרתין מלין לפיכך ידיד חול וי"ה קדש והאי ר' יוחנן כר' יוסי ורב ורבה כת"ק במסכת סופרים פ"ה הלכה י' ובנוסחי דכפתא הדא מלה גם בעל ערוגת הבושם בפ' י"א מנאו עם השמות הדבקים דבוק מוחלט ועיין מ"ש בסוף פרשת בשלח על כס יה והלוקים הספרים אם כה"א רפה או במפיק ובסוף פרשת בשלח נמנה במסורה עם מלין דלא מפקא ה' ועיין בפסקים מהר"ר ישראל אשכנזי בעל תרומת הדשן סימן קפ"ח : (ל) את עטרת מלכם . כתוב במסורת ב' מטעים פי' דסבירין מלכם והאחד נראה שהוא הנירו דד"ה א' כ' : (לא) ובמגזרת . חסר וא"ו אחר הרי"ש וכמ"ש בפתח ברוב הספרים וכ"כ בעל כלשון שהוא נגזר מן מַגְזֵרָה על משקל מַמְלָכָה ובמקצת ספרים כ"י המ"ם בחירק : והעביר אותם . מלא וא"ו והוא חד מן המלאים בסיפרא : במלבן . במלכן קרי בבי"ת והוא חד מן ג' מלין דכתיבין כ' וקריין ב' וסימן בריש ד"ה ודוכיו' אחריני :

יג (ה) אליו הבא נא . ברוב הספרים הבי"ו בגלגל והוא חסר וא"ו לפי שהוא אחד מן י"ו חסרים וסימן נמסר בפרשת תזריע ואיוב סימן א' . וזהו הנזכר שם חבא נא תמר אחתי קדמאה ודלקמן בסמוך מלא : והברני לחם . הבי"ת רפה : (ו) ויבא המלך לראותו . מלא וא"ו בכל המדוייקים : אל המלך הבא נא . בספרים מדוייקים המאריך בתי"ו ומלא וא"ו כמ"ש למעלה : (ח) והגוש . והלש קרי : (יב) אל תעשה . בשי"ן בצירי שלא כמנהג והוא מן ד' קמציב על פי המסרה . כמו שכתבתי בפרשת הולדה : (טו) אל אודה כרעה . מלא וא"ו קדמאה וחסר וא"ו בתראה כמו שכתבתי בפרשת יתרו : (יח) כי כן תלבשן . בכמה ספרים כ"י ודפוסים ישנים נא בנו"ן ארוכה ונמסר עליו לית וכתיב כן וכן במכלול דף כ"ד זה לשונו ושעמ"ם לא הכתב בכ"א כי כן תלבשן בנות המ"ן והבתולות מעילים ונסגהות א"א כי זה לבדו בא כן מן השלמים הגל מן שאינן שלמים נמלאים הרבה כמו והאכים הייון . ותהיין הילדים . ותגשן השפחות ודומיהם : (כ) החריפי . מלרע בפשט החרון לבד ובמ"ק הספרים מלעיל בשני פסטין : ובממה . חסר וא"ו כמ"ש בישעיה סימן נ"ג : (כב) למרע . במקצת ספרים למ ר ע הרי"ש בפתח ובמסורת הולקת עליהם שאומר' לשרע ב' וחברו ושניהם קמוצים לבדם למרע (דניאל י"א) ושניהם קמוצים כמו שנמסר במסרא רבתא מערכת אות הרי"ש : (כח) הלוא כי . בכמה ספרים מדוייקים מלא וא"ו וכן נמסר במסרא רבתא ובשמואל כולה מלאים : (ל) ויהי המה בדרך . השי"ת רפה :

(לג) כיהה שימה . שומה קרי ובמקצת ספרים כתיב וקרי שומה בוא"ו . המנם כפי המסורה כתיב ביו"ד וקרי בוא"ו וזהו א' מן א"ב כתיב יו"ד באמצע תיבותא וקרינן וא"ו וסימן נמסר רבתא מערכת רות היו"ד : (לג) כי אם אמנון . אם כתיב ולא קרי והוא חד מן ח' מלין דכתיבין ולא קריין וסימן נמסר ברות במ"ג : (לד) עיניו . עיניו קרי : (לז) עמיחור . עמיהוד קרי בה"א ודל"ת והכתיב בחי"ת ורי"ש והוא חד מן ד' מלין כתיב ח' וקרי ה' וסימן נמסר בשיר השירים א' ומשלי כ' ומן ד' מלין כתיבין רי"ש וקרי דל"ת וסימן בירמיה ס"ס ל"א :

יד (א) וידע יואב בן צריה . חסר וא"ו ע"פ המסורת וכן הוא ברוב הספרים והיו"ד בלא דגש : (ב) ואל תסכי . ... (ג) ובאת . בתי"ו בלא שוא : (ז) לבלתי שום . שים ק : (י) המדבר אליך . המ"ם רפויה והכ"ף סמוכה בגעיה מכלול דנ"א : (יא) מהרבית . מהרבת ק' : (יט) אם אש להמין . ... חסר בלישנא הדין והידך האש בית רשע (מיכה ו') ותו איתא מסורה אחרינא ג' סבירין יש והרי הא דהמרן והידך איש רעים להתרועע (משלי י"ח) אבל הוא מלא יו"ד בכולהו ספרי ועיין נשולות יהודה דרוש י' דף כ' : (כא) הנה נא עשיתי . כן כתוב בס"ס המדוייקים ואין כאן הפרש בין קרי לכתיב וכן תרג' יונתן עבדית וכתב רד"ק בנסחא מדוייקת מצא כתיב עשיתי וקרי עשית . וגם אני מצאתי כן במקצת ספרים ונ"ל שאין לסמוך עליהם יען אשר לא נזכר אותו במסורה עם מ"ג מלין דכתיבין יו"ד בסוף תיבותא ולא קריין והובא בסימן במ"ג ריש ס' מלכים : (כב) את דבר עבדו . עבדך ק' : (כה) ועד קדקדו . במקצת ספרים כ"י ודפוסים ישנים קו"ף שניה בחטף קמץ ובמקצת ספרים בשוא לבדו וזהו אחד מן השלשה הנמנים במסורת ושנים אחרים כם ועל קדקדו חמסו ירד . ויך את איוב בשחין : (כו) וכיה מקץ . הוא"ו בגעיה בספרים מדוייקים : (ל) והוצתיה . והציתוה ק' ובמקצת ספרים מלא יו"ד אחר לד"י גם בכתיב : וילתו . חסר יו"ד בספרים כ"י ודפוסים ישנים ובאחד מהם נמסר לית חסר : (לא) למה הציתו . זהו אחד מהמשה דגש ומלעיל כמוך לא"ה כמ"ש בירמיה ט"ו : (לב) למה באתי . הבי"ת דגושה מכלול דף ק"ו :

טו (ד) ועלי יבוא . בספרים מדוייקים מלא וא"ו והמסרה מסייעתן עיין בפ' בהעלתך כי שם נמסר : (ה) בקרב איש . כתב רד"ק בפי' ובמכלול דף קפ"ז וברשים בסגי"ת מגומדה בגעיה והרי"ש בקמץ הטוף ועיין מ"ש בשופטים ה' על ושנה שניך : ונשק לו . הנו"ן בנועם ישיב . ישוב ק' : (ה) יביאני . בדפוסים ישנים וספרים כ"י מלא יו"ד : (י) כשמעכם . בכ"ף . רד"ק : (כ) לנועך . אניעך ק' : (כא) כי אם במקום . אם כתיב ולא קרי והוא חד מן ד' אם כתיב ולא ק' וסי' נמסר ברות : (כז) שבה העיר . כתוב במכלול דף קל"ז . אמר המגיד כי הוא מלעיל ואנחנו לא מצאנוהו כן בספרים המדוייקים וכן בספר הגנה ואלה שֻׁבָה מלרע עכ"ל . וגם המכלול יופי העתיק דבריו ואני ראיתיו מלעיל גם בספרים כ"י וכן ראוי להיות עפ"ה שלנו כי נא נמנה בהמשה שהם מלרע וסי' נמסר במקרא גדולה פרשת בהעלתך ותהלים ו' . וכן מצאתי כמה מסרות כתובות יד מסכימות לדעת א' . עוד מצאתי מסרה אחרת כ"י זל"ש שֻׁבָה וְשָׁבָה ג' חסר סימן שֻׁבָה העיר בשלום וְשָׁבָה אל ... גדליהו (ירמי' מ') וכן נמסר בם במ"ג ב"מ דתרווייהו מלעיל : (כח) בעברות . בערבות ק' : (ל) הלך יחף . בספרים כ"י ובמקצת דפוסים ראשונים חסר וא"ו גם לא בא במנין המלאים בנביאים וסימן נמסר במסרה רבתא מערכת אות הה"א : (לג) והית . לית חסר דחסר חסר יו"ד והס' ה"א אבל והיתה לי ליבושה לעיל סימן י' חסר יו"ד ומלא ה"א :

(לו) ושלחתם בידם . במקצת ספרים וְשִׁלַּחְתֶּם :

טז (ב) ולהלחם . והלחם ק' והוא חד מן ד' מלין יתיר למ"ד באמצעות תיבותא והשאר דניאל אחד בסימן ד' ושנים בסימן ה' כמו שנמסר שם במסורת : (ג) הנה יושב . מלא וא"ו שהוא א' מן ח' מלאים בסיפרא וסי' נמסר במ"ג שמואל ב' י"ט : (ה) והנה משם איש יוצא . מלא וא"ו והוא חד מן ט' מלאים ע"פ המסורת וסי' נמסר במסרה רבתא והוא כאמור שם ובא המלך דוד קדמאה דפסוק : (ז) בהללו . הלמ"ד רפה : הבליעל . הבי"ת דגושה : (ח) ההמסו . התהיו ק' כמ"ש לעיל בסי' כ' : (י) מה לי ולכם בני צריה . בספרים כ"י מדוייקים וגם במקצת דפוסים קדמונים חסר וא"ו וזה יהיה א' מן החסרים ע"פ המסורת וסי' נמסר לעיל במ"ג סימן י"ד והיו"ד בלא דגש ועיין לקמן בסימן י"ט : כי יקלל . כה ק' : וכי . כי ק' : (יב) בעוני . בעיני ק' ובמדרש ילמדנו פ' בשלח ובמסורת נמנה אולי ירא' ה' בעיני שם

י"ח תיקון סופרים כמ"ש בזכריה ב' והיה לו לומר בעינו ולא פירשו ככתוב : תחת קללתו . במקצת ספרים כתוב קללתי ביו"ד וקרי קללתו בוא"ו וכ"כ רד"ק . אבל נכון כתוב קללתו בוא"ו ואין כאן חילוף בין כתיב לקרי וכן נראה מהמסרה שלא נמנה זה עם הכתיבים יו"ד בסוף התיבות וקרינן וא"ו : (טז) רעה דוד . פרי"ש בצירי הע"ן בסגול בספרים מדוייקים וכן שלפניו במסורת ובאחרים גם ויבא חושי רעה דוד דלעיל סוף סימן ט"ו . וגזור בן נתן כהן רעה המלך (מלכים א' ד') ובמכלול דף רמ"א כתוב במשקל פֵּעֶה ע"א הפועל בצירי ועי"ן הפעל בסגול אבל רֵעֶה דוד היה ראוי בעי"ן בצירי מפני הסמיכו' אלא בנמסר בספרי' כי לכן רֵעֶה המלך : (יח) לא אהיה . לו ק' : (כג) כאשר ישאל נדבר . איש ק' ולא כתיב נדרים פ' אין בין המודר ומסורת ריש סדר אלה הדברים וכיוצא: לשון פרק ח"ק איש ק' ולא כתיב לא יבלו הכתובים לקרותו איש וכן באגדת תלים מזמור ג' איש קרי ולא כתיב שלא כיוה איש אלא מלך . ועיין בני יקר והכוונה הכתוב איש בפנים כי בן אדם מחובר מאלהים כענין שנאמר ותחסרהו מעט אלהים ולא יקום דברו כדבר אלהים לא הקים עליהו כשאלת אלהים לכן חסר הכתוב מפניהם איש והלא לו מנחון בהם ייטיב מעשיו ו כ ה עליו לפי שמים הקים עלתו כדבר אלהים כך מלאתי וס' קרי ולא כתיב ופירושו ועיין :

יז (ב) ורפה ידים . אין בוא"ו תחלך : (ט) באחת הפחתים . נחי"ו : או באחד . בס"א כ"י כתיב באחת נחי"ו וה' באחת בדל"ת וזה טעות גמור בלי ספק לא נמסר כן רק על ובאנו אליו באחת המקומות שבסמוך כמ"ש שם וכן נמסר בפדיא במ"ג מלכים א' י"ט . באמנם יש מחלוקת אחר בין הספרים כי במקצתם כתוב באחת בת' ובמקצתם בד' ויש מי שכתב לפניא ראיה שהוא בד' ממה שכתוב בגבורים פרק קוב וקנון באחד המקומות וגזבר כלבון זכר וקונן כלבון נקבה וגם זה שבוש לפי שטעות נפל בדפוסי הגבורים . אבל בגבורים כ"י כתוב וגזבר כלבון זכר ונקבה ואיזה מקום מטוהרי וכו' ר"ל שמלה זה זכר ומלת מטוהרי נקבה באותן שאין , מכאן ראיה אמת כדבר כי בכל ספרי הגבורים בין מהדפוס ובין מכ"י כתוב אחד בדל"ת וכן הוא בבעל הלבון : המקומות . מלא וא"ו קדמאה וחסר וא"ו בתרא כן הוא בכוב המדוייקים ובמסרה רבתא המקומות ג' כתובים כן וסימן נמסר בשמואל ב' י"ז ועיינהי על מקומו ואיננו רק כתיב ג' כתיבין כן . ומי יתן ואדע יתרים שנתן מקום לטעות להרים וטעה בפסוק ובמסרת . אמנם מצאתי מסרה אחת כ"י זה תוארם המקומות ג' וכימניהון הנה עתה הוא נחבא . ובאנו אליו באחת המקומות דלקמן בסמוך . והגלתי אתהם מכל המקומות ע"כ . וגם במקרא גדולה ביחזקאל ל"ד כתוב המקומות ונמסר שם ג' כתיב כן : (יא) כקרב . פליגי בספרי התוך כוא כרפס : (יב) ובאנו אליו באחת . נאהד ק' וכ"כ רד"ק ובנים יש בכל המקרא הכתובים אחת והיו"ו וקרי אחד בדל"ת והברו חתת רהם אחת (מלכים א' י"ט) ועיין במלכים ב' י"א : המקומות . חסר וא"ו בתרא כמ"ש לעיל בסמוך : ולא נותר בו . לית דכוותיה מלעיל : (יד) את אבשלום את הרעה . בדפוסים קדומים כתוב על אבשלום ובספרים כ"י אל : אל אבשלום . הכ"ל בדפוסים ישנים וספרים כ"י מלא וא"ו ועיין במקרא גדולה : (טז) אל הלן הלילה . כתב ר' יונה שבלמ"ד בפתח ואני מצאתיו בסגול בכל הספרים המדוייקים כ"כ כאפודי בפ' י"ד : בערבות המדבר . במקצת ספרים כתיב וק' בערבות . ויש ספרים כתיב וק' בעברות ובספרים אחרים כתיב בעברות וק' בערבות אמנם ממסורה יש לכוכיח שאין כאן שום הפרש בין ק' לכתיב שבמסרה גדולה במערכת אות הוא"ו נמנו ס"ב מלין דכתיבין מוקדם מאוחר ונחוסם נמנה בעברוה ראוי אבל מתמהמה שבוא למעלה בסימן ט"ו ולא נמנה זה וכן נראה מפי' רד"ק שכתב שם פירוש הקרי והכתיב וכאן לא כתב מאומה : (יט) על פני הבאר . חד מן ג' דסבירין פי מפי וקריין פני זמני וסימן נמסר גריש מבעי : (כג) אל ביתו אל עירו . במקצת ספרים כ"י ומהדפוס כתוב ואל עירו בוא"ו וכן כתב רד"ק יש ספרים ואל עירו וגם ספר מוגה אל עירו עד כאן : (כה) יתרא הישראלי . ובד"ה א' ב' אומר יתר הישמעאלי ונדרש ביבמות פרק הערל בבבלי ובירושלמי ובמדרש רות רבתי ובשוחר טוב מזמור ט' :

יח (ג) השלשית ביד יואב . חסר יו"ד קדמאה ומלא יו"ד תניינא כן והשלשית ביד אבישי אבל והשלשה ביד אתי חסר דחסר וכן מסור עליו וכן משמע במסרת פרשת לך לך וכן מצאתיו בספרים מדוייקים כ"י : (ג) כי הם נס . בדפוס יבן ובספרים מדוייקים כ"י חסר וא"ו : לעזיר . לעזור קרי : (ה) נפלות . נפולת קרי : (יב) ולא . ולו קרי : (יג) בנפשו . בנפשי קרי : (טז) מרדף אחרי ישראל . הדל"ת רפה וגם א"כ"י וגם בדפוס יבן כתוב מרדף במ"ם בצירי אך בשאר ספרים בחירק וכ"כ רד"ק המ"ם בחירק שלא כמנהג וכמוהו מרדף אחרי דוד (שמואל א' כ"ג) עכ"ל . ועיין מ"ש שם : (יז) לאהליו . לאהלו קרי : (יח) ויצב לו בחייו . חסר יו"ד הרבים ויש בו דרש כי הסרו היו אבשלום עבר שנים על שהכנס עם עשר פילגשי אביו לפיכך חסר יו"ד שהוא כחשבון עשרה . ולפיכך נהמו בו עשר לוגיונות עשרה נערי יואב כדאיתא במדרש רבה פרשת נשא פ' כ' : (כ) כי על בן המלך . בן ק' ולא כתיב והוא חד מן י' מלין דקריין ולא כתבן וחמר יואב כי על כאמת מת בן המלך לפי רוב מעשיו כי בקש להמית את אביו וכפר בעיקר ובא בזדון אל פילגשי אביו לכן חסר בן מבפנים והלא לו מנחון כי באמת כומה בן המלך וכן היה לומר בן בנוח ללפחד דוכרות . כ"מ : (כב) ולכה אין בשורה . במקצת ספרים מלא וא"ו וכן נכון ע"פ המסורת דמלכים ב' ז' וכן מצאתי במסורה כ"י ועיין מסרה אחריתי שהביא בעל המסורת כאן : (כט) ויאמר המלך שלום לנער לאבשלום ויאמר אחימעץ וגו' . כתוב במסורת ג' סבירין השלום ולא מביינא כי ניהו אחרינא ומסתברא דהדא מ ניינו היא ויאמר כה אמר המלך שלום (מלכים ב' ט') דכתיב גבי יהורם נרוכב בני ומטעים ביה דסבירין השלום כדכתיב לעיל מיניה נרוכב ראשון ודכתיב נמי בתריה ויאמר השלום יהוא ואידך סבירא לי דהיינו שלם בואך (שמואל א' ט"ז) שהוא דכן שלם והעד ויאמר שלום בלאחריו ודוגמתו במלכים א' ב' והאמר השלום בואך ויאמר שלום ואע"ג דהאי דשמואל כתיב בסיף פסוקא הא אשכחנא דכותיה במלכים ב' כ' גבי נעמן ויאמר השלום דהוא נמי בסוף פסוקא וכתיב בתרים ויאמר שלום וגו' :

יט (ו) הבשת . בספרים מדוייקים חסר וא"ו אבל הובשת נהרות איתן (תלים ע"ד) מלא : (ז) כי לא . לו ק' ובמקצת ספרים מלא וא"ו ואל"ף נכתיב : (ח) כי אינך יוצא . חד מן ה' פסוקים דליה בהון לא ומטעין בהון וסימן נמסר במ"ג פרשת היי שרה : (יד) ולעמשא תמרו . חסר אל"ף והוא חד מן ג' חסרים אל"ף בלישנא דאמירה : (טו) ויט . במקצת ספרי הדפוס ביו"ד בצירי אך בכל ספרים כ"י מדוייקים בפתח שהוא מבנין פועל הכבד וכן דעת רד"ק בשרשים . עוד כתב בפירוש ויונתן תרגם ואת ספ כי דומה שהיה קורא אותו בצירי והמסורה מעידה עליו שהוא בפתח היו"ד והמרה כי שנים הם בפתח ויט עלינו חסד (עזרא ט) וזה : (טז) ללכת לקראת המלך . במקצת דפוסים קדומים כתוב בהם לרדת וכן ראיתי בס"א כ"י ישן וככר חקרתי בנוסחאות כספרדיות הישנות ומצאתי בהן ללכת וכן ת"י למיזל : (יט) בעינו . בעיניו ק' : (כ) אשר ירא . ט"ו נקודות בקריא' י' בתורה וד' בנביאים וחד בכתובים *) : (כג) מה לי ולכם בני צרויה . בוא"ו ועיין לעיל סימן ט"ז : (לב) בירדן . מירדן ק' : (מ) ויברכהו . הרי"ש בשוא לבדו כמנהגנו : (מב) ויעברו את המלך . העבירו ק' ובס"ם חסר יו"ד בכתיב אחר הבי"ת ובספרים אחרים מלא : (מד) הקלתני . במקצת ספרים כ"י הה"א בחטף סגול :

כ (א) איש לאהליו ישראל . עיין מ"ש במלכים א' י"ב ובזכרים סימן ב' שזהו אחד מן י"ח תיקון סופרים : (ג) לשמר הבית . במקצת ספרים מלא וא"ו אמנם כפי המסורת שלנו חסר שלא

*) להפיק רצון המתאוים תאוה לדעת איה נמצאים עשר מלות הנקודות בתורה כי בעלי המסורה לא נתנו בהם סימן לכן העמדתי אותם על סדר : (א) על יו"ד שנייה במלת ובינך (בראשית ט"ז ה') : (ב) על א' י' ו' במלת אליו (שם י"ח ט') : (ג) על וי"ו שנייה במלת ובקומה (שם י"ט ל"ג) : (ד) על מלת וישקהו (שם לג ד) : (ה) על מלת את (שם ל"ז יב) : (ו) על מלת ואהרן (במדבר ג' לט) : (ז) על ה"א . במלת רחקה (שם ט י) : (ח) על ר' במלת אשר (שם כ"א ל') : (ט) על וי"ו שנייה שלו עשרון (שם כ"ט טו) : (יו"ד) על שתי מלות לנו ולבנינו ועל עי"ן של מלת עד (דברים כ"ט כ"ח) . ד"ה אהרן פאלק .

נמנה זה עם ה' לשאור מלאים שנמסר סימנם בשמואל ב' סימן ט"ז ובמלכים א' סימן י"א : (ה) ויתר . ויותר קרי : (ו) עתה ידע לנו . מלעיל שרשים שרש ידע ועיין הגהת המדקדק שם : (ח) ועליו . ועליו ק' : (י) ויואב ואבישי . מלא י' בכל דפוסים וכ"י ישנים : (יג) מן המסלה . הה"א במאריך וכן חבריו בשנין : (יד) ויקלהו . ויקבלו ק' : (טו) משאיתם . עיין מ"ש בירמיה סימן ו' : (כו) הכרי . הכרתי קרי : (כח) ושיא . ושוא ק' :

כא (ג) וברכו את נחלת . ברי"ש בפוא לבדו כמנהגנו : וברכו . בכ"ל נמסר עליו ב' וחברו שאו ידכם קדש : (ד) ויאמרו לו הגבעונים . בדפוס ישן ובכל ספרים כ"י מלעיל הדגש ביו"ד : אין לי . לנו ק' ויש בו דרש בבמדבר רבה פ"ח ואגדת שמואל פ' כ"ח וירושלמי פ' עשרה יוחסין ועיין בפי' רש"י ורד"ק וכלי יקר : (ז) יהנן . יתן ק' והוא חד מן מלין דכתיבין נו"ן יתיר ולא קרינן : (ח) ארמני . ברי"ש רד"ק : (ט) ויפלו שבעתים יחד . כתיב ביו"ד וקרי בלא יו"ד וכן במסורת זהו אחד מן ג' דכתבן חים יתרים יו"ד ובירושלמי פ' עשרה יוחסין ובאגדת שמואל דדרשי שבעתם חסר יו"ד זה משובשת היא אפשר לפרש חסר בקריאה דלא קרינן שִׁבְעָתַיִם אבל בבמדבר רבה פ' ח' איתא בהדיא שבעתם כתיב חסר יו"ד ע"כ . אתמהא . ועיין בכלי פ' הערל : והם . והמה ק' : תחלה . בהחלת ק' : (יב) יביש גלעד . במקצת ספרים מלא יו"ד וכ"נ ממה שנמסר במ"ג סוף שופטים שאין זה מהספרים המנויים שם : הלאום . תלאום ק' : שם . שמה ק' : הפלשתים . פלשתים ק' וזהו חד מן כ' מלין הניינא נסיב מן קדמאה והכרו וְשׁוּרַיָּא אֶשְׁתַּכְלְלוּ (עזרא ד') וחלופיהון נמסר לעיל בסי' ה' :

(טו) ותהי עוד מלחמה לפלשתים . סי' ותהי עוד מלחמה ב' בענין וב' בענין ותהי עוד המלחמה פי' הראשון והרביעי מלחמה וב' אמצעיים המלחמה : ויעף כל אשר . (א"ה בקצת דפוסים כתו' ככל ובמ"ג מפנת רפ"ה כתו' כל אבל בין וא"ו אחרונה של ויעשו ובין כ"ף של כל יש שם שוא דומה שמעיקר' היה כתו' ככל אבל במדויקים כתו' כל וכן ת"י וכן העתיקו המפרשים ובדפוס ויניציאה שנה ועדתי בפנים כתוב ככל ובגליון ס"א כל והמעיין יבחר) : ויעף דוד . בעי"ן פתוח וכן הוא ויעף דסיסרא כמ"ש בישעיה ו' בע"ה : (טז) וישבו . וישבי ק' : (יח) בילידי הרפה ומשקל . כתב ר' אליה המדקדק בס' מסורת המסורת מאמר א' אמרו רז"ל הרפה כתיב ערפה ק' אבל לא מצאתי כן בכל הנוסחאות המדוייקות עכ"ל . וגם רד"ק בשמואל א' י"ז כתב אבל מה שאמרו כתיב הרפה וקרינן ערפה זה לא מצאנו ע"כ . ואנכי לא ידעתי אנה מצאנו זה שמדרש . לבד זה מצאתי בסוטה סוף פרק משוח מלחמה כתיב ערפה וכתיב הרפה ופי' שם רש"י כתיב ערפה שם באחת ערפה דרות וכתיב הרפה בשמואל והיא ערפה כדאי' לקמן שנגזר עליה שיפלו בניה ביד בני רות שדבקה בשכינה עכ"ל שמעינן מהכא שאין כאן שום חילוק בין ק' לכתיב דתרווייהו כתיבי הא באחריה והאי באחריה ודמיא נמי להא דאמרינן התם כתיב שובך וכתיב שופך חד בשמואל וחד בדברי הימים והא דאמרי' בסנהדרין פ' חלק הזייה לערפה אימיה וכו' והתם נמי א"ל אבישי זיל אשכחת לערפה אמך בקברה הוא לשון המאמר שדורש הרפה כמו ערפה . וכתב רד"ק בשם הריק"ס אביו שתיבת הרפה נכתבת בה"א ובאלף מלשון רפאים וכן תרגם יונתן גברא עכ"ל . פי' הדברים שתיבה זו לפעמים נכתבת בה"א לבסוף כמו שכתובים כאן בס' שמואל ולפעמים נכתבה באל"ף כמו שכתובים בס' ד"ה ובאן בשמואל הם ד' בענין ובכל הספרי' נכתבי' בה"א בסוף וזה שנמסר במסרה קטנה ד' ב' כתיבין ה' וב' כתיבין אל"ף ר"ל ד' להרפ"ה בלא"ד שהם שנים כאן בה"א ושנים בד"ה א' כ' באל"ף וכן משמע מהמסורת ומרד"ק שם : ויהי אחר כן ותהי עוד המלחמה בנוב . במקצת ספרים חסר ברוב ספרים מלא וכן ותהי המלחמה בנוב שבסמוך : (יט) בן יערי ארגים . בכל ספרים כ"י בעי"ן בפוא לבדו וברי"ש בגירי לא כמו שנמצא במקצת דפוסים בחטף פתח בעי"ן ובחירק ברי"ש ובמסורת הדפוס ריש פ' ויקרא באלפ"א בית"א מאותיות קטנות נכתב בהוכה ריש יערי ארגים וכן מצאתי בנוסח כ"י . ונוסחאות אחרים ריש וארגים חורי (ישעיה י"ט) ויש אומרים רי"ש א' פרמשתא : את גלית הגתי . ובד"ה א' כ' כתוב ויך אלחנן בן יעור יעיר ק' : את לחמי אחי גלית הגתי . וכתוב ר' יונה בספר הרקמה שצריך לפרש בס' שמואל את אחי גלית כאשר נאמר בד"ה ועיין עוד בפי' רד"ק בשני המקומות :

ועץ חניתו . כן כתוב ועץ בכל הספרים ואין כאן הפרש בין קרי לכתיב כמו שהוא בשמואל א' י"ז ויש לי לתמוה על בעל מכלל יופי שכתב במקום הזה ועץ חניתו הוא יד החנית וכתיב חץ כי הוא עצוי כמו חץ ע"כ . וכן דברי הרדשים בשרש עץ . ולפי שראה כתוב בתורה מקום השרשים (שמואל א' כ"א) עשה המכלל יופי על פי אותן השרשים וטעות ספרי' היא וצריך להגיה (שמואל א' י"ז) ע"ש : (כ) מדין . מדון ק' : ואצבעות ידיו ואצבעות רגליו . במקצת ספרי' כ"י מדוייקים שניהם מלאים וא"ו ויש ספרים שניהם חסרים ויש מהם ג"כ א' חסר וא' מלא ואין לי במה להכריע : (כא) שמעי . שמעה ק' בה"א בכל ספרים מדוייקים והוא חד מן מלין דכתבן יו"ד בסוף תיבותא וקריין ה"א :

סופרים רבים כתבי שירה זו אריח ע"ג אריח ולבינה ע"ג לבינה כשירות האזינו ועשרת בני המן ומלכי כנען וכן עשו גם קצת המדפיסים . והנה מכבודם אין דעתי נוחה בהם דבהדיא אמר בסוף פ"ק דמגילה כל השירות כלן אריח על גבי לבינה ולבינה על גבי אריח חוץ מעשרת בני המן ומלכי כנען ולא הקשו לך משירת האזינו שהכר תירץ זה הר"ן ז"ל ע"ש : ובריש פרשת האזינו כתבתי עוד טעם אחר . ומהכלל שאמרו בגמ' כל השירות כלן וכו' משמע דגם שירת דוד בכלל ואין שום טעם לומר שהיא כעשרת בני המן ומלכי כנען דהנהו איכא טעמא שלא תהא תקומה למפלתן של רשעים . וכן כתב רבינו ישעיה הראשון מטראני ז"ל במגלה שם דשירות וידבר דוד צריכה לכתוב אריח על גבי לבינה וטועים הכותבים אריח ע"ג אריח ולבינה ע"ג לבינה שלא כדין הם עושים עכ"ל . וכן מצאתי במקצת נוסחי עתיקי שכתובה אריח ע"ג לבינה . אך לא שמרו הסדרים שכתבו בשירות הים ובשירות דבורה רק עשו שטה אחת חלוקה לשנים ואחריה באמצעי ושטה אחרת חלוקה לשלשה ושנים חלקים באמצען וכן כלם בנים כנגד שלשה וכל שטה החלוקה לשלשה חלקים ראשי השיטין וסופן תיבה אחת בלבד . וזולת זה לא שמרו סדר אחר בחלוקת השיטין מיהו חזינן דלאיעבד אריח על גבי לבינה קבלה דקמאי היא וליכא למינדע מנה . ואחרי ראי הסדרים שאמרתי בשירת דבורה דומיא לשירת הים גם הלום ראיתי טוב לאחוז בזה וגם מזו אל אניח ידי . וכדאי הוא נעים זמירות ישראל שכל שירותיו נאמרו ברוח הקודש לסדר שירותיו כהוגן וכמ"ש וכאופן נאה ומתקבל ואע"ג דאמרינן במסכת סופרים דשירה דוד שבשמואל ובתלים לא נתנו חכמים שיעור כמו שנתנו בסי' ראשי שיטין של שירת הים ושירת דבורה . עם כל זה אמרו גם כן אבל צריך שתהא מובדלת מלפנים במפתחות בתחלה ובסוף ובחרתי לכתוב פסוק וידבר דוד בשטות מלאות לפי שאינו בכלל השירה דומיא דאז ישיר משה ופסוק ותשר דבורה ובשלפנן תחלת השירה בלשון אשירה . ה' יזכנו לשיר לפניו שיר חדש על גאולתינו ועל פדות נפשנו במהרה בימינו אמן : טוב ליזהר להרחיב מעט האותיות בשני שטין של פסוק וידבר דוד למען תהיינה שיטות השירה מרווחות כל צרכן ואם ישים עד עולם בסוף השיטה וירצה לעשות שבעין שיטין יוכל לכתוב פסוק וידבר דוד בשיטה אחת מלא באותיות קטנות ואולי זה היה ביותר נכון דומיא דשירת הים . חילופים רבים באו בשירה הזאת מה שנאמר בספר תהלים ואין ספק שכולן נאמרו ברוח הקודש ולא לחנם נתחלפו . והחכם אברבנאל מנה בשתי שירות הללו שבעים וארבעה חילופים והשתדל לתת טעם לכולם . וכן עשה בעל כלי יקר עיין עליה' . ואני בחרתי להעיר על הרבה מהן למען ירוץ הקורא בהן ולא יכשל וזה החלי . ויהי ה' משען לי :

כב (א) ומכף שאול . בספר תהלים ומיד שאול : (ב) ומפלטי לי . בתהלים ומפלטי וסלמ"ד קלה בשניהם כמ"ש שם : (ג) אלהי צורי . בספר תהלים אלי צורי : אחסה בו . במקף : (ד) ומאיבי אושע . בתהלי' ומן איבי אושע וזהו אחד מן ז' זוגים מן ב' ב' חילוף חד מן וחד מיחדין וסימן נמסר במ"ג סוף פרשת שמות וכן ומקמי מן קמי : (ה) כי אפפני משברי מות . בתהלים אפפוני חבלי מות : נחלי בליעל יבעתוני . בתהלים ונחלי בליעל יבעתוני : (ו) חבלי שאול סבני . בתהלים סבבוני : (ז) ואל אלהי אקרא . בתהלים ואל אלהי אשוע : וישמע מהיכלו . בתהלים ישמע מהיכלו : ושועתי באזניו . בתהלים ושועתי לפניו תבא באזניו : (ח) ותגעש . ויתגעש ק' ובתהלים כתיב וק' ותגעש : מוסדות השמים . בתהלים ומוסדי הרים : (יא) וירא על כנפי רוח . בתהלים וַיֵּדֶא בדל"ת ויש דרש בשוחר טוב ובמדרש הזית פסוק לפסוק : (יב) וישת חשך . בתהלים ישת חשך : סביבותיו סכות . בתהלים סביבותיו סכתו : חשרת . בתהלים חשכת ונדרש במדרש שוחר טוב ובפ"ק דתענית ואיתא התם בגמר' אמר ר' יוחנן כתיב חשכת וכתיב חשרת שקול

חשרת: כ"ף צדי הרי"ש קרי ביה חשכרת ככי גרסינן בחי"ת וכן בערוך כלומר קח כ"ף דכתיב בחשכת ואוקמיה בהאי תיבה דכתיב ריש וקרי חשכרה שנחברין ומתחברין בעבים: (יד) ירעם מן שמים. בתהלים וירעם בשמים: (טו) ויהמם. ויהם ק' והוא חד מן מלין דכתיבין מ"ם בסוף תיבות' ולא קרין וסימנם נמסר במ"ג מערכת אות מ"ם ובמכלול ה' ובתהלים כתיב וק' ויהמם: (טז) אפיקי ים. בספרי' מדויקים חסר יו"ד בין פ"א לקו"ף ובתהלים כתיב אפיקי מים: יגלו. בתהלי' ויגלו: מסדות. בספרים מדויקים חסר וא"ו קדמאה: בגערת. בתהלי' מגערתך: רוח אפו. בתהלי' רוח אפך: (יח) משנאי. בתהלים ומשנאי: (יט) משען לי. בתהלים למשען לי: (כ) כי חפץ בי. ברוב ספרים מדויקים בשני טעמים והס"א בצירי: (כא) כצדקתי. בתהלים כצדקי: (כג) משפטו. משפטיו ק' ובתהלים כתיב וק' משפטיו: אסור ממנה. בתהלים אסיר מני: (כד) לו ואשתמרה. בתהלים עמו ואשתמר: (כה) לי כצדקתי. בתהלים לי כצדקי: כברי. בתהלים כבר ידי: (כו) עם גבור תמים. בתהלים עם גבר תמים: (כז) תתבר. בתהלים תתברר: תתפל. בתהלים תתפתל: (כט) נרי ה' וה' יגיה חשכי. בתהלים נרי ה' אלהי יגיה חשכי: (ל) כי בכה. חד מן ג' כתיבין ה"א אחר הכ"ף על פי המסורה ובתהלים כתוב בך ועיין ריקאנטי פרשה נשא אצל פסוק כה תברכו ושערי אורה דף י': באלהי אדלג שור. בתהלים ובאלהי בוא"ו: (לב) כי מי אל. בתהלים כי מי אלוה: מבלעדי. בתהלים זולתי: (לג) מעוזי. נכתב בוא"ו עם דגש בזי"ן: ויתר תמים. בתהלי' ויתן תמים: דרכו. דרכי ק' בתהלים דרכי ק' וכתיב: (לד) משוה רגליו. רגלי ק' ובתהלים ק' וכתיב רגלי: במתי. במקצת ספרים במותי מלא וא"ו: (לה) ונחת. בתהלים ונחתה: (לו) וענתך. בלא מאריך בעי"ן ובתהלים וענותך בקריאת הוא"ו: (לז) צעדי תחתני. בתהלים צעדי תחתי: (לח) ארדפה איבי ואשמידם. בתהלים ארדוף אויבי ואשיגם: ולא אשוב עד כלותם. מלת כלותם ברוב ספרים מדויקים מלא וא"ו: (לט) ויפלו תחת רגלי. בתהלים יפלו תחת רגלי: (מ) ותזרני. בתהלים ותאזרני ונדרש בנדה פ' המפלת: קמי תחתני. בתהלים קמי תחתי: (מא) תתה לי: בתהלים נתתה לי: משנאי ואצמיתם. בכל ספרים כ"י וגם בדפוסים ישנים בוא"ו בקמץ ובתהלים כתוב ומשנאי אצמיתם: (מב) ישעו. בתהלים ישועו: אל ה'. בתהלים על ה': (מג) אדקם. בדל"ת ובתהלים ברי"ש והוא חד מן אלפא ביתא מן חד חד. חד דל"ת וחד רי"ש וכולם ליה דכוותה וסי' נמסר במסרה רבתא אות דל"ת: (מד) ותפלטני מריבי עמי. חד מן ג' דסבירין עמים. ובתהלים תפלטני מריבי עם ובמדרש ילמדנו פ' פקודי מריבי עם אלו האומות. מריבי עמי אלו ישראל ובדברים רבה פרשה א' נדרש על אופן אחר: תשמרני. בתהלים תשימני: יעבדני. בדל"ת בשלש נקודות ובמקצת דפוסים יש וא"ו באמצע וטעות הוא: (מה) בני נכר יתכחשו. בתהלים בני נכר יכחשו: לשמוע אזן. בתהלים לְשֵׁמַע אזן: (מו) ויחגרו. בתהלים ויחרגו: (מז) וירם אלהי צור ישעי ובתהלים וירום אלהי ישעי ובספר הזוהר ריש סדר ויחי תקן ר' אליעזר פתח ואמר חי ה' וברוך צורי וירים אלהי צור ישעי אלוה כתיב בוא"ו וכו'. וטעות נפל בדפוס שסו"ל וירים אלוהי ישעי דספר תהלים וכן במסורת תהלים קמ"ג אֱלוֹהַי ה' מלא וסימן למדני לעשות רצונך כי אתה אלוהי תהלה לדוד ארוממך אלוהי. וחד אֱלוֹהַי מלא וסימן חי ה' וברוך צורי דספרא: (מח) ומריד עמים תחתני. בתהלים וידבר עמים תחתי: (מט) ומוציאי מאיבי ומקמי תרוממני. בתהלים מפלטי מאיבי אף מן קמי: מאיש חמסים. בתהלים מאיש חמס: (נ) ה' בגוים ולשמך אזמר. בתהלים בגוים ה' ולשמך אזמרה: (נא) מגדיל. מגדול ק' ובתהלים כתיב וק' מגדל בחירק ויש בו דרש בשוחר טוב ועיין עוד באבודרה"ם על ברכת המזון: עד עולם. עד בסוף שיטה ועולם בראש שיטה אי נמי עד עולם בסוף השיטה ושתי התיבות נחשבות כמלה אחת מפני המקף: סך כל השיטין בשעים הון מסכות ראשון כמנין שירת האזינו:

כג (א) הקם על. טעם בה"א וכן בירמיה סימן ל"ה. הוקם ג' בקריאה ב' מלא. וא' חסר. וסימן הוקם המשכן. נאם הגבר הקם על. הוקם את דברי יונדב בן רכב. נאם הגבר חסר ומלעיל ע"ש. גם נמנה בסוף מסרה גדולה בשטה חדא דכל חד וחד מלעיל ולית דכוותיה ובספרים כ"י ודפוסים ישנים הקו"ף בלא דגש: (ז) שרוף ישרפו. במדויקים כ"י ודפוסים קדומים מלא וא"ו: (ח) העצנו. העצני ק': בפעם אחד. אחת ק' כתיב לשון נקבה והכתיב בדל"ת לשון זכר: (ט) ואחרו. ואחריו ק' מסורת נחמיה ג' וקשה בעיני שלא נמנה זה עם ל"ו מלין דחסרין יו"ד באמצע תיבותא וקרין שנמסר סימנם במ"ג שבדפוס במערכת אות היו"ד ואולם מצאתי במסורת כ"י בכתב מטוליטולא אשר בספרד נמסר סימנה ל"ז וזה אחד מהם וכן בנוסח אשכנזי: דדי. דדו קרי בוא"ו והכתיב ביו"ד: גברים. הגברים קרי: בחרפם. חזינא בינו ספרי ספרדנא בהאי תיבותא איכא דקרי לה בקמץ חטוף ואיכא דקרי לה בקמץ רחב עם מאריך. ואנשא בתריתא נר"ל לרד"ק עיקר שכן כתב בספ' שהוא מקור מבנין פעל הדגוש כי החי"ת מעמדת בגעיא. ובשרשים הוסיף שיש קוראים אותו חטף קמץ ויהיה מקור מן הקל: (יא) ואחריו שמה. בכל ספרים מדויקים כן כתיב וקרי וכן נראה ממסורת דלעיל: שמה. במקצת דפוסים ראשונים שמא באל"ף לבסוף ובכל ספרים מדויקים כ"י בה"א: מלאה עדשים. ובד"ה הוא אומר מלאה שעורים עיין מ"ש שם: (יב) ויתיצב בתוך החלקה ויצילה. ובדברי הימים א' י"א כתוב ויתיצבו בתוך החלקה ויצילוה ויש בו דרש בירושלמי דסנהדרין פרק כהן גדול עיין יפה מראה שם סימן א' ובהגדת שמואל פ' כ': (יג) וירדו שלשים. שלשה קרי: (טו) מבאר. מבור ק' וכן ג' כתיבין באר וקרין בור בטעינא: (טז) במחנה פלשתים. הה"א רפה: וישאבו מים מבאר. מבור קרי: ויסך אתם. ובדברי הימים הוא אומר וינסך עיין ירושלמי דלעיל בסימן ט' ואגדת שמואל ומ"ש בד"ה א' י"א: (יח) ראש השלשי. השלשה ק': (כ) איש חי. חיל ק' ובפרק מי שמתו אמרינן אפו כולי עלמא בני מיתי נינהו אלא בן איש חי שאפילו במיתתו קרוי חי ומן הכתיב דייק ובס' ד"ה כתיב איש חיל וכתב שם רש"י דבשמואל כתיב בן איש חי כי כן מנהג בני אדם כשרואים אדם זריז אומרים זה כולו חי: האריאל. הארי ק': הבאר. הבור קרי: (כא) אשר מראה. איש ק': (כד) אלחנן בן דדו. חסר וא"ו בין שני הדלתי"ן בספרים מדויקים: (כה) שמה החרדי אליקא החרדי. שניהם אות ראשונה רי"ש והשניה דל"ת כתרגומו דמן חרוד וכן הם במסרה: (כו) התקועי. ברוב ספרים מדויקים מלא וא"ו: (כז) אביעזר. חדא מלה כתיב: הענתתי. במקצת ספרים הנו"ן בשוא נח והתי"ו דגושה ועל הרוב הנו"ן בדגש והתי"ו רפה: (כח) מהרי. בספרים מדויקים כ"י הה"א בשוא לבדו: (לא) אבי עלבון. בס"א כ"י העי"ן בסגול והבי"ת דגושה ובקצת ספרי העי"ן בפתח והבי"ת דגושה ובשאר ספרים העי"ן בפתח והבי"ת רפה: (לג) בן שרר הארדי. רי"ש שניה בחירק ובס"א כ"י האל"ף בחטף פתח ובשאר ספרים נהה וכן כתב רד"ק: (לה) חצרו. חצרי ק': פערי הארבי. הבי"ת רד"ק: (לז) נחרי הבארתי. בספרי הדפוס הבי"ת בחטף פתח ובכל ספרים כ"י וגם בדפוס ישן בשוא לבד: נשא. נשאי ק':

כד (ג) הגד. בספרים שלנו הגימ"ל בקמץ. ורד"ק כתב במכלול דף רנ"ב בפתח הגימ"ל ויש ספרים קמץ: (ו) חדשי. בספר אחד התיבת יד השי"ן בצירי ובספרים אחרים בחירק: ויבאו דנה. בספר אחד התיבת יד הנו"ן בפתח ובשאר ספרים בקמ"ץ ורד"ק כתב מלעיל והנו"ן רפה: (ט) שמנה. במקצת ספרים מדויקים השי"ן בגעיא: (י) העבר נא את עון. בוא"ו אחד בלבד ובדברי הימים א' כ"א בשני ווי"ן כמו שאכתוב שם: (יא) ויקם דוד בבקר ס ודבר וגו'. במקצת ספרים פיסקא באמצע פסוק: (יג) נסך. הנו"ן במאריך והסמך בלא דגש והוא אחד מן ה' הסרים וליסנא וסימנם נמסר במקרא גדולה פרשת בחקתי: רדפך. במקרא גדולה יש יו"ד אחר הפ"א וטעות הוא: (יד) נפלה נא. עיין מה שאכתוב בדברי הימים א' כ"א: רחמו. רחמיו קרי: (טז) האורנה. הארונה ק': (יח) ארניה. ארונה קרי: (יט) כדבר גד. כג"ף ובדברי הימים בבי"ת רד"ק: (כ) בעינו. בעיניו ק':

תם שמואל. שבח לאל

BIBLIOGRAPHY

I. BACKGROUND MATERIAL

1. Bible with commentaries ("Mikraoth Gedoloth"), including Rashi, R. Abraham ibn Ezra, R. Elijah Gaon of Vilna, R. Isaiah of Trani, R. Levi b. Gerson (Gersonides), and R. David Kimchi.

2. Talmud Bavli or Babylonian Talmud. Corpus of Jewish Law and ethics compiled by Ravina and Rav Ashi 500 C.E. All Talmudic quotations unless otherwise specified, are from the Babylonian Talmud.

3. Talmud Yerushalmi or Palestinian Talmud. Earlier and smaller compilation of Jewish law and ethics, compiled by R. Johanan, first generation Amora in second century C.E.

4. Midrash Rabbah. Homiletic explanation of Pentateuch and Five Scrolls. Compiled by Rabbi Oshia Rabba (the Great), late Tannaite, or by Rabbah bar Nahmani, third generation Amora. Exodus Rabbah, Numbers Rabbah, and Esther Rabbah, are believed by many to have been composed at a later date.

5. Midrash Tanhuma. A Midrash on Pentateuch based on the teachings of R. Tanhuma bar Abba, Palestinian Amora of the fifth generation. The original Midrash Tanhuma was discovered by Solomon Buber. It is evident that this is the Midrash Tanhuma quoted by medieval scholars, e.g. Rashi, Yalkut, and Abravanel.

6. Pirke de Rabbi Eliezer. Eighth century aggadic narrative, attributed to Rabbi Eliezer b. Hyrcanus. Also called Baraita de Rabbi Eliezer, or Haggadah de R. Eliezer.

7. Midrash Samuel, or Agadath Sh'muel. Also known as Midrash 'Eth La'suth'. Compendium of early midrashim on the Book of Samuel. Composed in Eretz Israel by unknown author. Date of compilation unknown.

8. Yalkut Shimoni. Talmudic and Midrashic compilation on Bible, composed by R. Simon Ashkenazi of Frankfurt am Main. Earliest known edition dates 1308 in Bodian Library.

9. Midrash Shoher Tov, or Midrash Tehilim (Psalms). A homiletic exposition on the Book of Psalms, composed of the works of various Tannaites and Amoraim who lived in the Holy Land. It was completed sometime before the Gaonic period.

II. MEDIEVAL COMMENTATORS AND SOURCE MATERIAL

1. Rambam. Rabbeinu Moshe ben Maimon, also known as Maimonides. 12th century halachist, philosopher, and physician. His works include, Commentary on Mishne, Sefer Ha-mitzvot, and his 'opus magnum' on Jewish law, Mishne Torah or 'Yad ha-Chazakah.'
2. Ramban, Rabbeinu Moshe b. Nachman, also known as Nachmanides. Thirteenth century talmudist, biblical exegesist, and philosopher. His works include commentary on Pentateuch commentary on numerous tractates of Talmud Bavli, and numerous philosophic and halachic writings.
3. Rabbi Isaiah of Trani, Medieval commentary on books of the Bible.
4. Rabbeinu Nissim, Drashot Ha-ran. Attributed by some to a student of Nachmanides. Others attribute the work to Rabbeinu Nissim b. Reuven (a student of R. Shlomo b. Aderet), whose commentary appears together with Alfasi. Consists of a series of sermons or lectures dealing with philosophical and halachic problems.
5. Don Isaac Abravanel. Commentary on the Biblical literature, by a renowned scholar who served as finance minister of Spain during the reign of Ferdinand and Isabella prior to the expulsion of Jews from that country in 1492.

III. MODERN COMMENTARIES

1. R. Elijah of Vilna, Commentary on Bible by the renowned halachist known as the Vilna Gaon.

2. R. Chaim David Azulai, Commentary on Bible by a famous 18th century mystic and traveller.
3. R. Moses Alschich, Commentary on Biblical literature by a seventeenth century scholar and preacher of the city of Safed.
4. M. Hirsch, Commentary on the Haftoras based on the thought of his father the famous nineteenth century philosopher and Bible commentator R. Samson Raphael Hirsch.
5. R. Meyer Leibush (Malbim), Commentary on the biblical literature which combines ancient tradition with keen insight into nuances of meaning in the Hebrew language, by a leading nineteenth century scholar.
6. R. Chaim Dov Rabinowitz, Commentary 'Da'at Soferim', on Tanach by a popular contemporary author.
7. R. Yehudah L. Ginsburg, Commentary on book of Samuel 'Musar Ha-neviim' by a modern-day author.
8. R. Zev Soloveitchik, 'Hidushei Ha-griz' al Hatorah by the the noted twentieth century halachist known by the title 'Brisker Rav'.
9. R. Meyer Simcha Ha-cohen of Dvinsk, 'Meshech Chachmo'. Halachic and philosophic insights into Pentateuch and haftoras by the author of the widely acclaimed commentary 'Ohr Sa-meah' on Maimonides Mishne Torah.
10. R. David Cohen, 'Notes on the Book of II Samuel' appearing in the rabbinic journal, Ha-dorom, by a popular contemporary scholar.

ABBREVIATIONS USED IN THIS VOLUME

A	— Don Isaac Abravanel or Abarbanel
Al	— Rabbi Moses Alschich
A.Z.	— Tractate Avodah Zarah
B.B.	— Tractate Baba Bathra
Ber.	— Tractate Berachot
B.K.	— Tractate Baba Kamma
D	— Metzudath David
Deut.	— Deuteronomy
E.	— Rabbi Abraham Ibn Ezra
Ecc. R.	— Ecclesiastes Rabbah
E.G.	— Rabbi Elijah Gaon of Vilna
E.R.	— Exodus Rabbah
Ex.	— Exodus
G	— Rabbi Levi ben Gershom (Ralbag) or Gersonides
Gen.	— Genesis
G.R.	— Genesis Rabbah
I	— Rabbi Isaiah of Trani
J	— Targum Jonathan ben Uziel
J.K.	— R. Joseph Kara
K	— Rabbi David Kimchi (Redak)
Keth.	— Tractate Kethuboth
Lev.	— Leviticus
L.R.	— Leviticus Rabbah
M	— Rabbi Meir Leibush Malbim
Men.	— Tractate Menahoth
M.K.	— Tractate Moed Katan
M.Ps.	— Midrash Psalms
M.S.	— Midrash Samuel
N	— Rabbi Moshe ben Nachman (Ramban) or Nachmanides
N.R.	— Numbers Rabbah
Num.	— Numbers
P.R.	— Pesikta Rabbathi
R.	— Rabbi Shlomo Izhaki (Rashi)
Rab.	— C. D. Rabinowitz (Daat Soferim)
Ro-Ha.	— Tractate Rosh Hashana
R.R.	— Ruth Rabbah
Sab.	— Tractate Sabbath
San.	— Tractate Sanhedrin
S.O.	— Sedar Olam
T	— Midrash Tanhuma
Taan.	— Tractate Taanith
T.B.	— Babylonian Talmud or Bavli
T.P.	— Palestinian Talmud or Yerushalmi
Y	— Yalkut Shimoni
Z	— Mezudath Zion
Zev.	— Tractate Zevachim